A NUVEM

Sebastião Nery

A NUVEM

O QUE FICOU DO QUE PASSOU

GERAÇÃO
EDITORIAL

A NUVEM – O QUE FICOU DO QUE PASSOU

Copyright © 2009 by Sebastião Nery

2ª edição – Outubro de 2010

Grafia atualizada segundo o Acordo Ortográfico da Língua Portuguesa de 1990, que entrou em vigor no Brasil em 2009.

Editor e Publisher
Luiz Fernando Emediato

Diretora Editorial
Fernanda Emediato

Produtora Editorial
Renata da Silva

Capa e Projeto Gráfico
Alan Maia
Kauan Sales

Diagramação
Kauan Sales

Preparação de Texto
Josias Aparecido de Andrade

Revisão
Marcia Benjamim

DADOS INTERNACIONAIS DE CATALOGAÇÃO NA PUBLICAÇÃO (CIP)
(Câmara Brasileira do Livro, SP, Brasil)

Nery, Sebastião
A Nuvem : o que ficou do que passou / Sebastião
Nery. – São Paulo : Geração Editorial, 2010.

ISBN 978-85-61501-38-9

1. Jornalismo - Brasil 2. Jornalistas – Brasil –
Biografia 3. Nery, Sebastião, 1932 I. Título.

09-09782   CDD: 920.50981

Índices para catálogo sistemático

1. Brasil : Jornalistas : Biografia e obra   920.50981

GERAÇÃO EDITORIAL

Rua Gomes Freire, 225/229 - Lapa
CEP: 05075-010 – São Paulo – SP
Telefax.: (11) 3256-4444
Email: geracaoeditorial@geracaoeditorial.com.br
www.geracaoeditorial.com.br

2010
Impresso no Brasil
Printed in Brazil

O passado não é o que passou.
É o que ficou do que passou.

ALCEU AMOROSO LIMA

Éramos onze. Somos seis.

Para José, Antonio, Miguel, Fátima,
Vivalda, que vieram comigo.

Para Beatriz,
a nuvem.

Sumário

1. O Coronel 13
2. O Defuntinho 19
3. Jaguaquara 24
4. O Integralista 31
5. O Seminarista 38
6. Amargosa 44
7. Santa Tereza 57
8. O Amor 68
9. O Pecado 76
10. Pedra Azul 85
11. Belo Horizonte 97
12. O Diário 115
13. Juscelino 133
14. A UNE 146
15. O Vereador 160
16. O Jornalismo 173

17. Moscou 186

18. O Comunismo 201

19. O PCB 217

20. O Jornal da Bahia 228

21. A Tarde 241

22. O Jornal da Semana 259

23. O Deputado 277

24. O Golpe 303

25. São Paulo 330

26. Rio 345

27. "Polítika" 361

28. Portugal 383

29. Espanha 398

30. Prêmio Esso 414

31. Sibéria 436

32. Brizola 459

33. Câmara 489

34. Grécia 512

35. Collor 538

36. Roma 559

37. Paris 580

38. O Que Ficou do que Passou? 601

Índice Remissivo 602

1

O CORONEL

QUANDO O TREM APITOU, MEU MUNDO DESABOU. NÃO VI MAIS ninguém, mais nada. Olhei a estação, desapareceu. Minha mãe, meus irmãos, parentes e amigos, sumiram todos. Ficou apenas aquele apito longo, sofrido, doído. Do outro lado da linha, nem a casa de meu avô eu via. A Baixa da Lagoa afundou. Queria agarrar-me a uma última lembrança, não sobrou nada. Nem mais um apito. Só um profundo silêncio, lá fora e dentro de mim.

A meu lado, um homem chorava devagarinho. Meu pai. Desmontei. Solucei como acordando de um pesadelo. E eu tinha sonhado anos seguidos aquele instante. Finalmente estava voando na minha nuvem, atrás de meu sonho, que não sabia bem qual era, o que era, como era, onde ficava. Só sabia que queria ir, ir.

Onze anos, magrinho, sequinho, doentinho, a cabeça enorme, ia enfiar-me o ano inteiro no seminário, acordar às 5 da manhã, tomar banho frio, rezar e estudar o dia todo. Rever minha casa, meu pai, minha mãe, meus irmãos, só no fim do ano.

Quem quis ir fui eu. Quem disse que ia fui eu. Agora, era aguentar. Já ouvia o trem rangendo nos trilhos e relembrava a sabedoria de minha mãe:

— "Nunca vou dizer a um filho meu: — não vá. Ir nunca fez mal a ninguém".

E meu pai me consolando baixinho, segurando minha mão:

— "Quando a gente quer, só tem esse jeito: é fazer".

* * *

Pela primeira vez olhei longamente pela janela do trem. E lá estava ela, minha nuvem, bem ali ao meu lado, me acompanhando, me seguindo nas doces serras verdes dos pastos da minha infância.

Deitado embaixo da jaqueira, lá na Palmeira, a pequena fazendinha de meus pais onde nasci, sem luz elétrica, sem estrada, passava horas descobrindo animais no céu. As nuvens iam se enovelando, brancas e enormes como elefantes, de repente com cara de boi e logo viravam outros bichos, até que lá vinha um cavalo alado, eu subia nele e voava, voava, sumia no infinito, como aquele trem gemendo nas curvas. Parei de chorar.

* * *

Já era noite quando chegamos a Amargosa. Minha mala, como na canção de Caetano, também era de couro cru, mas não fedia nem cheirava mal. Estava cheia de naftalina e sabonete Lifebuoy misturados com minhas roupas.

Meu pai ia dormir no hotel e voltar no dia seguinte cedo. Me levou até a casa (palácio) do bispo. Tudo apagado, em silêncio. Batemos uma vez, duas, apareceu uma mulher, que me olhou espantada, com visível surpresa, como se eu fosse um intruso:

— Por que você já veio hoje?

— O Padre Flamarion me disse que era para vir no dia 2 de fevereiro.

— Não é 2. É 12. Seus colegas só vão começar a chegar daqui a alguns dias. Vou falar com o Florêncio (o bispo).

E sumiu. Demorou, demorou, eu já meio desesperado, quando apareceu o bispo, de rosto bom, sereno, cabelos grisalhos, que já tinha visto numa missão dele na minha terra:

— Seu Lindolpho, houve um engano. O Padre se confundiu. O seminário vai começar dia 12. Já que ele está aqui, pode ficar logo, mas sozinho, porque só estamos aqui eu e minha irmã.

Meu pai ficou com pena de mim:

— Dom Florêncio, se o senhor quiser, nós voltamos e dia 12 estaremos aqui de novo.

Abracei meu pai como se fosse na porta de um cemitério:

— Eu fico logo, papai. Pode ir.

Aquele homem valente, que montava em cavalo brabo para amansar e não caía, pegou meu rosto, deu um beijo e chorou. Quase me desmanchei. Mas em nenhum instante pensei em voltar. A nuvem me levou, ela é que sabia o que ia fazer comigo.

*   *   *

Olhei para trás, meu pai tinha desaparecido na curva da rua. Peguei a mala, entrei com o bispo. Numa sala grande, chamou a irmã, dona Tina, a surpreendida, pediu que mandasse a empregada providenciar um café com pão e começou a conversar comigo como se meus 11 anos fossem três vezes mais:

— Pode ser um sinal de Deus que o primeiro aluno a chegar seja logo você. Esta casa, que é o palácio do bispo, foi doada à diocese pelo seu tio-avô, o coronel José Augusto Vaz Sampaio, irmão de sua avó Generosa, mãe de sua mãe. Já morreu. Era um bom cristão, como é a sua família, que é toda daqui de Amargosa e conheço bem. Você vai dormir no quarto grande, que era o dele e que foi também da mãe dele, dona Beatriz.

Quase disse: — Pelo amor de Deus, lá não! Fiquei todo arrepiado, mas não podia contar ao bispo, na chegada, as doidas e fascinantes histórias que eu sabia do coronel, tio e padrinho de minha mãe, a quem acabei devendo o Augusto de meu nome.

Fui me deitar logo, porque a luz da cidade apagava cedo. E apagou. Quase não consegui dormir. No escuro, comecei a ver as pernas dela rolando roliças e brancas pelas gretas do telhado.

*   *   *

Era uma história macabra. Dona Beatriz era uma índia alta, bonita, "pegada a laço", como contava meu avô, genro dela. Batizada, foi dada para casar a um jovem português, Antão Vaz Sampaio. Tiveram filhas e só um filho, o coronel José Augusto, fazendeiro, chefe político poderoso na região, pela força do café, intendente (prefeito) de Amargosa várias vezes, deputado.

Em 1975, em Portugal, escrevendo meu livro *"Portugal, um Salto no Escuro"* sobre a Revolução dos Cravos (Editora Francisco Alves, Rio), encontrei um vinho tinto, bom, no Alentejo, chamado "Antão Vaz". Seria da família do bisavô?

Morreu o marido Antão, dona Beatriz foi morar com o filho. No dia em que ela morreu, exatamente naquele quarto grande onde eu estava, o coronel mandou fazer o caixão em Nazaré das Farinhas, cidade próxima, porque era lá que se faziam caixões bons. Mas só chegava no dia seguinte, no trem.

Velório à noite toda, com o corpo estendido na cama, naquela mesma cama que me deram para dormir. Quando o caixão chegou, de manhã, o desespero: não cabia. O caixão era pequeno demais para ela, que era alta.

E não havia tempo de providenciar outro. O enterro já estava passando da hora. A cidade quase toda na casa, na rua, esperando para acompanhar.

O coronel disse às irmãs que a decisão tinha que ser dele. Pediu para saírem do quarto, pegou uma machadinha, cortou as pernas da mãe, dobrou, pôs o corpo no caixão, com ele as pernas cortadas, fechou o caixão. Abriu a porta, mandou o enterro sair.

* * *

E eu ali, onze anos, tentando dormir na cama da minha linda bisavó de nome bonito e pernas cortadas. Não conseguia. Olhava o teto, via aquele balé de pernas girando no ar. E chorava de medo, no silêncio fúnebre do palácio de um bispo e sua irmã.

De manhã, no café, no canto da mesa, meus olhos inchados, dona Tina olhou, assustada para mim e disse ao irmão:

— Florêncio, manda esse menino de volta. Olha a cara dele. Está com olhos de louco. Vai ter uma coisa aqui e somos os responsáveis.

— Não é nada disso, Tina. Conheço a família toda. Ele está é com saudade de casa. A Sisínia (prima dele e minha professora) me disse que é um menino bom e inteligente, melhor aluno dela.

E o bispo me deu para ler uma vida de São Francisco de Assis. Não adiantou. São Francisco falava aos pássaros e aos peixes, todos vivos. Não entendia de pernas mortas.

* * *

O coronel foi o primeiro herói de minha infância. Minha mãe, sobrinha e afilhada querida, adorava-o. Minha avó, irmã, também. As histórias dele corriam pela família e pela região.

Católico, piedoso, era um racista do cão. Em um domingo, chovia muito e ele, com seu guarda-chuva, saía de casa, na rua do Ribeirão (Rua Dr. José Gonçalves, que emancipou o município, hoje governador Lomanto Júnior, que nem de lá é), para a missa na igreja. Atravessando a rua, também com um guarda-chuva, vinha um negro. Ele jogou o guarda-chuva no chão e protestou:

— Homem já não pode mais nem usar guarda-chuva.

Chegou à igreja todo molhado, teve pneumonia, quase morre.

* * *

De quando em vez, o coronel pegava o trem, magrinho, elegante, com seu indefectível chapéu, terno escuro, colete, gravata preta, polainas, bengala, e ia a Jaguaquara visitar minha avó, sua irmã Generosa, e meu avô

Joaquim José de Souza, que moravam na fazenda "Casca", a cinco quilômetros da cidade.

Desceu do trem, chovia, pegou o único carro de praça que havia na cidade, do Aurelino Moscoso (viveu quase cem anos):

— "Vamos para a casa do Joaquim José".

E não disse mais nada. A cancela da fazenda ficava a 500 metros da sede, um casarão cheio de salas, quartos e despensas. O motorista parou na chuva, abriu a cancela. O coronel já estava fora do carro, sem guarda-chuva, com o dinheiro na mão:

— Quanto foi a corrida?

— O que é isso, coronel? Está chovendo. Levo o senhor lá.

— Já viu chofer chegar perto de casa de família?

E fez o meio quilômetro na chuva. Todo molhado. E era muito católico e piedoso. Imaginem se não fosse.

* * *

Sábado de manhã, vestido como sempre, chapéu, gravata, colete, polainas, bengala, ia bem cedo para a feira. Apontava as mercadorias com a ponta da bengala:

— Quanto é que está a banana?

— Tanto, coronel.

— Muito cara. Você está roubando. O preço é esse. E dizia. Batia a bengala em cima das bananas e saía. Ninguém aumentava um tostão do que ele falava. Era o Procon da cidade.

Ia a outro feirante:

— Quanto está a farinha?

— Tanto, coronel.

— Barata demais, seu besta. Assim você quebra. A mandioca está cara. O preço é esse. E dizia.

Produto por produto, em cada feira o preço era o dele.

* * *

Conheci alguns filhos: seu Américo, dona Mira, primos de minha mãe. Moravam ao lado do seminário, aonde eu ia tomar café e comer bolos e doces muitos domingos de tarde e ouvir mais histórias. Um dia, ele teve um aborrecimento com as filhas, desapareceu. Mais de um mês sem dar notícia. Procuraram em toda parte, na Bahia (Salvador era a Bahia), no Rio. Nada. Até que chegou pelo correio uma carta de Roma.

Um pequeno bilhete. Li na época, só lembro o principal. Curto, enxuto, um primor de texto e sabedoria. O coronel era um craque.

Escrevia como um experiente jornalista. Uma lição de redação. Mais ou menos assim:

— Meninas, minha zanga já terminou. Está na hora de voltar. Peguei um vapor na Bahia, passei pelo Rio, saltei em Gênova, vim para Roma. É a Bahia com o Papa. De Roma fui de trem a Paris. É o Rio sem mar. De Paris, para Berlim. É São Paulo com mais fábrica. Como vocês veem, o mundo é todo a mesma merda.

a) A bênção de seu Pai.

* * *

Três noites terríveis passei na cama dele, imaginando seu vulto miúdo rondando os corredores escuros daquela casa enorme, que ele deu para palácio do bispo. Mas sobretudo vendo as pernas decepadas da mãe dele entrando pelas gretas do telhado.

E meus colegas começaram a chegar. Mudei de quarto. Saí do açougue da bisavó. Estava salvo. De medo ninguém morre.

2
O Defuntinho

Tia Bela, irmã mais velha de minha mãe, alta, grandona, inteligente, sempre vestida até os pés, desenrolou o manto em que a criancinha estava embrulhada, viu o corpo todo à mostra, por fora e por dentro, coração, pulmão, intestinos, tudo se vendo, abriu-lhe os olhinhos com os dedos grossos e desistiu:

— Elvira, você fez a promessa, vá pagar. Vá visitar os presépios e deixe esse defuntinho comigo. Quando você voltar, a gente enterra. É o segundo seu que Deus vai levar. Ficam os outros.

— Nada disso, Bela. Vou ver os presépios com meu filho. Quando voltar, vou levar para doutor Campos ver. E ele vai ficar bom. Eu o entreguei à Nossa Senhora do Perpétuo Socorro e a São Sebastião.

O defuntinho era eu.

* * *

Mal nasci, logo adoeci. Naquele 8 de março de 1932, uma terça-feira, onze da noite, estava quente na casinha toda branca, cercada de flores, frutas e um quintal de café, na pequena fazendinha de 49 hectares, a Palmeira, em Jaguaquara, na Bahia, 800 metros de altura, uma Suíça baiana, onde já haviam nascido três dos meus quatro irmãos mais velhos. O primeiro, José Augusto, morreu logo no primeiro ano.

Onze da noite, o candeeiro aceso a um canto, meu pai nervoso lá fora, minha mãe viu que eu estava inteirinho, pediu à parteira, Tia Chica, que abrisse a janela para entrar ar. Um galho de café, todo de bagos vermelhos, entrou para dentro do quarto. Muitos anos depois, ela me viu escrevendo uma pequena história do café para o IBC (Instituto Brasileiro do Café) e me disse:

— Meu filho, haja o que houver, nunca fale mal do café. Foi a primeira saudação que você recebeu quando nasceu.

* * *

Comecei a mamar e a pipocar minha pele fina e branquinha. A cabeça grande, os cabelos claros e eu magrinho, magrinho. Parecia um alfinete. Minha madrinha, Tia Viva — não creio que uma madrinha tenha amado um afilhado mais do que ela me amou — irmã mais nova de minha mãe, saiu da casa de meu avô e veio ajudar a cuidar de mim. E ficou anos seguidos, até nos mudarmos para a cidade, sete anos depois. E eu piorando, piorando.

Meu pai foi à cidade, conversou com doutor Campos, que receitou uns remédios. Eu tomava e mamava, mamava, mas não melhorava. Era preciso registrar e batizar logo, para não morrer sem nome e pagão. Como todo sábado, meu pai montou no seu melhor cavalo para ir à cidade, Jaguaquara, a seis quilômetros, fazer a feira. Minha mãe recomendou:

— Registre logo os meninos, José, Braz, Antonio, Sebastião. E não esqueça que assim como o primeiro (o que morreu), o José também será Augusto, José Augusto, como meu padrinho (o coronel).

No meio do caminho, meu pai se baralhou. Já não lembrava bem qual dos quatro teria o Augusto no nome. Resolveu rápido. Chegou ao cartório, registrou os quatro com o Augusto: José Augusto, Braz Augusto, Antônio Augusto, Sebastião Augusto. Os dois que vieram depois, Miguel e Gabriel, não tiveram o Augusto.

* * *

Em 1946, aos 18 anos, esse meu irmão José Augusto foi fazer o alistamento militar e descobriu que não existia. No cartório da cidade não havia nada sobre ele. Como já tinha havido o primeiro José Augusto, o irmão mais velho nascido em fevereiro de 1926, que morreu com um ano, o tabelião que atendeu meu pai decidiu que não era preciso registrar outro José Augusto. Bastava o segundo herdar o nome e o registro do primeiro, ficando o morto como se vivo fosse.

E meu irmão só foi afinal registrado, com a idade certa dele, aos 18 anos, em 1946. E mais uma vez sofreu a velha, multissecular e portuguesa ditadura dos cartórios. A escrevente lhe disse que ia sair uma lei acabando com o K, o W e o Y. E por isso ela ia mudar logo o nome dele e registrá-lo como "Neri", com "I" e não mais com "Y". E ficou ele sem o Y e com o "Neri" com "I".

Agora, em 2009, 63 anos depois, o novo Acordo Ortográfico Brasil--Portugal lhe devolveu o "Y". O meu nunca deixei tomarem.

* * *

Chegou o Natal de 1932, fomos para a casa de meus avós. Fui batizado e minha mãe fez a promessa de visitar todos os presépios comigo. Tia Bela não acreditava mais no defuntinho.

Minha mãe ainda estava visitando os presépios, meu pai foi falar com doutor Campos, pegou outra receita, passou na farmácia do doutor Guilhermino, Guilherme Silva Filho, farmacêutico e advogado, filho do fundador de minha cidade e casado com uma parenta de minha mãe. Doutor Guilhermino fez um interrogatório:

— Lindolpho, a Elvira continua forte como sempre foi, comendo tudo, carne de boi, carne de porco, feijoadas, caças?

— Sim. Come tudo que tem na fazenda. E ela tem leite à vontade. O menino mama muito.

— Pois é ela que está fazendo mal a esse menino. É o leite dela, muito gordo. Diga a ela para cortar tudo, toda a alimentação dela, inclusive leite, e só comer frutas e mingaus muito leves. Daqui a um mês volte aqui e vocês vão ver esse menino melhor.

Em um mês, não havia mais o defuntinho. Eu estava bom. Ainda apareciam pequenas brotoejas no corpo, mas sumiram logo.

Doutor Guilhermino, meu salvador, além de outros filhos e filhas, é o pai do saudoso Book, técnico e campeão olímpico de remo do Flamengo, e do Raimundo Eirado, presidente da UNE (58 a 60).

Trinta anos depois, morávamos no mesmo edifício, na Alameda Capimirim, na Graça, em Salvador. Três andares, três apartamentos: Doutor Guilhermino, subsecretário de segurança do governo Juracy Magalhães, em cima o doutor Vilas Boas Machado no térreo e eu no meio. Um dia, doutor Vilas Boas morreu de repente. Semanas depois, Doutor Guilhermino morreu também de repente.

Depois do enterro, à tarde, volto para casa, arrasado, e vejo pregada na minha porta, com cola escolar, uma folha de papel pautado com letra infantil e esta profecia genial:

— "U ôto é tu".

O canalha do menino malvado do prédio não acertou.

* * *

O milagre do Doutor Guilhermino fez meus pais e minha madrinha me criarem cheio de cuidados. Continuava magrinho, mas bem. Só não podia viver a vida da roça, andar nos pastos, no mato, como meus irmãos. Até os três anos fui um prisioneiro. Não podia dar um passo fora de casa. Só até a calçada.

Minha primeira grande alegria foi o dia em que fiz três anos. Lembro perfeitamente: meu pai trouxe da cidade um chinelo bonito para eu começar a sair de dentro de casa, e uma pedra, uma lousa com giz, para aprender a escrever.

Em pouco tempo, não havia árvore que resistisse a mim. Subia em mangueira, jaqueira, pé de ameixa, cavalo e boi. Aos cinco anos meu avô me deu um carneiro selado. Virei um marajá.

* * *

Quem nunca viveu não pode imaginar o que é viver no escuro: escorpiões, cobras, aranhas caranguejeiras. O perigo rondava dia e noite. O medo, permanente. Na roça, a noite descia como um túmulo. Havia barulhos estranhos, morcegos viravam onças imensas. Era dormir cedo até a luz voltar. O sol era Deus.

Minha mãe estava grávida de meu quarto irmão, Antônio. Passeava numa das fazendas de meu avô, a Bonina, e ele nasceu de sete meses. Tão pequeno, que puseram numa caixa de sapatos, todo envolto em algodão. Numa manhã, amanheceu roxo. Um escorpião tinha dividido a caixa com ele, mordido a perna e continuado lá no macio do algodão.

Salvou-se por milagre. Durante semanas dormiu entre os seios quentes e gordos de Tia Bela, sua madrinha, aquela que me chamou de defuntinho. E ficou morando com meu avô.

É o mais alto e forte da família. Deve ser vitamina de escorpião, misturada com cobra. Ainda muito criança, estava sentado nos degraus da cozinha da fazenda de meu avô, sentiu uma dor terrível e uma coisa pendurada na perna. Uma jararaca o mordeu tão forte, que não largou. Foi cortada a facão.

* * *

Um final de tarde, sábado, meu pai ainda na feira, na cidade, minha mãe sozinha em casa conosco, um gato negro, gordo, enorme e manso, que criávamos, começou a uivar como um desesperado, dentro do nosso quarto, o dos meninos.

José, o irmão mais velho, abriu a porta para ver o que era. A um canto, os olhos esbugalhados, faiscando, apavorantes, o gato deu um salto em cima dele. Fechou a porta a tempo. O gato havia enlouquecido. A casa era de telha, não tinha forro. O gato podia saltar para onde quisesse. Minha mãe chorava.

Mandamos chamar Seu Neco, velho morador da fazenda e amigo nosso, que morava perto. Pegou um pedaço de pau, abriu a porta, o gato pulava em cima dele, com miados infernais, ele batia com o pau, mas não acertava uma, o gato desviava no ar. A noite chegou e com ela o pânico. Só se ouvia o uivo histérico do gato, como um lobo doido.

Felizmente meu pai chegou e apanhou a espingarda, acostumado a matar gavião voando ou paca correndo no mato. O gato continuava acuado lá no canto do quarto. Minha mãe segurava um candeeiro, meu pai entrou, errou o primeiro tiro. O gato pulava e voltava. Errou o segundo, o gato pulava e voltava. No terceiro, acertou na testa. Era uma vez um gato louco.

* * *

A casinha tinha duas salas e três quartos. Um de meus pais. Outro, dos cinco meninos. Antônio morava com meu avô. O dos meninos tinha uma cama só, um catre grande. O das três irmãs também com uma cama só. A quarta e última acabara de nascer, ficou no berço no quarto de minha mãe.

Dormíamos no escuro, sem candeeiro. De noite, se qualquer um de nós acordava querendo ir ao banheiro, que era um só, chamava e minha mãe respondia na hora:

— O que é, meu filho, ou minha filha?

— O candeeiro.

Minha mãe se levantava, acendia o candeeiro, ficava esperando no corredor. Voltávamos, ela apagava e ia dormir. Se daí a meia hora um outro chamava, ela respondia sempre ao primeiro chamado. Foi o maior milagre da maternidade que já vi.

Para minha mãe, sábia e sofrida, vida era a luz:

— Criei dez filhos com candeeiro e lamparina. Sei o que é o escuro. Progresso é luz elétrica. Todo o resto vem depois.

Até os quatro anos, eu nunca tinha visto luz acesa. Minha mãe me levou à igreja da cidade, na festa da padroeira. De repente, acendem as luzes. Dei um grito e caí sentado no chão.

Por isso Deus começou o mundo acendendo a luz. *"Fiat lux"*.

3

JAGUAQUARA

ERA UMA VEZ UMA TOCA E, NA TOCA, UMA ONÇA. "TOCA DA ONÇA" era uma fazenda desde 1840, a 300 quilômetros de Salvador, 150 do mar e 50 de Jequié, principal cidade mais próxima. Em 2 de julho de 1896, Guilherme Martins do Eirado e Silva e Maria Luzia de Souza e Silva compraram. Em 1912, eram três casas: a sede, uma casa de negócios com rancharia para empregados e viajantes, e uma casa de farinha. E nasceu o povoado.

O fundador era de Póvoa do Varzim, em Portugal. Chegou ao Brasil com 16 anos, começou a trabalhar no comércio, no interior, nas cidades de Laje e Areia, hoje Ubaíra. Alyrio Almeida, primeiro médico e terceiro prefeito, fez o retrato:

1. "Rotundo e baixote, 70 a 75 quilos, nos olhos o matiz agateado ou es-verdinhado. Na pele alva, sem quaisquer vestígios do tom morenado, o comprovante de sangue sem muitos cruzamentos raciais que a his-tória narra do genesíaco português. Gostava de usar ternos alvos de linho inglês, colete exposto, preso ao qual sobressaía pesada corrente de ouro. Botins de pelica, amarelo-verniz. Na cabeça, cortados à esco-vinha, seus cabelos grisalhavam. Sua residência não era um prédio se-nhoril, majestoso, mas um casarão de médio porte, confortável."

2. "Homem versado, afável, atuante, com bastante argúcia. Para ele não havia caminho complicado para enfrentar. Dependia de um

fato, a política. Compreendeu que nada conseguiria sem bater às portas de quem poderia abri-las. No escalão mais elevado da política estadual, José Joaquim Seabra, Severino Vieira, Vital Soares, Marques de Góes Calmon etc. Na imprensa, Aloísio de Carvalho (Lulu Parola)" ("Toca da Onça de Ontem, 1923, Jaguaquara de Hoje, 1980", de Alyrio Almeida).

* * *

Quando vieram os partidos, em 1945, o coronel Guilherme foi UDN a vida toda. O adversário era o PSD do coronel Everaldo Souza Santos, prefeito de fevereiro de 1939 a janeiro de 1951.

O coronel Everaldo teve uma bela e sofrida história de amor, contada pelo professor e escritor Armando Barreto Rosa no livro *"Carlos Dubois, o Artista da Palavra"*:

— "O coronel Everaldo era noivo de uma bonita jovem e, planejando casar-se, construiu uma casa, talvez a maior e a mais bela da Jaguaquara de então. Uma fatalidade aconteceu antes do casamento e a noiva veio a falecer, vítima de um terrível surto de tuberculose. O coronel permaneceu solteiro pelo resto da vida.

No início da década de 50, ficou gravemente doente. O pastor Carlos Dubois foi fazer uma visita a seu amigo enfermo para levar-lhe algum conforto espiritual. Nessa ocasião, o coronel confia a seu amigo a tarefa de realizar um desejo que não teve tempo de concretizar: fundar uma Casa de Saúde para atender às mulheres pobres, como queria sua saudosa noiva. Para iniciar a realização daquele grandioso projeto, o coronel doou a sua bonita casa residencial para a Sociedade Beneficente Taylor-Egídio.

O desejo do coronel foi atendido. Coube ao dinâmico pastor Carlos Dubois fundar a maternidade, que recebeu o nome de Maria José Souza Santos, mãe do benfeitor Everaldo. Detalhe: o coronel resistiu à doença, restabeleceu-se e ainda viveu por alguns anos, tendo a felicidade de ver a maternidade Maria José Souza Santos cumprindo sua função social, tal como queria sua noiva.

* * *

Em 1913, chegaram os trilhos da estrada de ferro Nazaré das Farinhas, para ligar São Roque a Jequié, atravessando o Vale do Jequiriçá, "através de sua espessa floresta com o nome lendário de Matas do Sertão de Baixo". Em 1915, "Toca da Onça" virou Jaguaquara ("Jaguar-onça" e "quara-toca"). Durante muito tempo Jaguaquara foi ponto final da estrada.

Chegaram seis famílias portuguesas e as primeiras famílias italianas. Em 1920, que chique!, primeiro jornal: "A Luz". Em 3 de julho de 1921, a emancipação: cidade e sede do município.

Primeiro intendente (prefeito), o fundador Guilherme Silva, de 1921 a 23. Segundo, João Andrade, de 1924 a 27. Terceiro, Alyrio Almeida, de 1928 a 29.

* * *

Em 1922, a cidade nasceu culturalmente. Tinha sido criada, em Salvador, em 1889, a primeira igreja Batista da Bahia e inaugurado o colégio "Americano-Egídio", com ajuda financeira do coronel Egídio Pereira de Almeida, de Jaguaquara, e a direção do americano Zacarias Taylor. Em 1919, o colégio "Americano Egídio" fechou em Salvador e em 1922 se transferiu para Jaguaquara como "Colégio Taylor-Egídio".

Era uma escola primária com apenas 36 alunos, funcionando na antiga sede da fazenda "Bela Vista" ("País dos Sonhos"), doada pela família do coronel Egídio Almeida.

Em 1937, chegou a Jaguaquara, para assumir a direção do Taylor-Egídio, um jovem pastor batista, nascido em Araucária, no Paraná, em 6 de março de 1909, Carlos Dubois.

O pai, o engenheiro francês Jean-Xavier Dubois, trabalhou na construção da estrada de ferro Paraná-Santa Catarina. Casou-se com uma estudante francesa, Margarida Voulet, filha do dono de um hotel em Curitiba. Concluída a estrada, o engenheiro saiu desbravando o Paraná. Morou em Araucária, onde o filho Carlos nasceu. Depois, em Ponta Grossa, onde estudou.

Aos 17 anos, o filho veio para o Colégio Batista do Rio. Depois, foi para o Seminário Batista do Recife, bacharelando-se em Filosofia e Teologia. Professor do Colégio Americano Batista do Recife, casa-se com uma jovem pernambucana, professora de música e línguas, Stela Câmara Dubois. E no dia 7 de dezembro de 1937, o pastor Dubois, a mulher, Stela, e o primeiro filho, René, que ainda não tinha feito um ano, chegam a Jaguaquara.

Era "um lugarejo de poucas ruas, sem calçamento, com um pequeno número de residências e casas comerciais". O arcebispo da Bahia nomeou vigário o Padre Alberico de Lima Marques (que me batizou), briguento, temperamental, bom orador, que abriu guerra contra os evangélicos, então chamados protestantes.

Tirou a batina, foi embora, mas deixou sucessores ranzinzas e a cidade dividida religiosamente entre católicos e batistas, e politicamente entre

UDN e PSD, até que o filho do pastor Carlos, René Dubois, durante muitos anos presidente do Conselho Nacional de Medicina Veterinária, se elegeu prefeito duas vezes com visão universal e uniu a cidade.

Antes, a radicalização era tal, que a historiadora Dauria Glaucia Vaz de Andrade, no livro *"Colégio Taylor-Egídio 100 anos"*, conta que "havia muita pendenga religiosa à época, tentando separar a sociedade em classes e também por religião":

— "Guilherme Silva, o fundador, enfrentou até o padre. Certa vez, o vigário mandou voltar um enterro, porque o defunto era protestante. O senhor Guilherme fez valer os direitos da Constituição e o morto repousou no cemitério da cidade, conforme a lei estabelecia".

Os "cá de baixo", católicos, não iam "lá em cima", batistas, nem estudavam no "Taylor-Egídio", apesar de ser um colégio-modelo, com mais de 300 alunos internos do país inteiro, sob o comando do grande homem que foi Carlos Dubois, professor, culto, orador magnífico, político lúcido, mestre de gerações.

Morreu em Salvador em 13 de julho de 1973 e foi enterrado em Jaguaquara no "14 Julliet" da França de seu pai Jean-Xavier, a cujo afeto filhos e netos continuaram fiéis. No dia 6 de março deste ano de 2009, teria feito 100 anos. Já há muito tinha se tornado sinônimo de Jaguaquara.

* * *

No começo da década de 20, meus avós maternos foram de Amargosa para Jaguaquara. Joaquim José de Souza nasceu em 24 de abril de 1859 e morreu em 15 de janeiro de 1949 com 90 anos; e Generosa Vaz de Souza nasceu em 17 de julho de 1869 e morreu em 7 de outubro de 1954, com 85 anos. Eram de famílias portuguesas, lá das bandas de Vizeu. 14 filhos.

E também foram de Amargosa para Jaguaquara meus avós paternos. Antônio Porfírio dos Santos Nery nasceu em 19 de maio de 1871 e morreu em 24 de março de 1947, com 76 anos; e Maria Florinda de Andrade Nery nasceu em 24 de abril de 1871 e morreu em 16 de dezembro de 1956, com 85 anos. 16 filhos.

Antes de saírem de Amargosa para Jaguaquara, já moravam próximos, com fazendas perto, como a "Rancho Velho", na Mantiqueira, Amargosa.

Os Nery estão no Nordeste desde os holandeses, com quem vieram. De Pernambuco, uns foram para a aventura da borracha, na Amazônia, como a família do pintor Ismael Nery, outros desceram para Cachoeira. A enfermeira heroica Ana Nery era de lá. E se espalharam pela Bahia e o país. Os Andrade de minha avó paterna são portugueses dos primeiros tempos.

Pequenos lavradores em Amargosa, meus avós, maternos e paternos, se tornaram fazendeiros de café e boi em Jaguaquara, com várias fazendas, algumas grandes. E os filhos, quando não fazendeiros, comerciantes na região e em Salvador.

Em janeiro de 1928, a cidade e o município tinham apenas cinco anos, as 25 pessoas, digamos mais importantes da terra se reuniram para criar a "Sociedade Luz Electrica de Jaguaquara", com capital de 120:000$000. Primeiro passo para a civilização.

Alguns deles: Guilherme Eirado Silva, Guilherme Silva Filho, Theofilo Almeida, João Andrade, Alyrio Almeida, Virgílio Pereira de Almeida, Everaldo Souza Santos. O número 15 da lista era Joaquim José de Souza, meu avô materno. O número 23, Antônio Porphirio dos Santos Nery, meu avô paterno.

Minha cidade estava se iluminando também com a luz deles.

* * *

"Dindinho" Joaquim José, pai de minha mãe, alto, bigodes, espirro tonitruante, ficou completamente cego depois dos 80, mas não perdeu o bom humor, a sabedoria irônica e o gosto pelas notícias. Queria estar sempre a par de tudo. Passava o dia na sala de entrada da casa, conversando com quem chegava.

Já no seminário, quando ia para as férias toda manhã passava lá para ler *"A Tarde"* para ele. Primeiro, os títulos. Se o assunto lhe interessava, um pedaço maior e, às vezes, a matéria toda. Brincava comigo:

— Você, que agora, no seminário, está mais perto de Deus, pergunte a ele por que tanta gente nova morrendo, e eu, que já estou velho, na hora e com vontade de ir embora, ele me deixa aqui nessa cadeira, dando trabalho aos outros?

* * *

Aos domingos, depois da missa, os filhos iam para lá, ficava aquela conversa longa sobre as fazendas, sol e chuva, café e boi. Vários almoçavam com ele. E eu ali ouvindo lições. Um dia, Tio Eufrásio, o filho mais velho, ia sair:

— Meu pai, vou sair porque tenho um almoço.

— Olhe, Eufrásio, só vá se você tiver certeza de que lá está melhor do que aqui. Se não tiver, é melhor ficar aqui.

Ele foi. Um dia, depois de eu ler o jornal, meu avô me pediu que levasse seus sapatos novos para o "Calça Verde" engraxar. "Calça Verde", o único engraxate da cidade, estava sempre com uma calça verde.

— Dindinho, deixe que eu vou engraxar seus sapatos. Aprendi no seminário. Lá cada um engraxa seus sapatos.

— Sebastião, se você engraxar meus sapatos de que vai viver o "Calça Verde"? Leve meus sapatos para ele. Sempre pense também nos outros.

* * *

"Dindinho" Totonho, pai de meu pai, bigodes enormes descendo até o queixo e às vezes com as pontas enroladas atrás das orelhas e os óculos por cima, era político. Nasceu em 1871 e meu pai, o filho mais velho, em 1892. Casou-se com 21 anos. Era oficial da Guarda Nacional do tempo do Império. A espada dele meu tio caçula, Gildásio, deu a meu primeiro filho, Jacques.

O título de eleitor, de 1945, diz que era filho de Antônio Joaquim dos Santos Nery e Maria Rosalina dos Santos Nery. Minha mãe se lembrava da casa deles, no Rancho Velho, em Amargosa, toda furada de balas, depois de uma eleição daquelas de JJ Seabra, antes da revolução de 30, e que ele apoiava.

O cunhado, João Félix Andrade, irmão de minha avó, era padrinho de meu pai. E pai do médico Alcides Andrade, prefeito de Penedo, em Alagoas, várias vezes deputado lá, e avô do deputado cassado pelo AI-5, Moacir Andrade, depois vice-governador de Fernando Collor. Era outro da política pesada, com eleições disputadas no bico de pena e na boca da garrucha.

* * *

O veneno da política sempre esteve no DNA dos Nery. Antunes Andrade Nery, irmão dos mais novos de meu pai, em 1935, com 20 anos, já era vereador de Jaguaquara, presidente da Câmara Municipal e prefeito interino por muito tempo.

Na correspondência dele, encontrei vários telegramas do interventor, e governador depois da Constituinte de 1934, Juracy Magalhães, sobre a candidatura de José Américo à presidência da República, em 1937, antes de Getúlio dar o golpe. Como este:

— "Antunes Andrade Nery — Apresentação candidatura José Américo aumentou nossas responsabilidades perante Nação pt Retribuindo felicitações auspicioso acontecimento, confio incentivo alistamento e propaganda essa candidatura. Cordiais saudações, Juracy Magalhães".

* * *

Quase não nasci. Minha avó, "Dindinha" Generosa, a filha da índia Beatriz, magra, cabelos bem negros, teimosa, tinha um punhado de filhas e não queria que casassem. Ficou orgulhosa quando fui para o seminário, porque achava que eu ia ser bispo. Quando eu ia me despedir dela depois das férias, para voltar para o seminário, me chamava, fechava a porta do quarto, abria uma lata e enchia minha mão de moedas, "para alguma precisão".

Meu pai, Lindolpho de Andrade Nery, nasceu em 12 de maio de 1892 e morreu em 22 de julho de 1980, com 88 anos. Foi de Amargosa a Jaguaquara para ver minha mãe, Elvira Vaz de Sousa, que nasceu em 11 de abril de 1901 e morreu em 5 de março de 1998, um mês para fazer 98 anos. Minha avó a pôs de castigo, costurando, para não se encontrar com meu pai. Minha mãe pediu a meu avô e conversou com meu pai, que marcou data:

— Dentro de seis meses, volto para ficar noivo e casar.

Minha mãe jogou duro:

— Eu me caso, mas se você me der sua sanfona. Não quero marido meu por aí, tocando sanfona em festas dos outros.

Meu pai voltou, entregou a sanfona e se casaram em 24 de maio de 1925. Ele tinha 33, ela 24.

No fim da vida, quase chegando aos 90, com arteriosclerose, estava um dia abrindo os armários do quarto deles, na nossa casa, em Jaguaquara, minha mãe perguntou o que procurava.

— Minha sanfona que você me tomou.

Nas noites da fazenda, tocava viola, cantava "Casinha Pequenina", "Rancho Fundo", "Maringá", tanta coisa.

Corri o risco de nascer Luiz Gonzaga ou Silvio Caldas.

4

O INTEGRALISTA

DOMINGO, DEPOIS DA MISSA, EM 1937, HOMENS E MULHERES, OS HOMENS de camisa verde, calça parda, no braço esquerdo um grande Z dobrado, o Sigma, e sapato preto; as mulheres também de camisa verde, saia cáqui e sigma, reuniram-se no clube cantando o hino nacional, braço direito estendido e gritando:

— "Anauê, anauê ! Deus, Pátria e Família"!

Com cinco anos, achei aquilo bonito, pedi uma farda para mim também. Nino, Antônio, filho de meu tio Eufrásio, irmão mais velho de minha mãe, e também meu padrinho, muito inteligente, que estudava engenharia em Salvador, tinha adoecido e voltado para casa para se tratar. Foi um dos que falaram. Outro foi meu tio Juca. Os chefes eram os irmãos Virgílio e Theophilo Almeida. Nino soube e me prometeu uma farda completa, camisa, calça e o Sigma. Se eu rezasse 100 terços para ele ficar bom. Prometi, comecei logo a rezar adiantado, para garantir.

* * *

O mundo chegava a Jaguaquara pelo jornal *"A Tarde"* ("O Jornal de Quem Trabalha"), pela "Hora do Brasil" da Rádio Nacional, pelo "Mensageiro da Fé" da Igreja Católica, pela revista "Em Guarda", da embaixada americana, pelo semanário "O Paládio" de Santo Antônio de Jesus.

E chegava pelo Integralismo, que estava na pequena biblioteca de meu tio e padrinho Juca, irmão de meu pai, inclusive livros de Plínio Salgado e Gustavo Barroso. Havia também Monteiro Lobato e outros.

Mal comecei a soletrar, ficava olhando as capas daqueles livros bonitos, coloridos, com seus mistérios.

Para uma criança só havia coisa pior do que injeção e óleo de rícino: tabuada. Palavra é coisa do céu, número não sabia de onde era. Sem luz, à noite, quando meu pai chegava da roça e minha mãe largava o fogão, os três mais velhos aprendemos a ler, escrever e contar com candeeiro e lamparina. Escrever letras e soletrar era muito bom. Meu pai tinha uma letra redonda, desenhada, maravilhosa. O D, o F, o P, eram desenhos. Tabuada era um horror. Decorar e repetir, repetir, um inferno.

∗ ∗ ∗

O Brasil devia estar agitado naquele 1937. Jaguaquara também. No rádio enorme do meu avô, na cidade, em cima de uma cômoda na sala, ouvi pela primeira vez uns nomes diferentes: presidente Getúlio Vargas, comandante Luís Carlos Prestes, chefe Plínio Salgado, comunismo, integralismo.

Sobretudo integralismo. Os integralistas da cidade eram os mais inteligentes, sabiam das coisas, contavam novidades, discutiam, faziam reuniões. Entre eles, alguns tios meus. E o intendente, prefeito, era o chefe dos integralistas, Virgílio Almeida, nomeado pelo comando integralista de Salvador.

Meu padrinho Juca Nery foi um dos fundadores e presidente do Grêmio Literário Humberto de Campos, a Academia de lá. Outros membros: José Lourdes Almeida, Pedro de Oliveira Bastos, Virgílio Almeida. E iam nascendo jornais ano após ano, uns depois dos outros. Fechava um, abria outro:

"O Rádio", do vigário padre Alberico Marques; "O Alarme", de Leovigildo Silva; "O Argonauta", de Argemiro Farias; "Flama", do professor Carlos Dubois; "Jornal de Jaguaquara", de Clemilton Almeida; "O Trabalho", de Guilherme Silva. Eram lidos, discutidos, brigados.

Também tínhamos a Filarmônica, a "Lira Jaguaquarense", do maestro Wanderley e do regente Berilo Peixoto.

∗ ∗ ∗

Em um domingo do fim de 1937, estávamos na casa de meu avô, a cidade amanheceu embandeirada. Haveria uma grande passeata dos integralistas. A maioria da cidade estaria lá. E de repente apareceram minha camisa verde, minha calça e meu Sigma. Vesti e desfilei na frente da passeata, garbosamente, ao lado de dois outros pirralhos.

Só vendo a pose. Menos de 6 anos, já tinha ideia de que estava fazendo uma coisa importante. O que, não sabia. Mas feliz, eufórico e heroico. Em dezembro, o desastre. Chega a notícia de que o governo havia fechado o partido dos integralistas, a AIB, Ação Integralista Brasileira, "nosso partido", meu partido.

Meses depois, em 38, notícia pior. Os integralistas tinham tentado matar o presidente da República, não deu certo e o governo ia prender os chefes dos integralistas no país todo. Ouvi aquelas conversas, não entendi o que era, mas sabia que alguma coisa ruim havia contra meus dois padrinhos: Juca e Nino.

* * *

E me vi, pela primeira vez, fugindo, com 6 anos. Foi emocionante. Meu avô materno tinha um dos raros carros da cidade: um Ford preto. Lembro que era noite. Nino, o primo e padrinho doente, e outros dois, entramos no Ford dirigido por outro tio, Otávio, e saímos em disparada para a fazenda de meu pai. Não era estrada. Era caminho de cavalo. E o carro pulando.

Para me consolar, alguém me deu uma bola amarela que, no dia seguinte, desapareceu misteriosamente levada pelo pequeno riacho que passava na fazenda. Minha fardinha integralista passou anos escondida em um baú, com Sigma e tudo. E lá se foram minha bola amarela, minha camisa verde e minha estreia política.

* * *

O sonho de meus pais de irmos para a cidade para estudar estava em todas as nossas rezas. Já eram 10 filhos, dois gêmeos, Miguel e Gabriel, o mais velho José nascido em 1928 e a caçula Tereza acabando de nascer em 1939. Um dia meu pai chegou com a notícia: ia dar Ginete, seu cavalo mais bonito e de melhor pisada, pelo valor de 500 contos, e mais três promissórias de 500, por uma casa na cidade. E a mudança era para logo.

Foi uma festa. Minha mãe chorava sorrindo, de feliz. Todos nós também. Adorávamos nossa casinha, nossa roça, mas já sabíamos que o melhor não era ali, era lá na cidade.

Quando nossos tios e primos iam fazer piqueniques, embaixo das jaqueiras e mangueiras, ficávamos invejando as roupas e sapatos deles. As cartilhas em que eles estudavam eram mais bonitas do que as nossas, tinham desenhos.

* * *

O São João, inesquecível, era sempre na "Casca", a principal fazenda de meus avós maternos. Toda a família de minha mãe lá e um pedaço da de meu pai: duas irmãs de meu pai casadas com dois irmãos de minha mãe.

O casarão se enchia de dezenas de filhos e netos. De manhã bem cedo, ainda clareando, os galos cantando junto da janela, os cachorros latindo no terreiro, o gado resmungando no curral e uma fogueira imensa, metros e metros de altura, pronta para acender. Ao lado, a árvore de Natal, uma árvore de verdade, tirada da mata, altíssima, carregada de presentes.

Fogos, muitos fogos, bombinhas, bombas e busca-pés, canjica, milho assado, batata cozida, tapioca, quebra-queixo, vinho de laranja, e meu pai, com seu pequeno violão, uma viola, tocando "No rancho fundo, bem pra lá do fim do mundo", de Sílvio Caldas; "Olha pro céu meu amor, vê como ele está lindo", de Luiz Gonzaga; e "Papai Noel, vê se você tem a felicidade pra você me dar: eu pensei que todo mundo fosse filho de Papai Noel", de Assis Valente.

* * *

Em mim, da roça ficou tudo. Não perdi nada. Guardo eternas minhas nuvens. Meu carneiro branco selado. O cheiro de capim molhado saindo das ventas das vacas ao amanhecer. Os bois puxando e o carro gemendo como se fosse uma procissão. A jumenta cheia de leite e eu tirando em uma canequinha de alumínio e bebendo na hora, um, dois, três, tudo quentinho. Meu pai montando em cavalo novo e brabo para amansar, o cavalo saltando e meu pai não caindo. Meu pai em um cavalo manso, devagar, pelo pasto, eu na garupa, esperando o gavião sentar na cerca para ele atirar, acertar e matar com sua espingarda amarela. As frutas todas, inesquecíveis: mamão, pêssego, figo, ameixa, ingá, lima, laranja, romã, jabuticaba, abacate, maracujá, caju, jaca, fruta-pão, tudo tirado na mão e comido na hora.

Passarinho era para cantar nas árvores, mas também na gaiola, pegar com o alçapão que fazíamos de bambu, ou no visgo de jaca, depois matar e comer. Sem nenhum remorso. A morte não era pecado. Qualquer animal, se desse para comer, dava para pegar e matar. Pombo, torceu o pescoço, cozinhou, comeu. Eu criava preás, tão branquinhas, tão lizinhas, tão bonitinhas. Cortava capim e dava para elas, a gente matava, minha mãe cozinhava. A infância rural não tem remorso.

* * *

A toda hora, o risco. Quanto mais feliz, mais livre, mais perigo se corria. Nas árvores mais altas estavam as melhores frutas. Tinha que arriscar.

Se aparecia uma cobra, era só chamar gente para matar. Os cavalos corriam na moenda para amassar a mandioca. A ponta afiada da tora de madeira bateu na minha testa, fez um buraco. Quase me fui.

Cedo aprendi que a felicidade e a beleza nascem do risco. Quem caminha na frente corre o risco das cobras. Mas é aos pés dos que vão na frente que as borboletas se levantam.

Saltava das pilhas de café bem altas, para cair no quintal. Um dia, perdi o pulo, caí em cima de uma cerca de madeira preta pontuda. Uma grossa lasca de pau enfiou no meio de meu pé, atravessou de um lado a outro e quebrou. Meu pai não estava, não havia tempo de me levar à cidade. Minha mãe despejou mercurocromo e mertiolate. Urrei. Uma dor total.

Como arrancar? Ela pegou uma torquês, um alicate grande de tirar ferradura de cavalo, meus irmãos me seguraram pelos braços e ombros, como um crucificado, ela chorava e dizia "Jesus, Maria, José", eu dizia: — "Está doendo muito, mas pode puxar".

Ela puxou, puxou, a lasca imensa de madeira saiu e deixou um buraco no pé. Jogou água com sal, escorria de um lado para o outro. Um mês depois, o buraco estava tapado, o pé perfeito.

* * *

Dor se aguenta. O insuportável é o medo. Até de dia, no claro, a roça é o medo e o medo é a desgraça da felicidade.

Meu pai estava abrindo uma roça nova no Brongo. Era uma pequena mata ainda intacta, no pedaço mais distante da fazenda, terras pretas, muito férteis, que ele estava preparando para plantar milho, abóbora, inhame, aipim, tomate, todo tipo de legumes.

Ele saía bem cedo. Às dez horas, minha mãe fez um café e procurou alguém para levar com pão, porque só mais tarde, lá pelas duas horas, ele voltaria para o almoço. Meus irmãos maiores não estavam, tinham ido à fazenda de um tio nosso, vizinho. Eu conhecia o caminho, já havia ido lá com meu pai, fui levar o café.

E me perdi. Não sei como. De repente, a mata deu uma volta, os caminhos sumiram e eu não conseguia nem ir nem voltar.

Comecei a andar. Sabia que depois das matas sempre havia pastos. Os nossos e os dos vizinhos. Mas quanto mais andava, mais me perdia. Andei muito. Horas. Não encontrava caminhos. Ia mato adentro, entre árvores, por cima de galhos. E nada aparecia. Pus o café e o pão no chão, subi numa árvore bem grande, bem grossa, comecei a gritar. Gritei tudo que podia.

Tinha sete anos. O tempo foi passando, senti fome, desci, comi o pão, bebi o café, subi de novo e gritei. Gritei até não poder mais. Meu pai voltou para o almoço, ele e minha mãe se apavoraram. Com dois empregados, os três montados, meu pai pediu socorro a alguns vizinhos, fizeram dois grupos, deram voltas em torno da mata, entraram, também gritando, e nada.

Começou a anoitecer e o medo bateu forte. Não ia descer da árvore, porque podia haver bichos lá embaixo. E tinha medo de cochilar e despencar. Já rouco, de repente ouvi gritos ao longe. E uma lanterna acendendo mais perto, cada vez mais perto.

Afinal ouviram meus gritos. Desci aliviado. Quando vi meu pai chorando, senti o perigo que passei. Ele quis me enrolar:

— Se escondeu só para comer meu pão e beber meu café?

Eu tinha andado muito, dando voltas e voltas na mata.

* * *

Mas havia outros medos piores. Meu pai montado a cavalo, com um bocado de homens, todos armados, as garruchas atravessadas no peito, saindo para eleições nos distritos do município com o aliado Seu Cafezeiro, nosso vizinho, também aliado do Coronel Everaldo Souza Santos. Ele saindo e minha mãe e nós chorando na varanda, com medo até a eleição acabar.

Lampião era o horror da infância. O cão chupando manga. Suas histórias chegavam do sertão, com seus cabras invadindo fazendas, roubando mulheres, crianças, bois e cavalos, sangrando quem fizesse cara feia e limpando a faca na boca.

Um dia bateu o pânico em todo o vale do rio Jequiriçá. Lampião estava descendo pelo sertão e fazendo horrores. Tinha atravessado Sergipe, passado por Jeremoabo e vinha invadir Itaberaba, Amargosa, Santo Antônio de Jesus, São Miguel das Matas, o vale do Jequiriçá, até Jaguaquara.

Formou-se um exército de homens armados. Pegaram o trem e foram esperar Lampião antes de entrar em Amargosa ou São Miguel, cuja poderosa e valente prefeita, Dona Madalena Andrade, era tia e madrinha de meu pai. Em Laje ficavam os Andrade, aparentados de meu pai, os irmãos Elísio e Argeu, pai de meu amigo o empresário Luís Gonzaga Amaral Andrade, hoje dono da maior empresa de petróleo do Nordeste, a "Petrobahia".

Minha mãe chorou noites inteiras. Nós só sabíamos que Lampião era um matador bárbaro, com seu punhal comprido, sua espadazinha afiada. De manhã, meu pai saiu armado:

— Não posso abandonar os nossos. Vou com eles.

Era rebate falso. Lampião nunca passou do sertão da Bahia.

* * *

No dia 28 de setembro de 1939 saímos da Palmeira para Jaguaquara, seis quilômetros. Como sempre antes dos casamentos, batizados, qualquer festa, minha mãe pediu que eu subisse no pé de mamão (magrinho e leve eu subia e o mamoeiro não quebrava) e tirasse folhas verdes lá da ponta para ela lavar e polir as mãos. A viagem seria uma festa. Nossa grande festa.

Em um cesto, na cabeça de Seu Neco, vaqueiro, ia Tereza, a caçula de 40 dias. Minha mãe a cavalo, montada de lado na sela, levava no cabeçote Vivalda, a penúltima, de um ano. Auxiliadora, de dois anos, ia no cabeçote da sela de meu pai. Na cangalha de um jumento, puxado por um empregado, estava Maria do Carmo, Carminha, de três anos. Os gêmeos Miguel e Gabriel, de cinco anos, no mesmo jumento, enfiados em dois panacuns, grandes balaios de carga. José, 11 anos, Braz nove e eu sete, fomos a pé.

Não chegava a ser nenhum "Vidas Secas", de Graciliano Ramos, mas não deixava de ser uma retirada. E minha nuvem me pôs na casa nova, com luz elétrica, jardim de flores na frente e um quintal grande atrás: só pêssego tinha mais de cinco pés, goiaba e araçás, mangueiras, romã, jabuticaba, figos, jambo, groselha, o campo de futebol lá no fundo, depois do muro, e, bem perto, o Educandário Carneiro Ribeiro: de um lado a Escola do Sexo Masculino e do outro a Escola do Sexo Feminino.

Dali a quatro anos, minha nuvem iria me levar mais longe.

5
O Seminarista

Cheguei para o jantar, estavam todos à mesa. Meus pais, meus irmãos. Minha mãe percebeu meu nervoso, ficou desconfiada. Mas não perguntou nada. Disfarcei, mal consegui comer direito. Quando meu pai acabou de tomar seu cafezinho, era a hora. Não podia deixar para depois. Bati as mãos na ponta da mesa, ritmadamente, quase histérico, e falei, meio gritando:

— Vou para o seminário! Vou para o seminário!

Todo mundo espantado, incrédulo. Recostei na cadeira, comecei a suar. Meu pai me olhou com seus olhos de caramelo e o infinito olhar de amor com que nos olhava nas horas difíceis:

— Que história é essa, meu filho?

— É verdade, papai. Vou para o seminário de Amargosa. Acabei de acertar com o Padre Flamarion. Viajo em fevereiro.

Minha mãe começou a chorar, levantou-se, foi para a cozinha. Minhas irmãs também choravam. Meu pai quis segurar, ficou com os olhos molhados, pôs sua mão em cima da minha:

— Eu sei. Você quer continuar estudando, sabe que católico não pode estudar no colégio dos protestantes e não tenho dinheiro para pagar colégio em Salvador. Você já resolveu mesmo?

— Resolvi. Vou estudar para padre. Se um dia desistir, saio, mas depois de estudar. Vou porque quero. Por favor, não digam não.

E quem afundou fui eu. Desandei a chorar e a rir.

* * *

Contei o que houve. Aquele livro que eu estava lendo, "Como Noni Encontrou a Felicidade", era a história de um menino pobre da Islândia que queria estudar, a família não tinha dinheiro, pegou um barco, foi indo, o barco quase afundou, acabou chegando à Dinamarca, ficou um ano na capital Copenhagen, de lá foi estudar na França, virou padre jesuíta e foi ser missionário no Japão. O autor era o padre Jon Svensson, o próprio Noni, apelido dele. Era um bonito livro, a capa tinha um barco no mar, coqueiros e gaivotas, publicado pela Editora Vozes, de Petrópolis, no Rio, traduzido por Frei Sebastião da Silva Neiva. Foi presente de dona Sisínia, minha professora querida, que eles sabiam que eu adorava, e que me deu porque tinha tirado as melhores notas do fim da quarta série. Deu o livro e perguntou:

— Sebastião, você vai querer ficar aqui em Jaguaquara atrás de um balcão de seus tios?

Meus três irmãos mais velhos também tinham terminado a quarta série e já estavam trabalhando em três lojas de meus tios.

— Não quero e não vou. Se não puder ir estudar agora, quando crescer mais vou para Salvador trabalhar e continuar estudando e vou me formar. Não quero ser fazendeiro nem comerciante. Vou estudar numa Universidade.

— Você tem toda a razão. Gosta de estudar, de ler, de saber das coisas. E aprende fácil. Se ficar aqui na cidade, vai se perder.

— Mas o que posso fazer agora, dona Sisínia? Ainda não posso trabalhar fora. Tenho que esperar. E vou esperar.

— Tenho uma ideia, mas vai lhe custar sacrifícios. Em Amargosa, o bispo dom Florêncio, que é meu primo, vai abrir no começo do ano um seminário, um internato. É um colégio para padres. Mas você não é obrigado a ir até o fim. Se desistir, sai.

— O que é que eu tenho que fazer?

— Fale com o Padre Flamarion. Vou falar com ele também. E, se precisar, falo com o Florêncio. Você é um bom menino.

* * *

Tive vontade de lhe dar o maior abraço do mundo. Beijei a mão dela, tremendo, saí correndo:

— Vou falar com o padre é agora mesmo.

Sabia onde estava. Todo fim de tarde, ele jogava baralho no fundo da loja de meu tio Juca. Cheguei lá esbaforido:

— Padre Flamarion, preciso falar com o senhor agora.

Seu Olegário, um dos três jogadores, puxou uma cadeira:

— O que é isso, Sebastião? Deixe a gente terminar a partida. Fique sentado aí e espere. Depois, você fala com ele.

Meu tio sorriu:

— Que pressa é essa? Alguma coisa importante?

— Muito importante, tio Juca.

— Então espere aqui ou lá fora. Vamos terminar logo.

* * *

Não demorou muito e o padre, alto, grandão, barrigudo, simpático, de quem já tinha ajudado tantas missas, me chamou:

— Sebastião, o é que você quer comigo?

Contei a conversa com dona Sisínia, a história do Noni do livro e pedi para ele me mandar para o seminário. Ele se levantou e falou alto, para meu tio e o Olegário também ouvirem:

— Você topa passar a vida toda vestindo uma saia preta, como esta minha?

— Topo.

— Você topa acordar às cinco da manhã, tomar banho frio, rezar e estudar o dia todo?

— Topo.

— Você topa passar o ano inteiro sem ver seus pais e seus irmãos e só voltar em casa nas férias do fim do ano?

— Topo.

— Então você pode ir para o seminário. Não precisa pagar nada. Só levar um enxoval. Vou criar uma Obra das Vocações Sacerdotais para o povo contribuir. Quem vai pagar seus estudos é a cidade. Mas já falou com seus pais? Só vai se eles deixarem.

— Vou falar agora mesmo e sei que eles vão deixar, porque eu quero muito, sempre pensei muito nisso. Quando é que eu vou?

— Dia 2 de fevereiro. Era 12, mas minha aflição ouviu logo 2.

Meu padrinho, que gostava muito de mim e eu mais ainda dele, levantou-se, solene, me deu um abraço forte, de despedida:

— Gostei, Sebastião. Gostei de sua decisão. É assim que se faz. Vou falar com Lindolpho. Você aqui seria um desperdício.

Saí correndo. Em apenas uma hora tinha resolvido minha vida toda. Era a nuvem.

Naquele sábado, meu pai não comprou goiabada de lata na feira. Eu disse que estava faltando, ele respondeu meio trêmulo:

— Vamos ter que fazer algumas economias para seu enxoval.

Até eu viajar, dois meses depois, ninguém comeu goiabada lá em casa. Nem comprou roupa nova para ninguém. Só para mim.

* * *

Dona Sisínia havia me viciado em leitura. Me dava uns livros distribuídos pelo governo (era na ditadura de Getúlio Vargas), pequenos, quadrados, bem altos, quase um palmo: "Vidas dos Grandes Homens": Ruy Barbosa, Duque de Caxias, General Osório, Getúlio Vargas, José de Alencar, muitos. Lia tudo que encontrava e entendia. Quando não estava no campo jogando bola, na rua andando de bicicleta ou disputando campeonatos de gude (há coisa mais bonita do que um vidro cheio de bolas de gude coloridas?), ficava lendo pelos cantos da casa ou no quintal, em cima das mangueiras:

— O jornal "*A Tarde*", a "Folhinha" pendurada na cozinha com a vida do santo do dia e frases de homens célebres, os almanaques "Capivarol", as cartilhas de português com pequenos textos e poemas e, sobretudo, as histórias incomparáveis de Monteiro Lobato da biblioteca de Tio Juca.

Ficamos emocionados, eu e ela, quando, tantos anos depois lhe dediquei meu livro "*Grandes Pecados da Imprensa*" (Geração Editorial, SP):

— "Para dona Sisínia, minha primeira professora, que, no primeiro ano primário, em Jaguaquara, me deu '*A Vida de Ruy Barbosa*', com poucas letras e muitas fotos, e no quarto ano me deu '*Como Noni Encontrou a Felicidade*', com muitas letras e uma foto: um barco navegando da Islândia para a Dinamarca".

Tomei aulas particulares todos os dias, até nos domingos, com dona Alda, uma paciente professora aposentada. Estudei dois meses adoidado. Revi todas as matérias dos quatro anos primários: português e redação, história e geografia, de que gostava, e aritmética e tabuada, que detestava. E ela ainda convenceu minha mãe a me dar uma beberagem amarelada, com um talo grosso dentro de uma garrafa, para me fortificar. Engolia aquilo como um purgante. Mas, para subir na minha nuvem e ir para o seminário, valia tudo. Estava mesmo muito magrinho.

Minha mãe me levou para um exame geral com o doutor Gilberto, o novo médico da cidade. Estava tudo em ordem, apenas magro demais. Mas, no meio da consulta ouvi palavras estranhas:

— Ele tem um ligeiro sopro na mitral, mitral dilatada.

Disso aí eu só sabia o que era sopro. Quase entrei em pânico:

— Mamãe, o que é sopro na mitral, mitral dilatada?

— Bobagem, meu filho. Coisa boba do coração, não é nada.

Aí entrei mesmo em pânico, comecei a chorar:

— Então, quando chegarmos em casa, a senhora separe meus pratos, meus copos, meus talheres e arranje um quarto separado.

— O que é isso, meu filho? Que tolice é essa?

— Tolice, não, mamãe. Tuberculose não dá é no coração? Tuberculose pega. Não quero adoecer meus irmãos.

— Que dona Sisínia não ouça essa. Coração é coração. Tuberculose é no pulmão e você está com os pulmões ótimos.

Na hora, foi um alívio. Mas quantas dores pela vida a fora por causa desse meu coração sempre dilatado de amor.

Chegava em casa, pegava meus cadernos grandes de geografia, desenhados por mim, pintados em cores por mim (Amazonas verde, Pará amarelo, Bahia rosa, Minas lilás), repetia uma a uma as capitais e principais cidades. Os cadernos de história, da mesma forma: os reis, os presidentes, os governadores da Bahia. E os escritores, começando por Ruy.

Ia dando uma saudade antecipada lá no fundo, chorava escondido.

A tabuada, infeliz, sempre a mesma coisa, números e números, somar, diminuir, multiplicar, dividir. E decorar. Minha mãe começou a achar que eu estava triste, eu disfarçava. Mas um mecanismo maluco já tinha me partido ao meio: metade de mim ainda estava ali, a outra metade já estava lá.

* * *

De noite, custava a dormir. Uma a uma, ia lembrando das professoras e colegas dos quatro anos de escola. Dona Alzira, solene, elegante, parecia uma primeira-dama da República Velha, com letra clara, bonita. Dona Carmen, brigona, exigente, mas tratava todo mundo igual, os filhos alunos e os filhos dos outros.

Dona Erondina tinha uma boca feia, pus apelido: "Erondina boca de ovo". Ficou sabendo, com ódio de mim. No 7 de Setembro, marchamos até a prefeitura, os discursos muito compridos, sentei no chão. Outros também. Na volta, ela quis nos dar uns bolos, com uma palmatória grossa, de delegacia. Saltei a janela, corri para casa. Ela foi lá. Meu pai e minha mãe me apoiaram.

Antes da parada, uma crise. Titinha Boca de Pombo não tinha dente nenhum e trabalhava no Serviço de Alto-Falantes Nossa Senhora Auxiliadora, da Igreja. Cantava bem, imitando Orlando Silva. E tocava o tambor da escola.

Dona Erondina lhe havia dado um zero e posto de joelhos. Na hora de a parada sair, sumiu com tambor e tudo, escondeu-se no sisal, depois do campo. Sem tambor, nossa marcha foi um fiasco, humilhados pelo desempenho do Colégio Taylor-Egídio.

* * *

Um colega escreveu gato com "j", ri, castigo: de joelhos.

Uma colega linda vinha conversar comigo no recreio, trocávamos bilhetes, eu achava que estava namorando, ela também. Nas aulas de dona Sisínia, ninguém precisava brincar. Ela já era a alegria.

E meu galo de briga, quem ia cuidar dele? E as mangueiras, subindo e chupando até enjoar? E os pés de pêssego, mais de meia dúzia no quintal, um para cada irmão, para não haver disputa? E as jabuticabas, os figos, as seriguelas, as pinhas, as romãs? Tudo aquilo ia logo logo ficar para trás. Alguém me dizia dentro de mim — Não quis? Decidiu? Aguenta!

Dava mais uma choradinha e dormia. Acordava mole, corria para a casa de meu avô, para ver minha Madrinha mais uma vez. Ela fazia biscoitos, doces mil, como se eu não fosse voltar nunca. Olhava as pessoas na rua, ficava pensando como estariam quando voltasse. E se alguém morresse na minha ausência? Já era um passado surgindo de um futuro que ainda não tinha chegado.

Não adiantava. Minha nuvem me chamou, eu vou.

6
A M A R G O S A

ELE ERA O SEMINÁRIO. UM HOMEM ILUMINADO. MENINO DE AREIA, interior do Ceará, hoje Ibicuitaba, nasceu em 24 de março de 1880. Viveu em União, Jaguaruana, até os 12 anos. Foi para Manaus, ficou algum tempo no seminário, subiu um mês o rio Solimões, três meses o rio Negro, até Marabitanas, onde vivia o padre Luís Gonzaga Oliveira, seu tio. De lá foi para Belém com o tio padre. Pegaram o vapor "Pernambuco" acompanhando Dom Jerônimo Tomé da Silva, transferido para a Bahia como Arcebispo Primaz.

Em 1894, entrou no seminário de Santa Teresa, em Salvador. Em 1895, foi para o Colégio Pio Latino-americano, em Roma. No fim de 1896, já estudava na Universidade Gregoriana, onde em 1899 se doutorou em Filosofia com a tese: "De Cognitione Humani Intelectus". Em 1903, doutorou-se em Teologia com a tese "De Gratia Efficaci et Libero Arbitrio". Colegas: cardeais Dom Sebastião Leme, do Rio; dom Aloísio Masella, da Itália; dom Jacob Copello, da Argentina; Dom Carlos de la Torre e Dom Geraldo Anaya, do México, outros.

* * *

Voz poderosa, estudou música em Roma: piano, órgão. Ordenado padre em abril de 1903, foi para a Bahia: capelão do hospital de Nazaré, vigário de Itapicuru, Castro Alves e Nazaré. De 1909 a 1941, ensinou latim, italiano e matemática no Seminário Central de Santa Tereza, em Salvador. E voltou para seu Ceará em Sobral, saudado por colegas e discípulos.

Era o "mestre dos mestres":

— "Um afortunado", segundo monsenhor Apio Silva. "Mestre admirável. Um passado luminoso", disse o cônego José Trabuco. "Professor temível e estimável", escreveu monsenhor Aníbal Matta. "Latinista total", para o padre Heitor Araújo. "Entende seis línguas, fala corretamente cinco. Grande helenista", depoimento do professor Álvaro Rocha.

E este homem alto, rosto forte, olhos grandes, faiscando, cabelos brancos ouriçados, culto, sábio, santo e poeta, filósofo, teólogo, matemático e músico, padre, cônego, monsenhor, maior latinista do país, José Francisco Correia, enciclopédia vestida de batina, aposentado aos 65 anos, chegou a Amargosa no dia 30 de abril de 1945, a convite de seu ex-aluno, bispo Dom Florêncio Vieira, sem nenhuma preocupação com remuneração. O seminário já tinha um ano. Mas nasceu mesmo com a chegada dele.

* * *

O Livro-Tombo da diocese conta:

— "No dia 11 de fevereiro de 1944, o padre Feliciano Rodrigues celebrou a missa de abertura do Seminário da Imaculada Conceição de Amargosa, na Bahia, na chácara doada à diocese pelo coronel Benedito José de Almeida, conhecido como 'coronel do Penedo', para lá instalar o seminário. Reitor e diretor espiritual, padre Eliseu Mota; confessor, padre Almeida, filho do coronel; professores, padres Eliseu, Feliciano, José Loureiro e o diácono Walfrido Teixeira Vieira, sobrinho do bispo, já no Seminário Maior de Salvador, depois bispo de Sobral, no Ceará."

"O senhor bispo Dom Florêncio Sisínio Vieira estava em visita pastoral. Presentes seis dos 11 seminaristas matriculados: Sebastião Augusto de Souza Nery tinha chegado no dia 2; Edvaldo Marcolino, José Marques e Milton Almeida, dia 4; Heráclito Brito, dia 7 e Francisco Farias, dia 8; Antônio Claret, dia 11 à tarde; Manoel Carlos Formigli, dia 16; Otávio Lopes e Júlio Almeida, dia 7 de março; e dia 23, José Antônio Wegner de Castro Alves Araújo de Abreu", sobrinho-neto do poeta.

"Dia 14, começaram as aulas. Dia 17, passeio na rodagem de Milagres. Dia 20, missa na catedral. Dias 21 e 22, retiro espiritual pregado pelo reitor. Dia 20 de março, ida à estação para receber Dom Florêncio, que voltava da visita pastoral à diocese. Dia 21, o bispo visita o seminário."

E foi ali que minha nuvem me deixou.

* * *

O seminário era comandado por uma família extraordinária, a do bispo: ele, o pai José Vieira, a irmã Dona Tina, solteira, uma mãezona.

Bondade infinita, ela e sua irmã Adélia, a Dedé, cuidavam de nós. Remédios, chá e mingau se alguém adoecia, roupa lavada, se a lavadeira atrasava.

De quando em quando aparecia Seu Galdino, irmão do bispo e pai do Walfrido, do José Clarêncio Vieira, também já seminarista em Salvador, e da professora Ruth Vieira.

A chácara era cheia de frutas, tomates pequenos, vaga-lumes, cobras e escorpiões. Em uma pelada de futebol, de repente o Heráclito deu um grito e saiu correndo segurando a bunda. Um escorpião, dentro do calção, estava agarrado nele. Outro colega calçou o sapato de manhã, o escorpião, dentro, picou o dedão.

Criamos o hábito, que comigo durou anos, de sempre bater o sapato no chão antes de calçar. Às vezes eles estavam lá.

À noite, escondidos, agachados, rastejando, um grupo ia comer frutas e tomates. O pai do bispo, José Vieira, tomava conta da chácara e morava nos fundos. Duas vezes viúvo, casado três vezes, era cheio de filhos: o bispo, dona Tina, outras filhas, seu Galdino e dois pequenos, Humberto e Cristóvão Colombo.

Uma noite, um cachorrão que ajudava a cuidar da chácara avançou em cima de nós. Corremos em disparada. Mas ele acertou uma dentada muito forte na perna de José Antônio, o sobrinho do poeta. Seu Vieira cuidou dele, mas filosofou:

— Vocês estão pensando que beiço de jegue é arroz-doce?

* * *

Nunca ninguém contou mentiras com tanta competência. Depois do almoço, do jantar, sentávamos em volta dele e lá vinham histórias fantásticas que Seu Vieira jurava verdadeiras:

— Quando jovem, fui o campeão de queda de braço dessas redondezas todas. Ninguém nunca conseguiu ganhar de mim. Já não encontrava páreo para lutar. Até que apareceu um homem de fora, alto, grandalhão, enfezado, parecia um touro, e me desafiou.

Fomos para a varanda. Com dois minutos, uma mesa forte espatifou toda. Fomos para a moenda. Levou quinze minutos, nós agarrados. O tronco da moenda partiu. Só tinha um jeito, a jaqueira.

— Queda de braço na jaqueira, Seu Vieira?

— Pois é. Era o único jeito de nos aguentar. Deixamos para o dia seguinte, serramos o tronco de uma jaqueira enorme, na altura de um metro e meio. A notícia correu, o quintal encheu de gente. De pé, um em frente do outro, começamos às seis da manhã. Punho para cá, punho para lá, ninguém cedia. Demos uma parada ao meio-dia para comer alguma coisa e recomeçamos logo. A coisa esquentou. Os dois já estavam com as veias pulando do pescoço. Daí a pouco, comecei a ver que a jaqueira estava abaixando. E foi abaixando, afundando, desaparecendo, os dois já sentados no chão, depois deitados, e a jaqueira sumiu de vez enfiada na terra. Nunca mais ninguém me desafiou.

E ficava sério, olhando para ver se alguém ria dele. Ninguém.

* * *

Oito da noite, a luz apagava, tínhamos que dormir. Para ir ao banheiro, só com vela. Era uma para todos. Viciado em ler, virei fabricante de vela. Mandei fazer uma forma de lata, enchia com restos de velas do altar, fabricava velas e trocava por doces com quem também quisesse demorar mais nos banheiros, lendo.

No começo de 45, na volta das primeiras férias, Walfrido substituiu padre Eliseu como reitor. Mais jovem, mais duro. E houve o primeiro choque. De manhã, uma notícia traumática. Um colega tinha sido mandado embora, expulso.

Motivo: segredo, ninguém podia saber nem comentar. Logo soubemos. Walfrido o havia flagrado se masturbando de noite, no escuro, sob os lençóis. Pecado mortalíssimo.

Um colega desafiava o perigo. Todos deitados, ele ajoelhava na cama, no escuro, e começava a cantar, com uma voz forte, a "Ave Maria" em latim. Walfrido chegava, ele continuava cantando de olhos fechados, como um Pavarotti sonâmbulo. E era o que todos achávamos. Daí a pouco ele calava, deitava e dormia.

Anos depois me contou que era tudo fingimento.

Heráclito era pior. Tinha insensibilidade no rosto, nas mãos, nos braços, nas pernas. Aparecia com um sapo grande na boca e várias agulhas enfiadas pelo corpo todo. Um horror. Ele ria.

* * *

A disciplina era dura: cinco da manhã, acordar e tomar banho frio. Só aos domingos e dias santos ou de santos importantes (São Francisco de Assis), doutores da Igreja (Santo Tomás de Aquino), acordávamos às 5 e 30. Depois, missa, café-da-manhã. Um pequeno recreio, e "banca" e aula o dia todo.

Não se podia conversar na fila, na capela, no restaurante, nas "bancas". Cada aula era precedida de 30 minutos de "banca", onde só se podiam ler livros sobre matéria da aula ou consultar dicionários de português, latim, francês, italiano. Eu me fartava nos dicionários. Li o "Caldas Aulete" todo. Havia sempre um colega "censor". Vigiava pela ordem nas "bancas". Quem brincava, caía numa "lista negra"que ia parar nas mãos do diretor.

Tenho aqui o "Boletim do Seminário Menor da Imaculada Conceição", com "as notas que o seminarista Sebastião Augusto de Souza Nery mereceu no mês de março de 1944". Primeiro mês de aula, 12 anos:

— "Doutrina 9, Latim 9, Francês 9, História da Civilização 9, Corografia (geografia) do Brasil 9, Canto e Música 9, Aplicação 9, Procedimento 8, Aritmética 5."

Em outro ano, uma vez só, tirei sete 10: latim, português, francês, italiano, história, geografia, religião e um 7 em aritmética. Sempre ela. Primeiro lugar. Ótimo? Nem tanto. Em "Procedimento" também 7. "Procedimento" abaixo de 5, meses seguidos, era começo de caminho de volta para casa.

* * *

Gostava de fazer pequenos objetos com canivete. Muitos anos depois, em Brasília, fui convidado para almoçar na casa do Humberto Vieira, um dos dois irmãos do bispo, filhos pequenos de Seu Vieira, já consultor do Senado e presidente nacional do Pro-Vida, o movimento internacional da Igreja contra aborto, anticonceptivos, células-tronco. Disseram-me que tinham uma surpresa para mim. No centro da mesa alguma coisa grande, coberta com uma toalha.

Era um barco de madeira, recortado a canivete, com mais de um metro de altura, completo: casco, mastro, cabine, velas, remo, tudo. E, incrível, tinha sido todo feito por mim e dado ao Humberto quando ele fez cinco anos. Eu tinha esquecido completamente essa minha vocação para armador, para Onassis.

* * *

Todos púnhamos apelidos em todos. Pegavam como "super-bond". O mais novo, pois fiz 12 anos lá, virei logo *Grand Père*, vovô, por ter chegado antes dos outros. O José Antônio, sobrinho do poeta, branco, branquelo, não esperava abrir as portas. Magrinho, pulava as janelas. Era o "Neguinho".

Chegou de Ubaíra o primeiro Moutinho. Depois veio outro irmão. Com um pão enorme feito pela mãe, no café-da-manhã, desembrulhou, repartiu, distribuiu generosamente. Perguntei:

— Como se chama esse pão?

— Pão Cheba.

Ninguém sabia o que era. Maldosamente, pedi o açúcar:

— Cheba, me passa aí o açúcar.

A partir dali, tornou-se o Cheba. Anos depois fui a uma solenidade da Volkswagen em São Paulo. Um diretor me desafiou:

— Vem aí um funcionário nosso. Quero ver se sabe o nome.

E ele apareceu alto, sorridente, simpático. Levantei-me:

— E aquele pão, Cheba?

Era o Doutor Cheba, engenheiro, um dos chefes da fábrica.

* * *

— "Hitler morreu, o urubu comeu, o couro é teu"!

Das janelas da aula de italiano, que o padre Feliciano, baixinho, nos dava, balançando as pernas curtas que não chegavam ao chão, vimos o povo na rua, pulando e gritando. O padre tentou impedir, mas corremos para a calçada. A guerra tinha acabado: 8 de maio de 45.

Carta a meu pai, dia 12, aniversário dele, que ele guardou:

— "Aqui todos muito alegres pela paz, pelo fim desta terrível guerra. No dia 8, bênção com *Te Deum*, missa cantada, parada e festas na rua. E dia 9, uma missa pelos soldados mortos."

* * *

Em junho de 45, o seminário mudou para um prédio em construção, ainda em obras, ao lado da casa (palácio) do bispo.

O padre Correia tinha chegado em 30 de abril. E começou logo a ensinar latim e português (aulas todo dia), francês e italiano (dia sim, dia não). Mudou tudo. Era uma didática revolucionária:

— Padre Correia, qual a gramática que vamos usar?

— Nenhuma. Só vão receber a gramática depois que souberem. Gramática é para conferir, não é para aprender. Aprende é comigo, na aula, em cima dos textos. Só depois vão procurar mais coisas nas gramáticas. É o boi na frente do carro. Portanto, prestem atenção e anotem tudo. Aprende quem anota.

Ia para o quadro-negro e, com sua letra redonda, clara, de professor, escrevia uma frase. De português, de latim, de francês. E dissecava tudo, palavra por palavra, a origem, as declinações, as concordâncias, os regimes dos verbos. Depois outra frase, mais outra, até o fim do texto ou da aula.

No dia seguinte, chamava um, entregava um livro, mandava ler o texto com as frases da véspera e analisar tudo de novo. Nas dúvidas, repetia, insistia, mandava reescrever no quadro. Com o tempo, ficava tudo claro, lógico. As línguas perdiam o mistério.

* * *

Distribuía antologias para lermos nas "bancas" de português que precediam as aulas e que iam passando de mão em mão: "Antologia Nacional" de Eugenio Werneck; "Crestomatia", de Radagasio Taborda; "Gramática e Textos", de Eduardo Carlos Pereira; "Os Três Grandes Capitães da Antiguidade", do baiano, adversário de Rui Barbosa, César Zama.

Você tomava conhecimento da vida e obra dos grandes escritores de Portugal e Brasil e da história universal. E o inesquecível "Tesouro da Juventude", que ficava na nossa "Academia", junto com os vários volumes da "Vida dos Santos", à disposição de todos. Eu procurava ler tudo. E, se o livro era meu, escrevia na primeira página o dístico latino:

— *"Ad Majora Natus Sum"* ("Nasci para as coisas maiores").

Padre Correia recortava artigos de Assis Chateaubriand e Agamenon Magalhães, nos jornais da Bahia, no tempo do debate, na Constituinte de 46, sobre a "Lei Malaia" (controle do capital estrangeiro), projeto de Agamenon Magalhães, furiosamente combatido por Assis Chateaubriand, um defendendo e o outro atacando, e nos dava para ler:

— É para vocês aprenderem a discutir.

Recortava em *"O Cruzeiro"* (que não nos entregava, porque "tinha muita mulher") a crônica de abertura de Franklin de Oliveira ("7 Dias") e nos dava para ler:

— É para vocês aprenderem a escrever.

Latim e português tinha aula todo dia, todos os anos, desde o primeiro. Fazia uma sequência lógica, impecável, para a tradução dos autores latinos: começávamos com os textos mais simples, as fábulas de Fedro, as cartas de Cícero depois os discursos, Tito Lívio ("Aníbal, Cartago"), os historiadores, para afinal os poetas: Ovídio, Virgílio, Horácio. Literatura brasileira, a mesma coisa.

Nas provas, fim de mês e fim de ano, quase nunca dava 10:

— 8 é para o bom aluno, 9 para o autor.

— E 10?

— 10 é para mim.

Na primeira aula de italiano, anunciou:

— Hoje, vocês vão aprender 8 mil palavras italianas terminadas em "ário". São iguais em italiano e em português.

Criava fórmulas, versos, para nada ser uma decoreba:

— Quando se usa "por" e quando se usa "pôr"?

— "Por e pôr iguais não são. Se vem com acento é verbo, se não vem, preposição."

— O que é simulação e o que é dissimulação?

— "*Quod non est, simulo. Dissimuloque quod est.*" (O que não é, simulo. E dissimulo o que é).

* * *

Como lembrar e citar os doze césares romanos na ordem histórica? Roberto Sávio morava em um lugar encantado, em um palácio em ruínas de uma das sete colinas romanas. Roberto era um argentino-italiano, que fundou e dirigia a "Interpress", uma agência universal de notícias que via o mundo com olhos do Terceiro Mundo. Numa noite inesquecível de 1991, ele oferecia, no seu ex-palácio, em Roma, um jantar ao ex-presidente da Costa Rica, Oscar Arias, que havia ganho o Prêmio Nobel da Paz por ter acabado com a guerra civil em El Salvador.

Políticos, escritores, jornalistas, padres, empresários. E um grupo de brasileiros: Guy de Almeida, ex-vice-governador de Brasília, diretor da Interpress; Marcos Lins, representante do Brasil na FAO; Milton Seligman, também da Interpress.

De repente surgiu uma discussão entre os italianos sobre a sequência certa dos césares em seu tempo, na ordem cronológica. Cada um enfiava um César em qualquer lugar, mas não batia com a história. Ninguém sabia onde e quando cada César tinha sido César. Todo mundo sacando, sem acertar. Numa varanda divina, caída sobre escombros de uma Roma eterna, eu ouvia a discussão bebendo um divino "Brunello di Montalcino". Falei alto:

— Os césares foram César, Augusto, Tibério, Calígula, Cláudio, Nelba, Galba, Oton, Vitélio, Vespasiano, Tito, Domiciano. Nesta ordem.

Foi um espanto. Eu era Adido Cultural em Roma, ali poucos me conheciam. Parecia que o Espírito Santo havia baixado na sala, entre vinhos e canapés. Como é que eu sabia, se nenhum dos professores italianos de história, ali presentes, se lembrava? Então lhes falei de um mestre inigualável que me havia ensinado mil coisas, inclusive essa bobagem de saber de cor, 50 anos depois, pela ordem, os 12 césares. Era simples. Três palavras apenas:

— "Cesautibécal, Claunegalbóton, Vivestidomi".

Ficaram ainda mais curiosos. Traduzi: César, Augusto, Tibério e Calígula; Cláudio, Nero, Galba e Oton; Vitélio, Vespasiano, Tito e Domiciano.

Os italianos, jornalistas, professores, intelectuais, acabaram amuados. Sentiram-se vencidos por uma bobagem. Os italianos sempre acham que são os melhores do mundo. Desde o futebol.

* * *

Padre Correia detestava futebol. Achava um jogo primário, menor. Quando jogávamos, ameaçava, de brincadeira:

— Joguem bola, manés, que eu encaixo no fim do ano!

Outro estava empinando pipa. Achava uma bobagem:

— Empina, que eu te empeno!

Seu José Vieira, o pai do bispo, tinha um pigarro permanente:

— Rum, rum, rum!

Respondia na hora:

— Dois, dois, dois!

Se apontávamos algum erro em algum texto, apoiava:

— Supram com suas luzes as deficiências do autor!

Se encontrava nos missais, nos breviários, algum texto latino de construção não clássica, corrigia e justificava:

— Se não é, devia ser.

E dava como exemplo a penitência da Semana Santa:

— "Memento homo quia pulvis es et in pulverem reverteris" ("Lembra-te homem que és pó e ao pó voltarás").

Ele corrigia:

— Isso é latim macarrônico. Em latim clássico é assim:

— "Memento homo te esse pulverem et in pulverem reverteris."

* * *

Havia chegado de Jequiriçá um novo seminarista. Estávamos analisando em aula os Lusíadas, de Camões:

— "As armas e os barões assinalados

Que da ocidental praia lusitana

Por mares nunca d'antes navegados

Passaram muito além da Taprobana"...

— Onde fica a Taprobana?

Ninguém sabia. E foi perguntando, um a um. Lá de trás, o garoto recém-chegado de Jequiriçá respondeu baixinho:

— Sei não, professor.

— Muito bem! Ceilão! Vocês, seus marmanjos, há dois anos aqui, não sabem. E o tabareuzinho de Jequiriçá já sabia.

Nenhum de nós dedurou o tabareuzinho que chegava.

* * *

A prefeitura inaugurou a "Biblioteca Pedro Calmon", filho mais ilustre da cidade. Estavam lá o homenageado, professor, escritor, acadêmico e orgulho da terra, o prefeito, vereadores, o bispo, os professores do seminário e os locais, e um jovem estudante de Direito também nascido lá, Waldir Pires.

O padre Correia escreveu um texto em latim, um diálogo, como se fosse teatro, para Carlos Formigli e eu dizermos. Lembro bem de duas coisas: o medo de começar e a alegria de terminar debaixo de palmas. Não erramos nada. Carlos aparecia de repente, de surpresa e eu, ali ao lado, o interrogava em latim:

— *"Eus, Carole, quo vadis"*? (Alô, Carlos, para onde vais?).

E Carlos respondia que ia para a inauguração da biblioteca. Falávamos sobre a importância da biblioteca, a justa homenagem a Pedro Calmon e uma saudação carinhosa à cidade.

Tudo em latim. Em um latim perfeito, clássico, claro, que pronunciamos com segurança, até porque o autor estava ali e, se errássemos, era capaz de nos matar. E foi o primeiro a aplaudir.

Walfrido Teixeira Vieira fez um ótimo discurso, abrindo com a história do *"Príncipe e o Mendigo"*, do americano Mark Twain, e terminando com Alexandre Herculano:

— "Noite sinistra e má. No bairro solitário"...

O dentista da cidade, com uma voz poderosa, cantando e emocionando a todos com "Aquarela do Brasil". Provando que era quem era, Pedro Calmon deu uma aula de cultura e educação, únicas ferramentas para construir uma verdadeira Nação. E eu lá, 13 anos, me inaugurando, estreando. Em latim.

* * *

No último domingo do ano litúrgico, depois de Pentecostes, padre Correia foi fazer a homilia (o sermão). Chegou com um exemplar de *"Seleções"*, abriu calmamente para espanto de todos, leu um texto sobre o naufrágio do Titanic e concluiu:

— "E no fim do mundo vai ser muito pior."

Era o "Evangelho do Fim do Mundo".

Íntegro, asceta, virtuoso, sacerdote em tempo integral, vida consagrada à Igreja e ao ensino, um dia vi padre Correia lendo, em francês, um livro sobre os milagres de Lourdes. Perguntei-lhe por que ainda lia coisas assim, se havia estado lá, pesquisado tudo:

— É sempre preciso adubar a fé.

Modesto, embora consciente de quem era e do que sabia, corrigia os autores, padre, bispo, quem fosse. E era um bom poeta latino. Quando fez 50 anos de sacerdócio, em 1953, já em Amargosa, seus ex-alunos de

Salvador editaram um livro de poesias latinas dele: — *"Ludicrae Exercitationes"* ("Exercícios Recreativos"). Nunca levou seus poemas para as aulas.

Em um aniversário, pedimos uma foto para nossa Academia. Mandou a foto, acompanhada de uns versos:

— "Eis a carranca outoniça
do vulgar José Correia,
padre que apenas diz missa.
Se cantou, hoje orneia." (Os outros versos, esqueci).

Anos depois, fui à PUC, no Rio, conhecer o jesuíta padre Augusto Magne, já velhinho, nascido na França em 1887 e morto no Rio de Janeiro em 1966, com 99 anos. Filólogo, latinista histórico, considerado um dos maiores do mundo, autor de livros clássicos e sobre o latim e o grego: *"A Demanda do Santo Graal"* (1944), *"Dicionário Medieval e Clássico da Língua Portuguesa"* (1950), *"Dicionário Etimológico da Língua Latina"* (1952), e outros. Disse-lhe que tinha sido aluno do padre Correia:

— Saiba, meu filho, que foi aluno do maior latinista do Brasil.

Morreram no mesmo ano, 1966.

* * *

Padre Correia tinha fascínio pela França, língua, literatura, história, a revolução francesa, apesar de horror ao terror e à guilhotina. Nem o orgulhoso nacionalista De Gaulle pensou nesta:

— Os russos e americanos estão disputando para ver quem chega primeiro à Lua. Vão ter uma grande decepção. Quando chegarem lá, encontrarão uma gramática e um dicionário francês.

E nem mesmo Napoleão teria ideia desta "francesada":

— Deus mora no céu, trabalha em Roma e passa férias em Paris.

E dava uma gargalhada.

Não gostava da Inglaterra. Leu em aula o terrível poema de Guerra Junqueiro contra a colonização da Inglaterra na África:

— "Inglaterra, Inglaterra, loba faminta, bêbada infame"!

Perguntei por que não estudávamos inglês (que ele lia, mas não falava e não gostava):

— Língua de bárbaros. Escreve maxixe e pronuncia quiabo.

* * *

No primeiro ano, éramos 11. No segundo, fomos a 18. Cada ano aumentava o número. O seminário só ia até o quarto ano ginasial. Saí de lá em fevereiro de 1948, para Salvador, para terminar o seminário Menor e fazer o Maior: Filosofia e Teologia.

As lições de decisão, dedicação, seriedade, responsabilidade, solidariedade, ficaram gravadas em fogo em mim. Nunca mais aprendi com tanta força o que aprendi em Amargosa. Sobretudo a estudar e querer. E levar a sério o que se faz. Ele ensinou:

— Os romanos gravaram em pedra: — *"Age quod agis"* , "faz bem o que fazes".

De 1945 a 65, quando, já cego, voltou para Fortaleza, continuou formando gerações que jamais o esqueceram. Alunos como José de Sá Nunes, o grande gramático; Wilton José Gomes de Queiroz, juiz federal; Antônio Reinaldo Rabelo, da Universidade Federal da Bahia; Carlos Formigli, protetor da Criança e da Juventude; Milton Almeida, advogado; João de Almeida, deputado; Nelson Luiz de Franca e Gilberto Reis, padres; José Raimundo Galvão, reitor da Uneb; Carlos Souza Andrade, empresário; Fernando Souza, professor; centenas. E o exemplar e incansável Dom João Nilton, aluno e hoje bispo de Amargosa desde novembro de 86.

* * *

Não bajulava aluno, não se misturava com os alunos. Seu meio de comunicação era a sala de aula e a janela na casa (palácio) do bispo ao lado da sala de estudos e aulas do seminário, separada por um pequeno jardim. Lá estava ele o dia inteiro na sua rede onde lia e que permanentemente rangia a seu peso de gigante, com pilhas de livros ao lado, lendo, relendo, riscando, anotando nas margens. Era um Google.

A qualquer hora do dia qualquer um que chegasse, perguntasse o que perguntasse, ou ele tinha a resposta exata na hora ou pedia tempo para consultar, pesquisar. Raramente deixava para o dia seguinte. Em geral, marcava meia hora, uma hora. Entregava o livro riscado, anotado, apontava as páginas:

— Livro tem vai e volta. Outros precisarão dele também.

Jamais conheci outra pessoa que soubesse tanto de tudo. Além do que ensinava, sabia filosofia, teologia, ciências, matemática, geometria, música. Em três anos nunca lhe perguntei uma coisa sem a resposta. A biblioteca imensa formada em décadas ficava dividida: a metade em Salvador, na casa do ex-aluno e amigo dileto, em cuja casa se hospedava, professor Álvaro Rocha; e a metade, no seminário.

Já cego, em 1964, aos 84 anos, pouco antes de voltar para morrer no seu Ceará, ouviu a banda de música de Amargosa tocar:

— Diga ao segundo clarinete que ele está meio tom abaixo.

Nas tardes de céu azul, tinha saudades da Itália:

— Este é o céu do Mediterrâneo.

Se o Ceará tivesse dado apenas padre Cícero e padre Correia, já estava de bom tamanho.

Muitos livros me deu, valiosíssimos. Quando fui para Salvador em 48, presenteou-me com uma bela edição de *"O Tupi na Geografia Nacional"*, de Teodoro Sampaio. E a dedicatória eram dois versos em latim, que nunca esqueci:

— "Ao caro discípulo Sebastião Nery:

"Aspice mens sursum, perigrinaque despice cuncta,

Nec te corpus ovans ad tenebrosa ruat."

("Eleva a mente para o alto e despreza todas as coisas apenas belas, para que teu corpo não se arruíne nas trevas".)

Em 1964, em Salvador, quando me levou, o golpe militar levou meus livros e seus versos. Mas ele ficou para sempre.

* * *

Em 1960, aos 80 anos, os olhos do velho guerreiro das palavras começaram a cansar. Foi ficando cego. Quando começou o Concílio Vaticano II, mandava buscar em Roma as resoluções, em latim, e pedia ao Dom João Nilton para ler. Um dia, João Nilton viajou e encontrou o jardineiro, quase analfabeto, sentado ao lado dele, lendo letra por letra as palavras em latim. E ele, cego, juntava letra com letra, compondo as palavras. Era sua vida.

Em 65, duas sobrinhas o levaram para Fortaleza. Morreu lá em 25 de maio de 1966, aos 86 anos.

Meu primeiro livro, *"Sepulcro Caiado – O Verdadeiro Jueracy"*, de 1962, foi dedicado a ele:

— "Este livro é do padre Correia, o mestre inigualável, que me ensinou a estudar e querer."

7
Santa Tereza

Meia noite, um grito:
— Ladrão! ladrão!
E outros gritos:
— Pega!, pega! Desceu as escadas!

E o dormitório do Seminário Menor de Santa Tereza virou um pandemônio. Uns duzentos seminaristas, de pijamas, escadaria abaixo, do terceiro para o segundo andar e logo para o primeiro, atrás de um ladrão que ninguém via, mas todo mundo sabia que estava logo ali. O segundo andar era o quarto do diretor, Padre Eugênio Veiga, e as salas de aula. O primeiro o "parlatório" para as visitas, a biblioteca, os armários de cada um, os banheiros.

Tudo revirado, até a caixa de energia, na entrada, onde não cabia o menor dos anões. E o ladrão não deixou rastros. Só a dúvida: se não tinha sido inventado pelos dois dos primeiros gritos.

* * *

Diferente do pequeno seminário de Amargosa, o de Santa Tereza era um mundo. O casarão de mais de quatro séculos é hoje o magnífico Museu de Arte Sacra da Bahia, entre a Rua de Santa Tereza e a Rua do Sodré, perto da Rua Carlos Gomes e da Praça Castro Alves. Nele, no edifício multissecular, era o Seminário Maior, Filosofia e Teologia, sempre com mais de 50 alunos. Ao lado, no anexo, o Seminário Menor, sempre com mais de 200.

As histórias e lendas são inúmeras. A História conta que no começo do século XVII, em 1600 e poucos, uma caravela portuguesa levava para a Índia um grupo de frades Carmelitas Descalços, da Ordem de São João da Cruz e Santa Tereza de Ávila, dois grandes teólogos, poetas e santos. A caravela se avariou e eles pararam na Bahia para consertar.

O conserto tanto demorou e tanto eles gostaram da Bahia, que começaram a construir um mosteiro no alto da colina, em frente ao mar. Daí o primeiro nome de Mosteiro dos Terézios, em homenagem a Santa Tereza, que havia morrido havia pouco, em 1582. No grupo, havia um jovem noviço, Agostinho da Piedade, de 19 anos, com um genial talento para a escultura. Como eram descalços e pobres, não tinham mármore, nem metais nem pedras.

Agostinho trabalhava com terracota, o barro cozido. E foi com terracota que ele fez as várias imagens que estão lá até hoje: a Santana Mestra, que uma lenda diz que é a avó do Cristo, mãe de Nossa Senhora, e outra lenda afirma que era uma irmã de Nossa Senhora que ensinou o Menino Jesus a ler.

Também do escultor Agostinho há um São João Batista com peruca, alguns santos com expressões populares dos mestiços baianos e os irmãos sapateiros Cristiniano e Crispim, trabalhando.

Outra surpreendente raridade é um Jesus Bom Pastor feito de marfim, vinda da Índia. Tem a cabeça encaracolada, relembrando a história de Buda meditando um dia ao sol, que foi ficando quente demais e ele não podia interromper sua meditação. Um punhado de caracóis subiu à sua cabeça totalmente careca, ficaram quietos ali e a "encaracolaram", protegendo-o do sol.

De mosteiro de Carmelitas Descalços, o Santa Tereza tornou-se convento de jesuítas. Tem até hoje um pequeno túnel de onde escorre água. Dizia-se que foi construído para os padres fugirem para o mar, quando o Marquês de Pombal expulsou os jesuítas e sequestrou seus bens, em Portugal e no Brasil, em 1759.

Também até hoje está lá, no museu, magnífica, com mais de um metro de altura, toda de ouro e pedras preciosas, a mais bela Custódia da Igreja no país. Custódia é o objeto de ouro ou prata onde se expõe a hóstia consagrada. Como várias outras relíquias sacras, foi encontrada no século XVIII, enfiada dentro de uma das larguíssimas paredes coloniais do antigo convento.

* * *

Toda vez que o Trapiche explodiu, o Santa Tereza sacudiu. E nunca ruiu. Desde a fundação da cidade de Salvador um imenso Trapiche junto ao porto, exatamente embaixo da colina do Santa Tereza, recebia e embarcava mercadorias, principalmente material militar, da Marinha, do Exército, e sobretudo guardava toneladas de pólvora, explosivos, importados de Portugal. Até hoje está lá, com salão de festas, restaurantes, galerias, bares.

Não foi só uma, nem duas vezes. Da última, o desastre chegou perto. De manhã, na hora da missa, padres, seminaristas, freiras e noviças rezando, o primeiro estrondo. Parecia que tudo viria abaixo. E logo o segundo, o terceiro, um atrás do outro. As seculares paredes coloniais, de mais de um metro de largura, feitas de pedra, estremeciam, derrubavam tudo que estivesse encostado nelas, altares, imagens. Só elas, de pé, resistindo.

Na primeira explosão, o enorme Cristo crucificado, lá em cima, de braços abertos sobre o altar, descolou, mergulhou e despedaçou no chão, no pé da escadaria do altar, largando pedaços entre uma fileira e outra das cadeiras e bancos. O milagre foi ter desabado exatamente para a frente. E não atingiu ninguém.

No segundo estrondo já não havia mais ninguém para atingir. Padres e seminaristas pensaram logo no fim do mundo e desabalaram para fora da igreja e do seminário, uns passando por cima dos outros. A ladeira de Santa Tereza, que dá para a Rua Carlos Gomes, parecia o estouro de uma boiada de batinas pretas.

Quanto mais corriam, mais as explosões se repetiam e um fogo compacto, labaredas altíssimas, lambia as mangueiras, os coqueiros e as paredes externas do Santa Tereza. A construção do seminário Maior ficou intacta. Dentro, muita coisa veio abaixo. O Menor, de construção bem mais nova e simples, perdeu paredes, escadas. A sorte foi, mais distante, atrás, o fogo não chegar lá.

A cidade passou o dia vivendo a tragédia que, felizmente, não veio. E, no dia seguinte, a novela era saber quem teria ido mais longe. Houve quem subisse a ladeira de Santa Tereza, corresse pela Carlos Gomes, Praça Castro Alves, Rua Chile, Misericórdia, Praça da Sé e só fosse parar no Terreiro de Jesus.

Quem viu tudo mais de perto foram os "Capitães de Areia", do gênio de Jorge Amado. O Trapiche era seu palácio à beira-mar.

* * *

De comum, entre o seminário Menor e o Maior, só a igreja e o refeitório. Mesmo ritmo de Amargosa: acordar às 5, nos domingos e dias de santos às 5 e 30, banho frio, meditação, missa, café, pequeno recreio, "banca" e aula o dia inteiro, com intervalos.

A Meditação era um exercício fúnebre. Um aluno lia um trecho das "Meditações Sobre a Morte", de Santo Afonso Maria de Liguori, e ficávamos todos, "maiores" e "menores", quinze minutos de olhos fechados, pensando nela, na morte. Masoquismo puro. Quinze anos e conversando toda manhã com a morte.

Aos domingos, sem aulas, jogos, vários esportes, até futebol.

O refeitório comprido, imenso, em todo o subsolo do edifício, tinha a mesa dos padres na cabeceira, depois a do seminário Maior e duas mesas longuíssimas do Menor. Ninguém podia dar uma palavra. Depois de servidas pelos encarregados da semana, as vasilhas, grandes, com a comida ficavam na ponta. Pedia-se mais com sinais diversos feitos com as mãos. E elas vinham caminhando, passando de um em um. Em completo silêncio.

Lá em cima, em um púlpito, os padres e colegas ali de fiscais, um seminarista, em voz alta, para chegar a todos, lia um livro a refeição inteira: "História da Companhia de Jesus no Brasil", do padre Serafim Leite; "Lembranças do Beato Maria Claret", "Os Sertões", de Euclides da Cunha. Quem soltava uma "batata" (erro grosseiro de uma palavra) descia de lá arrasado. Um colega anunciou "O Mártir do Gólgota" (acento no primeiro "o"), de Perez Escrich. Mas disse "O Mártir do 'Golgóta'" (acento no segundo "o"). Gargalhada. Desceu chorando e virou "Golgóta".

* * *

Administrar a vida e o estudo de quase 300 jovens, tarefa impossível. E a Igreja, a duras penas, fazia. Alguns domingos, saíamos todos para Itapoã, em 1948 uma praia quase deserta, só a igrejinha. Alguns padres tomando conta. Depois do futebol, banho de mar. Um dia, como o pescador de Caymmi, um não voltou. Ficou para sempre no mar. Nunca mais houve uma tarde em Itapoã. A Igreja deixou para Vinicius. Nunca aprendi a nadar.

Ninguém era inocente. A grande maioria queria mesmo ser padre, era casta e piedosa, sabia que bom comportamento era indispensável, mas aos 15, 20 anos, não se resiste a uma pequena baderna. Mais de 200 em um dormitório imenso, até chegar o sono era difícil recusar uma história engraçada, uma piada.

Muitas famílias mandavam, de trem ou de navio, pequenos pacotes ou caixas com queijos, requeijão, doces. De Jaguaquara, quem sempre levou para mim caixas de frutas, bolos e doces feitos por minha mãe e minha madrinha, foi o velho Mansur, um *gay*-correio incansável, que descia para Salvador ou subia para Jequié levando e trazendo encomendas e jornais. Quando chegavam, o normal era dividir uma parte com os outros e guardar o resto no seu armário. Mas alguns não dividiam nada. Armávamos o bote. Todos dormindo, saíamos alguns poucos, descíamos as escadas, íamos ao térreo, arrombávamos os armários dos gulosos e comíamos ou escondíamos quase tudo.

Essa merenda mandada pelas famílias era providencial. O café-da-manhã do seminário, em Amargosa e no Santa Tereza, era normal: frutas, pão, leite. O almoço sempre farto: feijão, arroz, carne, batatas, legumes. Mas jantar não havia. Era um café muito do mixuruca: pão com manteiga e leite. Dormi sete anos literalmente com fome. Entre 10 e 20 anos, precisávamos de três refeições. A teoria do seminário é que não devíamos comer à noite para acordar mais cedo e evitar excitações noturnas.

* * *

O arrombamento dos armários dos egoístas provocou uma guerra. O diretor, padre Eugênio, ficou indignado, instalou no centro do dormitório um quarto para ele, cercado de tábuas.

A cama era de ferro, sobre pés também de ferro. Amarramos barbantes escuros em cada pé da cama, deixamos só umas pontinhas do lado de fora. Ele chegou tarde da noite, foi dormir. Pegamos as pontas dos barbantes e puxamos de uma vez só. As pernas de ferro largaram, a cama ruiu e o padre desabou no chão. Um barulhão enorme. Parecia a Torre de Babel caindo.

Naquela noite, ninguém dormiu. Furioso, o manso e amigo padre Eugênio amanheceu o dia esfregando um molho de chaves nas cabeceiras das nossas camas, também de ferro. Suprema vingança. Mas ninguém viu ninguém, ninguém nos denunciou.

* * *

Fora essas pequenas estripulias, a vida era estudar. Na nossa Academia de São José do seminário Menor, a biblioteca era razoável, havia muita coisa boa para ler. A do seminário Maior, multissecular, tinha mais de 10 mil volumes. Era para depois.

Jornais e revistas eram proibidos: — "Têm muita mulher". As notícias chegavam pelos professores, todos padres, com uma exceção, o professor Álvaro Rocha, não o amigo do padre Correia, de mesmo nome, mas o pai da Marta Rocha, que ensinava Física e Química. As aulas eram logo depois do almoço. Um sono terrível. Simpático, ele fazia um esforço enorme para nos manter atentos:

— Sebastião, acorde, preste atenção!

— Estou acordado, professor.

— Não está não. Está castelando (fazendo castelos).

Ele morava na Barra, em um belo casarão, ali perto do farol. Às vezes, aos domingos, passávamos lá, mandava servir doces e café. A mulher, uma catarinense de olhos verdes, muito bonita. E duas filhas inesquecíveis: Marta e Luíza, com os olhos da mãe. Lembro das duas entrando na sala, belíssimas, cumprimentando, e o velho professor mandando saírem. Sabia onde a tentação morava.

Cônego Curvelo, moreno, pomposo, voz aveludada, famoso orador sacro, ensinava História do Brasil, uma vez por semana, logo depois do almoço. Às vezes, com mais sono do que nós:

— Estou morto de sono. Tirei a barriga da miséria almoçando com o governador Octávio Mangabeira e com vinho. Sebastião, às vezes era outro, converse sobre história com seus colegas.

E recostava a cabeça na cadeira. Não chegava a roncar.

* * *

Um colega nosso, de Salvador, o Edvaldo, desenhava muito bem, mas ninguém sabia. Propôs-me fazermos um jornalzinho em segredo. Eu escrevia, ele desenhava. Tinha que ser datilografado fora do seminário. Um primo dele, de Salvador, providenciaria.

Bolei o nome: "O Saci". Duas páginas só, escritas e desenhadas de um lado e de outro. Falávamos dos professores e dos colegas, contávamos coisas engraçadas, acontecidas nas aulas. Foi um sucesso. Apareceu de repente, ninguém sabia de onde nem como. De mão em mão, os professores liam nas aulas tentando adivinhar o estilo. Padre Eugênio começou a chamar alunos para interrogar. Ninguém sabia. Jurei que também não. Nosso trunfo era que eu e Edvaldo não éramos próximos, pouco conversávamos. Não deu para desconfiar. Escrevia no banheiro, na hora dos jogos, nos domingos. Um mês depois, outro jornal.

Exageramos. As histórias estavam mais apimentadas. Dom Augusto tinha levado um pequeno tombo, um escorregão, celebrando a missa de Santo Tomás, no dia 7 de março, na igreja do seminário. Edvaldo fez um desenho genial, mostrando o grande Cristo da igreja, de braço direito estendido, com o polegar para o chão, apontando para Dom Augusto caído diante do altar.

Pela letra dele e meus textos de aula, um padre esperto nos acusou da autoria do jornal. Negamos até o fim. E "o Saci" morreu.

A NUVEM

* * *

Tinha a maior curiosidade de conhecer de perto nosso arcebispo, de 1924 a 1964, ainda não cardeal, Dom Augusto Álvaro da Silva, pernambucano do Recife, alto, elegante, vaidoso, também consagrado orador sacro e poeta, com livros publicados com pseudônimo de Carlos Neto e que só havia visto na catedral, na Semana Santa, fazendo um sermão da Ressurreição.

Dizia-se no seminário que ele não gostava dos seminaristas de outras dioceses. Eu era de Amargosa. Fiquei com medo dele. Um domingo à tarde soubemos que ele estava chegando ao seminário. Todos em fila de batina, barrete na cabeça. Achei-o mais alto, mais elegante, mais solene do que pensava. E ele veio vindo devagar, sorrindo, estendendo a mão, para beijarmos o anel. A alguns, dizia alguma coisa. Deve ter percebido meu nervosismo:

— De onde você é?

— De Jaguaquara, Dom Augusto.

— Um seminarista não é da cidade onde nasceu, mas da diocese a que pertence.

— Sou de Amargosa.

— É novato aqui. Como é seu nome?

— Sebastião.

— Quando se pergunta o nome a alguém é o nome todo.

A essa altura eu já estava trêmulo e gaguejando:

— Sebastião Augusto de Souza Nery.

— Um nome episcopal.

— Como o de Vossa Excelência.

— Mas eu começo com Augusto.

— E acaba com Silva.

Não sei o que me deu para sair com aquela história de Silva. Não tive a menor intenção de dizer aquilo, mas disse. Deve ter sido coisa de Satanás. Avermelhado, dedo em riste, ele gritou:

— Ajoelhe-se, seu atrevido, seu mal-educado! É assim que você trata seu arcebispo, seu superior? Devia mandá-lo embora!

Não consegui falar mais nada. De joelhos no chão, chorava. Ele deu dois passos, olhou para trás, ficou me espiando e insistiu:

— Continue de joelhos até eu sair. Não vai servir para padre.

Nunca pensei que Silva fosse palavrão. Ainda bem que ele não demorou. Continuava chorando. Quando saiu, os colegas vieram me confortar. Padre Eugênio, humaníssimo, me salvou:

— Levante-se, Sebastião. E esqueça isso. Foi um equívoco. Dom Augusto pensou que você estava zombando do Silva dele e nós vimos que não foi nada disso. Perdoe. Ele é um homem bom.

* * *

Como nos quatro anos de Amargosa, o grande instante do seminário eram as férias. Em Amargosa, um mês em julho e dois no fim do ano, dezembro e janeiro. No Santa Tereza, só dezembro e janeiro. No meio do ano, era um mês no seminário de Itaparica.

Eu continuava no meu trem. Para Amargosa parava em São Miguel das Matas, pegava o ramal de Amargosa. Conhecia todas as estações do Vale do Jequiriçá, nas cidades e nos principais distritos. Chamava pelo nome os vendedores de doces.

Em 1948, quando fui para Salvador, foi minha primeira grande aventura externa. Não conhecia "a Bahia" (era assim que se chamava Salvador) e nunca tinha visto o mar. Sabia que era grande e ameaçador. E ia ter que tomar "o navio da Bahiana" (Companhia Navegação Bahiana), que fazia portos do Recôncavo. O trem parava em São Roque, havia meia hora para o pequeno navio sair. Corríamos em disparada para as barracas das baianas do camarão com chuchu, a maior contribuição culinária dos africanos à cozinha brasileira. Maior do que a feijoada, que é complexa. Camarão com chuchu é simples, come-se com colher.

De repente, numa curva, vejo ao longe aquela coisa azul, enorme, espichada, como um imenso animal deitado. Era o mar. O coração disparou. O trem foi se aproximando, parou perto. Fui comer meu camarão com chuchu, mas de olho no animal azul.

Entrei no navio, fui para a varanda, ele começou a balançar. Não muito, mas também não pouco. Todo navio balança. Não adianta propaganda. O homem jamais vai domar o animal azul.

O seminário abria, como sempre, no primeiro dia útil de fevereiro. Cheguei a Salvador, era Carnaval. Fiquei em um pequeno hotel na Rua Rui Barbosa, ao lado da Chile. A noite toda na janela vendo os blocos passarem e as mulheres sambarem.

* * *

Férias querem dizer pai, mãe, irmãos, tios, amigos, fazendas e cavalos. Mas antes ia, toda manhã, à missa na igreja. Ajudava, rezava, comungava, o resto do dia era todo meu. E às vezes de ex-colegas guardados no cantinho do peito, o ano inteiro, que deixávamos ali dormindo para nos esperarem.

Além das de Jaguaquara, havia as doces lembranças de Amargosa, meninas lindas que iam às missas solenes do seminário, às festas oficiais da cidade onde estávamos, ou as que na catedral assistiam às missas ajudadas por nós. Na hora de bater a sineta, pecaminosamente sacudíamos os outros três dedos saudando-as, imaginando que estivessem vendo. Algumas vezes de fato viam, entendiam e mandavam bilhetinhos do pecado.

Bastava descobrirmos o nome e viravam fugazes namoradas.

A desgraça das férias de seminário são as beatas. A beata é um animal sem nenhuma beatitude. Passadas as férias, a direção do seminário se enchia de cartas de beatas denunciando que o seminarista tal estava na cidade sem batina, andando de bicicleta sem batina, indo para a fazenda sem batina. Ou, supremo pecado, de conversinhas com garotas que deviam ser namoradinhas. E muitas vezes eram. Namoradas etéreas, de fluidos sonhos.

* * *

A rádio de Jaguaquara era o Serviço de Alto-Falantes Nossa Senhora Auxiliadora. Desde o primeiro ano do seminário, aos 12 anos, nas férias de junho e nas de dezembro e janeiro, toda tarde às 18 horas eu fazia a "Crônica da Ave Maria". Escrevia antes numas tiras de papel e lia pausadamente, literariamente, emocionadamente. Começava com coisas assim:

— "Seis horas, seis hóstias de ouro no altar do firmamento". A cidade se encantava. Fiz a crônica da Ave Maria todas as férias do seminário de Amargosa e nos dois anos do seminário Menor de Santa Tereza. Eram três ou dois meses por ano.

O carinho que tenho por minha cidade de Jaguaquara, jamais esquecido e sempre proclamado, além de ter pago meus estudos do seminário, tostão a tostão, tem nisso mais uma razão de ser. Nunca chegou de Jaguaquara, nos fins de minhas férias, uma carta sequer, tanto a Amargosa quanto a Salvador, falando alguma coisa de mim. Até as beatas de Jaguaquara são diferentes.

Mesmo com razões, gostavam mais de mim do que das razões.

* * *

Mas férias às vezes também têm tragédias. O primeiro avião que vi, caiu. Esmeraldo de Souza, filho de um primo de meu avô, Manoel Inácio de Souza, fazendeiro vizinho de nossa casa, era empresário em Jequié. Dizia que havia levado o primeiro carro para Jaguaquara e ia levar o primeiro avião. Levou mesmo.

Um piloto de Montes Claros, em Minas, foi a Jequié cobrar uma conta em um pequeno, mínimo, avião monomotor. Esmeraldo o convidou para "inaugurar o aeroporto" de Jaguaquara. Não havia aeroporto. Derrubaram as traves do campo de futebol, no fundo de minha casa, limparam as cabeceiras e, uma tarde, chegou o aviãozinho fazendo piruetas sobre a cidade. Correu todo mundo para lá. O passarinho branco, PP-TMD, aterrissou em paz. Sós os dois: o piloto e Esmeraldo.

Era o dia 21 de janeiro de 1946, eu ainda estava em Amargosa, no terceiro ano. O piloto, meio gordinho, simpático, passou a chamar pessoas, sobretudo rapazes e moças, para darem uma volta. Subia, voava um pouco, voltava, descia. Passeou com mais de dez. Eu, ali perto, de batina, espiando:

— Padreco, vamos dar uma volta?

— Muito obrigado, mas não vou não.

— O que é isso? Tem medo do céu?

— Não. Tenho é desse passarinho, que você chama de avião.

À noite, no clube, festa. E os dois lá, Esmeraldo e o piloto. Beberam cerveja, uísque. De manhã, novamente todo mundo no "aeroporto". Abraços, despedidas. Esmeraldo brincou comigo:

— Da próxima vez, vamos voar para você perder o medo.

O avião levantou bonito, fez umas piruetas, a cada instante mais agressivas, em cima da igreja, do colégio Taylor-Egídio, da prefeitura. Subia roncando e descia de bico, até que deu um rasante em cima do "aeroporto" (o campo de futebol), subiu bailando na frente de todo mundo e caiu direto, de cara, no chão.

Bem atrás do templo dos Batistas. Corremos todos. O piloto estava com o manche enfiado no peito, de um lado a outro, e os olhos estatelados. Ainda ouço as golfadas do peito dele, puxado pelas pessoas. Esmeraldo era um bolo de gente amassada ao lado.

Dona Elisa, irmã de Esmeraldo e nossa vizinha, inconformada:

— Meu Deus, por que ele? Tanta gente viaja de avião!

* * *

Seminário Menor, seis anos. Maior, sete: três de Filosofia, quatro de Teologia. Fiz quatro do Menor em Amargosa, mais dois no Santa Tereza. Continuei em Salvador o aluno que fui em Amargosa. Gostava de estudar. Não me pesava. Pelo contrário. Quanto mais estudava, mais me animava. Sobretudo gostava de redações, fazer poesias. E as notas vinham boas.

Havia novas matérias: Grego, Literatura Universal, História Antiga. Ah!, a Mesopotâmia, o Egito, a Grécia! Eu era louco pela Mesopotâmia, aqueles livros cheios de fotos antigas, Assírios e Babilônios, o Tigre e o Eufrates, Nabucodonosor Rex (o Saddam Hussein ainda não havia chegado lá), as Pirâmides, os templos gregos e ilhas gregas. O professor de Latim, o severo monsenhor Trabuco, ex-aluno do padre Correia, me dava 10. Outros também.

* * *

No começo de 1950 já estava no seminário Maior, primeiro ano de Filosofia. Minha nuvem me havia levado à Universidade. De uma carta a meus pais, em 13 de fevereiro de 1950:

— "A vida este ano mudou completamente. Cada qual tem seu quarto e vive mais à vontade. Não pensei que o seminário Maior fosse bom como é. Só as escadas que deixei de subir e a dormida depois do almoço valem tudo. Ainda não acabei de arrumar meu quarto como quero, mas já está bem decente e agradável. Só os livros é que estão metendo um pouco de medo. É cada bruto todo em latim, que parece missal".

De outra carta a meus pais, em 5 de junho de 1950:

— "Acabei agora mesmo os exames de Filosofia, que é a matéria mais importante e a mais difícil. Venho estudando adoidado. De quinta para cá tenho dormido todos os dias uma hora ou duas da madrugada. E como é proibido ficar com a luz do quarto acesa depois das nove da noite, apanho os livros e vou estudar no refeitório, no andar de baixo, que fica com a luz acesa. Ontem, quando voltei de lá eram quatro e meia. Também não quis mais dormir. Às cinco o sino bateu, fomos para a missa. Mas foi tudo recompensado. Após a missa, foi o exame escrito e logo depois o oral de Filosofia. Tanto em um como em outro fui otimamente bem e tirei dois 10. Tinha estudado muito, mas não esperava notas tão boas. Voltei para o quarto, engarrafei o almoço, caí na cama e dormi até agora, cinco da tarde".

* * *

Mas começou o pesadelo: cada dia querendo mais ser padre e cada dia com mais medo de ser padre. Dentro de mim, meio adormecido, de repente ele explodiu como um vulcão: o amor.

8
O AMOR

ELA VEIO VINDO, VEIO VINDO, ALTA E ALVA, TODA BRANCA, O ROSTO rosa-claro e me fulminou com dois imensos e criminosos olhos azuis. Nunca mais fui o mesmo.

Na missa do seminário de Santa Tereza, toda manhã às seis horas, na hora da comunhão, primeiro era o seminário Maior, depois o Menor, e no fim as freiras e noviças que viviam ao lado e cuidavam da cozinha, da rouparia e da lavanderia.

De onde teria vindo aquela deusa? No dia seguinte de novo. Por ordem alfabética eu ficava na ponta do último banco do seminário Maior. Ela comungava, voltava e passava exatamente junto a mim. Percebeu meu espanto. E olhou mais ainda.

Dali em diante já de longe ela vinha me mirando. Chegava perto, o rosto se ruborizava e ela cravava em mim os olhos azuis, boiando no rosto claro como duas águas marinhas.

* * *

Não tínhamos o menor contato com o internato das freiras. Sabia que não havia hipótese de encontrá-la em qualquer lugar e cada manhã se tornou uma esperança e um tormento. E um pecado.

Rezava, meditava, assistia à missa, comungava. Mas só pensava nela. Vivia para vê-la. Quando ela passava o coração disparava. Quando voltava tinha medo de que não me olhasse mais. E ela me olhava mais ainda. Começou a fazer covinhas no canto da boca, como se quisesse sorrir e não pudesse sorrir.

Despedacei de amor. Tomava café, assistia às aulas, só pensando em voltar para meu quarto, cada aluno com o seu, fechado, só aberto para o mar da baía de Todos os Santos, vendo Itaparica ao longe pelos janelões coloniais de um metro de parede divididos ao meio, um janelão para cada dois alunos.

O dia era longo. Depois do almoço, dormir ou caminhar uma hora no pátio multissecular, três ou quatro de um lado outros do outro, para lá e para cá, até a sineta chamar para as aulas. E a tarde não passava, a noite não chegava. E vinha o café-jantar e só depois quem não quisesse conversar, jogar dominó, gamão, dama, xadrez, botão, ouvir música, podia ir para o quarto ler e estudar.

Lutei meses para aprender a conviver com sua ausência, esperar a missa sem angústia. Lia, lia muito, lia tudo. Os colegas diziam que quem mais livros pegava na biblioteca era eu. Era ela. Só lendo guardava-a dentro de mim para vê-la no dia seguinte. Escrevia poemas longos, doídos, rasgados e jogados no vaso.

O amor era um segredo tanto mais gostoso quanto mais sofrido. E me parti ao meio. Se queria ser padre, tinha que esquecê-la. Como não queria esquecê-la, então não seria padre.

Conversei com o diretor espiritual. Foi pior. Não podia contar a verdade, ele dizia que "eram coisas vagas, sonhos da juventude".

* * *

Mergulhei no estudo. As matérias eram novas, diferentes do seminário Menor, mais complexas e mais estimulantes: Filosofia, Lógica, Apologética (história da Igreja), já um pouco de Teologia, História Universal, Grego, literaturas Latina, Francesa, Italiana, Portuguesa, Espanhola, Brasileira.

E professores estimulantes, dedicados: monsenhor Salles Brasil, de Lógica; padre Gaspar Sadoc, de Apologética, alto, negro, grande orador sacro (até hoje aos 90 anos); padre Pinheiro, de Latim e Literatura Clássica; o português padre Pereirinha, de Religião; e os velhos jesuítas que ensinavam Filosofia.

Todo mês debate no Pantheon, o salão nobre, sobre o mar. Às vezes em latim. Um defendia uma tese, os outros discutiam, questionavam, contestavam. Como se fosse uma defesa de tese. Auditório lotado. A palavra final era do professor da matéria.

A Igreja vivia uma profunda crise interna: "conservadores" contra "liturgicistas". Os "liturgicistas" queriam a Igreja voltando às origens, à pobreza, à simplicidade, o fim do fausto romano, a liturgia enxuta dos princípios do Cristianismo.

Dom Augusto, arcebispo e responsável pelo seminário, havia tomado uma decisão radical: tirou o ensino do seminário Maior da Ordem dos Lazaristas, considerados "liturgicistas", e entregou aos jesuítas, "conservadores". Padre Koenan, velho reitor, padre Laje, padre Jocy, tantos outros, foram embora. Mas o novo reitor, nomeado pelo arcebispo, não era jesuíta.

Na nossa Academia de Santo Tomás, dos cursos de Filosofia e Teologia, da qual fui bibliotecário (livro era comigo) as discussões eram diárias, acirradas, permanentes. Os livros da biblioteca, liberados com dificuldade. Muitos dos "intelectuais católicos" eram vetados ou só liberados para os professores das matérias. Jacques e Raissa Maritain, Tristão de Athayde, Octavio de Faria, Otto Maria Carpeaux, questionados ou acusados.

Uma tarde de domingo, eu lia no pátio "Meditações Sobre o Mundo Moderno", de Tristão de Athayde (1942). Apareceu de repente um padre de Feira de Santana e me tirou o livro das mãos:

— Como é que você lê aqui dentro um livro desse homem?

Um livro proibido, contra a Igreja! É o "Sacristão do Ataúde". Levantei-me, puxei o livro da mão dele:

— Padre, o senhor manda na sua paróquia. Aqui, não.

O assunto foi parar na reitoria. Não deu em nada.

* * *

Na Semana Santa alguns alunos do seminário Maior eram escolhidos e mandados para cidades próximas, a fim de ajudarem os vigários nas solenidades. Fui destacado para Maragogipe, no Recôncavo, lá para as bandas de Nazaré.

O vigário era um padre velho, gordo, simpático, paternal, monsenhor Flodoaldo. Hospedou-me na casa de uma personagem de filme inglês: dona Beatriz, uma velha magrinha, magérrima, de olhos claros, que trazia a antiguidade no rosto, nas mãos. Era irmã do bispo Dom Macedo Costa, aquele que Dom Pedro II mandou prender, com Dom Vital, por causa da Maçonaria.

Morava sozinha com uma empregada em um casarão imenso, fora da cidade. Fiquei em um quarto-fantasma, com uma folhinha na cabeceira da cama datada de 2 de fevereiro de 1902. A partir daí ela não arrancou mais nem os dias nem as noites.

Monsenhor Flodoaldo mandou que eu fosse conhecer a fábrica de charuto, porque toda a cidade girava em torno da fábrica. Lá fui eu com um sacristão dele, de batina, chapéu de padre. Fui recebido gentilmente pelos donos, uns gringos, que me fizeram entrar e sair de mais de cinquenta salas e oficinas.

Já saí quase vomitando. O cheiro forte do fumo me derrubou. Voltei, fui dormir. No dia seguinte, depois da missa, vi o padre muito nervoso. É que a paróquia havia contratado o cônego Curvelo, meu professor e um dos maiores oradores sacros da Bahia, para fazer o Sermão do Encontro, quando Jesus, a caminho do Calvário, encontra-se com sua mãe, Maria.

E o navio da Bahiana chegou cedo e o cônego não foi, porque caía uma tempestade sobre a baía de Todos os Santos e a fé do cônego não era tanta assim. O vigário endoidou. Quem ia fazer o sermão? Era o instante culminante das cerimônias da Semana Santa, quando a procissão chega à igreja, levando Jesus, todo ensanguentado, a caminho do Calvário, e ele vê sua mãe.

De repente, o padre teve uma inspiração alucinada:

— Sebastião, você está vendo como estou cansado, já velho, preparando esta Semana Santa sozinho. Estou esgotado, não tenho condições de subir naquele púlpito para fazer o sermão, à tarde. Quem vai fazer é você. Não há outra solução.

— Eu, padre? Nem sei se posso. Sou apenas um seminarista.

— Já está no seminário Maior?

— Já, mas só na Filosofia. Nem tenho 18 anos.

— Ótimo. Se já está no Maior, pode. Entre naquele quarto, pegue meus livros, faça as consultas que quiser, anote as citações que achar convenientes, vamos almoçar, você toma um cálice de vinho, o medo passa e na hora você dá conta do recado. Já estive reparando em você desde ontem. Você conversa bem. Quem fala bem pode muito bem fazer bem um sermão.

Eu já tinha sentado no sofá, suando frio. Ele me pegou pelo braço, levou-me até o quarto onde ficava a biblioteca, bateu a porta e me deixou lá dentro com livros e traças, muitas traças.

Abri os quatro Evangelhos, li tudo que pudesse haver sobre o episódio do Calvário e tive a inspiração que me salvou. Comecei lá atrás, com Herodes, João Batista, Salomé, os sacerdotes negocistas escorraçados do templo pelo Cristo. Depois Pilatos, Judas, a Última Ceia e a caminhada para o Calvário.

Eu tinha um gosto especial, na verdade uma mania, de ler Vidas de Jesus: Renan, Plínio Salgado, Jesus Tal Como Foi Visto etc. Armei uma história na minha cabeça, peguei umas quatro frases em latim, bebi dois copinhos de vinho no almoço e fui para o meu martírio. Tinha que dar certo. E deu certíssimo.

Não levei papel nenhum, incorporei um ator qualquer, fiz um diálogo tenso, dramático, entre Jesus sangrando e Maria chorando, pus as beatas em lágrimas. Perdoem a imodéstia, abafei. Sentado em frente ao altar, todo paramentado, o vigário olhava sorridente e orgulhoso para mim e suspendia o polegar.

Desci suando, a batina encharcada nas costas, mas feliz. Sabia que tinha dado conta. Só uma coisa me perturbou: Madalena. Arranjaram uma Madalena bonitinha, carinha malandra, safadinha, sorrindo o tempo todo, bem em frente a mim.

Tirava os olhos, e quando olhava de novo, olha ela piscando.

Naquela tensão, não havia Madalena que me desencaminhasse.

Levei para o reitor do Seminário uma exagerada carta de louvor.

* * *

No seminário Maior a quinta-feira à tarde era livre. Saíamos para ensinar religião em colégios. Dei aula um ano no colégio de dona Beatriz Cordeiro, no Santo Antônio, irmã de Oscar Cordeiro, o descobridor do petróleo, em Lobato, perto de Salvador.

Depois da aula, podia-se visitar o "tutor" ou "responsável", um parente ou amigo que a família indicava para alguma eventualidade. O meu era tio Antunes, irmão de meu pai, sócio do pai de Glauber Rocha na loja "O Adamastor", da Rua Chile.

Podia-se ir também à casa de outros parentes. Além de tio Antunes e Dagmar, sempre visitava tio Franco e tia Nazinha, irmã caçula de meu pai, adorada segunda mãe, minha e de meus irmãos.

* * *

No seminário Menor, para sair, ver algum parente, só com licença especial. Como ninguém podia andar sem batina, era absolutamente proibido ir a cinema. Dom Augusto não fazia por menos: mandava expulsar. Eu nunca tinha visto um filme. Ainda no seminário Menor, José Falcão, depois prefeito de Feira de Santana, me perguntou todo misterioso:

— Você viu o que está passando no Jandaia? Uma maravilha.

O Jandaia era um grande cinema da Baixa do Sapateiro, três andares, meio escondido entre as casas comerciais, discreto, com duas entradas. Não era exposto como o "Guarani" na Praça Castro Alves, ou o "Excelsior" na Praça da Sé. E deu a pista:

— Compra o ingresso antes na bilheteria, depois vai passando como quem não quer nada, entra pela porta dos fundos, sobe as escadas para o terceiro andar. Lá em cima, ninguém nos vê.

Pedi para ver um parente, fui. Era um filme italiano. Ela chamava: "António! António!". E eles se encontravam em um paiol de milho. Saí quase em pânico. Ainda bem que ninguém viu. O padre em mim já ia ficando cada dia mais distante.

* * *

No Santa Tereza um mistério desafiou gerações: "O Inferninho". Além das estantes da imensa biblioteca, de mais de dez mil volumes, havia algumas onde ficavam os livros do "Index", proibidos pela Igreja. Quanto mais proibidos, mais curiosidade nos despertavam.

Alguns até discutíamos em aula, mas só o padre Reitor podia autorizar o professor a retirá-lo, debater e pôr lá de novo. Toda "Vida de Jesus" que encontrava, eu lia. Umas vinte, inclusive a de Plínio Salgado, até hoje uma das melhores. Ou "Jesus Tal Como Foi Visto", de um judeu, Michel não sei de quê. Ótimo. Mas ninguém podia ler a "Vida de Jesus", de Ernest Renan.

A partir dali, com mais dois colegas, um foi padre o outro não, planejamos fabricar uma chave para abrir "O Inferninho". Com uma cera forte, fizemos vários moldes da fechadura e levei para um chaveiro fazer a chave, na tentadora Baixa do Sapateiro. A primeira chave não deu certo, a segunda também não, até que a terceira funcionou. Durante um ano os três guardamos o segredo.

Lemos muita coisa de lá, sempre com muitos sustos, porque tinha que ser à noite. O único pecado permitido no seminário era fumar, mas só os alunos do seminário Maior, e dentro do quarto. Nos corredores nunca. Começávamos a fumar muito cedo. A desculpa do cigarro nos ajudava trancar-nos no quarto para ler.

Havia muita coisa boa, que hoje a Igreja não proíbe mais, como sobre Lutero, Galileu, Giordano Bruno, as grandes vítimas da Idade Média, da Inquisição, da intolerância do Vaticano. E os romances de Pitigrilli ou os grandes franceses Alexandre Dumas, Flaubert, Balzac, Zola. Até Nelson Rodrigues já andava por lá.

Coisas havia de que nunca ouvi falar depois, como "Sônia ou o Calvário do Povo Russo", não sei de que autor, uma epopeia denunciando a era dos czares, com fortes ilustrações de filas quilométricas de condenados se arrastando sobre a neve, a caminho da Sibéria. Na página 100 já havia 120 personagens. E o tradutor pôs uma nota de pé de página dizendo que "Bakunin era o pseudônimo revolucionário de Lênin" (*sic*). Mas inesquecível.

* * *

No seminário de Amargosa íamos de férias para casa em julho, um mês, e em dezembro e janeiro, dois meses. Já no Santa Tereza as férias mesmo eram de dois meses: dezembro e janeiro.

Em junho não se ia para casa, mas havia férias meia sola: sem aulas, íamos para Itaparica, onde Dom Augusto construiu um seminário perto da cidade, em um coqueiral, quase à beira-mar.

Tínhamos missa toda manhã, longos horários de leitura e exercícios, muitos exercícios. Caminhadas, corridas, sempre nas praias desertas. Entrar no mar, jamais, desde que o colega morreu afogado em Itapoã. Jogávamos em um mês o futebol que em Salvador não jogávamos o ano inteiro. Fins de tarde às vezes íamos até a cidade só para andar. Nunca vi o João Ubaldo lá.

Mas o principal encanto de Itaparica era o campeonato de bicicleta. Uma verdadeira olimpíada. Cada um dava tudo o que podia. Eu gastava o que podia e o que não podia. Acostumado a subir e descer as ruas enladeiradas de minha Jaguaquara, tinha alguma vantagem sobre a maioria.

O grande desafio era ir de bicicleta até Mar Grande, hoje sede do segundo município da ilha, Vera Cruz. Uns 15 quilômetros pela areia, às vezes mais dura quando chovia, às vezes fofa sob o sol. Se de manhã, tínhamos que ir e voltar para o almoço. Se à tarde, estar de volta para o café da noite.

Era uma canseira. Trinta quilômetros pedalando na areia. A grande maioria não topava. Eu estava sempre lá. E uma vez cheguei na frente. Ganhei a medalha, quase morto. Benditas férias. Ajudavam-me a ficar longe dela estando perto.

* * *

Cada dia contava mais o tempo de sair e deixar minha nuvem de novo me levar. Desde Amargosa, bem antes da deusa dos olhos zuis, achava que ia deixar o seminário naturalmente e morreria cedo. Doente desde que me entendia, imaginava que dificilmente passaria dos 30 anos, como alguns santos cuja vida lia. São Luís Gonzaga, São Domingos Sávio, tantos santos viveram tão pouco. Certamente iria acontecer comigo. Como também aconteceu com poetas que lia e recitava: Castro Alves, Fagundes Varela, Casimiro de Abreu. Como eles, iria cedo.

No Santa Tereza mudou tudo. Eu queria ter saúde para ela. Fazia todos os exercícios para ela. Corria 30 quilômetros de bicicleta para ela. Para ela vivia todos os dias e todas as noites.

No seminário, uma radiola tocava músicas sacras ou clássicas depois do almoço e depois do jantar, enquanto fazíamos a sesta caminhando em torno do pátio do claustro colonial. Cada um punha o disco que queria. Um dia, apareceu no seminário e lá se hospedou, muito simpático, vestido de frade, o José Mojica, cantor de boleros e tangos que se tornou padre e continuou cantor, mas não mais de músicas profanas. Um padre Marcelo do Caribe.

Em Jaguaquara já tinha ouvido, cantada por ele, Siboney, o rei dos boleros. Consegui um disco gravado por outro e pus alto na radiola. Um escândalo. Correram padres de todo lado. Quase fui punido. E poucas músicas conheço tão santas. Na verdade, imaginei que talvez a deusa de olhos azuis ouvisse.

Estudava, estudava, lia muito. E rezava. Mas minha reza era rouca. Não conseguia não pensar nela. Tudo ia bem até a hora em que o tormento chegava: — Ainda vou ser padre? Ainda quero ser padre? Apaixonado posso ser padre? E esperava, aflito, que mais uma manhã chegasse trazendo meus dois faróis azuis.

E eles vinham sempre cada dia mais luminosos, cada dia mais conscientes, cada dia mais coniventes, cada dia mais provocadoramente vagarosos. Eu quase morria de amor.

* * *

Carta de 31 de julho de 1950, a meus pais:

— "Gostei das notícias políticas. Dr. Menandro não é o melhor candidato para prefeito que poderiam ter escolhido, mas também não é dos piores. Vamos ver. O que faz perigo é o Dubois".

(Carlos Dubois, diretor do Colégio Batista, era o melhor.)

9

O Pecado

No púlpito do refeitório, voz alta, para ser ouvido por mais de 250, e com medo de cometer algum erro diante de professores, padres visitantes, colegas dos seminários Maior e Menor, eu lia, pausadamente, o complexo "Os Sertões", de Euclides da Cunha.

As férias haviam terminado, já era julho de 1950, e eu tinha sido escalado para ser o leitor do almoço na primeira semana. Em março tinha feito 18 anos, no primeiro ano de Filosofia. Minha nuvem continuava me levando.

Mas minha alma estava uma tormenta. Só pensava nela, na deusa pálida de olhos azuis. E se não estivesse mais lá, cada manhã, voltando da comunhão? Pois estava. Olhou-me como o pecado olha: com determinação, ansiedade, quase trêmula, mas decidida, corajosa, uma flecha certeira e uma infinita ternura azul.

* * *

Antes dela, minhas férias do fim do ano anterior tinham sido tranquilas. Missa de manhã na igreja, correr na cidade de bicicleta a toda velocidade, sem batina, de calção e camiseta, jogar futebol, ler muito ou ir para a fazenda a cavalo com meu pai, almoçar, voltar com ele à tarde.

Na fazendinha, havia um pequeno riacho e na chegada, uma ponte de madeira. Dava para os cavalos passarem. Até que um dia o meu escorregou exatamente em cima da ponte, caiu de lado, deu um impulso para sair, ficou de costas, em cima de mim, balançando as pernas e eu afundado no riacho, embaixo dele.

Salvei apenas a cabeça, entre a sela me espremendo e a lama e a água no meu queixo. Meu pai, desesperado, olhos esbugalhados, a voz aflita:

— Calma, meu filho, vou tirar você daí!

E puxava as patas do cavalo. Quanto mais puxava mais eu afundava. Gritou, pediu socorro, tiraram o cavalo de cima de mim.

* * *

Não era mais o mesmo. O sexo tinha chegado incontrolável. Foi tudo em dois anos, dos 16 aos 18, sobretudo nos dois últimos e o que os padres avisavam — "é preciso resistir às tentações" — tinha ficado mais poderoso do que diziam.

Na roça, os animais não tinham mais inocência. Na cidade, as mulheres não eram mais elas. Eram animais sensuais. Uma amiga mais velha, linda, sensual, com quem conversava desde criança, aparecia de olhos exaustos e eu ficava pensando no que ela fizera para estar assim. Ela percebia, dava um beijo de lábios carnudos, nervosa, me mandava embora.

E me deixava vencido. Eu lia os livros de monsenhor Thiamer Toth, um húngaro que escrevia sobre sexo e como enfrentar suas armadilhas. Não adiantava. Era pior. Quanto mais o li e a outros, mais me convenci do inevitável: quando chegasse à Teologia, e faltavam mais dois anos de Filosofia, eu teria que fazer os votos do sacerdócio: pobreza, obediência e castidade.

Pobreza, era pobre mesmo, sem problema. Obediência, às vezes custava, porém fácil contornar. Mas o que fazer com a castidade? De repente ficou tudo absolutamente claro: eu não faria o voto de castidade, porque sabia que não iria cumprir.

Gostava tanto da Igreja, até mesmo por gratidão, que não iria fazer uma falseta com ela. Não seria um padre bandalha.

Então era preciso sair o mais rápido possível. Mas como sair logo, interrompendo os estudos, sem dinheiro para continuar?

Foram longas e terríveis noites de angústia. Rezava, não passava. Numa delas, pensando nos lábios carnudos de minha amiga e nos olhos de onça da minha deusa, senti de repente um alívio enorme como se tivesse saído de um buraco sem fim. A decisão estava tomada. Nada diria a ninguém. Ficaria mais dois anos, terminaria Filosofia e sairia para a Universidade.

* * *

E foi assim que revi meu amor no primeiro dia na fila da comunhão. Já sabia o que ia fazer, o que ia acontecer, o que ia dizer para ela. Mas quando, como, se nem sabia quem ela era?

Só havia um jeito: esperar. A espera era o nome da esperança.

Lá em cima, no púlpito do refeitório, as tropas do general Oscar de Andrade, mais de 4 mil soldados, faziam o quarto e último massacre dos miseráveis de Antônio Conselheiro, matavam os quatro derradeiros defensores na praça central do povoado, que "não se rendeu, resistiu até o esgotamento completo". Arrasaram e incendiaram os 5.200 casebres de Canudos e cortaram à faca a cabeça de Antônio Conselheiro.

Canudos tinha terminado, o almoço também. Todo mundo ido embora. Desci para comer a comida dos padres, na mesa dos padres. Era a vantagem do leitor. A comida dos seminaristas era servida em vasilhas grandes, terrinas. A dos padres era melhor que a nossa e servida em bandejas. Todas através da mesma portinhola, da mesma janelinha por onde as freiras e noviças nos passavam a comida que faziam.

* * *

Bati, a janelinha abriu. E dois fulgurantes olhos azuis me fulminaram. Fiquei alguns instantes parado, estatelado:

— Que olhos lindos os seus!

— Sua voz também!

Ela já tinha empurrado a bandeja. Nem vi. Espatifou no chão, bandeja e comida. A duras penas continuei em pé. Eu ali, olhando para ela, ela para mim, nada mais havia em volta. Suspirei:

— Penso em você todos os dias.

— E eu todos os instantes.

Agarrei suas mãos, aflito, soltei; ela, nervosa, corada; eu com medo de que aparecesse de repente algum padre ou freira:

— Espere que vou providenciar outra bandeja para você. Depois o empregado vem limpar o refeitório.

Fiquei catando garfo, faca, cacos do copo, frutas.

Voltou, olhando para os lados, também assustada, me entregou a segunda bandeja. Era ali ou podia não ser mais nunca:

— Não posso mais viver sem falar com você.

— Nem eu. Amanhã vou continuar aqui. A gente se fala.

Fechou a janelinha. Foi o melhor almoço de minha vida.

* * *

Como me encontrar com ela? Podia sair numa quinta-feira de tarde, como eu? Antes de ir caminhar no pátio, subi até o Pantheon. Eram as janelas mais próximas do internato dela. Não se via nada. Mas, no fundo, do lado do mar, havia uma cerca separando-nos e uma mangueira bem grande, no escuro. Era ali.

Para arriscar era ali. À noite, na janela, olhando ao longe as luzes de Itaparica e dos navios cargueiros que passavam todos os dias, resolvi arriscar tudo, se ela topasse. O máximo que podia acontecer era sermos flagrados e expulsos. Meus 18 anos me garantiam continuar em cima de minha nuvem. Quantos ela teria?

De manhã, na missa, éramos outros. Uma paz infinita iluminou nosso olhar. Ela transmitia uma estranha e doce certeza.

No almoço, o fim de Euclides da Cunha virou Saint-Exupéry, tão descomplicado. Quando desci, fui para a portinhola como quem ia bater na janela da vida. E ela abriu como quem fosse servir a vida:

— Você estava mais bonito hoje na missa.

— É você. Já decidi. Vamos arriscar? Vamos sair daqui juntos?

— Não penso em outra coisa.

— Então hoje à meia noite, embaixo da mangueira.

— Hoje, não, amanhã. Eu passo a cerca. Combinado.

Entregou a bandeja, jogou um beijo, fechou o postigo.

* * *

No dia seguinte, confirmamos tudo. Saí do almoço, fui ver a cerca, a mangueira, o caminho para chegar lá. Uma aventura louca. Tinha que sair de meu quarto, passar pelo corredor, pelo pátio, atravessar a igreja, a sacristia, chegar ao refeitório. Até aí, havia luz, podia ser visto por alguém. Só depois o quintal escuro.

Naquela noite, aprendi o que era a paixão. O coração disparado, nada me impediria. Tentei ler até perto da meia-noite, saí de batina, barrete e pelerine, a capa preta curta, para cobrir o rosto. Até a igreja, fácil. Quando me vi lá dentro, o seminarista explodiu em mim. Não tinha pensado em Deus, nos meus santos. Estava cometendo um pecado grave como se não fosse nada. Tantos anos de fé, de orações, de pedidos a Deus, e agora passava ali em frente a ele, no sacrário, como se fosse um ateu ou pagão.

Atordoado, perturbado, quis chorar, quis voltar, mas uma força poderosa me empurrou para a frente; passei o refeitório, cheguei embaixo da mangueira. Um escuro de breu. Fiquei atrás da mangueira, do lado do mar. Do outro lado, o seminário e ela.

Ouvi passos ao longe, no caminho de terra. Era ela. Passos apressados, pisando firme no chão. Foi chegando, chegando, seu vulto no escuro. Saí de trás da mangueira, dei-lhe um abraço:

— Meu amor!

E abracei uma coisa crespa, áspera, cabeluda, que fez um ronco fundo, me deu um empurrão, me derrubou e saiu correndo. Era o diabo.

Não havia dúvidas. Era o demônio. Levantei, apavorado, corri em pânico. Atravessando a igreja, senti a maldição. Fui pelo corredor como um condenado. Cheguei ao quarto, arrasado. Só podia ser Satanás. Deus me deu uma lição. E ela? O que Ele teria feito com ela? Além de tudo, a abandonei naquele escuro, com o diabo pinotando pela noite.

* * *

Cheguei ao quarto, tremendo e chorando. E um medo físico, presente, concreto, do inferno. Não consegui dormir. Como é que ia comungar depois de ter sido derrubado pelo demônio? Não fui. De manhã ela veio de lá, passou com os olhos aflitos, ainda mais depois que viu meu olhar quebrado.

Terminei o café-da-manhã, voltei ao local do pecado. E lá estava ele, caminhando tranquilo. O diabo? Não. O jumento do vizinho. Ela tinha aberto uma ponta da cerca, para ficar mais fácil à noite. O jumentinho passou e levou o maior susto quando saí detrás da mangueira, todo de preto, como um fantasma negro.

No almoço, ela contou o que houve. Uma colega tinha passado muito mal, acenderam as luzes, a diretora chegou, chamaram o médico, ficaram acordadas até tarde. Impossível ir. Marcamos de novo para a meia-noite daquele dia, na mangueira. Eu só tinha uma semana de leitura, ela só uma semana de servir.

E meia-noite em ponto lá estávamos os dois embaixo da mangueira, sem demônio, sem jumento, sem remorso, nos mais tórridos beijos, jurando amor eterno, houvesse o que houvesse. Seus seios túmidos cabiam certinhos em minhas mãos. Ela me apalpava, me pegava, me esmagava. Desaguei de amor.

* * *

Uma vez por mês, sempre aos domingos, cada uma delas saía à tarde para visitar alguém da família. No domingo próximo ela ia ver uma tia na Barra e, perto, iria ao pequeno apartamento de uma colega de escola em seu Estado, que também estudava em Salvador e morava com uma amiga. Deu o endereço.

Eu disse ao "Deão", sempre um colega mais velho, de Teologia, responsável pela disciplina, que meu "tutor" (tio e contato da família com o seminário) pediu para eu conversar com dois filhos dele que estavam se preparando para exames. Foi só passar pela casa dele e correr para a Barra, onde ela me esperava.

No quarto, em uma hora, resolvemos nossas vidas. Eu terminaria o ano de Filosofia e sairia em janeiro. Ela sairia também em janeiro.

Tinha 17 anos, em janeiro já 18, como eu. Donos de nossas vidas. Era ainda mais bonita com a brisa do mar balançando seus cabelos amarelos do que na fila da comunhão.

Nossos olhares, nas missas, ficaram apascentados. Até o véu branco, que ela usava cobrindo a cabeça inteira, passou a deixar uma pontinha de cabelo na testa, amarelado, iluminado.

Qualquer colega mais apavorado com a leitura no púlpito do almoço, eu me oferecia para substituir, esperando coincidir minha escala de ler com a dela de servir. Nunca mais aconteceu.

No domingo certo, passei na casa de meu tio, nos Barris, e voei para a Barra, para nosso refúgio. Não só sabedoria, também felicidade, quando é demais vira bicho e come o dono. Nosso amor ficou incontrolável. Com 18 e 17 anos, três, quatro horas juntos uma vez por mês, ninguém segura.

A alma vivia cheia de luz, mas aos pedaços. Tudo planejado, nossa vida começaria em 1951. Até lá, muito cuidado, todo cuidado. Mas como comungarmos cada dia, vivendo em pecado? Ao confessor não confessava. Para aliviar o drama fui ao diretor espiritual. Não contei tudo. Contei quase nada. Apenas que estava apaixonado. Ele disse que eram coisas da juventude. Ia passar.

* * *

Não passou. Cada dia queria mais que o ano terminasse. No quarto, de noite, lia, lia tudo, muita poesia, fazia poemas, sonhava. Na maior moita. Não me abri com colega nenhum. Para me distrair, no pátio, jogava dominó, gamão, sobretudo dama.

Ganhei um campeonato de dama. Padre Veiga me indicou para ajudar a missa de Dom Augusto em um domingo e jogar com ele. Fui com medo. Ou ele não me reconheceu ou tinha esquecido do Augusto e Silva do seminário Menor. Era domingo de manhã. Terminada a missa, café com ele e jogar dama. Depois, almoçar com vinho e voltar. Ele jogava bem. Mas eu estava muito afiado. Primeira partida, ganhei. Segunda, ganhei também. Levantou-se:

— Não estou bem hoje. Volte para o seminário.

Chegando, sem almoço e sem vinho, encontrei padre Veiga:

— Já? Não ficou para o almoço? Já sei. Ganhou a segunda partida. Com ele não pode ganhar a segunda. Não lhe avisaram? Da próxima vez, toda vez que ganhar uma, perca a outra.

* * *

A Semana Santa tinha sido uma festa. Quase todos os dias, às vezes de manhã, às vezes de tarde, iam todos à monumental Catedral, no terreiro de Jesus. Do seminário até lá, uma estirada. Passávamos pela Castro Alves, Rua Chile, os engraçadinhos riam:

— Formigão! Formigão!

Não podíamos responder nada. Nas cerimônias, havia pomposos sermões barrocos de Dom Augusto, cônego Curvelo e nossos professores padre Gaspar Sadoc, padre Guerreiro, monsenhor Trabuco. E o coro do seminário cantava solenemente. Tínhamos alguns colegas de vozes afiadas, como o Rosalvo, o Antônio Vieira, com seu canto gregoriano grave e basílico.

Eu fazia parte do coro. Mas me achava desentoado, pedia para sair. Monsenhor Marques, professor de Francês e Música, dizia que era só uma mudança de voz. Logo estaria cantando melhor. Errou. Bom de ouvido, sou péssimo de garganta. Mesmo assim, uma vez ele me escalou para fazer um solo em canto gregoriano. Entrei lá pelo fundo, o Missal aberto, cantando alto:

"In diebus illis, Nabucodonosor Rex... Lá, lá, lá, lá lá, Rex".

A catedral era longa, o texto grande. Fui até o altar, deixei o Missal e minha carreira de cantor. E ainda ganhei os aplausos de monsenhor Marques. Desconfio que ele era meio surdo.

* * *

Nesse dia, na volta para o seminário, uma cena bizarra.

Um homem grande, gordo, mulato, sorriso largo, simpático, montado ao contrário em um jumento, de frente para o rabo. E carregando um cartaz enorme, todo branco, escrito em vermelho:

— "Para vereador, Antônio Maria, o radialista da Bahia".

Pernambucano, amigo de Odorico Tavares, diretor dos "Diários Associados" no Estado, tinha uma programa de sucesso na Rádio Sociedade da Bahia. Ganhou meu voto e perdeu a eleição. Ainda bem. Veio logo para o Rio encantar o país com seu soberbo talento, seu jornalismo e sobretudo sua música.

* * *

Eu continuava acorrentado a dois encantados abismos: o olhar dela na missa depois da comunhão e a espera do amor dela na tarde mensal de domingo. Remoendo meu pecado, sofria.

Veio o retiro espiritual. Alguns dias de silêncio, meditação, orações, muitas orações e as torturantes pregações do bispo de Petrolina, o jovem e já famoso orador Dom Avelar Brandão Vilela. Magro, elegante, chegou com um cachecol enrolado no pescoço, passou um instante olhando lá de cima a igreja cheia:

— Perdoem a garganta rouca deste bispo gripado.

Arrasou. Era um orador sacro perfeito. Controle de voz e gestos, segurança nas frases e principalmente força de argumentos. Para mim, uma tortura. Cada pregação era um empurrão que ele me dava para o inferno. E eu indefensável.

* * *

Contava os dias para nosso domingo e os meses para nossa saída. Em novembro, cheguei lá, encontrei-a com olhos de lágrimas. Trancou a porta, me abraçou chorando, soluçando:

— Estou arrasada. Errei nas minhas contas, estou grávida. Fui a uma médica, amiga das meninas, ela confirmou. O que é que vamos fazer? Meu amor, estou com medo de perder você.

Abracei-a com força, respirei fundo, imitei os mergulhadores quando erram o salto. Subi a uma pedra mais alta:

— Me perder? Ganhou mais. Ótimo. Vamos acabar logo com essa espera. Na próxima semana, vou arranjar um lugar para morarmos, vou trabalhar e vamos ter nosso filho. Domingo próximo, você vem para cá. Passo aqui de tarde e te pego. Não conte a ninguém, nem a suas amigas. Muito menos à sua tia. Só depois de sairmos de lá.

Ela chorava e ria, ria e chorava. Como os aflitos.

* * *

Dois irmãos meus já trabalhavam em Salvador. Faria um empréstimo com eles e depois resolvia o resto. Tínhamos duas semanas para a saída, sem revelar a ninguém. Eu, só ao reitor. Ela, nem à madre superiora. Depois, mandava buscar a mala.

Na missa de segunda-feira, me olhou feliz e cada vez mais azul. No dia seguinte, levei um susto. Não apareceu. Nem no outro. Fiquei desesperado. Na quinta, em vez de ir dar a aula de religião no colégio do Santo Antônio, corri à Barra. A amiga dela resistiu um pouco, mas acabou contando a tragédia.

Passou mal vomitando à noite toda de segunda, a freira chamou a tia, que a levou para casa, um médico desconfiou e dagnosticou a gravidez. A tia embarcou imediatamente com ela para a casa da mãe, naquela manhã de quinta. Nem se despedir das amigas a tia deixou. Só puderam conversar com ela na casa da tia, na frente da tia. A tia confessou: a mãe ia mandar tirar a criança, fazer o aborto. Chorando, despedaçada, deixou o recado:

— Digam a ele que jamais o esquecerei. Só ele será meu amor. Me arrancaram dele, estão matando nosso filho. Um dia eu volto. Nunca voltou. Não sabia o nome dela, só o de noviça: Ana. Nem o da família sabia. Não tinha o endereço dela. Pedi, implorei, não me deram. A tia, porque era irmã da mãe. As amigas, porque eram amigas da tia. Não podia falar com a madre superiora, porque não sabia o que ela lhe havia contado. Também não falei com a tia, por não saber que história ela lhe contou.

Esperei-a para sempre. Como as montanhas esperam as águas que correm para o mar. Para sempre.

10

PEDRA AZUL

SUBI A LADEIRA DE SANTA TEREZA COM A MALA NUMA MÃO E "O Galo Branco", de Augusto Frederico Schmidt, na outra. Lá em cima, olhei para trás, como se estivesse saindo de um cemitério. Estava deixando enterrado ali um filho e um amor. O amor.

Era bem cedo, 25 de maio de 1951. Saí em silêncio. Parecia que fugia. E no entanto tinha um carinho enorme, uma gratidão imensurável por tudo aquilo que ficava ali, pelos anos que em Amargosa ali passei, pelo que me deram sem nada me pedirem.

Os colegas assistiam à missa. Prometi ao Reitor que sairia sem chamar atenção. Gostaria de abraçar um a um. Mas prometi, cumpri. Na véspera, de noite, em meu quarto, contei a um pequeno grupinho que estava indo embora. Levaram o maior susto. Queriam saber por quê. Eu devia talvez esperar um pouco mais para ver se era isso mesmo que eu queria.

Não podia contar a verdade, que chorei seis meses todas as noites por uma sombra azul que me seguia, o filho que não tive e o amor que sumiu. Flodoaldo, de Maragogipe, quebrou a tensão:

— Cada um procura suas melhoras.

Era um longo e ferido segredo guardado em dor.

* * *

Nem as férias de dezembro e janeiro eu tinha passado em casa. Alguns com problemas de família distante pediam para ficar. A maioria dos padres professores, que morava no seminário, também ficava. Pedi ao

Reitor e abri o jogo. No começo do ano, iria embora e precisava das férias em Salvador para organizar minha vida. Falei com o diretor espiritual. Não podia dizer a verdade, foi difícil para eles entenderem. Os dois achavam que eu estava sofrendo "impactos da juventude", tinha que deixar a "pressão passar". Minhas notas e o comportamento me levariam para "fazer Teologia em Roma, no grupo selecionado todo ano".

Terminada a Filosofia, iria no fim de 52. Mas já decidira e não deveriam gastar uma passagem comigo. O Reitor se irritou:

— Não repita isso. Um dia, em Roma, vá à Capela Sistina e, diante de toda aquela beleza e riqueza, você vai ver que a Igreja não precisa da ninharia de uma passagem de segunda classe para você.

Tinha que sair logo daquele pesadelo. A costureira das batinas morava ao lado do seminário. Levei minhas três batinas para vender. Uma, do dia-a-dia, surrada, não valia nada. Outra valia alguma coisa. A nova, sim, ela queria.

Acabou ficando com duas, o chapéu e o barrete. Deu para comprar um terno e sobrou algum. Meu irmão mais velho, José (60 anos de convivência e cumplicidade), recebeu a primeira notícia, numa carta de 26 de maio de 1951:

— "Desde que comecei a estudar, uma esperança me acenava: ser professor de Literatura e ser jornalista. Nunca disse nada a ninguém. Em fevereiro, vou fazer o vestibular para Filosofia".

* * *

No dia seguinte, 27 de maio, escrevi a meus pais. A tarefa mais difícil que já cumpri na vida. Seis laudas grandes, à mão. A tese: —"É melhor um bom cristão do que um mau padre".

— "Já arranjei aulas de Latim, Português e História para ensinar em um ginásio. Vendi a batina e o chapéu por 1.000,00 e comprei uma roupa de tropical, camisas, outras coisas. Vendam um boi ou qualquer outra coisa que eu tenha lá na fazenda e mandem mais 1.000,00 para eu comprar mais umas roupas".

Conhecia o jovem professor Germano Machado, do CEPA (Centro de Estudos Pensamento e Ação), que foi um "hermano". Levou-me à gráfica do mosteiro de São Bento e arranjou um lugar de revisor, para procurar e descobrir diferenças entre o original e os textos latinos dos Missais e Breviários que editavam.

No dia 7 de julho, bem cedo, contava em carta a meus pais:

— "Hoje, às 8 da manhã já estarei na Tipografia de São Bento ("Tipografia Beneditina Ltda."), fazendo meu trabalho das 8 às 12. Tenho a tarde e a noite para ensinar e estudar. O trabalho é bom: é só corrigir as páginas em

A NUVEM

Latim, à proporção que vão imprimindo. Agora mesmo vamos editar mais 50 mil missais. Eles lá me têm muita estima. O posto de 'revisor de latim' é nobre. Amanhã, instala-se aqui na Bahia (Salvador era sempre a Bahia) o "V Congresso de Escritores Litero-Juvenis". Já chegaram representantes de todos os Estados. Vão ser grandes os debates, porque há muita gente comunista no meio. E nós, católicos, temos que combatê-los. Vou apresentar uma tese: — "Cristo, único fundamento para uma mocidade idealista".

Dia 24 de julho, mais uma carta ao José, meu irmão:

— "O vestibular só será em fevereiro, mas já estou providenciando os documentos. Ontem, recebi os do seminário: um é o de conclusão do curso ginasial (seis anos) e do 1º de Filosofia. O outro é de Idoneidade Moral. Gostei muito como foram dados. As referências e elogios foram os melhores possíveis. Recebi também uma carta do meu querido mestre de Amargosa, o padre Correia, em resposta à que escrevi a ele. Chamou meu gesto de sair de "nobre e heroico", acrescentando:

— "Continue a ser o que você foi até hoje: um jovem de juízo e de muita força de vontade".

Vou entrar agora no "Centro Cultural Espanhol" e depois farei o mesmo com o Francês. Fui convidado para o "Centro Cultural Teodoro Sampaio", o melhor grêmio literário da Bahia, depois da Academia. A posse foi bonita e sábado farei lá a primeira "conferência":

— "Antero de Quental, uma inteligência em busca de Deus".

* * *

Empregado, faltava só onde morar. O padre Torrend, velho cientista jesuíta, já retorcido pelos anos, mas com incrível agilidade intelectual, que havia pesquisado e publicado o mais completo estudo sobre borboletas em todo o mundo e era nosso professor de Biologia (eu gostava da matéria e tirava boas notas com ele), fundara e dirigia o "Pensionato Mariano Acadêmico" na Vitória, perto do Campo Grande: Av. 7, 331.

Mas era exclusivo de universitários e eu ainda não era.

Expliquei que ia fazer vestibular para Filosofia, pedi, implorei.

Ele mandou o maranhense João Mohana, estudante de Medicina e "presidente" do pensionato, abrir uma exceção. Mohana foi gentilíssimo e me aprovou. Depois, deixou a Medicina, foi ser padre e ficou famoso com livros para casais.

* * *

Naquela manhã de 25 de maio, de mala e o "Galo Branco", de Schmidt na mão, peguei um bonde na Praça Castro Alves para os Barris. Ia dormir na casa de meu tio e no dia seguinte estaria no pensionato do padre Torrend. De repente me deu tal leveza, que pela primeira vez pensei nela, meu farol azul, sem sofrer. Ao embalo do bonde e da brisa eterna de Salvador, fui lendo os galopantes poemas barrocos de Schmidt.

O pensionato tinha pequenos apartamentos. Havia cearenses, alagoanos, sergipanos, do Nordeste todo. A mais numerosa era a colônia maranhense. Naquele 1951, o Maranhão estava engolfado em brutal luta política, que quase leva à guerra civil, porque a oposição (UDN, PSP) passou dez meses sem deixar assumir o governador eleito em outubro de 50, Eugênio de Barros (PSD-PST), liderado do senador Vitorino Freire. Os maranhenses ficavam o dia todo no rádio, querendo ir lutar. Eram os mais intelectuais. Três bons poetas. E o Ferreira Gullar nem estava lá.

Fazíamos um jornalzinho, dirigido pelo Mohana, onde publicávamos contos e poemas e quase sempre assinávamos com pseudônimos. Era costume da época. Imaginem o que arranjei. De Sebastião Augusto Nery tirei seis letras: "S-a-rney". Perguntaram se eu era parente do Sarney que havia lá. Nunca tinha ouvido falar. A partir de 54, passei a ouvir falar demais.

O Mohana me pôs dividindo apartamento com o sergipano Silvio Garcez Sobral e o cearense Rosuel. Um mundo novo para mim. De noite, saíamos, bebíamos, namorávamos. O Silvio tinha uma namorada linda. A minha também. Quem também morava lá era um filho do general Juarez Távora. Eu trabalhava de manhã e lia de tarde, esperando as aulas de Latim, Português e História, já acertadas, mas que só começariam no segundo semestre.

* * *

Lia os jornais, procurava exposições, concertos, *shows*, o que havia de graça ou barato. Queria mergulhar na vida da cidade.

No "V Congresso Nacional de Escritores Litero-Juvenis", presidido por uma moça ágil, inteligente, creio que pernambucana, com excepcional capacidade de comunicação e liderança, Carla Brasileiro ou Paula Brasileiro, conheci uma miniescritora (contos, poemas) de nome belo como um verso: Glícia Meiber Marques de Góes. Ficamos amigos, mais do que isso, enamorados. Mas ainda estava com a alma invadida pela sombra azul.

Fui à Faculdade de Filosofia ver o programa do vestibular. Não gostei. Achei meio primário. O padre Correia, a quem tinha mandado uma carta pungente sobre minha saída do seminário, embora sem contar a verdadeira razão, e me respondera com sua costumeira competência ("o mundo não precisa só de bons padres, mas também de ótimos cristãos"), me disse que se quisesse fazer uma boa escola de Filosofia fosse para o Rio, onde estavam as duas melhores do país: Universidade do Brasil e PUC.

Sempre carinhosos e solidários, meu pai, minha mãe, irmãos, madrinha, tios, não se conformavam com minha saída. Minha mãe, coitadinha, chorou seis meses. Falavam em mim, chorava. Línguas vadias de Salvador contavam em Jaguaquara que eu estava fazendo "farras demais". Pobre de mim. O dinheiro do São Bento mal dava para o pensionato, livros e uma cerveja.

* * *

Um dia, me deu o estalo: vestibular no Rio e ensinar Latim lá. Fui a Jaguaquara me despedir de meus pais, irmãos, todos. Voltei para Salvador, meu irmão Braz me emprestou um conto de réis. No São Bento, expliquei porque estava indo para o Rio, despedi-me de Dom Clemente Nigri e dos outros sábios monges, que me animaram e ainda me pagaram o mês de julho inteiro. Silvio e os colegas do pensionato acharam aventura demais.

Peguei um ônibus para Conquista. A Rio-Bahia sem um palmo de asfalto. Passei pela entrada de Jaguaquara com o coração doendo. Ninguém é forte aos 18 anos. Eu tinha que ser. Mas não podia falhar com minha nuvem.

Em Conquista, fiquei em um hotelzinho no centro. Ao lado, uma churrascaria com *show*. Um vozeirão imitava Orlando Silva:

— "Oh, minha doce amada / ainda bem que você voltou / aos cabarés da cidade / por onde você andou".

Numa mesa ao canto, tomava uma cerveja e assistia ao *show*, encantado. De repente, muitos estalos que demorei a perceber serem tiros; enfiei-me embaixo da mesa, todo mundo gritando, correndo. Em um minuto estava no hotel. E sem pagar a cerveja. Daí a pouco chega a notícia: um morto e um quase morto. Disputavam uma doce amada que havia voltado ao cabaré da cidade por onde ela tinha andado.

* * *

Em carta para meus pais, dias depois, contei ótima história:

— "No hotel, em Conquista, conheci um paulista que há oito meses estava metido no sertão e nas matas, lá para os lados de Lençóis, Macaúbas. Passou dois meses sem ver ninguém. É um tipo interessante. Conhece toda a América do Sul. Tem 25 anos. Sai de casa com alimentos, roupas etc. Chega numa cidade, põe parte da bagagem em um hotel, arruma outra em panacuns, aluga um animal e mete-se por sertão e matas adentro. Estava com uma mala cheia de fotos, cascalhos de esmeralda, rubi etc. E pés de onça. Só aqui na Bahia matou nove e grandes. Tinha um fuzil, uma repetição, dois revólveres e balas à vontade. Já conta mais de 200 onças que matou pelo Brasil afora. Ficou de mandar de São Paulo um couro de jaguar que matou sozinho na Bolívia e um de anta que matou no Equador. Tinha uma cabeleira monstruosa. Há dez anos viajando e cortando o cabelo com uma tesoura de unha".

* * *

Ônibus para o Rio, só daí a três dias. Acertei uma boleia de um caminhão gaúcho. Dia seguinte, saímos cedo. A estrada era um buraco só. O caminhão afundava a roda, roncava e seguia.

Da mesma carta: — "Quando saí de Conquista e atravessei pela primeira vez a divisa da Bahia, senti uma sensação interessante: de exilado. A saudade dá uma impressão de exílio".

Logo depois da divisa da Bahia com Minas, uma pancada forte. Lá se foi uma peça e o caminhão parou. O motorista e o ajudante tentaram consertar, não conseguiram. Tinham que levar à cidade mais próxima: Pedra Azul, uns dez quilômetros. Os dois carregando a peça e eu com minha pequena mala e os documentos que tinha: a certidão de nascimento e minhas notas do seminário.

* * *

Duas horas andando numa estradinha, chegamos. Foram atrás de uma oficina, fiquei no pequeno hotel "Novo Mundo", pedi uma cerveja, sentei no bar, na frente. Ao lado, um rapaz pequeno, mais magro que eu, lia um livro sem parar. Na portaria, peguei um jornalzinho dali mesmo para ler. Ele começou a me olhar. Curioso, veio falar comigo:

— De onde você está chegando?

— Da Bahia, de Salvador. O caminhão quebrou, paramos aqui.

— Conhece São Miguel das Matas?

— Conheço. Terra de tia Madalena, madrinha de meu pai.

— Não pode ser. É muita coincidência. É minha avó.

Já estava em casa. Ao menos em São Miguel das Matas e Pedra Azul. Ele puxou uma cadeira, sentou-se e falamos da coincidência: a avó dele, tia e madrinha de meu pai.

— Para onde é que você vai, depois daqui?

— Para o Rio.

— A estrada daqui para baixo está pior ainda. Amanhã vou a Belo Horizonte, de jipe, por dentro. Lá você pega o trem para o Rio. Vou buscar um professor de Latim e Francês para o ginásio, no segundo semestre. O nosso, um médico, foi para Montes Claros.

Fiquei rindo, ele não entendeu, perguntou o que era.

— Você não precisa ir buscar o professor, ele já veio. Sou eu.

E contei minha história. Estava acabando de sair do seminário e podia ensinar Português, Latim e Francês. Ele se levantou, foi até o meio da rua, apontou para uma casa grande:

— A luz está acesa. Vamos ali conversar com o doutor Gilberto Almeida, o diretor do colégio. O dono é o pai dele.

* * *

Senti minha nuvem soprando na minha cabeça. Doutor Gilberto desceu enrolado em um roupão, mandou-nos sentar, ofereceu um uísque, eu disse que nunca tinha tomado, serviu um bem fraquinho, cheio de gelo, conversamos, combinamos.

Às nove da manhã, as pernas bambas, dava minha primeira aula de Latim para uns vinte alunos, muitos de minha idade.

O baiano Pedro Benjamin Vieira, depois presidente do Tribunal do Trabalho de São Paulo e de Campinas, era o secretário do ginásio. Antes da aula, pedi que me dissesse o nome de alguns alunos, rapazes e moças. Prestei atenção em seis, decorei.

Fiz a chamada, fui para o quadro-negro, escrevi "rosa":

— Márcio, o que quer dizer isso?

Márcio Peixoto levou um susto por chamá-lo pelo nome:

— "Rosa".

— Pois é. Latim é quase igual ao português. É a mãe.

Escrevi "regina", perguntei à Grace Almeida o que era, também se surpreendeu de já conhecer o nome dela. Todos sabiam o que era "regina". Fui usando o método do padre Correia. Aprende-se primeiro no quadro, só depois no livro. Como eram jovens, dei a definição hilária do padre Correia:

— O Latim é uma senhora honrada que teve cinco filhas, todas putas. Saíram de casa e nunca mais voltaram: português, italiano, francês, espanhol, romeno.

Fui escrevendo palavras latinas iguais ou bem parecidas com português, francês, italiano. Quando a aula acabou, já sabiam que eu era um professor diferente. Quebrei a distância logo na chegada. Éramos todos jovens. Por isso mesmo não podia perder o controle da turma, sobretudo nas primeiras aulas.

* * *

No dia seguinte, escrevi no quadro o resumo de uma pequena fábula de Fedro. E ia traduzindo para eles sentirem que, apesar de ser uma língua morta, o Latim não era uma língua enterrada. A fábula terminava assim: — "E o leão comeu o veado".

Na primeira fila de cadeiras, uma menina bonita, olhos vivos, fazendo anotações, menos de 15 anos, olhou para trás:

— Cirano, cuidado com o leão!

A sala caiu na gargalhada. O menino pálido, calado, tímido, trêmulo, levantou-se e foi saindo:

— Professor, desculpe, vou embora.

Passou pelo meio dos outros, abriu a porta, saiu. Fiquei olhando para ela, demorei, esperei o silêncio:

— Lígia, por favor, fora da aula.

— Professor, nunca fui posta para fora da aula.

— Pois vai hoje e já. Você precisa respeitar seus colegas.

Saiu chorando. Era evidente que o Cirano era *gay*.

Sentada na beira da calçada, a menina segurava a pasta, olhos baixos. Os colegas passavam olhando. Eu disse apenas:

— Você gostaria de ser agredida na aula? Ele tem o direito de ser como quiser. Diga a seus pais porque pus você fora da sala.

Até o fim, foi uma das melhoras alunas.

* * *

Dias depois, o jornal da cidade, o único, noticiava:

— "Sebastião Augusto Nery — O Ginásio Pedra Azul acaba de completar seu quadro docente, com a aquisição de mais um professor baiano. Trata-se do jovem Sebastião Augusto Nery que chegou a Pedra Azul em dias da semana passada. O novo mestre vem sendo prestigiado pelos alunos e colegas, mercê de sua cultura e inteligência viva. Desejamos-lhe êxito em sua missão".

O ginásio era uma brilhante jogada do PSD. Não havia outro por perto. A cidade era disputada politicamente pelo PSD e a UDN. Os Almeida e os Figueiredo, do PSD; e os Mendes, da UDN. Os dois partidos tinham deputados na Assembleia, um de cada um.

O coronel João de Almeida era de uma antiga e poderosa família de Santo Antônio de Jesus, no Recôncavo Baiano. Parente de Landulfo Alves de Almeida, interventor da Bahia na ditadura Getúlio Vargas (de 1938 a 42) e senador do PTB de 1950 a 54. Alyrio Almeida, terceiro "intendente" (prefeito) de Jaguaquara. Isaías Alves, consagrado educador baiano. Rômulo Almeida, o grande economista, chefe da assessoria econômica do segundo governo Vargas, autor do projeto de criação da Petrobrás, fundador do Banco do Nordeste, deputado da Bahia de 1954 a 57 e criador da Bahia moderna na CPE (Comissão de Planejamento Econômico): Centro Industrial de Aratu, Polo Petroquímico etc.

Pedra Azul chamava-se Fortaleza de Minas. Numa de suas fazendas de gado, João de Almeida descobriu uma rica mina de águas-marinhas. A primeira providência ao se eleger prefeito foi mudar o nome da cidade para Pedra Azul. A segunda foi fundar um ginásio para a juventude da cidade e das cidades vizinhas. E doou a enorme e famosa água-marinha "Marta Rocha" a Assis Chateaubriand, para dá-la à rainha Elisabeth, da Inglaterra.

* * *

A cidade era latifundiariamente dividida ao meio. Dois clubes: os rapazes do PSD não dançavam com as moças da UDN, porque não iam ao clube da UDN. E os da UDN também não iam aos bailes do clube do PSD. Mas o PSD sempre foi mais democrático. Os filhos da UDN estudavam no ginásio do PSD. E ainda cometiam a indelicadeza de só assinarem as provas com o nome antigo: "Fortaleza de Minas, dia tal, mês tal, ano tal". E nós, professores, éramos autorizados a deixar assim mesmo.

Com dois meses, em carta a José, descrevi a cidade:

1. "Pedra Azul é melhor do que pensei na chegada. Maior do que Jaguaquara, mais populosa e mais adiantada. As casas de negócio nem se comparam. E também as de morada. O que há é que corre muito dinheiro. Tem cinco ou seis bancos (o da Lavoura, hoje Real e Santander, de Clemente Faria, nasceu lá), um cinema muito grande, hotel de luxo, sorveterias, bares e barbearias grã-finas. Aqui, quando se constrói uma casa, constrói-se boa. A cidade tem uns quatro mil e poucos habitantes, mas o movimento de carros, do comércio, é muito superior ao daí".

2. "O ginásio é um prédio novo, bonito, confortável e grande. Foi construído para externato no primeiro andar e internato no segundo. Como ainda não há internato, moramos no segundo andar o secretário, eu e dois professores, todos solteiros.
É um silêncio que dá paz. Junto aos quartos, dois salões enormes, vazios, que seriam os dormitórios. Sento em uma espreguiçadeira e leio três horas sem ouvir uma voz. Parece um castelo e fica ao lado

da cidade, com uma chácara ao fundo, entupida de passarinhos. E carros de boi gemendo ladeira acima, a chiar, como se chorassem um passado que o automóvel levou".

3. "As manhãs desta terra são maravilhosas. O sol se levanta vermelho e sorrindo como um americano bêbado. A cidade é toda rodeada de pedras, pedras altas como as de Milagres, pedras negras, como uma desgraça amontoada há séculos. Uma pobre doida canta dia e noite lá de cima de uma das pedras, sem parar um instante, com uma voz linda, que só não é mais linda porque é a canção de uma desgraça. Levanto-me às cinco para ler, como se fosse às 7, pois as aulas começam às 8".

4. "A Prefeitura tem uma ótima biblioteca. A sociedade aqui é fina, civilizada, embora o mineiro, em geral, seja medíocre de espírito, muito tacanho. Política, a guerra, assuntos mais altos, nada interessa. O que vale é o pão nosso de cada dia, Getúlio no governo e uma cerveja no bar. A diferença para o baiano, que é sonhador e idealista, nota-se logo. Apesar disso, a cidade tem uns 20 formados, três jornais, uma companhia de teatro amador, três clubes artísticos e esportivos. Fundamos um Grêmio Literário que se reúne semanalmente e organizamos um voleibol".

5. "Embora não seja uma terra de jagunços, já assisti a três júris por morte. E ontem à noite mais uma abalou a cidade. Saí do cinema às 10 da noite, passei no bar e, quando vou saindo, ouço três tiros de revólver. Um rapaz da terra, rico, o Figueiredo, delegado, pediu a um médico, doutor Luciano, sobrinho de Alyrio Almeida ex-prefeito de Jaguaquara, primo dele e diretor do hospital, que lhe receitasse morfina, entorpecente proibido por lei. O médico não atendeu e recebeu dois tiros no estômago. Entrou no bar se arrastando e se agarrou em mim, sangrando:
— Que covardia, professor!
Sentou-se numa cadeira e ainda receitou os remédios que devia tomar. Posto em um aviãozinho, seguiu para Salvador. Não deu tempo. Morreu lá. O assassino correu e se escondeu atrás de uma pedra. Como nos melhores faroestes, o tenente do Tiro de Guerra do Exército, moreno, quase negro, nosso amigo, correu em casa, pegou um fuzil, foi para o meio da rua e mandou o delegado jogar a arma e se entregar. Não jogou e disse que ia atirar. O tenente deu um tiro, explodiu a pedra, o delegado jogou a arma".

* * *

As aulas eram no térreo. Ginástica, no pátio, comandada por João Bênio, goiano que se tornou cineasta do bangue-bangue de Goiás, com filmes de muito sangue. A mulher dele, Terezinha, ensinava Matemática. Inglês era o secretário Pedro Vieira. Herculano, gerente do Banco do Brasil, Física e Química. Um dia, chegou de Bomfim, na Bahia, o novo professor de História e Geografia, Arnóbio, moreno, tímido, voz forte e alma fraca.

Com seu vozeirão de estudante de órgão no seminário, Arnóbio encantou a meninada logo no primeiro dia, cantando bonito embaixo do chuveiro. No pátio, marchavam e batiam palmas no ritmo dele. Dias depois, o desastre. Arnóbio cantava "Vingança", de Lupicínio Rodrigues, o grande sucesso nacional na voz de Linda Batista:

— "Eu gostei tanto quando me contaram que te encontraram chorando a bebendo na mesa de um bar... Você há de rolar como as pedras que rolam na estrada"...

Mas trocou a letra. Em vez de "a vergonha é a herança maior que meu pai me deixou", cantou assim:

— "A herança (*sic*) é a vergonha maior que meu pai me deixou".

Lá embaixo, a garotada marchante foi ao delírio. Batia palmas ritmadas: — "Filho de ladrão! Filho de ladrão"! Arnóbio desceu para a aula, foi recebido em silêncio, com todos batendo os dedos nas carteiras: — "Tan, tan, tan, tan! Tan, tan, tan, tan"!

Tentei usar de minha autoridade de 19 anos, quase da idade deles, não adiantou. Arnóbio arriscou a próxima aula, continuaram o "tan, tan, tan"! Na manhã seguinte, Arnóbio não cantou. Mas a meninada, impiedosa, se esgoelava: — "A herança foi a vergonha maior que meu pai me deixou. Filho de ladrão, filho de ladrão"!

Trancou-se, chorou, de manhã foi embora em silêncio.

* * *

Em Pedra Azul aprendi: Minas é o latifúndio, o PSD e a UDN. Éramos poucos solteiros na cidade: o tenente do Tiro-de-Guerra do exército, o gerente do Banco do Brasil, o secretário do ginásio, eu. Tínhamos o privilégio de dançar nos dois clubes, no do PSD e no da UDN. Deram-me lança-perfume para cheirar. Tonteei. Compramos um jipe velho junto com "Coronel", filho também solteiro do prefeito Netércio Almeida, várias vezes prefeito, irmão do deputado João de Almeida. Foi o prefeito mais velho do Brasil, com mais de 90 anos. Nos fins de semana, saíamos para namorar e nos divertirmos nas cidades vizinhas: Medina, Almenara, Rubim, Jequitinhonha.

Algumas moças tinham estudado balé em Belo Horizonte. Com João Bênio, a mulher dele, o Pedro Vieira, o tenente, alguns alunos, escrevi e montamos no cinema uma peça, "O Sultão", em que fiz o único papel de teatro de minha vida: "O Sultão", sentado e belas bailarinas pondo uva na minha boca. Um sucesso, mas paramos por aí, porque a cidade ficou cheia de insinuações.

Comecei a namorar uma jovem, filha da prefeita de Medina, viúva boa de voto. Estávamos um sábado na varanda, antes do almoço, quando um gavião sentou no cocuruto de um boi. A sogra trouxe uma espingarda e pediu que eu matasse. Nunca tinha atirado, ela insistiu. Atirei. A bala pegou no boi e não no gavião. O boi avançou em cima de mim, quase não houve tempo de eu voltar.

Em uma festa, em Pedra Azul, uma aluna minha, Bebel, rainha da Primavera, que nas aulas me atirava longos olhares, cantou o bolero "Assim se passaram dez anos sem eu ver teu rosto, sem beijar teus lábios assim…". Fiquei encantado com a voz dela e disse. Ela entendeu. Nos domingos à tarde, me arrumava, me perfumava como os ingleses, com "Bond Street", íamos ao cinema, namorávamos, como se namorava nas varandas de Minas. Foi a única namorada que lá deixei, quando fui embora.

* * *

Desde o primeiro dia avisei no ginásio que, terminadas as aulas, ia para Belo Horizonte fazer vestibular. No 7 de setembro, o prefeito Netércio pediu para eu fazer o discurso em nome dele. Preparei bem, mas não escrevi e fiz bonito. Ele me chamou:

— Professor, você fala bem, estamos gostando de seu jeito, a cidade também, sabemos bem quem é sua família, lá em Jaguaquara. Você podia ficar aqui conosco. Vamos ter eleições, eu e o João já estamos cansados, o Gilberto vai ser deputado, você podia ser nosso candidato a prefeito. Elege-se, casa-se com uma de nossas meninas e no fim do mandato sai para deputado, vai para Belo Horizonte e lá faz o vestibular já deputado eleito.

Recusei a proposta irrecusável. Minha nuvem mandou.

Aquele não era meu mundo nem o mundo que eu queria.

11

BELO HORIZONTE

A AVENIDA AFONSO PENA, COBERTA DE ÁRVORES, PARECIA UMA LONGA pista verde de corrida. Minha bicicleta disparava lá de cima, gloriosa, e os ternos e vestidos bem passados voavam ao vento.

De casa em casa, entregava um a um. Começava de manhã para aproveitar o sol. Terminava cedo, para aproveitar a tarde. Não sabia que entregar roupa de lavanderia fosse tão agradável.

Pedalava, pedalava a cidade inteira. Peguei um mapinha, marcava os pontos de entrega e saía embalado. Belo Horizonte era uma cidade jovem, adorável, 300 e tantos mil habitantes, planejada, feita sob medida, cortada por largas avenidas, toda coberta de árvores. Começava às 8, almoçava, no meio da tarde tudo entregue, voltava para a pensão, estudava. Sabia que das notas do vestibular iam depender as recomendações para ensinar.

* * *

Tinha amanhecido em Belo Horizonte no dia 6 de janeiro de 1952. Ainda ia fazer 20 anos. Não conhecia uma só pessoa. Só eu e minha nuvem. E, distante, minha sombra azul. No dia seguinte, 7 de janeiro de 52, em carta para meus pais, contava:

1. "Pensava em vir para cá no fim de janeiro, porque o vestibular é em fevereiro. Mas em Pedra Azul um amigo me convidou para virmos logo. Natal e *Réveillon* foram para as despedidas. (A namorada,

bonita e terna, continuava cantando 'Assim se passaram dez anos'). Saímos de ônibus no dia 2 de janeiro. Em Teófilo Otoni, conheci um gringo jovem, que corria o norte de Minas comprando pedras semipreciosas".

Em 1992, 40 anos depois, Adido Cultural em Paris, reencontrei o gringo de 52 de Teófilo Otoni. Era o velho Sauer, da Amsterdan Sauer, que até hoje faz e exporta joias brasileiras para o mundo.

2. "Passamos outro dia em Governador Valadares. De lá, de trem, para Nova Era. Atravessamos de trem todo o Vale do Rio Doce, onde estão as minas de ferro e as fábricas de aço, que Juracy (Magalhães) preside. Não se calcula a maravilha de trabalho do Juracy e o quanto ele é querido lá. O trem quebrou e tivemos que passar uma noite e quase um dia na estrada. Arranjamos, nós e outros rapazes, um jipe da Vale do Rio Doce e corremos a Vale toda. Juracy estava em Vitória, mas um dos diretores nos mostrou tudo. Juracy ali é um verdadeiro ídolo, no Espírito Santo e aqui em Minas".

Meu amigo de Pedra Azul ia seguir para o Rio. Em Belo Horizonte, na estação de trem, na praça larga, manhã bem cedo, só eu e minha malinha, um motorista de táxi, esse anjo da guarda das cidades, perguntou para onde eu ia. Não sabia. Estava chegando quase sem dinheiro. Ele deu a pista:

— Não longe daqui, na Avenida Sousa Lima, 1096, junto da Praça Raul Soares, há uma pensão de uma senhora muito boa. Levo você lá. Converse com ela. Conte seu problema.

Fomos. O dinheiro deu para a corrida, sobrou pouco. Dona Jamila, viúva, e duas filhas, Bárbara e Olímpia, Bárbara bonita e Olímpia feia, ora vejam, eram de Pedra Azul. A casa grande, cada um com seu quarto. Sentaram-se na sala e me fizeram um discreto interrogatório. Comecei com o seminário, terminei com Pedra Azul. Arranjava um emprego, no fim do mês pagava a pensão, fazia o vestibular. A partir daí, voltaria a ser "o professor".

Elas conheciam todo mundo que eu citei. Ganhei as três.

* * *

A pensão servia café-da-manhã, almoço e café reforçado no jantar. Aos domingos, ajantarado, um almoço mais forte sem café à noite. Guardanapo era "pano de boca".

Almocei bem, era, tinha que ser, galinha com quiabo e angu. Uma delícia. Feriado, fui à esquina, comprei os dois principais jornais para aprender a cidade: "Estado de Minas" e "O Diário". Li até os anúncios classificados. Belo Horizonte não tinha 400 mil habitantes, cheia de estudantes e doentes de outros Estados, por causa do clima bom. Governador, Juscelino, de sobrenome difícil. Prefeito, Negrão de Lima, de nome difícil.

No dia seguinte, fui a pé para o centro da cidade, espiando tudo, pensando no emprego. Meu projeto era trabalhar numa livraria, numa biblioteca, na recepção de um colégio. Na esquina da Afonso Pena com a Bahia, do lado do Parque, vi uma loja:

— "Tinturaria Vieira, entregas em domicílio". Fui lá. A mesma conversa: seminarista, professor, esperar o vestibular.

— Nossas entregas aqui são de bicicleta. Anda de bicicleta?

— Fui campeão. Quinze quilômetros em Itaparica, pela areia.

Saí empregado. Primeiro dia. Nem eu acreditava. Começava às oito da manhã, duas horas de almoço, até a entrega da última roupa. Voltei à pensão. Bárbara me deu um abraço diferente.

* * *

Quase um mês depois, já tinha melhores notícias. Dia 30 de janeiro, contava a meus pais como é chegar na terra dos outros:

1. "Não podia passar o mês só estudando. (Não quis assustá-los, contando que tinha acabado de deixar a bendita tinturaria onde entreguei roupa, de bicicleta, quase um mês.) Resolvi procurar trabalho. No começo da Avenida Augusto de Lima, a minha rua, vi uma placa: — "UPC – União dos Propagandistas Católicos".
    "Entrei. Era uma livraria, uma tipografia e salas de escritórios. O diretor veio atender-me, conversamos uma hora, e ele me convidou para tomar conta de um jornal mensal que eles faziam: — 'Jornal UPC'. Fiquei surpreendido, mas aceitei dirigir o jornal. Podia fazer o trabalho em casa, de noite. Só entregar lá. A UPC era uma sociedade fundada em Belo Horizonte por um padre para servir-se da imprensa, do rádio, do cinema e do teatro para difundir os princípios católicos. Seu diretor é o presidente da Academia Mineira de Letras. Já saiu o número de janeiro, gostaram muito. O de fevereiro já mandei para a tipografia. Eu arranjo os artigos. E quando não há, escrevo. Pagam 2.000,00."
    "Assim, em março, depois do vestibular, vou ensinar apenas à noite. As manhãs serão da Faculdade. As tardes, da UPC.
    Todos os domingos, à tarde, no nosso teatro, há um debate. Uma pessoa expõe a questão. Neste domingo, o diretor me chamou para

expor a matéria. Não aceitei. Não estava preparado. O assunto era difícil: — 'A origem filosófica e teológica do homem'."

"Ele disse que era um teste que queria fazer comigo. Fui. Debate longo. Uma hora e meia depois, sentei-me, exausto. Aplaudido, o padre me convidou para apresentar dois programas semanais de rádio da UPC: 'A Hora da UPC', na rádio Guarani, às 18 horas das terças e na rádio Mineira às 18 horas de sábado."

* * *

Mas o que eu queria mesmo era dar aula. E dependia do vestibular. A Faculdade de Filosofia era no edifício Acaiaca, a 100 metros da UPC. Minha nuvem não ia falhar. A secretária, dona Denakê, alta, óculos de bibliotecária de filme inglês:

— Cadê seus documentos?

— Não tenho.

— Como não tem?

— Só a certidão de nascimento.

— Meu filho, isto aqui é uma Faculdade da UMG (Universidade de Minas Gerais). Para se inscrever é preciso um bocado de documentos, a começar pela conclusão do curso secundário. Sem isso, não há inscrição.

De novo contar minha história: Bahia, seminário, Pedra Azul, professor. Abri uma bolsa, puxei uma pilha de sete anos de boletins e fui mostrando os melhores. Parecia o Carlos Imperial no Maracanã apurando notas de Escola de Samba no carnaval:

— Latim, nota 10! Português, nota 10! Francês, nota 10! Italiano, nota 10! Filosofia, nota 10! Aritmética, nota 7!

Ela olhou bem para mim, já com olhos maternais, ficou conferindo aquele sujeitinho magro, magérrimo, cabeça grande, ali cheio de 10, mas sem sequer um documento para provar ao menos que era alfabetizado. Foi lá dentro, voltou:

— Seu caso nunca houve aqui. Só o diretor para decidir.

O diretor, Antônio Camilo de Faria Alvim, magro, cabelos grisalhos, ar nobre, mas nada arrogante, mandou-me sentar:

— Que história complicada é essa sua?

Vi logo que era um intelectual. Dourei minha história:

— A culpa foi do caminhão, professor.

— E nós com isso?

— Pois é, professor, se o caminhão não tivesse quebrado eu teria ido até o Rio e estaria incomodando outro diretor e não o senhor. Mas como foi em Pedra Azul, parei lá, gostei de Minas, vou ficar aqui e fazer um bom vestibular, provar que posso entrar.

Perguntou com interesse sobre o seminário, métodos de ensino, professores, os lazaristas, os jesuítas, o arcebispo, a Igreja da Bahia. Só depois soube que a Faculdade de Filosofia tinha sido criada em 1939, em pleno começo da guerra, por um grupo de intelectuais integralistas muito ligados à Igreja, um dos quais ele:

— Vou inscrever você em atenção a suas notas. Vou considerar seu estudo de Filosofia como um curso clássico. O vestibular começa no dia 16, agora. Tempo suficiente para você providenciar uma carteira de identidade e preparar as provas.

Até hoje tenho remorsos do trabalho que lhe dei depois.

* * *

Minas era meio seca, mas era justa. Na Polícia, doutor Machado me deu a carteira de identidade e fez um sermão:

— Olhe lá! Estou lhe dando esse documento em confiança. Você não tem referência nenhuma, só suas notas de seminário. Se fizer uma bobagem por aí, tomo a carteira e ainda lhe prendo.

Não havia como não fazer um vestibular razoável e passar. As matérias eram as do seminário. A Faculdade tinha uma boa biblioteca, pegava livros lá, levava para casa, repassava os textos, devolvia, apanhava outros, estudava até tarde. Quando o sono apertava, água fria na bacia, pés dentro da bacia e continuava.

Fins de semana, estudava doze, quinze horas, dia e noite adentro.

Ganhei de um colega uma cachaça mineira, a Caribé. Um sábado à noite, com fome, peguei um pepino, um pepinão, cortei em rodelas e fiquei tomando cachaça, comendo pepino e estudando. Dormi bem tarde. Acordei com uma dor terrível. A barriga enorme, inchada, parecia que ia explodir. Eu mal falava. Chamaram um médico, ele apalpou, disse que era apendicite aguda e tinha que ser operado com urgência. Levou-me ao pronto-socorro, fez radiografia, chamou um cirurgião.

Meio desacordado, já estava sendo conduzido para a sala de operação, perguntei ao cirurgião se podia ser anestesiado e operado tendo bebido uma garrafa de cachaça e comido um pepino inteiro. O médico parou o carrinho, mandou voltarem, pediu nova radiografia, examinou bem e ficou furioso comigo:

— Você está é entupido. Cachaça com pepino não pode dar certo. Vou é lhe dar um purgante agora mesmo, desses de animal.

Tomei o purgante, uma lavagem e dormi. Acordei bom. Aliás, ótimo. A Bárbara estava na cabeceira, velando por mim. Imaginem a gozação na pensão. Foi tão grande o susto, que nunca mais bebi cachaça nem comi pepino. Nem juntos nem separados.

Na segunda-feira, lembrei-me do seminário, fui a um restaurante próximo, comprei meia garrafa de vinho "Imperial Antunes", gaúcho, da Aurora. Há 58 anos tomo vinho todo dia. Cheguei aos dias das provas com a corda toda. Fiz um charme. Sem ser necessário, escrevi em latim a prova de latim. Na de redação caprichei como se fosse uma tese. Até a última prova, sabia que fui bem. A Faculdade era de Filosofia, Ciências e Letras. E as Letras eram Letras Clássicas e Neolatinas. Meu vestibular era para Letras Clássicas, sem Matemática nem Inglês.

* * *

E quase tive um enfarte. Fui pegar o resultado como se fosse uma loteria premiada. Não conhecia os colegas, apenas alguns muito rapidamente nos intervalos das provas. Fui direto às listas de nomes penduradas nas paredes, uma lista para cada um dos cinco cursos. E meu nome não estava lá. Corria de cima abaixo, de A a Z, havia outros Sebastião. Menos eu.

Quase desabei. Sem passar, não poderia ensinar. Ia ficar um ano inteiro pedalando. Encostei na parede e chorei. O colega mais velho do vestibular, o poeta e meu saudoso amigo Edson Moreira, com seu livro "Cais da Eternidade" embaixo do braço, reclamou:

— Não se desespere. Você ainda é muito jovem. Não deve ter nem 20 anos. Pois eu só agora estou entrando na Universidade.

Ele não sabia que não se tratava da Universidade. Era minha vida, meu emprego, minha possibilidade de ensinar, trabalhar. Pela primeira vez minha nuvem tinha me abandonado. Pensei na minha luz azul. Nem ela. Dois golpes, um atrás do outro.

Saí andando à toa, atônito. Dona Denakê me chamou:

— Baiano, onde você anda? O diretor está lhe procurando.

— Não vou não. Estou morto de vergonha. Não passei.

Chegava o diretor Camilo Alvim. Pegou na minha mão:

— Cumpriu o compromisso. Parabéns pelo primeiro lugar!

Corri para onde estavam as listas. Os nomes dos quatro que tiraram o primeiro lugar, um de cada curso, estavam destacados, no alto, acima das listas. Encostei na parede e chorei solto.

A Universidade, seja onde for, o curso que for, é uma magia. Só nela você se sente adulto. Só nela você percebe que afinal sua vida vai começar.

São séculos de cultura construindo o mito da Universidade. Mais do que um curso, é uma promoção da vida.

Pedi à dona Denakê uma cópia da lista. Ela não entendeu por quê. Eu sabia. Era meu passaporte, a certidão de cidadão de Minas. Enfiei no bolso, fui para a pensão. Para mostrar à Bárbara. E levei à tinturaria e à UPC. Tirei umas cópias, mandei uma para o ginásio de Pedra Azul. E outra para a Bebel.

Passei a noite escrevendo três cartas imprescindíveis, arrancadas lá de dentro: para meus pais, Dona Sisínia e o padre Correia. Escrevi como quem paga faturas. Aquela nuvem era deles.

* * *

A primeira pergunta do cônego José de Sequeira, professor de Latim, foi onde tinha estudado. Com padre Correia, na Bahia.

— Esse Correia não falha. Há sempre bons alunos dele por aí.

Mandou que eu visse vagas nos colégios e ele recomendaria. Indicou logo o Anchieta e a Escola Técnica. Fui, precisavam para Latim e Português. Estava empregado. No começo, poucas aulas. Depois, muitas. Tive que deixar a UPC. Cheguei a dar dez aulas por dia, à tarde e à noite. As manhãs eram da Faculdade.

Mergulhei nela como quem chega a um mundo novo. E era. Logo fiz 20 anos. Professores ilustres, escritores, políticos, muito do que Minas tinha de melhor se concentrava na FAFI (Faculdade de Filosofia): Artur Versiani Veloso, seu principal fundador e primeiro diretor. Milton Campos, que tinha acabado de deixar o governo. José Osvaldo de Araújo, ex-prefeito de Belo Horizonte, banqueiro e tio de Magalhães Pinto. Orlando M. de Carvalho, professor de Literatura Francesa na Filosofia e depois meu professor de "Teoria Geral do Direito", na Faculdade de Direito, onde criou em 56 a internacional "Revista Brasileira de Estudos Políticos". Eduardo Frieiro, um sábio, redator-chefe da Imprensa Oficial, patrono do livro em Minas, primeiro editor de Carlos Drummond de Andrade ("Alguma Poesia") e fundador e diretor da consagrada revista da Faculdade de Filosofia, "Kriterion". Ayres da Mata Machado Filho. Mario Casassanta, a quem fiz a suprema injustiça de uma boa frase: — "Ele vive de um equívoco. Seus alunos de Direito perdoam-no lá por acharem que é ótimo professor aqui. E nós o desculpamos aqui por acharmos que é um grande professor lá". Abgar Renault, ministro da Educação. João Camilo de Oliveira Torres, monarquista e historiador. Padre Vidigal, Braz Pellegrino, Olinto Orsini, Vicenzo Spinelli, José Lourenço de Oliveira, José Carlos Lisboa, Alaíde Lisboa de Oliveira, Arduino Bolivar, o filósofo alemão Ansorg, tantos.

A Faculdade tinha duas disputas surdas e permanentes, dois conflitos internos insanáveis. O primeiro, entre os integralistas que a fundaram e compunham a maioria da congregação e os comunistas, socialistas e liberais que queriam renová-la. O segundo, entre os professores fundadores, agarrados às suas cadeiras, que defendiam como herança divina, e os professores assistentes, jovens que queriam fazer concurso para titulares: Aluízio Pimenta, Wilton Cardoso, Morse Belém Teixeira, Amaro Xisto de Queiroz, Pedro Parafita Bessa, Luís Bicalho, padre Orlando Vilela, Maria Luíza Bandeira, Rubens Romanelli, muitos.

Logo me vi dentro dessas lutas, que não eram minhas.

* * *

Outra divisão, mais acesa, mais aberta, mais estimulante, era entre os estudantes, que traziam para dentro da Faculdade a grande batalha no movimento estudantil nacional: direita contra esquerda, governistas contra oposição. Em termos partidários, acabavam juntando mais PSD e UDN contra PTB e PSB.

Mas os grandes partidos tinham pouca presença explícita no movimento estudantil. A luta principal era entre três letras divergentes: JUC e UJC. Juventude Universitária Católica e União da Juventude Comunista. Cada uma tinha seu projeto, seu programa, seu grupo e suas lideranças, renovadas ano a ano.

Moacyr Laterza já estava terminando a Faculdade para ser professor assistente de Filosofia e deixava a JUC sob a liderança de outros católicos, assim como Darcy Ribeiro e Roberto Las Casas haviam passado havia pouco o comando da UJC da Faculdade para José Israel Vargas, depois cientista nuclear e ministro de Ciência e Tecnologia do governo Fernando Henrique Cardoso.

Vindo do seminário, evidentemente eu era da JUC. E foi em nome da JUC e de meu vestibular que logo me convidaram para representar o primeiro ano numa chapa para o Diretório Acadêmico. Não sei se por ser baiano, virei orador do Diretório. Oito meses na cidade e já estava enfiado na política estudantil.

* * *

Tudo acontecia muito rápido. Depois da tinturaria e da bicicleta, estava na UPC, fiz o vestibular, já dava aulas. Queria trocar a carinhosa pensão de dona Jamila para ficar em uma mais próxima da Faculdade, para ir a pé, estudar mais e ler melhor. O Dante, da Filosofia e já professor, conhecia uma mais perto. Fui para lá. No quarto vizinho, um estudante de violino, negro, alegre, a boca cheia de dentes, tocava dia e noite. Ninguém dormia. Saí.

Fui para a pensão de Maria Viriato, na Rua da Bahia. Não era um grupo grande, cada um com seu quarto, dava bem para ler, estudar, preparar aulas. E Maria Viriato era um charme de gente, rosto doce, preocupada conosco, cuidava da comida e sobretudo das dormidas, se não estávamos trocando a noite pelo dia.

Morava ali um rapaz magro, moreno, com cara queimada de indiano, de Caratinga. Trabalhava numa agência de propaganda, passava o dia todo lá, chegava em casa, trancava-se e ia desenhar. Desenhava, desenhava, até de madrugada. Trabalhava como um mouro. Fazia desenhos e mais desenhos, historinhas, de um Saci-Pererê. Alienado politicamente, não tomava conhecimento de política estudantil, de política nenhuma. Quando fui preso a primeira vez, por "atividades subversivas", ações políticas da esquerda, a turma toda, uma dúzia, foi à cadeia me visitar, sobretudo a Maria Viriato, levando comidinhas, frutas e doces. Voltei, recebido com palmas e almoço especial. De noite chega ele:

— Trouxe minha figa?

— Que figa?

— Você não me prometeu que, quando fosse a Salvador, trazia de lá uma figa da Bahia, para pôr no braço e dar sorte?

Quase bateram nele. Eu uma semana preso e ele não soube.

Só queria saber de seu Saci. E já tinha seu amuleto:

— Vou para o Rio caminhando com a perna deste Saci.

E veio. Era o incansável Ziraldo, que em 1960 lançou no Rio a primeira revista brasileira em quadrinhos, a "Pererê".

Outro colega era o Degois (pronúncia francesa, "Deguá"), Antônio de Góis afrancesado. Também vindo do interior. Indisfarçadamente *gay*, o que na época era uma raridade. Pedia-nos livros emprestados, mas tinha que ser novo, sem risco nenhum, não podia ter o nome de ninguém.

Saía, voltava com aqueles grandes livros de arte ilustrados, encadernados, dos maiores pintores mundiais, Velásquez, Goya, Matisse, Cézanne, Van Gogh, Rembrandt, Picasso, todos. Sempre trazia um. Mas não devolvia o que levou emprestado:

— Cadê meu livro, Degois?

— Ficou lá, na livraria Oscar Nikolai. Troquei por este.

— Trocou como, Degois?

— Troquei. Deixei ele lá e trouxe este daqui. Muito mais caro.

Assim se tornou um grande pintor mineiro, com obras em museus etc. E acabou assassinado por um amor marinheiro.

* * *

Na Faculdade, nosso Diretório Acadêmico logo fundou um jornal: "Filosofia". Tenho aqui o nº 2 do ano I, de outubro de 1952. Eu tinha entrado em fevereiro com 19 anos e feito 20 lá, em 8 de março. Formato grande, bem impresso, papel bom, alvo, de revista, oito páginas. Uma funda e saudosa radiografia do passado.

1. EXPEDIENTE: "Filosofia — Órgão do Diretório Acadêmico da Faculdade de Filosofia da Universidade de Minas Gerais".

2. "DIREÇÃO E REDAÇÃO: Jenner Procópio de Alvarenga, Germinal Ferreira, Sebastião Nery e Aluísio Ordones de Castro"

3. "NA PÁGINA 3, UMA NOTA DESTACADA: — "Nova Diretoria do Diretório Acadêmico – Tomou posse no dia 13 deste mês (outubro de 52) a nova Diretoria do nosso DA, depois de um pleito disputado livre e honestamente. Está assim constituída:

   MÁRCIO QUINTÃO MORENO, presidente (reeleito).
   JENNER PROCÓPIO ALVARENGA, 1º vice-presidente (reeleito).
   ALUÍSIO ORDONES DE CASTRO, 2º vice-presidente.
   ROBERTO TEIXEIRA CAMPOS, secretário-geral.
   YDERNEA MILKA DE SOUZA, 1ª secretária (reeleita).
   GERMINAL FERREIRA, 2º secretário.
   JOSÉ BATISTA FERREIRA FILHO, 1º tesoureiro.
   JUDITH PEREIRA DA SILVA, 2ª tesoureira.
   SEBASTIÃO AUGUSTO NERY, orador."

4. MANCHETE DA PRIMEIRA PÁGINA: — "O Primeiro Catedrático da Faculdade de Filosofia – Parabéns, Professor Aluízio". E o texto era uma resposta à nossa principal luta:
   — "Até que enfim temos um catedrático, no sentido legal do termo. O professor Aluízio Pimenta, em brilhante concurso, realizado nos primeiros dias deste mês, 'cortou a fita' da reestruturação de nossa Faculdade, enfrentando desassombradamente uma banca examinadora não inteiramente leal e à altura do candidato, conseguiu a alta média de 8,76 que lhe deu direito de ocupar a cátedra de Química Biológica e Química Orgânica. É certo que numa Universidade um concurso é algo relativamente comum. Mas, para a 'cabeça' da

Universidade de Minas Gerais ele significa muitíssimo. Provou que, em Minas, ainda existe o sentido de consciência do magistério e, sobretudo, deu a todos nós, mestres e alunos, um exemplo do verdadeiro espírito de cultura universitária. Ao professor Aluízio Pimenta a gratidão e as homenagens de toda a Faculdade de Filosofia".

5. Outra nota importante na primeira página:
— "Milton Campos, Paraninfo — Nossos bacharelandos de 1952, em eleição há pouco realizada, escolheram para paraninfo de sua formatura o eminente professor Milton Soares Campos. A personalidade de nosso grande mestre dispensa qualquer justificativa. A escolha veio provar, mais uma vez, a retomada de consciência do corpo discente desta Escola".

6. Começando na primeira página, duas matérias essenciais do jornal: — "Jubileu de Prata". A íntegra da magistral conferência do poeta, tradutor e professor Abgar Renault, "uma das mais brilhantes inteligências de Minas", na solenidade dos 25 anos da UMG. E um longo artigo-tese ("À Procura do Espírito do Nosso Tempo"), de Floriano Correa Vaz, depois presidente do Tribunal do Trabalho de São Paulo, que descobriu, fez o inquérito e mandou para a cadeia seu antecessor, o juiz Nicolau Lalau.

7. Na página 2, Ana Ataíde Ferreira da Silva, do Curso de Didática, com "A Influência do Romantismo nas Ideias Linguísticas".
Na 5, um texto de Elzio Dolabela sobre Joaquim Nabuco: — "A Propósito de uma Comemoração" (centenário).
Na 7, artigo de Hennio Morgam Birchal (2º ano de Letras Clássicas): — "Conteúdo e Forma Artísticos"). E um aviso:
— "Palavra Livre – Sendo 'Filosofia' um órgão do Diretório Acadêmico, deverá refletir as opiniões de todo o corpo discente desta Faculdade, ainda quando divirjam da orientação da diretoria do DA. A partir deste número, manteremos a seção 'Palavra Livre', onde alunos e professores terão uma tribuna livre. 'Palavra Livre' neste número: — 'O Meillet 2º' de Sebastião Nery (1º ano de Letras Clássicas), 'O Bocejo', de Acyr Vieira Porto (1º ano de Ciências Sociais) e 'Para Ler na Cama', de Germinal Ferreira" (1º ano de Matemática), todos criticando professores.

8. O meu era uma crônica satirizando uma aula de um dos professores de Latim, José Lourenço — começava assim:

— "A maior gafe da literatura universal é Cervantes não haver nascido no século XX". E descrevia o Lourenço em aula:

— "Ei-lo! *Horribile visu!* Cabeleira à César Bórgia, olhos de Rasputin, físico de Sansão, a oitava maravilha do mundo". Aula:

— "Senhores alunos, vamos ver se veremos hoje as pré-origens histórico-fonético-morfológico-semânticas da Língua Latina. Antes, darei uma bibliografia indispensável a todos os senhores alunos que quiserem fazer um curso à altura do professor que têm a felicidade de possuir. Primeiro, o Dicionário de Meillet. Muito bom, principalmente o meu. Coloquei tantas notas e de tamanho valor que o refundi completamente"...

A aula era toda assim. Ele sobre ele, sobre ele, sobre ele. Acyr Porto, sem citar, analisava a aula de outro professor. O do Germinal Ferreira também não alisava. Era sobre a direção.

* * *

Da pensão da Maria Viriato, algum tempo depois, fui para a "República da JUC", santo abrigo, um casarão cercado de jardins, frutas e flores, quase esquina com a Av. Amazonas, a 200 metros da Faculdade, dirigida pelo santo padre Viegas e liderada por João Bosco Cavalcanti Lana, da JUC de Direito, anos depois juiz e reitor de Universidade no Rio.

Era exatamente o que eu queria. O mundo universitário por dentro. Quase todos de outras escolas, sobretudo Direito, Medicina, Engenharia, Arquitetura. A Universidade quase toda representada ali: José Gerardo Grossi, o grande advogado e ministro de hoje, já tinha cara de advogado. Fábio Lucas, hoje consagrado escritor e crítico literário, já escrevia e publicava. Poetas, arquitetos.

Um alemão, vizinho, que morava sozinho no casarão ao lado, tinha um cão enorme, pastor alemão, que latia à noite toda. Não deixava ninguém estudar, ler ou dormir em paz. Alguém teve a ideia de dar um bolo com veneno, logo eliminada. Creio que foi do Fábio Lucas a ideia genial. Um anúncio no "Estado de Minas":

— "Por motivo de viagem urgente, doa-se um belo pastor alemão a quem prometer cuidar bem dele. Favor comparecer às seis da manhã de amanhã, rua tal, número tal, tocar campainha".

O alemão quase enlouqueceu. A fila foi lá na Avenida Amazonas. Não adiantava ele gritar que era mentira. Todo mundo mostrava o recorte do jornal. À tarde, ele procurou padre Viegas e fez um pacto de paz: o cão não ia mais latir de noite. E cumpriu.

* * *

Logo fui apreendendo os problemas de outras escolas. Tudo a mesma coisa: a vida política nacional dentro de nosso dia-a-dia.

Não adiantava querer resolver pequenos conflitos de faculdades se a decisão final das questões estava com a política pública.

A primeira conclusão foi que, nas divergências das três letras (JUC e UJC), a segunda em geral tinha mais razão. Os comunistas da Faculdade, como pessoas, eram melhores do que nós, os católicos: mais generosos, mais desprendidos, mais lutadores, mais preocupados com o coletivo, o bem comum.

Estava lendo o grande guru francês da JUC e da Ação Católica, o padre Lebret: — "Decouverte du Bien Comun" ("A Descoberta do Bem Comum") e "L'Éficacité Politique du Crétien" ("A Eficiência Política do Cristão"). E queria mais do que a JUC.

José Gerardo Grossi, da Faculdade de Direito e da "República da JUC" e o Aluísio Ordones, meu colega da Filosofia, convidaram-me para uma reunião em que seriam discutidos os problemas da Universidade e do país. Fui. Lá, fiquei sabendo que era um encontro do "Comitê Universitário da UJC", a Juventude Comunista. Discutiram-se teorias e posições políticas. Mas sobretudo se tratou do que e como fazer.

Já saí de lá, dentro. Troquei de letras. Da JUC, passei para a UJC. E com tarefas concretas. Como orador do Diretório, que tinha seu jornal oficial, o "Filosofia", minha primeira tarefa foi fundar, dirigir e ser o responsável por um pequeno jornal mimeografado que exprimisse nossas posições sem dizer que eram as propostas da UJC. E nasceu "A Onda".

A primeira bandeira do jornal me deu uma dor no peito. Contrariava a gratidão que eu tinha pelo homem que me permitira fazer o vestibular, o diretor Camilo Alvim: era a exigência da abertura de concursos para que os professores assistentes pudessem tornar-se catedráticos, titulares de cátedras.

Enquanto a luta era dentro da Faculdade, os catedráticos não se preocupavam. Mas conseguimos levá-la para fora: para a grande imprensa mineira, a presidência da República e a Justiça.

Até então eu estava brigando com uma faca e um revólver. A faca era o jornal "Filosofia", órgão oficial do Diretório, que tinha que refletir o pensamento da maioria. O revólver era "A Onda", dirigida por mim, onde escrevia o que queria. Mas desde 15 de maio de 1952 eu era o responsável pela poderosa coluna "Educação e Ensino" de "O Diário", uma escopeta.

Na quinta-feira, 12 de junho de 1952 (eu tinha entrado lá em 15 de maio), "O Diário" dava uma manchete de sete colunas:

— "Contra os 'Catedráticos Fundadores' da Faculdade de Filosofia da Universidade de Minas Gerais". E logo abaixo:

— "Determinado Inquérito pela Presidência da República — Atendida uma Representação do Diretório Acadêmico daquele estabelecimento de Ensino Superior — Uma iniciativa destinada à maior repercussão está sendo tomada pelos Universitários Mineiros". O texto começava assim:

— "O senhor Getúlio Vargas, despachando a petição do dr. Álvaro Campos (advogado do Diretório Acadêmico dos estudantes), encaminhou o assunto ao presidente do DASP, dr. Arísio Viana. Este e os técnicos do DASP concordaram com a exposição e argumentos apresentados pelo advogado mineiro, dando parecer no sentido de que se abrisse imediato inquérito, para apurar os fatos descritos. Por determinação expressa do senhor presidente da República, foi instaurado o inquérito.

A representação do advogado foi acompanhada de uma relação dos professores da Faculdade de Filosofia da UMG, os quais, a seu ver, detêm ilegalmente o título de catedráticos fundadores".

E citavam os 28 "catedráticos fundadores" "ilegais". Todos.

Foi um terremoto. E as pedras desabavam sobretudo em cima de mim. Afinal, no jornal a coluna era minha, o assunto era meu. Embora a denúncia tenha sido de todo o Diretório.

* * *

O primeiro editorial de "A Onda", na primeira página, assinado por mim, começava com os "Princípios Para a Ação", do padre Lebret, santo mas com a marca da autossuficiência:

1. "Ser forte, ser capaz de ficar sozinho contra todos".

2. "É preciso não ter medo de descontentar os importunos. Eles que aprendam a ter juízo".

3. "Amar o combate, considerá-lo normal. Aceitá-lo. Ser corajoso, senhor de si, jamais faltar à verdade e à justiça".

4. "Muitos ficam gastos depois das primeiras batalhas. Não tinham armas ou não tinham tenacidade. É preciso aguentar firme, obstinar-se".

* * *

O jornal já saía chamando para a briga. Com boca francesa. O diretor Camilo Alvim, elegante, "ponderado, rigoroso e culto", não me disse nada. O jornal era vendido aos professores e colegas. Todos liam, alguns discutiam, outros nada falavam. Vendi um ao mestre Milton Campos, ex-governador, professor de Sociologia. No dia seguinte, na entrada da aula, me disse:

— O nome é falso.

— Falso por que, professor?

— Aquilo não é uma "onda". É um "vagalhão".

E o vagalhão foi saindo, reivindicando e às vezes fazendo denúncias. Conseguimos, UJC e JUC, convocar uma assembleia de alunos. Havia um fato grave: professores que moravam em outros Estados e lá trabalhavam eram catedráticos em Minas. Mas quem dava quase todas as aulas era o assistente, e o catedrático recebia todo fim de mês, como se tivesse dado as aulas.

O diretor Camilo Alvim, valente, foi à assembleia:

— "Pago porque há precedentes. O pagamento só é condenado por um excesso de rigorismo moral. No século do aeroplano, os professores podem morar longe das cátedras. Chego a pensar que essas campanhas que vocês estão fazendo sejam financiadas e insufladas por professores invejosos que não se beneficiaram com a federalização. Vou dar-lhes um conselho paternal: esperem que um dia chegará a oportunidade de vocês".

Ele tinha pisado na bola. A "Onda" virou "Vagalhão".

* * *

Começou o boato de que eu seria punido. Para tirar a onda de cima de mim, o Geraldo Nunes, Geraldão, nosso companheiro da UJC, que tinha de talento o que tinha de tamanho, texto admirável, uma das pessoas mais inteligentes de nossa época em Minas, depois Procurador-Geral em Brasília. Fundou o "Calmaria", "um jornal contra A Onda".

A primeira matéria foi "contra" mim. Dizia, na primeira página, com ilustração e tudo, que eu tinha sido "expulso do seminário por ter batizado um macaco na catedral de Salvador".

Outra matéria: "As 24 horas do Nosso Dinâmico Diretor". O Camilo Alvim não dormia um minuto por dia. Chegava à escola às 6 da manhã e saía às 6 da manhã do dia seguinte. Daí a pouco já estava de novo na escola, trabalhando na diretoria.

Sem ler a matéria, o diretor Camilo Alvim comemorou:

— Até que enfim aparece alguém para nos defender.

O professor José Lourenço ouviu:

— Deixe de ser ingênuo, Camilo! Você não está vendo que é tudo gozação e combinado? O Geraldo é mais ferino que o Nery.

Até que afinal aconteceu. Vieram as Portarias nº 30, suspendendo-me das aulas por um mês, e a nº 31, proibindo "A Onda" de ser distribuída nas aulas e corredores.

Continuei a publicar e distribuir escondido. Em vez dos meus editoriais, punha textos duros do padre Antônio Vieira, de Ruy Barbosa e outros. E o coitado do Camilo Alvim me amaldiçoando.

* * *

Alguns alunos logo se destacaram nos vários cursos, na liderança do movimento estudantil e na vida profissional: Manoel Conegundes, professor de Matemática da Escola de Cadetes da Aeronáutica de Barbacena, numa só eleição derrotou as oligarquias dos Andrada e Bias Fortes que vinham do Império, depois deputado do MDB. Jenner Alvarenga e sua longa liderança no movimento estudantil. Pierre Santos, poeta moderno. Ítalo Mudado, poeta refinado. Magda Becker Soares, autora de livros didáticos de repercussão nacional, mulher do José Geraldo Guimarães. O pintor Vicente Abreu, exilado no Chile pelo golpe de 64. Heitor Martins e Terezinha Alves Pereira, poetas e professores. João Marchner, intelectual poderoso, jornalista, foi para a Alemanha, correspondente de "O Estado de S. Paulo", e lá ficou. Carlos Kroeber, ator de sucesso no teatro, cinema e TV. Felipe Calvo, misterioso, metade comunista metade polícia.

E o Geraldo-Boi, excêntrico, metade sábio metade louco. Maria José de Queiroz, aluna predileta do professor e escritor Eduardo Frieiro, depois professora, poetisa, romancista, mestra de prestígio internacional de literatura e cultura espanhola, que já devia estar na Academia, traçou-lhe o retrato com talento:

— "Louco manso, ex-seminarista, soturno, polido, modéstia absoluta, sempre a sobraçar jornais, livros e revistas, filava almoço e jantar com altivez e gravidade: — 'Quer contribuir para o almoço'?". O saudoso Fernando Sabino eternizou no clássico "O Grande Mentecapto".

* * *

Mas nem tudo eram ondas e calmarias na Faculdade. Havia uma brisa permanente: as alunas. A FAFI era a única escola com maioria de alunas. Muitas se perpetuaram no amor e lembranças de alguns ou no sucesso delas mesmas: Bárbara, namorada e mulher do Geraldo Nunes;

Marina, namorada e mulher do Floriano Correa Vaz; Jacy Camarão, Ionne Scarpelli, Auxiliadora Franco. Em beleza, a primeira, fulgurante, indiscutível, foi Moema. Qualquer lista, brincadeira, ninguém discutia. Ela era sempre a mais bela, encantadora, incomparável. Era Ingrid Bergman entrando no bar do "Rick" no filme "Casablanca".

"A Onda" publicava uma lista dos filmes da época:

"Escola de Sereias: Moema, a bela".

"Calmaria" procurava prever:

— "Eles serão, daqui a 20 anos":

— "Moema — sempre jovem, sempre bela".

Eu, coitado de mim:

— "Nery — ex-vereador, ex-deputado e atual presidiário". Incrível é que, doze anos depois, em 1964, cumpriu-se tudo: eu era ex-vereador, ex-deputado e presidiário do golpe de 64.

* * *

A Faculdade funcionava no 19º, 20º e 21º andares do edifício Acaiaca, em pleno coração da cidade, diante da igreja de São José. No 19º, Letras. No 20º, Filosofia. No 21º, Ciências. A luta no Diretório sempre intensa e tensa. Heitor Martins, o melhor de todos nós em Literatura, lia tudo, acompanhava tudo, sabia tudo. Excelente poeta, havia décadas professor nos Estados Unidos, foi e não voltou mais. Lançou o jornal "Andar 20", dirigido por ele, também de críticas à direção da Escola e ao DA:

1. "Depois da tormenta que se seguiu às últimas publicações dos alunos da Escola ("A Onda" e "Calmaria"), onde alguns alunos travaram verdadeira batalha para a moralização do ensino recebido, voltou a FAFI ao seu marasmo inicial. A luta sustentada por "A Onda" e "Calmaria" se parece, à primeira vista, infrutífera, teve, mesmo descontando suas enormes falhas, um lado positivo: alertou a maioria dos alunos desta e de outras escolas para uma série de fatos que lhes eram desconhecidos".

2. "Nós, que colaboramos com 'A Onda' e 'Calmaria', que fomos, com vários outros colegas, repreendidos publicamente por diversas verdades que não foram contestadas, estamos certos e de consciência limpa de que o que fizemos valeu a pena. Para enfrentar novas lutas aparecemos".

E Heitor escreveu e publicou um poema antológico: "Os Muares Satisfeitos", traçando o perfil dos fundadores.

No "Andar 20", desenho em dois quadros: "O Caso Nery" (o diretor me punindo) e "O DA Banca Pilatos" (lavando as mãos).

Lá dentro, em "Os Filmes da Semana": — "Os Covardes Não Vivem: o Diretório Acadêmico no caso Nery". Porque não reagiu bem contra as Portarias 30 e 31. E eu era da diretoria.

Além dos jornais, havia a "Mural", revista do Diretório Acadêmico. Em 54, dirigida por Magda Becker Soares e Ítalo Mudado. Em 55, por Evandro de Almeida Coelho e Maria José de Queiroz. Em 56, Ana Maria Viegas e Delauro Baumgratz.

Entre 56 e 58 (eu já não estava mais lá), apareceu uma primorosa revista de arte, cinema e literatura, feita pela chamada "geração Complemento", de que participaram, entre outros, Ari Xavier, José Nilo Tavares, Maurício Gomes Leite, Silviano Santiago, Teotônio dos Santos, Heitor Martins, Terezinha Alves Pereira, Ivan Ângelo, Décio de Castro, Ezequiel Neves e outros. No fim do ano, em novembro, Congresso Estadual dos Estudantes, em Uberaba. Cada faculdade mandava dois delegados: o presidente do Diretório (Márcio Quintão) e um delegado escolhido pelos alunos. Por solidariedade, fui eleito.

Minha nuvem já me havia levado para o jornalismo.

12

O Diário

Alucinada aquela terça-feira, 30 de dezembro de 1952. Tinha 20 anos e amanheci na primeira página de todos os jornais de Minas, execrado com foto e tudo. Havia apenas dois anos, ainda no seminário, de batina, piedoso, estudava Filosofia, para ser padre, talvez um dia bispo, quiçá cardeal.

Na "Tribuna de Minas" a manchete era minha:

— "Confirmam-se as acusações da Tribuna de Minas sobre as ligações do sr. José Mendonça com elementos eomunistas".

E no longo subtítulo minha sentença de morte:

— "Preso ontem um redator de 'O Diário', justamente o homem de confiança do presidente do sindicato dos jornalistas de Minas. Carregava cartazes encimados pelo retrato de Prestes. Veem de longe as atividades subversivas do sr. Sebastião Nery".

A matéria começava assim, sempre na primeira página:

1. "Um fato policial vem confirmar as denúncias que a 'Tribuna de Minas' tem feito, em sucessivos editoriais, de que o órgão do pensamento católico no Estado, através da ação consciente ou não de seu redator-chefe, está servindo de instrumento nas mãos dos comunistas em Minas. Referimo-nos à prisão do universitário Sebastião Nery, redator de 'O Diário' e protegido do sr. José Mendonça naquele jornal. Na tarde de ontem, a polícia varejou uma célula vermelha na Rua Carijós, 774, onde

se reuniam componentes da conferência pró-Defesa dos Direitos da Juventude, organização que já tivemos oportunidade de denunciar. Durante sua repressão, os policiais detiveram diversos elementos ligados às classes estudantis e agitadores, entre os quais se encontrava o referido redator de 'O Diário'".

* * *

Lá dentro, na página 2 do jornal, uma saraivada contra mim:

1. "Este jornalista, que se dedica à seção estudantil do matutino da Rua Goitacazes, sobejamente conhecido nos meios universitários, nos quais tem feito uma política de pelego, sempre procurando introduzir com veemência suas ideias subversivas, foi encontrado em companhia de outros estudantes já conhecidos da polícia especializada. Junto dele foram apreendidos cartazes e boletins alusivos ao certame, encimados por cartazes do líder vermelho Luís Carlos Prestes".

2. "O elemento pertencente à imprensa católica que foi detido é por demais conhecido em nossos meios estudantis. Temos ainda viva a lembrança de sua participação no congresso dos estudantes universitários realizado na cidade de Uberaba, na qual o estudante Sebastião Nery, indo como simples repórter noticiarista, entregou-se por conta própria a fazer política, sendo finalmente eleito parlamentar da União Estadual de Estudantes".

3. "Na Faculdade de Filosofia, de onde é aluno, suas atividades também eram conhecidas, dada sua peculiar maneira de agitador contumaz e desassombrado. Natural da Bahia, passou a residir há pouco tempo nesta capital, após ter abandonado o seminário. Aqui, entrou em contato facilmente com pessoas influentes, conquistando depressa uma situação privilegiada".

* * *

No dia seguinte, 31 de dezembro, Ano-Novo, continuava preso. *Réveillon* no xadrez e o jornal me dava mais uma manchete:

"Tribuna de Minas tinha razão"!

1. "Esse rapaz que apareceu nos jornais de ontem, fotografado com um sorriso todo dentes, como se tivesse acabado de praticar a ação mais louvável deste mundo, é o tarefeiro comunista Sebastião Nery,

da redação de 'O Diário', órgão do arcebispado, e amigo e confidente do sr. José Mendonça, redator-chefe do matutino da Igreja e presidente do Sindicato dos Jornalistas Profissionais de Minas".

2. "Sebastião Nery foi preso em companhia de uma malta de desclassificados a serviço do Partido Comunista. Com a prisão desse vagabundo-traidor, prova-se que não exageramos em nossas afirmações, e com ela evidencia-se, à luz meridiana, que estamos com todas as razões quando protestamos contra os rumos deletérios que o sr. José Mendonça está imprimindo à orientação do órgão mais querido dos católicos mineiros".

3. "De um lado, é o sr. Hargreaves (diretor de 'O Diário') escrevendo com seconal apenas para os seus pobres linotipistas e revisores, transformando 'O Diário" em um terreno baldio de chatices ilegíveis, enquanto do outro lado é o sr. José Mendonça fazendo de 'O Diário' uma cortina de fumaça para os agitadores vermelhos. O divertido é que o sr. José Mendonça, na edição de ontem de 'O Diário', arranjou uma ficha enternecedora para o seu protegido. Com seu sorriso cínico, criatura mais angelical do que esse Nery não se conhece".

* * *

Por que todo esse carnaval em cima de mim? A "Tribuna de Minas" era um jornal de Ademar de Barros, dirigido por Alexandre Konder, catarinense de talento e coragem, texto brilhante, borbulhante, confessadamente fascista, primo do senador Jorge Konder Bornhausen.

Konder tinha horror ao presidente do Sindicato dos Jornalistas de Minas, José Mendonça, meu mestre e de gerações de jornalistas mineiros, redator-chefe de "O Diário", jornal da Igreja Católica ("O maior jornal católico da América Latina"), porque o sindicato apoiava greves no jornal dele contra atrasos de pagamentos. Toda vez que Ademar não mandava o dinheiro, o jornal parava e o Konder enlouquecia.

* * *

Mas não foi só a "Tribuna de Minas". O "Diário da Tarde", também na primeira página, primeira manchete, de ponta a ponta:
— "Desmantelada pela Polícia uma reunião comunista".
E continuava: — "Varejada a sala de um prédio da Rua Carijós. Efetuadas numerosas prisões, apreendido farto material de propaganda vermelha".

O "Estado de Minas", como o "Diário da Tarde" também dos "Diários Associados" de Assis Chateaubriand, o maior jornal de Minas (o mais importante era "O Diário"), abriu manchete:

— "Mais de 40 pessoas foram detidas pelas autoridades".

— "São acusadas de comunistas pela polícia e se achavam reunidas em uma sala do prédio 774 da Rua Carijós. Entre os detidos, rapazes residentes em Uberlândia".

O campeão, toda a primeira página, foi o "Diário de Minas":

— "Surpreendidos os comunistas pela Polícia quando tramavam planos de ação".

— "Os investigadores surgiram de surpresa e colheram na rede todos os vermelhos — Estavam reunidos na sede do Clube dos Funcionários, na Rua dos Carijós, com propósitos aparentemente legais. — Muitos jovens estavam ludibriados com o fim da sessão. Os vermelhos usaram novamente o conhecido ardil de fantasiar suas atividades subversivas com o pretexto de orientar a juventude. Entre os presos encontravam-se:

— Ramon Melo César, Plínio Mendes Martins, João Gomide Filho, Hélio Santos, Sebastião Augusto de Souza Nery, Murilo Xavier de Lima, Eduardo Borela, Jamel Cecílio, Domingas de Freitas, Luiz Lameira, Oscar Milner, Adalgisa Rodrigues, Maria Rodrigues, Leonor da Silva, Maria de Lourdes Dutra".

Por cima das manchetes e notícias, sempre de um lado a outro das primeiras páginas, as fotos de nós todos, um a um.

Hoje, 57 anos depois, vejo os jornais e me surpreendo. Éramos todos muito jovens, nenhum de cara triste nem inocente. Sabíamos muito bem que estávamos em uma ação política e que, mais dia menos dia, seríamos soltos. Não havia crime nenhum.

Uma frustração. Todo elegante, terno claro, gravata bonita, lencinho no bolso esquerdo do paletó, cabelo bem penteado, sorridente, meio abusado e desafiador, eu era bonito e não sabia.

* * *

O Partido Comunista e a UJC, ilegais, eram drasticamente reprimidos pela polícia. Para atuarem politicamente, lançavam mão de atividades mais amplas ou disfarçadas. Naquele dia, numa Conferência de Defesa da Juventude, discutíamos o Brasil e o mundo e instalávamos em Minas o "Movimento Mundial da Paz". A guerra da Coreia dividia a opinião pública e estávamos indignados com a Coreia do Sul, capitalista e dependente dos Estados Unidos, que havia criminosamente invadido a

Coreia do Norte, socialista e aliada da União Soviética. Muitos anos depois, em Roma, numa entrevista coletiva, perguntei a verdade a Gorbatchev e dele ouvi, perplexo, que a Coreia do Norte é que tinha invadido a Coreia do Sul e não como dizíamos na época.

Fui preso merecidamente. Errei de Coreia.

* * *

Quando a polícia chegou à inauguração do "Movimento Mundial da Paz" em Minas, estávamos lá jovens estudantes e velhos líderes. Armando Ziller, venerando dirigente dos bancários e ex-deputado comunista. Sua bela filha Helia Ziller, estudante. Luís Bicalho, nosso professor na Faculdade de Filosofia. Aluísio Ordones meu colega de Faculdade e vários outros.

Todos presos, socados em radiopatrulhas. Lembro-me bem da calma da Helia que, empurrada aos tombos para dentro da radiopatrulha, derrubada, levantou-se, sentou-se, abriu uma bolsa, tirou um pente e passou nos cabelos, alourados, lindos.

Depois de alguns tabefes, percebi que o magérrimo coronel Olímpio, da reserva do Exército, havia desaparecido. Tinha sumido na hora. Dias depois, já solto, encontrei-o em outra reunião:

— O senhor é muito rápido. Foi o único que conseguiu fugir.

— Meu filho, não fugi. Um oficial do Exército brasileiro não foge. Bate em retirada.

* * *

Saí da cadeia, fui ver o novo amor que nascera a meu lado, na sala de aula, na Faculdade, como um acendedor de sonhos, iluminando as manhãs. Era bela, a mais bela de todas, mas muito mais do que isso. Uma luz. Falava como quem acendia uma lâmpada. Sorriso lua, rosto sol. Nada mais havia se ela estava.

Naquela manhã, não foi à Faculdade. Cheguei à casa modesta, no bairro distante. Ela estava tensa no jardim:

— Que bom que você veio aqui. Não queria conversar lá na escola. Passei todos esses dias imaginando como lhe diria. Agora sei. Não tenho forças para a sua generosidade. E não vou pedir que mude. Sei que vai ser sempre assim e sempre mais. Na hora em que for preciso alguém para sair na frente, você irá. Tem sido assim desde o princípio do curso, quando começaram as lutas no Diretório e na Faculdade. Agora já não é só na Faculdade. É na rua. É na luta política. Acho lindo, gosto mais ainda de você por ser assim, mas sem mim. Sem eu estar ao seu lado.

Por favor, compreenda. Não tenho coragem para sua generosidade.

Revi nela a Ana azul. Era um segundo abismo que se abria embaixo de mim. E nada podia fazer. Outras tardes nos imaginamos na Bahia, o mar batendo naquela entrada de pedras tortas, naquele passeio de cimento gasto, naquele jardim com uma roseira seca. Agora só restava um adeus doído.

Subi a pequena ladeira da rua com a alma dilacerada. Entrei em um barzinho, pedi uma batida de limão, um papel, sentei e escrevi. Não era um poema. Era o naufrágio do amor.

O Náufrago

Todo em ti fue naufragio
Pablo Neruda
Quando ouvires rumor de mar
contando mistérios
à roseira nua
tira as sandálias e vai andar na praia.

Quando vires quebrar de ondas
fiando rendas
no passeio nosso
esquece os livros e vai ver os barcos no cais.

Quando sentires maresia
invadindo em sal
nossa calçada
deixa o piano e vai catar espumas na rocha.

Quando passar o frio de julho
ferindo geadas
em teu corpo meu
solta os cabelos e vai receber a brisa na amurada.

E quando meu corpo
de escamas e algas
revestido de séculos
e ressuscitado pelas marés
surgir sem mim
beija o náufrago que condenaste a sofrer eternidades salgadas
na praia de tua rua.

Algum tempo depois, publiquei na revista "Mural", do Diretório da Faculdade.

* * *

Meu batismo profissional no "Diário" não tinha sido muito agradável, mas aprendi cedo que, no jornalismo e na política, não se escolhem os fatos. Eles acontecem e é preciso enfrentá-los.

Com meses de faculdade e de aulas, vi que era cada dia mais difícil cumprir bem as duas tarefas: ensinar e fazer política estudantil. Continuar dando aulas, sim, gostava muito, mas não dez por dia, à tarde e à noite. Entusiasmado com a experiência da "Onda", decidi ser jornalista. Era mais próximo da política.

Fui à "Folha de Minas". Mal conhecia, de longe, o diretor da redação, Wilson Figueiredo, jovem poeta de sucesso, da "geração de 45", com um poema repetido em todos os cantos, desde o primeiro verso: — "Decepando o lírio casto da masturbação"... Levei exemplares da "Onda", falei no seminário. Ele me disse:

— Você até que tem um texto jornalístico. Mas errou de endereço. Este é um jornal de governo, não tem dinheiro, estamos com seis meses de atraso. Aqui em Minas, jornal com dinheiro só o de Chateaubriand ("Estado de Minas") e o do arcebispo ("O Diário"). Você veio da Igreja, procure o Zé Mendonça.

Fez um bilhete curto, escreveu o endereço. Fui lá correndo.

* * *

De frente para a redação, um homem discreto, concentrado, corrigia à mão um texto batido à máquina. Terminou, sorriu:

— O que é que você quer?

— Ser jornalista.

Antes que respirasse, engrenei a velha história: seminarista, bom vestibular, Faculdade de Filosofia, professor, "A Onda".

— Você viu a ação dos estudantes, no centro da cidade, hoje de manhã, contra o aumento nos preços do cinema?

— Vi. Foi perto da Faculdade.

— Escreva um suelto sobre os fatos.

— O que é suelto?

— É o comentário curto de um fato concreto. Veja no jornal. Embaixo do editorial, maior, há sempre sueltos, menores. Escreva um e deixe comigo. Se for publicado amanhã, volte aqui.

Fui para uma mesa vazia, na beira da parede. Em frente a mim, um jovem de voz timbrada e forte falava de esportes o tempo inteiro. Era Januário Carneiro, editor de esportes do jornal, depois fundador da vitoriosa e semicentenária "Rádio Itatiaia".

Peguei umas laudas de papel, puxei a caneta para escrever. Lá de longe, Mendonça viu:

— À mão, não. Escreva à máquina.

— Nunca escrevi à máquina. Não sei.

— Comece a aprender agora.

E continuou revendo o texto. Pensei na minha nuvem, ela não ia falhar. O jornal era da Igreja. Logo, a favor da lei e da ordem. Os cinemas eram monopólio, o aumento abusivo. Logo, os estudantes tinham direito de reagir. Mas sem ferir a lei e a ordem.

Catando milho, letra por letra, um sofrimento, pus o título no alto: "A Lei e a Ordem". Sofri até o fim. Resumi o que vi e concluí que o governo não podia ficar de fora, deixando o cinema cobrar o que quisesse. Para haver ordem, era preciso haver lei.

* * *

Pus na mesa dele, agradeci e fui embora, o coração aos trancos. O jornal rodava às duas da manhã. As oficinas ficavam no térreo. Ao lado, a mercearia de um português, com meia dúzia de mesas, para tomar cerveja comendo queijo, linguiça. Depois das aulas, quase meia-noite, fui para lá, encontrei Moacyr Laterza, João Bosco Lana e o Wilson, bigodudo, que estudava arquitetura e era presidente da OPA (Ordem dos Pinguços Acadêmicos). Contei meu plantão aflito, ficariam torcendo para mim.

Uma hora da manhã, o português fechou a mercearia. Sentamos no batente, encostados na porta de ferro, bebendo as duas últimas cervejas. Eu sorvia o cheiro da tinta do jornal.

Duas horas, o jornal começou a rodar. O coração disparou. Sabia que aquela seria uma virada na minha vida. Precisava dela. Não aguentava mais dar dez aulas por dia. Fui lá dentro, trouxe um jornal, procurei. Meu suelto não saiu. Quis chorar. Lembrei da gafe do vestibular, procurei de novo. Nada. Não tinha saído mesmo. Moacyr, cristão e santo, disse que podia ser o sinal de que depois eu iria para um jornal melhor, uma coisa melhor.

Não era consolo. Os dois sueltos tratavam de outras coisas. Minha nuvem falhou. Eu segurando as lágrimas, Bosco e Wilson bebendo os últimos goles, Moacyr lendo o jornal:

— Nery, qual foi o título que você pôs na sua matéria?

— A Lei e a Ordem.

— Está aqui, seu imbecil. Uma tira ao lado do editorial.

Sentei no meio fio, bebemos os últimos goles da cerveja.

* * *

No dia seguinte, Mendonça me mandou acompanhar o concurso para catedrático de Direito Administrativo da Faculdade de Direito da Universidade Federal: Onofre Mendes Júnior, Paulo Neves de Carvalho, Paulo Campos Guimarães e Celso Brant.

Quatro craques. Celso Brant, brilhante, deu um *show* em várias línguas. Mas jovem demais: 32 anos. Um examinador de São Paulo lhe disse: — "Parabéns pela cultura. Mas o senhor não vai querer entrar aqui de calças curtas".

A meu lado, pelo "Estado de Minas", o primeiro jornalista mineiro que conheci no trabalho, como colega: Fábio Doyle, meu amigo até hoje. Ganhou o professor Onofre Mendes, irmão do grande poeta mineiro Murilo Mendes.

"O Diário" tinha uma coluna de prestígio: "Educação e Ensino". Mendonça me entregou. A primeira foi exatamente sobre o concurso: 15 de maio de 1952. Fiquei até o fim do ano com ela. De manhã, além da Filosofia, ia a outras escolas, sobretudo às grandes, Direito, Medicina, Engenharia, procurando notícias para furar os outros jornais. À tarde, minhas aulas.

À noite, redação de "O Diário", onde abria a coluna sempre com um comentário, um texto opinativo. A velha lição do Seminário, de que profissão é missão, continuava em mim. Eu queria dar palpite, participar, opinar, influir no que pudesse.

No dia 17 de maio de 52, assinei minha primeira matéria em um grande jornal: SN. Dom Marcos Barbosa, escritor e poeta, monge beneditino, depois membro da Academia Brasileira, foi a Belo Horizonte fazer uma conferência, que intitulou "Lições de Abismo", uma resposta ao torturado e inteligente personagem de Gustavo Corção. Assisti e comecei meu comentário assim:

— "A Conferência de Dom Marcos — Fala-se muito, hoje, no homem angustiado do século XX. Homem sofredor. Homem atormentado. Profundamente torturado. Homem que se perde como poeira no fundo das minas. Homem que se desgasta como trapo nas rampas das docas. Homem que se aniquila como verme nos arredores das fábricas. Homem que apodrece como monturo na promiscuidade das favelas e dos barracões encravados ao pé dos morros. Todos comentam, quase ninguém o compreende. Dom Marcos mostrou como o Cristo é a única realidade capaz de encher o nada das vidas inúteis. O Cristo, irmão de todos os homens, só ele é resposta à angústia do homem desiludido de nossa época, porque só ele é Justiça, que é Paz. Só ele é Paz, que é Amor e Caridade".

Desculpem o barroco, o gongórico, mas eu tinha 20 anos e era a primeira vez. A partir de então, comentava e assinava SN.

Greve de professores? Eu criticava o governo por permitir que os professores precisassem ir até a greve para defenderem seus direitos de terem condições de ensinar:

— "O governo não se deve esquecer de que os professores são uma classe-espelho. O Ministério da Educação tem diante de si nada menos do que a alma de um povo, pela qual tem obrigação de velar. E a solução está em suas mãos. Basta que se lembre de que a greve é justa quando inevitável. Contra a injustiça, a greve se faz remédio nas mãos dos oprimidos. E a pessoa humana vale mais do que interesses em reticências".

Lia, gostava e assinava: SN. No dia seguinte, nas Faculdades, as taliscas do foguete caíam em minhas mãos. A repercussão começou a crescer dia a dia. E eu caprichando.

Vitorino Nemésio, o grande intelectual e escritor português, foi a Minas, a convite da Faculdade de Filosofia, fazer uma conferência. E não foi ninguém. Auditório vazio. Bati forte:

— "Desinteresse Incompreensível — A conferência do professor Vitorino Nemésio foi um sucesso e uma decepção. Os que foram ao Instituto de Educação ouvir a palestra do grande romancista, poeta e crítico literário de Portugal, saíram de lá com um paradoxo na alma: a certeza de terem assistido a um fato grandioso e decepcionante. O sucesso do conferencista preencheu cabalmente todas as expectativas dos que foram ouvi-lo. Mas a pequena sala do Instituto de Educação estava quase vazia. Apenas alguns professores e intelectuais. A Faculdade de Filosofia da UMG (Universidade de Minas Gerais), que patrocinou a vida do escritor, tem mais de 50 catedráticos. E somente 10 deles estavam presentes". E terminava assim meu comentário:

— "O título da conferência era claro: — 'Portugal e o Brasil no Processo da História Universal'. Belo Horizonte e a maioria de seus intelectuais cometeram uma triste gafe escondida sob um desinteresse incompreensível". E a asssinatura: SN.

Evidentemente, os catedráticos detestaram o carão.

* * *

Mas não dava para viver só com o salário do jornal. Já havia saído da UPC, sempre por culpa das malditas letras, pelo eterno conflito delas

A NUVEM

contra elas. Tinha trocado a JUC (Juventude Universitária Católica) pela UJC (União da Juventude Comunista). E não podia ser ao mesmo tempo da UJC e da UPC (União dos Propagandistas Católicos). Saí também de lá, de seu jornal e dos programas de rádio, para espanto e tristeza do padre diretor, a quem não podia contar que tinha passado para o lado do inimigo. Completava o salário do jornal com as aulas, que adorava. Mas foi ficando mais difícil à tarde, por causa das tarefas políticas da UJC no movimento estudantil, que aumentavam a cada dia.

* * *

Mais uma vez minha nuvem resolveu o problema. Um jornal publicou uma nota contando estar em Belo Horizonte, hospedado no hotel Financial, o dr. Arnaldo Sussekind, diretor do SERAC (Serviço de Recreação e Assistência Cultural), do Ministério do Trabalho, para instalar o serviço em Minas. Haveria concurso.

Fui à Delegacia do Trabalho. As inscrições tinham se encerrado havia pouco, às 16 horas, e as provas seriam no dia seguinte. Insisti para me inscrever, não quiseram abrir exceção. Fui ao hotel Financial e me apresentei como jornalista, para falar com o dr. Sussekind. Ele mandou subir à suíte onde estava.

Apareceu um homem bem alto, elegantíssimo, todo de branco, gravata *bordeaux*, cabelo preto partido ao meio, como um galã de Hollywood. Imaginou que era uma entrevista. Como o assunto dele era cultura para os trabalhadores, fiz a entrevista. Mas depois dei o bote. Disse que queria concorrer ao concurso.

— É uma pena, meu jovem, mas não posso abrir exceção.

— Dr. Arnaldo, me desculpe. Mas ainda não são 18 horas e o serviço público funciona até 18 horas. Fui a tempo à Delegacia, fecharam as inscrições às 16. Por quê? Pode parecer estranho.

— Estou vendo que é um jovem inteligente e atrevido. Mas são apenas duas vagas e mais de cem se inscreveram, professores, escritores, gente certamente com mais currículo do que você.

Joguei minha história em cima dele: seminário Maior, vestibular, Faculdade de Filosofia, professor, radialista, jornalista, uma coluna no jornal sobre educação e ensino. Puxei um pacote de "O Diário" com minhas matérias e colunas. Queria fazer as provas porque precisava e tinha certeza de que ia ganhar.

— Então, tudo bem, vou abrir a exceção, só para não lhe dar depois o argumento de que não ganhou porque não fez o concurso.

Já estava me acostumando. Na Faculdade foi assim. No "O Diário" também. Tinha que brigar para disputar. E esperar o resultado com a alma na mão. Era mais uma vez. Com uma ordem dele, voltei à Delegacia do Trabalho, fiz a inscrição, peguei o plano das provas, e não publiquei a entrevista no dia seguinte, para ele não pensar que eu estava querendo agradar.

* * *

Eram três provas, anônimas, sem identificação, apenas um número em mãos da banca: Conhecimentos Gerais (50 perguntas sobre tudo), História Política e Cultural da Humanidade e do Brasil (50 perguntas) e um texto sobre Cultura e Educação.

Quatro horas, das 8 às 12, para respostas curtas e escrever o texto.

Recebidas as provas, olhei a cara dos adversários, imaginei que não ia ser fácil me derrotarem nas 100 perguntas. Algumas me deram raiva, outras alegria. Uma: "Capital do Amapá". Não sabia. Não respondi. E ainda foram jogar o Sarney em Macapá.

Outra: "Os Doze Césares". Maravilha. Olha o bendito padre Correia com sua fórmula: sabia, é claro, e na ordem certinha.

O problema era o tema do texto: "O teatro como fator de educação". Tive um estalo. Todo mundo ia dizer que o teatro ajudava muito na educação. Escrevi exatamente o contrário.

Minha tese foi de que o teatro já nasceu como expressão da tragédia, das desgraças, dos sofrimentos da humanidade. Não era "fator de educação", era o retrato, quase sempre genial, do homem cumprindo a maldição do Paraíso. Saí da Grécia, passei por Roma, cheguei à França, Itália, Espanha, Portugal e Brasil.

Em cada um, procurei citar um autor de que me lembrava mais.

As provas vieram para o Rio. Uma semana depois, dr. Sussekind voltou a Belo Horizonte com os resultados. Primeiro lugar, eu. Segundo, o Azevedo, um professor, cujo nome esqueci. Quando dr. Sussekind viu que eu era eu, sorriu:

— Então é você que sabe de cor os doze césares, lá em Roma, na ordem certinha, e não sabe a capital do Amapá? E ainda acha que o Teatro é coisa do Demônio e não de Deus? Mas, parabéns. Espero que leve para nossos sindicalistas e trabalhistas um pouco dessa informação cultural que o Seminário e os livros lhe deram.

— Dr. Sussekind, obrigado por me haver deixado fazer a prova. Está aqui sua entrevista. Segurei para só publicar depois.

Governo de Getúlio, o Delegado do Trabalho era um ex-deputado do PTB, que eu conhecia. Primeira função: com pequena equipe da

Delegacia, dirigir um campo de esportes e uma biblioteca no Conjunto Habitacional do IAPI (Instituto de Aposentadoria e Pensão dos Industriários), lá até hoje, na Lagoinha, entre o aeroporto da Pampulha e o centro da cidade.

Faculdade de manhã, IAPI à tarde, jornal à noite. Adeus aulas. Dez anos depois, deputado, golpe de 1964, eu preso na Bahia. Meses sem ler jornal. O primeiro que me deixaram ler, no 19º BC do Exército, no Cabula, em Salvador, falava no ministério do general Castelo Branco. Ministro do Trabalho e Previdência, Arnaldo Sussekind (64 e 65). Ele. Fiquei feliz de não poder criticar politicamente a mais um que me tinha feito o bem.

* * *

Em carta, resumia para meus pais minha disparada em pouco mais de um ano na cidade. Com 20 anos, de uma pensão sem um tostão ao hotel Financial:

1. "Não pensem que virei cigano e mais uma vez me mudei. Necessito cada vez mais de um lugar mais isolado onde tenha tempo e oportunidade de estudar e ler tudo que preciso para dar conta de tantas atividades. Saí da "República da JUC", subi para o 17º andar do edifício mais alto da cidade e vim morar no melhor hotel daqui, o hotel Financial, apartamento 1.708. O fato de ser o melhor não significa o mais caro e faço as refeições no restaurante dos estudantes. Agora mesmo, olhando pela janela, vejo a cidade toda lá embaixo. Aumentei no mínimo três horas de leitura e estudo por dia. O quarto é cheio de livros".

2. "A Faculdade, o Ministério do Trabalho, o Parlamento do Estudante Mineiro, 'O Diário', tudo faz que eu viva intensamente aqui como nunca vivi. Hoje, por exemplo, fiz duas matérias para o jornal, acabei de ajudar a preparar um jornal que fundamos na Faculdade, o 'Filosofia', que mandarei, e tive uma sessão do Parlamento do Estudante. O Ministério (o IAPI) vai bem e não me toma muito tempo, porque o diretor diz que ainda faço mais do que é preciso (fazendo palestras, dando aulas e conseguindo livros para a pequena biblioteca de lá)".

3. "Mandem dois volumes de um livro que deixei aí na minha estante: 'Elementta Philosophiae, de Charles Boyer'. Deve ser registrado, não

há perigo de se perder. Pelos últimos jornais que mandei, podem ver a reação ao noticiário que fiz do Congresso Estadual de Estudantes, em Uberaba. Não gostei dos trabalhos do congresso e critiquei. O presidente, Bonifácio José Tamm de Andrada, o Andradinha, presidente da União Estadual de Estudantes, até hoje deputado de Barbacena e outros protestaram. Outros me apoiaram. Publiquei tudo".

* * *

O Financial era duas histórias numa só. Era banco, Banco Financial da Produção. E era hotel. Ambos pertenciam a Antônio Luciano, uma figura lendária de Minas, chefe do PSD na capital e no interior, sem jamais exercer um mandato, que acabou romance ("Hilda Furacão") no grande talento de Roberto Drummond, e minissérie na competência do Projac da TV Globo.

Roberto o pintou muito bem: isolado no 18º andar de seu hotel, cercado de seguranças e de seu cão de guarda, um cachorrão enorme, que, na série a TV transformou em uma onça, Luciano comandava seu reinado de maior fortuna individual de Minas. Dizia-se que era dele a maioria dos lotes residenciais da cidade.

Tinha de filhos o que tinha de lotes. Do casamento, poucos. Quando morreu, apareceram dezenas, reconhecidos, legalizados e herdeiros. Contava a lenda que comprava virgens de famílias pobres. Se engravidavam, cuidava de longe.

Fez sucesso uma extraodinária charge em "O Binômio". Era o desfile das escolas na parada de Sete de Setembro, pela Avenida Afonso Pena. Lá de cima, da Escola Normal, descia uma fileira enorme de normalistas de azul e branco. Quando passavam em frente ao Financial, o banco embaixo e o hotel em cima, cada uma já levava uma criança nos braços. Luciano tentou impedir a circulação do jornal, jogou a polícia em cima, não conseguiu.

Contavam-se histórias de pais que iam lá para matá-lo. Fui testemunha de uma delas. Saía de manhã para o jornal, esperava o elevador, ouvi um barulhão no andar de cima (eu morava no 17º, todo o 18º era dele). Luciano passou por mim em disparada, escada abaixo, de cueca, o cachorro atrás e um homem mais velho do que ele, armado, gritando:

— "Vou te matar, filho da puta!".

O homem ainda deu uns dois tiros na escada, mas os seguranças o agarraram. Atrás, chorando, uma moça pedia:

— "Pai, pai, me ouve, eu te explico".

A explicação estava na charge genial do "Binômio".

Nunca conversei com ele. Às vezes o encontrei na entrada do hotel, ele todo de branco, elegante, terno, gravata, chapéu, chegando ou saindo de sua sala de presidente do banco. Cumprimentava as pessoas, simpático; comigo fazia um comentário político qualquer, mas, embora sabendo-me jornalista, jamais me pediu uma notícia ou teve uma conversa interessada.

Meu amigo ali era o Andrade, diretor-geral do hotel e apaixonado pela Marquesa de Santos.

* * *

Primeiro ano de faculdade, orador do Diretório Acadêmico, saí de Uberaba eleito para o Parlamento do Estudante Mineiro. Foi meu batismo em congressos de estudantes, a que compareci, a quase todos, nos três anos de Filosofia e nos cinco de Direito.

A Uberaba, nós, da oposição (Dario de Paula, Hélio Pontes, Fábio Lucas, Maurício Leite Junqueira, Rivadávia Xavier Nunes, Paulino Cícero, Moacyr Laterza, João Bosco Lana, Adônis Moreira, José Gerardo Grossi, eu, tantos outros) fomos dispostos a disputar a diretoria da UEE (União Estadual dos Estudantes), com chapa própria, no voto, na democracia.

O presidente da UEE e do congresso, o Andradinha, era uma parada. Desde o primeiro dia começou a manipular o congresso para não perder a eleição. Vetava delegados, obstruía os trabalhos. A cada hora as sessões e os debates iam ficando mais difíceis, mais complicados, mais tensos, com a mesa usando e abusando do direito de ser situação.

Até que, de repente, o estudante Tasso de Carvalho, da Faculdade de Direito, bom poeta da pedra-sabão de Ouro Preto, entrou no salão, atirou um pacote aberto de cinco litros de milho seco em cima da mesa. Foi grão para todo lado. O presidente Andradinha berrou:

— O que significa isso?

— Para vocês, só milho.

A pancadaria levou meia hora de sopapos e cadeiras quebradas. Só houve reunião no dia seguinte. A situação acabou ganhando as eleições. E eu contando tudo em "O Diário".

* * *

Mas o que me pôs em confusão foi o frade de uma rádio lá de Uberaba, que fazia a crônica da Ave Maria. Voz possante, atacou "a oposição, dominada pelos estudantes comunistas". Os comunistas da UJC estávamos lá, sim, mas a maioria da oposição era da JUC, católicos. E ele terminou assim:

— "Senhor, nós te agradecemos não termos nascido elefante nem camelo, sapo nem rã, cobra nem escorpião, animal nenhum, bicho nenhum, nem termos nascido planta nem fruta, capim nem coco, mas homens à imagem e semelhança de Deus".

Fui à rádio, consegui a crônica toda do frade, publiquei com o título: — "Nem camelo nem coco". Foi um sucesso. Mas por pouco não perdi o emprego. Se não fosse a força do diretor Hargreaves e do editor-chefe Mendonça junto ao arcebispo, Dom Cabral não teria resistido à pressão de muitos padres que entenderam, com razão, que eu quis zombar do frade de Uberaba.

* * *

O Congresso de Uberaba terminou numa boa novidade. Os estudantes mineiros decidiram dar uma lição ao país e instituir no movimento estudantil do Estado o Sistema Parlamentarista. Foi eleito presidente da UEE (União Estadual de Estudantes) o representante da Escola de Engenharia da Universidade Federal Eduardo Rios Neto. E o ex-presidente Bonifácio José de Andrada, o Andradinha, tornou-se "líder da maioria" (primeiro-ministro) do "Parlamento do Estudante Mineiro", de 21 membros:

— Antônio Aureliano Mendonça (ele mesmo, o grande mineiro depois governador e vice-presidente da República), Alberto Cambraia Neto, Antônio Gabriel de Castro, Chaquib Cunha Peixoto, Dario de Paula, Fernando Matos, Hélio Pontes, Hindenberg Pinto, Ivan Barros, Javert de Araújo, João José de Almeida, João Pessoa de Albuquerque (depois presidente da UNE), José Menotti Gaettani, Lauro Scheiffer, Maria Lúcia Dias, Nilton Barreto, Pedro Gonçalves Barcelos, Sebastião Augusto de Souza Nery, Will Damaso de Oliveira e Wilson Sampaio.

* * *

"O Diário", que o mineiro chamava de "O Diário Católico", era uma joia rara da Igreja. Entregue aos intelectuais católicos de Minas, tornou-se um concentração de líderes e escritores católicos brilhantes, do Estado, do Rio, do país, como Alceu Amoroso Lima, Gustavo Corção, Otávio de Faria, Ayres da Mata Machado Filho, Edgard da Mata Machado, Oscar Mendes, João Camilo de Oliveira Torres (irmão de Luís Camilo de Oliveira Neto e primo de Carlos Drummond de Andrade), Melo Cançado e tantos outros.

O segredo de "O Diário" foi ter-se implantado, durante muitos anos, sobre quatro pessoas extraordinárias. O diretor H. J. Hargreaves, professor, articulista brilhante, editorialista de artigos diários assinados, intelectual de amplas relações internacionais que se correspondia com

Jacques Maritain e outros intelectuais católicos europeus. O redator-
-chefe José Mendonça, professor, muitos anos líder dos jornalistas mineiros. O secretário de redação João Etienne Filho, poeta primoroso. E
o principal colunista ("Quadro Negro"), Milton Amado, melhor tradutor de Cervantes ("Dom Quixote") no Brasil e uma enciclopédia viva.
Tudo o que se perguntava ele sabia. Um Millôr das montanhas.

E ainda havia o nobre, elegante, Ataliba Dutra, diretor-tesoureiro, o
homem do dinheiro. Quando de lá saí, dois anos depois, em 54, por
opção política, para ir para o "Jornal do Povo" e ser candidato a vereador pelo PSB (PCB) eu já era um jornalista.

* * *

A vida cultural de Minas era múltipla. Além dos intelectuais cristãos
reunidos em torno de "O Diário", havia os comunistas e socialistas, sobretudo na revista "Horizonte", do Octávio Dias Leite. Foi um tipo curioso, surpreendente. Nas décadas de 20, 30, viveu em Paris, pela Europa, em
contato com os grandes poetas e artistas da época. Começou uma obra
poética que prometia muito.

Correspondia-se com Mario de Andrade, Manuel Bandeira, muitos
franceses. Todos sempre esperando sua grande poesia. Que não veio.
Bebeu todas. Tanto bebeu, que o generoso pai, velho português, fechou
a torneira. E o trouxe de volta a Belo Horizonte.

Em Minas, o "DeLeite", como o chamávamos os amigos, recebeu do
pai o castigo de toda manhã, exatamente às 6 horas, varrer e abrir sua
casa comercial, na Avenida Paraná. Dias Leite bebia até a madrugada, e
às seis da manhã estava lá, obediente e arrasado, cumprindo a servidão
paterna. A poesia morreu.

Mas ainda teve energia para criar sua revista "Horizonte", dirigida
pelo hoje consagrado romancista Benito Barreto e sua mulher, Iracema
Barreto, onde a esquerda publicava suas teses e poemas: Fritz Teixeira
de Salles, Edmur Fonseca, Mauro Satayana, tantos outros. Lá escrevi
alguns de meus primeiros textos.

Também havia outros grupos, como o da revista "Acaiaca", dirigida
pelo culto e bravo Celso Brant. O do "Centro de Estudos de Cinema",
comandado pelo talentoso Cyro Siqueira. E, histórica e soberana, a em-
plumada Academia Mineira de Letras.

* * *

O que sei de saber, a Igreja me ensinou. O que sei de fazer, Minas me
ensinou. A partir de "O Diário" e da esquerda.

"O Diário" era um estuário da inteligência mineira.

Uma tarde, em 1947, Paulo Mendes Campos, Fernando Sabino e João Etienne Filho, jornalistas, escritores e poetas mineiros desembarcados no Rio, e que escreviam no "O Diário", tomavam seu chope pobre no "Vermelhinho", em frente à ABI (Associação Brasileira de Imprensa) e ruminavam as esperanças nacionais.

Chega Otto Lara Rezende, que fazia cobertura do Senado, ali no palácio do Monroe:

— Esse José Américo é um gênio. Na tribuna, vira gigante.

Ninguém o vence. Hoje, um senador o interpelou sobre um acontecimento qualquer, ele bateu a mão fechada na tribuna e gritou seco:

— "Isto é meu e morrerá comigo".

O Senado ficou em silêncio.

João Etienne escreveu a frase no cartão de chope:

— Vou guardar. Isto dá um poema.

Trinta anos depois, professor de teatro, membro da Academia de Minas, Etienne fez o poema "Isto é meu":

— "O ideal de beleza que persigo, isto é meu e morrerá comigo.

O que houve, o que há, o que haverá de mim para contigo, isto é meu e morrerá comigo.

A mágoa que não conto ao mais dileto amigo, isto é meu e morrerá comigo.

O remorso de ser joio entre o trigo, isto é meu e morrerá comigo.

O que me dilacera e finjo que não ligo, isto é meu e morrerá comigo.

O que hei de levar ao derradeiro abrigo, isto é meu e morrerá comigo.

O que eu quero que escrevam em meu jazigo, isto é meu e viverá comigo".

Publicado em primeira mão pelo "O Diário".

13

JUSCELINO

SEIS DA TARDE EM PONTO, JUSCELINO ENTROU NA SALA ONDE meia dúzia de jornalistas o esperávamos para a impreterível conversa de todo dia. Terno escuro abotoado, gravata discreta com nó pequeno, pontinha de lenço branco saindo do bolso do paletó, os olhos miúdos e o sorriso aberto, sentou-se à mesa, espichou as pernas, tirou os sapatos, falou.

Disse o que tinha feito no dia e ia fazer no dia seguinte, no mês seguinte, no ano seguinte, na eternidade seguinte. Era uma cascata de assuntos e projetos, e programas, e sonhos. Enquanto falou, ninguém interrompeu. De repente parou e começou a conversa. Todos inteiramente à vontade.

A simpatia e descontração eram tamanhas, que cometi uma gafe imperdoável. Em quase um ano de jornal, escrevia sobre educação e ensino, colégios e faculdades, concursos e conferências. Ainda sabia muito pouco da política de Minas, não conhecia político quase nenhum. Deixei todo mundo falar. No fim, tímido e cerimonioso, ia perguntar por perguntar:

— Governador, você...

Atrás de mim, um major da Polícia Militar, jovem, magro, seco, elegante, levanta-se e me interrompe:

— O que é isso, garoto? Onde se viu? Chamar o governador de você? Aqui não precisa "Excelência". Mas exigimos "Senhor".

Todo mundo riu. Sobretudo o governador. Quase afundei. Não sabia de onde tinha saído aquele maldito "você". Logo eu, havia pouco saído do seminário, sabedor da força das liturgias. Juscelino percebeu que eu tinha perdido a voz, espichou a risada:

— Afonso, deixa o garoto em paz. Deixa falar como quiser.

E todo simpático:

— De onde vem você?

— Da Bahia.

— Baiano, que ótimo! Como vão as baianas? Qual seu jornal?

— "O Diário".

— O jornal do nosso Arcebispo, que me critica tanto? Você está em casa.

Não consegui falar nada. Ele se levantou, foi saindo, voltou:

— Baiano, esqueça o "você". E goste de Minas.

Já gostava de Minas, gostei mais ainda gostando dele. Na saída, perguntei ao major:

— O sobrenome do governador tem "s" antes do "c"?

— Garoto, você está mesmo ruim, hein?

E o major, hoje coronel, meu amigo Afonso Heliodoro, chefe da Casa Militar de JK, seu companheiro da vida inteira, presidente do Instituto Histórico de Brasília e diretor do Memorial JK, ditou, consoante por consoante, o nome tcheco de Kubitschek.

* * *

Geraldo Rezende, sábio e austero editor de política de "O Diário", estava adoentado, com dificuldade de andar, e José Mendonça, no começo de 1953, me tirou da "Educação e Ensino" e mandou que fosse ajudá-lo, fazendo para ele o trabalho de rua.

Durante três anos, em 53 para "O Diário" e depois outros jornais, voltei ao palácio quase todos os dias. Em 53 e 54 com JK, em 55 com Clóvis Salgado, seu vice, na campanha de JK. Anos a fio o vi e escrevi sobre JK, na presidência, na cassação, no exílio. Nunca mais o chamei de você. E ele sempre me chamou de baiano.

Geraldo Rezende me ensinou Minas. Sabia tudo e era mais velho do que quase todos. Muito religioso, quando, anos depois, Tancredo Neves foi candidato a governador contra Magalhães Pinto, em 1960, Geraldo lhe disse:

— Tancredo, você precisa ter fé. Dê uma passada no santuário de São Geraldo, em Curvelo, que ele não esquece seus devotos.

Tancredo foi lá. E perdeu as eleições para Magalhães. Telegrafou a Geraldo:

— Geraldo, São Gonçalo esquece seus devotos.

Meses depois, Jânio renunciou, Tancredo virou primeiro-ministro de João Goulart. Geraldo telegrafou a Tancredo:

— Tancredo, São Geraldo não esquece seus devotos.

* * *

A história de Juscelino era uma tourada naquela Minas plácida e sonolenta. Nascido em Diamantina em 12 de setembro de 1902, filho de caixeiro-viajante e professora, órfão de pai tuberculoso ainda criança, seminarista, telegrafista, estudante de medicina, em abril de 1930 ganha uma bolsa e vai especializar-se em urologia em Paris. Volta no fim de 30, abre consultório em Belo Horizonte, entra para a Polícia Militar como médico e participa da "revolução de 32" contra os paulistas ao lado de Benedito Valadares, depois nomeado por Getúlio interventor. Juscelino vai ser chefe de gabinete e não sai mais da política.

Em outubro de 34, depois da Constituinte, deputado federal mais votado de Minas. Golpe em 37, volta à medicina. Em abril de 40, prefeito de Belo Horizonte. Em 45, a embaixada inglesa no Brasil escreve a Londres:

— "É prefeito de Belo Horizonte, presidente da Sociedade Brasileira de Cultura Inglesa. Jovial e capaz, é dono de energia e imaginação. Deve ir longe. Responsável pelo notável desenvolvimento urbano de Belo Horizonte. Médico e político de considerável habilidade. Grande admirador da Grã-Bretanha. Consistentemente favorável à nossa causa" (era o fim da guerra).

Em dezembro de 45, novamente o mais votado do Estado para a Constituinte de 46. A UDN esperava que Pedro Aleixo, presidente do partido, fosse o deputado mais votado na capital. Ou Milton Campos. Foi Getúlio: 12.208 votos. Segundo, Juscelino: 7.024 votos. Terceiro, Milton Campos: 4.134. JK era o segundo depois de Getúlio. Uma luz e uma maldição.

Herdeiro eleitoral evidente de Vargas (João Goulart ainda estava no Rio Grande), Juscelino atraiu contra ele toda a fúria da UDN, que então comandava a maioria da imprensa nacional. Não era só Carlos Lacerda na "Tribuna da Imprensa". Era o "Diário de Notícias" dos Dantas, "O Globo" dos Marinho, o "Estado de S. Paulo" dos Mesquita e os "Associados" de Assis Chateaubriand, sempre lá e cá, mais lá do que cá.

Ganhando o governo com Milton Campos em 47 contra Bias Fortes, a UDN mineira começou cedo a guerra de 50, quando sabia que Getúlio seria candidato imbatível a presidente e Juscelino a governador. Lançou Gabriel Passos, concunhado de JK, casado com uma irmã de dona Sarah, e tentou ajudar o melancia Carlos Luz, metade PSD metade UDN, a ser o candidato do PSD. Juscelino venceu a convenção e a eleição.

* * *

A batalha final foi transferida para 55. Juscelino já assumiu o governo do Estado em 50, candidato a presidente em 55. Logo em 1952, os udenistas ajudaram dois jovens e valorosos jornalistas, Euro Arantes, udenista, e José Maria Rabelo, socialista, a lançarem o "Binômio — sombra e água fresca" (o *slogan* de JK era o "binômio energia e transportes"). Batia rindo.

Em 53 a UDN de Minas fundou seu jornal oficial, o "Correio do Dia". Diretor Orlando M. de Carvalho, da Faculdade de Direito. Redator-chefe Guimarães Alves. Editor de política, o jovem José Aparecido de Oliveira. Gordo da publicidade dos grandes bancos, o jornal não tinha problemas.

E tinha surpreendentes colaboradores, como, de Paris, George Bidault, ex-primeiro-ministro, depois chefe da tentativa de golpe contra De Gaulle, quando acabou a guerra na Argélia, contada no filme "A Noite do Chacal". Outro chacal, o brilhante baiano Aliomar Baleeiro, escrevia diariamente.

* * *

1954 já começou cheirando a chumbo. A UDN militar comandada pelo brigadeiro Eduardo Gomes e por Carlos Lacerda tomava conta dos quartéis. Em fevereiro 82 coronéis e tenentes-coronéis assinaram um Manifesto contra o aumento de 100% no salário mínimo, negociado pelos sindicatos com o ministro do Trabalho, João Goulart. Getúlio manteve os 100%, mas derrubou o ministro da Guerra, Ciro Cardoso, e o do Trabalho, João Goulart.

Não adiantou. O cerco foi-se fechando, Lacerda fez da "Última Hora" e de Samuel Wainer os estandartes de sua cruzada golpista, até a noite trágica de 24 de agosto de 54, precipitada pelo faroeste urbano de 5 de agosto.

Depois de um compromisso político, Lacerda e o filho Sergio, de 15 anos, chegavam em casa, na Rua Toneleros, em Copacabana, pouco depois da meia-noite, levados em um pequeno carro pelo major Rubens Vaz, integrante de um pequeno grupo de oficiais da Aeronáutica que lhe davam proteção. O da escala, naquela noite, era o major Gustavo Borges, futuro secretário de Segurança de Lacerda no governo da Guanabara. Mas não pôde ir e em lugar dele foi o Rubem Vaz. Para a morte.

Na porta do edifício onde morava Lacerda, ainda conversaram um pouco e Lacerda saltou com Sergio em direção à entrada principal, iluminada.

Mas Lacerda tinha esquecido as chaves e foi até a garagem pedir ao garagista para abrir a porta. Saiu do claro para a meia-luz. Com uma 45 na mão, o pistoleiro Alcino atravessou a rua para atirar mais de perto.

Quando ele passava por trás do carro, o valente major Vaz saiu sem poder apanhar seu revólver, que estava no porta-luvas e se atracou com o pistoleiro, tentando tomar-lhe a arma. Alcino lhe deu dois tiros e o matou na hora.

Ao ouvir os tiros Lacerda, com seu revólver na mão, quis sair para a rua, mas o filho Sergio agarrou-se com ele e não deixou. Mesmo assim, da porta da garagem Lacerda deu alguns tiros que não atingiram ninguém. E do outro lado da rua também saíram tiros, um dos quais acertou Lacerda no pé.

Imediatamente o major Vaz, já morto, e Lacerda foram levados para o hospital mais próximo, o Miguel Couto, no Leblon. Lacerda fez uma radiografia do pé, extraiu uma bala de um revólver 38, que não era da 45 do pistoleiro que matou o Major Vaz. Esse tiro no pé de Lacerda criou muitas lendas, porque seu revólver também era um 38 e o do Alcino uma 45. Uns diziam que Lacerda mesmo atirou no próprio pé. Outros que não houve tiro nenhum nele, tanto que no hospital não ficou registro algum. Saindo do hospital, Lacerda foi para a casa de táxi, com Armando Falcão, deputado do PSD do Ceará, depois ministro da Justiça de Juscelino e Geisel. Lacerda dizia:

— Acho que vou enlouquecer. Foi uma enorme desgraça. Talvez eu tenha matado o Vaz. Dei uns tiros a esmo, já sem óculos e tenho a impressão de que ele estava à minha frente.

Quando chegou em casa, já muita gente estava lá, jornalistas e políticos. Chega o brigadeiro Eduardo Gomes, fez uma frase para a História: — "Pela honra da Nação brasileira, confiamos que esse crime não ficará impune"! E outra para o folclore político:

— Carlos, o melhor remédio para esse seu pé baleado é filé mignon. Mande buscar um filé mignon cru, sangrando, abra e ponha em cima do ferimento. Vai ficar logo bom.

* * *

A frase de melhor pontaria foi a de Getúlio:

— Esses tiros me acertaram pelas costas.

Gregório Fortunato, o "Anjo negro", gaúcho dos pampas, chefe da guarda pessoal de Getúlio, encarregou Climério Eurides de Almeida, seu subordinado e compadre, de providenciar a morte de Lacerda. Climério pediu a José Antônio Soares, também protegido de Gregório na Guarda, que arranjasse alguém para fazer o serviço. Soares conhecia o pistoleiro nordestino Alcino João do Nascimento e o contratou. Os três pegaram o táxi de Nelson Raimundo, motorista de praça que fazia ponto perto do Catete, e seguiram para a Rua Toneleros, 380, onde Lacerda vivia.

Mas houve um erro de luz. Alcino estava acostumado a fazer tocaia no sol do sertão, naquele mundão aberto e claro, onde se vê tudo o tempo todo. O pistoleiro fez tudo errado. Errou o tiro.

O anjo da guarda de Lacerda o salvou. Alcino fez tudo errado. E tudo de errado que Lacerda também fez funcionou a favor dele.

Presos todos, primeiro o motorista, que revelou tudo, depois os outros e afinal Gregório, a história pôde ser fielmente contada

E Lacerda, o Brigadeiro, a UDN, mergulharam no golpe da República do Galeão, comandado pelo coronel Adil de Oliveira.

* * *

A vida de Getúlio no Catete virou um inferno. Em Minas, Juscelino, generoso e corajoso, resolveu fazer um gesto de solidariedade pública. Convidou-o a ir a Belo Horizonte no dia 12 para inaugurar a siderúrgica alemã Mannesman. A UDN mineira ficou histérica. E o Partido Comunista, idiotizado.

Nós, universitários da Juventude Comunista, atrás dos estudantes da UDN, fomos ajudar a impedir que Getúlio entrasse na cidade pelo centro, pela Avenida Afonso Pena. Descemos todos de lenço branco amarrado na boca, até a Praça da Feira de Amostras. Lembro-me do Guimarães, tio do atual deputado do PT mineiro Virgílio Guimarães, dizendo-me na escada da Faculdade:

— Nery, isso que vocês, comunistas, vão fazer é uma loucura. Que a UDN faça, tudo bem. Mas vocês estão engordando o golpe militar que vai derrubar Getúlio e pôr vocês todos na cadeia.

Foi o único a não sair. Ficou lá na escadaria protestando. Não havia um trabalhador, um operário. Só nós, estudantes. Éramos centenas. Lotamos a praça da Feira. A polícia nos cercou, mas nos deixou ali. Quando Getúlio apareceu, vaiamos, mas a comitiva, comandada por Juscelino, entrou pela Avenida Paraná, passou pela Praça Raul Soares e seguiu para a Cidade Industrial.

Imediatamente deixei de ser estudante e virei jornalista. Peguei um táxi e fui atrás. Queria ver e ouvir Getúlio. Nunca o tinha visto de perto. Mais baixo do que eu pensava, mais gordo do que parecia, uma infinita tristeza no rosto, como se fosse logo chorar. Quando começou a ler seu discurso, a voz forte, decidida, mas tensa, tive tanta pena, que quase lhe pedi perdão pelo lenço na boca de meia hora atrás. Deixou claro: só morto sairia do Catete.

Juscelino fez um discurso como ele era: valente, desafiador, falando em desenvolvimento, futuro e democracia, contra o golpe.

Nada poderia fazer mais bem a Vargas naquela hora desastrada.

Terminada a cerimônia, foram para o Palácio das Mangabeiras. Getúlio, que pelo programa deveria voltar para o Rio, resolveu dormir em Minas. Gregório, preso no Catete, não veio com ele. A segurança dele ficou por conta de militares. Foi visto, ao amanhecer, ajoelhado na beira da cama, chorando.

De manhã, depois do café, Vargas todo pronto para viajar, com um charuto na mão esquerda, Juscelino chamou um pequeno grupo de jornalistas, um de cada jornal, para nos apresentar a ele. A mão miúda, gordinha, fria, parecia um filé mignon. Olhava-nos com simpatia, mas com olhar distante, de quem não estava mais ali, perguntava o jornal, o Estado de onde era, passava ao próximo.

Em nenhum instante sorriu. Entrou no carro sem olhar para trás.

* * *

E o golpe galopava nas rádios, jornais e tribunas do Congresso. Na noite de 23 de agosto, as grandes rádios ("Nacional", "Tupy", "Globo") ficaram de plantão permanente. A "Nacional" era do governo. A "Tupy", de Chateaubriand e a "Globo", de Roberto Marinho tinham sido entregues a Lacerda, que não saía do microfone. Meia noite Vargas reúne o ministério.

De madrugada, Getúlio recebeu o manifesto dos generais, levado por seu ministro da Guerra, Zenóbio da Costa. Desistiu de resistir, concordou em assinar uma licença, deu a caneta a Tancredo Neves, foi deitar-se já ao amanhecer. Lacerda e Eduardo Gomes gritavam nas rádios:

— "Licença coisa nenhuma. Ele não voltará".

Não voltou mesmo. Ficou para sempre.

* * *

Depois de passar a madrugada jantando, ouvindo as rádios e um pianista cego, no "Colúmbia", bar-restaurante de jornalistas depois de prontos os jornais, na Avenida Paraná (o outro era o "Polo Norte", na Afonso Pena, ao lado do hotel Financial, onde eu morava, e que, sempre aberto, nem porta tinha), fui para o hotel dormir. O velho ascensorista me deu mais um pito:

— Meu filho, não faça isso. Cada dia chega mais tarde e acorda cedo. Fraco como você é, cuidado com a tuberculose.

Disse-lhe apenas: — Derrubaram o Getúlio.

— O que?! É verdade?! Então não saia. Vai ter guerra civil.

Subi, caí na cama. Antes das 9 da manhã, batem na porta. Era Roberto Costa, dono da livraria "Oliveira e Costa", casado com uma irmã de dona Sarah e dirigente do Partido Comunista:

— Vamos, companheiro. O velho Getúlio se matou às 8 e 30. Vamos buscar os trabalhadores na Cidade Industrial para protestar.

— Mas não éramos contra ele, o partido não era contra?

— Agora não é mais. Deixou uma Carta Testamento que está sendo lida nas rádios e é um documento revolucionário, manifesto aos trabalhadores denunciando o imperialismo americano.

— Vou pôr uma gravata para depois ir ao palácio ver o Juscelino. Ele deve ter novidades.

— Está bem. Mas antes vamos buscar o povo para um comício na Praça Afonso Pena, diante da Faculdade de Direito. Já mandamos companheiros para lá, para improvisar um palanque.

— Por que não na Praça Sete ou na Praça da Estação, maiores?

— Depois você saberá por que. E ali teremos a retaguarda da Faculdade de Direito, onde vocês, estudantes, poderão se proteger.

Entrei no carro dele, fomos para a Cidade Industrial. A rádio Nacional dava a Carta seguidamente. Era de arrepiar. O velho era um gênio. Com duas laudas de papel matou os adversários todos juntos. Deixou algumas frases arrasadoras para ficarem na História.

Já haviam chegado lá alguns companheiros da Juventude e do partido. Subíamos nos portões das fábricas (Mannesman, Magnesita etc.) e conclamávamos os trabalhadores a se solidarizarem com Vargas. Era fácil. Alguns nem acreditavam. Quando ouviram o rádio de um botequim em frente dando as notícias, jogavam as ferramentas no chão e gritavam furiosos:

— UDN assassina! Udenistas filhos da puta!

Pronto. Já tínhamos o cadáver, agora tínhamos também o inimigo, a UDN. E começou a grande marcha, mais de 10 quilômetros, para a Praça de Sé, no centro de Belo Horizonte. E de lá para a Praça Afonso Pena, onde seria o comício. A cada instante o cortejo ia aumentando, engrossando. Nem Roberto nem eu conseguiríamos fazer tudo a pé. Voltamos de carro.

Ao lado da Praça da Sé, o povo já invadira a sede da UDN, quebrara tudo e pusera fogo. Corri para o Palácio da Liberdade, já cheio de jornalistas, radialistas, políticos. No gabinete, Juscelino estava literalmente arrasado. Ali senti quanto ele gostava de Getúlio. Nas mãos, enrolada, uma cópia da Carta Testamento, recebida creio que pelo telex. Devia ser a primeira que chegou a Minas. Pedi a ele que mandasse tirar mais uma, para mim.

— O que é que você vai querer fazer com isso, baiano? A multidão já está exaltada demais, pondo fogo nas coisas da UDN. Mandei a polícia sair para a rua e não deixar haver confusão.

— Governador, a Carta já é pública. As rádios estão dando. Quero ler no comício que nós, estudantes, vamos fazer em frente à Faculdade de Direito. É até bom para acalmar a multidão.

Olhou como dizendo: — Não pense que está me enganando. Chamou uma secretária e mandou providenciar mais uma cópia.

* * *

Desci do palácio com a Carta, às pressas. A cidade já toda na rua. Tinham armado um palanque com um caminhão bem ao lado da escadaria do edifício da Faculdade e arranjado um serviço de som. O deputado do PTB, Ernani Maia, falava. A praça já cheia e, dependendo dos oradores, o povo passando de instantes de profundo silêncio aos gritos mais irados.

Roberto Costa e Dimas Perrin, dirigentes do PCB, rondavam e davam ordens. Mostrei-lhes a Carta que o governador me dera:

— Vou esperar o discurso do Hélio Pontes (do Diretório Acadêmico de Direito) e depois vou ler a Carta toda.

— Ótimo. Mas, na hora em que terminar, não esqueça de apontar para o Consulado Americano e dizer: — Quem matou Getúlio está ali! Vamos fazer uma ação. E a senha vai ser esta:

— Quem matou Getúlio foi o imperialismo americano!

O Consulado Americano ficava exatamente ao lado da Faculdade, com uma Biblioteca Thomas Jefferson logo na entrada.

Quando o Pontes terminou seu discurso, forte, emocionado, vi muita gente chorando. Era minha vez. Já estudava Direito.

Anunciaram-me, peguei o microfone, pedi silêncio, não disse mais nada além disso: — Ouçam o Presidente Vargas! Mataram-no, mas ele continua vivo, falando ao povo!

E comecei a ler, pausadamente, comovidamente, a Carta Testamento. Não sei que ator, que espírito baixou em mim. Mas não parecia que era eu. Até a voz ficou mais alta, mais poderosa.

À medida que fui lendo, a multidão chorava e eu também. As últimas frases li como se estivesse sobre o túmulo de Vargas. Parei, olhei para o Consulado Americano e gritei:

— Quem matou Getúlio está ali! Quem matou Getúlio foi o imperialismo americano! O povo brasileiro haverá de vingar-se!

Antes de eu descer, o fogo já subia. A multidão avançou sobre o Consulado, mas poucos conseguiram entrar. Haviam posto gasolina nas revistas e jornais pendurados nos cavaletes, nos livros dentro das estantes e nas grandes fotografias de Lincoln e Jefferson pregadas nas paredes. Queimava tudo. Fogo sabe bem inglês. Lê rápido. E fumaça americana sobe logo.

O incêndio do Consulado Americano de Belo Horizonte foi uma das fotos mais impressionantes que correram o mundo no dia 24 de agosto. A Polícia, as três, a Federal, a Militar e a Civil, avançou batendo, houve muita pancadaria. Os estudantes e o povo se defendiam como podiam. Apanhávamos.

Tentei entrar na Faculdade, não consegui. Já havia mesas e cadeiras como barricadas. Desci. Já estava no pé da escada da escola quando o Montanha, um investigador enorme, grandalhão, negro, me agarrou pelo pescoço com a mão esquerda, a palma da mão bem vermelha, me sacudiu no ar e atirou no chão, como um embrulho inútil. Quase arrebento as costas no cimento. Na outra mão, um revólver grande, preto. Pensei que ele ia atirar. Na hora, com tanta gente e tanta coisa em que pensar, meus pais, meus irmãos, a Ana azul, tive só uma lembrança e era literária:

— Ai, meu Deus! Vou morrer aos 22 anos, como Álvares de Azevedo!

Bendito Montanha. Não atirou. Bateu com o revólver no meu rosto, o sangue esguichou e lá se foi o nariz bonito de minha mãe. E saiu me puxando para um carro da polícia, que me levou para a enfermaria da Delegacia de Ordem Política e Social.

Roberto Costa e Dimas Perrin foram presos dentro do Consulado, na hora em que o fogo subia. Pegaram um ano de cadeia cada um. Dois outros companheiros, jovens estudantes, que derramaram a gasolina nos jornais e livros, foram condenados a seis meses cada. A Polícia acusou minhas frases, depois da Carta, de serem uma senha. Sem ter como provar, me soltaram.

* * *

Café Filho assumiu, a UDN tomou conta do governo, Lacerda dava as ordens. Nereu Ramos, presidente da Câmara dos Deputados e do PSD de Santa Catarina, propôs a Juscelino uma reunião do PSD no Rio. Lá estava o presidente do partido, Amaral Peixoto, e, entre outros, o governador de Pernambuco, Etelvino Lins, do PSD, mas corpo, alma e bochechas de udenista.

Etelvino propôs o adiamento das eleições de 3 de outubro para o Senado, a Câmara e as Assembleias. Alegava que, depois do suicídio de

Vargas, o PTB teria uma votação em massa, que irritaria os militares. Com Etelvino, concordaram Nereu, Benedito Valadares, presidente do PSD de Minas, Lucas Nogueira Garcez, governador de São Paulo, outros. Era a tese de Lacerda, da UDN e de Raul Pila, do PL. Juscelino viu o ovo da serpente e vetou:

— "Como governador de Minas, lançarei mão de todo o poder que me confere o cargo para impedir que o calendário eleitoral seja alterado".

Recuaram. Houve as eleições e nada do que diziam: o PSD tinha 112 deputados, passou para 114. A UDN, com 84, caiu para 74. O PTB, só com 51, subiu para 56. E Jango perdeu o Senado no Rio Grande. Juscelino começava a ganhar a briga.

* * *

Mas era preciso saltar primeiro os obstáculos de Minas. Benedito Valadares, chefe do PSD de Minas, morria de medo dos militares e não queria Juscelino de jeito nenhum. E JK dependia de ser aprovado primeiro pela Executiva Estadual.

Depois de tensas horas trancados numa reunião dramática até a madrugada, ainda me lembro da cara emburrada, de boi chuchado, de Benedito, cabeça baixa, humilhado, pálido, saindo lá de dentro derrotado, pela primeira vez, no partido. Por um voto.

Afinal, em 10 de fevereiro de 55, dos 1.925 delegados da convenção nacional, 1.646 aprovaram a candidatura de JK. Contra, unânimes, os diretórios de Pernambuco (Etelvino Lins), Santa Catarina (Nereu Ramos), Rio Grande do Sul (Peracchi Barcelos), 160 da Bahia (Antônio Balbino), e 26 do Rio.

E Juscelino saiu pelo país visitando o PSD. Desceu na Bahia, Antônio Balbino, governador, estava em cima do muro:

— Qual é a verdadeira posição do Café?

— Qual deles, Balbino, o vegetal ou o animal?

Em Pernambuco, Etelvino propõe a união nacional.

— Etelvino, quando você fala em União Nacional está pensando em União Democrática Nacional.

— Então você não quer a união?

— Ora, Etelvino, candidato não faz união. Candidato disputa. Quem faz união é governo, depois de empossado.

Em 27 de janeiro, a "Voz do Brasil" divulgou documento em que "militares apelavam por um candidato único e civil". Juscelino respondeu com um discurso duro:

— "Deus me poupou do sentimento do medo".

O PTB o apoiou e indicou João Goulart para vice. Também o apoiaram o PR, PTN, PST e comunistas. Em 31 de março, Juscelino passa o governo de Minas para Clóvis Salgado, do PR. Juarez Távora é lançado pela UDN, PSB, PDC e PL. Ademar de Barros pelo PSP. E Plínio Salgado pelo PRP.

* * *

E JK saiu pelo Brasil inteiro falando em desenvolvimento, Plano de 30 Metas e prometendo "50 anos em 5".

Nos aviõezinhos da época, era personagem de romance: "piloto de guerra". Suas histórias aéreas matavam de medo os companheiros de campanha. Para ele, avião era para voar e acabou-se. Uma noite, ia descer no interior do Rio Grande do Sul. As luzes da cidade apagaram-se, o campo não tinha pista iluminada, o piloto quis voltar para Porto Alegre. Juscelino reagiu:

— Pode descer. Deus é juscelinista.

Desceram. Era.

Voava sobre a Amazônia, pegaram uma tempestade. Raios, trovões. O avião pinoteava como uma pipa. Jango, Alkmin, Getúlio Moura, apavorados. Juscelino sorriu:

— Vou dormir um pouco.

Foi para sua pequena cabine, dormiu e roncou.

* * *

O Partido Comunista estava apoiando Juscelino e Jango para presidente e vice, e Lúcio Bittencourt do PTB para governador. Lúcio disputava com Bias Fortes do PSD e Bilac Pinto, da UDN.

Fui destacado para ajudar a campanha de Lúcio, querido professor licenciado da Faculdade de Direito, deputado, senador do PTB. Como jornalista, viajaria com ele pelo interior. Haveria uma excursão ao nordeste de Minas, ele me chamou:

— Vamos lá, você morou e ensinou em Pedra Azul, conhece bem aquela região.

Fiquei animado. Mas logo o "Jornal do Povo" me propôs acompanhar Juscelino ao Nordeste. Entre o nordeste de Minas e o meu Nordeste, traí Lúcio Bittencourt. Falei com ele, outro companheiro foi em meu lugar e fui atrás de Juscelino.

Em Campina Grande, Juscelino estava no palanque com Rui Carneiro, Alcides Carneiro, Samuel Duarte, Abelardo Jurema, o PSD todo da Paraíba. Falava um deputado local. Chega um "*western*" (telegrama especial da época) urgente da "Última Hora" informando que Lúcio Bittencourt acabava de morrer em desastre de avião, em Minas, saindo de Araçuaí e quase chegando a Pedra Azul. Morreram o piloto, ele e meu substituto.

Gelei. Os assessores ficaram sem saber como dar-lhe a notícia. Nós, jornalistas, escolhemos Fernando Leite Mendes, o brilhante e gordo baiano da "Última Hora", que Juscelino chamava de "Pero Vaz de Caminha de minha campanha":

— Governador, uma notícia ruim, de Minas. Lúcio Bittencourt morreu perto de Pedra Azul em desastre de avião.

Juscelino arregalou os olhos, fechou-os, baixou a cabeça, ficou alguns instantes em silêncio, visivelmente chocado, como se estivesse rezando, e murmurou:

— Bom para Bias. Foi maldição do Bias.

No discurso, fez uma homenagem a Lúcio Bittencourt.

Em 3 de outubro, dos 9.066.698 votos, Juscelino teve 3.077.411 (36%), Juarez 2.601.166 (30%), Ademar 2.222.725 (26%) e Plínio 714.379 (8%).

* * *

A UDN perdeu a cabeça, mas o rabo continuava balançando. O golpe seguia galopando. Café Filho teve ou fingiu um enfarte. Carlos Luz, víbora gorda do PSD mineiro, de olhar esbugalhado, no dia 10 de novembro demitiu o general Lott do Ministério da Guerra e o substituiu pelo general golpista Fiúza de Castro, para não dar posse a Juscelino e Jango.

De madrugada, Lott e o general Odílio Denis puseram as tropas na rua, para "o retorno aos quadros constitucionais vigentes". A Câmara foi convocada para votar os *impeachments* de Café Filho e de Carlos Luz.

Quando a notícia chegou a Minas, ao amanhecer de 11 de novembro, corremos para o Palácio da Liberdade. Juscelino já tinha chegado lá e estava reunido com o governador Clóvis Salgado e o general Jayme de Almeida, comandante da região.

Os dois tentaram de toda forma segurar Juscelino. Ele correu para o aeroporto da Pampulha e nós atrás dele. Lá, uma cena inesquecível. O comandante do aeroporto disse que havia uma ordem do ministério, no Rio, para nenhum avião decolar.

Juscelino insistiu, reclamou, brigou, não adiantou. Pôs os cotovelos em cima do balcão, as mãos no rosto e chorou convulsamente. Chegamos perto e ouvimos, entre soluços:

— Meu Deus, isso não pode acontecer! Preciso assumir.

O Congresso deu posse a Nereu Ramos, presidente do Senado. Em 31 de janeiro de 56, JK era o presidente da República. O golpe da UDN, de 50, 54 e 55, tinha sido mais uma vez adiado. Para 1964.

14

A Une

Era madrugada alta. Pararam o carro na porta do hotel Financial, onde eu morava.

Dois homens sentados na frente. Entrei atrás e ouvi a voz rouca de comando:

— Companheiro, olhos fechados, não abrir por hipótese nenhuma, até chegarmos. Se abrir os olhos, desce na hora.

Bem mais adiante, o carro para de novo. Entra mais alguém, senta-se a meu lado. A rouca voz de comando ordena de novo:

— Companheiro, olhos fechados, não abrir por hipótese nenhuma, até chegarmos. Se abrir os olhos, desce na hora.

E o carro seguiu. Silêncio absoluto. Ninguém falava nada. De quando em quando, uma luz mais forte batia no olho. Era uma lanterna, para conferir se estávamos mesmo de olhos fechados. O carro rodou mais ou menos uma hora. No princípio, macio sobre o asfalto. Depois, muito tempo dando tombos na estrada de terra. Não tinha a menor ideia para onde estavam me levando.

Até que atravessamos um portão, o carro estacionou na garagem. A voz rouca deu ordem de novo:

— Companheiros, continuem de olhos fechados. Chegamos. Subam a escada e só lá em cima abram os olhos.

Subimos, abri os olhos. Já estava com o rosto doendo. O primeiro que vi foi o Roberto Drummond, depois grande romancista, pai da inesquecível "Hilda Furacão". Também estava lá o Aluísio Ordones, da

Faculdade de Filosofia. Os outros não conhecia. Eram de outras Escolas ou operários, líderes sindicais.

Éramos uns 20, durante dez dias, cursando a "Escola de Quadros" da UJC (União da Juventude Comunista).

O Partido Comunista tinha três cursos no Brasil. O "Luís Carlos Prestes", estadual, de dez dias, da UJC, para formar dirigentes estaduais da UJC. O "Stalin", nacional, de 20 dias, para formar dirigentes nacionais da UJC. E o "Lênin", também nacional, de 30 dias, para formar dirigentes estaduais do Partido Comunista. Os dirigentes nacionais eram formados em Moscou.

Era o curso "Prestes", da UJC de Minas. Depois fiz o "Stalin". As aulas eram dadas por dirigentes nacionais da UJC ou do PCB. Todos com nomes de guerra. Se você conhecia alguém de algum trabalho ou viagem, não podia revelar que sabia quem era.

Em geral, iam do Rio e de São Paulo. Uns bons, brilhantes, outros quadrados, medíocres. E não por culpa deles. É que o PCB, como os partidos comunistas dos outros países, naquela época, era um carbono do Partido Comunista da União Soviética. Um professor, o Alkmin, quase gago, pegava na palavra e era radical:

— "A pedra de toque do internacionalismo proletário é a fidelidade sem limites (repetia 'sem limites'!) ao glorioso Partido Comunista da União Soviética e seu provado Comitê Central".

O tom do curso era esse. Prestes, muito Prestes, o adorado Prestes. Stalin, muito Stalin, o venerado Stalin. Lênin, muito Lênin, o sagrado Lênin. E Marx, Marx demais, o sábio Marx.

Quando se tratava de Brasil eles eram ótimos. Defesa do país a qualquer preço, contra as ameaças políticas e econômicas do imperialismo norte-americano, e apoio aos políticos da "burguesia" que defendiam o desenvolvimento, como Juscelino, e sobretudo aos aliados dos trabalhadores, como João Goulart.

O que mais me tocava era a generosidade de todos eles. Ninguém estava ali por dinheiro. Sabiam que americanos e russos chegariam à Lua antes que os comunistas fossem para o poder no Brasil. Estávamos arriscando a liberdade, talvez a vida, em solidariedade às lutas do país e do povo. Por ideologia. Se o comunismo era uma ideologia errada, era outro problema.

* * *

Era 1953, eu apenas um militante, fazia parte só do Comitê Universitário da UJC. Conhecia dois de seus dirigentes: o Alves, Meyer Camenievski, que tinha uma condenação por subversão no Rio, no ataque ao paiol do Exército em Deodoro, do qual participou também o João Saldanha e por isso os dois tiveram que passar longo tempo foragidos na China. E o Maurício Leite Junqueira, que estava curando uma tuberculose em Praga.

Não enganava o editor José Mendonça, contava. Mas não disse a ele que ia passar dez dias fora, em um curso comunista. Pedi dez dias de folga para ir à Bahia ver minha gente.

No princípio, durante todo o ano de 52, tive um grave problema de consciência. Continuava cristão. Mais do que cristão, católico. Não tinha nenhum problema com Deus. A fé era a mesma. Mas não esquecia o anátema dos Papas:

— "O comunismo ateu é intrinsecamente mau".

Os comunistas de Minas não eram necessariamente ateus e muito menos intrinsecamente maus. Quem me socorreu foi o sábio frei Martinho Penido Burnier, meu colega em "O Diário" (fazia coluna de Religião). E Frei Mateus e os santos e amigos frades do convento dos Dominicanos lá na Serra e sobretudo o querido padre Laje, mestre desde o seminário da Bahia.

Padre Laje deu à revista "Manchete" histórica entrevista defendendo uma aliança entre Cristo e Marx, em favor dos pobres e injustiçados. A Igreja no Brasil sacudiu. Padre Laje, assistente da JUC (Juventude Universitária Católica), foi um dos principais inspiradores da AP (Ação Popular), criada mais tarde, a partir de 60, por Betinho, José Serra e outros. O outro foi o teólogo jesuíta Henrique Lima Vaz. Padre Laje foi deputado, cassado pelo AI-5, exilado em Cuernavaca, no México, professor e deixou a batina.

Com a bênção deles, juntei Cristo e Marx e nos demos bem.

* * *

Na casa morava uma família, marido, mulher, filhos, para despistar. Não havia janelas e não saíamos dos dois andares. A garagem era no subsolo. De noite, um trem apitava ao longe, mas nunca tive ideia de onde ficava aquela casa, com pinta de chácara, cercada de árvores. Certamente fora de Belo Horizonte.

No final do curso, cada um escolheu seu nome de guerra, um segredo entre ele e a direção da UJC e do PCB. Eu tinha lido, encantado, "Les Thibault" (Os Thibault), o clássico romance do francês Roger Matin du Gard, pacifista, um dos fundadores do Partido Socialista Francês, Prêmio Nobel de 1937, que nasceu em 1881, escreveu e lutou até o fim, e morreu em 1958.

O grande personagem do romance é Jacques, Jacques Thibault, o jovem jornalista que se nega a ir para a guerra de 1914-1918, escreve um manifesto, pega um pequeno avião e vai jogar no campo de batalha entre as tropas da França e Alemanha.

Tínhamos feito um pacto, eu e a bela musa da Faculdade, que me deu de presente de aniversário. Nosso primeiro filho, dos dois ou mesmo que não fosse, teria o nome de Jacques. Adiantei-me e pus logo o nome em mim. Também cada um escrevia sua autobiografia. De onde vinha, família, pobre ou rico, cursos, trabalho, projetos. Terminei com uma frase que me deu trabalho:

— "A revolução não precisa das migalhas de nossas disponibilidades".

Entenderam que eu devia ser imediatamente "afastado da produção" e passar o "tempo integral" a serviço da UJC e do partido. Mas eu não queria deixar o jornal nem meu trabalho no Ministério do Trabalho. E não deixei. Só que eles gostaram tanto da frase, que a partir daí começaram a me dar tarefas cada dia mais numerosas, sobretudo no Parlamento do Estudante Mineiro, na UEE (União Estadual dos Estudantes) e na UNE.

* * *

A União Nacional dos Estudantes era a grande Universidade livre da juventude brasileira. Nenhuma entidade no país foi tão representativa. Era mais do que a ABI (Associação Brasileira de Imprensa), porque a ABI era fechada, em determinados instantes cumpriu belo papel, mas em outros tornou-se velhota, corporativa.

Aberta, calorosa, briguenta, a UNE travava uma luta interna permanente, democrática, e estava sempre à frente das grandes campanhas e batalhas públicas do país, mesmo quando sua diretoria se dobrava demais aos governos. Nasceu na Casa do Estudante do Brasil, no Rio, no primeiro Conselho Nacional dos Estudantes, em 11 de agosto de 1937, na ditadura Vargas.

A primeira diretoria oficial, saída do II Congresso, foi a de 1938 a 39, presidida pelo gaúcho Waldir Borges. O III Congresso, de 1939, elegeu o paulista Trajano Pupo Neto. No IV Congresso, de 1940, o carioca Luís Pais Leme.

Era pleno começo da guerra, os estudantes já nas ruas exigindo que o Brasil declarasse guerra ao nazi-fascismo. Sobretudo por isso a UNE nasceu na esquerda. Em 1942 o presidente era o carioca Hélio de Almeida. De 1947 a 50, as diretorias da UNE eram francamente socialistas, ligadas ao Partido Socialista, inclusive, no congresso da Bahia, em

49, quando venceu o socialista paulista Rogê Ferreira, que depois renunciou, substituído pelo também socialista carioca José Frejat.

Em 1950, veio afinal a dupla udenista, mineiro-paulista, Olavo Jardim-Paulo Egídio, que comandou a UNE até 54, transformando-a em um departamento do Ministério da Educação.

Em 1954, cederam para uma chapa comum, de unidade entre esquerda e governistas, com o Netinho, de São Paulo.

A partir de 1956, acabou o reinado da "direita" com a aliança JUC--UJC apoiando João Batista de Oliveira Júnior, o Batistinha de Juiz de Fora. E veio outra histórica administração, a do baiano de Jaguaquara Raimundo Eirado em 1958-59, com Sepúlveda Pertence na vice. Nem o golpe de 64 impediu que a UNE continuasse comandada pela aliança dos cristãos da AP com os comunistas. Desde 1963, eram José Serra presidente, Marcelo Cerqueira vice.

Na madrugada de 1º de abril, o golpe de 64 incendiou a sede da UNE, no Flamengo, 132, fechou a entidade, depois matou um presidente da UNE, Honestino Guimarães, quase mata outros, como Luís Travassos, Vinícius Caldeira Brant. Depois da anistia de 1979, elege-se presidente em 80 o alagoano-paulista Aldo Rebelo, do PC do B, e, por ironia da história, a reconstrução da UNE é feita em nome de sua desconstrução. Deixou de ser a grande Universidade livre da juventude para tornar-se desossada, desconstituída, esquartejada, um escritório eleitoral do PC do B.

* * *

Apesar das lutas no Diretório Acadêmico, sendo de "O Diário" e do Ministério do Trabalho, para a polícia eu era um insuspeito. E o comportamento na prisão, no fim do ano, reagindo forte na hora, fez de mim, para a UJC e o PCB, um confiável.

Começaram a me dar missões. Em Porecatu, norte do Paraná, divisa com São Paulo, houve em 1950, 51, a mais violenta e longa luta de colonos e camponeses do país, expulsos de terras públicas pelo governador Moisés Lupion, que "entregava a magnatas e latifundiários, inclusive a família Lunardelli".

A briga tinha terminado com o massacre dos colonos, mas o comando de Gregório Bezerra, líder camponês de Pernambuco, ex-constituinte de 46 e membro do Comitê Central, obrigava o PCB a não abandonar aquela gente. Em Belo Horizonte, entregaram-me uma pequena mala de viagem cheia de dinheiro no fundo, duas camisas e duas cuecas por cima, para eu levar até lá.

O roteiro era simples. Trem até São Paulo, ônibus até Londrina, hospedagem na pensão tal. Na mesma noite, apareceriam duas pessoas procurando o Jacques, meu nome de guerra na UJC. Entregar a mala e voltar de ônibus, por Curitiba.

Aparecem um sujeito alto, magro, narigudo, queimado de sol, e um gorducho, forte, cara branca. Entraram, pegaram a mala, jogaram camisas e cuecas em cima da cama, e o magro agradeceu:

— Muito bem, companheiro. Te manda no primeiro ônibus.

Alguns anos depois, vejo o magro em todos os jornais de esportes. Era João Saldanha. O gorducho era o baiano Alvinho Manolo, depois engenheiro de Volta Redonda. Meus amigos a vida toda. No excelente livro "João Saldanha, Uma Vida em Jogo" (Companhia Editora Nacional), André Ike Siqueira conta:

— "Entre 1950 e 51, João foi diversas vezes ao encontro dos colonos. Estava morando em Londrina e atuando no Comitê Regional do Paraná. Suas visitas eram ansiosamente aguardadas, pois ele também trazia o dinheiro arrecadado nas capitais para alimentar e municiar os camponeses... Após o final da luta em Porecatu, João continuou morando em Londrina mais alguns meses, até o final de 1951. Ele pouco falou ou escreveu sobre esse período de sua vida, mas dizia que permanecera entre São Paulo e o Paraná até 1955". Não mentiu. No começo de 53 andava por lá.

* * *

A campanha do "O Petróleo é Nosso" estava no auge, em 1953. Em Belo Horizonte, entidades estudantis, lideranças sindicais, organizações de jornalistas e intelectuais preparamos um comício para a Praça da Estação e convidamos os parlamentares. A polícia proibiu, alegando que era comício dos comunistas. Nenhum deputado federal apareceu. Apenas alguns estaduais, na praça cheia, cercada pela polícia.

Lá na frente, servindo de palanque, vazio, um caminhão sem as laterais e com um microfone. De repente, chega o deputado federal do PTB e já candidato a senador no ano seguinte, em 54, Lúcio Bittencourt, alto, magro, terno claro, bigodinho preto, e vai direto para o caminhão. Fomos juntos. Com ele, a polícia não teve coragem de barrar-nos. Alguns de nós falamos. Eu disse que o petróleo nasceu na Bahia. Ele pegou o microfone e começou:

— Ontem, chegando a Minas, li nos jornais que a polícia havia proibido este comício. Liguei para o governador Juscelino, ele me disse que eram ordens do Rio. Confesso que tive dúvidas de vir. Mas, à noite, dormindo, ouvi o povo me dizendo:

— Vai, Lúcio, vai! Vai!

E Lúcio foi. Deu um passo à frente e caiu embaixo do caminhão. Ainda tentei segurá-lo pela ponta do paletó, não adiantou. Nosso querido professor desabou. Acabou o comício.

No dia seguinte, no palácio, Juscelino dava gargalhadas:

— Eu bem que disse a ele: — "Não vai, Lúcio! Não vai"

* * *

A imprensa mineira, conivente com os donos, dava uma cobertura discreta à luta dos mineiros da Morro Velho, a secular mina de ouro explorada pelos ingleses e depois comprada, na década de 50, por Horácio de Carvalho (dono do "Diário Carioca" e primeiro marido de dona Lily de Carvalho e Marinho).

Havia muita silicose, muita tuberculose, muita gente perdia os pulmões ainda jovem. O presidente do sindicato, Tertuliano, um dos mais importantes sindicalistas mineiros, não conseguia transformar a justa e dolorosa luta deles numa grande denúncia.

Eu e outros jornalistas comunistas ou ligados aos comunistas recebemos a tarefa de tentar entrar lá para denunciar melhor. E me entregaram um manifesto conclamando os mineiros a fazerem uma greve, única maneira de negociar com os patrões.

Os outros, mais conhecidos do que eu, foram barrados na entrada. Imprensa não entrava. Pus o manifesto dentro do sapato, aproveitei a quantidade de mineiros pela manhã e entrei.

Comecei a descer naqueles elevadores. Depois dos elevadores, lá embaixo, os túneis. Quilômetros. Sempre tive horror de buracos, túneis, até das catacumbas romanas e das caves da França.

Logo no começo bateu o pânico. Parei, pedi para voltar. Comecei a suar de medo. Mas ainda tive voz para conversar com o Tertuliano e entregar o manifesto com as denúncias, para lerem lá dentro, na hora do intervalo, e entregarem à imprensa na saída.

Apareceu um guarda, pediu meus documentos, me levou lá para cima, entregou-me à polícia. Missão cumprida. Em vez de me mandarem sumir dali, fizeram a besteira de me levar direto para o DOPS (Departamento de Ordem Política e Social). Não me bateram, mas deram uns empurrões, que transformei logo em "tabefes". Exigi falar com o governador. Mandaram-me embora.

Corri para a Assembleia, a cujo Comitê de Imprensa, presidido pelo Ciro Siqueira, pertencia. Contei a história. Meus amigos Fabrício Soares e José Cabral, brilhantes líderes da UDN, denunciaram na tribuna a "violência contra um jornalista de "O Diário". No dia seguinte, os jornais publicaram. Junto, o Manifesto.

Fiquei ótimo na UJC, mas péssimo no jornal. O que estava eu fazendo lá, se minha área era política e o jornal não mandou?

Mas valeu a pena. O movimento contra a silicose e a tuberculose na mina de Morro Velho cresceu, veio a greve, houve inspeção e denúncia do Ministério do Trabalho, e o deputado, depois senador Lúcio Bittencourt, do PTB, antes de morrer candidato a governador, aprovou uma lei criando o "adicional de periculosidade" para os mineiros da Morro Velho e de várias outras empresas criminosamente pestilentas.

* * *

Cada dia ficava mais claro que era insustentável tentar conciliar o trabalho no jornal católico e a militância política. Mas, antes de sair, "O Diário" e minha nuvem me deram o grande presente: o Rio de Janeiro. Não conhecia o Rio. Meu mundo até ali ia de Jaguaquara, Salvador, Pedra Azul e Belo Horizonte até Uberaba. Propus uma reportagem sobre o trabalho das bancadas mineiras no Senado e na Câmara, no Monroe e no Tiradentes.

Trem é como mãe. A melhor coisa do mundo. Mas só se for bom. O jornal me deu dinheiro para transporte e comida em cinco dias: segunda a sexta. Peguei o Santa Cruz. Eram três os trens. O Vera Cruz com primeira classe de luxo, entre Rio e São Paulo. O Santa Cruz, também com luxo, entre Rio e Belo Horizonte. E o Nossa Cruz, os trens do povão. Entrei, fui para o carro restaurante.

Na mesa ao lado, Tancredo Neves do PSD, havia pouco nomeado ministro da Justiça, e Magalhães Pinto e José Bonifácio de Andrada, o Zezinho Bonifácio, deputados da UDN. Conhecia os três, eles não sabiam quem eu era. Conversavam à vontade. Pedi uma cerveja, um filé com fritas e passei a anotar algumas coisas. Zezinho Bonifácio viu que eu estava prestando atenção:

— Aquele garoto está interessado em nossa conversa. Quem é ele? Garoto, de onde você é? O que é que está anotando aí?

— Deputado, também sou deputado, do Parlamento do Estudante Mineiro, colega e adversário de seu filho, Andradinha.

Mas estou aqui trabalhando. Sou de "O Diário". Vou ao Rio saber o que os senadores e deputados de Minas fazem lá.

Tancredo abriu um sorriso grande:

— Já não é mais comigo. É com eles. Por que não se senta um pouco conosco e começa a preparar sua matéria logo aqui?

O filé não tinha chegado, levei meu copo de cerveja. Fiz uma série de perguntas, anotei as respostas, os três muito gentis.

Lembro bem que todos ainda tinham cabelo. Tancredo era quem tinha mais. Zezinho, muito calvo. E Magalhães só dos lados. No Rio, fui direto para o Palácio Tiradentes. Deixei o Senado para o dia seguinte. O que me interessava mesmo era o Flamengo, 132.

* * *

A UNE era uma alegria. Estudantes do país inteiro. Alguns hospedados lá, outros como eu, nos pequenos hotéis ou em pensões ali do Flamengo e do Catete. Até a madrugada, todo mundo conversando, muitos tocando e cantando, mas o que comandava mesmo era a discussão política, da UNE e do país. Até 1958, quando voltei para a Bahia e me formei em Direito, estando em Minas nunca passei um mês sem vir ao Rio. E o Rio era, sobretudo, a UNE. Nunca a passeio. Sempre a serviço. Depois do Rio, São Paulo. Não conhecia São Paulo. Veio a Bienal, organizou-se em Belo Horizonte um grupo, e lá fomos nós de trem, sobretudo alunos da Escola do gênio da pintura, Guignard, com seu lábio superior leporino, sua voz fanhosa e sua alma de perpétuo menino sorridente, no Parque Municipal, apoiado e estimulado pela visão universal de JK.

Ficamos hospedados no estádio do Pacaembu. Lembro-me dos alunos de Guignard Vicente Abreu, Lucília Álvares, Yara Tupinambá, duas dezenas, todos evidentemente mais interessados na própria Bienal. São Paulo era um mundão diante de Belo Horizonte e mesmo diante do Rio, menor, mas tão mais bonita.

Minha cabeça estava na política. O prefeito Jânio Quadros, fenômeno telúrico, com seus olhos enviezados e suas caspas na cabeleira negra, era candidato a governador, apoiado pelo PSB. Fui lá conhecê-lo, levado por Fernando Gasparian e Almino Afonso, meus ídolos na política estudantil paulista. Gasparian, saudoso amigo da vida toda e editor, presidente da União Estadual dos Estudantes em 1952. Almino, presidente em 1953.

José Colagrossi, também meu amigo a vida inteira, deputado no Rio cassado pelo golpe de 64 e depois da anistia, tinha sido presidente da UEE paulista antes dos dois, em 51. Nessa época, Paulo Egídio, depois governador de São Paulo nomeado pelo Geisel, era presidente da UME, União Metropolitana dos Estudantes do Rio. Na presidência da UNE, a lagarta Olavo Jardim Campos de Minas, um ser misterioso, metade governo metade polícia.

Nas vésperas do congresso da UNE, Olavo chamou Colagrossi ao Rio. Vivia como um monge, em um pequeno apartamento no último andar da sede da UNE, praia do Flamengo, 132. Colagrossi chegou, encontrou Olavo Jardim e Paulo Egídio sentados na cama, conversando. Falou Paulo Egídio:

— Colagrossi, sabemos que você está disposto a continuar na oposição e vir ao congresso liderando uma chapa de São Paulo contra nós. Temos a fórmula da unidade. Você na vice-presidência, o Olavo candidato à reeleição e eu na primeira secretaria. Com Minas, São Paulo e Rio, a chapa é invencível. Topa?

— Eu não vim aqui tratar de chapa. São Paulo não concorda com os métodos de vocês no comando da UNE e vamos articular a oposição no congresso. Eu vim para saber onde vai ficar hospedada a delegação de São Paulo.

— Colagrossi, isso depende exatamente de sua resposta à nossa proposta. Vocês podem ficar no hotel Ouro Verde, na Avenida Atlântica, ou em uma pensãozinha aqui no Catete.

Colagrossi bateu a porta.

* * *

Voltei para Minas, os fatos me cercavam. De madrugada, quase ao amanhecer, o colega aflito chega ao hotel Financial:

— Nery, massacraram o Dimas. A polícia invadiu a gráfica do "Jornal do Povo", saiu com ele e o deixou desacordado, todo arrebentado, numa vala do rio Arrudas, lá na Lagoinha.

Dimas era Dimas Perrin, chefe da gráfica do "Jornal do Povo", do Partido Comunista de Minas, semanário dirigido por Orlando Bomfim, que a ditadura assassinou em 1975, nos porões da tortura. Como já contei, um ano depois, no dia 24 de agosto de 54, a multidão emocionada e enfurecida com o suicídio de Getúlio ocupou a praça em frente à Faculdade de Direito e incendiou o Consulado Americano, ali ao lado. O DOPS levou, como em "Casablanca", os suspeitos de sempre: Roberto Costa, Dimas Perrin, vários outros, inclusive eu.

Roberto e Dimas pegaram um ano de cadeia. Dimas saiu de lá com um livro exemplar, como pesquisa e análise, sobre a Inconfidência Mineira. Esmagado pelas pancadas e moído pela prisão, o pulmão de Dimas soluçou. Foi para o Mar Negro, na União Soviética, perto da Geórgia, voltou curado.

Saí de Minas em 1958, nunca mais o tinha visto. Sabia-o ex-vereador do PTB, advogado, defendendo os favelados e os operários, seus irmãos de infância e abandono. Em 64, no quartel do Barbalho, em Salvador, tive notícias dele: — Dimas cassado.

Depois, condenado pela Justiça Militar em Juiz de Fora, em 1967, a 9 anos. Anos após, uma tarde, na Avenida Rio Branco, no Rio, lá vem ele, os cabelos inteiramente brancos, passo lento, corpo batido, mas o olhar luminosamente aberto, como nos velhos tempos, meu querido amigo. Abraços e uma conversa sem fim. Voltara clandestino, nome falso, endereço falso, vida verdadeira, à atividade gráfica. O mesmo homem, o mesmo sorriso, metade São Francisco metade Che Guevara, a mesma incrível e intocada força. Até que o DOI-CODI fez dele pasta e salame, bife humano, em carne e sangue, para o manjar do terror.

Veio a anistia, Dimas se elegeu suplente de deputado federal, assumiu na Câmara e depois foi secretário do Trabalho do governo Tancredo Neves. Muitas vezes, em silêncio, me vi mastigando o ódio de sua morte, como das de Mario Alves, Luiz Maranhão, Orlando Bomfim, tantos outros.

Agora, aqui em minhas mãos, como um tição, releio seu "Depoimento de um Torturado" (Gráfica Editora Belo Horizonte, prefácio de Edgard da Mata Machado e orelha minha). E de repente me pergunto como é possível um homem guardar tanta lucidez, tanto amor e tão funda generosidade, diante de um país e uma sociedade a quem tudo deu, como no samba, sem nada pedir e só violência e injustiça recebeu.

* * *

Chegou o fim de 1953 e do segundo ano da Faculdade de Filosofia. O curso de bacharel era de três anos, para quem não ia ensinar. Para o magistério, mais um. Já sabia que não deixaria o Jornalismo. E minha nuvem jogou mais um sonho em cima de mim. O diretor da Aliança Francesa, Monsieur Vincent, ofereceu-me uma bolsa de dois anos de Literatura Francesa em Paris.

Claro que ia. Pedia licença do Ministério, mandaria algumas matérias para o jornal e ficava dois anos na cidade onde Deus passa férias, segundo o padre Correia. Viajaria já em janeiro.

As direções da UJC e do PCB souberam e endoidaram. Marcaram uma reunião, me puseram contra a parede. Orlando Bomfim, primeiro secretário do Comitê Regional e membro do Comitê Central, que só aparecia em horas duras, chegou tenso:

— Companheiro, disso todo mundo gostaria, mas é um oportunismo, uma traição às lutas do nosso povo e nosso partido.

Logo agora que o companheiro receberá três prêmios pela dedicação e coragem, e assumirá três tarefas honrosas?

— Que tarefas?

— Primeiro, o companheiro precisa deixar "O Diário" e ser o editor político do "Jornal do Povo", porque nosso Celius Aulicus, secretário do jornal, depois da violência que aconteceu com o Dimas, anda muito só e cansado.

— E o que mais?

— O companheiro vai para a Faculdade de Direito, que é a mais importante da Universidade, e onde nós precisamos de um reforço, e, através de lá, fortalecer nossa presença na UNE.

— E a terceira?

— Vamos ter eleições para senador, deputado federal, estadual e vereador. A chapa do partido já está pronta, só falta o vereador. Iria ser o Maurício (Leite Junqueira), mas acaba de chegar da Tcheco-Eslováquia, está com problemas com a polícia e é claro que não vão deixar ele se registrar. O candidato será o companheiro. Inscreva-se logo no Partido Socialista ou no PTB.

— Quer dizer que os companheiros já resolveram minha vida?

— Não foi o companheiro quem escreveu que a revolução não precisa das migalhas de nossas disponibilidades? São tarefas.

Sair de "O Diário" para o "Jornal do Povo" era natural. Mas o que eu faria em Direito podia fazer na Filosofia. E, sobretudo, não seria eleito vereador. Se eleito, não me deixariam assumir. Pedi um dia para pensar. Minha nuvem literalmente enlouquecera.

* * *

Agradeci a Monsieur Vincent e saí de "O Diário", depois de dois anos lá, com o coração na mão e inteira gratidão ao José Mendonça. Assumi no "Jornal do Povo" com uma coluna assinada: "Política & Políticos". Não era um jornal, era uma praça de guerra frágil e sem defesas. O vestibular de Direito era fácil para mim. E fui me inscrever no Partido Socialista. O José Maria Rabelo, secretário do diretório municipal, quis vetar:

— O Nery quer entrar no partido socialista para ser candidato dos comunistas a vereador. Vem tomar a vaga de um dos nossos.

Tinha razão, mas não confirmei. Fui aos presidentes do diretório municipal, Bernardino Machado de Lima, e do estadual, Palmius Paixão Carneiro, meus amigos, que garantiram o lugar.

Pronto. Eu tinha posto o pescoço na forca e puxado a corda.

* * *

Em maio, mandaram-me logo para o Nordeste, com o saudoso e hábil mineiro Roberto Las Casas, dirigente nacional da UJC, numa visita a vários

Estados, para conversas preparatórias do congresso nacional da UNE, no fim de outubro, na Universidade Rural do Rio, quilômetro 47 da Rio-Bahia.

Passamos três dias em Salvador, a UJC era forte. Descemos em Aracaju, a maioria dos estudantes estudava em Salvador ou Recife. Em Maceió, o aeroporto parecia uma garagem. Esperava-nos o dirigente do PCB Jaime Miranda, depois assassinado pelo golpe de 64. Na entrada, um pequeno bar. E um grupo de homens fortes, morenos, queimados, com revólveres à vista, bebendo:

— Jaime, caímos numa armadilha. Olha a polícia ali.

— Calma, companheiro. Não é polícia não. Aquilo tudo é gente boa. São seguranças e pistoleiros. Estão esperando alguém.

No Recife, também tivemos pouco trabalho. A UJC era bem estruturada. Em João Pessoa, o elevador do hotel era do lado de fora. Pegamos um ônibus para Campina Grande. No país todo tinha sido lançado o gim Seagars, com a propaganda:

— "Beba Gim Seagars. Diga Siga".

Logo na saída da cidade, um grande cartaz na estrada:

— "Beba Aguardente Pitu. Diga Pitu".

O principal líder estudantil e presidente da União Paraibana de Estudantes era o François, de Campina Grande. Garantiu que a maioria da delegação votaria com a esquerda. E votou. Dezenove anos depois, em 74, recebi um telefonema de Londrina:

— Nery, aqui é o Leite Chaves, o François de Campina Grande. Sou candidato a senador pelo MDB. Queria que você viesse ao comício de lançamento, para dar um depoimento sobre minha atuação no movimento estudantil, no nosso tempo da UNE.

Cheguei à tarde. O comício era à noite. No aeroporto, faixas e uma charanga tocando a música da campanha. Vi logo o François:

— François, meu companheiro!

François deu um pulo, me abraçou e disse ao ouvido:

— Nery, não fale em François, pelo amor de Deus. Aqui sou o doutor Leite Chaves. François aqui é cabeleireiro ou veado.

Doutor Leite Chaves ganhou e foi bravo e brilhante senador.

Havia "companheiros" e "aliados". O "companheiro" era membro da UJC. O "aliado", era próximo, atuava junto, mas não pertencia à organização. No Piauí, Petrônio Portela, que desde a Faculdade de Direito no Rio era "companheiro", já era deputado estadual da UDN, não iria ao congresso, mas teria amigos lá.

No Maranhão José Sarney era "aliado", mas já tinha se formado em Direito em 53, era repórter político, membro da Academia Maranhense de Letras aos 23 anos, não iria ao congresso e era candidato a deputado federal pelo PSD de Vitorino Freire. Ficou como quarto suplente e assumiu dois meses em 56 e quatro meses em 57, antes de romper com o PSD, entrar na UDN em 58, ser presidente do partido no Estado e eleger-se.

* * *

O congresso da UNE no fim de 54, na Universidade Rural no Rio foi um mestrado, aos 22 anos. Conheci grandes companheiros da direção nacional da UJC, que não participavam diretamente do congresso porque já haviam deixado a Universidade, mas davam "assistência", de fora: Costa Neto, um quadro político excepcional, Hélio Bloch, Paes Leme, Hadock Lobo, outros. E Las Casas, meu companheiro de Nordeste.

De outros aliados, estavam lá o José Gregori, de São Paulo; o José Batista de Oliveira Júnior, o Batistinha, de Juiz de Fora, que em 1956 seria presidente inaugurando uma nova era. A UJC chegou ao congresso com a tese da unidade. Lançamos um jornal com várias edições diárias, o "Jornada", dirigido pelo Murilo Vaz. Eu virava dia e noite. Escrevia 15 horas por dia. Uma manhã, fui encontrado dormindo, com a cara enfiada na máquina de escrever, as letras agarradas no rosto. A tese da unidade foi lançada em um competente discurso do aliado José Gregori. Acabou eleito, numa chapa única, o Augusto Cunha Neto, Netinho, mineiro de Cataguazes, estudante de Direito em São Paulo, substituindo o João Pessoa de Albuquerque, candidato do eterno Olavo Jardim Campos, do Andradinha, da "direita".

Não deu certo. Os governistas, numa diretoria meio a meio, não deixavam o Netinho fazer nada. Ele não aguentou, renunciou e preferiu ser vereador em Cataguazes, pelo MDB.

Criou-se uma Junta Governativa para concluir seu mandato, presidida pelo Pedro Simon, do Rio Grande do Sul, que acabava de perder para Flávio Tavares a presidência da União dos Estudantes Gaúchos. Simon recuperou o prestígio da UNE e em 1956 a esquerda ganhou com o Batistinha.

Mas, antes do congresso da UNE em outubro de 54, eu tinha passado por uma prova de fogo durante quatro meses, em junho, julho, agosto e setembro, para ser vereador em Belo Horizonte.

15
O Vereador

De costas para a entrada do comitê eleitoral, recebi uma bofetada muito forte no ouvido direito e caí. Tinha um físico de campeão de pauzinhos, nunca havia passado de 55 quilos. Levantando, vi atrás de mim um homem enorme, mulato. Gritei:
— Filho da puuuuta! Socorrrro!
Ele me chutou e também gritou:
— Cadê o revólver? Cadê o Élcio, seus comunistas!
Não tinha revólver, não tinha armas, nem voto eu tinha. Mas era um abusado. Todos os dias, na rua, fazendo campanha, em todos os lugares, sempre aparecia um policial ameaçando:
— Pare com essa campanha, que você vai acabar mal!
Acabei mesmo batido e preso. As direções do PCB (Orlando Bomfim, Luís Bicalho) e da UJC em Minas, em troca da minha bolsa da Aliança Francesa, para estudar Literatura Francesa dois anos na Sorbonne, haviam cumprido o prometido e me deram as "três tarefas honrosas, prêmios pela dedicação e coragem".

* * *

Primeiro, tinha assumido a editoria política do "Jornal do Povo", uma praça de guerra diária. Comecei ajudando meu amigo e jornalista José Aparecido de Oliveira, que conheci de calças curtas, quer dizer, de bermudas, numa reunião na varanda de uma pensão onde morava. E já era um líder político de sua geração, com extraordinária capacidade de articulação política.

Órfão de pai, estudou em Araxá e Ouro Preto e logo cedo, muito jovem, saiu de sua Conceição do Mato Dentro e foi para Belo Horizonte trabalhar, onde revelou uma precoce e surpreendente vocação política. Começou como comentarista político do "Informador Comercial", do José Costa, redator por concurso do Serviço de Radiodifusão do Estado, radialista da Rádio Inconfidência, assessor do líder udenista José Cabral e do grande prefeito de Belo Horizonte Américo René Gianetti (avô desses Gianetti da Fonseca, que hoje brilham por aí), e poderoso editor de política do jornal da UDN, "Correio do Dia".

Na campanha para a prefeitura de Belo Horizonte, naquele ano de 1954, Aparecido articulou uma candidatura alternativa contra os grandes partidos, que sempre foram donos da prefeitura: PSD, UDN e PTB. Lançou pelo PDC o jovem e competente engenheiro Celso Mello de Azevedo e comandou sua campanha. Eu não era diretor do "Jornal do Povo", o secretário, redator-chefe, era o Celius Aulicus. Não mandava nada. Era um simples editor político. Mas como já carregava o piano, passei a apoiar o candidato de José Aparecido contra os candidatos do PSD, UDN e PTB. Fui logo enquadrado pela direção do PCB:

— Com autorização de quem o companheiro tomou essa decisão de tamanha importância?

— De ninguém. Ninguém me falou nada e resolvi apoiá-lo. O Celso é o melhor candidato e o José Aparecido, dos aliados que conheço, é o melhor, mais próximo à esquerda e mais confiável.

O jornal continuou apoiando e o Celso ganhou a eleição.

* * *

Como segundo "prêmio", fiz o vestibular, até dei cola de latim ao Múcio Athayde, e entrei para a Faculdade de Direito, já indicado para um lugar na chapa do Diretório Acadêmico.

O terceiro "prêmio" foi a candidatura a vereador de Belo Horizonte, na chapa do PCB: Bento Gonçalves (PR) deputado federal, Élcio Costa (PTB) deputado estadual e eu (PSB).

Os candidatos a federal, Orlando Bomfim, e a vereador, Maurício Leite Junqueira, nem puderam inscrever-se. Para estadual, continuou o advogado de Juiz de Fora, Élcio Costa, dirigente estadual do Partido Comunista. O golpe de 64 assassinou Bomfim e Élcio. Dos três, só eu sobrei vivo.

* * *

Nosso comitê eleitoral, amplo, bem decorado, ficava no térreo do edifício Dantès, na Avenida Amazonas, quase esquina da Praça 7. Nas paredes, vários cartazes de cada candidato. O meu era branco, o desenho de uma bandeira do Brasil e uma rua com postes e luminárias, letras grandes em vermelho e preto e uma foto no centro, eu de terno branco, com minha cara de 22 anos:

— "Para Vereador, Sebastião Nery, pela Encampação da Força e Luz".

Milhares de pessoas passavam por ali todos os dias. A polícia não foi lá por causa do Bento Gonçalves. Ela queria o Élcio e a mim. Já nos havia denunciado à Justiça eleitoral como genéricos do Partido Comunista no PTB e no PSB. Mas o Tribunal Regional não viu razões para proibir nossa campanha.

O Bento não entrava na briga, mal ia ao comitê. O Élcio fazia campanha no interior: Juiz de Fora, Triângulo Mineiro, Montes Claros, Governador Valadares, onde o PCB era mais forte. Fiquei encarregado de fazer os comícios nas faculdades, colégios, sindicatos, feiras e esquinas. Não iam lá me ouvir. Poucos sabiam quem eu era. Iam levados pelos companheiros ou aliados.

O Bento Gonçalves Filho, que evidentemente não era filho do herói gaúcho Bento Gonçalves, não tinha nada a ver com os comunistas. Só alianças políticas já havia muito tempo. Deve ter entrado com recursos para o PCB e a campanha. Empresário rico, industrial, tinha empresas de construção civil, bebidas, cerâmica, beneficiamento de mármore e era diretor da Federação das Indústrias. Um José de Alencar anterior.

Conservador, ligado a Artur Bernardes desde a juventude, participou das "revoluções" de 30 e 32. Vice-prefeito de Belo Horizonte em 47, secretário de Viação e Obras de Juscelino e nosso companheiro de campanha, foi o mais votado do PR, Partido Republicano. Eleito, ajudou a criar e foi presidente da Frente Parlamentar Nacionalista. Extintos os partidos em 65 pelo AI-2, entrou para a Arena, foi várias vezes reeleito, até 83. Depois, foi para o PP de Tancredo e Magalhães, e para o PMDB.

Da nossa chapa também fazia parte o deputado do PTB Lúcio Bittencourt, candidato a senador, que também se elegeu. A eleição de governador e presidente seria no ano seguinte. Contra Lúcio e Bento eles não tinham nada. O problema era Élcio e eu.

* * *

Lançados na campanha eleitoral nos últimos meses, a UJC e o PCB eram cabos eleitorais dedicados, dia e noite. Incansáveis. Passava no jornal pela manhã, à tarde não precisava ir à Delegacia do Trabalho porque tinha três meses de licença para a campanha, e ia à Faculdade à noite, uma das primeiras Faculdades do país a terem curso noturno. No jornal, tínhamos o maior cuidado para não abrir a guarda e deixar perceber que aquela era a chapa do Partido Comunista. Sentia a campanha crescendo nas ruas.

Até que a infantilidade ou a arrogância jogaram tudo a perder. Tínhamos dezenas de grupos de rapazes e moças, estudantes universitários, secundários, trabalhadores, de porta em porta, entregando um manifesto nacionalista e trabalhista, com nossas quatro cédulas, pedindo apoio, pedindo voto. E a resposta era boa. Se não apoiavam, ninguém nos hostilizava.

Na última semana, uma manhã, três estudantes da Escola de Artes Plásticas de Guignard, um rapaz e duas moças, chegaram ao bairro da Serra com as cédulas e um novo manifesto para distribuir:

— "Estes são os candidatos de Luís Carlos Prestes".

Embaixo, nossos quatro nomes. O senhor simpático, que estava no jardim regando as flores, recebeu, abriu, leu, sorriu:

— Muito bem, meus amigos. Até que enfim apareceram candidatos em quem podemos votar. Entrem e tomem um cafezinho. Vou apresentar-lhes minha mulher e meus filhos.

Entraram, conversaram, tomaram o cafezinho, bem quentinho, bem mineiro, bem generoso. E uma radiopatrulha parou na porta, com quatro brutamontes, aos berros:

— Cadê os comunistas?

O simpático senhor do jardim era delegado lá no DOPS, Departamento de Ordem Política e Social, comandado pelo capitão Trindade, do Exército, que não comia tomate porque era vermelho. Com o Manifesto ingênuo, a Polícia correu para o Tribunal Regional Eleitoral para pedir a impugnação do Élcio e a minha. Os outros dois eram deputados federais, inatingíveis. O TRE adiou a decisão. A Polícia agiu por conta própria. Entrou no nosso Comitê Eleitoral já dando pancada e quebrando tudo. Mesmo sangrando no rosto, candidato não pode ficar calado. Reagi gritando. Quanto mais xingava, mais me batiam, o povo foi chegando, encheu o comitê, fui levado sob protestos.

Nosso companheiro e meu amigo Vicente Abreu, pintor de sucesso, exilado em 64 no Chile, onde morreu, autor do cartaz, havia feito um quadro lindo para a campanha, que pus na parede. Avançaram para quebrar. Lucília Álvares, também aluna de Guignard, pôs-se na frente para impedir. Derrubaram-na com violência e ela ainda acertou uma dentada na mão do policial.

O Élcio não estava na hora. Lá fui eu sozinho para a Delegacia de Ordem Política e Social, no dia 1º de outubro, dois dias antes da eleição, que seria em 3 de outubro de 54. Logo apareceram os advogados Gilberto Dolabela e José Adjuto Botelho. Não conseguiram tirar-me na hora. E foi bom. Os jornais contaram toda a história no dia seguinte. Procuraram o Élcio em vão. Viramos candidatos de verdade. E nossas vitórias na eleição vieram muito da repercussão da invasão do Comitê e da prisão.

Lúcio Bittencourt e Bento Gonçalves já tinham eleição certa.

Passada a eleição, soltaram-me. E agora? Eleitos e denunciados. Com aquele Manifesto sutil, "Estes são os candidatos de Luís Carlos Prestes", o TRE impugnou a diplomação. Ilegal, o Partido Comunista não podia ter candidato nem apoiar publicamente. Recorremos para o Tribunal Superior Eleitoral. Enquanto o TSE não julgava, eu agitava nas faculdades, colégios, sindicatos. Não adiantou. Eram uma vez um deputado e um vereador, "candidatos de Luís Carlos Prestes".

* * *

Como as Faculdades de Direito de São Paulo e do Recife no século XIX, no século passado a Faculdade de Direito de Minas era uma das mais importantes do país. E se não era a mais agitada, como a Filosofia, era o mais importante centro universitário do Estado. Comandava a UEE (União Estadual de Estudantes).

Na década de 50, lá estavam e vivamente atuando no movimento estudantil, Hélio Garcia depois governador, Murilo Badaró depois senador e ministro, Bonifácio Tamm de Andrada, o Andradinha, até hoje deputado, Genival Tourinho, Nelson Thibau, também deputados, Rivadávia Xavier Nunes, depois político em Goiás, José Gerardo Grossi, jurista, ministro do Tribunal Superior Eleitoral, Sepúlveda Pertence, ministro do Supremo Tribunal Federal, Geraldo Nunes, Procurador-Geral de Brasília, Fábio Lucas escritor, e numerosos outros.

Sério, brilhante, o grande mestre, maior de todos, foi Carlos Campos, deputado antes de 30 e depois de 45, signatário do Manifesto dos Mineiros, mas sobretudo professor de Filosofia do Direito. Dos maiores pensadores e filósofos que Minas já teve. Deixou livros clássicos: — "Sociologia e Filosofia do Direito", "Psicologia e Lógica", "Ensaios sobre a Teoria do Conhecimento", "Reflexões Sobre a Relatividade". Era membro da "Revista de Metafísica e Moral", editada na França por Etienne Sourien. Dizia:

— A sorte de Marx é que ele escreveu em alemão e eu, em português. Se não, eu teria liquidado com ele.

Tínhamos um pequeno grupo de colegas mulheres. Numa aula, ele falava sobre a sabedoria do homem, uma lhe perguntou:

— Professor, o senhor fala sempre na sabedoria do homem. E a da mulher?

— Minha filha, a sabedoria da mulher está no útero.

Quase houve um levante feminino na Faculdade. Ele ria.

A vantagem do curso à noite é que as aulas terminavam e vários professores ficavam disponíveis para longas conversas. Uma noite, estávamos, um grupo, no térreo, conversando com o professor Alberto Deodato, quando ouvimos passos vindos da biblioteca e descendo as escadas. Era nossa colega Terezinha, com pasta e livros embaixo do braço e seu leve bigodinho. Nelson Thibau, duas vezes candidato a prefeito de Belo Horizonte e depois deputado, olhou lá para cima, suspirou e perguntou:

— Então, Terezinha, como vai essa bigodeira?

Terezinha caiu na escada. Teve uma tonteira. Foi um sufoco.

* * *

Os congressos da UEE, União Estadual dos Estudantes, eram uma longa batalha. Havia muitos anos a oposição lutava para comandar a entidade. Não tínhamos chance. Sempre com apoio dos governos, a "direita", como chamávamos a UDN aliada ao PSD, vencia os congressos. Cada faculdade mandava dois delegados oficiais: o presidente do Diretório Acadêmico e um delegado escolhido pelos alunos.

Antes de um congresso, marquei encontro em Juiz de Fora com Itamar Franco, presidente do Diretório Acadêmico de Engenharia e amigo de Peralva Miranda, Delgado, o Peralvinha, presidente do DA de Direito, nosso companheiro da UJC, depois vereador cassado pelo golpe de 64 e vice-reitor da Universidade Gama Filho no Rio. Íamos discutir os votos de Juiz de Fora.

Itamar mandava no movimento estudantil da cidade. Além de comandar Engenharia, tinha uma prima que era presidente do DA de Assistência Social e uma amiga do DA de Enfermagem. Eram seis votos dele. Fui lá para discutir esses votos. Iria de trem, marquei com ele e Peralva para me esperarem às oito da manhã. Cheguei, desci do trem, ninguém na estação. Nem Itamar nem Peralva. E logo me aparece um investigador de Belo Horizonte:

— O que é que você está fazendo aqui? Reunião comunista?

— Vim me encontrar com colegas da Faculdade de Direito.

— Nada disso. Vamos passar primeiro na Delegacia.

E lá fui eu levado, meio sequestrado e preocupado. Por que não apareceram?

Puseram-me numa sala fechada, numa cadeira, deram-me um jornal da cidade e me esqueceram. Passei o dia todo, nem o investigador nem o delegado. Comecei a reclamar. Foi pior. O delegado abriu a porta e me disse que estava fazendo consultas com Belo Horizonte. Só depois falava comigo.

Foi uma das piores noites da minha vida. Um frio de rachar, eu com muita fome, de camisa leve, sem pulôver. Encostei na parede e dormi. Mas a toda hora acordava sobressaltado, com medo de sumirem comigo. Às nove da manhã, aparecem Itamar e Peralva. Tinham errado de dia. Chegaram um dia depois. Na estação, alguém lhes informou que me havia visto chegar na véspera e ser levado pela polícia. E eu morrendo de frio.

Assim como a polícia me pegou, me soltou. Sem explicações.

Mas Itamar nunca falhou. Tínhamos sempre os seis votos dele.

* * *

Tivemos um congresso na Escola de Agricultura de Lavras, cujo presidente do Diretório Acadêmico era o depois excelente ministro da Agricultura do governo Geisel, Alysson Paulinelli.

Lançamos um jornal do congresso, "Oh!Posição", por meio do qual nos vingávamos de ser minoria. A Loteria Oficial do Estado, conhecida como "A Mineira", tinha um anúncio muito popular:

— "Você ainda era criança e a Mineira já vendia e pagava sortes grandes".

Uma colega da Enfermagem de Belo Horizonte, não muito jovem, uma das mais velhas da Universidade, nunca perdia um congresso. Em cada congresso ela conseguia os votos e estava lá como delegada, trabalhando contra nós, votando contra nós. Vinguei-me. Na primeira página do "Oh!Posição", escrevi:

— "A 'Mineira' ainda era criança e Fulana (pus o nome dela todo, bem grande) já participava de nossos congressos".

No almoço, estava distraído, ela veio com toda fúria por trás e quebrou a sombrinha na minha cabeça. Até sangue escorreu.

No dia seguinte, dei o troco. Desenhamos uma vovozinha com a cara dela. Embaixo da charge, apenas isto:

— "A Vovozinha da Sombrinha contra Chapeuzinho Vermelho".

Muitos anos depois, em Salvador, usei o mesmo anúncio para uma vetusta jornalista adversária. Não me perdoou até hoje.

Na Escola Superior de Agricultura de Lavras havia um plantio experimental de morangos. Quando chegamos, a direção da Escola avisou que a plantação era uma experiência com novo tipo de morango e ninguém podia tirar e comer um só. E mais. Que a segurança estava autorizada a atirar em quem invadisse.

De madrugada, um grupo deu uma olhada, não havia ninguém, segurança nem cães. Saímos rastejando, entramos na plantação e começamos a comer morangos. Maravilhosos. Daí a pouco, um tiro, outro tiro. Corremos todos. Não adiantou. Os guardas, com suas espingardas de chumbinho, não erraram um.

No hospital, uns oito, enquanto os médicos retiravam os chumbos encravados em nossas bundas, sem anestésico nenhum, ainda tivemos que ouvir um justo e indignado sermão do diretor. A Vovozinha fez questão de ir zombar do Chapeuzinho Vermelho.

* * *

Cheguei a dezembro de 54 exausto. Vestibular para Direito, reuniões no Rio, viagem ao Nordeste, quatro meses alucinados da campanha para vereador, o congresso nacional da UNE no fim de outubro e a transferência do IAPI para a sede da Delegacia do Trabalho, no começo da Avenida Amazonas, com mais trabalho.

Ainda bem que o "Jornal do Povo" era semanário. Mas não havia tranquilidade. De manhã a Polícia já estava rondando, entrando, sempre ameaçando: — "Cadê o Bomfim"? Tínhamos que fazer o jornal. E fazíamos o jornal. Arranjamos uma foto horrível do delegado do DOPS de boca bem aberta, púnhamos na primeira página, sem dizer nada. Ele ficava enlouquecido.

Um companheiro do PCB era o diretor-gerente. Cuidava do dinheiro, que era muito pouco. Cada um de nós recebia uma "semanada", muitíssimo menos que o salário de "O Diário". Essa era uma das três "tarefas honrosas" que eu havia recebido. Ajudava-o um rapaz alto, forte, bonitão, cabelos pretos, sempre muito bem arrumado, paletó e gravata, que se dizia do Piauí. Quando aparecia, as meninas de um bar ao lado cantavam:

— "Zé Arigó do Piauí está circulando por aí".

Vivia assustado com o cerco da polícia e um dia pediu a Dimas Perrin que falasse com o senador Lúcio Bittencout e lhe arranjasse um emprego fora de Belo Horizonte. Lúcio conseguiu. Foi trabalhar no IAPTEC de Congonhas do Campo.

E foi assim que, anos depois, o famoso médium José Arigó surpreendeu o mundo fazendo delicadas operações com canivete, "reencarnando" o médico alemão Dr. Fritz. Estive lá umas duas vezes. Nunca acreditei. Mas como desacreditar se os "operados" confirmavam? Dr. Fritz só não ensinou meu amigo Zé Arigó a dirigir. Entre Congonhas e Belo Horizonte, o carro virou e ele morreu na beira da estrada. O Dr. Fritz devia estar dormindo.

* * *

Em dezembro, mais uma tarefa. Pegar o trem, descer no Rio, não falar com ninguém, ir dormir na casa de um companheiro, no Conjunto Habitacional Prefeito Mendes de Morais, recém-inaugurado em São Cristóvão, aquele comprido e curvo, no alto do morro do Pedregulho, obra-prima da moderna arquitetura brasileira, do arquiteto franco- -brasileiro Afonso Eduardo Reidy.

Fui, jantamos, ninguém perguntou nada, o companheiro e a mulher foram dormir, fiquei dormindo no sofá da sala.

Mais tarde, a casa em silêncio, ouço um barulho na fechadura. À meia- -luz deu bem para ver uma jovem linda, estudante, cabelos negros sedosos e olhos bem grandes e negros. Pôs a pasta e os livros na mesa, viu que eu estava acordado, veio conversar baixinho. Eu não podia dizer quem era, o que fazia, o que ia fazer, porque também não sabia, mas garanti que no começo do ano telefonaria para o número do trabalho que me deu.

Ganhei muitos dos beijos mais doces e assustados da minha vida. Em janeiro e tantos outros meses, e anos, chegava ao Rio, telefonava e nos encontrávamos, sempre às escondidas, por causa do pai e do partido, mais moralista do que todo o Vaticano junto.

De madrugada, ainda escuro, café com pão, um carro na porta, dois homens sentados na frente, eu atrás e a voz de comando:

— Companheiro, feche bem os olhos, só abra quando mandarmos. Se abrir, desce na hora, esteja onde estivermos.

A mesma operação do "Curso Luís Carlos Prestes", de Minas. Imaginei: — deve ser o "Curso Stalin", para formar dirigentes nacionais da UJC. Rodamos para o subúrbio, o carro parou, entrou mais um, a mesma advertência. Ouvia cada vez menos barulho de carro e ônibus, de repente um trem passava, galo cantando, bois mugindo e afinal, depois de umas duas horas, entramos numa garagem coberta, saltamos, subimos uma escada ainda de olhos fechados. Lá dentro, liberados. Havia uns trinta.

Não conhecia um só. Ficaríamos ali 20 dias. Mais matérias, mais professores, mais aprofundamento das histórias do "glorioso partido comunista da União Soviética e de seu provado Comitê Central", do PCB, e sobretudo mais juramentos de compromissos com a disciplina, a segurança e as ordens da direção partidária.

A mesma técnica. Uma família no térreo entrava e saía normalmente, numa casa normal, e, ali em cima, uma sala ampla para as aulas, cercada por dez beliches, três em cada um. Os professores chegavam de madrugada, passavam o dia dando suas aulas e à noite desapareciam. No dia seguinte, já eram outros.

Um dia, entrou um do Rio, que eu conhecia e ele a mim. Quase se trai e me cumprimenta. Cortou o gesto no meio e passou o dia inteiro sem olhar para mim, com receio de se confundir.

De noite, deitava no beliche e ficava pensando nos cabelos sedosos e nos grandes olhos negros da menina do Rio. E, como todas as noites, inevitavelmente, sempre, dormia com os faróis azuis da amada perdida em uma tarde de domingo na Bahia.

E, ao amanhecer, um trem passando ao longe. No fim, uma autobiografia, agora com mais detalhes, mais minuciosa, dando opiniões e contando as experiências do trabalho dentro da UJC.

No dia de ir embora, uma reunião coletiva de despedida, cada um falando o que quisesse. Podia bater palmas. Mas não eram palmas. Era na ponta dos dedos, sem barulho nenhum. Ali, ninguém sabia o nome de ninguém. Só os nomes de guerra. Eu continuava o Jacques do "Curso Prestes" e da pensão de Londrina.

* * *

No Rio, de volta à civilização, encontrei meus amigos: Lúcio Abreu, parente do ator Lúcio Mauro, paraense, gentil, competente e incansável presidente da UBES (União Brasileira de Estudantes Secundários), que liderou muitos anos e depois levaram, ele e Clarinha, a dedicação e a generosidade para a UNE.

E almoçar ou jantar no Lamas com nossa turma da UNE: Libório, Padilha Sodré, Alberto Abissamara, Michel Mattar etc.

* * *

Em Minas, o jornalismo cada dia mais fremente. A candidatura de Juscelino a presidente já lançada pelo diretório nacional do PSD em 25 de novembro de 54, e marcada para 10 de fevereiro de 55 a convenção nacional do partido, a fim de aprovar a chapa JK-Jango, com apoio do PSD, PTB, PR, PTN e comunistas. Belo Horizonte era o centro da política nacional.

No café-da-manhã do hotel Financial onde eu morava e ele se hospedava, Benedito Valadares continuava apreensivo e emburrado, desde que perdeu por um voto a votação da Executiva Estadual do PSD, que deu a partida na candidatura de Juscelino. Eu já aprendera como ele era. Só tomava café com no máximo três amigos: Ovídio de Abreu, Celso Machado, outros.

Só depois atendia a algum jornalista. Lá no meu canto, também tomando café, eu esperava. Quando acabavam, ia lá. Ele já esperava e, com toda a simpatia e gentileza por trás daquela cara fechada, não perdia tempo com conversas de serpentina. Se ia dar alguma notícia, contar alguma coisa, primeiro perguntava quais eram os boatos, como estava a política. Se queria dizer algo mais público, falava antes e depois autorizava:

— Conte a seus colegas, para não ficarem com ciúme.

Certamente já tinha me testado e sabia que eu transmitia exatamente como ele me dizia. Não ia perder a confiança dele.

Toninho Drummond, repórter do "Estado de Minas" e depois, durante décadas, competente diretor do jornalismo da TV Globo em Brasília, tocou a campainha do apartamento dele no hotel. Apareceu de pijama, os cabelos despenteados:

— Ih, meu filho, você outra vez? Não tenho nada a falar.

— Senador, por que o senhor tem esse horror de falar?

— É uma história antiga, meu filho. Eu era menino em Pará de Minas, tinha uma Festa do Divino e uma quermesse com leilão. Estavam rifando um canarinho na gaiola. Todo mundo fazendo lances. Eu fiquei ali espiando. O canarinho era uma beleza. A gaiola também. O leiloeiro gritava: — Quem dá mais? Dou-lhe uma, dou-lhe duas!... Alguém cobria o lance anterior, começava tudo de novo: — Quem dá mais? Dou-lhe uma, dou-lhe duas!... Não aguentei, também falei: — Seiscentos mil réis. O leiloeiro ficou entusiasmado com meu lance, gritou rápido: — Dou-lhe uma, dou-lhe duas, dou-lhe três!... Menino, o canarinho é seu.

Eu não tinha um tostão, fui para casa chorando. Nunca mais falei.

* * *

Eu ia aprendendo os políticos mineiros. José Maria Alkmin era especial, sobretudo excepcionalmente inteligente. Jair Rebelo Horta e Borjalo dirigiam a "Folha de Minas", jornal do governo. Juscelino governador, Alkmin secretário da Fazenda. Foram a Alkmin expor a situação insustentável do jornal. Salários atrasados, dívidas de todo tipo. Alkmin os recebeu carinhosamente, sentou-se na cabeceira de uma mesa enorme e pôs os dois na outra cabeceira. Jair fez uma exposição e resumiu o drama:

— A "Folha" só pode continuar circulando se o senhor arranjar 2 mil contos.

Alkmin pôs a mão na orelha e resmungou:

— Muito bem, muito bem. Está certo. Dou os 500 contos.

— Não são 500 contos não, secretário. São 2 mil contos.

— Oh, sim, estava ouvindo mal. Meus ouvidos não andam bem.

Na mesa, dois telefones. Um à direita dele, outro à esquerda. Alkmin já tinha falado duas vezes pelo telefone da direita. Pegou o telefone da esquerda, chamou o Tesoureiro Geral do Estado e deu ordens expressas para que ele fornecesse imediatamente 2 mil contos à "Folha de Minas".

Jair e Borjalo saíram na maior felicidade. Na redação, a notícia chegou como um presente de Natal. Passou uma semana, outra, um mês, nada do dinheiro. O Tesoureiro informava que não sabia de nada. Jair e Borjalo cobravam a ordem do secretário, dada pelo telefone na vista deles. Depois, descobriram tudo. Só o telefone da direita valia. O da esquerda tinha o fio enfiado direto na parede, atrás de cortina. Era frio. Os dois pediram demissão.

$$* * *$$

A Associação Mineira de Imprensa tinha um projeto para construção de casas para jornalistas. Uma noite, uma comissão chefiada por Hélio Adami de Carvalho, presidente da AMI, foi até a casa de Alkmin, secretário da Fazenda, para discutir o assunto. Alkmin nos recebeu muito simpaticamente e começou logo a tirar o corpo fora. O Estado não podia ajudar, não tinha verbas específicas, não devia dispensar impostos. E nós insistindo.

Alkmin levantou-se, foi lá dentro, demorou um pouco, voltou com uma bandeja cheia de cálices:

— Solução para o caso de vocês eu não tenho não. Mas, em compensação, quero fazer uma homenagem muito particular a meus caros amigos. Este conhaque francês foi o Juscelino quem me trouxe, muitos anos atrás, de Paris. É de estimação. Estava guardado para uma ocasião muito especial.

Bebemos, gostamos, brindamos, conversamos, saímos. Lá fora, uma garoa fina caía na cara da madrugada. Alguém viu um botequim aberto na esquina:

— Vamos tomar mais uma? Está frio demais.

Resolvemos continuar no conhaque:

— O senhor tem um bom conhaque aqui?

— Tenho, sim, este conhaque "Castelo".

— É bom?

— É sim. O doutor Alkmin, que mora ali em frente, acaba de comprar duas garrafas.

Nenhum dos outros colegas publicou. Eram dos grandes jornais, não queriam desagradar o indispensável secretário da Fazenda. No sábado, em minha coluna "Política & Políticos", no "Jornal do Povo", contei a história exatamente como está repetida aqui. Foi um sucesso. Segunda-feira, como todo dia, passei no gabinete dele. Estava com o recorte em cima da mesa:

— Seu Nery, como é que você faz isso comigo, que sou seu amigo? Está todo mundo zombando do meu conhaque. O Juscelino deu gargalhadas. Mas me preveniu: — Zé Maria, cuidado com o baiano. É nosso amigo, mas é muito esperto.

Eu já tinha aprendido como ser jornalista em Minas. Era ser o mais possível igual a eles.

16
O Jornalismo

Pouco antes de sairmos para o palácio, surgiu o problema:
— Quem vai fazer a saudação ao governador no almoço-recepção aos delegados?

O Congresso Nacional de Jornalistas de 1955 começava naquele dia em Goiânia. O presidente da Federação Nacional de Jornalistas, do Rio, disse que devia ser um mineiro, por sua maior proximidade com Goiás e, portanto, José Aparecido de Oliveira, líder da delegação mineira e que representava ao mesmo tempo a Associação Mineira de Imprensa e o Sindicato dos Jornalistas de Minas, do qual eu e outros éramos também delegados, e, em 1953, foi representante do Brasil no Congresso Mundial do Chile.

Aparecido ainda sugeriu o Marcelo Coimbra Tavares, também do Sindicato dos Jornalistas de Minas. Mas, como insistíssemos no nome dele, saiu-se mineiramente com uma solução geográfica nacional: o Guimarães, de Sergipe.

Guimarães era redondo, rotundo, gordo. E baixo. Mas de voz longa, comprida, imensa, caudalosa. Jornalista e procurador da República em Sergipe, era o único delegado do Estado.

O governador nos recebeu de pé, fidalgamente, com a primeira-dama, dona Iracema, e todo o secretariado, no salão principal do Palácio das Esmeraldas, novo, o chão luminosamente polido e mais de uma centena de jornalistas ali presentes.

Guimarães tossiu, calibrou a garganta e deu um passo à frente. Na hora, olhei para os pés dele e me surpreendeu ver que seus impecáveis e pequenos sapatos pretos de verniz estavam primorosamente polidos como o piso do salão do palácio.

Como um ator grego, Guimarães não saudou ninguém. Olhou em volta, respirou fundo e, na ponta dos pés, abriu os trêmulos braços curvos e começou:

— Quando o pássaro de aço plainou suas largas asas sobre o planalto central...

Os bicos dos sapatos de Guimarães escorregaram violentamente para trás e ele voou para a frente e mergulhou onde estavam, de pé, o governador, a primeira-dama e o secretariado. E sua cabeça foi enfiar-se exatamente embaixo do elegante vestido vermelho e entre as aflitas coxas da primeira-dama, que tombou para um lado, tombou para o outro e se viu literalmente jogada ao chão pelo corpanzil de Guimarães, com a calcinha azul-clara aparecendo, e ele, no desespero, tentando a todo custo levantar-se logo e só piorando as coisas.

Foi um horror, um desastre total. A primeira-dama, evidentemente, sumiu. O governador, constrangido, mas inteligente, disse:

— Meus amigos, vocês são jornalistas e sabem, como sabe o doutor Guimarães, que essas coisas acontecem em todos os palácios e todos os lugares. Goiás os recebe também de braços abertos, como o pássaro de aço do doutor Guimarães. Vamos a um vinho de honra e depois ao nosso almoço.

As palmas calorosas diminuíram o constrangimento geral. Guimarães desapareceu como o pássaro de aço sobre o planalto central. E José Aparecido não se conformava:

— Como é que Sergipe, tão pequeno, faz um estrago tão grande?

* * *

O primeiro avião que vi, caiu. No primeiro avião em que voei, vomitei. Não tinha boas relações com Santos Dumont. E, no entanto, desde aquele março de 1955, em que o DC-3 da Aerovias Brasil me levou de Belo Horizonte a Uberaba e de lá a Goiânia, entre nuvens carregadas e sacudidelas horrorosas, nunca mais saí de dentro deles. Não sei o que teria sido minha vida sem eles.

Ali, com mais de cem colegas de todos os Estados, era uma experiência diferente dos congressos universitários. O Brasil era visto por olhos profissionais, muita gente com décadas de jornalismo. E cada um com uma ideologia, um partido, um grupo, ainda mais radicalizados do que os estudantes geralmente divididos só em três pedaços: esquerda, direita e centro.

Era março de 1955, a campanha presidencial entre Juscelino, Juarez, Ademar e Plínio estava quente e um senador da UDN, Coimbra Bueno, ex-governador de Goiás de 1947 a 51 e ex-diretor-técnico da IIIª Comissão de Estudos e Localização da Nova Capital do Brasil, fez uma bela palestra no congresso sobre a necessidade de cumprir as Constituições brasileiras que, desde o primeiro anteprojeto de José Bonifácio, em 1823, determinavam a transferência da capital do país para o Planalto Central.

Propôs que, a partir daquela data, todos os papéis da Federação Nacional dos Jornalistas e dos sindicatos de jornalistas do Brasil trouxessem escrito em cima:

— "Capital do Brasil no Planalto Central".

A proposta foi aprovada por unanimidade. Um mês depois, em 4 de abril, em Jataí, interior de Goiás, um vereador interpelou JK se ele ia cumprir a Constituição e construir a nova Capital. Respondeu que sim, que seria sua Meta-Síntese, a 31ª.

E Juscelino cumpriu a palavra, a Constituição e o destino.

* * *

Do outro lado da fronteira, a Argentina sangrava numa das mais dramáticas histórias da América Latina no século. E foi lá que vi o mundo pela primeira vez. Voltei de Goiânia para Belo Horizonte acompanhando dia a dia a tragédia argentina.

Como sempre, e como diz a piada portuguesa, o erro começou do começo: a militarização do processo político. Democracia jamais rimou com quartel e canhão. Esta é uma lição que todos os países, inclusive o Brasil, tinham que aprender cedo.

Perón era capitão em 1930 e ajudou a derrubar o presidente Hipólito Yrigoyen. Foi adido militar no Chile e Itália de 39 a 41: — "Mussolini é o maior homem do século, mas cometeu erros que não cometerei".

Ainda durante a guerra, com Perón, um grupo de jovens militares criou o GOU (Grupo de Oficiais Unidos), que tinha simpatias pelo nazismo e fascismo da Alemanha e da Itália. Em junho de 43, derrubaram mais um, o presidente Ramon Castillo.

Em 44, o coronel Perón foi nomeado secretário do Trabalho. Depois, acumulou com a vice-presidência e o Ministério da Guerra. Em 45, preso, solto, casou-se com Eva Maria Duarte, a Evita Perón. Em 46, elegeu-se presidente da República. Em 49, reformou a Constituição para poder reeleger-se. Fechou o jornal "La Prensa", interveio nas universidades, brigou com a Suprema Corte. E em 51 se reelegeu. Governava com os sindicatos. O ovo da serpente estava chocando.

Em 54, a Força Aérea bombardeou a Casa Rosada, matando centenas de pessoas. Perón renunciou de mentira, voltou, decretou a separação da Igreja com o Estado, o divórcio, e expulsou padres do país. Em junho de 55, puseram fogo no altar-mor da basílica de Buenos Aires. Acusaram Perón. Sabe-se hoje que foram os adversários para forçarem o Vaticano à excomunhão.

* * *

Do Rio, o diretor Paulo Bittencourt, do "Correio da Manhã", mandou para Buenos Aires o jornalista ultracatólico Oyama Teles, devoto de Santa Terezinha, desses que acham que a Igreja só é apostólica porque é romana, isto é, imperial.

Por ser católico e por ser excelente repórter, Oyama teve nas mãos uma matéria extraordinária. Conseguiu algumas fotografias do Cristo da catedral em chamas. Perdeu a esportiva profissional e tomou-se de ódio mortal contra Perón e seu regime. Fazia comícios eclesiásticos no bar do hotel Plaza. Procurou e obteve um contato com o arcebispo de Buenos Aires. Mostrou-lhe as fotos do Cristo novamente supliciado e pediu-lhe entrevista.

Deu-se a maravilha. O arcebispo, tocado em seus santos, revelou a Oyama o que nem seu sacristão sabia:

— O papa havia enviado para ele um documento excomungando Perón e estava na decisão do arcebispo julgar o momento oportuno para sua divulgação. E o arcebispo, politicamente orientado, preferia que a divulgação fosse feita primeiro no estrangeiro. Como no Brasil, no "Correio da Manhã".

E passou o documento a Oyama. Não havia mais o que esperar. Vigiado a distância pela polícia de Perón, Oyama preparou as malas e rumou para o aeroporto com a explosiva matéria jornalística enfiada no bolso do capote.

No aeroporto, viu que sua reportagem se tornara impossível. Havia policiais por todos os lados. E o pior era a revista, severíssima, com as mulheres reclamando inclusive que estavam sendo apalpadas pelos excessos dos guardas.

Oyama começou a suar frio. Estava chegando a sua vez de ser preso. Logo notou um reboliço. Era o ex-senador Filinto Müller, do PSD de Mato Grosso, com a mulher, aliás argentina, chegando para tomar o mesmo avião. Oyama correu para Filinto:

— Senador, preciso de sua ajuda. Estou em apuros e quero dar-lhe umas palavras em particular.

— Em apuros como, se está nesta fila, pronto para embarcar?

— Estou na fila, mas não pronto para embarcar.

E contou a Filinto o que tinha feito e o tipo de documentos que levava no bolso. Filinto pegou Oyama pelo braço e saíram na direção dos sanitários. Lá entraram num reservado:

— Me dá essa carga.

Com a papelada no bolso do capote e ainda segurando Oyama pelo braço, voltaram os dois para a alfândega. Oyama foi revistado dos pés à cabeça. Mas Filinto, acompanhado por alguns altos representantes do governo argentino, passou direto para a sala das autoridades, de onde saiu para tomar o avião.

Lá dentro, eufórico, Oyama. A bordo, muitos brasileiros, inclusive o Cláudio Abramo, do "Estado de S. Paulo", que soube da aventura de Oyama e do contrabando de Filinto. Cláudio Abramo sentiu a força, chamou Oyama e lhe fez uma proposta:

— Compro esta matéria. Te dou três contos por ela. Você pode ir à sucursal do "Estado" no Rio, que o cheque estará te esperando.

Oyama ganhava 150 mil réis no "Correio". Mas não topou a parada. O jornal do velho "Paulo Bittencourt", dois dias depois, estourava nas bancas com a manchete escandalosa e verdadeira:

— "Perón excomungado".

E com as fotos do Cristo em chamas.

* * *

Li a matéria do "Correio", decidi ir a Buenos Aires ver a crise. Viajei em agosto. De ônibus para Porto Alegre, de lá para Buenos Aires. Ainda havia numerosos jornalistas brasileiros, sobretudo gaúchos, entre europeus e latino-americanos. Os fins de tarde no bar do hotel Plaza pareciam uma redação agitada.

Os boatos se multiplicavam. Todos os dias o Exército e a Marinha aderiam à Aeronáutica e derrubavam Perón. Mas Perón continuava, como continuava nas ruas, em fantásticas manifestações, a Confederação Geral dos Trabalhadores, peronista. Até que uma manhã era mesmo verdade.

Hospedado em um pequeno hotel perto do Plaza e da Rua Florida, ouvi bombas a cada instante mais continuadas. Corri para a Casa Rosada, com seus balcões cor de terracota avermelhada. Perón e Evita já não estavam mais lá, falando ao povo, como em outros tempos. Evita havia morrido desde 1952. De Perón não se tinha notícia. O Exército já havia cercado a praça. Ninguém passava. Ainda bem. Assim nos livramos, eu e outros jornalistas, das pesadas bombas da Aeronáutica jogadas sobre os jardins do palácio, por seus aviões de caça dando rasantes. Passavam sobre nossas cabeças, nos cantos da praça, como saídos de um filme de terror. Vinham, mergulhavam, soltavam as bombas, subiam.

Ali, ao lado da Casa Rosada, das janelas do Banco da Argentina, onde trabalhava, um jovem de 16 anos, auxiliar do banco, assistiu a tudo, testemunha ocular do drama de seu povo naquele convulso 1955. Era Domingos Alzugaray, que depois veio para o Brasil, entrou na Editora Abril, saiu e fundou a "Editora Três", que faz as revistas "Isto É", da qual fui correspondente na Espanha na Constituinte de 1977, depois da morte de Franco, e onde ganhei o "Prêmio Esso" em 78, denunciando a "Fransinopse".

Algumas bombas caíam pertinho de nós, escondidos e protegidos atrás das colunas dos edifícios vizinhos. Foram três dias de furor, de 16 a 19 de setembro. Exército, Marinha, Aeronáutica e políticos exigiram de Perón que renunciasse. Numa canhoeira paraguaia, fundeada no porto de Buenos Aires, Perón foi-se embora para o exílio. Primeiro Assunção, depois Panamá, Venezuela, afinal Madrid, de onde voltou para eleger-se presidente em 74, passar o governo para sua mulher Isabelita e morrer logo depois.

No dia em que Perón foi derrubado, em 1955, a imprensa foi entrevistar o grande poeta Jorge Luis Borges, que havia sido por ele demitido da Biblioteca de Buenos Aires, e estava na varanda de sua casa, lendo. Borges disse apenas:

— O Exmo. Senhor general e ex-presidente da República, Juan Domingo Perón, é um canalha.

Quase vinte anos depois, já cego, Jorge Luis Borges estava na varanda de sua casa ouvindo a secretária ler para ele, quando a imprensa chegou para ouvi-lo sobre a morte de Perón. Borges:

— O Exmo. Senhor General e ex-presidente da República, Juan Domingo Perón, era um canalha.

O general Pedro Eugênio Aramburo, adido militar no Brasil em 1951, assumiu o governo. Em maio de 70, foi sequestrado e encontrado morto nos arredores de Buenos Aires. E durante quase 30 anos, com os intervalos civis de Arturo Frondisi, José Maria Guido e Arturo Ilia, os generais, inclusive Perón, ensanguentaram a Argentina e mataram mais de 30 mil argentinos.

* * *

Voltei para o Brasil nas vésperas das eleições de 3 de outubro, em que Juscelino teve uma vitória consagradora. Mas a UDN e seus generais,

A NUVEM

coronéis e majores, liderados por Lacerda, acobertados pelo governo golpista de Café Filho, conspiravam contra a posse. Mas nem todos os udenistas eram iguais.

Alberto Deodato, sergipano, cabeleira esvoaçante, sempre de terno claro e um lenço de seda no bolso externo do paletó, colunista, escritor, diretor de jornais em Minas, vereador em Belo Horizonte, signatário do Manifesto dos Mineiros, suplente da UDN na Constituinte de 46, presidente da UDN mineira e deputado federal de 51 a 55, saudoso diretor da Faculdade de Direito e professor de Finanças e Direito Internacional Público, estava uma tarde, antes do suicídio de Vargas, com os jornalistas José Aparecido, editor político do jornal da UDN o "Correio do Dia", e Wander Moreira e Mauro Santayana, editor político e repórter do "Diário de Minas", discutindo o pedido de *impeachment* do presidente Vargas, apresentado pela UDN:

— A UDN tem lá moral para votar *impeachment* de Vargas, depois que correligionários nossos estão mamando no Banco do Brasil? Tem? Tem nada!

Aparecido advertiu:

— Deodato, esses dois são do "Diário de Minas", jornal do Otacílio (Negrão de Lima), do PSD. O que você está dizendo é grave. Você é o presidente da UDN mineira.

— Como é que vão vocês, meus filhos? Tudo bem lá no jornal? Como eu ia dizendo, a UDN não tem autoridade moral para essa briga. Esse Afonso Arinos está bom para liderar a Câmara Municipal de Paracatu ou presidir a Assembleia Geral da ONU. Na liderança da Câmara Federal, está levando a UDN para o buraco.

No dia seguinte, o "Diário de Minas" dava a manchete de repercussão nacional. A UDN entrou em crise. O tranquilo Afonso Arinos ficou convencido de que Mauro Santayana havia inventado a entrevista sensacional.

* * *

Depois das aulas de Deodato, à noite, na Faculdade de Direito, ficávamos sempre, um pequeno grupo, conversando política com ele. Depois do dia 11 de novembro, em que Carlos Luz demitiu o general Lott, ministro da Guerra, tentando impedir a posse de Juscelino e Jango, os generais Lott e Denis puseram as tropas na rua e a Câmara aprovou o *impeachment* de Café Filho e Carlos Luz, Alberto Deodato confirmou que foi golpe mesmo:

— Fica aí a UDN dizendo que o Lott e o Denis deram o golpe. Mas antes houve nosso golpe, que não deu certo. A demissão do Lott e a nomeação do Fiúza de Castro eram exatamente para impedir a posse de JK e Jango. Não era um golpe? Claro que era. Os dois foram eleitos. Logo, têm que tomar posse. Ganharam, governam.

— Quem é que tramou o golpe, professor?

— Um punhado de gente, liderados do Lacerda. O golpe foi tramado no fundo de meu apartamento, lá no Rio. Mora lá, e é meu vizinho, um amigo do Carlos Lacerda, que recebia os conspiradores.

Fui para casa com a manchete na cabeça. Mas teria que esperar até sábado para publicar no "Jornal do Povo". Passei de manhã no "Correio de Minas", um vespertino que o Joffre, do "Diário de Minas", acabava de fundar ao sair do jornal de Otacílio Negrão de Lima. Contei a história, ofereci a matéria.

— Isso vai dar a maior repercussão, a maior confusão. Mas, se você assinar, eu publico.

Sentei à máquina, escrevi, assinei e dei o título:

— "Alberto Deodato, presidente da UDN de Minas: — O golpe foi tramado no fundo de meu apartamento".

De noite, na aula, o Alberto Deodato estava com o jornal em cima da mesa. Esperei a maior bronca. Ele estava rindo:

— Seu Sebastião, não imagina o trabalho que está me dando. Até o Carlos (Lacerda) me telefonou, puto da vida. Querem me derrubar da presidência da UDN mineira. Esqueci que no nosso grupo de ontem havia um baiano. E baiano não segura notícia.

Um sucesso. Expliquei ao "Jornal do Povo", entenderam. Passei a fazer para eles matérias diárias. Às vezes, uma bomba.

* * *

Para ser candidato, Juscelino em 55 havia passado o governo para o vice Clóvis Salgado, do PR. Houve eleição para a mesa da Assembleia Legislativa. O governador tinha um candidato à primeira-secretaria: Hélio Menegale. Depois, foi arrumada uma chapa única do PSD, PR e PTB, ficando o PTB com a primeira-secretaria: Cândido Ulhoa.

Milton Reis, do PTB, que liderava na Assembleia a oposição a Clóvis Salgado, articulou uma chapa dos pequenos partidos com a UDN e uma dissidência do PTB, cabendo a primeira-secretaria ao petebista Wilson Modesto, baixinho, bonzinho, gordinho, redondinho, miúdo de corpo e mais ainda de inteligência.

Na véspera da eleição, o governador chamou Wilson Modesto ao palácio e lhe prometeu a indicação, para nomeação, das autoridades de Santos Dumont, sua cidade e principal base eleitoral: delegado,

delegado escolar, coletor, diretor do grupo escolar etc. Wilson aceitou, mas Clóvis Salgado, desconfiado, impôs uma condição: o voto dele tinha que ser a descoberto.

No dia seguinte, Milton Reis viu Ciro Maciel, líder do PR, e Pio Canedo, líder do governo, conversando com Wilson, muito contentes. Na votação, Wilson Modesto votou em Cândido Ulhoa. Em voz alta, contra sua própria candidatura. E perdeu por 28 a 27.

Contei a história toda, nos detalhes, no "Correio de Minas", inclusive as conversas reservadas de Milton Reis com os demais líderes e, sobretudo, com seu liderado Wilson Modesto.

Contei inclusive que, antes de deputado, Wilson foi delegado do IAPTEC em Minas. Viana, barão de Barbabela, jornalista de muito humor, o barão de Itararé de Minas, e seu amigo, era seu chefe de gabinete. Vivia dando gargalhadas pelos cantos com as coisas de Wilson. Um dia, mandou um processo ao delegado com o velho chavão burocrático:

— "À apreciação do senhor delegado".

Wilson leu, releu, deu o despacho:

— "Apreciei muito. A) Wilson Modesto".

Ninguém entendia como é que, com tão pouco tempo em Minas, eu já sabia dessas coisas todas. Muito simples. Milton Reis, advogado, fiscal do Banco Financial, bem corado, rosto rosado, com apelido de "Manga Rosa" e também "Miltinho das Meninas" porque muito namorador, morava no mesmo 17º andar do hotel Financial em que eu morava e éramos amigos. Ele me contava o que havia na Assembleia, plenários e bastidores.

A partir desse dia, Wilson ganhou do "Binômio" o apelido de "Burrinho do PTB".

* * *

Um pouco antes, tinha aparecido em Minas, e se hospedou no nosso hotel Financial, o almirante Pena Boto, pequenininho e com queixada de tamanduá. Foi o inventor, no Brasil, das entidades anticomunistas. Criou, em 50, a "Cruzada Brasileira Anticomunista" e em nome dela ia fazer uma palestra em Minas.

Pedi-lhe uma entrevista para "O Diário". Depois de um dia inteiro, o secretário dele ligou para meu apartamento e disse que não podia ser. E não deu razões. Como ele estava na suíte do andar de baixo, fui lá, toquei a campainha. Abre-se a porta, aparece o secretário dele, rapaz alto, forte, e, por trás do secretário, miudinho, um anãozinho com a queixada trêmula e o revólver apontado para mim:

— Ponha-se daqui para fora, seu comunista! Pensa que não sabemos quem é você, um agente vermelho?

E bateu a porta na minha cara. Liguei para o Felipe Henriot Drummond, o mais famoso repórter da cidade, do "Estado de Minas", dos melhores que já passaram por lá. Contei a história.

— Pois vou fazer a entrevista com esse monstrinho.

Felipe telefonou, disse quem era, o jornal, o objetivo, tudo em detalhes. Queria uma entrevista e ia ao hotel. O secretário do almirante estava muito misterioso do outro lado da linha:

— Pode ser. Mas espere que vou consultar o almirante sobre o local. Senhor jornalista, como lhe afirmei, a entrevista pode ser. Mas só no hotel Normandy, amanhã de manhã.

— Por que no Normandy?

— Para despistar.

Felipe foi. O almirante estava lá, pequeninho e com sua queixada. A tese dele era mirabolante, estapafúrdia:

— É muito difícil combater o comunismo em Minas. A gente cerca os comunistas em Uberlândia, no Triângulo Mineiro, eles entram pela fronteira da Bolívia adentro e desaparecem.

— Mas, almirante, Minas não tem fronteira com a Bolívia. Depois de Minas, ainda há Goiás e Mato Grosso.

— Isto não é problema meu. Sou um almirante. Fronteira é assunto do Exército.

E mandou Felipe embora. Depois que Felipe publicou sua história, contei a nossa: a minha, do almirante e do Felipe.

* * *

O diretor-geral do Financial, Andrade, era um *gentleman*, casado com uma bela mulher. Como o hotel era, então, o melhor de Minas, e Belo Horizonte uma cidade pacata, ele era poderoso. Mesmo assim seu cartão de visitas atestava velha frustração:

— "Andrade, ex-candidato a vereador pelo PSP".

Outro orgulho: dormia numa cama que fora da Marquesa de Santos. Quando, qualquer domingo, alguns amigos íamos almoçar na casa dele, fazia questão de mostrar a cama. Um monumento: barroca, rocambólica. Se foi mesmo, Dom Pedro I tinha bom gosto.

No carnaval, de madrugada, ouço gritos no corredor:

— Abra e saia, seu vagabundo! Saia para morrer!

Na porta do último apartamento do corredor, a mulher do Andrade, aos prantos e pontapés, exigia que ele abrisse.

Senti que, se abrisse, ela ia atirar. Não sei onde fui buscar a disposição. Por trás, dei-lhe uma gravata com o braço esquerdo e com a mão direita tomei o revólver. Xingava os dois:

— Covarde! Me dê meu revólver! Vocês dois contra mim!

Andrade ouviu, saiu, fechou a porta por fora e conseguiu tirar a mulher dali. Lá dentro, trancada, uma colombina. No dia das pazes, um domingo qualquer, fui um dos convidados para o almoço da reconciliação na casa do frustrado candidato a vereador pelo PSP.

Acabaram os dois gratíssimos à minha performance policial.

* * *

Mas não havia só Penas Botos e colombinas transviadas. Havia também deusas. Jovem, muito jovem e muito bela, 20 anos, Doris Monteiro, pioneira da Bossa Nova, começava a encantar o país com sua voz de lençóis. Passou a frequentemente fazer *shows* em Belo Horizonte, levada pelo apaixonado Assis Chateaubriand.

Hospedava-se na suíte do 16º andar, aquela mesma que abrigou o troglodita Pena Boto. E descobri um cinema mágico. Com paciência, da fresta de meu banheiro eu via a água do chuveiro cobrindo o corpo nu da deusa do Chatô no seu banheiro, cantando "Gostoso é amar". O franco-belga Jacques Brel, com 25 anos, ainda não tinha lançado "Ne me quitte pas": — "Eu te darei pérolas de chuva vindas de um país onde não choveu jamais".

* * *

Não sei se prêmio pelo curso "Stalin", no Rio, ou ainda consolo por minha frustrada bolsa de Paris, a direção da UJC mineira mandava-me a congressos estaduais universitários, para falar em nome dos companheiros de Minas. O Brasil, imenso, variado, rico, bonito e cada Estado uma coisa diversa, carregada de surpresas. Uma realidade inteiramente nova.

Em um deles, estava na tribuna, fazendo um relato sobre a tragédia argentina, que eu pessoalmente testemunhara, quando, de repente, lá do meio do plenário, dois celestes olhos azuis, inacreditavelmente luminosos, me fulminaram.

Era ela, meu anjo azul, meu amor azul, minha vida azul. Só podia ser ela, luminosa, naquela manhã azul. Parei, respirei fundo, continuei a falar, de olho nela, só para ela.

E ela saiu lá de trás, com uma pasta e livros nas mãos, e veio andando, andando, exatamente em minha direção, chegou perto, olhou, sorriu e deu um soluço, tão fundo, que na tribuna estremeci.

Sentou-se diante de mim, pôs a pasta e os livros sobre os joelhos, abaixou os olhos e ficou chorando devagarinho, muito baixinho.

Consegui terminar. Desci, ela se afastava para um canto do salão e nos abraçamos como se tivéssemos acabado de ser salvos de um naufrágio. Não conseguíamos falar. E era preciso falar.

O grande colégio público, onde o congresso se realizava, ficava dentro de um parque, cheio de árvores e jardins. Caminhamos um pouco entre as árvores, até um banco no extremo do parque. Choramos quilos de lágrimas. Cinco anos tinham passado. Ela continuava fulgurantemente bela, toda alva e azul. Reencontramo-nos com o mesmo tremor da primeira vez, metade medo metade sonho, embaixo da mangueira do seminário. Ela tinha visto, de manhã, no jornal, uma foto minha em um grupo de colegas, com o prefeito da capital. O jornal dizia onde era o congresso. Lá, já me encontrou na tribuna. Mas a primeira pergunta estava engasgada no mais fundo da alma:

— E nosso filho?

Ela mal conseguia falar. Falava e soluçava:

— Elas tiraram. Minha mãe e minha tia. Naquela tarde de quinta-feira, quando o avião desceu aqui, já tinham preparado tudo: hospital, médico e desculpas. Inventaram que passei mal em Salvador. Fiquei três dias internada. Depois, consegui falar com minhas amigas da Barra. Contaram-me que você esteve lá, no domingo, como sempre, e recebeu meu recado. Também me disseram que você saiu do seminário pouco tempo depois e já não estava mais morando em Salvador. Não sabia para onde você foi. Passei um ano sem sair, sem estudar, nada. Chorava e esperava um milagre, que não houve. Sabia que era preciso esquecer você, para não morrer. Cinco anos. Voltei a estudar, estou fazendo a Universidade, Direito. E me casei e tive um filho. Quase pus seu nome, Augusto. Achei que era uma falsidade, não pus.

— Também me casei. E estamos esperando um filho. Se for mulher, será Ana, como você. Ana, meu anjo azul.

Ela foi se apascentando e respirando mais devagar. De repente, agarrou-se a meu pescoço, chorou muito e decidiu:

— Você se lembra de meu recado? — "Digam a ele que jamais o esquecerei. Só ele será o meu amor. Um dia eu volto". E quem voltou foi você. Pois então vamos jogar tudo para o alto, saio agora daqui com você e vou com você para onde você for.

Eu me senti como os garotos das pedras de Acapulco, no México, mergulhando lá de cima, garças humanas, para o Pacífico infinito. Nossas vidas tinham sido cortadas ao meio, jogaram-nos no abismo e já não havia como voltar atrás. E mais. Não devíamos continuar nos torturando, agarrados a uma esperança que já não podíamos mais esperar.

Fizemos um pacto do tempo. Não telefonaria para ela. Não escreveria nem a procuraria. Bastava-me seu nome azul. Assim, preservávamos nosso amor das angústias e tensões diárias, para os dias em que a vida novamente nos pusesse juntos, mesmo que fosse um dia, uma tarde, uma noite apenas.

Mas não iríamos aceitar a condenação da separação definitiva. Dei-lhe o telefone do jornal. Quando pudesse, sempre que pudesse, ela telefonaria para meu telefone de trabalho. Eu estava chegando da Argentina e breve iria à Europa.

Quando me telefonasse eu daria a data da viagem. Antes de viajar, marcaríamos um encontro e passaria pela cidade dela para vê-la. E assim não nos perderíamos para sempre. Iria escrever livros. Toda vez que lançasse um, lançaria ali e nos veríamos. Até um dia em que ela pudesse viajar. E como na sabedoria da canção popular, o mundo seria pequeno para nós dois.

E cumprimos, anos e anos seguidos. Décadas. Nunca passamos um ano sem nos vermos em uma das "nossas cidades". Na cidade dela, no Rio, São Paulo, Bahia, Brasília, Buenos Aires, Paris, Madri, Barcelona, Roma, Veneza, Praga, Viena, Atenas, até na romana Dubrovnick, na ponta dalmática da Croácia.

Deus fez o mundo vasto mundo do poeta para os vastos amores. Sempre como na primeira noite sob a mangueira do seminário e como nas tardes de domingo de Salvador.

E, sobretudo, como naquela mesma tarde. No apartamento de um amigo, nos amamos para toda a eternidade.

17
Moscou

Na portaria do edifício, me avisaram:

— A polícia está lá em cima, esperando o Orlando Bomfim e você. Não suba não, que já levaram o Celius Aulicus.

A redação do "Jornal do Povo" era no terceiro andar, numa esquina da Avenida Afonso Pena. Voltei rápido, entrei no "Cine Arte Palácio", o maior e mais bonito da cidade. Palácio mesmo. Estava passando "Luzes da Ribalta", de Chaplin. Primeira sessão da noite. Vi o resto do filme, começou a sessão das 20 horas.

Em pouco tempo esqueci polícia, jornal, medo. O gênio de Chaplin me invadiu com a história do velho ator moído pela vida:

— "Para que chorar o que passou, lamentar perdidas ilusões, se o ideal que sempre nos acalentou renascerá em outros corações"...

Emendei a sessão das 22 horas. Quanto mais via, mais me embalava. Saí às 24, misturado com os outros. Ninguém me esperava. Direto para o hotel, ali perto. No dia seguinte, fui ao palácio conversar com meu amigo Celso Brant, secretário particular do governador Clóvis Salgado. Depois de uns telefonemas para a polícia, ele me tranquilizou:

— Nada contra você. Eles estão querendo é o Orlando Bomfim, porque é dirigente do PC e há processo contra ele. Contra o Celius e você não há nada. É uma provocação de uma parte da polícia, por causa do acordo do Juscelino com o PC.

Na campanha, Juscelino havia negociado com o Partido Comunista: o PC apoiava o programa de desenvolvimento nacional do governo e o governo não perseguia o PC. Mas havia um resto de poder militar e policial que não aceitava e insistia em manter os comunistas em total ilegalidade.

* * *

Aos poucos, a pressão foi diminuindo. O PC não voltava à legalidade nem eram reatadas as relações com a União Soviética, mas a carga contra os comunistas se enfraquecia. No final do governo, no rompimento com o Fundo Monetário Internacional, Juscelino apareceu na sacada e falou no histórico comício da UNE, promovido pelo presidente Raimundo Eirado e pelo vice Sepúlveda Pertence, nos jardins do Catete. À noite, seu líder na Câmara, Abelardo Jurema, lhe disse:

— Presidente, sabe quem estava no comício? O Prestes.

Juscelino deu uma gargalhada.

— Mas, presidente, isso vai lhe causar problemas. A UDN vai explorar. Por que o senhor está rindo?

— Quero só ver o editorial de "O Globo" amanhã.

Houve o editorial e Bomfim voltou às ruas e ao jornal.

Cada dia mais iam crescendo minhas tarefas políticas no jornal. Continuava na Delegacia do Trabalho à tarde, na Faculdade à noite, mas as manhãs eram do jornal: escrevíamos, imprimíamos, distribuíamos, vendíamos.

Até em porta de cemitério. Em um dia de Finados, fizemos uma manchete forte denunciando o preço do leite. Fui para a porta do cemitério vender. Entreguei-me totalmente ao jornal.

Era meu segundo seminário.

* * *

De DC-3, fiz um pinga-pinga até Salvador, para rever minha gente, lá e em Jaguaquara. De Jequié até Salvador, o avião passou sobre Jaguaquara. Deu para ver bem a fazenda de meu avô.

E aquele mundo imenso da infância, interminável, sem fronteiras, ficou de repente tão miúdo, pequeno, insignificante, que para mim a propriedade, o ter, para sempre se desmoralizaram. O grande casarão era um pedaço de espaço cercado de tijolos.

Restavam Deus e a morte, o homem e a vida, os porquês, meu destino. E o destino dos outros e do meu país.

Minha mãe, assustada com minhas histórias, sobretudo as duas prisões, pôs suas duas mãos fechadas sobre a mesa, os dedos de uma em frente aos dedos da outra, e batia uns nos outros:

— Meu filho, não tope. Não enfrente. Se puder passar por cima, vitorioso, passe. Se não puder, passe por baixo, humilde.

Dos sábios conselhos de minha mãe, este tenho consciência de que nunca segui. Nas vezes em que tentei, não consegui. Sempre topei. E quase sempre paguei por não ter seguido.

De volta para Minas, mergulhei no jornal, nas lutas populares, nas lutas universitárias, na Liga de Emancipação Nacional, presidida pelo saudoso baiano Tarcilo Vieira de Melo.

Casado, saí do hotel Financial e fui morar na rua da Bahia. Nasceu mineiro meu primeiro filho. Cumpri o acordo com a musa da Faculdade, que já não era mais minha. Chama-se Jacques.

* * *

O primeiro ano do governo de Juscelino sacudia o país de ponta a ponta. O Congresso aprovou a construção de Brasília no dia 19 de setembro de 1956. Juscelino não perdeu tempo. No dia 2 de outubro, encheu dois aviões da FAB, inclusive com o ministro da Guerra, marechal Lott, o chefe da Casa Militar, Nelson de Melo, e o ministro de Obras Públicas, Lúcio Meira.

Desceram todos no aeroporto improvisado onde hoje é a rodoferroviária. Ainda não havia o Catetinho nem o pequeno aeroporto ao lado. Era um mundo de barro vermelho e pó, e Juscelino, de botas, com Lúcio Costa, Oscar Niemeyer, Israel Pinheiro. E fez o histórico discurso, escrito por Augusto Schmidt, cujo começo está gravado em mármore na Praça dos Três Poderes

— "Deste Planalto Central, nesta solidão que em breve será o cérebro das decisões nacionais... Estamos aqui para construir a capital administrativa do país e o novo polo de desenvolvimento do Planalto Central e do Centro Oeste".

Começou a romaria. Senadores, deputados, jornalistas, queriam ver para crer. Cinquenta voos saíram do Rio e Belo Horizonte em outubro, novembro e dezembro. No dia 18 de outubro, fui eu, com outros jornalistas, em um aviãozinho do governo de Minas. Juscelino começava a plantar Brasília em cima do nada. Apenas o cerrado verde sem fim e o horizonte infinito.

Niemeyer ficava à noite bebendo uísque numa cabana do Núcleo Bandeirantes, depois transformada no hotel Rio de Janeiro, onde tantas vezes nós, jornalistas, nos hospedamos.

Niemeyer e Juca Chaves, não meu amigo humorista, mas o do lendário Juca's Bar, no hotel Ambassador, no centro do Rio, do pai do jornalista Márcio Moreira Alves, fizeram um empréstimo de 500 contos no Banco Minas Gerais, com Maurício Chagas Bicalho e construíram o Catetinho para hospedar JK.

A grande dúvida era se haveria água. Em novembro, Juscelino voava com alguns jornalistas e falava sobre o Lago Paranoá, a ser represado. Um mineiro, udenista, não acreditou:

— Presidente, não vai haver água para encher esse lago de que o senhor fala.

— Não tem importância. Se não houver água, encheremos com cuspe.

Tanto encheu, e com tanta água, que vira barcos e afoga.

* * *

Um dia, manhã cedo, ouço uma voz linda cantando no andar do edifício onde morava. Bem ao lado de meu apartamento. Nunca a tinha ouvido. No dia seguinte, de novo. A voz bela e as músicas de bom gosto. Comecei a imaginar de quem seria aquela voz, como seria a dona da voz.

Entrei no elevador uma tarde e uma mulher jovem, bonita, grandes olhos morenos, que nunca tinha visto ali, diz, enigmática:

— Até Moscou.

E saiu. Era ela. Aquele timbre, aquele tom, era dela, da voz que cantava ao amanhecer. Tentei apurar na portaria, soube apenas que era uma nova moradora. E de quando em quando aparecia um homem. Quanto mais ela cantava, mais o mistério me perturbava. Numa segunda vez, também no elevador, repetiu:

— Bom dia. Até Moscou.

— Por que até Moscou?

— Vamos nos encontrar lá em maio. Gosto muito de como você escreve. Mas não se arrisque. Não fale comigo em público. Teremos muito tempo para conversar. Talvez já no avião.

Outra vez saiu sem falar mais nada. Ela já sabia o que eu ainda não sabia. Que o PC ia levar-nos para o Festival Internacional da Juventude de 1957, em Moscou. Saí atrás da confirmação. No jornal, recebi a tarefa:

— Você precisa providenciar passaporte e vistos para França, Itália, Suíça, Áustria, Alemanha. Daí em diante, Praga, Polônia, União Soviética, é lá com eles. E também precisa arranjar dinheiro para as passagens de ida e volta. Vai de avião e volta de navio, por Gênova. Nos vários meses na Europa, Moscou e países do Leste, hospedagem, alimentação, passagens de trem, tudo será por conta dos companheiros dos partidos comunistas amigos. Mas para ir e vir o problema é seu. E rápido, porque é em maio.

* * *

O único bem que tinha e podia vender na hora era uma coleção completa da revista "Manchete", que guardava desde o primeiro número, em abril de 1952: 4 edições por mês, 50 por ano, mais de 250 revistas. Vendi bem, mas não era suficiente.

O papa Pio XII já estava mais para lá do que para cá.

O mundo cada dia mais comovido. Morreria no ano seguinte, em 1958. Um amigo meu, Augusto Rezende, tio de minha mulher, excelente pintor, me propôs pintar um retrato do Papa para eu vender. Um quadro para qualquer parede, de escola ou catedral.

Companheiro e generoso, conhecido como ligado aos comunistas, na hora de assinar sua bela pintura preferiu esquecer a glória e usar um pseudônimo: "J. Vermon, Liege, 1957". Vender bem era difícil por falta de comprador. Preferi rifar. Fiz umas fotos grandes, pus o Papa na vitrine da livraria Itatiaia, de meus amigos Moreira, e entreguei os bilhetes a várias amigas.

Difícil era enfrentar a gozação dos colegas da Faculdade:

— Mas você rifa o Papa para ir para Moscou?

— Papa perdoa tudo. Sobretudo na hora da morte.

Venderam rápido. O poeta Edson Moreira, um dos irmãos da livraria Itatiaia, que adorou o quadro, ficou com dez bilhetes. A apuração foi numa tarde de sábado, com cerveja e festa. Ainda bem que havia muitas testemunhas. Porque o Edson ganhou a rifa.

Também eu conheci o mundo "nas asas da Panair", ajudado por Adolfo Bloch e pela solidariedade moribunda do Papa Pio XII. Sabia que seriam longos meses em vários países. E que iria escrever sobre muita coisa. Preparei-me como pude. Tinha a carteira profissional do "Jornal do Povo", que só existia em Minas.

O generoso Moacyr Werneck de Castro, redator-chefe do "Para Todos", jornal mensal do PCB dirigido por Jorge Amado e Oscar Niemeyer, deu-me uma credencial para mandar algumas matérias. Foi de imensa valia. Os nomes de Jorge Amado e Niemeyer naquela banda do mundo eram um canhão. E ainda levei uma carta da "Última Hora" para escrever alguns textos.

* * *

O voo saiu do Rio, naquele mágico "Constellation", todo branco, longo e lindo como uma garça, o mais bonito avião de então, avô do "Concorde". Rio, Recife, Dakar, Paris, aeroporto de Orly. Quando avistei Paris lá de cima, o coração disparou. Era um sonho lido, relido e desenhado em centenas de livros, anos a fio. Meio século atrás, descer em Paris era quase descer na lua. Aterrissei em Paris dentro de minha mais encantadora nuvem.

A viagem, demorada, nem notei. Viajei ao lado da voz, com a voz, ouvindo a voz a noite inteira. Não precisava cantar. Bastava falar. Minha misteriosa vizinha de apartamento logo desfez todos os mistérios. Ela tinha um encanto irresistível na garganta, às vezes grave, sempre quente. E um permanente humor nos olhos travessos de menina.

O voo era em grande parte nosso. Dirigentes da UJC, como o José Gorender; companheiros do Rio, como o Murilo Vaz; de São Paulo, como o José Fayerman Pathé; da Bahia, como o crítico de cinema Walter da Silveira e o líder da Escola Politécnica Ubirajara Brito, do Nordeste como o surpreendente Napoleão Moreira, jovem, simpático, elegante, bem falante, usineiro esquerdista de Alagoas em um festival de comunistas em Moscou.

Recebidos em Orly pelos companheiros brasileiros que trabalhavam no escritório do PCB em Paris, fomos logo para o hotel Excelsior, na Rue de Cujas, 20, entre o Pantheon e o Boulevard Saint Michel, velho conhecido da esquerda latino-americana, porque lá viveram o poeta chileno Pablo Neruda, o cubano também poeta Nicolas Guillen, nosso universal Jorge Amado.

Mais de uma semana em Paris esperando a chegada dos delegados dos outros Estados foi um presente inesperado. Cada manhã, um mapa na mão, roteiro preparado, caminhávamos de dia, de tarde, de noite. Quase sempre só eu e a voz. Ela sentava nas pontes do Sena e cantava. Pena que Napoleão não viu. Conhecemos Paris como quem descobria um pedaço do céu.

Só fomos embora sem chorar porque a volta seria por lá.

* * *

As viagens de trem, de Paris a Moscou, foram uma festa contínua. Fazíamos paradas demoradas nas capitais ou principais cidades, esperando ou pegando novos companheiros, alguns que tinham viajado antes, outros depois. O roteiro era o dos escritórios do PCB em alguns países ocidentais ou o dos anfitriões: Paris, Milão, Zurique, Munique, Viena, Praga, Varsóvia, Moscou. E de repente uma grande surpresa.

Éramos quase crianças, 19 anos, já no duro viver. Eu, professor de Latim, Português e Francês; ele, de Matemática e ginástica, já casado com uma professora, no ginásio de Pedra Azul, lá no saudoso norte de Minas. Um dia viemos embora. De quando em vez tinha notícias dele. Ator, João Bênio correu o país fazendo "As Mãos de Eurídice". Depois, foi para o cinema. Terminou diretor e produtor, fazendo sucesso e dinheiro.

Naquela manhã, aos 25 anos, foi como se estivéssemos sonhando. De repente nos encontramos em um albergue de Zurique a caminho de

Moscou, seis anos depois. Até recompor as ruas, casas e alunos de Pedra Azul foi um pileque. Começamos com vinho, terminamos com champanhe, comemorando o reencontro e nossa vitória sobre aquele pequeno mundo que nos quis segurar para vereador e delegado, prefeito e marido.

Às sete da manhã, depois de uma peregrinação a todos os lugares não santos da cidade, já estávamos de mala na mão para a estação de trem. Resolvemos comprar máquinas fotográficas, porque os preços eram os menores da Europa. Como na Bossa Nova, queríamos fotografar o mundo na nossa Rolleiflex.

Mas o comércio estava fechado. Também na Suíça todo mundo costuma dormir. Era preciso esperar. Esperamos. Tínhamos deixado o albergue, o trem era às dez, as lojas abriam às oito. Dava tempo. Chovia uma chuvinha fina, magra e feia, chuvinha subdesenvolvida, poça na rua, pingo na cabeça, igualzinho a Pedra Azul. Só que ali era Zurique e os carros passavam ordeiros no asfalto, sem contramão e sem buzina.

Encostados numa vitrina de uma loja, moídos de frio, eu e João Bênio esperávamos. E, enquanto esperávamos, olhávamos. Aquelas mulheres feias, cheias de luvas e capotes, pisando ligeiro o passeio molhado, começaram a nos chamar a atenção. Brancas demais, branquelas, pernas finas e caras gordas, aquelas mulheres nos davam saudade do Rio. João Bênio começou a dizer besteira.

Cada uma que passava, um comentário. E as mulheres feias seguindo para o trabalho. De repente, aponta uma linda lá na esquina. Alta, loura, rosto fino, andar esguio, parecia uma potranca árabe pisando aqueles passeios arrumadinhos. Vinha acompanhada de um homem muito alto, quase dois metros.

Chegaram perto, bem em frente a nós, Bênio não se conteve:

— Nesta eu dava uma dentada no cangote.

O homem alto, muito alto, forte, muito forte, virou nos calcanhares, pôs o dedo bem no nariz de nós dois e grunhiu:

— Morder cangote puta parrriu. Trrrrês anos Santa Catarrrina.

E foram em frente. Ficamos ainda mais gelados.

* * *

De Munique para Viena o paulista José Fayerman Pathé (era Pathé porque no colégio chamavam-no de "pateta" e ele sabiamente incorporou o apelido ao nome, devidamente modificado), judeu, narigudo, muito simpático e engraçado, eu e outros começamos uma conversa, no carro bar-restaurante, com um deputado austríaco, que tinha horror à União Soviética.

Democraticamente desviamos o papo para o Brasil. Ele gostou. Já tinha passado pelo Rio. E Pathé, que falava bem inglês, começou a ensinar-lhe algumas palavras de português. Mas, irritado com o anticomunismo do austríaco, só lhe ensinava palavrões e sacanagens. Ao lado, o baiano Walter Silveira, que estava com a mulher, não aprovou. Saiu, voltou para a cabine.

De repente, o deputado avisou que iria saltar na primeira estação de Viena, antes da estação central, onde os brasileiros desceríamos. E perguntou como se dizia, em português:

— "Viva a amizade entre o Brasil e a Áustria, uma grande amizade"!

Pathé ensinou certo até quase no fim, mas terminou dizendo que "uma grande amizade" é "amizade do caralho"! O austríaco não acertava, repetia: — "Amizadê trrrru carrrralhô".

Caíamos na gargalhada e mandamos o deputado repetir, até que ele aprendeu:

— "Amizadê dô caralhô"!

Chegou a estação dele. Com horas de cerveja, já meio grogue, mas desceu normalmente. Nós todos, também muito cervejados, fomos para as janelas nos despedir. Ele se pôs de pé no meio da estação e gritou forte lá de baixo a plenos pulmões:

— "Viva amizadêee Brrrasiiiiil Ráustria! Amaizadêeee Brrrrazil-Ráustria é amizadêêêee dôôôoooo carrrralhôôôôoooo!

O resto da delegação, já centenas, que não estava conosco no carro bar-restaurante e não sabia de nada, explodiu de rir.

Era a vingança do materialismo dialético.

* * *

Viena tinha a cara de Strauss. Uma valsa permanente. Leve, limpa, linda, com seus bosques sem fim e música por toda parte, nas praças, nos palcos, nos teatros. E nos bares, tantos bares. Passamos rápido por ela, mas a ponto de ver que ninguém jamais soube fazer cidades como os impérios, fossem quais fossem.

Já Praga era diferente. Para nós, estudantes, uma cidade sagrada. Ali funcionava a UIE (União Internacional dos Estudantes), à qual era filiada a nossa UNE (União Nacional dos Estudantes), apesar da permanente resistência de muitos colegas.

Não ficamos muito lá. Mas a tempo de o guapo moreno baiano Ubirajara Brito, nosso Nego Bira, ser flagrado, embaixo de uma escada, dando um beijão na boca da fogosa intérprete loura tcheca Sara, com seus olhos estranhamente negros como as asas da graúna. Os dirigentes da UJC queriam matá-lo. Era proibido bater papo, muito menos namorar as companheiras estrangeiras.

Quase todos tínhamos compromissos ou projetos pessoais de demorar um pouco em Praga na volta. A primeira impressão foi dupla: a bela cidade imperial de torres, castelos e palácios, e a cidade cinza, triste, de um regime político duro, ditatorial demais.

Varsóvia era outra coisa. O rosto vivo da guerra. A cidade barbaramente bombardeada e destruída pela aviação e as tropas de Hitler, com suas torres despedaçadas e as praças ainda abertas em crateras, como as vísceras de um crime contra a humanidade.

* * *

Moscou era a festa. Afinal, a festa. Desde a fronteira com a Polônia, o país estava embandeirado para receber o mundo de braços abertos. Em cada cidade, cada vila, cada estação, gente, sempre gente, com flores, muitas flores, bandeiras e músicas.

Eles queriam dizer que ali, por onde Hitler um dia entrou para ser derrotado ao preço de 23 milhões de cadáveres russos, estava chegando grande parte dos 50 mil jovens que se reuniriam em Moscou, vindos do mundo inteiro, sem exceção de um só país, para mostrar a "unidade e solidariedade do internacionalismo proletário", por maiores que fossem as divergências políticas e militares entre o Ocidente e o regime da União Soviética.

Só do Brasil éramos uns 200, de todos os Estados, principalmente estudantes, mas muitos operários. O líder da delegação era o Rogê Ferreira, de São Paulo, ex-presidente da UNE (1949-50) e deputado do PSB (Partido Socialista Brasileiro).

Mas quem mandava mesmo era o atencioso, desdobrado, incansável Marcos Jaimovich, editor da excelente revista de arquitetura de Niemeyer, "Módulo", e dirigente nacional da UJC (União da Juventude Comunista). Ficou hospedado no centro, em um hotel da Praça Vermelha, de onde comandava as decisões. Não era fácil dirigir 500 agitados festivaleiros.

Mas não era só ele. Estava também em Moscou um comando do PCB (Partido Comunista Brasileiro) para o Festival. Discretos, organizados, não apareciam. Dos que podiam reconhecer, só vi um, o Carlos Mariguella, que conhecia da Bahia e Minas.

Os brasileiros e latino-americanos ficamos no hotel Zariá, ao lado da Universidade da Amizade dos Povos, que em 61 tornou-se a Universidade Patrice Lumumba, homenagem ao líder assassinado da independência do Congo Belga, depois República Democrática do Congo.

Durante o ano, lá moravam estudantes russos. Homens em um hotel, mulheres em outro, próximo e menor.

Os apartamentos eram por ordem alfabética. A Argentina antes do Brasil e a Colômbia depois. Estava lá, estudando cinema, um rapaz simpático da Colômbia, já com 28 anos, exilado de seu país e jornalista em Paris, Gabriel García Márquez, o Gabo.

Os mais barulhentos eram os italianos, uma delegação enorme, do tamanho do então poderoso Partido Comunista Italiano, comandada pelo Giovanni Berlinguer, irmão de Enrico Berlinguer, mais tarde secretário-geral do PCI. Giovanni era presidente da UIE (União Internacional dos Estudantes). Anos depois o encontrei senador em Roma, pelo PCI.

* * *

No desfile de abertura, magnífico e emocionante, um mundo de bandeiras de todos os países e povos, com imensas flâmulas suspensas nos muros do Kremlin saudando a Paz — "Mir e Drusba" — (Paz e Amor) — na enfeitada e iluminada Praça Vermelha, diante do Kremlin e do túmulo de Lênin, deu bem para ver que os russos já andavam rusgando com os chineses, que passaram silenciosos e pouco aplaudidos. Já os cubanos, uma pequena delegação, foram recebidos delirantemente como heróis.

Fidel Castro, Che Guevara, Camilo Cienfuegos e seus companheiros já lutavam nas montanhas da Sierra Maestra, apesar de os russos ainda não acreditarem na possibilidade de vitória deles, diante do exército de Batista e tão perto dos Estados Unidos.

Abriu a delegação brasileira e carregou nossa bandeira a bela, belíssima mineira Marta Azevedo, eleita a mais bonita do festival e capa da revista final com as principais fotos. Eram três Azevedo, ela e dois irmãos, filhos de um antigo e rico comunista de Uberlândia, no Triângulo Mineiro. Um deles, o Afrânio Azevedo, médico, mais tarde fez a cirurgia plástica no rosto do capitão guerrilheiro Lamarca. Torturado, ficou 73 dias preso. Hoje é secretário de Educação da prefeitura de Uberlândia.

Na volta, os três irmãos Azevedo escreveram um livro:

— "Do Outro Lado do Mundo".

Os atuais jornalistas nacionais Fábio e Pedro Paulo Azevedo Pannunzio são filhos da Marta, bela como devia ser a da Bíblia.

Desfilei de olho nos líderes russos, que, alguns, viria a conhecer pessoalmente anos depois, em diferentes países e situações. Khrushev, Bulganin, Mykoian, vários, sobre um palanque alto, colado nos históricos muros do Kremlin, acima de uma fileira de bustos, muitos retirados depois, abanavam as mãos.

Khrushev, baixinho, gordinho, olhos ariscos, sorridente, era o mais animado. Os outros nem tanto. Não podia haver paz na alma deles. Khrushev tinha acabado de divulgar, internamente (no Festival já havia um zum-zum-zum), seu famoso Relatório do XX Congresso do Partido Comunista Soviético, de 1956, denunciando "Os Crimes de Stalin", morto quatro anos antes.

* * *

O Festival tinha espetáculos, apresentações, encenações, todo dia, a qualquer hora, de manhã, de tarde e de noite, teatro, música, dança, todo tipo de arte e folclore de mais de cem países. Era só escolher e ir. O ingresso era automático. Bastava o crachá.

Desde que houvesse lugar. Por maiores que fossem os espaços, era preciso disputá-los entre 50 mil jovens, reservando com antecedência ou chegando cedo para pegar o número na entrada.

Faziam muito sucesso o extraordinário circo chinês, as saltitantes polcas húngaras e búlgaras, as rodas de samba do Brasil com pandeiro, cuíca e tamborim, as chorosas canções italianas e francesas, a sapateada dança flamenca espanhola, o triste cantochão islâmico dos árabes, as coloridas corridas dos cossacos russos fazendo piruetas em seus cavalinhos mágicos, as engravatadas e solenes óperas e balés do Bolshoi, de Hamlet ao Lago dos Cisnes. Artes para todos os gostos e desgostos do mundo.

Uma noite, na poderosa Associação dos Escritores Soviéticos, presidida pelo romancista Ilya Ehrenburg, com um auditório imenso, para milhares de pessoas, houve uma apresentação de grupos musicais de numerosos países.

Eram chamados por ordem alfabética. De repente, lembramos que não havia nenhum do Brasil. Uma lástima, porque nossa música era aplaudida por toda parte. Sentados em um grupo, lá no fundo do salão, José Fayerman Pathé me disse que cantava. Se arranjassem um violão, ele subia e cantava sozinho.

Vi lá na frente o Marcos, da UJC, chefe capa preta da delegação, pedi para providenciar um violão, pois estava ali um companheiro de São Paulo que era um grande cantor. Não tinha a menor ideia da voz do Pathé. Mas era Festival e valia tudo.

O Marcos arranjou o violão, o Pathé começou a tremer. Disse a ele que era tarde e tinha que enfrentar a parada de qualquer jeito. Pegou o violão, dedilhou, foi se animando:

— Vou tomar conta deste palco! Vou abafar!

— Você bebeu alguma coisa?

— Não, mas ainda é tempo.

Saiu atrás de uma vodca. Voltou mais animado e esperou ser anunciado. Ainda tremia. Chamado, provou logo o grande artista que ninguém conhecia. Bem alto, magrelo, levantou o violão com o braço direito e saiu lá de trás em direção ao palco, já cantando:

— Conceição, eu me lembro muito bem...

Ninguém entendeu nada. Começaram as palmas. No palco, como um grande ator, Pathé tirou o paletó, puxou uma cadeira, pôs o pé direito em cima e abriu seu vozeirão:

— "Conceição, eu me lembro muito bem, estavas no morro a sonhar com coisas que o morro não tem"...

Parecia Cauby Peixoto nos melhores dias. E Pathé, violão no peito, cantava, rodava, dançava, o auditório se empolgava e repetia:

— Conceição!!!...

E Pathé endoidou. Pegou o violão com as duas mãos, suspendeu bem acima da cabeça e começou a gritar:

— Moscou, de pé, aplaude Pathé!, Pathé! Pathé! Pathé!

Milhares, já todos de pé, gritando "Bravo!" e repetindo:

— Pathé!, Pathé!, Pathé!

Cantou uma música só e foi a glória. Virei fã dele.

* * *

Na delegação paulista havia um companheiro de uns 30 anos que, mais jovem, havia lutado boxe na faculdade, ganhara títulos mas nunca mais treinara. Saímos atrás da delegação cubana, descobrimos um lutador de boxe e o convidamos para uma luta com um brasileiro que tinha sido campeão, mas havia mais tempo.

O cubano disse que não era mais profissional, mas lutaria. Lá foi Pathé de agente do pugilista paulista. Prepararam a luta para uma tarde em que haveria várias outras, todas profissionais. Seria a primeira. Na hora, o paulista, desconfiado, falou comigo:

— Eu não conheço esse narigudo. Será que ele está me pondo numa enrascada? Será que avisou mesmo ao cubano que a luta é de mentira, apenas para abrir a série das lutas profissionais?

Comecei a ficar com medo. Pedi calma ao cubano. Quando o juiz chamou os dois, Pathé, no palco, suspendia os braços do paulista e dava uns gritos estranhos. A luta começou. O paulista deu uma volta, outra, evitando entrar na briga. O cubano testando.

De repente o cubano deu um de direita no queixo do paulista e o derrubou como um poste. O paulista, coitado, foi parar na emergência do Festival, o queixo partido. E o Pathé fugindo dele.

* * *

E a voz? Minha voz estava como ensinou Jamelão: como pinto no lixo. Cada dia mais bonita, blusas leves e saias rodadas no verão de Moscou, os olhos faiscando uma inesperada, surpreendente e impressentida felicidade. Ia a tudo o que podia.

Hospedada no hotel feminino, nem tão longe, mas menos perto do que eu gostaria, quase todo dia saíamos para pegar o máximo de espetáculos, sobretudo de música. E de preferência músicas regionais de países estranhos, distantes, desconhecidos. Descobrimos coisas lindas em povos da Ásia, África, Oceania.

Mas conseguimos dar umas fugidas, que ninguém é de ferro. Passeios pelos numerosos e encantados bosques que rodeavam Moscou, cobertos de papoulas. E, sabendo que depois do Festival íamos nos dispersar, cada um mandado para países diversos, fizemos muitas juras de duas semanas só nossas em Paris na volta.

* * *

Mas ainda havia a festa da despedida: uma grande recepção no Kremlin. Todo mundo ficou ouriçado. Quem fosse iria conhecer os palácios, igrejas, jardins, dentro dos czarianos muros do Kremlin. Fora os que iriam participar de um *show* brasileiro de dança e canto, inclusive o já herói Pathé e minha voz, que cantaria Dorival Caymmi como Carmen Miranda cantava, o Brasil teria só mais 15 ingressos para os homens e 15 para as mulheres. Na base do sorteio. Fiquei de fora. Não dou sorte quando é só na sorte.

Pedi socorro ao Marcos. Mostrei-lhe as credenciais do "Jornal do Povo", "Para Todos" e "Última Hora" e para escrever precisava estar na última festa. Arranjou um convite na hora.

Tivemos uma grande decepção. A festa não era no Kremlin, dentro do Kremlin. Era dentro dos muros do Kremlin, mas nos jardins do Kremlin, iluminados com centenas de pequenos candeeiros sem pavio, de luz elétrica. Belos e imperiais jardins, mas do Kremlin mesmo, o sonho de todos nós, palácios e igrejas, ninguém viu nada. Só fui ver anos depois, já deputado pela Bahia.

A decepção e as almas já entristecidas pelas vésperas de ir embora, depois de semanas de festas contínuas, inspiraram-nos. Nos vários cantos dos jardins havia pequenos palanques, com microfones e alto-falantes instalados. Os grupos subiam, cantavam, desciam. Aparecia sempre alguma vodca. Mas pouca.

Pathé tinha levado violão, minha voz rouca estava de garganta afiada, depois de fazer sucesso cantando Caymmi como Carmen Miranda. Escrevi versos mais ou menos inconvenientes, chamamos companheiros brasileiros e subimos a um palanque.

Os russos têm uma canção-símbolo, um segundo hino nacional, canção militar e canção de amor, a "Catucha", em ritmo de marcha acelerada, para esquentar a alma em noites de guerra.

Pathé tocou violão, minha voz soltou a voz e cantamos bem forte:

— "Ora vamos cantar a Catucha,
pra dizer que esta festa é uma bucha!
Candeeiro acende sem pavio,
Festa assim só na puta que o pariu"!
Repetíamos trocando o segundo verso:
— "Para cantar a Catucha
pega a barba do Marx e puxa!
Candeeiro acende sem pavio,
Festa assim só na puta que o pariu"!

Foi um sucesso estrondoso. Os russos e vizinhos da União Soviética, que amavam a canção, pensando que estávamos cantando uma tradução da Catucha para homenageá-los, ficaram deslumbrados e vieram cantar conosco, evidentemente na letra deles. Os brasileiros, portugueses, alguns argentinos, mexicanos, que perceberam a sacanagem da nossa letra, cantavam solidários.

Quanto mais cantávamos, mais juntava gente, mais palmas ganhávamos. De repente, o desastre. Um dirigente do PCB ouviu, foi chamar outros, deu o alarme e fomos literalmente enxotados da glória, não bem aos empurrões mas quase. Lembro de um comunista mais velho brasileiro que levantou o microfone para bater nas nossas cabeças. Mas havia tanta gente em cima do palanque e embaixo, que desaparecemos na multidão.

A festa acabou ao amanhecer. O assunto, ainda lá e todo o dia seguinte, era descobrir de quem foi a ideia e sobretudo quem fez "a desrespeitosa e antissoviética letra, afrontosa a nossos cordiais companheiros soviéticos e ao venerado camarada Marx".

Houve um discreto inquérito de KGB do PCB e da UJC. Perguntas de quem não quer resposta e até diretas. Não descobriram nada. Nossa pequena turma era boa de segredo. Ninguém dedurou ninguém. "Foi tudo um improviso, na hora, por conta da vodca, uma brincadeira de despedida e saudade".

Mas eu já esperava e com medo. O mistério podia explodir no desfile final. E quase explodiu. Maravilhoso como o de abertura, de repente os russos cantam a "Catucha". Gelei. Gelamos.

Nós, os traidores da classe operária e do internacionalismo proletário nos jardins sagrados do Kremlin, desrespeitadores das barbas sagradas do camarada Marx, engolimos o crime em silêncio.

Nosso inesquecível Festival acabou e ninguém cantou de novo a "Catucha" em português, dentro dos muros do Kremlin.

18
O Comunismo

Ilya Ehrenburg era o Jorge Amado da União Soviética. Não admitia ir a Moscou sem vê-lo. Pedi, insisti, esperei, até que marcaram um encontro com ele, na casa dele.

A foto está aqui, amarelada, depois de tantos anos. Somos uma meia dúzia de jovens brasileiros em torno daquele velho simpático, silencioso, numa cadeira de balanço, no canto da sala.

As paredes cobertas de quadros de pintores franceses, Picasso etc., de quando ele foi embaixador da União Soviética na França.

A conversa começou óbvia, sobre a vida dele, a literatura dele, sobretudo seu último livro, de 1954, "Ottiepel", "O Degelo", um sucesso mundial, que tinha acabado de ler e que consagrou o nome do começo da abertura na União Soviética, um ano depois da morte de Stalin e dois anos antes de Khrushev fazer seu histórico Relatório de 1956 ao XX Congresso do Partido Comunista da União Soviética denunciando "os crimes de Stalin".

Ilya Grigorievith Ehrenburg nasceu em Kiev, capital da Ucrânia, em 1891 e morreu em Moscou em 1967. Embaixador em Paris, voltou para Moscou quando a França foi ocupada por Hitler em 1940. Tornou-se popular com seus programas de rádio durante a guerra e duas vezes recebeu o Prêmio Stalin, de Literatura.

Eu não podia deixar de fazer a pergunta inevitável:

— E Stalin?

O intérprete ouviu, não traduziu. Ele entendeu bem. Olhou para mim com uns olhos infinitamente tristes, tive a impressão de que ia chorar. Mal mexeu com a boca:

— Stalin? Hummm...

E fez um gesto leve com a mão, como quem espanta um pássaro. Estava espantando um pesadelo. Já vi muitos olhos tristes. Nunca vi olhos tão tristes quanto os de Ilya Ehrenburg.

* * *

Também tentei ver Cholokov e Pasternak. Estavam no interior, exilados, proibidos, inacessíveis. Mikhail Alexandrovitch Cholokov também nasceu na Ucrânia, na região do rio Don, e se tornou escritor universal com "Tikhii Don", "O Don Silencioso", "um painel das terras onde viviam os cossacos e por onde corre o Don, pano de fundo da primeira guerra mundial e da guerra civil". Em 1965, recebeu o Prêmio Nobel. Morreu em 1984.

Pasternak, Bóris Leonidovitch Pasternack, nasceu em Moscou em 1890 e morreu em 1960. Tradutor de escritores franceses, ingleses e alemães, era considerado "um esteta anacrônico, tolerado pelo regime comunista: suas traduções de Shakespeare são as melhores em língua russa".

Poeta consagrado, em 1957 publicou na Itália o romance "Doktor Jivago", "Doutor Jivago", proibido na União Soviética, que ganhou o mundo com grande sucesso, virou filme e lhe deu o Prêmio Nobel de 1958, que foi impedido de ir receber e excluído do poderoso e stalinista sindicato dos escritores soviéticos.

Que diferença fazia ver Ehrenburg e eles não? As ditaduras são irracionais e estúpidas.

* * *

Francisco Julião me roubou a China. Acabado o Festival Mundial da Juventude pela Paz e Contra a Guerra, cada um foi tomando o rumo de casa. Muitos, como eu, sairíamos de lá para visitar outros países ligados à União Soviética. A indicação evidentemente era das direções da UJC e do PCB.

Consultado, preferi a China. Era tão mais distante quanto mais misteriosa, e Mao Tse-Tung estátua ambulante do século XX.

Tudo certo, iríamos em um pequeno grupo de brasileiros. Mas meu amigo Francisco Julião, sem saber de nada atrapalhou tudo. Fundador das "Ligas Camponesas", deputado estadual de Pernambuco pelo mesmo PSB (Partido Socialista Brasileiro) em que eu disputara a eleição para vereador em Belo Horizonte, apareceu em Moscou à frente de uma delegação de 22 deputados estaduais pernambucanos e pediu ao PCB para irem a Pequim.

O argumento era irreplicável: os companheiros deveriam dar o lugar aos deputados, porque nós sempre teríamos outra oportunidade. E lá foram eles e não fomos nós. Mas haveria compensações. A minha estava na minha ficha: — "estudante, jornalista, professor".

Iria participar de programas de rádio e de debates sobre o Brasil e a juventude brasileira na Universidade da Amizade dos Povos e entre estudantes e operários em Moscou. Depois, em Leningrado, Stalingrado, Varsóvia, Praga, Budapeste e Berlim.

Como o costume lá era sempre pagar trabalhos dos convidados, imaginei levar para Paris algum dinheiro para as duas semanas com minha voz, que já estava partindo, ainda sem saber para onde, mas iríamos encontrar-nos lá no dia combinado.

* * *

Andei viajando pela União Soviética, nunca sozinho. Escrevi de Leningrado uma carta de dez laudas, à mão, em letra clara, bem razoável, a meu irmão José, que ele guardou meio século, como outras. Papel timbrado do hotel "Astoria". O texto hoje me orgulha pela precisão jornalística (tinha 25 anos):

"Leningrado (hoje de novo São Petersburgo), 20/8/57.

1. "Caro José: poderia ter imaginado tudo, menos que um dia viesse escrever a você daqui deste canto do mundo, próximo ao Polo Norte. Da janela mais alta do hotel "Astoria", aí em cima na foto, estou vendo uma cidade fria, cinzenta, ensombreada, nuvens baixas. No entanto, estamos agora no mais aceso verão e os russos tomam sorvete pelas ruas, pensando já no frio e na neve que se aproximam, com 20, 30 e mais graus abaixo de zero".

2. "Apesar disso, Leningrado, antiga São Petersburgo e capital da Rússia até 1918, é uma cidade linda. Mais bela que Praga, que as cidades da Suíça e, sobretudo, mais que Moscou, que é imensa, de 8 milhões de habitantes, avenidas enormes, mas feia, de arquitetura pesada, toda igual, monótona".

3. "Participei como jornalista do Festival Mundial da Juventude. Até agora tenho me dedicado principalmente a colher dados, fazer fotografias e

conhecer de perto a vida do povo para escrever um livro, que já iniciei, sobre os países socialistas. A condição de jornalista tem ajudado muito".

4. "Apesar de parte da população falar outra língua (francês, inglês), saio sempre com um brasileiro e um peruano que falam russo. Vamos conversar com o povo, ver as coisas de perto. Entramos nas casas, pedimos água, conversamos, comemos. O povo é de uma hospitalidade e de um carinho para tratar os estrangeiros como nunca vi. Ainda ontem, passei num bairro que é o mais pobre de Moscou, onde há muitas casas ruins".

5. "Também tenho ido ao interior. Estive em algumas fazendas, públicas ou cooperativas. Fui de trem até Stalingrado, que é a 3ª cidade da URSS, fica na fronteira da Ásia e foi inteiramente destruída pelas bombas alemãs na guerra. Não ficou uma só casa de pé. Hoje tem 500 mil habitantes, como Salvador, e está toda reconstruída. Vi ruínas horríveis e a parte da população que não morreu, exceto crianças e velhos que foram afastados na guerra, geralmente traz nos corpos a marca da guerra: braços cortados, pernas pelo meio, buracos de pedaços de granada no rosto, verdadeira carnificina".

6. "Por isso eles têm pavor de guerra e fizeram aos visitantes brasileiros, argentinos, chilenos e peruanos uma recepção impressionante no chamado 'Morro da Mamãe', que foi 9 vezes tomado pelos alemães e 9 vezes retomado por eles e onde estão enterrados mais de 200 mil habitantes, mortos pelas tropas de Hitler. Foi lá que se entregou prisioneiro o general alemão Von Paulus, como todo o Exército de Hitler ali, marcando o começo do fim da guerra. Estive dentro da casinha em que se apresentou preso. A gente sentia bem de perto a tragédia que sofreram com bombas caindo sobre a cidade 5 meses inteiros, dia e noite".

7. "Leningrado, antiga capital, era a cidade dos reis russos. Passei horas andando por dentro do palácio onde moravam. São 1.500 salas e salões, todos dourados, um luxo de espantar. Só aguentei percorrer uns 300. Hoje é o 'Museu Ermitage', um dos mais famosos do mundo e cheio de quadros, estátuas e outras obras de artes de todo o mundo. Outro número: há mais de 2 milhões de obras de arte. Calcule 1.500 salas mais ou menos do tipo da igreja de São Francisco em Salvador, para viverem neles um rei e uma rainha estúpidos, nadando em ouro, enquanto o povo morria de fome nas ruas e na neve".

8. "O rio Neva corta Leningrado de todos os lados. Tem 4 mil hectares de parques e jardins públicos, 101 ilhas, 65 canais, 48 pontes. E 3 milhões de habitantes. A cidade foi cercada 3 anos, de 1941 a 44, pelos alemães e muito bombardeada. Todos os prédios atingidos foram reconstruídos como eram antes. O bombardeio não foi tão violento quanto o de Stalingrado. A grande figura da cidade é Lênin, o preparador e chefe da revolução de 1917, que derrubou os reis e implantou o governo socialista. No centro da cidade há um grande relógio marcando 10 para as 7. Foi a hora em que Lênin morreu, em 1924".

Isso tudo aí não é nem a metade da carta.

* * *

Ludmila Utkina era intérprete, jovem e bela. Falava espanhol e português. Tinha um irmão em Praga, que não era muito longe. E tinha um avô no Cáucaso, que era mais longe.

Acabado o Festival, onde a havia visto umas três vezes, mas muito rapidamente, destacaram-na para acompanhar-me como tradutora em debates e palestras em Moscou, na Universidade dos Povos, em escolas e associações operárias. Um presente dos céus.

No fim dos debates, almoçávamos ou jantávamos juntos. Cada dia mais debates, cada dia mais juntos. Falávamos de tudo, sobretudo de nós, que tínhamos exatamente os mesmos 25 anos e os mesmos loucos sonhos. Quando eu passava para a política soviética, ela sorria um sorriso enigmático e calava. Estava profissionalmente impedida de avançar o sinal político.

Ela não avançava, avancei eu. Já me desmanchando de encantos, depois de um doce jantar no restaurante do hotel "Ukraina", para onde me transferiram depois do Festival, porque o hotel Zariá estava ocupado pelos estudantes da Universidade, pedi ao garçom duas vodcas e um pequeno bloco de papel.

Escrevi ali um poema, se é que se podia chamar de poema. Era um beijo gráfico, quente e túmido como os beijos de amor:

— "Rosa de Moscou". Falava dos magníficos jardins de papoulas que cobriam Moscou naquele começo de quase outono:

— "Papoula / flor do ópio / flor do amor / embriagas os deuses / mas nada / embriaga tanto / quanto / a rosa de Moscou".

Ficou com ela, não lembro o resto. Pediu para eu assinar, assinei: — "Para Ludmila, minha Rosa de Moscou".

Ela não podia subir a meu apartamento, eu não podia ir à casa da mãe dela e dela. Mas nunca mais fomos os mesmos.

Numa outra noite mágica, caminhando depois do jantar no jardim de papoulas perto do hotel, Ludmila começou a cantar "Móscova Vétchera" ("Tardes de Moscou") e pela primeira vez me levou à sua casa. O avô estava doente, sua mãe fora para o Cáucaso. A casa, nos subúrbios de Moscou, pequena e ajardinada, era nossa para o fim de semana. E de metrô. Na sala, ampliado, emoldurado e pendurado, meu "Rosa de Moscou" para ela.

Ludmila não falava do pai. Eu perguntava, ela ficava calada, os grandes olhos caucasianos parados, longe. Insisti, disse apenas:

— Morreu. Era jornalista, como você.

E chorou devagarinho.

De madrugada, depois de algumas vodcas geladas, já quietos de amor, forcei:

— Seu pai morreu de quê?

Ludmila passou a mão embaixo do queixo, como se fosse uma navalha, fez uma cara de horror e disse baixinho: — Stalin.

E dormiu chorando em meus braços a saudade do pai assassinado por Stalin. As lágrimas de Ludmila lavaram em mim o que restava de tolerâncias com a ditadura do sistema comunista.

* * *

No último fim de semana em Moscou naquela viagem, ainda voltamos à casinha pequena e ajardinada. Pela terceira vez. O avô de Ludmila nunca mais voltou do Cáucaso. Morreu lá, sem ela revê-lo. Prometi jamais escrever-lhe nem falar em seu nome no que escrevesse ou publicasse. Perderia emprego, carreira, quem sabe a liberdade. Guardei minha "Rosa de Moscou" só para mim.

No dia seguinte, ela apareceu no hotel com um homem bem louro, avermelhado, e um punhado de papéis para eu assinar. Eram recibos das entrevistas na rádio. Eles tinham programas especiais, em português e espanhol, para o Brasil e a América Latina. E recibos dos debates com estudantes e jovens operários.

Tirou da pasta um pacote de rublos e me entregou. Disse que eram restos da verba da organização do Festival. Mas eu tinha que gastar lá. Não podia sair do país com um tostão de dinheiro soviético. Tive ganas de dar para Ludmila. Só olhei para ela. Entendeu, ficou vermelha, talvez de medo. E logo me sugeriu que comprasse umas máquinas fotográficas "Laika", fáceis de carregar.

Fomos ao "Gum", o grande, feio e primitivo *shopping* a um canto da Praça Vermelha. Era um mercadão, onde se vendia tudo. De frutas a roupas. De bebidas a máquinas modernas. Deu para comprar uma dúzia de "Laikas". Pedi logo um recibo bem explicado para não pensarem que eu era "cleptolaikaneano"

À noite, outra visita. Era um dirigente do Partido Comunista do Brasil, que não conhecia nem lhe perguntei o nome, levando-me uma "tarefa importante". Importante e inesquecível. Participar em Cracóvia, na Polônia, de um congresso mundial da UIE (União Internacional dos Estudantes). Iria logo no dia seguinte para Varsóvia. Já havia reserva no Hotel Bristol, de onde a delegação brasileira sairia para Cracóvia. E me deu um punhado de slotes, o dinheiro polonês, para pagar o táxi da estação ao hotel.

Quando Ludmila apareceu no hotel de manhã, já com o bilhete na mão, para me levar até a estação ferroviária, meu coração vacilou. Sabia que ia perdê-la. Perdê-la para sempre. Aquele era um mundo que engolia as pessoas. Como poderia ao menos dar-lhe um beijo de despedida? Queria, mas não devia, não podia e não iria dar. Ela percebeu:

— Não fique triste assim, que ainda vai ser pior para mim do que já está sendo. Não consegui dormir essa noite.

Olhou o relógio como o condenado olha o carrasco:

— Não falta muito para eu perder você também. Nunca pensei que aquele jantar, aquele poema, aquelas noites, fossem fazer comigo o que fizeram. Se eu pudesse, sumiria com você. Mas não vamos estragar nosso último almoço. Marquei seu trem para o fim da tarde. Vamos almoçar em um restaurante pequeno, muito bonitinho, perto da ferroviária. Juro que não vou chorar.

E chorou.

Até o Cristo, na Última Ceia, soube quanto é horrível fazer as coisas pela última vez. Mas nos comportamos. Ela disse que tinha uma verba para pagar nosso derradeiro almoço. Tomamos a vodca geladinha da entrada, que está em todos os *couverts* da Rússia, pediu um vinho ótimo, lá da Moldávia, os melhores da União Soviética, e uma carne à moda do Cáucaso, a terra do avô.

No fim, brindamos nossa devastadora e silenciosa dor como Stalin brindava com Churchill. Com um conhaque da Geórgia.

Quando o trem deu o segundo aviso, fraquejei:

— Perdão, não resisto, vou lhe dar um beijo.

— Dê, meu amor, mas rápido. Aqui há olhos de todo lado.

Nunca mais a vi. E mais uma vez minha nuvem me levando. Quando o império soviético ruiu em 1990 e eu era Adido Cultural em Roma, fui de lá a Moscou só para tentar redescobri-la com amigos e até pela lista telefônica. Impossível. Sumiu no ar.

Um pedaço de mim está até hoje naquela estação de Ludmila.

* * *

Cracóvia, em termos brasileiros, é uma Salvador. Melhor ainda, uma Olinda da Polônia. Na Europa, uma pequena Praga. Na margem do rio Vístula, perto dos montes Cárpatos, no ano 700 o lendário rei Krak construiu um castelo. Na Idade Média ligava Flandres, na Bélgica, ao Oriente, e a Europa Meridional ao Báltico. Por isso era cercada de muralhas e fossos.

Tem uma cidade medieval pelo menos do século X com a Praça do Mercado, Rynek, no centro e a "rotunda romântica" da igreja de São Félix e Santo Adauto. A catedral, Wawel, renascentista e barroca, tem tumbas de reis, heróis e poetas e um sarcófago com os restos mortais do padroeiro Santo Estanislau.

Lá pelo ano 1000 o rei Boleslau I tomou Cracóvia da Boêmia e a incorporou à Polônia. Em 1241, os tártaros a invadiram e não deixaram pedra sobre pedra. Colonos alemães a reconstruíram e a partir de 1320 tornou-se capital da Polônia, local de coroação e residência dos reis poloneses.

Em 1364, o rei Casimiro, o Grande, construiu a Universidade Jagielona, "centro de ciência e cultura cuja nomeada se estendeu por toda a Europa e onde estudaram Copérnico e Jan Dlugosz".

Em 1609, deixou de ser a capital, que foi para Varsóvia.

Do centro urbano medieval restam principalmente duas torres de século XIII e a porta de São Floriano, de 1307. E a igreja Santa Maria, construída nos séculos XIII e XIV, exemplo do gótico polonês, com uma preciosidade no interior, o retábulo esculpido em madeira e pintado por Veit Stoss, roubado pelos nazistas, descoberto em Nuremberg e recolocado em 1945. O castelo real, na colina de Wawel, é o mais belo monumento renascentista polonês. Iniciado no século XI, serviu de residência dos reis até o fim do século XVI.

* * *

Estas maravilhas históricas não ficaram mais importantes porque as conheci em 57. É que lá aconteceram coisas grandiosas. Naquele 1957, o Congresso Mundial da UIE (União Internacional dos Estudantes) foi lá. Lembro-me, sobretudo, de dois dirigentes, com quem longamente conversei sobre a América Latina: o presidente, o bem falante Giovanni Berlinguer, irmão do futuro secretário-geral do Partido Comunista Italiano, Enrico Berlinguer, e que depois conheci senador em Roma pelo

A NUVEM

PCI, e Lionel Soto, cubano calado, inteligente, diretor da revista da UIE "Mondo Estudantil", saído havia pouco todo arrebentado, infinitamente torturado, das prisões do ditador Batista e, depois da vitória da "revolução" de Fidel Castro, reitor da Universidade de Havana.

A delegação brasileira ao Congresso da UIE era pequena, oito pessoas. Lembro do Murilo Vaz, publicitário do Rio; Ubirajara Brito, da Bahia (depois vice-ministro de Ciência e Tecnologia); Amazonas Brasil, do Paraná (depois presidente do Tribunal de Contas de Roraima). E outros, da UNE.

Éramos mais de 500 estudantes do mundo inteiro. No salão nobre da Universidade pública, medieval, não cabia tanta gente. O maior salão da cidade era o do Instituto Católico, que tinha um padre muito ligado à juventude, esportista, professor de Ética e de Filosofia. Será que ele emprestaria para a sessão de abertura de um congresso de comunistas e socialistas? O presidente da Juventude Comunista da Polônia, chefe da delegação polonesa, não gostava do padre, não gostou da ideia. Mas foi derrotado.

A UIE criou uma comissão para ir lá pedir a ele. Do Brasil, Ubirajara Brito e eu. O padre era um homem jovem, de 37 anos, magro, alto, bronzeado, vermelho, tipo atlético, cara de camponês descido das montanhas nevadas, com um topete e uma boina roxa, óculos com armação de tartaruga, batina preta com uma faixa na barriga. Recebeu-nos carinhosamente, perguntou de onde éramos, falou italiano e francês, disse ironicamente que sabia que a UIE era uma entidade controlada por Moscou, mas esperava que o congresso tratasse do seu tema: — "A Luta pela Paz".

E fez uma sugestão. A Universidade oficial estava em período de aulas. O congresso lá iria perturbar os estudos. Se quiséssemos, podíamos fazer todo o congresso, e não apenas a abertura, no seu Instituto Católico, que estava de férias. Chamou um assessor, pediu um punhado de chaves, ficou com elas nas mãos por algum instante. Estendi a mão e ele me deu as chaves.

Não só emprestou seu Instituto. No dia seguinte, na sessão de abertura, apareceu lá, para ver se estava tudo em ordem. Continuava com seu sorriso contido, seu ar de mansidão, de boa-fé, de quem sabe exatamente o que e por que está fazendo.

Convidado pelo presidente da UIE, que era o presidente do congresso, para sentar-se à mesa, agradeceu, e, sempre de pé, pegou o microfone e fez uma pequena saudação, metade em italiano, metade em francês, dizendo que a juventude tinha um dever fundamental, que era lutar para que o mundo não sofresse uma outra guerra, como a que devastara a Europa e a Polônia.

Foi aplaudido calorosamente. O chefe da delegação da União Soviética, presidente da Juventude Comunista de Moscou, que estava na mesa, levantou-se, abraçou-o e insistiu para que ele participasse da mesa diretora. Agradeceu e saiu sob palmas.

Vinte e um anos depois, em outubro de 1978, abri os jornais no Rio e vi a foto do novo papa. Levei um susto. Tive certeza de que o conhecia. Era o padre Woytila, de Cracóvia, na Polônia, feito bispo em 1958, cardeal em 1968 e Papa João Paulo II em 78.

Liguei para a arquidiocese do Rio e confirmei. Era mesmo o ex-professor de Ética e Filosofia do Instituto Católico de Cracóvia.

O homem que pôs as chaves de seu Instituto em minhas mãos era agora o dono das chaves de São Pedro.

E o presidente da Juventude Comunista de Moscou, que tanto insistira para ele sentar-se à mesa diretora do congresso, era o estudante de Direito, que se formava naquele ano, Michail Gorbachev. Trinta e três anos depois, em 1990, os dois juntos ajudariam a derrubar o Muro de Berlim e o sistema comunista.

* * *

Voltamos para Varsóvia. Cada um ia tomar seu caminho. Eu passaria uma semana repetindo o que fiz em Moscou: falar sobre o Brasil para estudantes da Universidade, um prédio enorme, feio, arquitetura entijolada, e para jovens operários.

Mas minha cabeça estava no ano anterior, em 1956. Em Moscou, não consegui conversar com ninguém, brasileiro ou russo, sobre o relatório de Khrushev no XX Congresso do Partido Comunista da União Soviética, em março, denunciando os crimes de Stalin, três anos depois de sua morte, em 1953.

Os brasileiros de algum tipo de direção, na UJC e no PCB, simplesmente repetiam a "versão" de Luís Carlos Prestes, diziam que era "uma invenção da CIA". Os outros sabiam tanto quanto eu. Nada. E a Ludmila, com seus olhos cossacos cada vez mais aflitos quando lhe perguntava sobre política, balançava a cabeça:

— Não posso falar nada de política. Compreenda. Mas existe.

Nem precisava pedir. O Relatório era um lobisomem. Todo mundo ouvia seu uivo, mas ninguém via. Em Cracóvia foi diferente. Havia um rumor crescente dentro do congresso, sobretudo entre as delegações de países que tinham partidos comunistas mais fortes, como França, Itália, Espanha. Todos já sabiam que o Relatório era verdadeiro. Mas ninguém tinha lido.

Havia uma diferença básica entre União Soviética e Polônia, Moscou e Varsóvia ou Cracóvia. Os russos tinham medo e calavam. Os poloneses também tinham medo, mas falavam. O sistema na URSS era brutalmente ditatorial. Era ditadura demais para um povo tão a favor. Na Polônia menos. Dois assuntos estavam em todas as conversas: Poznan e Budapeste.

* * *

Os poloneses contavam assim o "outono polonês" de 1956.

1. Na cidade industrial de Poznan, no oeste do país, em junho, dezenas de milhares de poloneses, reivindicando aumentos salariais, foram parados por um muro de forças de segurança quando marchavam para a praça da Liberdade: 53 pessoas mortas e mais de 200 feridas. Na fúria que se seguiu ao massacre, em 19 de agosto de 56, voltou ao poder a ala reformadora do Partido Comunista, liderada por Wladyslaw Gomulka, antistalinista derrubado em 49 e havia 8 anos preso em casa.

2. Boleslav Bierut, o secretário-geral do Partido Comunista e chefe do governo, havia morrido de repente em 12 de março, em Moscou, em pleno XX Congresso do partido soviético, quando Khrushev lia seu Relatório. Khrushev, Kaganovitch, Mikoyan e Molotov chegaram a Varsóvia e as tropas do Pacto de Varsóvia, lideradas pela Rússia, avançaram sobre a capital. Gomulka advertiu Khrushev que os poloneses iam resistir e bloqueou os russos. Em outubro Khrushev recuou.

3. Na Hungria, Khrushev não recuou. O "inverno húngaro" foi consequência do "outono polonês". Em 4 de novembro de 56, houve uma insurreição, e tropas e tanques soviéticos esmagaram a revolução húngara com enorme perda de vidas. Sequestraram o chefe do governo Imre Nagy e seus ministros, levaram-nos para Moscou, fuzilaram todos e puseram no governo Janos Kadar, que estava preso, foi solto e, hábil, aos poucos fez uma abertura.

Depois de Praga, eu iria ver como Budapeste ficou.

* * *

Varsóvia era uma cidade-martírio. Numa madrugada branca, toda pingada de neve, naquele já quase inverno de 1957, o velho motorista de táxi, olhos azuis e cabelos fogueados ia me contando coisas de sua vida, entre o restaurante Krokodila e o hotel Bristol. De repente, a praça imensa, quadrada, seca, vazia, absolutamente vazia, como um pedaço de deserto caído sobre a cidade, com um discreto monumento negro ao centro.

— O que é isso, esta praça estranha?

— Aqui foi o gueto de Varsóvia. Aqui perdi pai, mãe, irmãos, filhos, minha família inteira. Aqui vivíamos, nós, os judeus. Em 1943, cansados do cerco de Hitler, indignados com as perseguições, violências e assassinatos diários dos nazistas, explodimos. Fizemos um levante armado, um desesperado suicídio. Fomos arrasados pela superioridade militar dos nazistas. Sobramos poucos, pouquíssimos. Fui um deles.

Arrastando seu francês cansado, o velho motorista de Varsóvia parou o carro pequeno de quatro lugares, saltou, chegou junto ao monumento e passou as gordas e avermelhadas mãos sobre a pedra negra, como se alisasse o rosto inútil dos pais, irmãos e filhos mortos. Tremi de frio e angústia na madrugada branca de Varsóvia vendo aquele homem encardido de desesperanças acarinhando a saudade de tudo que ele foi e a vida dilacerou nas garras da violência, do radicalismo, do racismo.

Cheguei ao hotel, comecei a escrever uma série de indignadas reportagens sobre os crimes de Hitler contra os judeus. Treblinka, às margens do rio Buz, onde foram cremados os heróis do gueto de Varsóvia. Auschwitz, hoje museu da loucura dos homens, onde 3 milhões de judeus, 180 mil franceses, holandeses, russos foram massacrados e queimados. Os campos todos de ignomínia da barbárie racista alemã visitei e descrevi com a repulsa maior de minha juventude agredida. E guardei para sempre a convicção de que, na dura briga do bicho-homem pela existência, uma coisa não se justifica: a agressão pelo preconceito, a violência em nome do bem, ela que é a filha espúria do péssimo.

* * *

Ao lado do hotel Bristol havia um pecado instalado. Um bar de nome inconfundível, Krokodila, com cara e fumaça de cave existencialista de Paris, naquela cidade arrasada pela guerra.

Lá, a um canto do Krocodila, toda noite, tomando conhaque da Geórgia, uma estudante de arquitetura com cara de pecado, Barbara Slanka, que usava pulôver vermelho com gola rolê e calça preta. Ia ficar uma semana em Varsóvia, fiquei várias, naufragado nos olhos verdes de Barbara, que me ajudaram a começar a sair com menos dor da estação de Ludmila.

Tentei vender ao menos uma "Laika". Não achei comprador. Meus minguados dólares de jornalista pobre não davam para acompanhar o conhaque de Barbara. No câmbio oficial, eram 10 slotes por um dólar. No câmbio negro, 200. Barbara me deu a pista: escada interna da Universidade, depois das 10 da noite.

Fui lá, com o coração batendo de aventura e medo. Um homem careca, olho de gato assustado, com uma pasta grande, amarela, suja, cheia. Pegou meus dólares, acendeu uma lanterna, conferiu, amassou nos dedos, pôs no bolso. Abriu a pasta, tirou um pacote de notas grandes, pardas, úmidas, como se tivessem sido desenterradas e começou a contar:

— Stintim, stintim, stintim.

Eu me lembrei do trem maria-fumaça da Estrada de Ferro de Nazaré, subindo a ladeira da Casca lá na minha Jaguaquara e dei uma risada. O homem pulou, arrastou a pasta, correu, foi para o outro lado da praça, em frente à Universidade. Com meus dólares no bolso. Quem ia pagar meus conhaques da Geórgia com Barbara e seus olhos verdes?

Começou uma cena nervosa, tensa, ridícula. Eu levantava a mão, chamava-o. Ele sacudia o dedo, dizia não. A muito custo, olhando para os lados, desconfiado, foi chegando, chegando, escondeu-se atrás da escada, acendeu a lanterna. Peguei um papel, desenhei mal um trem com fumaça, imitei o som da máquina:

— Stintim, stintim, stintim.

Ele riu, me abraçou, contou o dinheiro, enfiou no meu bolso e saiu com sua pasta suja, pesada, e sua careca iluminada nos postes tortos. Barbara, aflita, sentada no meio-fio, esperava. Nunca mais deixei Barbara pagar o conhaque da Geórgia. O câmbio negro do careca com olho de gato assustado era uma diferença imensa: de 10 para 200. O conhaque ficava de graça.

Uma noite, na véspera de ir embora, no quarto miúdo onde Barbara morava, já de madrugada eu lhe pedi que bebesse menos. Barbara sorriu um sorriso de guerreiro que perdeu a batalha:

— Meu avô morreu numa guerra da Alemanha com a Rússia. Meu pai morreu numa guerra da Alemanha com a Rússia. Eu sei que vou morrer numa guerra da Alemanha com a Rússia. O conhaque ajuda a esquecer isso. E vai ajudar a esquecer você.

No dia seguinte, Barbara Slanka ficou lá na estação do trem para Praga, dando adeus, com seu pulôver vermelho, sua gola rolê, sua calça preta e os conhaqueados olhos verdes.

Um dia voltei a Varsóvia para dizer a Barbara que ela não morreu numa guerra da Alemanha com a Rússia. Não a encontrei.

De manhã muito cedo, um frio de matar, abaixo de zero, o dia ainda escuro, bateram no apartamento do pequeno hotel em que me hospedaram em Praga, numa transversal da Avenida Wenceslaw, quando cheguei de Varsóvia. Era meu amigo o sergipano-baiano João Batista de Lima e Silva, diretor da "Voz Operária", órgão oficial do Partido Comunista Brasileiro:

— Companheiro, vamos ao aeroporto receber os generais.

— Que generais?

— Os generais Leônidas Cardoso (pai do Fernando Henrique Cardoso), Carnaúba e Buxbaun.

— Já sei. Os generais do petróleo, da campanha do Petróleo é Nosso. Pensei que eram generais de tropa.

— E daí, Nery? Esses são os generais que nos couberam.

Fomos lá, comidos pelo frio, recebemos os generais e os deixamos no hotel, evidentemente bem melhor do que o meu.

Mas havia generais mais fracos: alguns dirigentes do PCB. João Batista era um brilhante, culto e negro membro da "Fração de Imprensa" do Comitê Central. Foi o primeiro da cúpula do PCB que me disse que o Relatório de Khrushev era verdadeiro, real, mas que não conhecia ninguém, do Brasil nem de Praga, que o tivesse lido. Estava de volta ao Brasil e ia discutir o problema com a direção do PCB para debater o assunto nos jornais do PCB.

Praga parecia uma velha tia doente: feia e triste. Tão maior e mais rica, mas não tinha a efervescência da bombardeada Varsóvia nem da também histórica Cracóvia. O governo era muito duro, totalmente comandado por Moscou.

A única manifestação popular de alegria e entusiasmo que vi naqueles dias em Praga foi a chegada, o desfile e o grande comício na Avenida Wenceslaw em homenagem a Ho Chi Minh, o herói do Vietnã que, dois anos antes, em 1954, derrotara e humilhara o império francês da Indochina em Dien Bien Phu, como faria logo depois com o império norte-americano em Hanói.

Consegui cumprimentá-lo e me espantar com suas mãos de bambu e seus finíssimos dedos de palha de arroz.

* * *

O velho líder tcheco da resistência antinazista, Klement Gottwald, que tomou o poder para os comunistas em 1948 apoiado nas tropas soviéticas, tinha morrido em 1953, substituído por Antonin Zapotocky como primeiro-ministro, Rudolf Slansky, secretário-geral do Partido Comunista como vice-primeiro-ministro e Wladimir Clementis como ministro do Exterior. Moscou abriu um processo stalinista e fuzilou Slansky, Clementis e nove outros líderes, todos judeus, menos Clementis.

A Tchecoslováquia tornou-se uma ainda mais emasculada província soviética. Tinham sede a UIE (União Internacional dos Estudantes) e a FSM (Federação Sindical Mundial), a CUT soviética. O PCB mantinha ali uma de suas três mais importantes representações na Europa: Moscou, Paris e Praga.

Como João Batista, também eu nada mais tinha a fazer lá. Minha última escala de convidado do Festival era Budapeste. Fui.

* * *

O massacre de Budapeste pelos russos ainda tinha sido pior do que os poloneses me contaram. Os húngaros traziam atravessado na garganta o fuzilamento de Lazlo Rajk, ministro do Interior, acusado por Stalin de colaborar com Tito, condenado à morte e executado. Janos Kadar, amigo de Rajk, não foi fuzilado, mas foi para a cadeia. Rakosi, o líder do partido que assumira o governo em 1952, apoiado pelas tropas russas, era um stalinzinho sanguinário. Matava para ficar sozinho no poder.

Em março, com o Relatório de Khrushev, Rajk foi reabilitado postumamente e a Hungria se levantou exigindo a saída de Rakosi, que passou o governo para Imre Nagy. Era tarde.

A fábrica "Czepel", que fazia inclusive as famosas motos "Czepel", menina dos olhos dos comunistas, chamada de "Ilha Vermelha" porque ficava em uma pequena ilha do Danúbio, à beira de Budapeste, com 10 mil operários, principal base política do PC, criou uma comissão operária e o processo disparou.

Em 24 horas já haviam sido criadas milhares de "comissões operárias" rebeladas. A universidade foi para as ruas, os intelectuais para as rádios e jornais. Imry Nagi convocou os antigos socialistas e os sociais democratas, para um governo de unidade nacional. A estátua de Stalin, imensa, foi derrubada.

De madrugada, os russos, chamados por Rakosi, atravessaram a fronteira e literalmente fuzilaram as esperanças e a alegria do povo que, aos milhões, comemorava a liberdade nas ruas. Foi um massacre. Milhares de mortos e presos. A abertura de Khrushev era só para os russos. Para as colônias, bala.

Nagy cometeu a ingenuidade de ir ao comando militar soviético para negociar. Foi levado para Moscou e fuzilado.

Foi com emoção e comoção que vi, na "Ilha Vermelha" do Danúbio, os rombos enormes dos canhões soviéticos nas paredes da fábrica "Czepel". A Hungria jamais esqueceu. Jamais perdoou.

Quando disse, em russo, "spaciba" ("obrigado"), ao motorista de táxi que me levou para ver o que restou da "Ilha Vermelha", ele fechou a cara irado, na porta do hotel:

— "Spaciba no! Spaciba ruski"! (Spaciba não! Spaciba russo!)

Não era um protesto. Era um ponto final dele. E meu. A boa vida do espichado Festival de Moscou acabara. A partir dali, teria de pagar hotel e comer o pão com o suor de meu rosto. Os escassos dólares que me restavam eram para Paris e Roma, até o navio em Gênova, já de passagem comprada e volta marcada.

Vendi três "Laikas" em uma loja de materiais fotográficos e fui para a Iugoslávia, para Belgrado. Não eram só os partidos comunistas que crepitavam. Minha cabeça tinha sido incendiada.

19
O PCB

O TELEFONE TOCOU, O GARÇOM ATENDEU, CHAMOU:

— *Mister* Sebástien.

Eu me levantei, ele se levantou. Chamava-se Sebástien. O telefonema era para ele. Quando desligou, puxou conversa. Estávamos no bar do hotel de Belgrado, capital da Iugoslávia. Eu vinha de Budapeste para a última escala antes de Roma e Paris.

Era um homem de rosto estranho, bebia sozinho a um canto. Grego, vivia na Polônia, amigo e companheiro de cadeia de Gomulka. Tinham acabado de sair da prisão. Passou anos, depois da primeira guerra, nas montanhas da Grécia, lutando na guerrilha do famoso Comandante Marko contra a ocupação inglesa.

Era 30% de um homem. Faltava muita coisa nele: não tinha um braço, a perna esquerda era de aço, as costas quase toda de platina. Sobreviveu a um bombardeio de avião inglês e a uma dura prisão americana. Acabou na Polônia, onde passou anos apanhando por ser amigo de Gomulka, acusado de antistalinista.

Depois de muitas doses e histórias inesquecíveis, prometeu levar-me para o jantar de Tito à delegação da Polônia. E cumpriu. Entrei com um convite polonês.

Eu tinha passado a semana inteira lutando por um convite para a recepção que o presidente Tito, da Iugoslávia, daria a Gomulka, secretário-geral do partido e chefe do governo da Polônia, e a Josef Cyrankiewicz, presidente do Conselho de Ministros polonês. Não conseguira registrar a tempo minha carteira de jornalista para ter acesso ao banquete.

Tito era um velho bonito. A mulher de Tito não era velha e era bonita. Eu já tinha conhecido o olhar arisco, desconfiado, elétrico, de Khrushev. E não havia podido entender como Ho Chi Minh, aquele fiapo de gente, um bambu com barbicha, liderava um povo que já levara à vitória contra o império francês e logo depois levaria à humilhante derrota do império americano.

Khrushev me tinha deixado a impressão de uma coisa estranha, sem limpidez, talvez a alma turva, indecifrável. Mas foi muito rápido, distante. Não dava para fixar um retrato. Só anos depois, em Kiev, o vi de perto e se confirmou a primeira sensação.

Tito, não. Era um homem claro, transparente, visível. Mais tarde, anos depois, quando o entrevistei na ilha de Brioni, sua casa de férias no Mar Adriático, escrevendo meu livro "Socialismo com Liberdade" (Editora Paz e Terra, 1974), comprovei e cheguei a uma conclusão que o tempo confirmou. Tito era dono de seu destino, liderava seu povo sem subterfúgios e sombras.

Khrushev, não. Estava atado a um processo de poder que, por mais absolutista, sempre o podava, limitava, escravizava. Tito podia sorrir com aqueles olhos escancarados de operário guerreiro descendo a montanha e contemplando a planície. Sozinho em um Leste Europeu humilhado e tiranizado por Stalin, foi o único que se rebelou e derrotou Stalin.

A luz dos olhos de Tito, que não vi nos olhos de Khruschev, era a luz da independência. A mesma luz tênue e faiscante dos olhos humildes de Ho Chi Minh.

* * *

A Iugoslávia também se agitava naquele 1957. Em 55, morto Stalin, Khruschev e Bulganin haviam visitado Tito em Belgrado, para reatar as relações com a União Soviética que Stalin rompera em 1948, acusando Tito de "desvio direitista e nacionalismo burguês", impondo-lhe um bloqueio econômico de vários anos.

O Relatório de Khrushev contra Stalin circulava e era discutido por toda parte, confirmando o que Tito dissera. Mas houve uma grave crise interna, que ainda fervia naqueles dias.

Milovan Djilas, o terceiro homem do governo, amigo fraterno de Tito, líder da Resistência contra Hitler no Montenegro, vice-presidente do Conselho, presidente da Assembleia Federal, intelectual poderoso, muito respeitado, achou pouco a substituição do Partido Comunista Iugoslavo pela Liga dos Comunistas Iugoslavos para diferenciá-la dos partidos comunistas submetidos a Moscou, e propôs nova organização do Estado.

Expulso da Liga, tentou formar um Partido Socialista Democrático, foi acusado, condenado e preso de 56 a 66. Publicou na Itália, exatamente naquele segundo semestre de 1957, "A Nova Classe", um tremendo sucesso no mundo inteiro, denunciando a burocracia comunista. Escreveu também "Conversações com Stalin", "O Leproso" etc. Entrevistei-o em 73.

Ao lado de Tito, continuou Edvard Kardelj, também da Resistência, intelectual, estadista, vice-presidente do Comitê Nacional de Libertação, vice-presidente do Conselho, ministro do Exterior, principal teórico do "socialismo iugoslavo", com os 7 volumes do clássico "Problemas do Desenvolvimento Socialista" e que também entrevistei ali em Belgrado, em 1973.

* * *

A Iugoslávia refletia a efervescência, as labaredas da crise interna nos partidos comunistas mundiais depois do Relatório de Khrushev. Era hora de ir para Paris reencontrar minha voz. Ainda bem que na Europa, à época, os trens eram baratos, na classe turística, segunda classe. E os Albergues da Juventude, também.

De Belgrado para Trieste, já devolvida à Itália por Tito. De lá à divina Veneza. Dois dias de encanto na Praça de São Marcos. De Veneza a Milão. Um dia na "Duomo", a catedral, e no Scala.

De lá, Turim. Também um dia para um banquete solitário.

Na estação ferroviária, comprei a passagem para Paris. Restou-me um monte de liras. O trem era no fim da tarde. Entrei no restaurante "Il Cavallo de Bronzo", numa daquelas magníficas galerias de Turim, procurei o *maître* mais velho, cara boa, tirei do bolso o punhado de notas, qualquer moeda valia *"mille lire"*:

— Quero beber e comer tudo isso aqui.

Expliquei que ia viajar à tarde e não ia mais fazer câmbio. O italiano está sempre querendo fazer um bom negócio. O bom velho contou, calculou, me deu as cartas de vinho e comida:

— Vá pedindo. Quando suas liras acabarem eu aviso.

Vinho da Toscana, presunto de Parma, pasta de Nápoles, cordeiro da Sicília e um Limoncello. Comi como um cardeal.

* * *

Em Paris o hotel Saint Jacques, na Rue des Écolles, me esperava. Minha voz tinha chegado na véspera. Tínhamos duas semanas "abençoadas por Deus e bonitas por natureza."

Mas um tumulto cada dia maior, saído do Brasil, chegava até lá. As direções do Partido Comunista e da União da Juventude Comunista começavam a rachar em cacos. Prestes, fundamentalista como sempre, tinha mandado ao Comitê Central uma "Carta Rolha" proibindo qualquer discussão sobre o "Relatório de Khrushev". Era "coisa da CIA" e acabou. E vetou o debate que havia começado desde o ano anterior nos jornais do PCB.

Desde junho de 1956, os companheiros franceses que conhecíamos já discutiam abertamente o Relatório no jornal oficial do Partido Comunista, "L'Humanité", certos de que o "Relatório" era autêntico, verdadeiro. O "L'Unitá" do Partido Comunista Italiano e sua revista "Nuovi Argumenti" também desde junho de 1956 estavam debatendo, inclusive com entrevistas de Palmiro Togliati, o secretário-geral do PCI. Os espanhóis, da mesma forma. Em Portugal não havia debate.

No Brasil, "O Estado de S. Paulo" já publicara na integra. Os jornais americanos da cadeia Hearst também. E assim o "Times" de Londres, o "Le Monde", de Paris. No Brasil, estavam querendo tapar o sol com a peneira, o cano furado com o dedo.

Osvaldo Peralva era um querido companheiro baiano, membro do Comitê Central e representante do PCB no Kominform, Centro de Informação dos Partidos Comunistas, com sede em Bucareste, na Romênia, e que tinha substituído o Komintern, que funcionara em Belgrado e foi fechado por Stalin quando Tito rompeu com ele. Peralva tinha *status*, carro, motorista e mordomias de ministro. O Kominform, na verdade, era uma central de controle dos Partidos Comunistas do mundo pelo Partido Comunista da União Soviética.

Peralva voltou ao Brasil, foi para o jornal do PC no Rio, "Imprensa Popular", mas em 22 de maio de 57 mandou carta ao Comitê Central "desligando-se das fileiras do PCB por desacordo com a ditadura férrea nele vigente".

Mas havia uma bomba maior. Agildo Barata, um dos líderes dos "Tenentes de 30", chefe do Levante do 3º RI do Rio de Janeiro em novembro de 1935, sob o comando da ALN (Aliança Libertadora Nacional), 10 anos preso (de 35 a 45) na Casa de Detenção e na Casa de Correção do Rio, em Fernando de Noronha e na Ilha Grande, vereador do Rio em 1947 pelo PCB, membro do Comitê Central e Tesoureiro Nacional do PCB, a segunda mais forte e notória biografia política e revolucionária do PCB — antes dele só Prestes —, também já havia mandado carta ao Comitê Central, desde 13 de maio daquele 1957, pedindo demissão "em caráter irrevogável" da direção e do partido:

— "Depois de 22 anos de militância ininterrupta nas fileiras do PCB, resolvi, em caráter irrevogável, solicitar minha demissão de membro do partido e membro efetivo do Comitê Central". Era o começo do fim. Minha panela só destamparia no Brasil.

* * *

Paris ainda me daria duas semanas com a voz. O restinho do ralo dinheiro acabava. Saí para mercadejar mais três máquinas "Laika", da herança de Ludmila. Numa esquina da Saint Germain des Prés, encontrei os engenheiros baianos Fernando Santana e Hélio Ramos, que no ano seguinte se elegeriam deputados federais. Providencialmente compraram duas.

À noite já estávamos, eu e a voz, no Le Vieux Colombieux, esquina de Boulevard Raspail e Rue de Rennes, uma cave enfumaçada com a cara existencialista de Sartre e um clube de jazz tocando noite adentro. Ela se descobriu, se maravilhou e se revelou. Depois de alguns champanhas, acabou no palco e no microfone, cantando coisas belas, prevendo seu trágico amanhã.

Quase amanhecemos lá. Eu tinha certeza de que voltaria para viver naquela cidade mágica, mas alguma coisa lhe dizia que eram suas últimas semanas de Paris. E vivemos até a última gota.

Mais três "Laikas" vendidas no "Marché Aux Puces", outras noites e caves, outros champanhas e canções, e nos separamos como se o destino nos serrasse ao meio. Ela de avião para o Brasil, eu de trem até Roma, mas só de passagem, de lá para Gênova e o navio até o Rio. Roma ficaria para outra vez. Não se deve gastar o mundo de uma vez só.

E aos pés da Notre Dame o juramento doloroso: não nos procuraríamos. Quando nos encontrássemos, bastaria nosso olhar nos relembrando para sempre Paris. No fundo da dor, eu sonhava que um dia a vida outra vez nos poria juntos em Paris.

E ela jamais voltou lá. Comigo ou sem mim. Talvez por isso escolheu tão logo e tão cedo o caminho da eternidade.

A vida é uma alameda de amores mortos.

* * *

Desci no Brasil em novembro de 57. Precisava saber de tudo. Imediatamente procurei Agildo Barata, Osvaldo Peralva e João Batista de Lima e Silva. Primeiro Agildo com a palavra:

— "Numa reunião financeira com simpatizantes, em São Paulo, entrou na sala um estafeta do Comitê Central me convocando para uma reunião plenária do CC, perante a qual a delegação do Partido Comunista

Brasileiro, que tinha ido ao XX Congresso do Partido Comunista da União Soviética no ano anterior, vinha, de regresso, prestar contas perante o CC do que vira e ouvira como representante do PCB no congresso do PCUS. O estafeta ouvira um dos trechos da minha palestra e, puxando-me para um lado, me segredou:

— "Camarada Agildo, você está completamente errado afirmando ser provocação o Relatório de Khrushev. Acabo de avistar-me com um dos membros da delegação do Comitê Central que esteve em Moscou e que afirma ser autêntica a versão divulgada pelo 'O Estado de S. Paulo'. Como militante, constrange-me ver você, um membro do Comitê Central, a sustentar tão ingenuamente uma tese tão falsa. Não há mais dúvida: o Relatório é verdadeiro. E que é mais trágico ainda: ele não é toda a verdade. Há outras coisas muito piores".

"Senti uma dor no estômago, percebi que a vista estava me escurecendo e, com náuseas, tive uma vontade irresistível de vomitar. O choque era tremendo. Desmoronavam-se de um golpe velhos sonhos e ilusões que enchiam toda a minha imaginação de admirador entusiasta e incondicional de Stalin e daquilo que eu supunha ser sua grandiosa obra."

"O núcleo dirigente, sempre o 'núcleo dirigente', resolvera convocar uma reunião plenária do Comitê Central, ampliando-a de mais uns 20 ou 30 camaradas escolhidos. Quase 100 pessoas. Quanto a Prestes, apesar da gravidade da situação, continuava teimosamente enfurnado, teimando em permanecer na toca, atitude absolutamente intolerável. Não compreendeu, não quis compreender ou pouco lhe importavam as consequências."

"A reunião se processou num clima de grande emotividade. Os delegados foram claros e incisivos: o Relatório foi realmente feito. E o que era pior: em Moscou ouviram muitos outros erros e crimes além dos revelados pelo Relatório. Afastadas as últimas dúvidas, tive um choque ainda mais violento que o anterior: tive um intenso derramamento de bílis e fui para a cama suando frio e com as extremidades geladas. Minha indignação chegou ao auge quando o CC, sob a pressão de uma carta de Prestes, resolveu encerrar os debates."

"Um dos companheiros, no seu discurso, disse que o Relatório tinha-lhe dado 'a sensação de haver recebido um violento soco na boca do estômago'. O soco que deram na boca de meu estômago tinha sido demolidor, possivelmente porque minha capacidade de resistir fosse muito pequena. Uma resolução havia tomado: — Não compactuo mais com isso".

"Escrevi um artigo, 'Pela Democratização do Partido', que causou grande sensação nas fileiras do partido, sacudindo-o, porque eu propunha que se realizassem imediatas eleições em todo o partido, desde as bases até o Comitê Central. O 'núcleo dirigente' proibiu a publicação nos jornais do partido, mas alguns desobedeceram e publicaram. Resolveram encarregar o mais reacionário e jesuítico de seus membros, o João Amazonas, de escrever um artigo rebatendo o que eu escrevera. E surgiu a carta de Prestes, que logo recebeu o justo epíteto de 'carta-rolha.'"

"O núcleo dirigente mobilizou alguns militantes fanáticos e mandou invadir as redações da 'Imprensa Popular' e da 'Voz Operária', expulsando os jornalistas de suas redações. O 'núcleo' fez o que a Polícia até então não conseguira fazer: silenciar os jornais do partido. Realmente era demais."

"Dirigi aos membros do Comitê Central um bilhete, em caráter irrevogável, solicitando minha demissão de membro do partido e de membro efetivo do Comitê Central, reservando-me o direito de voltar ao assunto quando julgasse oportuno fazê-lo.

Uma semana depois, os jornais do PCB noticiaram que o Comitê Central resolvera me expulsar do partido, e a partir de então entraram a insultar-me e caluniar da maneira mais torpe."

Agildo respondeu em entrevista histórica à "Manchete":

— "O PCB se transformou em uma seita mística, fanatizada, conglomerado de fanáticos, uma máquina de moer gente".

E contou tudo na "Vida de um Revolucionário" (1ª edição da Editora Melso, de 1962, e 2ª edição da Alfa-Omega, 1978).

Osvaldo Peralva também escreveu seu depoimento, que foi um estrondoso sucesso: — "O Retrato" (Editora Itatiaia, Belo Horizonte). Não se pode escrever a história do PCB e da esquerda no Brasil sem os livros de Agildo e de Peralva.

* * *

Por ser Agildo o grande homem que foi e por seu livro estar esgotado, registro pequeno trecho, importantíssimo, de seu encontro com Prestes na prisão e ligeiro depoimento sobre ele:

— "Nos últimos dias de minha prisão, março-abril de 1945, me transferiram para a Casa de Correção, onde Prestes se encontrava. O objetivo era colocar-me em contato com meu ídolo recém-converso à linha de apoio incondicional a Getúlio, em quem chegou a descobrir 'pendores democráticos', segundo telegrama que enviou ao ditador e ao qual este deu a mais ampla publicidade, causando grande alarde e desassossego nas hostes democráticas e oposicionistas".

"Minha emoção era tão grande, que eu nem notei a atitude cerimoniosa de Prestes em flagrante contraste com a minha emocionada e insopitável alegria. Prestes mal me apertou a mão e voltou a conversar com outra pessoa que o visitava no salão de visitas da Casa de Correção, onde nos encontrávamos.

Pouco depois terminava a hora de visita de Prestes e levaram-no para o quarto onde estava aprisionado. Permitiram-me permanecer junto a ele durante os dias. Entrei, então, a conhecer, de perto, meu ídolo. Num primeiro exame, chocou-me seu desmazelo com a própria pessoa."

"Os dentes muito estragados, os cabelos mal penteados, a barba mal feita, as calças amarradas com um barbante à guisa de cinto. O casaco ficava-lhe exageradamente grande. A roupa estava muito amarrotada, a camisa sem colarinho, aberta no peito, deixava à mostra um tufo de cabelos muito negros. Os olhos, fundos, circundados por olheiras azuladas. O cabelo liso caía-lhe em mechas para um e outro lado da cabeça e ele, muito repetidamente, o alisava e levantava com as mãos nervosas. As unhas mal cuidadas e as extremidades dos dedos esfolados num tique nervoso que ele repetia com muita frequência: arrancava pedaços de peles das pontas dos dedos até sangrar."

— "A cabeça ele a jogava para trás, num gesto que parecia de soberba altivez, enquanto avançava com o queixo para a frente. Muito pálido. Os ossos da clavícula e do externo, proeminentes, não apresentavam a aparência de um tórax de quem tivera longos períodos de educação física. Ao contrário, tinha a compleição toráxica a que chamam de peito de pombo. Enfim, o Cavaleiro da Esperança estava muito castigado fisicamente por aqueles longos quase 10 anos de vida carcerária. E isso era compreensível, embora chocante. Apesar de tudo, estava conservado e seu olhar, ainda que triste, revelava uma grande energia interior'.

* * *

Em um ano, de maio de 1956, quando Agildo Barata confirmou o "Relatório de Khrushev", vomitou, saiu e denunciou, a agosto de 1957, o PCB implodiu no terremoto interno. E com ele a UJC (União da Juventude Comunista) e os jornais, semanários e revistas do partido, sobretudo os principais: — "Imprensa Popular", "Voz Operária", "Novos Rumos", "Problemas".

Peralva descreve o velório dia a dia, em páginas estarrecedoras, no seu "O Retrato", contando a guerra interna e a desesperada disputa pelo comando do Comitê Central e do partido:

"Intitulou-se Sinédrio um grupo de intelectuais, sobretudo jornalistas que trabalhavam nos órgãos centrais da imprensa comunista, aqui no Rio, e participavam de sua direção. Atuava numa dupla clandestinidade, em relação à polícia e em relação à direção do partido. O centro era a redação da "Voz Operária" e como sede a casa de um de seus membros fundadores, Ernesto Luís Maia (Newton Rodrigues)."

"Do Sinédrio fizeram parte os seguintes companheiros:

Antônio Rezende, antigo dirigente da UJC; Armando Lopes da Cunha, ex-secretário do semanário 'Democracia Popular'; Aydano do Couto Ferraz, diretor da 'Voz Operária' e ex-diretor da 'Imprensa Popular'; Carlos Duarte, ex-diretor da 'Imprensa Popular'; Demóstenes Lobo, antigo dirigente da UJC e ex-secretário da Federação Internacional da Juventude Democrática, sediada em Budapeste; Esnesto Luís Maia (Newton Rodrigues), comentarista internacional da 'Voz Operária'; Horácio Macedo, secretário de 'Emancipação', jornal do partido dedicado a questões econômicas nacionais; João Batista de Lima e Silva, redator e ex-diretor da 'Voz Operária' e 'Imprensa Popular'; Victor Konder, diretor da revista 'Problemas'; Zacarias Carvalho, diretor do semanário 'Democracia Popular'. E o autor deste livro. Para reuniões posteriores, iam sendo convidados outros camaradas que vinham frequentando a redação da 'Voz Operária' e ali participando de uma ou outra discussão." (Como eu, em 57).

"O XX Congresso do PCUS terminara seus trabalhos em fevereiro de 1956 e até setembro daquele ano a direção do PCB se manteve muda e em queda, com a cabeça enfiada na areia, esperando que a tempestade passasse. Combinou-se então que Maurício Pinto Ferreira, de 'Emancipação', escrevesse à 'Voz Operária' estranhando essa calmaria e que João Batista de Lima e Silva respondesse. Assim foi feito, assim se abriu o debate."

"Saiu o artigo de Batista, simultaneamente na 'Voz Operária' e na 'Imprensa Popular', no dia 6 de outubro de 1956, sob o título 'Não se pode adiar uma discussão que já se iniciou em todas as cabeças'. E não tardaram a chegar à 'Imprensa Popular' e à 'Voz Operária' cartas de solidariedade a Batista, assinadas pelos principais redatores do jornal 'Para Todos'."

"No mesmo dia 6 o romancista Jorge Amado, diretor do 'Para Todos', enviou uma carta estampada na 'Imprensa Popular' do dia 11: — 'Meu caro Batista, venho de ler teu artigo na 'Voz' e apresso-me em trazer-te meu abraço e minhas felicitações. Artigo pioneiro, necessário, abrindo um debate que 'está em todas as cabeças', e que, como ainda não saiu das cabeças, sufoca todos os peitos, impede toda a ação, todo o trabalho, pois ninguém tem entusiasmo — falo, é claro, de gente honesta e sã e não de oportunistas e carreiristas — quando se sente cercado de sangue e lama. Aproximamo-nos de nove meses de distância do XX

Congresso do PCUS, o tempo de uma gestação. Demasiado larga essa gravidez de silêncio e todos perguntam o que ela pode encobrir, se a montanha não vai parir um rato."

"Novas cartas de escritores comunistas: do ensaísta Moacir Werneck de Castro, do romancista Dalcídio Jurandir, do poeta Santos Moraes, do crítico de teatro Antônio Bulhões, do cronista Egydio Squeff, do jornalista Issac Akcelrud, redator-chefe da 'Imprensa Popular'. E vieram a 'Carta-Rolha' de Prestes proibindo qualquer debate e a invasão das redações da 'Voz Operária' e da 'Imprensa Popular', articulada pelo 'núcleo dirigente', insultando os redatores e ameaçando agredi-los. Dos 32 jornalistas da 'Imprensa Popular', 27 assinaram uma carta ao Comitê Central, lida por Agildo Barata, denunciando tudo."

"A primeira medida do grupo conservador foi transformar a segregação em que Prestes vivia, como medida de segurança pessoal, numa prisão, que tinha como carcereiros Diógenes Arruda, João Amazonas e Maurício Grabois. Durante muito tempo, a partir de 1947, só Arruda e depois Amazonas conheciam as veredas que levavam às catacumbas de Prestes."

"Algumas vezes Prestes manifestou desejo de ir à URSS e à China, mas Arruda declarava que não havia suficientes condições de segurança para tirá-lo do Brasil, o que não passava de uma grossa patranha: o que ele objetivava era manter-se como o principal dirigente do PCB em contato com Moscou, como o chefe de todas as delegações do PCB aos conclaves de maior importância no mundo bolchevista. E conseguiu. Essa medida servia-lhe para conservar prisioneiro o chefão comunista."

"Cresceu o desespero de Prestes. Ameaçou sair das catacumbas mesmo a pé para entrar em contato pessoal com outros companheiros, arriscando-se a ser descoberto e preso pela polícia. Para sair da catacumba, Prestes necessitava de um automóvel e de um chofer. E embora houvesse, além dos automóveis de uso, dois novos em folha nas garagens do 'núcleo dirigente', o carro que este lhe ofereceu foi um calhambeque e como chofer, um camarada que nem possuía carteira de motorista."

"Era impossível conviver mais com essa gente. A notícia da saída de Agildo do PCB e a entrevista à revista "Manchete" foi uma bomba nos meios políticos e nas fileiras do partido. Após ele, numerosos outros militantes pedimos demissão. Novas bombas foram explodindo no Rio, em São Paulo, em Porto Alegre, na Bahia. Organismos inteiros rompiam com o PCB."

"A Corrente Renovadora, inclusive os principais dirigentes da União de Juventude Comunista e a maioria da Comissão Sindical e da Fração de Imprensa, constituiu-se numa organização à parte, fora do PCB e oposta a ele, realizando reuniões de âmbito interestadual, editando nos Estados alguns boletins, e, no Rio, um jornal semanal, 'O Nacional', dirigido por Aydano do Couto Ferraz em sua primeira fase e por Agildo Barata na segunda, e uma revista, 'Novos Tempos', dirigida por um Conselho Diretor e por mim, como seu diretor."

"Estava se formando, em verdade, um Partido Comunista Nacional, essencialmente bolchevista. A ideia de estarmos criando um monstrengo de alma totalitária, com fachada nacional e democrática, apavorou-nos. E não se organizou o partido, fechou-se o jornal, liquidou-se a Corrente Renovadora como organização. Nosso papel era, sobretudo, crítico. Cumpriu-se."

* * *

Foi nesse caldeirão que entrei, quando desci no Rio, no fim de 1957 e logo procurei meus amigos Agildo Barata e Osvaldo Peralva e participei de algumas reuniões. Fui para Belo Horizonte levando vasto "material subversivo": boletins, artigos nos jornais e revistas, e, sobretudo, endereços de ex-companheiros do PCB e da UJC para tirar cópias, reproduzir e mandar tudo pelo correio.

Cheguei lá e imediatamente pedi demissão da UJC, do Comitê Universitário e, sobretudo, do "Jornal do Povo". Passou a ser uma luta muito desigual. Além da polícia, tinha agora contra mim, ferozes, implacáveis, os antigos companheiros do Partido Comunista, da Juventude e das organizações por eles controladas.

Para eles era a vida: saí como herói, voltei como traidor.

Minha nuvem tinha dado uma cambalhota. E eu com ela.

20
O Jornal da Bahia

Entrei no casamento indo para o Rio. Saí do casamento voltando para a Bahia. Em uma hora minha vida deu uma volta completa. Não dava mais para continuar em Minas.

A pressão da Juventude Comunista, do Partido Comunista, de meus companheiros de lutas políticas e universitárias começou a ficar irrespirável, intolerável. Decidi: vou-me embora daqui.

O caminho era o Rio. Em 1951, já ia para o Rio, mas o santo caminhão quebrou em Pedra Azul e me deu oito anos de Minas, bênção dos céus. Agora era o caminhão da História que me atropelava. O rompimento com a União da Juventude Comunista e com o Partido Comunista, por causa dos crimes de Stalin e da implosão do PCB, criou uma situação irremediável.

Não troquei de lutas nem de lado e meu lado me renegava. Aliás, nunca troquei de lutas nem de lado. O tempo é que tantas vezes trocou as lutas e os lados.

Fiz as provas da faculdade, passei para o quinto ano e deixei 1958 para 1958 resolver. Acertei com o Ministério do Trabalho e com a Faculdade de Direito que, no meio do ano, eles me transfeririam para o Rio. Funcionário público podia.

Continuei à tarde na Delegacia do Trabalho e à noite na faculdade. As manhãs estavam livres. Não podia ir para jornal nenhum, até julho já estaria no Rio. E o salário do Ministério não dava, com casa, mulher e filho. Era preciso trabalhar de manhã.

A NUVEM

* * *

Na Faculdade de Filosofia, indicaram-me dois alunos extraordinários. Um das seis às sete da manhã. Outra das sete às oito. Todos os dias, de segunda a sexta. Com sono ou sem sono.

Era uma tentação, ventura e tormento. De manhã cedo, era exatamente a hora em que, no apartamento ao lado, minha voz acordava cantando canções, nossas canções de Paris, que ela cantava como o cantochão de nossa missa impossível.

E nós dois cumprindo o pacto de não nos encontrarmos nem nos falarmos, mesmo no elevador, quando havia outras pessoas.

* * *

Ele chegava cheirando a pepino com coalhada e alho. Ela, cheirando a alfazema. Ele era branquinho, gordinho, redondinho, israelita, inteligentíssimo, de uma família dona de uma rede de lojas em Belo Horizonte. Ela era linda, maravilhosa, filha do Dr. Carteia Prado, com sua rede de farmácias em Belo Horizonte. Ele tinha quinze anos, estava chegando de Israel para viver com a família em Minas. Não sabia uma palavra de português. Sabia francês e precisava aprender português por intermédio do francês.

Ela tinha dezoito anos, era candidata a *miss* Minas Gerais. Ficou em segunda época, não podia disputar o título reprovada. Ele um dia voltou para Israel e se tornou general do exército de Israel. Ela passou na segunda época e foi Miss Minas Gerais.

Ele tinha uma incrível vontade de aprender, aprender logo e aprender tudo o que pudesse. Pegávamos um texto em francês, eu traduzia palavra por palavra, frase por frase. Daí a pouco ele já estava pronunciando e escrevendo a tradução corretamente. Antes de sair, pedia outro texto para trazer traduzido no dia seguinte.

Com algum tempo já conversava e escrevia em português. Como saía de nossa aula direto para o colégio onde estudava a partir das oito, propôs estender a aula mais meia hora para conversarmos sobre Minas, o Brasil, a América Latina, tudo. Espichei o horário dela para dar mais meia hora a ele. Abria um grande mapa e falávamos sobre nosso mundo. Ele, encantado.

Um dia pedi-lhe que escolhesse um tema e escrevesse em casa um texto. Sugeri: — "O que quero ser. O que vou ser".

No dia seguinte me trouxe duas laudas inteiras, escritas à mão, com sua letra redonda, clara, sem um erro. Aliás, um só. Guardei-o durante muito tempo. Ele já sabia o que queria:

— "Eu Vai Ser Endinheiro".

E escreveu "Engenheiro" com "*di*" em vez de "*ge*". O texto era longo, mas se resumia assim:

— Ser alfaiate, fazer roupas, vestir os outros, ganha dinheiro. Mas ser "*endinheiro*" ganha mais dinheiro. Ser comerciante, ter loja, vender coisas, ganha dinheiro. Mas ser "*endinheiro*" ganha mais dinheiro. Ser médico, ter hospital, curar os outros, ganha dinheiro. Mas ser "*endinheiro*" ganha mais dinheiro. Ser fazendeiro, plantar café, criar boi, ganha dinheiro. Mas ser "*endinheiro*" ganha mais dinheiro.

Toda a segunda lauda era sobre o que ia fazer como "*endinheiro*": casas, edifícios, estradas, automóveis, aviões, tudo.

Quando lhe mostrei a diferença entre ser "engenheiro" e ser "*endinheiro*", ele riu muito:

— Vou contar em casa. É por isso que no colégio meus colegas brasileiros dizem que os judeus gostam muito de dinheiro.

* * *

Não dei aulas só em casa. Logo apareceram alunos para aulas nas casas deles. Fiz amigos, como o líder ruralista e deputado Fidelcino Viana, cujas filhas preparei para provas.

E um garoto de doze anos, pianista-revelação, que já ia para a Europa e lhe ensinei o básico de francês, italiano, espanhol. A aula dele tinha que ser na hora do almoço, porque logo a professora de piano chegava e ele tocava dez horas todos os dias.

Foram seis meses de improvisações. Apareceu em Belo Horizonte um diretor do IPOM (Instituto de Pesquisa, Opinião e Mercado), de São Paulo, para organizar uma equipe de pesquisadores. Conheci-o em um jantar e no dia seguinte já estava reunido com ele, sugerindo estudantes, que eu sabia mais ou menos desempregados, sobretudo meus ex-colegas comunistas.

Deu certo. O IPOM passou anos instalado em Minas.

Uma tarde meu amigo Pedro Paulo Moreira, da Editora e Livraria Itatiaia, me chamou para mostrar belíssimas coleções encadernadas de grandes autores brasileiros e alguns estrangeiros, editadas pela "Editora Globo", "Companhia Editora Nacional", "Editora Martins", "José Olympio Editora" e outras.

Dei-lhe uma ideia. Reunir um pequeno grupo de jovens escritores mineiros ou estudantes de Literatura, Direito, e entregar-lhes as coleções para venderem a prazo, evidentemente com uma boa comissão. Pedro Paulo, arguto, enxergou na hora.

E o primeiro vendedor fui eu. Apesar de meus embates políticos, principalmente nas faculdades de Filosofia e Direito, na Associação Mineira de Imprensa e no Sindicato dos Jornalistas, conhecia os escritores de Minas, professores, políticos, advogados, era amigo da grande maioria, de quem me aproximei sobretudo quando fazia a coluna "Educação e Ensino" de "O Diário".

Vendi muitas coleções a muitos. Era entrega imediata, completa, e pagamento dividido em meses. Tudo gente conhecida, de confiança. A vida cultural de Minas, animada pelo governo extremamente dinâmico de Juscelino, começava a dar um salto, naquele começo de 1958 da construção de Brasília, do Cinema Novo, da Bossa Nova e da ebulição da esquerda em crise.

Livros davam mais "dinheiro" do que aulas a "en-dinheiro".

* * *

E minha nuvem me levou para o casamento de Gastão Pedreira e Lucília Álvares, dois queridos e bravos companheiros de Juventude Comunista e movimento estudantil.

Gastão, baiano elegante, bem falante, formado em Engenharia, candidato a deputado estadual em outubro de 58, ganhou, elegeu-se federal em 62 pelo PTB e em 66 pelo MDB, foi cassado pelo AI-5 em 69 e, depois da anistia de 79, voltou à Assembleia em 82 pelo PMDB e à Câmara em 86 pelo PDT.

Lucília, mineira, uma das alunas prediletas de Guignard, pintora promissora, conheceu Gastão em um congresso de estudantes, encantaram-se e se casaram em Belo Horizonte em 1958, para saudade de todos que, em Minas, a adorávamos.

O padrinho de Gastão, João Falcão, eu só conhecia por sua lendária participação no Partido Comunista. Nascido em 1919 (já fez 90 anos), filho do usineiro de Feira de Santana João Marinho Falcão, formado em Direito em 42, ainda estudante, em 38, fundou a revista antifascista "Seiva", que dirigiu até 1943, fechada pela ditadura Vargas.

Exilou-se na Argentina, voltou ao Brasil, em 45 fundou e dirigiu o semanário "O Momento", órgão oficial do PCB na Bahia e foi candidato a constituinte na legenda do PCB, mas perdeu. Em 47, quando o PC retornou à ilegalidade, foi para o Rio chefiar o "aparelho" onde se escondia Luís Carlos Prestes. Em 54, mais uma vez em Salvador, elegeu-se suplente de federal do PTB.

* * *

Entre um uísque e outro, depois do casamento, de pé, sabendo que eu estava chegando de Moscou impactado e desiludido com o Relatório dos Crimes de Stalin, João Falcão contou que, como Agildo Barata, Osvaldo Peralva, João Batista e tantos outros companheiros seus de geração e lutas contra a ditadura Vargas, também havia saído do PCB e ia lançar, em Salvador, um jornal diário para as lutas democráticas da Bahia.

No meio da conversa, aparece o noivo, objetivo e generoso:

— Nery, estou sabendo que vai embora para o Rio. Você já está há oito anos por aqui. Volte para Salvador, me ajude na minha campanha para deputado e ajude o Falcão que vai fazer o "Jornal da Bahia", a partir de setembro. Moro numa casa grande. Fique algum tempo lá até arranjar apartamento e levar a família.

Dei um pulo no Rio, consegui minha retransferência do Ministério do Trabalho no Rio para a delegacia do Trabalho na Bahia e a Faculdade trocou a transferência para Salvador.

* * *

Numa manhã muito fria do inverno mineiro, quase madrugada, já caminhando para o pequeno avião da Aerovias Brasil, que fazia um pula--pula de Belo Horizonte a Salvador, e pensando nos aventurosos oito anos que Minas me dera e eu estava deixando para trás roído de saudades, eis que de repente, muito pálida, ela, a voz, minha voz, apareceu, olhou para mim com olhos que eu ainda não sabia, mas já eram da eternidade e me entregou um pequeno envelope:

— Foi Paris quem mandou.

E voltou rápido, para espanto dos parentes e amigos que me levaram ao aeroporto, a quem disse que era uma correspondência.

Do alto da escada, olhei para trás. Só consegui ver duas pessoas: meu filho de dois anos e, do outro lado ela, os dois abanando as mãos como se fossem uma só.

No avião, ainda trêmulo, abri. Era uma fita cassete só de nossas canções francesas. E escrito em um papelzinho:

— Obrigada por ter me dado Paris.

Ouvi até se apagarem, bem depois que ela se apagou.

* * *

Em Salvador, esperava-me a generosa solidariedade de Lucília e Gastão, na casa coberta de árvores do Rio Vermelho, onde fiquei um mês, aluguei apartamento no Largo 2 de Julho, e Orlando Gomes, diretor da Faculdade de Direito, aceitou minha transferência no último ano, por ser também funcionário público.

Na entrada do Largo 2 de Julho, quase esquina da Rua Carlos Gomes, alguns artistas baianos vindos de Paris logo depois do fim da guerra, Mario Cravo Júnior, Carlos Bastos, Luís Pedreira, criaram uma cave parisiense em pleno coração de Salvador. Toda noite, antes de ir para casa, passava lá para tomar um vinho e ouvir suas músicas inconfundíveis: Charles Aznavour, Charles Trenet, Edith Piaf, Frank Sinatra, Nat King Cole etc.

Impressionavam-me o silêncio das pessoas à meia-luz, o teto baixo de madeira preta, as paredes pintadas de anjos, o chão de cimento escuro e, sobretudo, uma mulher de Carlos Bastos com o filho no colo, como se fosse uma Mona Lisa louca.

Uma noite, não sei se por causa de mais vinho, música mais dolorida ou incontrolável saudade, ali mesmo escrevi um poema para ela, que nunca leu porque não teve tempo de receber, e não era bem um poema, mas uma conversa com minha dor:

No Anjo Azul

Sebastião Nery

Há um hálito de dor nestas paredes
há arcanjos ensanguentados arrastando sombras neste chão.

Aqui o teto escuro escancara a boca em vigas tortas
e vai pingando, babando, melando gotas de solidão em minh'alma.

Aqui meus fracassos como cobras escorregam mágoas no cimento cansado
e mulheres de olhos mortos choram crianças que eu não fui.

Aqui a vida explode
o tempo não anda
a morte não mata
Deus não é Deus
Maria não é Virgem
você não é o meu amor.

Publiquei no "Jornal da Bahia", logo que o "Suplemento Literário" começou a sair. Meu querido professor de Lógica do Seminário, monsenhor Sales Brasil, ficou indignado e escreveu um artigo no "A Tarde", em forma de carta aberta a mim, denunciando minha "blasfêmia".

E pior. Sobrou para o jornal. O monsenhor Brasil dizia que o "Jornal da Bahia" só havia publicado "aquela heresia" porque era "um jornal de comunistas".

Ainda bem que os donos do "Anjo Azul" eram mais parisienses do que fundamentalistas. Gostaram, fizeram um quadro e penduraram na parede.

Ficou lá anos. No golpe de 64, um militar tarado entrou, tirou o revólver e deu vários tiros no meu despretensioso poema.

* * *

O "Jornal da Bahia" nasceu de um golpe francês. O ex-governador Octávio Mangabeira, Luís Viana Filho e Nestor Duarte, os três então deputados, decididos a lançarem um jornal, importaram uma impressora da França, que o vendedor jurou ser uma rotativa alemã, marca MAN, com impressão em cores, fabricada em 39 e levada para Paris na ocupação nazista de 40.

O intermediário foi Horácio de Carvalho, dono do "Diário Carioca", então casado com dona Lily de Carvalho, depois Marinho. Mas os três desistiram do jornal e João Falcão comprou.

Quando a rotativa foi desencaixotada, descobriu-se o golpe. Era uma velha Marinoni italiana sucateada, de 1917. Os baianos e Horácio de Carvalho não sabiam. Foi preciso começar o jornal assim mesmo, até comprar uma máquina nova.

O jornal estruturou-se na Rua Chile, 5, sob o comando de uma equipe de jornalistas, Ariovaldo Mattos, José Gorender, Heron Alencar, Inácio Alencar, Almir Matos, Luiz Henrique Dias Tavares, Arquimedes Gonzaga, Nelson Araújo, Jair Gramacho, administradores Guillardo Figueiredo, Milton Cayres de Brito, Zittelmann de Oliva, diretor comercial e advogados Virgílio Mota Leal, Marcelo Duarte, Alberto Castro Lima. A primeira sede foi na Rua Virgílio Damásio, ao lado da Rua Chile.

A primeira edição saiu em 21 de setembro de 58. Nenhum jornal baiano jamais havia reunido uma equipe tão numerosa e experiente: redator-chefe, João Batista de Lima e Silva; secretário, Flávio Costa; chefia de reportagem, Ariovaldo Mattos; coordenação do copidesque, Alberto Vita. E um jovem e genial chargista francês na primeira página, meu amigo Lauzier, que devastou corações do Alto da Amaralina ao corredor da Vitória, depois voltou para a França, consagrou-se internacionalmente e morreu em 2008, em Paris, como diretor de cinema.

Eram 120 profissionais. Segundo Adenil Falcão Vieira, filha de João Falcão, "o Jornal da Bahia formou uma geração de grandes jornalistas, um time de primeira linha, que continua militando na imprensa baiana e nacional, entre os quais Moniz Sodré, Florisvaldo Matos, João Carlos Teixeira Gomes, João Ubaldo Ribeiro, Sebastião Nery, Antônio Torres, Carlos Libório, Samuel Celestino, Emiliano José, Levy Vasconcelos, Newton Sobral, João Santana, Anísio Félix, Geraldo Lemos, José Lopes da Cunha, José Contreiras, Otacílio Fonseca, Virgílio Sobrinho, Gustavo Tapioca, Glauber Rocha, Wilter Santiago e outros".

* * *

O jornal saiu em 21 de setembro, e 3 de outubro eram as eleições para governador, disputadas entre Juracy Magalhães (UDN), Lauro Pedreira de Freitas (PSD) e Tarcilo Vieira de Melo (PDC), e para o Senado a vitória consagradora de Octávio Mangabeira, UDN-PL, derrotando Eduardo Catalão do PTB-PSD.

O vice-governador foi Orlando Moscozo Barreto de Araújo, do PSD-PTB-PR, que derrotou o petebista dissidente Rômulo Almeida por um punhadinho de votos, e Hélio Machado, do PDC.

Repórter e redator político, eu tinha matéria de mais e espaço de menos. Uma das primeiras grandes fotos da primeira página foi Juracy eleito, voltando do Rio, me concedendo sua primeira entrevista depois da vitória.

Para aproveitar mais o noticiário político, efervescente, o redator-chefe João Batista me sugeriu fazer uma coluna diária, que imediatamente começou a sair: — "Política Dia a Dia".

Era um pequeno comentário de abertura, seguido de notas curtas, numeradas de 1 a 10 ou 12, sempre notícias, fatos concretos, declarações, registros pequenos, enxutos, "*drops*". A receita era simples: não havia fatos sem pessoas.

Não há jornalismo anônimo. Foi uma novidade na imprensa baiana, até então muito provinciana, verbosa, palavrosa. A coluna começou a sair logo na segunda semana do jornal. E fez sucesso, geralmente provocando muitas polêmicas. Foi minha discreta contribuição naquele início de modernização da imprensa baiana.

* * *

Já sabia muito bem quem era Rômulo Almeida, o candidato a vice que perdeu, mas antes de ir para Salvador nunca tinha conversado com ele. Era o homem mais importante do governo Antônio Balbino, que chegava ao fim. Tinha fundado e presidia a CPE, Companhia de Planejamento Econômico.

Logo que o jornal começou, fui procurá-lo. Queria uma entrevista mais longa, com os números e projetos do Estado.

Rômulo era uma lenda do segundo governo Vargas. Criou e comandou a Assessoria Econômica da Presidência, reunindo uma valorosa equipe: Jesus Soares Pereira, João Neiva de Figueiredo, Inácio Rangel. Tomaz Pompeu Acioly Borges, Otolmi Strauch, Cleanto Paiva Leite, Mario da Silva Pinto, Saldanha da Gama. Prepararam os projetos da Petrobras, Banco do Nordeste etc.

Em 54, elegeu-se deputado federal pelo PTB baiano. Mas Antônio Balbino o levou para secretário da Fazenda e logo depois lhe entregou a criação da CPE, que permitiu a Balbino fazer o melhor e mais modernizador governo da Bahia no século passado.

A entrevista acabou numa longa conversa. Ele dissecou o Estado, sua realidade econômica e social, suas perspectivas. Pela primeira vez ouvi falar em sua depois consagrada tese das três pernas: capital do Estado, capital nacional e capital estrangeiro. Caminhar com elas era o único caminho para o desenvolvimento.

E foi assim que Rômulo estruturou a modernização da Bahia, a partir de duas análises e documentos feitos por ele. Primeiro, o "Programa de Recuperação Econômica da Bahia" e depois o "Plano de Desenvolvimento da Bahia" (Plandeb).

A partir daí foram concebidos e começaram a ser construídos o CIA, Centro Industrial de Aratu, e o Polo Petroquímico, próximos a Salvador e à Refinaria de Mataripe, sempre com a fórmula tríplice: dinheiro público (federal e estadual) e dinheiro privado estadual e nacional, 30% de cada um.

Quando pensei que a entrevista tinha acabado, duas horas depois, ele começou a dele. Passou a me interrogar. Uma sabatina. De onde era, o que estudei, o que fiz, onde vivi, como tinha aqueles conhecimentos do país, do governo Vargas, Brasil e Bahia, como me elegera vereador em Belo Horizonte e estava voltando de Moscou e da Cortina de Ferro. Respondi a tudo. E ele:

— Devo lhe dizer que não é comum um jornalista na sua idade com esse nível de experiência, informação e conhecimento. Estamos fazendo uns testes, sem indicação política nenhuma, para escolhermos um Encarregado de Relações Públicas aqui da CPE. Se tiver interesse, entre ali naquela outra sala e converse com nosso diretor-superintendente, um barbudo, o doutor Ivan Fachinetti. Ele é que está fazendo as entrevistas.

— Mas, doutor Rômulo, além do "Jornal da Bahia", onde escrevo à noite, sou funcionário também, à tarde, do SERAC (Serviço de Assistência Cultural) da Delegacia do Trabalho.

— Tudo bem. Tem a manhã livre. É só acordar cedo.

E lá fui eu conversar com o culto e competente Fachinetti.

Conversa rápida, direta, objetiva. Queria "pontualidade e dedicação". No dia seguinte, à noite, estava no jornal, tocou o telefone. Era o Fachinetti me chamando para passar lá às 10 da manhã. Se quisesse, o lugar era meu. Assumi imediatamente.

* * *

Foram mais de dois anos de uma rica experiência. Mudou o governo, saiu Balbino e entrou Juracy, e continuei. Rômulo tinha criado uma equipe de jovens economistas, pesquisadores e administradores de primeira qualidade: Milton Santos, Victor Gradin, Luís Almeida, Aristeu Barreto, Jairo Simões. Meu papel era fazer a imprensa da Bahia compreender a importância dos caminhos traçados pela CPE para o desenvolvimento do Estado.

Mas aos poucos Rômulo e Fachinetti foram me dando os textos para ler e eventualmente sugerir mudanças, corrigir alguma coisa. Implicava com os nomes das novas empresas criadas pelos economistas. Também achava alguns, como um dia disse o deputado Nestor Duarte, "dissonantes": Ecosama, Mafrisa, Camab, Caseb, Coelba, tudo do "Sistema Fundagro".

Uma manhã, ia chegando, Rômulo saía com uns papéis:

— Pena que minha audiência com o governador seja tão cedo. Gostaria que você lesse esse pequeno texto sobre a nova empresa de telefones do Estado. Mas vamos até lá, no caminho você lê.

E me entregou. Logo na capa, um palavrão: TELEBA. (Telefones da Bahia). Não podia ser. Era feio demais:

— Mestre, por favor, volte cinco minutos e troque esse nome. Empresa agrícola pode chamar-se ECOSAMA, que parece pomada para berne de boi. Mas telefone é para a população inteira, todos os dias, toda hora. Precisa mudar esse nome.

— Então sugira outro, agora. Não tenho mais que quinze minutos para chegar ao palácio. Se sugerir um melhor, volto.

Espremi a cabeça e saiu como um soluço: TELEBAHIA ou, então, TEBASA. Mandou o carro voltar:

— Às vezes me dizem que seu salário é alto para trabalhar só de manhã. Não sabem os trabalhos que você leva para fazer em casa. De qualquer maneira, cabe ao chefe premiar o talento.

Bebi o elogio até o último gole. Voltou, a secretária dona Lourdes redatilografou, Rômulo foi para o palácio. Juracy preferiu TEBASA. Não sei de outro a quem a Bahia deva tanto.

Também lá, na CPE, assisti o processo de criação da SUDENE (Superintendência de Desenvolvimento do Nordeste), no governo de Juscelino, em dezembro de 1959. Celso Furtado, com sua poderosa inteligência e uma visão universal dos problemas brasileiros e nordestinos, convocado por JK para criar um programa especial para o Nordeste, era muito amigo de Rômulo, admirava e nele confiava.

Vi os dois, o Fachinetti e mais uns três discutindo à exaustão, às vezes até a madrugada, o celebre diagnóstico de Celso Furtado de 1959 "Uma Política de Desenvolvimento para o Nordeste", que foi a base da criação primeiro do Codeno, Conselho de Desenvolvimento do Nordeste, instalado em março de 59 em Garanhuns-PE, com a presença dos governadores, enquanto o Congresso discutia a aprovação da SUDENE.

Até lançar meu "Jornal da Semana", nos fins de 60, Juracy não gostava do que eu escrevia, no "Jornal da Bahia" e em "A Tarde", quando era política internacional (ele babava para os Estados Unidos) ou eram críticas à UDN. Mas tolerava. Quando fiz a primeira crítica ao governo dele, já no "Jornal da Semana", exatamente por causa da CPE, ele chiou e exigiu minha demissão.

É claro que eu já havia comunicado a Rômulo minha inevitável saída, por incompatibilidade de gênios com Juracy. Mas Rômulo ia segurando, até que não deu mais. É uma pena que os militares, quando assaltaram meu apartamento no golpe de 64 e pilharam tudo, tenham levado uma carta que Rômulo me fez na minha saída. Poucas coisas já me gratificaram tanto.

Algum tempo depois que saí, saíram Rômulo e sua equipe. Juracy tinha ciúmes do governo Balbino e do prestígio de Rômulo.

* * *

Há uma teoria no jornalismo de que há três tipos de repórteres. Os que têm pouca sorte: quando chegam, já aconteceu e têm que correr atrás para apurar. Os que têm muita sorte: sempre estão onde as coisas acontecem. E o jornalista de sorte mesmo é aquele que as coisas só acontecem porque eles estão lá.

No começo do ano, sexta-feira de carnaval, uma tragédia. No sábado de carnaval, o "Jornal da Bahia" dava em manchete:

— "MORTO A TIROS NO PALACE HOTEL".

"A sangrenta ocorrência foi presenciada pela reportagem do 'Jornal da Bahia'. Mais um crime de morte em Salvador. Ontem à tarde às 17 horas na sala de chá do Palace Hotel o engenheiro Almir Bezerra matou a tiros de revólver o funcionário público Elmo Ribeiro Costa. Repórter de JB narra o fato. Aqui está o depoimento de Sebastião Nery:

Eu Vi Elmo Morrer — De fato assisti passo a passo a tragédia de ontem à tarde no Palace Hotel. Era pouco mais de 17 horas. Estava sentado na casa de chá do Palace Hotel com o deputado Honorato Viana, o bacharel Djalma Fernandes e o suplente do PR Osvaldo Teixeira, quando surgiu o engenheiro Almir Bezerra e ficou de pé à beira da mesa, conversando.

Nesse momento Elmo Costa me chama ao lado e pergunta se o engenheiro era meu amigo. Respondi que o conhecia. Elmo, um pouco alcoolizado, disse que ia conversar com ele para acabar de acertar uma briga que tiveram num ônibus de Amaralina.

Pedi-lhe que não o fizesse, ele concordou. Mas se aproximou da mesa ao lado e pediu uma cerveja. O engenheiro percebeu, ficou olhando de banda. Sentindo que ia haver luta, convidei o deputado Honorato Viana para nos retirarmos, esperando que o engenheiro também saísse.

Nesse instante Elmo já se assentava na nossa mesa e convidava Almir Bezerra, que também sentou. Afastei-me um pouco e fiquei olhando. Elmo disse alto:

— 'Você se lembra daquela moça do ônibus de Amaralina?'

Houve, a seguir, uma troca de palavras, ambos se levantaram, começou o corre-corre, e vi Elmo de cadeira em punho avançando contra Almir que, de revólver na mão, recuava. Um dizia: — 'Você é covarde, atire se é homem, vou lhe partir a cara'. O outro respondia: 'Se avançar, eu lhe mato'.

Já na sala de recepção do hotel um senhor pegou no pulso de Almir, puxou o braço, o revólver girou. Corri e me coloquei encostado à porta. Ouvi o primeiro tiro. E vi jorrando sangue do pescoço de Elmo, que caía de costas e a cadeira para o lado. Dois tiros imediatos o atingiram no tórax ainda quando caía. Almir atirava, trêmulo com a mão direita, o braço esquerdo ainda seguro pelo senhor que tentava dominá-lo. Sempre tremendo, entregou a arma a alguém que o segurou pelas costas.

Reuniu-se muita gente, não vi mais o engenheiro, que soube ter sido levado para o andar superior do hotel, pelo elevador. No chão, Elmo banhava-se em sangue e percebi, pelos olhos duros, que estava morrendo. Chegou a radiopatrulha, levou-o.

Tive notícia, depois, de que o engenheiro havia sido conduzido para a Secretaria de Segurança, pelo fundo do hotel. A Rua Chile já estava apinhada de gente. Populares quiseram linchar o engenheiro, mas a polícia impediu."

O pior para mim é que mal conhecia o engenheiro, mas o Elmo eu conhecia muito, me dava muito com ele. Fazia parte de um grupo de festeiros, animados e brigões, a "Turma do Campo da Pólvora", temidos pelas famílias baianas, porque, embora gente fina, às vezes provocavam confusões nas festas.

O líder deles era o ex-estudante de Medicina, já deputado, Antônio Carlos Magalhães. Outro era um querido amigo meu, das melhores pessoas que a Bahia já produziu, o talentoso e inesquecível jornalista Nilson de Oliva Cézar, o Pixoxó, irmão da atriz Nilda Spencer. Nilson deixou o livro "O Arauto — Memórias de um Jornalista — Pixoxó".

Quando leu no jornal, no dia seguinte, meu depoimento, a turma do Elmo, na qual eu tinha muitos amigos, começou a fazer uma grande pressão para eu modificar meu relato e impedir que a Justiça absolvesse o Almir por legítima defesa. Era uma legítima defesa clara e não cedi. Chamado pelo juiz, confirmei tudo e o juiz me disse que meu depoimento seria a base de sua sentença.

Almir foi solto e perdi alguns amigos, amigos do Elmo.

* * *

Em 1964, veio a ditadura militar com seu feroz sargento baiano, Antônio Carlos Magalhães, prefeito, governador, que tirou do jornal toda a publicidade oficial e a das empresas amigas ou por ele intimidadas. Em agosto de 71, Juracy, um dos donos do golpe de 64 e padrinho político de Antônio Carlos, com quem Antônio Carlos também já havia rompido, escreveu a Falcão:

— "Estou me sentindo como um indivíduo mordido por um cachorro doido e que não sabe o caminho do Instituto Pasteur".

Afinal, cercado por todos os lados, cheio de dívidas, o jornal foi vendido em 1983 e acabou fechando em fevereiro de 1994.

Toda essa história está muito bem contada em "Não deixe esta chama se apagar História do Jornal da Bahia", depoimento exemplar de João Falcão, que escreveu dois outros bons livros : "O Partido Comunista que eu conheci — 20 Anos de Clandestinidade" e "Giocondo Dias, Vida de um Revolucionário".

A chama se apagou. Eu já tinha ido para "A Tarde" desde o fim de 1959.

21

A Tarde

Desci em Fortaleza, peguei um táxi:

— Por favor, para o palácio.

— O senhor vai ver o governador Parsifal Barroso?

— Tenho uma entrevista marcada com ele. Sou jornalista.

— Moço, o doutor Parsifal é um homem muito bom, muito sério, muito honrado, muito culto, fala muitas línguas, toca piano, mas se o senhor me permite um palpite, eu acho que o senhor deve falar também com a esposa dele. Quem manda no Ceará é a mulher de Parsifal, dona Olga.

A manchete da matéria já ficou roendo minha cabeça:

— Quem manda no Ceará é a mulher de Parsifal.

Precisava conferir, embora eu já soubesse que o melhor repórter de uma cidade é motorista de aeroporto e rodoviária.

Fui, conversei longamente com o governador. A cada pergunta, ele dava uma resposta de cinco minutos, ela tomava a palavra e falava vinte, trinta. Depois, passei três dias na cidade, hospedado no velho hotel San Pedro, no centro, ouvindo políticos e jornalistas e concluí que o motorista tinha razão.

Baixinho, calvo, de bigode, no segundo ano de Direito, Parsifal fez concurso para professor de Química no Liceu, tirou o primeiro lugar com a tese "As Teorias de Geber", mas não tomou posse por não ter 21 anos. No ano seguinte foi nomeado catedrático de alemão no mesmo colégio. Já tinha feito 21.

Foi professor de Filosofia e Economia da Faculdade de Filosofia e Ciências Econômicas do Ceará. Em 1947, constituinte estadual, em 1950 deputado federal e em 1954 senador, sempre pelo PSD. De 56 a 58, ministro do Trabalho de Juscelino, indicado pela Igreja Católica. Em 58, governador.

Parsifal era um padrão de simpatia, elegância e honradez, mas na hora de decidir a palavra final era sempre a opinião da primeira-dama, dona Olga, inteligente e competente, filha do poderoso coronel Chico Monte.

Voltei a Salvador, "A Tarde" publicou a matéria assinada na primeira página (era a primeira vez, nos seus quase 70 anos, que "A Tarde" publicava reportagem assinada na primeira página):

— "Quem Manda no Ceará é a Mulher de Parsifal".

Dois dias depois, o jornal "O Povo", da UDN de Paulo Sarrazate, que comandava a oposição no Estado, transcreveu minha reportagem na íntegra, dando-lhe a manchete principal da primeira página, em letras garrafais:

— "Jornalista Baiano Comprova: Quem Manda no Ceará é a Mulher de Parsifal".

Mais um dia, entrei no jornal, havia um telegrama para mim:

— "Jornalista Sebastião Nery. Governador e eu indignados. Venha morrer no Ceará. A), Themístocles de Castro e Silva, assessor de imprensa do Governo do Estado do Ceará".

Desci ao telégrafo, que ficava ao lado do jornal, respondi:

— "Jornalista Themístocles de Castro e Silva, assessor de imprensa do Governo do Ceará. Não vou. A) Sebastião Nery".

E não fui.

* * *

Depois de mais de um ano no "Jornal da Bahia", eu estava em "A Tarde", levado pelo advogado e meu amigo Virgílio Mota Leal, que também acabara de mudar-se do "Jornal da Bahia" para "A Tarde". A redação era comandada por Jorge Calmon, diretor, e Cruz Rios, secretário. Entrei recebendo logo uma tarefa honrosa.

O jornalista e publicitário João Dória, João Agripino da Costa Dória, baiano de excepcional talento, depois de ter sido redator, diretor e vice-presidente da Standard Propaganda criara sua propria agência, a Dória Associados, em São Paulo.

Empolgado com a candidatura de Juracy Magalhães, governador da Bahia, à presidência da República, pela UDN, estava trabalhando contra Jânio, que em novembro ia disputar a candidatura com Juracy na convenção da UDN, no Rio. João Dória criou logo um *slogan* brilhante, como tudo que fazia:

— "A UDN não precisa de vassoura. Juracy é limpo".

E teve a ideia de mobilizar lideranças políticas do Nordeste:

— "Chegou a Vez do Nordeste — Para presidente, Juracy".

"A Tarde" gostou do projeto e resolveu apoiar. Por isso eu tinha sido mandado a Fortaleza para ouvir Parsifal Barroso, numa missão impossível, porque ele era do PSD e apoiaria o candidato do partido e de Juscelino, de quem fora ministro.

* * *

A segunda escala foi Pernambuco. Lá, encontrei o rastro luminoso de João Dória, o criador do *marketing* político brasileiro, "avô" do nosso hoje imbatível Duda Mendonça.

João Dória, no ano anterior, em 58, havia assumido a propaganda das "Oposições Unidas de Pernambuco", em torno da excelente e renovadora candidatura do industrial Cid Sampaio, da UDN, e concunhado de Miguel Arraes, depois secretário da Fazenda do governo de Cid.

O adversário de Cid era o respeitado professor, ex-deputado e senador Jarbas Maranhão, do PSD. Dória criou nas rádios uma devastadora campanha contra ele. Às seis da manhã, um relógio despertava, o locutor chamava: — "Acorda, Jarbas! Cid já acordou!"

Às sete horas, de novo o despertador tocando e o locutor: — "Acorda, Jarbas! Cid já acordou"! E assim às oito, às nove, às dez, às onze. Às doze, afinal: — "Jarbas acordou! Muito bem, Jarbas! Mas agora é tarde demais. Cid já ganhou".

Na entrevista, Cid Sampaio me disse que ele e a UDN de Pernambuco iriam votar em Juracy, mas achava muito difícil a UDN resistir à avalanche da aliança de Jânio com Lacerda.

* * *

Terceira escala, Natal, para ouvir o governador Dinarte Mariz, da UDN, para quem levei uma carta pessoal de Juracy. Dinarte era uma lenda. Em 1935, no levante comunista, saiu de Caicó, onde era comerciante, à frente de uma coluna de 150 sertanejos montados e armados, cercou Natal e expulsou os comunistas liderados pelo cabo baiano Giocondo Dias, que haviam ocupado e tomado o poder durante quatro dias e proclamado "um governo popular revolucionário".

Em 45 e 50 Dinarte candidatou-se ao Senado e perdeu. Em 55, saiu para governador e ganhou. Encontrei-o numa rede, na varanda do palácio, a barba enorme, toda branca, uma febre de 40 graus e uma gripe que não passava. Mesmo assim, falou.

Também votaria em Juracy, mas Jânio já estava escolhido, porque a UDN do Sul (São Paulo, Minas, Rio, até o Rio Grande), estava convencida de que só venceria com Jânio e mais ninguém.

E mandou o secretário da Educação Grimaldi Ribeiro pôr à minha disposição seu automóvel. Cada secretário tinha um belo "Impala" rabo-de-peixe, que os americanos haviam deixado depois que desocuparam a base área de Natal, usada durante a guerra.

Saí do palácio, fui assistir a um espetáculo comandado pela Consuelo Leandro, que andava fazendo muito sucesso e estava de passagem pela cidade. Conhecia uma das atrizes. Depois da peça, convidei minha amiga para jantar. Subiram quase dez no carrão e lá fomos para a praia de Ponta Negra, que na época era no extremo da cidade, estrada de terra. O carro afundou no areal.

Foi um sufoco para tirar. Imaginem, carro de placa oficial naqueles ermos. De manhã, entreguei e voltei para Salvador.

* * *

Fui ainda a Aracaju conversar com o ex-governador Leandro Maciel e o governador Luís Garcia, ambos da UDN e que apoiavam Juracy. Derrotado na convenção da UDN, Juracy indicou Leandro para vice de Jânio, mas só durou poucos meses, porque Jânio o tirou, chamando-o de "ataúde de chumbo", pois queria, exigiu e teve Milton Campos como companheiro de chapa.

Também fui a Maceió. O governador de Alagoas Muniz Falcão, do PSP de Ademar de Barros, era inimigo feroz da UDN, que votou seu *impeachment* embaixo de balas, matou-lhe o sogro e líder do governo, Humberto Mendes, e o tirou do governo, ao qual só voltou por decisão do Supremo Tribunal. Não apoiava nem Jânio, nem Juracy. Seu PSP tinha candidato, Ademar.

Terminei a série em João Pessoa, na Paraíba, com o governador Pedro Gondim, do PSD, um vice que assumira o governo por doença do governador Flávio Coutinho. E sobretudo estive com José Américo, que tinha terminado o governo em 1955, não era mais presidente nacional da UDN, mas defendia a candidatura Juracy em nome da UDN e, sobretudo, do Nordeste.

No dia 8 de novembro de 59, depois de um clássico e histórico discurso de Carlos Lacerda sobre o Rio e a Liberdade (*sic*), Jânio teve na convenção 205 votos contra 83 de Juracy.

Não tinha chegado a vez do Nordeste.

* * *

Na frente, uma caminhonete com quatro homens, um fuzil, uma metralhadora e revólveres. Atrás, outra caminhonete com mais quatro homens, um fuzil, uma metralhadora e vários revólveres. No meio uma caminhonete maior com dois irmãos Mendes, Walter e Robson, de Palmeira dos Índios, o prefeito em exercício de Boa Nova na Bahia, Vavá Lomanto, e eu.

Parecia um comboio de guerra e era quase. Lomanto Júnior, prefeito de Jequié na Bahia, pela segunda vez, acabava de ser eleito presidente da Associação Brasileira de Municípios em um grande congresso nacional no Recife (e eu secretário).

Lomanto tornara-se uma liderança nacional dos prefeitos brasileiros por promover uma grande campanha para reformar a Constituição e melhorar a participação dos municípios no Orçamento nacional.

Chegou a Recife com mais uma bandeira: "Um trator para cada município". Empolgou prefeitos e vereadores que, mais de mil, tinham ido para o congresso. O até então presidente da ABM, Celso Mello de Azevedo, prefeito de Belo Horizonte, apoiou Lomanto numa jogada política soprada por Magalhães Pinto, que preparava sua candidatura a governador de Minas e já pensava em pular de lá para a presidência da República.

Para os mineiros era preciso impedir que a ABM caísse na mão de um paulista, Aniz Brada, presidente da Associação Paulista de Municípios e deputado federal pelo PDC, ou Silvio Lopes, prefeito de Santos e líder municipalista. Nem de um sulista, Osmar Cunha, deputado federal do PTB de Santa Catarina, ex-presidente da Associação Brasileira de Municípios, à qual voltaria depois de 1962. Os três eram candidatos, articulados para unirem de São Paulo ao Rio Grande do Sul.

No final do congresso vieram notícias alarmantes de Palmeira dos Índios. Não era prudente que os dois irmãos Mendes voltassem logo do Recife. Ainda consequência do tiroteio na Assembleia de Alagoas, em 56, em que morreu o pai deles, Humberto Mendes, sogro do governador Muniz Falcão e líder do governo na Assembleia, quando se votava o *impeachment* do governador, a quem o Supremo Tribunal devolveu o mandato.

Lomanto convenceu os irmãos Mendes a ficarem uns dias em sua fazenda "Provisão", ao lado de Jequié, até a poeira das balas passar. E lá fomos o Vavá, e eu e os rapazes da segurança escoltando os dois. Lomanto só chegaria na outra semana.

Depois de um dia e uma noite de viagem, estradas de terra, péssimas, chegamos àquele paraíso latifundiário. No dia seguinte, café-da-manhã com banana, aipim, fruta-pão, queijos e requeijões, bolos e doces, frutas de todo tipo.

Na varanda, conversávamos os irmãos Mendes, Vavá, o pai de Lomanto, o italiano Tote Lomanto e alguns amigos deles que, avisados, foram de Jequié para lá. Os sisudos e fortes rapazes da segurança, sem terem o que fazer, puseram umas latas de goiabada vazias no fundo do quintal e passaram a seus exercícios de tiro ao alvo. Não erravam.

De repente, o mais velho deles, evidentemente o líder e chefe, veio até onde estávamos e chamou Vavá Lomanto:

— Doutor, venha experimentar nossas armas.

— Eu não. Tenho revólver, mas não tenho pontaria. Bom nisso, é o nosso Nery, que treinou quando era do Partido Comunista.

— Ah, doutor, então vamos lá fazer um teste.

Também eu, metido em lutas jornalísticas e políticas, tinha meu revólver, mas jamais dera um segundo tiro, depois do papelão que fiz no norte de Minas, em 1951, na fazenda da namorada, tentando matar o gavião e acertando o cocuruto do boi.

Mas o simpático pistoleiro alagoano já me puxava pelo braço. Diante da varanda da fazenda havia uma mangueira enorme, carregada de mangas rosas e uma especialmente pendurada lá em cima, bem destacada. Mostrei e o desafiei:

— Acertar em lata de goiabada é fácil. Quero ver derrubar aquela manga pelo talo. Por favor, fique em baixo, com as mãos abertas e bem atento para ela não cair no chão.

— O que, doutor?! Vai derrubar a manga pelo talo?

— Vou e agora.

Sentado estava, sentado fiquei. Peguei o revólver dele, um revolvão enorme, pesado, todo incrementado, cabo de madrepérola, carregado de mortes, e esperei que ele chegasse lá. Sabia que jamais iria acertar nem na manga muito menos no talo. Mas, como dizia minha mãe, o diabo ajuda. Fiz uma pose, mirei calmamente o talo, firmei bem a mão e "paaaaa!".

A manga caiu certinha na mão do alagoano. Eu tinha acertado no talo, com aquela distância toda. Na mesa, Tote e Vavá Lomanto, os amigos e sobretudo os irmãos Mendes estavam abestalhados. Imaginem eu. O homem correu de lá:

— Doutor Caveirinha! Na minha longa vida de profissional, já vi gente acertar talo de fruta, mas da primeira vez, com um tiro só, nunca. Lá em Alagoas o senhor nunca ficaria desempregado.

A NUVEM

O difícil foi ficar só no único tiro. Fizeram tudo para me testarem outra vez. Resisti implacavelmente. E fui para Salvador.

* * *

O comboio do ano seguinte, 1960, foi menos perigoso, mais fácil, mais agradável e, sobretudo, venturoso. Em San Diego, na Califórnia, realizou-se um congresso internacional de municípios. Mais de cinco mil participantes, dos Estados Unidos ao Japão.

O presidente da delegação brasileira era, evidentemente, Lomanto Júnior. Mas na hora de embarcarmos, numa manhã chuvosa e friíssima de julho, em dois velhos e valentes DC-4 da FAB, na Base Aérea do Galeão no Rio, Lomanto não apareceu. Doente, não iria. Pediu que a delegação escolhesse um líder.

Não foi possível. Aniz Badra era presidente do Conselho da ABM. Silvio Lopes era vice-presidente da ABM. Osmar Cunha tinha sido presidente da ABM até havia pouco. Celso Pessanha era o vice-governador de Roberto Silveira, do Estado Rio. E Ruy Ramos vice-líder do PTB na Câmara Federal. Além deles duas dezenas de deputados, prefeitos e vereadores em cada avião. Os cinco queriam. Elegemos uma trinca: Aniz, Osmar e Ruy.

Com os aviões de hoje, sair do Rio, atravessar os Andes e ir para a Califórnia é só uma viagem. Imaginem dois roncadores aviões da FAB, sem pressurização, tremendo dentro das nevadas e imensas gargantas dos Andes e sacudindo quando as nuvens encrespavam. Ainda bem que havia muito uísque a bordo.

Voávamos só durante o dia. Do Rio para Goiânia, de Goiânia para a base de Cachimbo, de lá para Manaus, de Manaus para o Panamá, do Panamá para Acapulco no México, e afinal de Acapulco para San Diego. Foi uma epopeia.

Ainda bem que a bordo tínhamos a paciente e competente professora Neite Ramos, mulher do Ruy Ramos e mãe das jovens e corajosas Cosete e Rosete. Do Rio até lá, ela nos deu uma magnífica lição da múltipla geografia da América Latina.

Para o encerramento do Congresso, Eisenhower avisou que iria de Washington presidir a sessão solene. A cidade ficou enfeitada e o velhinho, já bem velhinho, muito branquinho, com aqueles dois olhos azuis parecendo tiros de festim, muito simpático, abanou a mão para a americanada toda que acenava das calçadas. Também tinha menino de escola com bandeirinha, certamente com ódio na homenagem espontânea, tudo muito igual, bem igualzinho. O clichê é internacional.

A delegação brasileira se reuniu para escolher o orador. Ia ser Ruy Ramos, pinta de bispo anglicano, a bela cabeleira descendo até o pescoço. Mas Aniz Badra exigiu. Afinal, Ruy já falara na abertura. No encerramento tinha que ser ele. E foi.

Aniz Badra, trêmulo de emoção, começou seu discurso:

— Exmo. Senhor General Dwight David Eisenhower, digníssimo presidente dos Estados Unidos do Brasil!!!

O anfiteatro explodiu numa gargalhada universal. O velhinho presidente ficou vermelho, vermelhíssimo, e caiu também na gargalhada. Badra foi até o fim. No fundo, ele gostaria que fosse.

* * *

Uma da manhã, na autoestrada totalmente deserta, o carro passava dos 150 quilômetros. Sentado atrás, eu cochilava. De repente, uma moto enorme dirigida por um homem maior ainda, fardado, cortou pela esquerda, cercou o carro e mandou parar.

Disse alguma coisa em inglês. Vavá Lomanto, que dirigia nosso carro, respondeu, talvez imaginando que falar palavra por palavra, sílaba por sílaba, era falar em outra língua:

— Nós so-mos po-lí-ti-cos bra-si-lei-ros que es-tá-va-mos no con-gres-so in-ter-na-ci-o-nal de San-Di-e-go.

O guarda, cara de mexicano, começou a rir, acendeu a lanterna na cara de Vavá e falou pausadamente em um escandido espanhol de filme mexicano:

— Não estou perguntando isso. Mostre seus documentos.

Vavá puxou do bolso sua carteira de prefeito em exercício e a carteira de motorista. Estavam rasgadas, sujas, imundas. O guarda apanhou uma luva, pôs na mão esquerda, pegou as duas carteiras na ponta dos dedos, acendeu a lanterna em cima delas:

— Isto não é documento que se apresente. Mas não foi por causa deles que eu parei o seu carro. Há vários quilômetros o senhor vem dirigindo acima do limite legal de 120 quilômetros. Podia apreender o carro. Mas como estão em viagem oficial, passe o carro a um de seus companheiros e, na próxima cidade pague a multa, senão lá na frente o carro será preso.

Tirou um bloco do bolso, escreveu a multa, entregou, conferiu os documentos do Ferreira que já estava no volante, e voltaram os dois, o guarda e sua moto, pela estrada vazia.

Chegávamos a Long Beach, a caminho de Los Angeles. De manhã, pagamos a multa e seguimos em frente, sempre que possível margeando as crespas e bonitas praias da Califórnia.

Estávamos como quatro adolescentes em férias. Terminado o longo e monumental congresso de San Diego, que durou mais de duas semanas, tivemos uma notícia ótima: os aviões da FAB, americanos, iam fazer uma revisão lá e os comandantes imaginaram demora de um mês. Até lá estávamos todos livres para fazer o que quiséssemos, desde que, no dia certo, todos na Base Aérea de San Diego para retomarmos o caminho de volta.

Eu e Vavá convidamos o calado, simpático e mais velho secretário de Saúde da prefeitura do Recife, Doutor Ferreira, para alugarmos um carro e sairmos por aí, até São Francisco.

Eu tinha ficado amigo do presidente do Conselho Municipal de Los Angeles, jornalista como eu, que me convidou para ser hóspede de sua cidade por uma semana, para ele me mostrar sua enorme cidade, que eu só conhecia do cinema de Hollywood.

Embora só eu fosse ter a mordomia da hospedagem em Los Angeles, Vavá e Ferreira toparam a viagem toda na hora. E ainda fiz um charme. Convidei minha bela amiga Mara, já mais do que amiga, jornalista da Guatemala, cara, cabelos e grandes olhos aveludados de índia, parecendo um desenho de Paul Gauguin, que me havia apresentado o presidente do Conselho Municipal de Los Angeles. Ela ia voltar exatamente para lá, onde ela morava e estava instalada a representação do seu jornal e revista da Guatemala.

O Impala rabo-de-peixe, amarelinho, capota conversível, alugado pelos três, dava perfeito para os quatro: Vavá e Ferreira dirigindo na frente, eu e a Mara namorando atrás. Rodamos a Califórnia inteira por um mês, das praias geladas do Pacífico até a Serra Nevada e as imponentes pontes de São Francisco.

* * *

Como viagem é coisa para quem tem sorte, o Ferreira ficou em pânico quando viu o diabólico e multitentacular trevo da entrada de Los Angeles e encostou o carro na beira da estrada:

— Não vou dirigir nessa loucura.

Eu tinha medo do inglês do Vavá, ainda pior do que o meu, e da direção dele. Peguei o carro, pedi algumas informações no primeiro posto policial, aprendi que o macete era seguir sempre o *"down-town"* que chegaríamos ao centro, onde ficava o hotel para o qual eu e a Mara estávamos convidados, próximo a vários outros, em um dos quais Vavá e Ferreira se hospedariam.

E lá fui eu atrás do *"down-town"*. Uma ponte, duas pontes, milhares de pontes, um viaduto, dois viadutos, milhares de viadutos, vários trevos e eu perdi o meu *"down-town"*.

Toquei em frente. Não sabia para onde ia, mas ia. Vavá xingava de um lado, Ferreira resmungava do outro e eu, no volante, suava, totalmente perdido. De repente escrito numa placa: Hollywood. Mais à frente, outra placa: Beverly Hills. Zombei:

— Desculpem. Tenho encontro marcado aqui e vou passar lá.

Virei numa curva e apareceu uma casa com uma placa:

— "Nesta casa viveu Carmen Miranda" etc.

Morrera cinco anos antes, em 1955. Estacionei o carro:

— Não vou cobrar ingresso. O jantar fica por conta de vocês.

Exploramos Hollywood toda. À noite, o "*down-town*" nos levou ao centro. Carmen Miranda pagou meu jantar e o da Mara.

* * *

Acordamos evidentemente cansados, liguei para meu anfitrião. Ele estava eufórico e patriótico:

— Vocês, brasileiros, têm mesmo estrela. Hoje à tarde vão ser recebidos pelo futuro presidente dos Estados Unidos, John Kennedy. Daqui a pouco estarei aí para pegá-los para o almoço e depois levá-los ao grande comício.

Exatamente naquele dia Kennedy abria sua campanha na Califórnia. Almoçamos com vinhos da Califórnia ("Sebastien" e "Augustus") e quando chegamos ao hotel onde seria o comício, pequena multidão já enchia as ruas próximas desde cedo.

Na frente do hotel, um palanque armado e, tocando guitarra e pulando montado em um microfone de pé um rapaz claro muito branco, pálido, cabelos bem pretos até a testa, arrebatava os ouvintes com seu *rock* meio alucinado: era Elvis Presley.

No fim da tarde, bem jovem, alto, elegante, de gravata, uma flor no bolso do paletó, Kennedy subiu correndo a escada que dava para o palco levantado em frente ao hotel e fez seu primeiro discurso. Depois, fez um segundo lá dentro, no grande salão do hotel, todo enfeitado de bandeiras e balões coloridos.

Só quase madrugada o presidente do Conselho de Los Angeles nos apresentou ao candidato para um cumprimento e nada além de umas poucas palavras. A fila era enorme. Mas deu para ver e sentir bem, nos dois discursos e naqueles cinco minutos do encontro, que havia "uma força estranha no ar".

Uma semana toda em Los Angeles, conversando com jornalistas e políticos, a maioria evidentemente suspeita porque do Partido Democrata, deu para sair de lá convencido de que havia alguma coisa errada na imprensa americana e também na brasileira, que já davam Nixon, vice de Eisenhower, eleito.

A Mara morava e trabalhava lá havia muito tempo e tinha um grande círculo de amigos jornalistas, principalmente europeus, latino-americanos e da América Central, cujos jornais e revistas sediavam em Los Angeles seus correspondentes. Conversei muito com eles. E, por intermédio dela, também com políticos, *maîtres* etc.

Em 1960, havia meio século, os Estados Unidos tinham cinco ícones: Hollywood, Las Vegas, Frank Sinatra, Disneylândia e São Francisco. Fomos a todos e suas maravilhosas vizinhanças. De San Diego a Long Beach, Los Angeles, as três santas Mônica, Bárbara e Maria, São Francisco, até Sacramento.

No caminho assistimos a mais dois comícios de Kennedy: em São Francisco e em Sacramento. A mesma competência de comunicação, o sorriso aberto, as frases curtas e fortes e como sempre a promessa de que era preciso mudar. A cada dia a convicção aumentava. Nixon era o candidato oficial, mas quem falava ao povo era Kennedy. E a imprensa insistindo em Nixon.

De volta a San Diego, para retornarmos ao Brasil nos aviões da FAB que já estavam prontos (a Mara ficou em Los Angeles), logo na primeira noite no hotel escrevi dois artigos, um para "A Tarde" e outro para uma revista de Minas, contando o que tinha visto, as conversas que tinha tido e a conclusão a que chegara. Ao contrário dos colegas brasileiros que escreviam de Washington e Nova Iorque, estava mesmo convencido de que Kennedy ia ganhar. Apertado, menos de 1%, mas ganhou. Acertei.

Anos depois, o saudoso Samuel Wainer me disse:

— Você escreveu aquilo como em um cassino de Las Vegas. Arriscou e acertou. Naquela hora sua certeza não se justificava. Foi coisa de sorte, de estrela mesmo. O José Guilherme (Mendes, mineiro correspondente da "Última Hora" nos Estados Unidos), me disse que você ficou envolvido pelo *rock* de Elvis Presley.

Mas, com Elvis ou sem Elvis, quem ganhou foi Kennedy.

Era mais uma vez minha nuvem.

* * *

A piscina do hotel "Presidente" em Acapulco, posta dentro do mar, estava cheia naquela manhã de sábado. Fui ao bar buscar meu vinho branco da Califórnia ("Sebastien") e ouvi uma confusão em um hotel ao lado. Era Baby Pignatari sendo preso por causa de uma daquelas suas princesas europeias.

Mas havia descoberta mais importante. Nat King Cole ia fazer um *show* naquela noite em Acapulco. No ano anterior, em 59, ele fez o maior sucesso no Rio encantando e comovendo o Maracanãzinho com seu piano e sua voz aveludada.

Pedi ao hotel o telefone do teatro do *show*. Liguei. Perguntei se antes do espetáculo ele poderia receber um grupo de jornalistas brasileiros de passagem por Acapulco. A mexicana, muito gentil, me sugeriu telefonar para a casa dele, porque ele só chegava ao teatro em cima da hora do *show*. E me deu o telefone.

Liguei. Do outro lado da linha me repetiram a mesma coisa. Não havia como falar com ele no teatro. De novo a conversa: éramos um grupo de jornalistas brasileiros. Como poderíamos ao menos fazer umas fotos? E a resposta surpreendente:

— Jornalistas brasileiros? Quem está falando aqui é o Nat King Cole. Voltei encantado com sua terra e sua gente. É uma pena não poder recebê-los no teatro, mas ficaria muito feliz se os amigos passassem aqui para tomar ao menos "um pisco" comigo.

— A que horas?

— Agora mesmo.

Deu o endereço. Prometi estar lá em uma hora. Fui correndo para a piscina para desafiar o Aniz Badra. Desde San Diego, para impressionar o paulista Badra, o Vavá, o Di Tomasi e mais dois jornalistas assessores de Lomanto na ABM tinham inventado a história de que eu havia morado muito tempo em Nova Iorque e era amigo de Frank Sinatra, Nat King Cole e outros grandes cantores americanos. Chamei o grupo à beira da piscina:

— Quem quiser conhecer meu amigo Nat King Cole tem 15 minutos para se arrumar, que eu vou sair de táxi da porta do hotel para dar um abraço nele na casa dele, que não fica longe daqui.

Badra ficou atônito e olhou sério para mim:

— Nery, sou mais velho do que vocês, também gosto de brincar, mas isso é coisa séria. Vou sair da piscina, deixar minha mulher, para ir com você. Por favor não me decepcione.

— Badra, estou falando sério. Em 15 minutos na recepção.

No táxi, na verdade dois, porque éramos seis, minha preocupação era cumprimentar o Nat antes dos outros, para confirmar "a amizade". Eu nunca o tinha visto. Só na TV.

Era um casarão bem mexicano. Todo branco, no alto de uma escadaria. Toquei a campainha. O portão se abriu automaticamente. Lá em cima, de pé, vestido como uma goiabeira branca, negro e sorridente, "meu amigo" Cole nos esperava.

A NUVEM

Subi rápido as escadas para deixar o Badra a uma certa distância. E o Nat King Cole resolveu totalmente meu problema. Abriu os braços, sorriu e disse bem alto:

— Mi amigo!

Nunca mais o Badra duvidou de meu prestígio em Nova Iorque, aonde até então eu jamais tinha ido. Fizemos fotos, tomamos "pisco", o cantor falou com saudade do Rio de Janeiro e do Maracanãzinho. E nos levantamos para ir embora.

— Mas vocês vão me deixar almoçar sozinho? Minha mulher só chega no fim da tarde. Mandei meus auxiliares mexicanos prepararem um almoço rápido para nós. Com bastante "pisco".

Almoçamos, conversamos e baianamente nos vingamos do Badra. E cada um ainda saiu com o último disco dele autografado.

Cinco anos depois, em 1965, aos 46 anos, jovem e mundialmente consagrado, morria Nat King Cole, "meu amigo".

* * *

Do outro lado da piscina, como se saísse de dentro do belo jardim que a cercava, rolando ele mesmo uma cadeira de rodas, apareceu o dono da casa. O embaixador do Brasil no Panamá, amigo dele, em cuja embaixada ele havia estado asilado algum tempo, levou nossa delegação, que voltava do Congresso Internacional de San Diego, e fazia uma escala técnica antes de chegar a Manaus, para um jantar à beira da piscina.

Era uma história rocambolesca que eu acompanhava desde 1950, mas só sabia pelo que as revistas internacionais contavam.

E ele estava vindo ali, o rosto moreno, cara forte, puxada a índio, e sorridente como se aquela cadeira de rodas fosse um alazão.

Roberto Arias era um exemplo perfeito do que significava o chamado "imperialismo americano" numa "república bananeira". Nascido de 1901, ainda muito jovem, quando estudante, fundou o "Verdadeiro Partido Nacional Revolucionário" que a partir de 1963 veio a chamar-se "Partido Panamista".

Formou-se em Medicina na Universidade de Harvard, foi embaixador do Panamá na Inglaterra, e em 1940 elegeu-se presidente do Panamá com as bandeiras da independência e do nacionalismo. Em 1941, já estava derrubado por um golpe militar, articulado pela embaixada dos Estados Unidos. E foi exilado em Londres até 1945.

Em 1949, novamente candidato a presidente, elegeu-se outra vez. Em 1951, outro golpe militar, sempre sob o comando da embaixada norte-americana. Foi expulso do país, banido, tirados seus direitos políticos e mandado para Londres.

Quando voltou ao Panamá, no fim da década de 50, anunciou nova candidatura. Sofreu um brutal atentado que lhe deixou nas mãos aquela cadeira de rodas e nos olhos uma fúria santa que lhe dava aquele ar de invencibilidade.

Entre um champanha e outro pergunto-lhe se vai continuar tentando dar a seu país um governo de "independência e nacionalismo". Sorri desafiante:

— Eles estão enganados. Pensam que nesta cadeira me derrotaram para sempre. Essa ditadura, sustentada pela embaixada dos Estados Unidos e pelo dinheiro do Pentágono que corrompe as Forças Armadas, está caindo de podre, como as outras caíram. E quando conquistarmos novas eleições, mais uma vez serei candidato e mais uma vez vencerei, em cima desta cadeira.

Estávamos ali em 1960. Em 1968, como ele previu, a ditadura militar como sempre dizia, caiu de podre. Ele e sua cadeira de rodas foram candidatos e tiveram uma vitória arrasadora. Não adiantou. Dias depois da posse, foi deposto pelo comandante da Guarda Nacional, sempre saído da embaixada dos Estados Unidos, o coronel depois general Torrijos, de imunda memória.

A noite estava azul e uma brisa doce soprava a água da piscina e nossas embaçadas taças de champanha. De repente, uma miragem. De dentro da casa, surge uma mulher muito alva, em um vaporoso vestido todo azul, caminhando na ponta dos pés, como se estivesse chegando do céu. E cometi a gafe indesculpável. Disse baixinho ao Ruy Ramos, sentado, como eu, em frente ao "presidente Arias" e sua cadeira de rodas:

— Ruy, olha para lá. Que coisa mais linda! Uma deusa. Leve como uma pluma. Parece a Margot Fonteyn.

O anfitrião sorriu feliz. Mas Ruy ficou encabulado:

— Nery, você não sabe que ela é a Madame Margot Fonteyn, a maior bailarina do mundo e mulher do presidente Arias?

Tive vontade de afundar na piscina. Mas ela chegava como um cisne, abraçou-o, beijou-o e nos cumprimentou a todos.

Ainda bem que Ruy e dona Neite não contaram a ninguém.

Foi o melhor jantar de quase dois meses de viagem. Regado a gafe.

* * *

Chego a Salvador, o Cruz Rios, secretário de "A Tarde", me entrega a coluna "Política & Políticos", que passei a fazer à imagem e semelhança do "Política Dia a Dia", do "Jornal da Bahia": notas curtas, muita notícia, no mínimo uma pessoa em cada nota. A tiragem sempre sem rival de "A Tarde" amplificava.

Mas logo chegou a tentação. A campanha Lott-Jânio pegava fogo, já caminhando para o fim. Estava visível e inevitável a vitória de Jânio. Mas quem chegava perto dele logo percebia que tinha uma loucura congênita esquentando seus miolos. Era um gênio da comunicação política e eleitoral.

Mas era da UDN, Lacerda comandava sua campanha, ele anunciava uma "política econômica ortodoxa", que significava fazer o que o Fundo Monetário Internacional mandasse. Não podíamos deixar o bravo e nacionalista general Lott sair humilhado, embora sua derrota já estivesse clara.

Lott era o anticandidato. Inajudável. Preparado, culto, com todas as distinções dos cursos militares no Brasil e no exterior, sério, honrado, legalista, nacionalista, um patriota. A UNE (União Nacional dos Estudantes) resolveu ajudá-lo promovendo um encontro na ABI (Associação Brasileira de Imprensa) no Rio.

A vitória de Fidel Castro, Che Guevara e seus companheiros continuava empolgando a juventude latino-americana, inclusive a brasileira. A primeira pergunta para Lott acabou em um desastre:

— General, o que o senhor acha de Fidel Castro?

— Venceu prometendo uma democracia e está governando com uma ditadura. Disse que era democrata e agora está se aliando à União Soviética.

Foi uma ducha de água fria.

O até havia pouco presidente da UNE, Raimundo Eirado, sentado à mesa, lembrou-se da grande entrevista que naquele dia Lott tinha dado à Última Hora defendendo a Petrobras e o monopólio estatal do petróleo e quis consertar o constrangimento:

— General, o que o senhor acha do monopólio da Petrobras?

— O patriota não lê jornal não? Está tudo na Última Hora.

O encontro chegou ao fim totalmente frustrado.

Jânio era outra coisa. Era loucura mesmo, regada a álcool. E uma fantástica capacidade de aproveitar os fatos em favor dele. Na campanha, não tinha nenhum compromisso com a verdade.

José Aparecido, articulador da campanha de Jânio, aconselhou-o a ir ao Nordeste para um encontro com os governadores da UDN. E marcaram em Aracaju, terra de seu então vice Leandro Maciel. Jânio, Magalhães Pinto (presidente da UDN), Quintanilha Ribeiro, Lino de Matos e Aparecido pegaram um avião particular no Rio e voaram para Sergipe.

Quando desceram em Salvador para reabastecer, viram Juracy Magalhães, governador da Bahia, embarcando para Aracaju e indelicadamente sem esperar cinco minutos para cumprimentar Jânio.

Estávamos nós, a imprensa baiana, Juracy Costa, do Jornal da Bahia, eu e outros colegas, saímos duro em cima de Jânio:

— Governador, esses passeios de V. Exª. pelo mundo estão sendo pagos por quem? Ou será com o famoso terreno da Rua Rio Grande, em Vila Mariana?

— Respeitem-me. Lamento o comportamento do governador Juracy. Não sou dos que arreganham os dentes para o sucesso eleitoral. Nada mais tenho a dizer.

Levantou-se e voltou para seu avião. Eu e Juracy Costa fomos atrás em um voo de carreira. Em Aracaju, uma multidão com vassouras e os governadores da UDN, Dinarte Mariz do Rio Grande do Norte; Cid Sampaio, de Pernambuco; Luís Garcia, de Sergipe. Jânio ficou eufórico. Disse a Aparecido:

— Você me trouxe para uma cilada do governador Juracy. Mas ele se enganou. Você viu o povo? Vou dizer-lhe o que ele precisa ouvir.

Na primeira reunião, Jânio levantou-se:

— Governador Juracy, quero começar dizendo que não aceitei o que o senhor fez em Salvador, as perguntas que me mandou fazer.

Juracy também se levantou, apoplético:

— O senhor me respeite. Nunca precisei mandar ninguém fazer perguntas por mim. Não tenho caspas nos meus ombros. Sou um revolucionário de 30. O senhor é um aventureiro, mentiroso e demagogo.

Jânio sai andando:

— Não temos mais nada a conversar, governador Juracy. Eu me retiro.

Só houve a segunda reunião por causa da turma do deixa disso. De Aracaju, Jânio foi para Recife, e nós, jornalistas, atrás dele. Hospedou-se no casarão colonial do deputado Murilo Costa Rego, do PTB de Pernambuco. Murilo marcou um café-da-manhã no dia seguinte de Jânio com toda a imprensa, nacional e pernambucana.

Era um banquete senhorial: queijo de todo tipo, bolo de rolo, aipim, inhame, cuscuz, frutas, sucos e leite. Às 9 em ponto, Jânio desce as escadas, barbeado, bem penteado, todo elegante em um *slaque* cinza, aquele do Nasser. E vai direto à mesa:

— Murilo, só estou vendo leite, Murilo. Não sou bezerro. Quero um puro, Murilo.

Nesse instante chega o governador Cid Sampaio com uns 30 prefeitos. Jânio os recebe, senta-se numa rede à beira da sala, o governador e os prefeitos se abancam em torno e começam uma conversa política sobre a campanha e o Nordeste. Da cozinha, aparece o garçom com uma bandeja, um copinho e uma garrafinha de uísque "Old Par". Abre o uísque, serve o copo:

— Presidente, seu uísque.

Jânio arregalou os olhos:

— Como, uísque? Murilo eu disse lei-te, lei-te Murilo.

O garçom voltou com o uísque e veio com um copão de leite que Jânio engoliu todo na hora. O governador saiu com os prefeitos, Jânio voltou para a mesa redonda onde nós, os jornalistas, o esperávamos para o café e a entrevista:

— Murilo, só estou vendo sucos e leite, Murilo. Não sou bezerro, Murilo. Um puro por favor, Murilo.

O garçom apareceu com o Old Par, ele bebeu o puro de um gole, comeu do que quis e deu a entrevista.

Na campanha, era um artista 24 horas por dia.

* * *

Já eleito Jânio, a Federação Nacional dos Jornalistas convocou um Congresso Nacional de Jornalistas para Fortaleza. Oficialmente para tratar dos problemas da imprensa, que vivia em plena liberdade do final do vitorioso governo de Juscelino.

Mas na verdade a Federação, politicamente controlada pelos comunistas e pela esquerda em geral, queria aproveitar o congresso para dar uma prensada em Jânio antes de ele assumir, aprovando uma proclamação exigindo a política externa e a política econômica não dependentes dos Estados Unidos.

Não podia faltar ao Congresso. Pedi ao Cruz Rios, meu chefe direto, que me liberasse nos dias do Congresso. Prometi mandar matérias de lá. Ele concordou, gostava muito de mim. Mas a decisão não era dele. Era do diretor Jorge Calmon, com quem eu me dava muito bem até porque muito o admirava.

— Impossível, Nery. O jornal já está mandando três. O presidente do sindicato e dois delegados escolhidos pela redação. Da próxima vez, se articule antes com seus colegas.

Compreendi, agradeci sua gentileza, mas não podia não ir. Comprei uma passagem de avião, articulei-me com companheiros de Fortaleza que eu conhecia dos tempos da UNE e da UJC e fui. Mas antes passei pelo gabinete do doutor Jorge. Ele não estava.

Numa folha de papel, que deixei em sua mesa, escrevi apenas:

— Mestre Jorge, me perdoe. Não pude não ir. Ass.) Nery

Quando voltei, uma semana depois, fui ao gabinete do doutor Jorge. Ele se levantou sorridente, me abraçou e me entregou um papel, para ir ao Departamento de Pessoal:

— Meu caro Nery, me perdoe. Não pude não demiti-lo.

Saí perplexo. Ele tinha toda a razão. Mas a razão dele. A minha era outra, mais política do que profissional.

Naquele exato momento nascia o "Jornal da Semana".

Mas antes, já desquitado, fui passar férias de fim de ano, Natal, *Réveillon*, em Jaguaquara, com meus pais, irmãos e filhos.

Jacques então com cinco anos, hoje surfista sênior, conhecedor dos mares e dos mundos, produtor de vídeos e fotógrafo em seu estúdio. E Nerynho, Sebastião Nery Júnior, então com dois anos, que também viu e sabe o mundo desde muito jovem, hoje professor de História, jornalista, dono do jornal "Imprensa Livre".

E rever a "Palmeira", minha infância e minha nuvem.

22

O Jornal da Semana

Quando o velho elevador do velhíssimo edifício da Rua da Quitanda, no centro do Rio, parou no escritório de advocacia do ex--governador da Bahia Antônio Balbino, eu já sabia tudo que ia lhe falar. Passei as quatro horas do voo germinando o jornal.

Não conhecia bem Balbino. Ele certamente menos a mim. Mas sempre tive uma admiração enorme pela sua biografia. Dos políticos da Bahia, só Octávio Mangabeira rivalizava com ele. Culto, talentoso, inteligente, formação universal, Balbino foi preparado, como dizia Mangabeira, para brilhar lá fora.

Nasceu em berço de roça que era também um berço de ouro. O pai e a mãe fazendeiros em Barreiras, extremo oeste da Bahia. E sua mãe era irmã de um dos brasileiros mais poderosos de seu tempo: Geraldo Rocha, homem de confiança de Getúlio Vargas, dono dos jornais "A Noite", "O Mundo", "A Nota", "O Radical", e o mais próximo amigo no Brasil do ditador argentino Perón.

Tinha negócios no Brasil, na Argentina, na França, por aí afora. Pôs logo o sobrinho querido embaixo do braço. Balbino, moreno queimado, boca gorda, olhos espertos, estudou em Salvador e em 1929 veio para o Rio estudar Direito. Estudava e fazia jornalismo no jornal do tio, "A Noite".

Aluno brilhante, orador da turma, formou-se em 32 e foi fazer doutorado de Economia na Sorbonne em Paris, em 33 e 34. Voltou e saiu logo candidato à Assembleia Constituinte estadual na legenda da oposição, liderada por Octávio Mangabeira, contra a chapa do interventor Juracy Magalhães. Elegeu-se.

Na Assembleia, já começou fazendo parte da comissão encarregada de elaborar a Constituição do Estado. Getúlio deu o golpe de 37. Balbino foi ser advogado, jornalista no "O Imparcial" e "Diário de Notícias", que dirigiu de 39 a 42 e professor. Ensinava tudo: Sociologia e Lógica no pré-curso da Faculdade de Medicina, Finanças na Faculdade de Direito e História das Doutrinas Econômicas na Faculdade de Filosofia.

Em 43, veio ganhar dinheiro no Rio como advogado. Em 45, eleição para a Assembleia Nacional Constituinte. Candidatou-se pelo pequeno PPS (Partido Popular Sindicalista). Perdeu. Em janeiro de 47, já no PSD, elege-se para a Assembleia Constituinte estadual. Em 50 deputado federal. Chega ao Rio com fama de gênio.

Vai logo ser relator do projeto criando a Petrobras, a lei 2004 afinal aprovada em outubro de 53. Já era ministro da Educação e Cultura. Em 54, o PSD lhe nega a legenda para governador e lança Pedro Calmon. Balbino, numa aliança com Juracy que ganhou o Senado, saiu pelo PTB, PST, UDN, e venceu.

* * *

Só o conheci nos três últimos meses de 1958, ele saindo do governo, eu entrando no "Jornal da Bahia". Mas deu tempo para duas ou três entrevistas mais longas. Sabia tudo da Bahia, do Brasil e do mundo. Terminou o governo, seu candidato Pedreira de Freitas perdeu para Juracy e Balbino voltou para o Rio para ganhar dinheiro na Rua da Quitanda, dando pareceres.

Foi lá que o encontrei, simpático e caloroso, naquele começo de 1961. Elogiou as matérias dos Estados Unidos, na campanha de Kennedy. E abriu a conversa com a competência de sempre:

— Saiu do "Jornal da Bahia", de "A Tarde", para onde vai?

— Para o "Jornal da Semana", que vou lançar, se o senhor me ajudar. O projeto é simples. O PSD é o maior partido do Estado. Mas perdeu a eleição e a imprensa baiana apoia Juracy e esquece totalmente o PSD, que não tem cobertura nenhuma para repercutir nem sequer seu trabalho na Assembleia. Não quero dinheiro do PSD. Só que o PSD me leia. E quem pode mandar é o senhor.

— Como vai fazer isso sem dinheiro?

— É um mês só. Vou lançar o jornal para todo mundo saber o que será. Com um mês, faço uma campanha de assinaturas por um ano, um ano só, evidentemente assinatura mais cara que o normal. Se um terço dos deputados, prefeitos, vereadores do PSD, e também muitos do PTB, assinarem, o jornal está garantido.

Ele ficou calado um pouco, fechou seus olhos coreanos:

— Não é que a ideia é brilhante? Se você fizer o primeiro mês bem feito, o partido vai querer assinar para ajudar. E com o primeiro mês não se incomode. É problema meu.

Abriu a gaveta, puxou um talão de cheques, preencheu um, dobrou, me entregou sorrindo:

— Vá aqui embaixo ao banco, desconte e não conte a ninguém. Aliás, nunca conte a ninguém nossas conversas. Minhas alianças políticas na Bahia são muito complicadas. Arranje a gráfica e daqui a um mês volte, porque o papel sempre será por minha conta. O resto é com você. Vou recomendá-lo ao PSD.

Mal consegui agradecer. Corri ao banco, que ficava ali na esquina. Era um checão. Dava para pagar tudo do primeiro mês: aluguel da sede, papel, gráfica e um esquema de distribuição.

* * *

O jornal tinha que ter um charme, para diferenciá-lo dos outros baianos. Em duas páginas, cada número, o máximo de gente importante escrevendo — escritores, intelectuais, artistas, políticos do Rio, para não ficar só no rame-rame da política local.

Instalei-me no hotel OK e comecei a procurar os que poderiam escrever ao menos uma vez por mês. Não precisava ser exclusivo. Podia até já ter sido publicado em revistas políticas.

Fui atrás dos que conhecia e admirava: Celso Furtado, Guerreiro Ramos, Darcy Ribeiro, Bresser Pereira, os irmãos Antônio e Gilberto Paim, Gondim da Fonseca, Osvaldo Peralva, Francisco Julião, Glauber Rocha, a turma do ISEB, Álvaro Vieira Pinto, Roland Corbisier. Começo do governo Jânio, o debate nacional incendiava o país.

Em Roma, anos e anos depois, eu Adido Cultural, comprei um livro de Glauber: — "Glauber Rocha, Scritti sul Cinema". No capítulo "Artigos e Ensaios", página 219, está lá:

— "'Apresentação de Colunista', in 'Jornal da Semana', Salvador, 22 aprile, 1961".

(Glauber tinha começado no terceiro mês do jornal).

Desci em Salvador com o coração aos pulos. Acertei gráfica, aluguel, distribuição. E escrevi o editorial da primeira página:

* * *

— POSIÇÃO

Este não é um jornal a mais. Por diletantismo. Muito menos por vaidade. A vida é suficientemente importante para que não aceitemos fazer coisas apenas por fazê-las.

Também não será jamais um balcão de negócio. Um exclusivo guichê de publicidade, vendendo ideias, opiniões e editoriais como quem corta carne no açougue, um osso de interesse público de contrapeso e o sangue do povo escorrendo nos dedos.

Para nós, imprensa é instrumento de luta. Em dez anos de atividade profissional permanente, sete dos quais no sul do país, algumas vezes arrancando da redação para a coação imbecil da polícia a serviço dos donos do poder, aprendemos que jornal é como a espada lendária dos cavaleiros da Idade Média. Ou serve a uma causa ou enferruja de tristeza e abandono, fria e mofina, bem paga mas inútil.

JORNAL DA SEMANA surgiu para, dentro de seus limites de província, travar uma grande luta. A luta de uma geração que nasceu depois da revolução de 30, cresceu vendo os líderes nacionais de lenço na boca e bolsos cheios, recebeu nas universidades e praças públicas, das patas dos cavalos e dos cassetetes policiais, o batismo da vida política e agora sente que chegou o momento de cobrar dos donatários de trinta anos o direito de ser ouvida. O direito de subir às tribunas parlamentares. O direito de participar do comando dos destinos do país.

JORNAL DA SEMANA surgiu também para ser uma arma das novas batalhas a que se lança a humanidade neste século de socialismo, anticolonialismo, desenvolvimento e cosmonauta. Talvez apenas um tijolo à sua contribuição. Mas é desses pedacinhos de barro, um grito em Gana, uma morte em Angola, um pelotão na Argélia, um modesto periódico na Bahia que se vai construindo o edifício da libertação dos povos colonizados e subdesenvolvidos, onde a cada dia nova bandeira trepida, mesmo quando moldure em sangue o rosto bravo do negro Lumumba.

JORNAL DA SEMANA surgiu ainda para ser fiel à bela tradição da imprensa baiana, dedicada às lutas e angústias de seu povo, onde Cipriano Barata e Severino Vieira nos legaram o exemplo melhor de jornalismo independente, corajoso e popular, tão deferente deste que se quer impor agora, como simples peça de grandes máquinas econômicas a serviço de interesse que não são os do país, do Estado e muito menos do povo.

JORNAL DA SEMANA surgiu, afinal, para dizer o que o povo baiano entende que deva ser dito, mas outros não dizem por comodismo ou interesses inconfessáveis. Não temos compromissos com ninguém, a não ser com a verdade em torno dos fatos de caráter público. Não estamos ligados a grupos econômicos nem políticos. JS viverá estritamente da publicidade que não pretende comprar a opinião da imprensa. Nada temos com a vida particular de ninguém. Este é um jornal de interesse público, eminentemente político. Mas toda vez que alguém agir em termos públicos, ferindo interesses públicos, JS "contará sábado os segredos", todos.

Está na Constituição: "Todo poder emana do povo". Logo, o povo tem o direito de saber toda a verdade.

* * *

Comecei enfrentando a fera de lança em punho. Consegui um relatório reservado do Banco do Nordeste mostrando que os dois grandes bancos da Bahia, o Banco da Bahia, de Clemente Mariani e Fernando Goes; e o Banco Econômico, das famílias Calmon e Magalhães, viviam de recolher mais de 80% de seu dinheiro no Estado e aplicar mais de 80% no Sul, em São Paulo:

— "Bancos da Bahia roubam a Bahia".

Era a primeira grande manchete. E publiquei na íntegra o relatório do Banco do Nordeste, naturalmente sem citá-lo e dizendo que era um estudo de técnicos do Ministério da Fazenda.

Foi uma bomba. O jornal começou sacudindo a província. E cobrando de Juracy que fosse governador do Estado e não dos amigos. Sem querer, estoquei Juracy já no primeiro número. Era o começo da escalada. Já comecei na oposição, sem planejar.

O segundo número saiu melhor ainda. Meus colegas e amigos dos outros jornais sempre tinham matérias fortes que não eram publicadas lá, por conveniências ou ligações políticas, econômicas, sociais. E me davam. Eu publicava:

— "Jornal da Semana — Conta Sábado os Segredos da Semana" ou "Jornal da Semana — Conta Sábado o que os Outros Esconderam Durante a Semana".

Ou então: — "Se o fato é verdadeiro, se você tem provas, se você nos entrega as provas, traga. Jornal da Semana pública".

Juracy e seus amigos não aguentaram. Antes do terceiro número, a gráfica me avisou, ainda bem que a tempo: não podia mais imprimir o jornal. Fui às outras. Também não podiam. Juracy havia fechado o cerco. E fez mais: demitiu-me da CPE.

* * *

Eu não podia perder a guerra logo na terceira batalha. A única solução era imprimir o jornal no Rio e trazer para a Bahia. Peguei o avião e corri para o Rio. Minha nuvem me levava certo. Cheguei à noite, fui direto do Santos Dumont jantar na "Carreta", na Visconde de Pirajá, em Ipanema, a churrascaria de mais sucesso no Rio na época, ponto de encontro de políticos, jornalistas, que pertencia a meus amigos, o deputado Alaim Mello, do PTB da Bahia, e seu irmão Raul Mello. Alaim poderia estar lá. E estava. E queria conversar comigo. Antigo líder bancário, simpático, jeitoso, chamado pelos amigos de "Veludinho", tinha como adversário no PTB baiano o deputado Clemens Sampaio, que havia assumido o controle do diretório estadual e negava a Alaim a legenda do PTB para disputar as próximas eleições para a prefeitura de Salvador em 62. Ambos amigos de João Goulart.

Mas Fernando Ferrari, ex-líder do PTB no Rio Grande do Sul e na Câmara, que havia rompido com Jango e fundado o MTR (Movimento Trabalhista Renovador), o "partido das mãos limpas", e disputado a vice-presidência da República contra Jango e Milton Campos e perdido, convidou Alaim para fundar o MTR baiano. Alaim estava reunindo um grupo de amigos para irem com ele para o MTR e sabia que eu conhecia bem o Ferrari na Câmara Federal no Rio, e na campanha. Mas continuava inscrito no PSB (Partido Socialista Brasileiro), desde Minas. Alaim brincou:

— Você já ia entrar poderoso no partido, com um jornal. Mas tem razão. Fique fora de partido. É melhor para o jornal.

— Ameaçado de fechar por seu amigo Juracy. Preciso descobrir uma gráfica aqui no Rio para imprimir.

— Problema resolvido. Passe amanhã cedo em meu escritório.

Para surpresa minha, recebi parabéns pelo jornal, que tinha posto para vender na banca em frente ao hotel Serrador, na Cinelândia. E bebi feliz meu vinho gaúcho, o "Imperial Antunes".

* * *

De manhã, estava lá. O escritório de Alaim era como ele. Elegante, arrumado, parecia escritório de senador usineiro. Mal eu sentei, ele pegou o telefone, ligou:

— Meu caro Bogea, serviço para você e sua "Gazeta de Notícias". Vai passar hoje aí o Nery, meu companheiro da Bahia, para imprimir toda semana, na sua gráfica, o jornal dele, um semanário, "Jornal da Semana", que começou fazendo sucesso. Não fale de preço com ele. Isso é problema nosso, meu e seu.

Já tinha o papel, agora a gráfica. Dei-lhe um abraço:

— Obrigado. Não saio do PSB, mas o MTR ganha um jornal.

Ia saindo rápido para acertar na gráfica da "Gazeta" o dia de entrega das matérias e o da impressão, quando ele me disse:

— De noite na "Carreta". Vamos comemorar lá.

Passei na "Gazeta", acertei a entrega das matérias na quinta de manhã e impressão na madrugada de sexta, fui para o hotel e fiquei o dia inteiro escrevendo a matéria de manchete do terceiro número e reunindo as colunas e os artigos dos colaboradores.

De noite, na "Carreta". Texto, papel, gráfica, certos. Mas como levar o jornal? Alaim era um prodígio da solução rápida:

— Nery, você tem medo de avião? Conhece o "Porquinho Voador", o "Jesus está chamando"? Não são como os maiores e mais modernos, da Panair e da Varig. Mas voam. Vão e voltam. São do Loyde Aéreo. O brigadeiro presidente é um amigo meu. Amanhã vamos lá, fazemos uma permuta de publicidade, porque você vai ter que vir da Bahia toda semana e voltar com o jornal.

Fomos. No caminho, no seu carrão, Alaim me avisou:

— Não fale no Juracy. Ele não gosta dele. Brigaram, não sei por quê. Mas não pode pensar que é por isso que o procuramos.

Já saí de lá com um anúncio de meia página, que publiquei logo naquela semana. Até o último dia do jornal, quando assumi como deputado em 63 e não podia vir toda semana para o Rio, o bendito Loyde Aéreo me trouxe de Salvador e me levou de volta, carregando o jornal. Os aviões eram de fato menores, demoravam quatro horas de Salvador ao Rio, mas nunca me fizeram desfeita.

Amanheci no hotel OK, na Rua Senador Dantas, ao lado da Cinelândia, como um Chateaubriand. Jornal garantido. Só faltava quem ia pagar o hotel. Ele mesmo, o hotel, como fazia Chatô. Conversei com o diretor, fiz uma permuta, já dei o anúncio:

— "Baiano no Rio se hospeda no OK".

Voltei para o quarto, escrevi meu artigo da primeira página:

⁕ ⁕ ⁕

"O Preço da Verdade

— Tudo na vida tem seu preço: a rosa de jardim, o beijo da amada, a venalidade dos crápulas e a verdade. Nem um instante sequer fomos ingênuos. Sabíamos precisamente, quanto íamos pagar pela independência, pela coragem, pela verdade do JORNAL DA SEMANA. Começamos a pagar. Ótimo. Fiquem, porém, sabendo os 'donatários de trinta anos' que estamos dispostos a aceitar o preço que eles arbitrarem, mas JORNAL DA SEMANA não recuará um milímetro da linha que se traçou e arrancará friamente, conscientemente, impiedosamente todas as máscaras com que os foliões políticos da Bahia têm sambado ante os olhos atônitos do povo o seu carnaval de trinta anos.

Não temos compromissos com ninguém, a não ser com a verdade. E por termos compromissos apenas com ela é que publicamos, já no segundo número, um artigo ('Justiça, Governador'), analisando a posição do governador Juracy Magalhães ante a CPE (Comissão de Planejamento Econômico) e mostrando como ele estava sabotando os mais importantes empreendimentos realizados na Bahia em termos de progresso e desenvolvimento, apenas porque seu despeito doentio vê na CPE (Comissão de Planejamento Econômico) a sombra de dois homens: Rômulo Almeida, que ele inveja por causa do prestígio nacional e internacional e Antônio Balbino, que pode voltar para derrotá-lo e destruí-lo.

Imediatamente ele exigiu minha demissão do cargo de Encarregado de Relações Públicas da CPE, onde entrei em outubro de 1958, através de teste, sem indicação política alguma, logo depois de regressar à Bahia, após oito anos de ausência, e a cujo programa dei, durante mais de dois anos, o melhor de minha experiência de jornalista.

Podemos repetir agora a frase de Leônidas:

— 'Melhor assim. Combateremos à sombra'.

Já não teremos sequer o constrangimento de estar criando problemas de modéstia e de comando para um amigo, o presidente da CPE Rômulo Almeida, que também logo sentiu, poucos dias depois, que, na atividade pública, maior do que o erro da contemporização, que pode parecer conivência, seria o crime do silêncio, que é sempre covardia".

* * *

Era uma operação de guerra semanal. Instalei meu quartel general no hotel da Bahia. Desquitado, com o tempo todo à minha disposição, os dois filhos em Jaguaquara com meus pais, anos depois com a mãe no Rio, fiz da sala de entrada do apartamento um pequeno escritório, para escrever em paz.

A sede do jornal era na Rua da Ajuda, ao lado da Praça Municipal. Lá mandava meu irmão Antônio, diretor, gerente, distribuidor, tudo. E valente. Lá eu recebia os colunistas, os colaboradores, os fornecedores de denúncias, os leitores.

Pedi licença do Ministério do Trabalho e ficava sexta, sábado, domingo e segunda em Salvador, reunindo as colunas e o material local durante o dia e escrevendo à noite no hotel.

Terça bem cedo ia para o Rio, onde, terça, quarta e quinta encontrava os amigos, fazia entrevistas, recolhia os artigos. Quinta à noite era da gráfica, composição, diagramação, impressão. O jornal rodava sexta de madrugada e, de manhã, eu levava de kombi para o Loyde Aéreo, embarcando-o no voo em que eu sempre ia.

Perguntavam-me: — Como se pode fazer um jornal sozinho? Não era essa pedreira toda. Mantinha sagradamente meus três segredos: o papel, a gráfica e o avião. Juracy ficava doido:

— Quem está financiando esse rapaz?

O sábado e o domingo em Salvador eram os de costume: uma permanente alegria soprada de música, brisa e amor. Os teatros, as boates, os restaurantes e as praias desertas da canção nos esperavam sempre, a mim e à namorada, adorada.

As noites de terça e quarta ficaram-me inesquecíveis. Eram no Rio, no "Sacha's", o magnífico piano-bar-restaurante da Rua Padre Antônio Vieira com Avenida Atlântica, no Leme.

O velho e sábio Sacha tocava seu piano como um príncipe, conhecia as músicas preferidas dos fregueses, com as quais ele recebia cada um quando entrava. Para mim eram "Ne me quittes pas", do franco-belga Jacques Brel, e "Strangers in the night", de Frank Sinatra, que acabavam de chegar ao Brasil. E havia o Paulo Marquez com sua voz de catedral.

Ali se bebia, se jantava, se namorava, se comiam flores jogadas no prato, como fiz uma vez, para susto e lágrimas da amada que jogou. Tinha acabado o governo JK, que mudou a cabeça do Brasil. Bossa Nova, Cinema Novo, Brasília, um Brasil novo. E o Rio estalava de amor nas suas noites enfeitiçadas.

* * *

Mas era amor demais para lugar de menos. Naquele começo da década de 60, meio século atrás, ainda não havia motel, os hotéis só aceitavam hóspedes de ficha preenchida e as *garçonières* eram propriedade privada. Para onde levar a amada nas tardes?

Um saudoso amigo meu, companheiro solidário, estava sempre me advertindo que eu não podia facilitar, arriscar nenhum incidente, cuja repercussão atingiria o jornal na Bahia. Até que um dia, certamente vendo minha sede sem fonte, abriu-se:

— Sei que posso confiar em você. Tenho um amigo, político importante, que vive no seu Estado, mas tem um apartamento aqui no Rio só para encontros e conspirações políticas. É um local discreto, no fim da praia do Flamengo, edifício Chaputelpec. Sou eu que cuido, tomo conta. E fico com a única chave. Quando ele vem ao Rio, vou ao aeroporto recebê-lo e lhe passo a chave. Quando ele volta, entrega-me novamente. Posso fazer um acordo com você. Você passa no começo da tarde em meu escritório, eu lhe dou a chave, você vai lá e me devolve no fim da tarde.

Fiquei emocionado com a solidariedade de meu amigo. Mas não podia aceitar se ele não me revelasse quem era o dono da joia rara. Quando me disse, foi pior. Veio o medo. Quase desisti. Mas o amor queimava em vão minhas noites do "Sachas". Precisava salvar as tardes. Com a consciência do risco, aceitei.

Era um apartamento impessoal, quase monástico. Apenas alguns sinais de surpreendentes e contraditórias preferências políticas: duas fotos grandes de Getúlio Vargas, uma de Churchill, outras de Eduardo Gomes e Osvaldo Aranha.

Livros, pouquíssimos. Uma Bíblia, uma Constituição, uma pequena enciclopédia. Bebida nenhuma. Na geladeira, água. E um velho, mas providencial toca-discos, com uma meia dúzia de músicas, como "Manhã de Carnaval", de Luís Bonfá e Antônio Maria, cantada por Agostinho dos Santos.

Outra lembrança inapagável. Em frente ao Chaputelpec havia um grande anúncio luminoso da empresa "Propeg". Era nossa senha. Se eu lhe dizia, de noite, no "Sacha's", "Propeg acendeu", estava combinada a tarde. "Propeg" apagou, nada feito.

Eleito deputado, a vida mudou, o canto de amor também. Eu e ela guardamos absolutamente este segredo meio século. Hoje não há mais por que não revelar. O apartamento era do governador Juracy Magalhães, que gostaria de me escalpelar vivo, por causa da virulência e sarcasmos do "Jornal da Semana".

Aquele apartamento era um retrato político de Juracy: gostava muito de Churchill, Eduardo Gomes, Osvaldo Aranha, mas talvez sobretudo de Getúlio. Mas era ali que ele e sua UDN conspiravam exatamente contra Getúlio, o PTB, a democracia.

* * *

Meu grande problema no jornal era o excesso e não a escassez. Selecionar colunas, colaborações, denúncias. Muita gente querendo escrever. O jornal passou a ser um respiradouro das lutas políticas e sociais locais e repercutia as lutas nacionais.

Havia colunas de política, cidade, sindicatos, estudantes, Universidade, empresários. Nelito Carvalho fazia seu brilhante plantão da Rua Chile, o "Café de Bernadete". Duas especiais do Rio para a Bahia, de Raimundo Eirado e da Mariaugusta. E todo um vasto material internacional, de colaboradores muito especiais.

Uma tarde, estava na redação, entra um rapaz magro, de testa alta, bem jovem, braços agitados, desabusado:

— Quero falar com o diretor Sebastião Nery.

— Sou eu.

— Desculpe, não conhecia. Vou escrever nesse jornal.

— Você está pensando que aqui é a casa da mãe Joana? Escreve aqui quem a gente convida. Quem é você?

— Sou presidente da ABES (Associação Baiana dos Estudantes Secundários).

Começou a escrever naquela semana. Não tinha 18 anos. Era o Hélio Duque, meu irmão de perseguição no golpe de 64, clandestinos em São Paulo, professor, brilhante economista, escritor, várias vezes deputado federal pelo MDB e PMDB do Paraná, meu colega de mandato na Câmara.

* * *

O jornal, para ter repercussão nacional, precisava de uma entrevista--bomba, retumbante e polêmica, logo nos primeiros números. Era Brizola. Ex-prefeito de Porto Alegre, governador do Rio Grande do Sul, já havia encampado, em maio de 59, a Companhia de Energia Elétrica Rio-Grandense, filial da American and Foreign Power Company (Amforp). Anunciava encampar a Companhia Telefônica Rio-Grandense, subsidiária da ITT (International Telephone and Telegraph). E preparava sua vinda para o Rio para ser deputado, quando deixasse o governo.

Convidei uma sutil namorada para passarmos o Carnaval em Porto Alegre, o lugar mais anticarnavalesco do país. No Rio e em Salvador não podíamos, porque éramos conhecidos dos que não queríamos encontrar. E ainda faria uma entrevista com Brizola.

No hotel Plaza, ainda o velho, o Plazinha, fomos ao bar tomar um champanha de chegada. A um canto, três gaúchos conversavam sobre música. Um deles, baixinho, magrinho, puxou uma gaita e começou a tocar músicas populares e eruditas.

Magnífico. Ficamos encantados, levantamos nossos champanhas. Veio à mesa agradecer. Convidei-o para sentar-se, servi-lhe um champanha. A jovem, que estudava música e piano, maravilhada, pediu-lhe algumas músicas. Tocou. Ela se iluminou:

— Só faltava o senhor ser o Edu da Gaita e tocar o Moto Perpétuo, de Paganini.

— Como sou o Edu da Gaita, vou tocar.

Tocou e voltou para a mesa de seus companheiros. Fiquei amigo dele para o resto da vida. Anos depois, uma noite, no restaurante "Fiorentina", no Leme, no Rio, ele me contou que estava chateado porque o INSS (na época, INPS) lhe havia negado a aposentadoria alegando que "gaita não é instrumento musical". Escrevi na "Última Hora" dois artigos atrevidos. O INPS o chamou de novo, reviu o processo, deu a aposentadoria.

No dia seguinte, fui ver o carnaval gaúcho com a namorada, em um clube. Todo mundo dançando e cantando, muito alegre, uma música só, daquele carnaval de 61: — "Sei que vou morrer, não sei o dia. Levarei saudades da Maria. Sei que vou morrer, não sei a hora. Levarei saudades da Aurora".

Gaúcho é melhor de gaita e de política do que de carnaval.

* * *

Na quarta-feira de cinzas Brizola nos recebeu, a mim e à namorada, para uma entrevista às seis da manhã, no gabinete da Presidência da Caixa Econômica Estadual, onde se escondia bem cedo para dar a arrancada nas medidas administrativas.

Estavam lá, com cara de sono de carnaval, Brusa Neto e Hamilton Chaves, dois dos principais assessores. Hamilton era o secretário de imprensa do governo. Franklin de Oliveira trabalhava no mesmo prédio, mas em outra sala e evidentemente só chegaria numa hora civilizada. A conversa foi longa e objetiva. Ia anotando. A certa altura, Brizola pede que não anote:

— Isto que vou te dizer não deve ser publicado, porque não quero criar nenhum problema para o presidente Jânio Quadros. Gosto dele. Ele está com poucos dias de governo. Tomou posse no dia 31 e já começam a surgir problemas graves.

— De que tipo, governador?

— Políticos e econômicos. Sobretudo políticos. Tu já fizeste uma análise das forças políticas e econômicas que financiaram o Vassourinha? (Vassourinha era o Jânio). Para atender às necessidades do país e dos seis milhões de eleitores que votaram nele, ele vai ter que mudar de comportamento, e as forças que o financiaram não vão se conformar.

Bateu o fundo da caneta na mesa, ficou pensando longe:

— Tu deves ficar atento. Daqui a seis meses, ou ele renuncia ou vamos para a guerra civil.

— Governador, anotei e vou publicar depois da renúncia.

Com seis meses Jânio renunciou.

Do gabinete do governador, liguei para Salvador. Tive a notícia da morte de um colega muito querido, o Alberto Vita, chefe do copidesque do "Jornal da Bahia". Brizola percebeu que fiquei abalado, disse ao Hamilton:

— Cuide do nosso Nery. Cuide deles.

— Fique tranquilo, governador. Sei que o senhor tem compromisso de almoço, mas nós vamos almoçar e à noite vou levá-los à casa de meu compadre para jantarmos juntos.

Saímos do jantar de madrugada, quase de manhã. O compadre dele era o Lupicínio Rodrigues. Os dois cantaram a noite inteira. Depois de Edu, Lupicínio.

Porto Alegre era como a Bahia: uma canção permanente.

* * *

A entrevista de Brizola estourou, sobretudo no Rio. Não agradou a João Goulart nem ao PTB e muito menos às bancadas do Senado e da Câmara. Nas reticências e silêncios, ele criticava o vice Jango, seu cunhado; o PTB, seu partido; e as bancadas, por não estarem dando a Jânio o apoio que ele já merecia pelas primeiras medidas tomadas na política externa.

A "Última Hora" fez uma matéria comentando a entrevista, citando trechos e lançando nacionalmente o "Jornal da Semana".

* * *

O jornal não tinha milagre. Tinha articulação, conquista de apoios dos que nele viam uma arma de luta. Tinha sido fundado na Bahia o Sindipetro, Sindicato do Petróleo, presidido por Osvaldo Marques de Oliveira e, como secretário, o Mário Lima, o grande líder dos petroleiros baianos e nacionais, logo deputado federal pelo PSB em 62, preso no dia do golpe militar de 64, no quartel do Barbalho, em Salvador, onde nos encontramos. De lá, confinado um ano em Fernando de Noronha e depois meu companheiro de clandestinidade em São Paulo, até a morte meu irmão.

O Sindipetro comandou, no fim de 1960, a primeira greve de petroleiros do país, para equiparar os salários da Bahia aos do Sul. Com um *slogan* imbatível: — "Ou equipara ou aqui para". O governador Juracy e a Polícia cercaram a refinaria de Mataripe. Os petroleiros da Bahia ganharam a greve e a equiparação.

O "Jornal da Semana" tornou-se o porta-voz dos petroleiros, dos trabalhadores do porto. A coluna sindical era de Heliogábalo Pinto Coelho, presidente do sindicato dos estivadores.

O JS também se fez porta-voz dos estudantes, numa greve da Universidade da Bahia. O reitor era um grande baiano, Edgard Santos, que deixou uma obra extraordinária na Universidade, modernizando-a, criando novas Escolas (Música, Teatro, Artes Plásticas, Estudos Africanos, com Agostinho Silva), mas de diálogo difícil com os estudantes, que acabaram em greve.

Juracy, governador, mandou sua Polícia Especial, a RS (Representação e Segurança), cercar a Reitoria com seus cães. Houve briga, estudantes mordidos, estudantes presos.

O "Jornal da Semana" saiu em defesa dos estudantes, com uma manchete cheia de malícia e de enorme repercussão. Edgard Santos era um velho bonito, elegante, cabeleira branca, parecido com o Oliveira Salazar, ditador de Portugal. Vestidos com o arminho branco de reitores sobre os ombros, eram iguais.

Pus as fotos bem grandes dos dois, de arminho, no alto da primeira página, com títulos enormes. Embaixo de Edgard Santos: — "O Salazar daqui". Embaixo de Salazar:

— "O Edgard de lá".

E, em todo o resto da página, a charge de um cachorrão, com os óculos de Juracy, dizendo como Juracy dizia:

— "Minha boa gente baiana"!...

Naquela noite, não dormi no hotel da Bahia.

O autor da charge era um artista formidável e bravo, o Ângelo, da Escola de Artes Plásticas da Bahia. Fez essa e numerosas outras, com seus traços fortes, inconfundíveis. O diretor da escola era o pintor Mendonça Filho, pai do iluminado Duda Mendonça, que gostava do jornal, mas evidentemente não podia aparecer, porque era o diretor da escola. Mas dava cobertura ao Ângelo e a outros alunos dele.

* * *

E assim o jornal não era uma empresa. Era uma cooperativa. Também não era uma chatura, só com denúncias graves e artigos sérios. Seus *slogans* incomodavam e faziam rir:

— "Este jornal não tem compromisso com o governo federal, o estadual, o municipal, a universidade, associação comercial, a federação das indústrias. Com poder algum. Só temos compromisso com o Senhor do Bonfim e Martha Rocha."

Fazíamos um jornal o mais bem-humorado possível. Jânio Quadros entrou no governo mandando a Polícia Federal apreender todos os carros importados sem documentação. Eram as "cotias", porque atravessavam a fronteira e entravam no Brasil clandestinamente, pelo mato.

Ruy Santos, deputado, senador, bom romancista, culto, muito feio, era o chefe da Casa Civil de Juracy. O carro oficial do governador já estava velho, quase imprestável. Ruy Santos comprou uma "cotia" antes de Jânio começar a caçá-las.

Chegou a Salvador Júlio Mesquita Filho, diretor de "O Estado de S. Paulo". Juracy tirou da garagem a "cotia", guardada até que a documentação fosse regularizada, e mandou levar nela o Dr. Julinho para visitar a refinaria de Mataripe. De tarde, Juracy saiu do palácio no carro velho. Pusemos um fotógrafo de plantão e pegamos Juracy no calhambeque. Manchete do jornal:

— "Caiu no Mato a 'Cotia' de Juracy".

E uma foto de Ruy Santos, com a legenda:

— "Ele é feio assim, mas adora carro bonito".

No dia seguinte, a "cotia" ainda estava com o Dr. Mesquita e Juracy passou novamente pela Rua Chile no seu carro de museu. Um grupo de estudantes começou a gritar:

— "Cadê a "cotia"? Cadê a "cotia"?

Juracy desceu do carro e foi brigar com os estudantes. No braço. A segurança não deixou. Nova foto na edição seguinte.

O jornal chegava do Rio sexta à tarde, à noite já estava entregue às bancas, para amanhecer de surpresa nos sábados. Em sua enorme moto Czepel, daquela fábrica húngara que vi em Budapeste em 57, toda furada pelos tiros dos tanques soviéticos, levando na garupa um negão amigo e corajoso cheio de pacotes, meu irmão conhecia uma a uma as bancas que topavam receber e vender o jornal. A turma de Juracy não dava folga.

O sucesso era tal, que leitores pagavam antes e reservavam. Meu inesquecível e saudoso amigo Careca, com sua histórica banca ao lado da Câmara Municipal, recebia seu pacote, escondia em uma loja da Rua da Ajuda e vendia a semana inteira, qualquer que fosse a pressão dos juracisistas ou, às vezes, da polícia.

A tiragem aumentava número a número. O programa de assinaturas crescia cada dia mais. Os políticos da UDN, para não se comprometerem, preferiam receber o jornal em casa, pelo correio. Começamos a vender também na principal banca das maiores cidades do Estado: Feira de Santana, Ilhéus, Itabuna, Jequié, Conquista, Juazeiro, Santo Antônio de Jesus etc.

E o JS estourava, "bombava", como se diz hoje.

* * *

Sexta-feira, 25 de agosto de 61. Na véspera, como toda quinta-feira, já havia um ano, eu tinha passado a noite, até quase o meio-dia de sexta, na "Gazeta", vendo o jornal compor e rodar. Peguei um táxi para almoçar. O motorista puxou conversa:

— O senhor gostava do Jânio?

— O que é que aconteceu com ele, morreu?

— Não, renunciou. Deve ter tomado um porre.

Fui direto para a Cinelândia. A UNE, líderes sindicais, políticos, jornalistas, já iam se concentrando. Instalaram um alto-falante na sacada da Câmara Municipal, começaram os discursos. Também falei. Ali era uma trincheira da esquerda. Todos tínhamos votado em Lott e Jango. A tese era unânime: Jânio renunciou, posse para Jango. E o povo aplaudia.

Ninguém pediu a volta de Jânio, que dez meses antes tinha tido a maior votação de um político brasileiro. Mas também ninguém sabia porque ele tinha renunciado. Quem sabe tinha tomado um porre, como disse o motorista

Saí da Cinelândia, voltei para buscar o jornal, meti no avião do "Loyd Aéreo", fui para Salvador. No aeroporto, já de noite, um funcionário do "Loyd", que me conhecia, me avisou, no pé da escada, que a polícia estava lá dentro me esperando. Subi com ele em um carrinho de bagagem, passei pelo fundo do aeroporto, peguei um táxi, fugi para a cidade. Meu irmão ia pegar o jornal.

Na esquina do hotel da Bahia, onde morava, motoristas amigos meus me contaram que a polícia estava na recepção me esperando. Entrei pelo lado, fui para a cozinha jantar. Já mais de meia-noite, saí pelos fundos, dormi na casa da namorada. De manhã, fui para a catedral, no Terreiro de Jesus. Da sacristia passei para a Escola de Medicina, ali ao lado, onde deputados, vereadores, jornalistas, estudantes estavam entrincheirados.

Ficamos ali, algumas dezenas, fazendo jornais e boletins em mimeógrafos (lembro-me bem do talentoso Capinam) e gritando discursos pelos alto-falantes pendurados nas janelas, para irritação do Exército e da Polícia, que tinham cercado a Faculdade.

Não podíamos sair. A comida chegava pelas encostas dos fundos. Dormíamos nas salas de aula. As janelas estavam escoradas com mesas, e eles também não queriam invadir.

* * *

Mas eu precisava fazer o jornal, em Salvador, naquela semana, ao menos uma edição especial. Havia uma gráfica velha na Ladeira da Montanha, onde o Partido Comunista imprimia seus jornais e panfletos. Resolvi ir lá pedir socorro aos comunistas.

Saí pela catedral, fui para a Assembleia, ali perto, na Praça da Sé. A polícia me prendeu na porta. Levaram-me para a Secretaria de Segurança na Piedade. O secretário Rafael Cincurá, educado, elegante, todo de branco como um coronel do sertão, de onde ele era, me despachou para o comando do Exército. Na chegada ao quartel, um oficial tranquilo e simpático me recebeu, acompanhou escada acima, até o primeiro andar, e disse baixinho:

— Nery, fique tranquilo. O golpe não vai vingar.

Não sabia quem era. Mas preso não fala. Preso ouve. Ele me pôs numa sala, ligou um rádio. De Porto Alegre, Leonel Brizola falava na "Cadeia da Legalidade". Os ministros militares não queriam deixar o vice João Goulart tomar posse. E Jânio partira para a Europa, sem explicar por que renunciou.

O oficial, tranquilo, solidário e valente, era o bravo major Kardec Leme, chefe do Estado-Maior da VI Região Militar da Bahia, depois cassado no golpe de 64.

Do comando do Exército uma radiopatrulha me levou para o da Polícia Militar, nos Dendezeiros, perto de Itapagipe, onde iam chegando dezenas de presos, inclusive, para surpresa minha, o alto, inteligente e negro Dilermando, estudante que trabalhava no palácio de Juracy, janista fervoroso. Tinha feito um discurso no gabinete e irritado Juracy. Apelidei-o de Policarpo Quaresma, o personagem primoroso de Lima Barreto, florianista fanático, que, mal Floriano Peixoto chegou ao governo, mandou prender.

Os pelotões do Exército e da PM não nos incomodavam. Quem nos perseguia eram os esquadrões de pernilongos, gordos, imensos, que já nem conseguiam voar. Andavam. E paravam exatamente em cima de nossas cartas de baralho, que jogávamos a madrugada inteira.

As muriçocas pousavam nas cartas como reis, rainhas, duques. Não podíamos matá-las. Era sangue para todo lado, sujavam as cartas. Pedíamos que elas se retirassem. Soprávamos, obedeciam, iam embora, voo baixo, quase se arrastando.

* * *

Sete de setembro, Jango assumiu, fomos todos soltos. Voei para o Rio, para fazer o jornal. Encontrei no Santos Dumont o Paulo de Tarso Santos, deputado do PDC de São Paulo, ex-prefeito de Brasília nomeado pelo Jânio. Contou-me que Juracy estava a favor da posse de Jango porque achava que os militares não iam deixar e o presidente seria ele. Por isso havia dito:

— "Jânio saiu, entra Jango. Rei morto, Rei posto".

Conclusão do Paulo de Tarso: — Tudo bem, o Brizola e vocês da esquerda estão defendendo a posse do Jango. Eu também. Mas o Juracy não podia dizer isso no primeiro instante, ao ouvir a notícia da renúncia e antes mesmo de confirmá-la. Esta pressa é a filosofia dos canalhas.

Corri para o hotel OK. Já tinha a manchete:

— Paulo de Tarso: "Filosofia do Rei Morto Rei Posto é a pressa dos canalhas". Dei o troco das muriçocas.

23
O Deputado

Na boate do hotel da Bahia, numa noite de sexta-feira, depois do jantar, eu ouvia o Blecaute, o negro cantor de voz calorosa, com suas canções americanas, acompanhado de uma jovem, alta, esguia e bela gaúcha também negra, bem negra, com olhos de amêndoa. Depois de cantar, veio sentar-se à minha mesa.

Era a Leila. Entrou Glauber Rocha, agitado e falando atropeladamente no filme que ia fazer, "Barravento". Apresentei-lhe a Leila. Ainda de pé, Glauber olhou longamente para ela, chegou bem perto do rosto e gritou alto:

— Sophia Loren em negativo!

Sentou-se. A Leila ficou surpresa, assustada. Ele continuou:

— Você nunca fez cinema? Nunca a chamaram para filmar?

— Não. Sou de Porto Alegre. Eu só canto.

— Você vai fazer um teste de fotos e de falas comigo.

Ela ficou parada, ansiosa. Contei mais do Glauber, de sua liderança em um grupo de jovens intelectuais, ela sorriu, aliviada:

— Claro que aceito. Sempre sonhei com isso. Quando será?

— Amanhã. Mas antes temos que resolver um problema. Seu nome. Leila é bonito, mas não é nome de atriz. Tem que ser outro.

E ficou pensando. Entrei na conversa:

— Que tal Luíza?

— Ótimo. Um nome simples e forte. Mas tem que ser duplo. Glauber levantou-se, foi até o bar, pediu uma água, voltou:

— Já tenho o nome: Luíza Maranhão.

Tímida, a Leila, a nova Luíza, respirou fundo:

— Também gostei muito. E você, Nery?

— Ótimo. Para manchete de jornal e capa de revista é perfeito.

E nasceu ali a deslumbrante atriz Luíza Maranhão. Encontro marcado para o dia seguinte. Lembro que ela só voltou a Porto Alegre depois de filmar "Barravento", primeiro longa de Glauber.

* * *

Saiu Glauber, Blecaute e Leila, hospedados no hotel, subiram para seus apartamentos, eu era o último freguês. Assinei a conta, que era mensal, ia saindo, chegou aflito um baixinho, cabelos pretos, olhos arregalados:

— Você é o Sebastião Nery? Vim de Nazaré, viajei a tarde toda atrás de você. Tenho um assunto gravíssimo para lhe falar.

— Está fechando. Vamos para o salão da recepção.

Mal me deu tempo de sentar:

— Sou o Adalardo Nogueira, de Nazaré. Estudei no colégio de sua terra, Jaguaquara, o Taylor-Egídio. Quando você estudava no seminário eu estava lá, interno. Vim aqui em nome do Sindicato dos Ferroviários da Estrada de Ferro de Nazaré. Está acontecendo lá uma loucura e eles não podem contar muito com os jornais, amigos de Juracy. O prefeito, Narciso Pitanga, também é da UDN. Os ferroviários vêm pedindo aumento de salário há muito tempo, porque ganham pouco. Não conseguiram, entraram em greve, a estrada está parada há cinco dias, nenhum trem anda. Como você sabe, Nazaré vive da estrada, que também é a única ligação entre mais de dez cidades de todo o Vale do Jequiriçá, de São Roque a Jequié. Estão precisando de alguém que conte ao país a história deles, denuncie tudo e os defenda.

— O que é que eu posso fazer lá?

— Primeiro, falar. Os ferroviários estão há três dias cercados pela Polícia dentro do sindicato. A Polícia não entra, mas não deixa sair. Recebem a comida pelos fundos, pela casa de um amigo meu, do Cartório e comerciante, o Jorge Nagib. Instalaram um alto-falante na janela da sede, ficam falando, pedindo apoio da população. Mas eles não têm experiência de falar. Queremos você para falar, ficar falando. E depois denunciar no jornal.

— Você é ferroviário?

— Não. Meu pai é engenheiro e fazendeiro. Sou funcionário público. Mas vou ser candidato a prefeito no próximo ano e quero conquistar o apoio dos ferroviários, para votarem em mim.

— Tudo bem. Vou. Mas não posso ser visto antes de entrar, senão a polícia não deixa. Tenho que chegar lá ainda de noite.

Subi ao apartamento, troquei de roupa, peguei um casacão, pus numa sacola tudo que havia no frigobar e em quinze minutos estávamos na estrada. Muito longe. Ainda não havia o *ferry-boat* para Itaparica. Era preciso circundar a baía de Todos os Santos: 100 quilômetros até perto de Feira de Santana, mais 100 até Santo Antônio de Jesus, mais 50 até Nazaré. Quase tudo no barro.

Chegamos ainda no escuro. Na casa do Jorge Nagib, comi bem e entrei no sindicato pelos fundos. Havia lá dentro uns 30 homens corajosos, decididos, resolvidos a só sair depois de ganharem a greve. Eles queriam o mínimo: aumento de salários. Sentamo-nos em torno de uma mesa e aproveitei as velhas lições das greves em Minas, comandadas pelo Partido Comunista:

— Primeiro, vocês precisam estar convencidos de que Juracy e a direção da estrada são muito mais fortes do que vocês. Se quiserem, a qualquer hora podem invadir o sindicato. Então, nenhuma provocação, nada de dar pretexto a eles. Cabeça fria.

Ganhar o máximo de apoio da cidade e das outras servidas pela estrada, onde, em cada uma, vocês têm dezenas de companheiros, todo mundo parado. É preciso ganhar o apoio da Câmara de Vereadores. E levar a luta para fora daqui, para Salvador, a Assembleia, o Rio, Brasília, o Congresso, o governo de Jânio.

Entregaram-me o microfone, para eu falar o máximo possível. Então, que não dissessem quem eu era. Que era um professor e só.

* * *

Comecei lá do começo, como se fosse uma aula ferroviária. A importância do trem na construção do mundo moderno. A Inglaterra fez seu império fazendo estradas de ferro. Os Estados Unidos nasceram à beira das ferrovias, como ensinaram John Ford, John Waine, em seus filmes de faroeste. A Europa andava e transportava tudo em trens. Sem o trem o Brasil não teria ligado suas distâncias durante um século, antes de Juscelino.

A importância da Estrada de Ferro para a cidade e todo o Vale do rio Jequiriçá a população sabia de sobra. As pessoas mais importantes da economia e da vida da cidade e de toda a região eram os ferroviários. Por isso, quando eles pararam, parou tudo.

Era preciso que a direção da estrada, a prefeitura, o padre, o juiz, o promotor, o delegado, o governo do Estado, se sentassem para negociar com os ferroviários. Era a única solução. Cada dia da estrada parada era um prejuízo para todo mundo. E a culpa não era dos ferroviários, que havia vários anos pediam aumento e sempre eram enrolados. Agora, a solução tinha que vir, e logo.

Mas o dia era comprido, o alto-falante não podia ficar calado e lá ia eu falando das grandes ferrovias que conhecia, a Transiberiana ligando Moscou à Sibéria, Mongólia e China, o Expresso da Meia-Noite, de Istambul, na Turquia, a Paris.

Outros falavam, e voltava eu ferroviando. A praça da estação passava o dia cheia. E eu, já rouco, dando minha aula, doutrinando, fazendo apelos, na maior humildade. As autoridades queriam saber quem era aquele sujeito que estava se metendo na greve. Fiquei ali dois dias, sábado e domingo.

* * *

Na segunda, depois de meia-noite, tudo escuro, voltei para Salvador. Procurei o delegado do Trabalho, meu chefe (continuava de licença sem vencimentos), contei a história para ele ir lá ver a situação pessoalmente. Conversei com colegas dos jornais e rádios, pedi matérias ou ao menos notas. Que mandassem repórteres. Mandaram. Deram matérias. Também estive na Assembleia com deputados do PTB e do PSD.

Terça de manhã, Rio. Fui direto ao Ministério do Trabalho (ainda funcionava metade no Rio, metade em Brasília). O ministro era o Castro Neves. Recebeu-me no dia seguinte. Jovem radialista, jornalista, ex-deputado e ex-diretor da "Última Hora", falou com o delegado do Trabalho.

Até meu amigo José Aparecido, secretário de Jânio, acionei em Brasília. Prometeu, cumpriu, falou com a direção da estrada. A primeira página do JS, naquela semana, foi toda da greve de Nazaré. Mandei pacotes para lá, para distribuir de graça.

As conversas, negociações e a greve ainda demoraram mais uma semana. Os telefones eram difíceis, angustiantes. Mas consegui me comunicar com o presidente do sindicato:

— Nery, ganhamos a greve, a grave acabou! Assinamos o acordo do aumento de salários. Sabemos o que você fez, no jornal, em Salvador, no Rio. A polícia retirou o cerco, foi embora. Queremos sua presença sábado, na festa e no comício da vitória.

Era realmente uma cidade de ferroviários. Estava todo mundo na rua. Fui recebido como um marciano:

— Ah, então este jornalista magricelo e cabeçudo era o cara do alto-falante, com conversa comprida de professor?

Falei mais como o ex-seminarista do que o ex-comunista. Desde Minas, estava com saudade de palanque. E terminei com um apelo patético para a cidade aprender a lição, escolher um candidato dos ferroviários e unir-se para eleger o prefeito.

Não tinha combinado nada com ninguém. Já cheguei na hora do comício. O presidente do sindicato me surpreendeu. Lançou o Adalardo para prefeito e a mim para deputado.

Eu era contra candidatura, por achar que prejudicava o jornal e não me elegia. Não tinha voto no interior e só os de Salvador não bastavam. Quando vi a multidão de ferroviários e da cidade gritando meu nome, mudei de ideia. O juiz, o padre, o diretor da Santa Casa, a diretora do colégio, elogiaram e agradeceram meu "comportamento sereno e pacificador".

Saí de Nazaré candidato. Aliás, saí deputado.

* * *

O "Jornal da Semana" estava fazendo um ano. Na volta de Nazaré, segunda-feira, meus amigos prepararam um coquetel de comemoração na "Confeitaria Triunfo", esquina da Rua da Misericórdia com a Ladeira da Praça. E lançaram minha candidatura a deputado. Nazaré já tinha me convencido. Ainda emocionado, logo no dia seguinte escrevi meu artigo de primeira página para a edição de aniversário:

— "Por que candidato

Passei um ano falando sobre os outros. Permitam que hoje fale de mim. E de minha candidatura. Que nasceu do JORNAL DA SEMANA como as rosas nascem da aurora: entre espinhos, mas lavadas de orvalho.

Ontem, quando meus amigos, jornalistas, escritores, estudantes, líderes sindicais, no coquetel do primeiro aniversário do jornal, tornaram público o lançamento de meu nome para a Assembleia Legislativa, tive oportunidade de dizer por que me convencera de que devia ser candidato a deputado.

Ninguém tem o direito de viver por viver. Por ter nascido. A vida é suficientemente importante para que não aceitemos fazer coisas apenas por fazê-las. Cada um de nós é peça da vasta máquina humana. Cumpre-lhe executar até as últimas consequências a função que escolheu. Do contrário estará sendo um estorvo para os outros. E, para si mesmo, um espantalho.

Dez anos de jornalismo político fizeram de mim um homem político. Que só entende a imprensa como instrumento de luta em favor de sua Pátria e de seu povo. Mas esta luta é condicionada pela realidade que comanda os destinos do país, que continua mantendo a Nação e este povo acorrentados a uma dezena de grilhões econômicos e sociais, que já é tempo de romper. E para rompê-los temos a obrigação de lançar mão de todas as armas.

O jornal é um instrumento fundamental. Durante muito tempo entendia que minha eleição pudesse prejudicar o jornal e tirar a força de sua mensagem. Depois de um ano de experiência, posso afirmar que, por mais provas tenhamos dado de capacidade de luta e resistência, um jornal deste tipo, cuja bandeira é a defesa dos interesses do povo e o combate a seus exploradores, perde em 50% suas possibilidades de atuação se não tem uma parcela de poder político que lhe dê condições de atacar as feras na toca.

Perdoem-me a imodéstia. O carinho do povo, a espetacular solidariedade popular que o JORNAL DA SEMANA recebeu destes doze meses de circulação dão-me a certeza de que, na batalha eleitoral, a opinião pública da Bahia continuará conosco. E é por isso que sou candidato. Para ganhar. Para levar até dentro do Poder Legislativo as esperanças e angústias que o povo fez passar este ano pelas páginas do JS. Para travar lá dentro, com novas armas, este combate que deve ser um só: obrigar os detentores do poder político a representarem os interesses do povo e não os interesses do poder econômico.

Está aí, pois, minha candidatura. Nas mãos do povo, como sempre esteve o JORNAL DA SEMANA. Quando lancei o JORNAL DA SEMANA, um ano atrás, os mais queridos amigos não acreditavam nele. E tudo fizeram para que não arriscasse dez anos de profissional de imprensa numa aventura.

O jornal está aí. E no primeiro aniversário do jornal, eles é que vêm fazer público o lançamento de meu nome. Continuarei sendo o mesmo. Aos que ontem não acreditavam no jornal e que são os mesmos que hoje tão calorosamente acreditam na vitória da candidatura, tenho apenas uma coisa a dizer: o chão é de fato quente e macio, mas, apesar dos ventos e dos espinhos, a rosa prefere ser rosa a ser esterco.

Serei fiel a eles. A vocês todos, leitores do JORNAL DA SEMANA. E, sobretudo, serei fiel a mim mesmo."

* * *

Não tinha esquema eleitoral nenhum. Prefeito, vereador, deputado federal. Apoio empresarial muito menos. Ou o jornal me elegia ou eu não me elegia. Para a campanha, só me sobravam os finais de semana. Teria que coser com minhas próprias linhas. Mas confiava no sucesso e influência do jornal.

Já havia meses, para poder fazer o jornal no Rio, estava de licença sem vencimentos no Ministério do Trabalho (Delegacia do Trabalho). Quando saí candidato, fui ao delegado do Trabalho para prorrogar minha licença no período da campanha, o que a lei permitia. O delegado já era outro, também do PTB mas de fato um udenista disfarçado, aliado de Juracy apoiando Lomanto. Todo importante e poderoso, atrás de uma mesa maior do que o cérebro dele, imaginou liquidar ali mesmo minha candidatura:

— Você não tem tempo para licença-prêmio, e se faltar ao serviço perde o emprego.

Olhei bem para a cara dele, peguei uma folha de papel, sentei-me à máquina mais próxima, pedi demissão, grifei "irrevogável", joguei em cima da mesa, dei as costas, fui saindo. Na porta, olhei para trás. Ele estava lendo abestalhado:

— Nery, não seja louco. Pense no futuro. Não atire esse patrimônio pela janela. Não se pede demissão de emprego público efetivo. Principalmente conseguido em concurso, primeiro lugar.

Nunca mais voltei lá. Foi meu único casamento com o serviço público (fora os mandatos e Adido Cultural em Roma e Paris, que não são empregos, são funções). Aquela demissão para uma coisa me serviu. Em 64, cassado, preso, o coronel Humberto de Melo, manda-chuva do golpe na Bahia, pediu minha ficha no Ministério do Trabalho. Ficou furioso porque não lhe dei o prazer de também me demitir. Não tinha de onde.

E o delegado anos depois desmoralizou-se totalmente em escândalos como dirigente da Justiça na Bahia.

* * *

A Bahia só dispunha então de 100 quilômetros de asfalto, de Salvador a Feira, uma estrada cheia de curvas e corcovas, perigosíssima. A BR-116, a Rio-Bahia, ainda estava sendo asfaltada, mas por trechos. O resto do imenso Estado era tudo no barro. Fiz um plano: concentrar-me em Salvador, Nazaré e Recôncavo, principalmente nas cidades onde havia petroleiros, ir a um mínimo de 20 das mais importantes cidades, aonde o jornal já chegava, e, no caminho, passar por 50 municípios menores.

A eleição era em 3 de outubro (62). Teria oito meses de campanha. Minha "equipe" era o jornal: meu irmão e os amigos e colaboradores. Comprei a prazo um Aero-Willys usado e um jipe velho, instalei em cima um forte serviço de som e arranjei um motorista, indicado por amigos, de total confiança e de um saber camoneano de experiência feito: o Cabeleira, alagoano baixinho, simpático, educado, o cabelo caindo sobre a camisa, saído de lá por excesso de pontaria. Não largava o revólver enfiado na calça.

A vitória da greve apressou o lançamento da candidatura de Adalardo a prefeito e da minha a deputado, como "os candidatos dos ferroviários". Ele, por um partideco, o PTN. Todos os demais partidos, PSD, UDN, PTB, comunistas, apoiavam a candidatura de um homem sério, coletor de impostos, um cidadão acima de qualquer suspeita, o João Santana, irmão do meu amigo deputado Fernando Santana, comunista do PTB.

Eu tinha a legenda do PSB (Partido Socialista Brasileiro) e não tinha. Ainda estava inscrito no partido em Minas, mas os companheiros da Bahia me encostaram na parede: — Você não pode ser candidato pelo PSB, que só vai eleger um e, é claro que será você, prejudicando os companheiros antigos. Saia por outro.

Fernando Ferrari e Alaim Mello continuavam insistindo para eu ir para o MTR (Movimento Trabalhista Renovador). Agora, eu é que precisava deles. Entrei no partido e garanti a legenda. Os socialistas tinham razão: só elegeram um estadual, o Wilton Valença, candidato dos petroleiros, companheiro de chapa do presidente do Sindipetro, o Mário Lima, eleito federal no PSB.

* * *

O primeiro comício naturalmente foi na minha Jaguaquara. Reuni muita gente na praça, para dizer por que era candidato. Sabia que voto ali, além dos da família, e nem todos, eram poucos.

A cidade continuava dividida entre PSD e evangélicos batistas de um lado, e UDN e católicos, do outro. Cada lado já com seus candidatos. O da UDN, ligado à minha família, Menandro Minahim, ex-prefeito, já fora duas vezes deputado, ia disputar pela terceira vez e seu candidato a prefeito era um querido primo meu, Joaquim Nery, que dependia do apoio dele.

Menandro, baiano de Salvador, médico dedicado, montado em um cavalo, saía pelo município distribuindo consultas e remédios. Já tinha sido prefeito de Serrinha, de 46 a 50. Chegou a Jaguaquara em 50, logo se elegeu prefeito e foi um bom prefeito.

Depois, duas vezes deputado, sempre elegendo seus prefeitos. Por isso, mesmo que tentasse, eu não mudaria o quadro da cidade. E conscientemente ainda me incompatibilizei com os dois lados. A cidade tinha três colégios. O histórico Taylor-Egídio dos batistas comandados pelo nacionalmente respeitado professor Carlos Dubois. Outro, o "Pio XII" dos frades capuchinhos, que havia anos dirigiam a paróquia. E mais um, o "Luzia Silva", de uma ordem italiana de freiras franciscanas.

Joguei um balde de água fria em cima dos três. Prometi que, eleito, lutaria para instalar um colégio público em Jaguaquara. A cidade, contribuindo individualmente para a Obra das Vocações Sacerdotais, financiou meus estudos no Seminário. Eu tinha o dever de ajudar os milhares de meninos pobres da cidade, que não podiam pagar aos três colégios particulares, a também estudarem.

De uma só vez, irritei os batistas, os frades e as freiras, todos meus amigos. Uma das freiras era minha irmã. O Menandro não podia nem ouvir falar naquilo. Um de seus principais trunfos eleitorais para conseguir votos era arranjar com o governo do Estado bolsas de estudos para o colégio dos frades e o das freiras.

Semeei a ideia e fui embora. A promessa do colégio público se alastrou. Quem me conhecia sabia que não estava brincando. Até porque disse que em Nazaré minha única promessa era também tudo fazer para conseguir um colégio público para o povo.

Menandro ganhou, Joaquim venceu, eu me elegi. Empatamos. A briga do colégio público ficou para mais adiante.

* * *

O primeiro comício de verdade da campanha não foi uma boa experiência. Ainda bem que, igual a ele, foi o primeiro e o último. De Jaguaquara, passei por Itiruçu, a 10 quilômetros, peguei meu amigo Pedrinho, candidato a prefeito, e fomos para Maracás, mais 10 quilômetros, uma das três cidades mais altas e frias do Estado, uns mil metros, na serra do Sincorá.

Aluguei um pequeno caminhão para palanque, coloquei bem ao lado da igreja, e pus o jipe para rodar a cidade convocando para o comício. Fui com meu irmão, o Cabeleira e o Pedrinho, a uma lanchonete esperar a missa das 10 horas de domingo terminar. Chegou um senhor de paletó e gravata:

— Jornalista, sou o delegado da cidade. Desculpe, mas recebi um rádio do palácio do governo, em Salvador, mandando impedir seu comício. Gostaria que o senhor saísse da cidade discretamente, o mais rápido possível, para evitar aborrecimentos.

A esta altura, o Cabeleira e meu irmão, ambos naturalmente armados, como eu também (ninguém fazia campanha desarmado), já estavam a meu lado. Calmamente, disse ao delegado:

— O senhor é que me desculpe se vou causar qualquer aborrecimento. Mas se o senhor veio me dar esse recado sem uma ordem judicial está perdendo seu tempo. Sou candidato, a lei me dá o direito de fazer o comício, e vou fazer, haja o que houver.

O delegado levou um susto, ficou olhando para mim e disse:

— Já vi que é igual a seu jornal. Vou comunicar a Salvador.

A missa acabava, fui para o palanque. O jipe, colado à igreja com os dois alto-falantes virados para a praça. E eu de costas para a igreja, bem próximo à parede. A praça cheia, comecei:

— Vim aqui para contar a história de um menino que viu pela primeira vez um homem preso. Era um velho de barbas brancas, sorriso triste, mas olhos valentes, apoiado numa bengala, com um soldado fardado de cada lado, sentado na estação ferroviária de Jaguaquara, esperando o trem chegar para ser levado preso para Salvador. Era o coronel Marcionílio, o maior líder que esta cidade e esta região já tiveram. Preso, mas orgulhosamente sereno.

Quando correu em Jaguaquara a notícia de que o coronel Marcionílio tinha chegado preso na estação e esperava o trem para ser levado para Salvador, como vários outros coronéis dos sertões do Brasil, que o governo de Getúlio Vargas estava desarmando e desmanchando seus exércitos particulares, a meninada correu toda para ver. Eu também. E levei um susto.

Para mim, com uns oito anos, preso era gente feia, malvestida, mal--encarada. E estava ali um velho bonito, solene, terno de linho branco, olhando indiferente para os lados. Cheguei perto e gostei dele. Parecia o retrato de Dom Pedro II na parede da escola. Olhei mais. Não resisti. Beijei a mão e pedi a bênção.

O velho sorriu e ficou me olhando com seus olhos tristes.

Era essa a história que eu vinha contar aqui. Mas, infelizmente, estava ali tomando um café e chegou o senhor delegado para dizer que recebera ordens de Salvador para impedir meu comício. Perguntei-lhe se tinha alguma ordem judicial. Não tinha. Então ninguém vai me proibir de falar. Só se fosse o juiz. E por isso mudo o meu discurso. Vou contar a vocês como é o governo corrupto de Juracy Magalhães na Bahia.

A praça ficou em silêncio. Eu sabia que a cidade era politicamente dividida entre os Portela, do PSD; e os Marinielo, da UDN. Um grupo foi se aproximando mais do palanque. Não sabia se era gente do PSD ou da UDN. De repente, uma mulher loura, bonita, aos gritos, puxou o fio do microfone, ligado no jipe e me arrancou o microfone das mãos. Nesse instante, meu irmão e o Cabeleira já estavam em cima do palanque ao meu lado. O Cabeleira, ansioso, com saudades de seus tempos de Alagoas:

— Doutor, estou aqui. Na hora, é só mandar que eu resolvo.

— Fiquem aí, Antônio e você, e não façam nada.

Continuei o discurso sem microfone, na garganta. E já agora usando contra o governo de Juracy uma linguagem violenta, em que não tinha pensado. Denunciei a fábrica de calçados Mirca do filho dele, que fornecia as botas da Polícia Civil e Militar. Contei como o governo tinha acabado de comprar milhares de hidrômetros para o serviço de água de Salvador, fornecidos por uma empresa representada pelo filho do governador. Mas as obras nunca começaram e ele apenas anunciara só para fazer a compra.

Vi um tumulto no centro da praça. Muitos empurrões e um tiro. Era um Portela do PSD tomando minha defesa, atirando para cima, para conter a loura louca e a turma da UDN. Percebi que a mulher, com meu microfone na mão, se aproximava. Gritei:

— Não venham, porque estamos armados!

O comício acabou. Corre-corre, gritos, e uma velha alourada, de olhos claros, uma faca enorme na não, saiu de sua pensão ao lado gritando com o sotaque bem carregado de alemã:

— No Neru ninguém botar mão!

E ficou na frente do caminhão, fazendo minha guarda. Meu irmão e o Cabeleira já tinham arrancado o microfone e o fio das mãos da loura louca. Terminei o discurso, desci e a alemã nos levou para a casa dela. Tinha preparado um belo almoço para nós. Bem almoçados, entramos no carro para voltar a Jaguaquara. Mas onde estava o Pedrinho de Itiruçu? Procuramos, ninguém encontrou. A três quilômetros da cidade, à beira da estrada, sentado embaixo de uma árvore, Pedrinho nos esperava apavorado. Tinha razão. De nós, era o único desarmado.

Ainda bem, Deus seja louvado, que foi a única loura louca que encontrei em toda a campanha, no Estado inteiro. O revólver do Cabeleira ficou o tempo todo se coçando, mas na cintura dele.

* * *

Foram meses alucinantes. Terça, quarta, quinta e sexta no Rio para fazer o jornal. Sábado, domingo e segunda na Bahia, na campanha. Chegava do Rio sexta à tarde e de noite já viajava para o interior. Em Nazaré havia comícios todo fim de semana.

Chegamos a fazer, no centro e nos bairros da cidade, 72 comícios durante a campanha. A chamada elite institucional, autoridades federais, estaduais e municipais, funcionários públicos, comerciantes, fazendeiros, em geral eram contra nós.

Mas fomos conquistando apoios importantes. O Jorge Nagib, do Cartório e comerciante, era candidato a vereador em nossa chapa. O comerciante Silvino Caldas, que tinha um serviço de alto-falantes, também candidato em nossa chapa.

Tínhamos o apoio do velho Tupy, dono dos Fogos Tupy, pai do cômico Mario Tupinambá. E o principal médico da cidade, Doutor Tourinho. As freiras da Santa Casa, caladas, apoiavam. E dois evangélicos, um pastor e o outro fiscal do Cortume faziam campanha para nós. O segundo, ainda solteiro, casou-se depois, era o pai do Vampeta. Em Nazaré tínhamos, sobretudo, o povo.

Pus um travesseiro no banco de trás do carro e viajava sempre de noite, dormindo, para aproveitar os dias completos.

Em qualquer cidade, a receita era sempre a mesma. Já entrava com o serviço de som ligado, o jipe e o carro cheios dos jornais daquela semana. Dava uma volta convidando o povo para me ouvir na praça, subia na frente do jipe, falava um máximo de meia hora, distribuía jornais e ia para o bar mais próximo conversar. Quando era cidade do PSD ou do PTB, visitava o prefeito: — Sei que vocês têm compromissos para deputados, têm seus candidatos. Mas meu jornal é o único que defende o PSD e o PTB. Me arranjem alguns votos. Na Assembleia, vou continuar apoiando as lutas da oposição, que com o Juracy não são fáceis.

Não houve uma cidade do Estado em que não tivesse tido ao menos um voto. Às maiores, fui mais de uma vez. Em Feira de Santana, meu saudoso amigo Francisco Pinto era candidato a prefeito pelo PSD. Participei de comícios dele. Em Ilhéus, Itabuna, Jequié, Conquista, Santo Antônio de Jesus, Juazeiro, Barreiras, nos quatro cantos do Estado, o jornal já tinha até correspondentes. Viraram cabos eleitorais.

* * *

E o dinheiro? Sem candidatos a vereador, sem outros compromissos, eu não tinha nem precisava financiar ninguém. Mas, e o Adalardo? Não tinha dinheiro, nem eu. Precisávamos de um candidato a federal na campanha. Procurou o deputado Aluísio de Castro, do PSD, que o ajudou e teve mais de mil votos.

Mas era preciso outro, que participasse da campanha, dos comícios, e arranjasse um carro com bom serviço de som e material gráfico. Fui a São Paulo procurar o publicitário João Dória, meu velho amigo desde a campanha contra Jânio. Baiano, era candidato a federal, pelo PDC.

Se providenciasse um carro com alto-falantes, fosse a cinco comícios na cidade, gravasse um *jingle* e imprimisse alguns milhares de cartazes de nós três, Adalardo, ele e eu, para o povo pregar na porta das casas, eu lhe garantia um mínimo de mil votos. Topou na hora e no fim de semana já estava em Nazaré, com sua cara boa, seu sorriso largo, seu discurso bonito, forte, encantando a cidade. Teve 996 votos. Falhei em 4.

Duas semanas depois, já chegava lá o material da campanha. Todo em cores, bem concebido, bem impresso. Encheu os olhos da população. Dória era o mais brilhante publicitário brasileiro de seu tempo e tinha a própria agência. Além do material coletivo, ele me deu logo um belo presente: milhares de pequenos cartazes com minha foto, também em cores, um *jingle* gravado e o *slogan*:

— "Nery e o Povo Contra o Resto".

No avião, de volta para Salvador, encontrei meu dileto amigo Osório Vilas Boas, presidente da Câmara dos Vereadores de Salvador e do Clube Bahia (sempre fui Vitória). Era a única autoridade baiana que ousava desafiar Juracy e colocava no "Jornal da Semana", como matéria paga, os anúncios e notas oficiais da Câmara que iam para os demais jornais.

Candidato a prefeito de Salvador contra Virgildásio Senna, Hélio Machado, Alaim Mello, ficou doido com meu *slogan*:

— Nery, candidato a deputado você disputa dezenas de vagas. Eu disputo uma só, a de prefeito. Logo, eu posso dizer "Osório e o Povo Contra o Resto". Esse *slogan* se parece comigo.

— Mas é um presente do João Dória para minha campanha.

— Diga a ele que arranjo uns votos para ele e me dê o *slogan*.

Dei. Quando descemos em Salvador, peguei os pacotes e lhe entreguei. Muito inteligente, resolveu rápido:

— Vou distribuir esse seu material todo na minha campanha, com seu *jingle* e essa sua foto bonita, que você não vai tirar outra igual. O *slogan*, deixe comigo. Vou mandar cobrir de tinta.

"Osório e o Povo Contra o Resto" perderam para Virgildásio, mas em segundo lugar, com votação surpreendente.

Voltei a São Paulo, Dória fez outros cartazes e gravou outro *jingle*, com música, versos e *slogan* do meu ex-companheiro da CPE, o múltiplo jornalista, professor e músico Jairo Simões:

"Este Não Se Vende"

"O povo sabe
O povo entende
Que este não se vende
Por isso, o povo prefere
Pra Deputado, Sebastião Nery.

Juracy perseguiu
Juracy também prendeu
Mas o povo baiano viu
Que o Nery não cedeu.
Sim. Este não se vende.

O Governo tentou por todos os meios calar a voz do JORNAL DA SEMANA, e SEBASTIÃO NERY se manteve desassombrado na trincheira de luta em favor dos interesses do povo e combatendo os poderosos. SEBASTIAO NERY será JORNAL DA SEMANA na Assembleia. Vote contra Juracy. Vote em SEBASTIÃO NERY".

* * *

O candidato a governador foi outro problema grave. Desde o princípio, apoiei e ajudei Lomanto no jornal e na campanha. Era natural, pela nossa luta comum na ABM (Associação Brasileira dos Municípios) e porque ele criticava Juracy o tempo inteiro.

Eu lhe dizia: — Juracy não tem mais nem condições de ter candidato. Na última hora vai apoiar um para disfarçar seu desgaste. Se você virar o candidato dele, não conte mais comigo. Apoiarei o Waldir Pires (PSD), se não se tornar também de Juracy.

E foi o grande equívoco de Waldir. Imaginando que, na última hora, Juracy poderia apoiá-lo, Waldir, que era politicamente oposição e, além do PSD, tinha apoio dos comunistas e socialistas, passou a campanha sem criticar o governo de Juracy, como se não existisse. Enquanto Lomanto batia em Juracy o tempo todo.

Uma noite, já madrugada, nas últimas semanas da campanha, Lomanto bateu na porta de meu apartamento no hotel da Bahia:

— Preciso que você me ajude. Acabei de acertar o apoio de Juracy. Manoel Novais, o PTB e o PR já estão comigo. Apesar de os jornais dizerem que o candidato de Juracy será Josafá Marinho, do PL, ele vai amanhã à convenção da UDN para me dar apoio.

Queria que você escrevesse, hoje à noite ainda, um bonito discurso agradecendo o apoio de Juracy e da UDN, e proclamando que, agora, com UDN, PTB, PR, PL, a eleição está garantida.

— Lomanto, amanhã vou ao Rio fazer o "Jornal da Semana" dizendo que você traiu sua campanha, os municípios e a Bahia. E vou fazer a campanha de Waldir, apesar de achar que vai perder.

Waldir continuou ignorando Juracy, numa tática suicida. Mas fiz a campanha dele. Foi derrotado por 30 mil votos.

A NUVEM

Para o Senado, não havia problema. Balbino era um candidato imbatível. Além do apoio do PSD, PTB, PSB, PST, dos comunistas (e naturalmente do "Jornal da Semana"), a comparação do governo de Juracy com o dele deixava-o consagrado como o melhor governador que a Bahia teve no século passado, porque a modernizou. Uma vitória esmagadora.

* * *

Campanha eleitoral é uma batalha campal, que se tem de ganhar dia a dia. De onde menos se espera aparecem ferozes inimigos, que é preciso enfrentar ou ao menos isolar.

Eu lia em "A Tarde", discordava, mas gostava do texto claro dos artigos do deputado João Mendes da Costa Filho, pai de dois amigos meus: o empresário de petróleo Luís Augusto Mendes, o Gugu Mendes, e o deputado João Mendes Neto. Constituinte de 1934 e 1946, várias vezes deputado pela UDN, João Mendes fundou e presidiu a ADP (Ação Democrática Parlamentar), mantida pelo IBAD (Instituto Brasileiro de Ação Democrática), que era financiado pela embaixada norte-americana e as grandes empresas estrangeiras no país, para combater o PTB, o governo de Jango, a Frente Parlamentar Nacionalista, a esquerda em geral.

Saiu pelo interior do Estado distribuindo dinheiro e kombis novinhas, branquinhas, a entidades e candidatos a estadual ou a prefeito, desde que só apoiassem os nomes recomendados pela ADP e pelo IBAD.

Em Santo Antônio de Jesus, foi visitar e deu um cheque à Ordem das Irmãs Mercedárias, comandada pela Madre Rosário:

— Madre, não deixe os candidatos comunistas serem votados pelos seus amigos da cidade nem pelos alunos e alunas aqui do colégio. Sei de um comunista, o Sebastião Nery, que faz campanha ali perto, em Nazaré, e também aqui em Santo Antônio. É um rapaz inteligente, mas perigoso, comunista.

Outra Madre, bem jovem, diretora do colégio, interrompeu:

— Como é que o senhor sabe que ele é comunista? Ele já foi comunista, até andou por Moscou, mas hoje não é mais.

— E como é que a senhora sabe?

— Porque sou a Madre Goretti, irmã dele.

João Mendes se mandou. Se insistisse, perdia até seus votos.

Agente do IBAD, João Mendes acabou prestando uma ajuda à cultura nacional. O saudoso Gugu Mendes, casado com a atriz Yoná Magalhães, pouco depois foi o produtor de "Deus e o Diabo na Terra do Sol", o antológico filme de Glauber Rocha.

Quando chegou a hora de o também saudoso poeta e cineasta Paulo Gil Soares ir para o sertão da Bahia fazer as pesquisas e locações do filme de Glauber, o Gugu Mendes desenterrou na garagem do pai duas kombis do IBAD, certamente guardadas para as próximas eleições. E foi assim que o "canalha imperialismo norte-americano" participou de uma das mais revolucionárias criações da cultura brasileira.

* * *

Aí mesmo, em Santo Antônio, aconteceu depois um fato exemplar da prepotência que era o "juracysismo" na Bahia e como eram as eleições no Brasil antes das urnas eletrônicas. Fechadas as urnas, o juiz eleitoral de Santo Antônio, ajudado por uma das pessoas convocadas na cidade para auxiliar a eleição, começou a redigir a ata a ser mandada ao TRE (Tribunal Regional Eleitoral).

Chegou a meu nome: Sebastião Nery, 160 votos. Parou:

— Qual é mesmo esse número, minha filha?

— 160 votos, doutor juiz.

— Corte o zero. Esse comunista não pode ter 160 votos aqui. O que é que o general Juracy vai pensar de mim?

O azar do juiz é que a moça trabalhava na secretaria do Colégio das Mercedárias, dirigido por minha irmã, Madre Goretti. Soube no mesmo dia. E fiquei calado para não animar outros.

Se isso aconteceu a 100 quilômetros de Salvador, imaginem no alto sertão. Juracy mandou tirar votos meus como cera do ouvido.

* * *

O jornal era prioritário, não podia cair de nível e a campanha, em um Estado tão grande, caminhava para o fim faltando dinheiro até para a gasolina. Meu amigo capixaba-carioca, o jornalista Epitácio Caó, autor de um *best-seller* violentíssimo contra Carlos Lacerda, "O Carreirista da Traição", pediu que eu selecionasse meus principais artigos do primeiro ano do jornal, que ele tinha onde editar um livro, presente dele, para eu vender em Salvador e nas cidades por onde passasse.

Reuni, dei-lhe o título:

— "Sepulcro Caiado, o Verdadeiro Juracy".

Pus a epígrafe bíblica:

— "Ai de vós, escribas e fariseus hipócritas! Sois sepulcros caiados, formosos por fora, por dentro cheios de ossos mortos e de toda sorte de imundície. Por fora, pareceis justos aos homens, mas por dentro estais cheios de hipocrisia e de iniquidade." (Mateus, cap. XXIII, 27 e 28). E Nietzsche:

— "O serviço da verdade é o mais duro de todos os serviços."
Pedi o prefácio ao bravo baiano Nelson Carneiro, então deputado federal pela Guanabara:

— "Rio de Janeiro, 6 de agosto de 1962.

Prezado Sebastião Nery.

Chega-me a notícia de que V. pretende reunir, sob o sugestivo título "Sepulcro Caiado", os veementes artigos que divulgou pelas colunas corajosas do "Jornal da Semana". Conheço alguns, vibrantes, intrépidos, dos que a Bahia e os baianos (com h) gostaram certamente de ler. O próprio tropel dos acontecimentos, em meio aos quais lhe coube redigir tais libelos, explica possíveis excessos, se é que eles existem. Em conjunto, porém, V. e seu semanário prestaram à nossa terra um inestimável serviço. Não permitiram que continuassem a imperar, sem protesto público e ardoroso, a corrupção, o suborno e a batota.

Somos um povo sem memória. A coletânea, que se anuncia, serve para avivar, na lembrança dos homens de nosso tempo, os males todos da administração que, afinal, e graças a Senhor do Bonfim, está por findar-se. A Bahia sofreu demais, porque desacreditou em suas próprias reservas cívicas e morais. Sou dos raros que nunca se iludiram. Antes, não éramos muitos. Agora, é a Bahia toda que julga e condena quem, dela tendo recebido tantas mercês, tão duramente a feriu, tão impudentemente golpeou suas mais vívidas tradições.

O único defeito de seu livro é que ele chega quando já não existe um governo, nem um governador. De um e de outro restam apenas a desilusão e o desprestígio. Restam apenas dois cadáveres. Em adiantado estado de decomposição.

Bom êxito é o que lhe deseja

Nelson Carneiro".

Na contracapa, minha foto saindo do quartel da Polícia Militar, de barba grande e o rosto todo comido de pernilongos.
E um carimbo: — "Preço único: 200,00".
Apesar das ameaças e ataques da polícia e dos amigos de Juracy às bancas de jornal, o livro vendeu em setembro seus 10.000 exemplares. A eleição era em 3 de outubro.

* * *

Nazaré pegava fogo. A campanha chegava ao fim e os adversários, todos juntos nos seus quase seis partidos, desesperavam-se com a certeza da derrota. O motorista Getúlio, que fazia a linha Salvador a Santo Amaro, Cachoeira, Santo Antônio e Nazaré, discutiu no bar, defendeu nossa vitória e voltou para Salvador. Foi assassinado na saída de Nazaré, depois da ponte velha.

A cidade reagiu com um doloroso silêncio de ódio e medo. Quisemos enterrar o motorista em Nazaré. O juiz ajuizadamente não deixou. Poderia ter acontecido uma loucura na cidade. O Getúlio era de Santo Amaro, lá foi enterrado.

Eles diziam que nossos votos eram só de "tamanqueiros". A cidade tinha uma fábrica de tamancos. Mandamos comprar algumas centenas de pares e distribuímos em todos os bairros, fizemos uma grande passeata, com o povo saindo de suas casas e caminhando para o comício final, na Praça da Estação completamente lotada. Parecia filme italiano do século passado. A cidade estalava nas suas multicentenárias calçadas velhas.

Adalardo, nosso candidato, não sabia falar. Começava bem os discursos, mas logo perdia o fôlego, ficava sem assunto, começava a se enrolar. Eu me punha atrás dele, fingia que estava conversando com o candidato a vereador Jorge Nagib e passava a ditar o resto dos discursos: a criação do ginásio público, do hospital municipal, de empregos para os trabalhadores etc.

No final, a multidão lotando a praça, eu estava ditando, fazendo o ponto e ele falando, falando. De repente, achei que os alto-falantes não estavam bons e, no intervalo de uma frase, quando o povo batia palmas, adverti:

— Fala mais alto.

Adalardo gritou a plenos pulmões:

— Fala mais alto!!!

Quase tive um enfarte. O sangue rodou na cabeça, vi o vexame, o desastre, a três dias da eleição. Engatei uma primeira:

— Fala mais alto, povo de Nazaré! Grita, protesta, reclama, exige, porque há mais de três séculos vocês estão cansados de pedir sem serem atendidos.

Adalardo não perdeu o fio da meada. Berrou:

— Fala mais alto, povo de Nazaré!!! Grita etc...

E fomos em frente, no melhor comício da campanha. Foi um delírio. O melhor discurso da vida dele. Ganhamos disparado. Adalardo fez mais de 70% dos votos para a prefeitura. Eu, mais de 50% para deputado estadual, João Dória quase mil para federal. E a cidade tinha quatro filhos disputando estadual.

Saí eleito de lá.

* * *

E veio o sufoco. O partido me deu um susto enorme. Com poucos candidatos e de poucos votos, fiquei lá na frente, bem na frente, sozinho e cada dia mais ameaçado de a legenda não se completar. Até a última hora da publicação das atas no TRE, Juracy fez uma operação varredura em todo o interior para raspar meus votos. Não adiantou. No dia 3 de janeiro de 1963 escrevi a meu irmão José, consultor estratégico sediado lá em Jaguaquara:

"Meu caro José:

Ainda bem que a primeira vez que escrevo 63 é neste bilhete alegre. Estou aqui com Tereza (minha irmã), comemorando o fim da longa espera. Ontem afinal o Tribunal Eleitoral proclamou os eleitos. A diplomação deve ser dia 10. Não há mais problemas. Agora, é esperar a posse em 7 de abril.

Em momento algum duvidei da eleição. Mas algumas vezes imaginei um golpe contra mim. Acostumado a vencer, a ver dar certo o que planejo, teria levado um susto se aqueles 30 votos de frente não se mantivessem, pela miúda legenda do partido.

Não gostaria de parar logo no começo o plano que vou realizar, passando pela Câmara Federal, para ajudar no Brasil um governo mais descente, e que venha a mudar as injustiças que o povo não pode continuar a sofrer. Mas isso é para depois.

Terei um encontro com Jânio em Londres, em fevereiro. O Aparecido me telefonou e eu me prontifiquei a, depois de Cuba, ir até a Inglaterra. Quando voltar da Europa (Paris e Roma para matar as saudades), vou aí. O irmão, Sebastião."

* * *

Amaral Peixoto, que sabia um pouco de Marinha e tudo de política, dizia que o melhor de uma eleição é entre a diplomação e a posse. Com meu ex-companheiro de PCB, Raimundo Schaun e outros amigos, preparei um esquema para o jornal não parar.

Eram três meses de algum perigo. Alguém poderia querer vingar minha bela vitória e a oposição que fiz a Juracy dois anos seguidos. Vim para o Rio, hospedei-me no hotel Glória: Augusto de Souza. Se era Sebastião Nery, também era Augusto de Souza.

Primeiras visitas. Agradecer a Balbino e Alaim Mello. Balbino, vitorioso para o Senado; Alaim, derrotado para a prefeitura de Salvador. Sem os dois, o "Jornal da Semana" não teria sido o que era e por consequência a candidatura. Balbino tinha as sabedorias do sertão de Barreiras e da Paris da Sorbonne:

— Já está diplomado, não fale nada até a posse. Não desafie os inconformados. Se puder, afaste-se um pouco. Sempre haverá alguém, nesta hora, ainda querendo prestar serviço ao governo passado. Vá descansar. Volte à civilização. Dê uma passada em Paris. Chame a namorada e fique uns dois meses pela Europa.

— Senador, recebi um convite do Jânio, por intermédio do José Aparecido, para um encontro em Londres. Quero passar antes em Cuba, depois em Paris. Mas ainda não sei se vai dar. É caro.

— Vai dar, sim. Tenho uma dívida com você. Fez minha campanha sem pedir nada. O jornal era outra coisa, era para o PSD, o PTB. Está na hora de lhe pagar minha dívida pessoal.

Fiquei estupefato. Era o inimaginável que eu queria e não podia. Como todo mês para o papel do jornal, ele abriu a gaveta, pegou um talão de cheque, preencheu, dobrou, me entregou:

— Dá para dois meses bem acompanhado. Desconte agora mesmo aqui embaixo, viaje o mais rápido possível e, como sempre, o mesmo exemplar silêncio de nosso pacto político.

No elevador, abri o cheque. Nunca tinha visto aquele dinheiro. Peguei, pus no cofre do hotel, fui ao "Correio da Manhã" agradecer ao baiano Edmundo Moniz a simpática nota sobre minha eleição: — "Vitória, sobretudo do Jornal da Semana".

Edmundo Moniz apanhou um telegrama em cima da mesa:

— Chegou aqui ontem para você. Deve ser por causa da nota.

Abri, o mundo rodou. Fui para a janela com medo de chorar:

— "Estou livre. Preciso ver você. Telefone (número). a) Ana".

Era meu amor azul, tantos anos depois. Voltei para o hotel, pendurei-me no telefone. Minha nuvem caprichara naquele dia. Separada, na casa dos pais com os dois filhos, dois dias depois ela chegou ao Rio. Duas semanas para tirar os vistos. Depois, Deus às vezes exagera. Três meses: Havana, Londres, Madri, Paris, Veneza, Florença, Roma, Atenas, Sicília. Em cada uma a cada dia cobrávamos da vida o que a vida nos tomara. E replantamos nosso juramento azul de jamais nos deixarmos perder.

A NUVEM

Por que Sicília? Porque tinha uma carta de Jaguaquara para entregar a um Padre Pio, Frei Pio, em Santo Giovanni Rotondo, na ponta da bota da Itália, a caminho da Sicília. (Mas essa é outra história, do próximo livro: — "Meu Amigo Santo").

* * *

Voltamos no fim de março. Encontrei o país incendiado. Jango tinha reconquistado os podres poderes do presidencialismo. Brizola, deputado mais votado pela Guanabara (de cada três, um voto), com sua Frente de Mobilização Popular, e Francisco Julião, com as Ligas Camponesas, estavam pondo o governo de Jango na parede, exigindo as "reformas de base", que Jango também defendia, mas Brizola e Julião queriam "na lei ou na marra".

No Congresso, o grupo Compacto do PTB, o PSB, a Frente Parlamentar Nacionalista, os poucos comunistas com mandatos, enfrentavam todos a ADP, financiada pelo IBAD e o IPES.

Ana voltou para sua casa, eu mergulhei na política.

Nas vésperas da posse, passava de manhã pela Rua Chile, um homem aflito, cabelos brancos, salta do carro, me arrasta, empurra para dentro do carro dele. Era o Alcântara, ex-prefeito de Itabuna, da UDN, também eleito deputado, que eu mal conhecia:

— Nery, não seja irresponsável. Saia da rua. Você pode morrer.

E saiu dirigindo o carro às pressas, me levando para a casa dele, nos Barris. O rádio, ligado, falava da morte, com dois tiros, naquela manhã, do Juracysinho, deputado Juracy Magalhães Júnior, filho do governador. Eu não sabia de nada. Mas duas rádios de Salvador já haviam dado irresponsavelmente a notícia de que ele morrera trocando tiros comigo.

Numa crise de depressão, bebeu muito à noite, acordou em casa, que era a casa do pai, em Monte Serrat, onde vivia com a mulher, foi à cozinha, tomou um suco de laranja, pediu ao guarda para ver o revólver dele, deu dois passos e dois tiros no coração.

Alcântara só me deixou sair da casa dele no dia seguinte.

* * *

Se tivesse imaginado que seria só um ano de mandato, teria ido até o pré-sal. Mas consegui não ser o que não queria: um deputado provinciano. Na Frente de Mobilização de Brizola, nas Ligas de Julião, na Frente Parlamentar Nacionalista, no "Brasil Urgente" de Josimar Moreira e Frei Carlos Josafá, onde havia luta nacional com a qual concordava estava lá participando.

E sem deixar o "Jornal da Semana" cair. Já agora mais fácil, porque, com a saída de Juracy do governo e a chegada de Lomanto, eu tinha gráfica em Salvador para fazer o jornal.

A Assembleia tinha as limitações naturais da representação política de um Estado agrícola, que mal começava a industrializar-se, e da qual só um ou outro intelectual, professor, jornalista, participava. A grande maioria cuidava do interior.

De formação diferente, o Raimundo Reis. Jornalista, radialista, cronista, escritor, inteligente, fazia como eu um mandato fora do padrão. Neto do coronel Petronilho Reis de Glória e afilhado do ex-governador Balbino, sua base eleitoral era a Rádio Sociedade, onde fazia um programa diário de sucesso.

No aniversário, Balbino seu padrinho, ex-governador e ex-ministro da Educação e da Indústria e Comércio, lhe deu de presente um fusca estalando de novinho, zero quilômetro. Saímos da Assembleia para almoçar juntos e fiz uma provocação:

— Raimundo, pergunta de amigo. Quem lhe deu este fusca foi o padrinho Balbino ou a generosa Volkswagen?

— Nery, eu sou lá filósofo para buscar a origem das coisas?

Ele era assim. Um talento à flor da pele. No golpe de 64, os militares ameaçaram cassá-lo. Foi levado para depor no quartel:

— Deputado, o senhor é marxista?

— O que é isso, coronel? Sou do PSD.

— Mas o senhor defende ideologias estranhas.

— Que nada, coronel. A ideologia do marxismo está no Manifesto Comunista. A do PSD, que é a minha, está no Diário Oficial, que traz nomeação, demissão e verbas.

Foi embora e não foi cassado. Balbino deu a mão.

* * *

Eram mil coisas ao mesmo tempo. O Partido Comunista, que jamais perdoou os que dele saíram, não me ajudava, mas não me hostilizava. E eu ajudava como podia. O candidato do PCB na Bahia a deputado estadual, Aristeu Nogueira, não se elegeu. Ficou como primeiro suplente da legenda do PSB, do Wilton Valença.

O PCB queria criar na Bahia o CPC, Centro Popular de Cultura da UNE e não tinha recursos. Aristeu me procurou. Fui a Brasília. Waldir Pires, Consultor Geral da República, me encaminhou ao ministro da Educação e Cultura, Júlio Sambaqui.

Pedi uma verba. O dinheiro só poderia ir através da Inspetoria Seccional do MEC em Salvador. Era um grande baiano, ex-prefeito de Mutuípe, Julival Rebouças. Para cuidar da verba, um funcionário federal, Noenio Spínola, depois consagrado jornalista, diretor de redação do "Jornal do Brasil", hoje na BMF.

E foi assim que começou a nascer esse maravilhoso *tsunami* cultural que foi a nova música baiana. Instalado no subsolo da Faculdade de Direito, ali na Piedade, o CPC trouxe Gilberto Gil, de São Paulo; Tom Zé, de Irará; Caetano, de Santo Amaro e outros de outros lugares e setores, como o teatro. Uns, como Gil, já tocavam e ensinavam. Outros, como Caetano, aprenderam a tocar.

* * *

A Assembleia, instalada na esquina da Praça da Sé, era uma grande Câmara de Vereadores. A cidade descia do ônibus e entrava. Nós, os deputados, tínhamos que passar o dia no corpo-a-corpo com o povo. Eram problemas de todo jeito: educação, saúde, segurança, um doente para internar, um morto para enterrar. Chegava às oito da manhã, saía às seis da tarde, quando saía.

Vice-líder da oposição, o líder era o Bolívar Santana, do PSD, tranquilo, sereno, firme, parecendo um cônego em férias. Lomanto procurava fazer um governo popular, mas o Estado não tinha dinheiro para atender a tantas demandas. E nós cobrando.

Sexta-feira no fim da tarde estava exausto. O "Sossego" me salvava. Um grupo de amigos, alugamos um casarão diante do mar, em cima da areia, embaixo do coqueiral, ali na Boca do Rio, caminho de Piatã e Itapoã: "O Sossego". Na porta, uma placa de madeira, desenhada pelo Calasans Neto: — "Ver, Ouvir e Calar".

Éramos cinco sócios, todos solteiros. Virgílio Sá, que depois se casou com a irmã da Marta Rocha. Glauber Rocha já separado da divina Helena Inês. Adriano Lisboa, Germano e eu desquitados, cada um com seu quarto. Mas podíamos ser cinquenta. Nos fins de semana enchia. Os amigos chegavam, estacionavam seus carros no coqueiral, levavam a "contribuição": bebida, comida, discos. Três geladeiras não davam.

De sexta a domingo não havia horário. Música o tempo todo, bem alta, começos da Bossa Nova, Lúcio Alves, Tito Madi, Elizeth Cardoso, Alaíde Costa, muito Frank Sinatra e Nat King Cole. Os únicos vizinhos eram Deus e o mar. Tardes e noites inesquecíveis. As namoradas chegavam, ficavam, mas raramente "ficavam", por causa da variedade e do tumulto. Uma velha baiana fazia feijoada o tempo todo, em grandes panelões.

Droga não havia. Só uma vez vi um fumando um cigarro de maconha deitado na areia. Mas como se bebia! A bebida oficial era a "Maria Sanguinária": vodca com suco de tomate. Segunda de manhã, passava uma caminhonete, um pequeno caminhão do lixo, para recolher as garrafas vazias de uísque, vodca e cerveja.

Em longas tardes de sol, tantas vezes, o Glauber, sentado na areia, à beira do mar, cabelo e barba grandes, camisas soltas desabotoadas no peito, longos bermudões, com uma espátula imensa, desenhava na areia as cenas de "Deus e o Diabo na Terra do Sol", que nasciam ali de seu gênio irrequieto e incontido.

Durante a semana, era proibido ir lá, qualquer que fosse o pretexto. A chave, única, ficava cada semana com um. Abria sexta à tarde. Uma sexta de manhã, chega minha secretária:

— Deputado, tem um amigo seu, lá embaixo, todo quebrado.

Desci rápido o elevador. A Assembleia ficava nos dois últimos andares. Lá estava o Adriano Lisboa, com a perna toda engessada, para fora de um táxi, com cara de quem ia morrer:

— Meu irmão, bati o carro, quase fui. Saí agora do hospital. O médico recomendou muito repouso. Abra uma exceção, me dê a chave do "Sossego", que eu preciso ir para lá agora mesmo.

Dei a chave ao Adriano. Não havia ser humano capaz de negar alguma coisa ao Adriano, uma das melhores pessoas que Deus já pôs no mundo. No fim da tarde, fui. Entre dois coqueiros, numa rede vermelha reluzente, com uma morenaça de biquíni, de humilhar coqueiral, um toca-discos, copos, garrafa de uísque e um prato de queijos e presuntos no chão, Adriano fez cara de infeliz:

— Meu irmão, não aguento mais esse clima de opressão!

Pois o baiano aventureiro Adriano um dia sumiu de casa, apareceu na Legião Estrangeira em Marselha, quase o mataram na África, veio para o Rio e se consagrou como ator da TV Globo, fazendo galãs e delegados em "O Bem Amado", novelas, seriados.

* * *

Mas eu precisava enfrentar meus dois grandes compromissos: colégios públicos para Nazaré e Jaguaquara. E um anjo do céu caiu na minha frente: padre Luís Palmeira, secretário da Educação do governo Lomanto. Alagoano, tio do governador, senador e ministro Guilherme Palmeira e do líder nacional de estudantes Wladimir Palmeira, eu conhecia padre Palmeira do Seminário e da Assembleia, onde foi deputado de 1958 a 1962.

Com sua larga experiência de dono e diretor de colégio em Vitória da Conquista, ele deu logo o caminho da mina. Em Nazaré, onde não havia conflitos, a prefeitura fundaria o colégio, com apoio do Estado. O colégio público de Nazaré está lá, graças sobretudo ao padre Palmeira e ao prefeito Adalardo. E a mim.

Em Jaquaquara era diferente. Havia três colégios particulares: o Taylor-Egídio, dos batistas; o Pio XII, dos capuchinhos; e o "Luzia Silva", de freiras italianas. O caminho era transformar os dois colégios católicos em um só, numa fundação que reunisse os colégios, a Prefeitura e o Estado. Mas padre Palmeira avisou:

— O Menandro vai tentar impedir. Ele tem nos dois colégios um alforje de votos, com as bolsas que consegue no Estado. Um colégio público vai tirar dele o controle do ensino lá. O prefeito, teu primo, eleito por ele, não vai brigar com ele por isso. A prefeitura não entrará na Fundação. Mas converse com eles.

Não adiantou. Menandro, simpático, calou, correu para o governador para não permitir a Fundação e não deixar o padre "se meter em Jaguaquara". Ele não conhecia bem o padre Palmeira e suas brigas com Edvaldo Flores em Conquista. O padre convidou logo os frades para conversarem com ele: o chefe da Ordem na Bahia e o diretor do colégio. O resto ficou por conta da bravura do padre e da santidade dos frades. Entenderam-se.

Menandro esperneou de todo jeito, mas Lomanto foi firme, apoiou o padre, e nasceu a Fundação Pio XII. Já o colégio "Luzia Silva", das freiras italianas, o jeitoso deputado Menandro conseguiu impedir. Dobrou as freiras. Em seu livro "Jaguaquara com outras histórias", o professor Lígio Ribeiro Farias, do Pio XII, conta o ato final de como Jaguaquara ganhou seu colégio público, com seus milhares de alunos sem precisarem pedir bolsa:

— "No dia 31 de dezembro de 1963, na Câmara Municipal, com a presença do Frei Benjamim de Villagrande, Superior dos Frades Capuchinhos da Custódia de Bahia e Sergipe, Frei Lucas de Queimadas, diretor do Ginásio Pio XII, e do Dr. Otílio Muniz, diretor do Ensino Profissional do Estado da Bahia, autoridades municipais e grande número de pessoas, houve uma sessão solene a fim de transformar o Ginásio Pio XII em Fundação.

A partir daquele momento seria um ginásio conveniado com a Secretaria de Educação do Estado. Teria o mesmo ginásio, material didático, recursos modernos, máquinas adequadas para o ensino profissionalizante e a Secretaria de Educação se encarregaria dos honorários dos professores.

A Congregação das Irmãs Franciscanas Imaculatinas, que dirigia o Colégio "Luzia Silva", foi convidada para, juntamente com os Frades Capuchinhos, formarem uma só Fundação. O Pio XII ficaria com os alunos do sexo masculino e o colégio dirigido pelas Irmãs Imaculatinas, com o sexo feminino.

Depois de tudo mais ou menos acertado, as Irmãs não quiseram o acordo. O Ginásio Pio XII passou a funcionar em regime misto (masculino e feminino)".

Lígio só cometeu um equívoco. Falou na "presença das autoridades municipais". E não as citou. Não havia. As duas maiores autoridades da cidade, o deputado representante da cidade no governo do Estado e o prefeito lá não estavam.

Menandro impediu a Prefeitura de fazer parte da Fundação.

No primeiro desfile do Pio XII, alguém pôs um garoto na frente carregando uma foto. Não era a foto do padre Palmeira. Era de Menandro. E o padre Palmeira não merecia apenas uma foto. Merecia, merece e merecerá sempre um busto no Pio XII.

24
O GOLPE

No dia 8 de abril de 1964 lá ia eu na boleia de um caminhão, Rio-Bahia acima, voltando a Salvador para reassumir meu mandato de deputado na Assembleia Legislativa. O sol quente torrando a lataria, o asfalto tremendo no chão e aquele silêncio longo e perplexo rodando dia e noite.

O 31 de março me pegara do Rio. Na madrugada de 26, o Palácio dos Metalúrgicos, na Zona Norte, superlotado de marinheiros, sargentos, trabalhadores, estudantes e políticos, parecia filme da Revolução Francesa. A meu lado, na ponta direita da mesa que comandava os trabalhos, um velhinho negro, alto, magro, magérrimo, cara forte, cabelos brancos, olhar de quem sabe o que quer, esfregava as mãos, emocionado e me dizia:

— Eu nunca pensei que, antes de morrer, ia ver esta beleza.

Só agora vamos acabar com a Lei da Chibata.

Vagamente me lembrava de já haver visto sua foto, mas não sabia quem era e de repente a multidão se pôs de pé, gritando:

— João Cândido! João Cândido!

Ele se levantou e abanou as mãos sequinhas como um lenço preto no início do século. Também me lembro muito bem quando chamaram o presidente da Associação dos Cabos e Marinheiros, o cabo Anselmo. Apareceu lá na entrada com sua fardinha de escoteiro de calça comprida, os cabelos pretos bem penteados, o rosto alvo, sem tomar sol, parecendo retrato de São Luís Gonzaga em livro de freira.

E todos nós de pé aplaudindo. Uma dezena de deputados federais, duas dezenas de estaduais, e a multidão de marinheiros.

A meu lado, na mesa, Oswaldo Pacheco do CGT, Comando Geral dos Trabalhadores, fez o melhor discurso da noite, o mais seguro. Max da Costa Santos, baiano, deputado pela Guanabara, falou representando a Frente de Mobilização Popular, Brizola. E Batistinha, também do CGT. Hércules Correa, da Assembleia da Guanabara. E os representantes da UNE, da UBES. Uma noite de discursos. De manhã, o almirante Cândido Aragão, comandante dos Fuzileiros Navais, saiu carregado pelas ruas, sem boné.

* * *

Outra madrugada, do dia 30. No auditório do Automóvel Clube, na Rua do Passeio, à esquerda o ministro Abelardo Jurema, da Justiça; à direita o sargento Antônio Prestes, o sargento-deputado Garcia e o cabo Anselmo. O presidente João Goulart joga a última lauda de seu discurso sobre a mesa e, de improviso, jura para o auditório emocionado que a política de conciliação chegara ao fim e as reformas iriam ser conquistadas nas ruas.

Lá atrás, encostado à parede, tenso, Oswaldo Gusmão, assessor de Jango, redator do discurso, me conta preocupado que, antes de sair do Palácio das Laranjeiras para o Automóvel Clube, o Presidente se havia trancado com o Tancredo Neves, que lhe fez um apelo dramático em nome da direção nacional do PSD:

— Presidente, não vá! Se o senhor for, o senhor cai.

Jango foi. Às cinco da manhã, com um grupo de amigos, passei em frente ao Clube Naval, na esquina da Almirante Barroso com Rio Branco. As luzes acesas, cheio de oficiais, os discursos gritando pelas janelas. Três quarteirões depois, na Cinelândia, o Clube Militar. Luzes acesas, cheio de oficiais, os discursos berrando pelas janelas. Era o golpe em marcha.

Entro no hotel Serrador, carregado dos jornais ainda quentes, o retrato da conspiração. Já estava nas manchetes: JB, Globo, Correio da Manhã, Tribuna da Imprensa, Diário Carioca, todos unânimes pedindo a derrubada do Presidente. Só a Última Hora resistia chamando o povo para sustentar Jango.

Acordo com um telefonema de Minas. Magalhães Pinto tinha posto a Polícia Militar nas ruas e o general Mourão Filho marchava de Juiz de Fora para o Rio à frente das tropas. Fui para a casa do Max da Costa Santos, no Flamengo, ele estava no telefone falando com Leonel Brizola em Porto Alegre:

— Brizola, o que vamos fazer?

— Resistir. Resistir de qualquer maneira. Isto é um golpe dos interesses dos americanos com tropas brasileiras. O Jango está hesitando, mas a UDN vai querer fazer agora o que o Vargas impediu em 54 com o suicídio. Temos que jogar tudo. Aqui no Rio Grande, vou marchar com o povo e ocupar o palácio do governo. É preciso segurar o Lacerda aí.

Max conversa mais um pouco, desliga:

— Vamos para a Rádio Mayrink Veiga. O Miguel Leuzi está sem querer fazer de novo a "Cadeia da Legalidade", mas temos que pôr no ar imediatamente.

* * *

Fomos. Max assumiu, começou a chegar gente e os oradores desfilando pelos microfones. Na minha vez, denunciei o que me parecia mais grave: o caráter norte-americano do golpe militar, nascido das mais fundas entranhas dos interesses internacionais no Brasil, como ficou depois inteiramente confirmado em 1977 pelos documentos secretos dos Estados Unidos divulgados no "Jornal do Brasil" por Marcos Sá Correa. E acabava fazendo um apelo aos amigos da Bahia que sabia terem embarcado no golpe imaginando estar salvando a democracia e a Pátria.

De repente, o corre-corre. Caminhões da Polícia Militar de Lacerda cercavam a rádio. Telefonemas desesperados aos Fuzileiros Navais do Almirante Aragão pedindo proteção. Enquanto não vinham, meia dúzia de velhos fuzis e metralhadoras com os bicos enfiados nas janelas para dar a impressão de que estávamos fortemente armados.

A PM não subiu e lembro o ridículo de me ver atrás de uma metralhadora, que não sabia manejar, apontada para o botequim em frente, e o português, do lado de lá, aos gritos:

— Aponta pra lá, *doutoire*! Aponta pra lá, *doutoire*!

Os Fuzileiros chegaram, a PM foi embora, um grupo saiu para a Rádio Nacional, na Praça Mauá, onde Fernando Barros comandava a "Cadeia da Legalidade", já ligada com a Mayrink, a Guaíra, de Porto Alegre e outras. E os oradores, um atrás do outro. Falei de novo. Manoel Novais, dois metros de altura, deputado do PR da Bahia (depois Arena e PDS), roncava como um trovão:

— Povo de São Francisco, peguem as armas para defender nosso presidente João Goulart!

Não pegaram. As notícias se precipitavam, Mourão Filho avançava, a madrugada andava. Entramos, Max e eu, no Aero-Willys do deputado Ferro Costa, para irmos aos "Correios e Telégrafos", na Praça XV, de onde o coronel Dagoberto Rodrigues comandava o sistema de informações do Governo.

O carro não pegou. Os dois, ansiosos, nervosos, empurrando o calhambeque de Ferro ao volante, enquanto caminhões do Exército, dos Fuzileiros e da PM cruzavam a Rio Branco em disparada. Uma chuva miúda caía no asfalto. O carro pegou, entrei exausto, passei o lenço na cabeça molhada e, de repente, me deu um profundo desânimo feito de cansaço e tristeza.

* * *

Estava tudo se acabando. Mesmo assim, fomos para os "Correios". Havia gente cochilando nas escadas, nos corredores, poltronas. Um homem roncava em um sofá, com um fuzil ao lado. Cabo Anselmo, metralhadora no ombro, dava telefonemas:

— Prendam, sim! Nada disso! Prendam! Se resistir, fogo! Numa sala, uma reunião meio solene. Os dois irmãos coronéis Oest, o sargento Antônio Prestes, deputados, líderes sindicais, estudantes. E uma dúvida:

— Fazer ou não fazer uma coluna armada para tomar o Palácio Guanabara, derrubar Lacerda e dar posse a Elói Dutra, vice-governador?

Saímos para a sala do coronel Dagoberto, que tinha as últimas notícias: o II Exército já havia aderido desde meia-noite, o I Exército acabava de aderir, o IV Exército prendera Arraes. Só o III estava dividido, em Santa Maria e Passo Fundo, para onde fugira o governador Ildo Meneghetti, porque o general Ladário Teles e Brizola ocuparam Porto Alegre com a Brigada e o povo.

Palavra de ordem:

— Cada um por si. Resistir como for possível. Quem puder, tentar chegar a Porto Alegre, porque a virada vai começar de lá.

Um deputado me puxa a um canto:

— Nery, uma frase para a história. O almirante Paulo Mário, Ministro da Marinha (tinha assumido na véspera), reuniu o gabinete e alguns amigos que lá estavam e disse solenemente:

— Estão todos liberados para a resistência individual. É duro lutar contra o imperialismo agonizante.

Ainda consegui rir. Alguém entra esbaforido:

— A Polícia de Lacerda está chegando!

Começamos a sair rápido. O dia, claro, iluminava nossas caras derrotadas, amarrotadas, desenganadas. Não vi o Aero-Willys de Ferro Costa, entrei numa Kombi com um grupo. Na curva da praça, um caminhão enorme da PM despejava dezenas de soldados, metralhadoras no pente. Pensei em Max e Ferro, desci, voltei ligeiro. Os dois saíam tranquilos no Aero-Willys preto, com Antônio Prestes. Não me viram. Três amigos me chamam:

— Você está louco, aí, parado? Olhe a PM chegando!

Saímos andando pela 7 de Setembro, o coração batendo, sem olhar para trás. Na Rio Branco, um táxi, o alívio. Na Cinelândia, cadáveres ensanguentados em frente ao Clube Militar. No Flamengo, a UNE queimava. Paramos um minuto, as labaredas lambiam as janelas de onde, muitas vezes, havíamos falado. O motorista nos viu chorar, os quatro. Arrancou.

Descemos em Copacabana sem uma palavra. No apartamento, as rádios contavam, aos gritos, que Mourão estava chegando ao Rio, Jango voara para Brasília e Lacerda comemorava no Guanabara. Abrimos discretamente a janela, havia um lençol preto, muito longo, pendurado na janela no edifício na frente. Como um palavrão de ódio.

Lá embaixo, as buzinas saíam histéricas das garagens, já tocando. Estava tudo acabado.

* * *

A polícia de Lacerda varria o Rio de ponta a ponta, prendendo milhares. Telefono para o hotel Serrador, o recepcionista fala baixinho:

— Suma, deputado. Eles estão aí pelos apartamentos, esperando o deputado Almino Afonso, o senhor e outros hospedados aqui ou que fizeram reservas.

— Então guarde minha mala.

— Eles já foram lá. Levaram papéis e um revólver.

E desligou. Sumi para o hotel Carlton, da João Lyra, no Leblon. Enchi a ficha como Augusto de Souza (meu nome é Sebastião Augusto de Souza Nery), parei para pensar.

Tinha só duas opções: o exílio ou a cadeia. Jango chegara a Brasília, estava seguindo para Porto Alegre onde Brizola e o general Ladário ainda resistiam. Quase todas as lideranças políticas que eu conhecia estavam sendo presas ou começavam a entrar nas embaixadas.

Alguns quiseram levar-me logo. Eu lhes dizia que era o deputado mais jovem de meu Estado, que os golpes militares na América Latina costumam durar décadas e era melhor arriscar um ano de cadeia a dez de exílio. Ajudei a levar dois até a porta de uma embaixada. E voltei para o hotel.

Tanto pior. A angústia de nada poder fazer dói mais do que o risco. Jango decidira ir para o Uruguai, o general Ladário entregara o III Exército e Brizola desaparecera na clandestinidade. Era preciso voltar logo para a Bahia. Mas voltar, como? Batidas na cidade inteira, aeroportos controlados.

Em Salvador, já no dia 1º, uma patrulha do Exército, comandada pelo capitão Victor Hugo, da VI Região Militar, havia invadido meu apartamento do edifício Nápoli, na Barra, e roubado tudo, com um caminhão militar parado na porta: a biblioteca (centenas de exemplares), quadros (inclusive um Guignard com dedicatória), os móveis, até a cama e guarda-roupa, TV, som, pratos e panelas, fogão, máquina de lavar, sabonete Phebo, pasta Kolynos, escova Tek, papel higiênico Tico-Tico.

O bravo e heroico capitão Victor Hugo fez uma verdadeira Marcha com Deus pela Família, pela Democracia e pela limpeza de meu apartamento. O síndico tentou impedir, ele se identificou, disse que estava agindo em nome do coronel Humberto de Mello, chefe do Estado Maior da 6ª Região Militar, e do coronel Francisco Cabral, Secretário de Segurança, e carregou tudo. Ainda achou pouca a féria, voltou ao edifício no dia seguinte e andou faturando batidas cívicas nos apartamentos do professor Milton Santos e do jornalista Sílvio Lamenha. Denunciei, depois, por escrito, ao Exército e à Secretaria, e não adiantou nada. Acabei convencido de que outros valores mais altos do que o capitão Victor Hugo se haviam alevantado sobre os meus quadros, meus livros, meu Phebo e meu Tico-Tico.

* * *

Luíza Chirgo, menina e linda, audácia de garça, chega ao hotel de sacola na mão. Leva uma calça de brim Coringa, uma camisa xadrez, uma sandália de dedo e um boné de feira. Vesti. Meia-noite, pegamos a praia do Leblon e fomos andando. O ônibus saía da rodoviária, na Praça Mauá, às seis da manhã, para a Bahia. Dava tempo. Íamos caminhar a madrugada inteira.

Noite escura, úmida, passo a passo, ela cantando, eu com medo, e as radiopatrulhas riscando a Vieira Souto. Ela me conta que, na noite do golpe, sem saber onde eu estava, Jacques, meu filho, 8 anos, vizinho dela no bairro de Fátima, no Rio, lhe disse:

— Luíza, vou pegar minha bandeira branca e ir lá na rua pedir paz.

E nós andando na areia. Leblon, Ipanema, Castelinho, Francisco Otaviano. Em Copacabana, engrossou. O Forte, fortíssimo, cercado de bazucas. A *blitz*, o coração pulando, os soldados nos olham com desprezo. Eu, com cara de "paraíba" de obra; ela, de menina de subúrbio. Cara de povo. Povo não importa.

De novo a praia. E a paz. Passo a passo, lá embaixo a água se enfiando na sandália de dedo. Na altura de Santa Clara, o perigo. Uma operação de guerra. Centenas de soldados, carros blindados, holofotes imensos vasculhando os edifícios. Era o cerco à "Missão Chinesa". Quando o Exército, a Marinha e a Aeronáutica chegaram ao apartamento deles, a polícia de Lacerda já havia estado lá. E nunca mais ninguém ouviu falar nos dólares dos chineses, que desapareceram na "Revolução Redentora".

Havia polícia até na areia. Passamos. De repente, um gemido na água e um vulto jogado, como um grande embrulho. Uma mulher. Agarramos pelos pés, puxamos, vomitava e se batia:

— Quero morrer! Deixem-me morrer!

Desmaiou. Sacudimos, arrastamos. Abriu os olhos, gemia:

— Ele me abandonou. Meu marido. Eu quero morrer.

— Deixe de ser tola. Tem tanto homem aí.

— E eles vão pagar o meu apartamento, vão? Eu quero morrer!!!

A Operação Chinesa tomava vários quarteirões da calçada, como levar a mulher? Deixar, era a morte. Saímos puxando, aos tombos. Os soldados nos olharam com desprezo. Não éramos chineses. Não tínhamos dólares. Chegamos até o edifício dela, na Domingos Ferreira, entregamos ao porteiro, voltamos à praia.

E continuamos andando quilômetros: Lido, Princesa Izabel, Túnel, Botafogo, Flamengo, Cinelândia, Rio Branco, Praça Mauá. E um café, cansados e famintos, as pernas bambas, no insuspeitíssimo bar-puteiro do Zica. O dia acordava luminoso.

Um beijo, muitos, lágrimas e o ônibus às seis da manhã.

* * *

Em Areal, a primeira barreira. Porto Novo, outra. Leopoldina, uma imensa. Saltamos, militares às pencas, embalados, revistavam o ônibus, conferiam os documentos. Não podia mostrar os meus, de deputado. Olhavam, misteriosos. Meti-me no banheiro fedorento do posto, o ônibus foi embora.

Almocei como um "paraíba" de obra e acertei a boleia de um caminhão do Rio Grande que levava caixotes de máquinas para Natal. O motorista era um gauchão vermelho de mãos imensas e um ajudante. Iam dormir ali e só seguiriam na manhã seguinte. Eu também ia esperar. Dormi no "hotel" do posto.

De manhã, fomos indo. Paramos para almoçar, seguimos. O caminhão tinha um rádio, eu ligado nas notícias. De repente, já noite, na "Voz do Brasil", o coronel Sizeno Sarmento lê o Ato Institucional nº 1, em nome do Comando Revolucionário:

— Cassados Jânio, Jango, Prestes, Brizola, os 100 primeiros. Os nomes citados, um a um, Estado por Estado. Bahia: Mário Lima e João

Dória. Achei normal. O maior líder petroleiro do país e o mais atuante membro da CPI do IBAD, a caixa preta do golpe. Daí a pouco, Minas Gerais: José Aparecido de Oliveira.

— Puta que o pariu!

Não me contive. Não podia ser. Secretário de três pastas do governador Magalhães Pinto, o "líder civil da Revolução". Se até Aparecido estava cassado, iam cassar o país inteiro. Até a mim.

O gauchão percebeu meu susto e comentou malicioso:

— Você está muito interessado nessas notícias.

Abri o jogo:

— Sou um deputado voltando para a Bahia. Toda vez que houver barreira, fico lá em cima da carga bancando o ajudante. Meu nome é Zé. Você não sabe mais nada. Enfio os documentos no estofado. Se eles descobrirem, problema meu.

— Quero que eles se danem!

De repente, numa curva, perto de Governador Valadares, parecia que o Exército brasileiro estava todo na estrada. Centenas de soldados. Ele parou o caminhão, em um minuto eu estava lá em cima, deitado na carga, olhando, do céu, a farra cívica do golpe militar. E descobri: ajudante de caminhão não é gente. Eles chegavam de fuzil na mão, abriam aos golpes os caixotes de máquinas, reviravam o caminhão inteiro procurando armas, vasculhavam os documentos do motorista e eu lá no alto.

— Quem está aí?

— Eu.

— Eu, quem?

— Zé.

— Pula no chão!

Eu pulava.

— Ah!!! Senta ali.

Eu sentava. E eles davam um abano de mão de total desprezo. Foi assim também em Teófilo Otoni, Conquista, Jequié, nas barreiras todas. Ajudante de caminhão é macaco de estrada. Para pular para cima e pular para baixo. Eu teria chegado intocado a Nova York, matriz da "Revolução", com minha calça Coringa, minha camisa xadrez, minha sandália de dedo e meu boné de feira. Vestido de povo. Para o Poder, povo não é gente.

E saltei no entroncamento de Jaguaquara.

* * *

Mais uma vez de volta à minha nuvem, à "Palmeira". Vi o golpe militar por dentro, no Rio. Não me deixei enganar. Jango não provocaria uma aliança tão poderosa e tão diabólica: a UDN comandada por Lacerda, a UDN militar já então maioria nas Forças Armadas, a embaixada norte-americana, quase todos os governadores, a imprensa aliada, a subornada e a alugada. Bastava deixar João Goulart terminar o mandato.

Mas havia duas certezas intoleráveis para os golpistas: JK voltaria pelo voto em 65 e as organizações sociais se fortaleciam e se multiplicavam no país todo. Não deram o golpe para derrubar Jango, mas para tomar o país para eles. No mínimo, por dez anos. Por isso não tinha ido para o exílio. Ia ficar e incomodá-los. Desci do caminhão em Jaguaquara para ir a Salvador reassumir o mandato. Não o perderia por abandono de emprego. Cheguei à noite à casa de meus pais, de manhã saí pela cidade, fui ao bar, conversei, bebi o delicioso vinho de laranja feito lá.

Meus amigos assustaram-se. Achavam que eu já estava preso. O Exército havia cercado a Assembleia e exigido a cassação de meu mandato, do de Ênio Mendes, parlamentar independente, e do de Diógenes Alves, combativo líder ferroviário. Para eles, éramos os três inimigos na Assembleia.

Também não tive ilusões sobre o que a Assembleia ia fazer. Dobrar a cabeça e obedecer ao coronel Humberto de Mello, que era o representante de Juracy no comando da VI Região Militar. Se fosse logo para Assembleia seria o mesmo que me entregar. Não o faria. Eles, se quisessem, que fossem me buscar.

Peguei um bom rádio, os quatro volumes da "Ascensão e Queda do Império Romano", e fui para a fazenda, bem próxima, de dois queridíssimos primos, Vavá e Laura, onde passei uma semana, esperando a Assembleia votar. Não votou logo. Saí de lá e fui para a terra da minha nuvem, a "Palmeira", a fazendinha de meus pais, "como a ave que volta ao ninho antigo".

Passava o dia lendo, ouvindo o rádio, comendo a comida feita no mesmo fogão de pedra e lenha da minha infância e as deliciosas frutas que os caseiros Waldomiro e a Almira, compadres de meus pais e a dúzia de filhos deles, sobretudo a Josélia e a Lúcia, duas bonecas de menos de dez anos, me levavam.

* * *

No dia 28 de abril, a Assembleia aprovou as cassações "por medida de segurança nacional". Só um voto contra: João Borges, do PL. Até meu primeiro suplente, Egídio Tavares, pobre-coitado, aprovou. Não havia valor legal algum. O Ato Institucional nº 1 dizia que as cassações de mandatos e direitos políticos eram da "exclusiva competência do presidente da República".

Ênio, genro de militar, foi para a fazenda, lá no sertão, deixaram-no em paz. Prenderam o Diógenes em Salvador e mandaram o major Paulo Vaz, subchefe da Casa Militar do governador Lomanto e o capitão do Exército Wilmar me buscarem. Lomanto recomendou ao major Paulo Vaz:

— Conheço o Nery. É tranquilo e consciente. Não vai fazer nada. Mas o tratem bem. Se não, ele engrossa e reage.

Em Jaguaquara, procuraram Virgílio Almeida, ex-prefeito nomeado no governo de Getúlio e dono de uma sapataria:

— O senhor é o Virgílio Sabe-Tudo?

— Não. Sou o Virgílio que não sabe nada.

Procuravam o "Virgílio Sabe-Tudo", dos Correios e Telégrafos, meu amigo, que me levou em seu jipe para a fazenda de Vavá e para a de meu pai. Junto, levaram meu irmão José.

Lá de baixo, da varanda da mesma casinha branca onde nasci, e está lá até hoje, vi a comitiva chegar na estrada, no alto da serra. Não havia como descerem na caminhonete do Exército. Era a pé, numa estradinha de barro pelo meio do pasto. O major com um fuzil no ombro, o capitão com uma metralhadora no peito. Junto deles, meu irmão e o Virgílio, conversando numa boa.

Não sei se Lampião recebeu pompa igual. Na varanda estava, na varanda continuei. Chegaram, disseram que eu estava preso por ordem do Exército, sentaram, tomaram café, saímos. Os dois na frente, nós três atrás. Lembrei-me do revólver enfiado na calça. Passei-o para meu irmão. Não viram nada. Continuamos subindo a serra. Disse ao Virgílio:

— Se eu fosse um doido, tinha acertado esses dois na nuca.

— Misericórdia!

Quando entrei na caminhonete, falei em tom meio de ordem:

— Por favor, vamos sair direto. Não passem na casa de meus pais. Eles sabem de tudo e conhecem o filho que têm. Mas não quero que me vejam preso. Nem minha madrinha ou meu filho (Nerinho, de cinco anos. O maior, Jacques, de oito, estava no Rio). Quando a caminhonete parou na praça e deixou José e Virgílio, a cidade já sabia de tudo. Sorrindo, dei adeus pela janela.

Conversamos sem parar, o major, o capitão e eu, até Salvador. Queriam saber como foi o golpe no Rio, em São Paulo. E, sobretudo, quem iria tomar conta do governo. O Exército, é claro.

— Quer dizer que os políticos vão se ferrar?

— Vão ficar puxando o saco, mas sem conseguir nada. O presidente da República vai ser um general, só não sei quem. Em Feira de Santana, paramos para almoçar. Fui ao banheiro. O capitão ficou assustado:

— Deputado, por favor, não crie problema para nós. Se o senhor desaparece aí pelos fundos, vai prejudicar nossas carreiras, mas também vai ter que ficar se escondendo pelo resto da vida.

— Fiquem tranquilos. Quero é que peçam um vinho para mim.

Pediram. Em Salvador, me entregaram no Quartel dos Aflitos, da PM, aquele casarão rosa, bonito, no alto da Gamboa. Deixaram-me numa salinha, vigiado, esperando "a autoridade".

* * *

Daí a pouco, passos no pátio e toc, toc, toc, uma bota subindo as escadas. Entra na salinha, também leva um susto:

— Boa noite, deputado.

— Boa noite, tenente.

— Que coincidência! Logo o senhor?

— Pois é. Eu é que pergunto: logo o senhor?

A "autoridade" era o tenente Etienne, que várias vezes denunciei da tribuna da Assembleia, por suas violências e badernas públicas. A última tinha sido apagar as luzes de uma festa no Clube de Itapagipe atirando nos lustres. Ele fazia e nada acontecia. Era protegido de Juracy. Também tinha denunciado e pedido a prisão de um policial amigo dele, o Manoel Quadros, perigosíssimo, que chefiava um grupo de extermínio.

Etienne comandava a temida "RS", Representação e Segurança, uma Polícia Especial criada por Juracy quando governador. Não consegui apoio do governo para afastá-lo do comando, nem Manoel Quadros da polícia, e agora estava ali diante dele, lembrando a velha lição do tcheco Julius Fucik (1902-1943), jornalista, crítico literário, tradutor, e morto pelos nazistas em 1943, e que, na prisão, escreveu um diário publicado em 1945, com repercussão no mundo inteiro: — "Reportagem escrita sob a forca". Um capítulo é "Se fores preso, Camarada":

— Por maior que seja o medo, não deixe o outro perceber.

Etienne foi lá dentro, tirou o casaco, revólver à mostra:

— Fique tranquilo, deputado. Não sou o que o senhor pensa. Sou um oficial graduado da Polícia Militar da Bahia e honro a farda. As coisas que o senhor contou de mim na Assembleia eram apenas tiros de advertência para acabar com confusões. Vou mandar preparar uma cama de campanha, com travesseiro, para dormir tranquilamente. De manhã, entrego-o ao Exército.

— Muito obrigado, tenente. Vivendo e se surpreendendo.

Não dormi. Virei a noite repassando as frenéticas últimas horas. Sabia que de manhã ia encontrar um Etienne piorado: o coronel Humberto de

Mello, chefe do Estado-Maior da VI Região, que eu havia duramente criticado da tribuna da Assembleia, porque chamou o monge beneditino Dom Jerônimo de Sá Cavalcanti de "comunista". O comandante da VI Região era o general Manoel Pereira. Mas quem mandava era o sergipano baixinho, gordo, juracysista, inteligente e muito ambicioso.

* * *

De manhã bem cedo, puseram-me em uma caminhonete, dois soldados na frente dois atrás, com fuzis nas mãos, e me levaram para o quartel do comando da 6ª Região Militar:

— Cuidado que ele é perigoso!

Quatro soldados do Exército, dois na frente dois atrás, fuzis nas mãos, levaram-me até o pátio e me entregaram a um tenente:

— Cuidado que ele é perigoso!

O tenente subiu comigo uma escada, pôs-me numa sala:

— Cuidado que ele é perigoso!

Os oficiais chegavam, se preparavam para o expediente. Mal me olhavam. Não me achavam perigoso. Mandaram-me sentar.

E começou um patético desfile de desfibrados. Numerosos deputados, até três dias atrás meus colegas na Assembleia, que por exigência do comando da Região tinham acabado de aprovar minha cassação sem nenhuma competência, pois, pelo AI-1 era do presidente da República, chegavam, me viam, tomavam um susto, baixavam a cabeça e iam saindo. Eu não deixava por menos:

— Alô, fulano (e dizia o nome bem alto), tudo bem?

Saíam como cãezinhos escorraçados, de cabeça baixa. É por isso que o velho Thomas de Kempis disse na "Imitação de Cristo":

— "Quanto mais estive entre os homens menos homem voltei".

Depois se soube que os deputados estavam ali, convocados pelo coronel-manda-chuva, para serem intimidados e intimados a votarem o "*impeachment*" do governador Lomanto Júnior, a ser substituído exatamente por ele, o coronel Humberto de Mello.

Mas quem mandava no coronel era o general Justino Alves Bastos, comandante do IV Exército, no Recife, onde inesperadamente aparece o suplente de deputados do Rio, Paranhos, compadre do general, e de lá vem a Salvador.

Uma manhã, o general Justino desce no aeroporto, ainda 2 de Julho, todo fardado, e vai direto para o Palácio da Aclamação:

— Vim tomar café com meu governador. E virei outras vezes, até o final de seu mandato.

A NUVEM

Naquela tarde, a Assembleia ia votar a derrubada de Lomanto e a posse de Humberto de Mello. Ninguém falou mais nisso. Como aconteceu a reviravolta? A crônica baiana sabe bem: meses depois casou-se a filha do general. Lomanto não se mexeu. Mas os saudosos Lelivaldo Brito e Marcelo Gedeon, cunhado e amigo de Lomanto, e outros amigos dele, providenciaram generosos presentes para a noiva: um apartamento, um carro, um anel. E foi assim que a gloriosa "Revolução Redentora" redimiu a Bahia, mantendo Lomanto e livrando-a de Humberto de Mello.

∗ ∗ ∗

Eu ainda não sabia dessa missa a metade. Continuava sentado no meu canto. Um oficial baixinho, volumoso, entrou todo fardado, batendo o rebenque na perna, como Mussolini faria:

— Então, deputado? Continua achando que o Dom Jerônimo não é um comunista, mas, pelo contrário, um santo homem, e que eu fiz curso da CIA, na "Escola das Américas", no Panamá?

Fiquei calado. Ele insistiu:

— Por favor, responda. Quero mesmo saber sua opinião, para não pensar que foi apenas um arroubo na tribuna da Assembleia.

— Acho mesmo, coronel.

— Pois é, deputado, os senhores achavam. Agora quem está achando somos nós. O senhor vai ficar preso, às minhas ordens, à disposição do Exército, em um xadrez da Companhia de Guardas, no Quartel do Barbalho. Espero que goste. Se não gostar, não posso fazer nada. Estamos mandando para lá todos os comunistas.

E sorriu, vingativo. Entrei no jogo:

— Pois não, coronel. E, por favor, se o encontrar, recomendações ao tenente Durval. Gosto muito dele.

Durval, tenente, aluno brilhante do Colégio Militar, meu primo, filho de um irmão de meu pai, querido "tutor" quando estava no Seminário, era genro dele. Dom Jerônimo era do convento de São Bento, que defendi na Assembleia em um discurso zangado, porque o coronel Humberto de Mello o chamou de "comunista disfarçado". Durval é general por seus méritos.

Dois sargentos desceram a escada comigo e me puseram em um furgão do Exército, entregue a dois soldados na frente e dois atrás, de fuzis nas mãos, para ser levado para o Barbalho:

— Cuidado que ele é perigoso.

Não era uma opinião. Era uma senha. No Barbalho, repetiu-se a pantomima. Dois soldados na frente, dois atrás, fuzis nas mãos, receberam-me, levaram-me para o pátio, repetiram:

— Cuidado que ele é perigoso!

Mais de vinte xadrezes lotados de gente. Como nos filmes, cabeças e braços nas grades. Em um apenas, uma pessoa só, na solitária: meu amigo Mário Lima, presidente do sindicato dos petroleiros e deputado federal do PSB. Rosto inchado, olhos espantados. Cumprimentei-o de longe, levantei o polegar para animá-lo, ele sorriu, tempos depois me disse:

— Quando vi você chegar cercado de homens armados e um avisando para o outro: — "Cuidado que ele é perigoso", imaginei: — O Nery enlouqueceu, matou uns dois e agora vai se ferrar.

* * *

Depois de longa espera, em pé, a um canto, já bem de noite, dois sargentos, Nova e Pelé, com pencas de chaves negras, abrem os cadeados das correntes que amarram as grades, põem-me numa gruta, como uma nave escura. Homens de barbas grandes, deitados no chão crespo e úmido, sem cama, sem pano, sem papel, me recebem com palmas e abraços. Eram 16 no cubículo:

— Arivaldo Sacramento, estudante de Direito; Clyton Vilela, cineasta; Silvestre de Jesus, presidente do sindicato dos Panificadores de Salvador; Antônio de Jesus, filho de Silvestre; Manoel de Jesus, irmão de Silvestre, analfabeto (levava água para o sindicato); Élson de Araújo, secretário do sindicato dos Panificadores; Natalício da Silva, ferroviário de Petrolina; Manoel Pacheco, ferroviário e marceneiro de Nazaré; Anastácio Oliveira, diretor do sindicato dos Padeiros; José Teófilo, Diógenes Valois, Luiz Dantes, Itamar Pires, todos da Petrobrás; Teodoro Cerqueira de Dias D'Ávila, José Matos de Iramaia.

A "Revolução Democrática" só prendia o povo. Converso, conto a viagem de ajudante de caminhão, tento tranquilizá-los. Estão prendendo todo mundo, mas mortes só no primeiro dia do golpe. A barriga dói, tenho que aguentar, banheiro só de manhã. Água também. No buraco, só gente e nada mais.

Do lado de fora, ouvidos colados à parede, os sargentos procuram ouvir. Um sai, volta com o comandante do quartel, que se esgueira à beira das paredes, como um rato branco.

Na cela, olhos grandes acordados, dois fumando, outros dormem com respiração funda. Lá fora, agora, um guarda canta:

— "Ai, en la vereda tropical"…

Encosto a um canto, cochilo. De manhã, corneta tocando, soldados marchando, sargentos gritando comandos. Todos levados aos banheiros. Na volta, uma caneca amassada de café frio com um pedaço de pão duro para cada um.

A NUVEM

Ouço tonéis rolando. De longe vejo soldados esvaziando o depósito de gasolina e óleo, tonéis e latas, e uma pá raspando e puxando restos de lama molhada, vidros, baratas esmagadas, um rato morto. Vão me pôr lá. O comandante passa, dá ordens em voz baixa, sai. Abrem o xadrez, chamam meu nome.

Os companheiros se emocionam, abraços, alguns choram. Levaram-me, mandaram tirar calça e camisa ("para não fazer bobagem", diz o sargento Pelé. "Fazer bobagem é suicidar-se"), deram-me um *short* usado, velho e sujo. Meus sapatos sumiram. Irritação inicial e logo uma inesperada serenidade. Julius Fucik:

— Não perder a calma. Não entrar no jogo deles.

O xadrez, escuro, sem luz, clareado pelas grades, três metros por dois. E as grossas grades negras escancaradas para o pátio. Não vou morrer por falta de ar, rio de mim. O guarda, solidário:

— Cuidado, muito caco de vidro no chão. E ratos e baratas.

O sargento, pensando que era general, sorri poderoso:

— Deputado, no começo é assim. Depois piora.

— Vá à puta que o pariu!

Não falei, mas, pensando, acertei na testa da mãe dele.

Entrei, puseram as correntes, trancaram os cadeados. Procurei um canto mais seco para sentar. Não havia. Era uma mistura de lama e óleo, laminha baixa, como em curral de bezerro.

Nessas horas, raciocinar. Devo ficar aqui uns 30 dias. É o "primeiro castigo, para amansar, dobrar". Quem aguenta um dia, resiste uma semana. Quem passa uma semana, chega a um mês. Quem sobrevive a um mês, tira de letra um ano.

Chega uma lata com água para beber. Gosto de manteiga. E uma lata de matéria plástica para fazer xixi. Às quatro da tarde, almoço numa bandeja, enfiada por baixo das grades: feijão, arroz, farinha e louro (nervo de carne). Tudo frio.

Vêm as chuvas de maio, fortes. Pátio inundado e água entrando por baixo das grades. Corre uma barata. Piso, seguro, mato com o dedo, ponho a um canto. Daí a pouco, outra. Repito. Já são duas. Vão ter serventia. Começo a formar meu batalhão.

De noite, andar, caminhar, para não entregar o corpo ao frio e à doença. Só dormir durante o dia. E um minucioso plano de viagem. Uma visita, a pé, até a casa da amada, no Rio. Passo a passo, dois passos um metro, mil metros um quilômetro, tudo contado. Do Barbalho ao aeroporto 2 de Julho mais ou menos 30 quilômetros, 30 mil metros. Do Santos Dumont ao Leblon 20 quilômetros, 20 mil metros. Se durasse muito, tinha aonde ir, muitos quilômetros para caminhar.

Um passo, dois passos, um metro. Um passo, dois passos, dois metros. Andei até a exaustão. Pensando, conversando, cantando, amando. O dia amanheceu filtrando sol nas gotas de chuva. As pernas doendo, mas a cabeça boa, o corpo bem.

Dois soldados na frente, dois atrás, armados de fuzil, eu no meio, com a lata de beber vazia e a lata de xixi cheinha. Levam-me ao banheiro. Banho mesmo só um por semana, dia marcado. De longe, vejo o Mario voltando. Mancando, meio trôpego.

Café frio, pão duro. Aproveitei o pouco de claridade do sol molhado, dei uma batida nas paredes da cela, encontrei enfiada uma agulha. Resolvido o matadouro das baratas. E dos ratos, se aparecessem. Depois procuraria ler as coisas riscadas à mão.

Deitar, não dá. Chão úmido, de curral amassado. Sento-me bem lá no fundo, encosto na parede, estiro as pernas, durmo profundamente. Acordo com o barulho da bandeja embaixo das grades. O mesmo feijão, o mesmo arroz, a mesma farinha, o mesmo louro. 16 horas. Dormi as 8 horas programadas.

Escureceu, andar, andar. 10 mil passos, 5 mil metros, 5 quilômetros. Por noite, bom para chegar sem cansar. De tarde, embaixo da bandeja do almoço, um soldado me entrega uma pequena caderneta com uma canetinha. E, dentro, o recorte, bem miúdo, de um artigo de Carlos Heitor Cony: — "A quartelada de 1º de abril foi uma revolução de caranguejos":

— Foi meu pai que mandou, lá de Nazaré.

Se Cony escrevia aquilo, ainda não estavam matando.

* * *

Enfiei a cadernetinha e a caneta entre o *short* e a cueca. Era hora de dormir sentado até o almoço à tarde. De noite, depois que todos dormissem, tentar um pequeno "Diário da Caverna". Madrugada alta, silêncio absoluto, depois de caminhar, comecei:

- O ódio também constrói. Mais uma barata pisada e a cabeça furada devagarinho. Depois mais duas. Três numa noite.

- Chuva a noite toda. Sem camisa, frio. Braço dormente. Ombros e pernas doendo. Uma barata no pescoço, horrível. Pego, furo e mato. Dois passos, um metro, caminho para o aeroporto até o amanhecer. No claro, vejo alguns buracos pelos cantos. Tiro a cueca embaixo do *short*, rasgo em pedaços e tapo os buracos. É por ali que as baratas entravam. Podiam entrar escorpiões.

- Vida de sempre no forte: corneta, alvorada e o sargento Pelé comanda a ginástica com a boca imensa e aos gritos:

  — Um dois, um dois, direita volver! Soldado não pensa, soldado não pensa! Um dois, um dois, esquerda volver! Soldado não pensa, soldado não pensa!

  Um soldado pisa no pé do outro, trocam tapas:

  — Filho de americano com graxeira!

- No banheiro, peço papel higiênico. Sargento Nova:

  — Papel higiênico de preso é dedo.

  Cato pontas de papel no banheiro. De noite, sempre andando para o Rio, passa um sargento:

  — Coitado do deputado. Vai inchar todo com este cheiro de óleo e esta umidade.

  Era meu único medo. A garganta e o pulmão não aguentarem, pegar gripe, pneumonia. Não peguei nada. Peguei foi mais baratas, espetadas na agulha. Meu batalhão crescia.

- O soldado, cada dia um, me oferece mais café:

  — Deputado, coma muito para não ficar tuberculoso.

- Das outras celas chegam músicas cantadas. Como um diálogo dentro das paredes imundas.

* Passam no pátio José Gorender e Walter Felizola. Cada um enfiado numa cela, já todas superlotadas.

* A chuva passou, calor pegajoso neste Forte da idade das invasões holandesas. Não é dia de banho. Enfio a cabeça embaixo da torneira, volto todo molhado, ando até enxugar. Um alívio.

* No canto da parede, junto à grade, o pouco de luz me deixa ler: — "1º/08/1958 Cabo Torepe. Antônio Carlos".

- Sábado à tarde, cortar cabelo e barba. Sabonete, navalha cega, soldado com braço de guindaste. Doía. Parecia raspar couro de porco. Máquina zero na cabeça e bigode fora, de quem tinha:

  — Passou por aqui, perdeu o bigode.

- O sargento Pelé comemora:

  — O piolho aumenta. Com um mês todos empiolhados.

- O soldado de Nazaré me entrega um jornal dobrado:

  — Meu pai mandou. Só uma folha para se distrair.

  Era do caderno de Classificados. Li tudo, anúncio por anúncio, gente procurando empregadas domésticas. Dormi sentado nas dores da cidade: emprego, aluguel, título protestado.

- Chegou Francisco Pinto, prefeito de Feira de Santana. Altivo, andar tranquilo, sereno. Enfiado numa cela coletiva.

- Mário Lima sai, atravessa o pátio levado por soldados com fuzis, volta várias horas depois, cara exausta. Depoimento.

- Grito no pátio:

  — Francisco José Pinto!

  Chico Pinto sai, volta depois. Depoimento.

- Na cela vizinha da minha, batem na parede e cantam:

  —"Rei Sebastião, rei do forte do mar!

  Rei Sebastião, dá licença eu vadiar!"

  Aparece o estúpido sargento Nova:

  — Calem a boca seus filhos da puta!

  Eles chamavam aquilo um quartel do Exército brasileiro.

- Peço pasta de dentes, levam apenas um tubo de Kolynos:

  — Escovar no dedo. Escova é perigoso.

  Amarela, riscada de verde, como um canarinho alemão. Não sabia tão linda. Espremi devagarinho, pelo fundo, enfiei a agulha, pendurei no teto. Uma obra-prima naquele museu de horror.

- Passa um jovem no pátio:

  — Olha quem está ali, o Nery. Só porque combatia os ladrões.

- De noite, caminhando, vejo um guarda se aproximando:

  — Notícia para você. Seu filho está bem. Visitas proibidas.

  Recado de Jaguaquara. Caminhei de noite pensando nos dois: Jacques no Rio, oito anos, Nerynho em Jaguaquara, 5.

  Jacques: — Meu painho, sei que você vai viajar para a campanha. Mas não demore não, senão seu filhinho morre de dó.

  Sempre reunião com os amigos. Não aguento essa sua política.

  Nerynho: — Você agaranta que não demora, agaranta?

  Indo para a praia: — O chão está quente como minha vida.

Meus pais, em 1924, no casamento.

Os avós maternos.

Aos 2 anos, o menor à direita, com os três irmãos maiores.

Os avós maternos com 12 dos 15 filhos.

Em 1945, no segundo ano do Seminário de Amargosa, na Bahia, primeiro da fila à esquerda, sentado, aos 12 anos. Com o Padre Correia, alma do Seminário.

No curso de Filosofia do Seminário de Santa Tereza, em Salvador, em 1949.

Terceiro a partir da esquerda, preso em dezembro de 1952 em Belo Horizonte, em ato público contra a Guerra da Coreia.

Universitário

Sebastião Nery

Candidato Popular á Câmara Municipal
Belo Horizonte - 1954

A mocidade de Belo Horizonte vai levar à Câmara dos Vereadores representante de suas reivindicações e sobretudo de suas lutas: o universitário SEBASTIÃO NERY. Em sua coragem e sua dedicação intransigente a todas as causas estudantis e populares está a certeza de que jamais trairá a confiança dos que o elegerem.

SEBASTIÃO NERY nasceu na cidade de Jaguaquara (Bahia), em 1932. Fez o curso secundário na Cidade do Salvador, sempre nos primeiros lugares, dirigindo e participando de associações estudantis e culturais, como o Centro Teodoro Sampaio. Transferindo-se para esta Capital, em 1951, lecionou no Ginásio de Pedra Azul e em alguns colégios da Capital, foi redator de «O DIÁRIO», e estudou na Faculdade de Direito da UMG, onde foi orador do Diretório Acadêmico, redator do jornal «FILOSOFIA» e diretor do jornal «A ONDA», em que travou dura luta pela moralização da administração e do ensino naquela Faculdade, inclusive denunciando irregularidades na aplicação das verbas, o que lhe valeu duas suspensões.

Participou ativamente de todas as lutas e movimentos universitários dos dois últimos anos, como Congressos Nacionais e Estaduais, a campanha contra o aumento de preços nas entradas de cinema e contra o Acordo Militar Brasil-Estados Unidos» etc. Aluno, atualmente, da Faculdade de Direito da UMG, SEBASTIÃO NERY foi também membro do Conselho da União Esta-dual dos Estudantes, gerente do jornal «GERAÇÃO» da UEE e representou Minas como delegado à Convenção i>elaboração Nacional, no Rio de Janeiro.

Por tudo isso, a juventude de Belo Horizonte vai levá-lo à Câmara Municipal, onde defenderá,, com o desassombro de sempre, o seguinte programa:

1 — Pelo imediato congelamento dos preços e pela rigorosa aplicação do salário mínimo de 2.200 cruzeiros.

2 — Pela encampação da Companhia Força e Luz e da Companhia Telefônica de Minas Gerais.

3 — Pelo estabelecimento de um clima de liberdade para o povo.

4 — Contra o incitamento ao ódio entre as nações e pela garantia de uma vida pacífica.

5 — Contra à corrupção e o roubo no Governo e por efetivas melhorias nas condições de vida dos trabalhadores e dos belorizontinos, particularmente:

a) Melhoria dos transportes coletivos, sobretudo do transporte popular, que é o bonde. Combate ao aumento das passagens de ônibus, lotações e bondes. Instalação de uma linha de «Trolley-bus» para a Cidade Indstrial ao preço de um cruzeiro.

b) Iluminação e calçamento das principais ruas dos bairros e vilas.

c) Ampliação dos serviços de água, esgoto e telefone, estendendo-se até às vilas.

d) Construção pela Prefeitura de novas escolas nos bairros e vilas.

e) Saneamento das zonas infestadas de escorpiões, mosquitos e outros insetos que põem em risco a saúde e a vida do povo.

f) Remuneração nunca inferior ao salário mínimo de Belo Horizonte e abono de natal para os funcionários e trabalhadores da Prefeitura.

g) Doação, aos atuais moradores em terrenos da Prefeitura, dos lotes que ocupam.

h) Congelamento dos impostos e taxas que recaiam sobre o povo, principalmente os que contribuem para o encarecimento do custo de vida.

i) Construção de uma rede de praças de esporte, que atenda aos interesses dos moradores de bairros e vilas.

j) Doação de verbas às entidades de iniciativa privada com caráter assistencial e filantrópico.

Manifesto do lançamento da candidatura a vereador em Belo Horizonte em 1954.

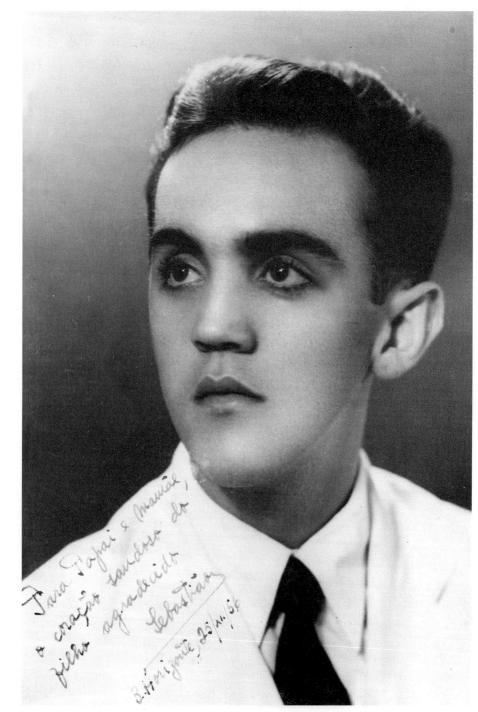
Foto da campanha para vereador em Belo Horizonte em 1954, pelo PSB.

Em Moscou em 1957 Sebastião Nery à esquerda de Ilya Ehrenburg, à direita o publicitário Murilo Vaz e outros.

Numa fazenda coletiva do interior da União Soviética em 1957.

Formatura na Faculdade de Direito da Bahia em 1958.

Com Fernando Ferrari, candidato a vice-presidente da República em 1960.

Cartaz da campanha para vereador de Belo Horizonte, em outubro de 1954.

Capa da primeira revista de oposição, em São Paulo, em janeiro de 1965.

Nas duas fotos, falando no lançamento do livro "Socialismo com Liberdade" em João Pessoa, em 1974, com José Américo, Humberto Lucena, Wilson Braga, Raul de Goes e outros.

Com o governador Ernani Sátiro, da Paraíba, e os jornalistas Edivanda, Willys Leal e Sônia Jost no lançamento do livro "Socialismo com Liberdade" em João Pessoa em 1974.

Com Jô Soares e Armando Costa nos ensaios da peça (dos três) "Brasil da Censura à Abertura".

Festa no Rio, em 1973, de lançamento do primeiro volume do "Folclore Político" com José Américo de Almeida, José Maria Alkmim e Magalhães Pinto, três séculos de política.

No gelo da Sibéria, em 1981, escrevendo o livro "Sebastião Nery na Sibéria e Outros Mundos".

Fazendo o programa político "A Tesoura da TV", na TV Bandeirantes, em 1978.

Com Leonel Brizola e Saturnino Braga na campanha de 1982 para deputado federal pelo Rio de Janeiro, pelo PDT.

Com o governador Cid Sampaio, de Pernambuco em 1960.

Entrevistando Juracy Magalhães, governador da Bahia, em 1958.

Com Leonel Brizola no Rio depois de sua chegada do exílio.

Com o advogado e deputado Marcelo Cerqueira, em comício na Cinelândia durante a ditadura.

Lançamento de "Socialismo com Liberdade" em João Pessoa. À sua frente José Américo de Almeida, à esquerda Humberto Lucena e à direita Wilson Braga.

Com Ulysses Guimarães em 1972.

Com Vivaldo Barbosa, Leonel Brizola, Marcelo Alencar e Doutel de Andrade, no comando da campanha de 1982.

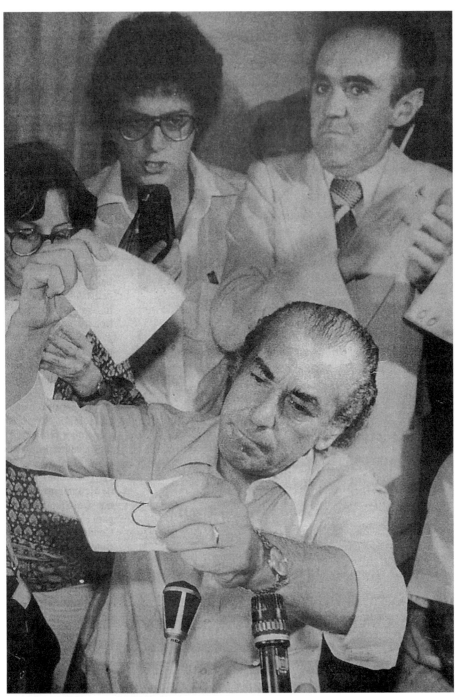

Brizola perde e rasga a legenda do PTB. Atrás dele João Vicente Goulart (filho de Jango) e Sebastião Nery, em 12 de maio de 1980.

Com o governador de Brasília José Aparecido, e o padre Ernesto Cardenal, ministro da Cultura da Nicarágua.

Com a vice-governadora de Brasília, Márcia Kubitschek.

Com o ministro Antonio Amaral, poeta Gerardo Mello Mourão e Aluísio Alves, governador do Rio Grande do Norte.

Com Fernando Collor na campanha presidencial de 1989.

Recebendo o presidente Fernando Collor em 1990 em Roma, quando era Adido Cultural.

Com os presidentes Francesco Cossiga, da Itália, e Fernando Collor, do Brasil, no Palácio Quirinale em Roma.

Com Cícero Dias e sua mulher Raimond, o artista plástico Juarez Machado e um diplomata brasileiro, 1992, em Paris, onde era Adido Cultural.

Com José Aparecido de Oliveira e Leonor, em Paris em 1992.

- Um oficial passa lendo o "Diário de Notícias":

  — "Operação limpeza vai ao Interior"

- Nova leva de presos: Antônio Manoel dos Santos, de Santo Amaro; Otaciano Moura e João Pinheiro, do Sindicato Rural de São Miguel; Luiz de Queiroz, da Usina Passagem de Santo Amaro; Sebastião Carvalho da Correa Ribeiro, em Iaçu; Roberto Ferreira, chefe da oficina da Leste Brasileiro em Iaçu.

- Diógenes, jovem, da Petrobras, canta no xadrez ao lado:

  — "Lago azul, indiferente assim, meu amor não ouve minha canção sem fim. Lago azul em noite de luar..."

- Mais presos chegando e o quartel se entupindo. Sergio Gaudenzi, estudante, sorrindo; Auto de Castro, filósofo, professor de grego, sereno, olhando para o alto; Othon Jambeiro, jornalista e estudante; Manoel São Mateus, estudante de economia; José Pinto Madureira, presidente do sindicato dos Estivadores de Ilhéus; João Agenor, ferroviário de Alagoinhas; Jerônimo Jaime, vereador de Simões Filho; Carlos Augusto, professor de Santo Amaro; Heitor Garcia, jornalista.

  O glorioso Exército brasileiro só prende o povo.

  Por mais que eles fiscalizassem, cada vez que chegava uma turma e ia para uma cela, fazia-se uma lista que passava por todos os xadrezes, para ficarmos sabendo quem estava sendo preso.

- Passei a noite tossindo. É maio. As noites esfriam muito, sobretudo para quem está apenas de *short* no chão úmido. De manhã, pedi uma vitamina ao capitão Cáliga, o médico do quartel. Saiu para buscar. Um soldado vem trazendo um copo de papel com um líquido verde. Da janela do comando, alguém grita:

  — Soldado, o que é isso?

  — Vitamina que o capitão Cáliga receitou para o deputado.

  — É refrigerante disfarçado. Derrama aí no pátio mesmo!

  E minha vitamina escorreu no cimento, verde-amarela como a bandeira que o nazista capitão comandante do quartel, por ele transformado em campo de concentração, hasteava toda manhã, tocando o hino nacional.

- Novos gritos lá de cima da janela do comandante:

  — Soldado, o que é isso nesse copo?

— Leite que o capitão Cáliga receitou para o deputado Lima.

— Preso não bebe leite. Bebe água de torneira e olhe lá. Derrama aí no cimento, para todos saberem quem manda aqui.

E o leite escorreu branco por ordem do capitão nazista.

- As chuvas passaram, o velho e negro forte, comido pelos séculos, esquentou, as baratas saíram de seus buracos. Muitas. Invadiam as celas por baixo das grades. Fui matando uma a uma, espetadas na agulha, e empurrando para um canto. Hora de tirá-las dali. Já eram umas trinta. Pus todas em ordem, de cima para baixo, uma, duas, três, quatro, cinco, seis. Um batalhão. Arrumei direitinho bem na frente da cela, à vista de quem passava.

O sargento Nova, com cara de pistoleiro desempregado, foi passando, viu, saiu, voltou com as chaves:

— O que é que significa isso, deputado?

— Meu batalhão, sargento.

— Deputado, o senhor está agredindo o Exército brasileiro!

— Muito mais ele está me agredindo.

Saiu correndo, voltou com um revólver na mão:

— Tire isso daí, deputado!

— Não vou tirar. Não tenho como tirar. Uma vassoura, nada. Se preferir, chuto uma a uma para o meio do pátio do quartel.

Saiu de novo, revólver na mão, aos palavrões, voltou com um soldado de vassoura na mão:

— Varra essa porcaria! Onde já se viu? Batalhão de baratas!

O soldado riu. O sargento não sabia o que fazer:

— Seu bosta, se rir de novo, você é quem vem ficar aqui.

Aparecem mais dois sargentos para verem a varredura de meu batalhão. Olham, riem, vão saindo. O Nova possesso.

E acabei com saudade de meu pelotão de baratinhas mortas.

- Desde o início, terrorismo. Um grupo de sargentos e cabos passa conversando mais alto, fingindo que não nos viam:

— As coisas estão esquentando. Jango fugiu, mas pegaram o Brizola e fuzilaram. O Arraes fuzilado em Fernando de Noronha. A lista é grande. Muita gente vai ser passada pelo cano.

* * *

De repente, noite alta, lá dos fundos do quartel escuro e imundo, uma voz desesperada começou a gritar, urrar:

— Ai, meu São Gonçalo! Me salve, meu padroeiro! Eles estão me matando!

Um tombo surdo, sons pesados como patadas de elefante em filme americano, gargalhadas histéricas e palavrões contínuos ecoavam no silêncio úmido do quartel e não se ouvia mais a voz lancinante do devoto de São Gonçalo. Mas ela voltava, pastosa:

— Me salva, meu São Gonçalo! Eles estão me matando!

Novo tombo surdo, novas patadas, novas gargalhadas e palavrões, e caía outra vez sobre a madrugada o silêncio molhado do quartel. Para daí a pouco começar tudo de novo.

Até parar no amanhecer. Da cela-porão, onde eu estava enfiado, quase nu, no infecto e multissecular quartel do Forte do Barbalho, não dava para saber nem imaginar o que acontecia.

Já éramos mais de duzentos presos políticos no quartel. O deputado federal Mário Lima e eu, estadual, confinados em dois fedorentos depósitos de tambores de gasolina, transformados em celas-solitárias. Os prefeitos Francisco Pinto, de Feira de Santana; Pedral Sampaio, de Vitória da Conquista, e outros, vereadores, professores, jornalistas, líderes sindicais e estudantis, amontoavam-se em celas coletivas, também dormindo no chão crispado de cimento antigo e terra, sem pano e sem papel.

De onde viriam aqueles apelos a São Gonçalo? Ainda não havia tortura a presos no quartel do Barbalho, em 64. Ninguém tinha sido tirado ainda da cela para apanhar. Havia a bárbara nudez sobre o chão molhado de gasolina e óleo, havia o dormir sobre o cimento frio, esburacado de séculos, tortura ainda não.

De manhã, perguntei ao discreto e humano capitão Cáliga, o médico do quartel, que visitava diariamente as celas, o que tinha acontecido. Ficou constrangido:

— Deputado, não faça perguntas, sobretudo ao comandante. Pode lhe ser pior.

Mas fiz. Chega um sargento com minha calça, minha camisa e meus sapatos. Visto. Saio pela primeira vez da cela-porão para depor no gabinete do comandante, o desumano e tarado capitão sergipano José Hermes de Figueiredo Ávila. Como esquecer o nome dele? Nariz adunco, cara de ave de rapina, apelidado ali de "Hermes 30", porque era a pena mínima de solitária que dava a qualquer sargento ou soldado. Quando perguntei, ele rosnou:

— Deputado, agradeça não ser com você. Não se meta no que não é da sua conta.

— É da conta de todos, capitão. Tortura é crime público.

— Não estou lhe perguntando. Fique com suas lições.

Apurei depois. Um soldado saiu escondido do quartel para ir ao aniversário da mãe, em São Gonçalo, no interior da Bahia. Buscaram-no e o torturaram a noite inteira. E a tortura não foi escondida. Foi com conhecimento e aprovação do comandante.

* * *

O depoimento, numa sala do comando do quartel, era ao major Guadalupe Montezuma, negro, elegante, cachimbo na boca, com curso nos serviços secretos dos Estados Unidos, dos quais se vangloriava, que veio de Pernambuco para fazer o IPM, Inquérito Policial Militar, da Assembleia e da política baiana em geral.

Tirando os pobres e solidários soldados e cabos e o santo franciscano capitão Cáliga, sempre de alma boa, o major Montezuma era a primeira pessoa normal, humana, que tinha encontrado naquele calabouço de alguns militares tarados.

Disse que estava havia uma semana em Salvador lendo meu livro "Sepulcro Caiado, o Verdadeiro Juracy" e a coleção do "Jornal da Semana". Elogiou meu texto, "duro, mas elegante". E muito preocupado com Leonel Brizola, perguntou várias coisas sobre ele, se ia mesmo organizar uma invasão do país pelo Rio Grande do Sul. Eu não sabia o que Brizola estava fazendo.

O major queria informações de minhas "ligações com o gaúcho", se eu fizera parte da "Frente de Mobilização Popular". Confirmei. E mais, disse que admirava e gostava dele, sobretudo depois das encampações e nacionalizações das empresas norte-americanas que ele fez no governo do Rio Grande do Sul. Mas só havia me aproximado mais dele na campanha de 1962 para deputado pelo Rio e depois nas reuniões da "Frente de Mobilização Popular". O major estava convencido de que agora eu "era Brizola" e não pertencia mais ao Partido Comunista:

— Deputado, é verdade ou me enganei?

— É verdade. Passei seis anos na UJC e no PCB. Depois que voltei de Moscou, com o Relatório do Khrushev contra Stalin, saí do PCB. Saímos centenas no país todo. Sobretudo os mais jovens.

— Seu comportamento na Assembleia era muito agressivo, elogiava demais Brizola, mas nada contra a segurança nacional. Quando chegar a hora, vou pedir sua liberdade. Espero que o senhor não volte ao PCB nem se meta com a insurreição que tenho certeza um dia o Brizola vai tentar fazer.

A conversa sobre Brizola espichou mais de três horas, como veremos adiante, no capítulo dele. Eu queria falar era de mim: — Major, por que

A NUVEM

só o deputado Mário Lima e eu estamos em solitárias, sem roupa, de cueca, dormindo sentados na lama fria?

— Não sabia disso. Talvez porque sejam os dois únicos deputados presos aqui. Vou encaminhar providências. Mas o deputado Mário Lima vai para Fernando de Noronha e o senhor e a maioria dos que estão aqui irão para outro quartel do Exército.

A liberdade é sempre assim. Só chega devagarinho.

* * *

No dia seguinte, chamam-me para uma visita. Não acreditei. Era a primeira, em um mês. Antônio, meu irmão. Tentara todos os dias e o Hermes 30 nem falava com ele. Trouxe uma cesta de doces e amores de minha mãe e meu pai. Hermes 30 não deixou entregar um só. Não importava. Eles é que valiam.

Na cela, apressei os passos, para chegar a tempo ao Leblon, onde me esperava a amada. Ficaria só mais um pouco no buraco. Dois dias depois, outra visita: o saudoso deputado Wilde Lima, PRP, integralista, um dos líderes de Lomanto na Assembleia:

— Nery, fomos ridículos, covardes e cretinos cassando vocês. Hoje, o "Jornal da Bahia" publica telegrama do general Ernesto Geisel, chefe da Casa Militar do presidente Castelo Branco, dizendo que "a Assembleia não tem poder para cassar mandatos".

No fim de semana, duas visitas, duas visitonas. Tia Nazinha, irmã de meu pai, que sempre chamei de mãe, e minha irmã Tereza. Levaram todos os sabores da Bahia. Não deixaram entregar. De manhã, bem cedo, o sargento Nova chega sorridente, abrindo a cela, como se não tivesse sido canalha um mês inteiro:

— Pegue suas coisas.

Eu só tinha uma agulha e algumas baratas.

— Vá saindo e entre naquele caminhão ali na porta.

Mário Lima já tinha sido "promovido" para Fernando de Noronha. Chico Pinto, Pedral Sampaio, outros, também estavam indo comigo. De cada cela, alguns. Éramos os que continuaríamos presos. Os outros seriam soltos aos poucos. O caminhão me pareceu uma carruagem da Rainha da Inglaterra. Não sabia o que viria pela frente. Pior do que o Barbalho nazista, impossível.

O caminhão rolando pela cidade, ninguém sabia para onde. Cidade Baixa, Bonfim e o milagre: o quartel do Forte de Monte Serrat. Lá de cima se via Deus: o mar, o céu, a cidade, a baía de Todos os Santos. Celas amplas, grades altas, camas de campanha para dormir. E militares gente, dizendo bom dia, boa tarde.

A humanidade é boa. O homem é que às vezes não presta.

* * *

Comida melhor, café quente, escova e pasta de dentes, sabonete, jornais, livros, banho de sol. Algumas semanas em Monte Serrat e de lá para o Cabula: 19º BC, Batalhão de Caçadores, maior quartel do Exército na Bahia. Xadrezes ainda maiores, grades no alto, ventilados, camas de lona, de campanha.

- Visitas mais fáceis. Chegam Braz, Antônio e Tereza, meus irmãos (Braz: — "Você está até gordo"), com um dominó e boas notícias de Nerinho. Os filhos sempre estão presos conosco. E Dora, levando "Manuel Bandeira" completo, em dois volumes. Dias depois, minha ex-mulher indo do Rio, com boas notícias de meu filho Jacques. E Terezinha Alencar, mulher de meu colega Inácio Alencar, me leva "Machado de Assis" completo, da Aguilar, em três volumes.

- Até que enfim, ler jornal, afinal. No Barbalho, nenhum. Em Monte Serrat e no Cabula, entraram desde o início. Alguns recortaram. Li os artigos todos. O grande herói dos presos brasileiros tinha quatro letras: Cony. Carlos Heitor Cony. Se ele dizia aquilo, é porque se respirava e a ditadura ainda não tinha força suficiente para calá-lo. Cony sobre Costa e Silva, o chefão:
  — "A quartelada de 1º de abril foi uma revolução de caranguejos. No Brasil de hoje, qualquer fóssil pode dizer o que quer e tudo continua como dantes".
  E não só Cony. Márcio Moreira Alves:
  — "A Polícia tortura nos órgãos genitais estudantes da Universidade Rural, porque não denunciam colegas. O Brasil está se bestializando".
  E Tristão de Athayde, Otto Maria Carpeaux, David Nasser. E Josué Montello e Lott protestando contra a cassação de JK.
  Impensável a força de um artigo valente dentro de um xadrez.

- Os quartéis são um rodízio. Cada dia chega um grupo, sai outro. Cada um contando sua história.

- Iaçu, cruzamento ferroviário, foi um centro de violência. José Teixeira Ramos fugiu. Prenderam Wladimir Pomar, Sebastião Carvalho e Roberto Ferreira.

A NUVEM

- A Bahia toda presa: Gerson Mascarenhas, Valdir Oliveira, Aristeu Almeida, Walmor Barreto, Frei Valeriano, Doutor Gusmão (arquiteto da Petrobras), Doutor Ericson Cerqueira, Newton Macedo Campos, Afrânio Lira, Alípio Castelo Branco (médico do Sanatório Bahia), Newton Oliveira, Joel Laje, Doutor Edson Teles (médico de Mataripe), Ailton (estudante de 16 anos), Franklin Ferraz Neto (juiz), Everardo Públio de Castro (professor), Nude David de Castro, Pedro Sampaio (advogado de Itapetinga), Raimundo Reis, Antoniel Queiroz e João Pessoa (bancários), Humberto Oliveira (prefeito de Muritiba), Nelson de Alencar (prefeito de Itaberaba), Vivaldo Neves e Emanuel Rego (de Mataripe), Vitor dos Santos (ferroviário), Rocco Megna, Antonio Esteves, Edson Loureiro, Hélio Carneiro e José Prisco (do Banco do Brasil), Jerônimo (ferroviário da Leste).

- De Feira: Antonio Carlos Coelho, Normando Leão (presidente da AFES [Associação Feirense de Estudantes Secundários]), Celso Pereira, Clóvis Pardo, Sinval Galeão, (presos pelo major Elvio Moreira e tenente Rubião). Postos numa prensa e dentro do pneu de um jipe. Polícia bateu em Estêvão Moreira, contador em Feira, estupidamente torturado.

  Um sargento foi dar um murro em Coelho, quebrou o braço no joelho dele. Estêvão Moreira dependurado pelos pulsos, nos Aflitos. Seguravam pelos pés e mãos e sacudiam na beira da janela. Durval Carneiro disse que três se atiraram e nem estavam mal. Teogisto Batista, advogado de Feira, também apanhou.

- Mandaram soldados da polícia baterem em Carlos Coelho. Os soldados jogaram-no no colchão e bateram no colchão dizendo para ele gritar.

- Washington José de Souza. Ettiene arrombou casas de parentes e espancou. Vivaldo Neves, em Mataripe: pisaram nas mãos, quebraram boca e unhas.

- Milton Carvalho vomitou sangue na solitária, foi para o hospital.
  Ficam os nomes aqui, como registro. A história não perdoa.

* * *

- Visita do coronel Marcos Bezerra Cavalcante, no 19º BC, tranquilo, elegante, cortês. No Barbalho, seria fuzilado:
  — Há quanto tempo você está aqui — perguntou a um lavrador.

— Setenta dias.

— Vai sair hoje.

Saiu de noite.

- Cada um tinha uma história para contar ao coronel. Nelson Dourado, da Petrobras, em Itaberaba leu no muro:

    — Fora, Nelson comunista!

    Fugiu, em Iaçu foi preso.

- Em Itapetinga, escrito no muro: "Reforma Agrária Radical – RR". Prenderam Raimundo Rodrigues.

- Líbero Castilho, italiano de Itaipé, lavrador, no trem:

    — Seu nome?

    — Líbero Castilho.

    — Líbero? Cubano. Está preso.

- Antônio Marques, funcionário da CHESF. Major diz:

    — Soube que você está emprestando o Capital.

    — Quem sou eu, major? Vivo na casa de meus pais porque sou pobre.

- Chegam Rui Espinheira e Pedro Pondé.

- Em Irará, Jessé Muniz denunciou o juiz José Aranha Falcão Filho dizendo que era perigoso atirador.

- Laurindo Ribeiro de Oliveira, lavrador em Feira:

    — O que é que você entende por ideologia marxista?

    — Major, eu só tenho que agradecer ao senhor estar me ensinando estas coisas.

- Filho de Auto de Castro, quatro anos:

    — Pai, o que é que você está fazendo aí dentro?

    — Tomando conta deste povo.

    — É, mas eu vi você preso lá atrás da grade.

- A Carlos Tram:

    — Quem é o ditador da China?

    — Um tal Tse Tung.

- A Alfredo Batista Buzugudo, bancário de Jequié:

  — O que é um burguês?

  — É um homem gordo, careca com charuto na boca.

- Benedito Aurélio, o Brucutu, sem dentes, analfabeto, trôpego, tinha um botequim na Pituba. Um vigilante pôs um pacote de livros lá, para pegar a filha de 14 anos. Preso como comunista. Pegou. Brucutu saiu, matou o vigilante à faca.

- Soldados do 19º BC chegam bêbados. Sargento Peralva:

  — O Sebastião Nery está ali atrás da grade vendo e vai botar no jornal dele. Ele é taca.

  Mandei botar.

- Barbeiro de Santo Amaro no fundo da cela.

  — Quem é oficial aí?

  — Eu, capitão.

  — Então você é oficial?

  — Lá em Santo Amaro eu era importante, era o barbeiro da cidade. Aqui eu sou só "Oficial" (apelido que pusemos nele).

- O prefeito Aníbal chega de noite, chorando, inconsolável. Não conhece ninguém, dá um salto, cai sentado no canto da parede, o rosto molhado de lágrimas. Chico Pinto me chama:

  — Nery, você que é o único deputado aqui, ele deve conhecer. Vá lá conversar com ele. Está desesperado.

  Soluçando, Aníbal mal ouvia. Passou um tenente:

  — Tenente, pelo amor de Deus, me tire daqui! Minha madrinha, coitadinha, sofre de catarata!

  E a catarata da madrinha com isso? Caímos todos na gargalhada. Ele percebeu, ficou com vergonha, me abraçou:

  — Desculpem, eu não estava preparado para essa tempestade.

  Rubem Braga tinha razão: a cadeia é a maior das iniquidades.

25
SÃO PAULO

No dia 12 de dezembro de 64, o "Correio da Manhã", no alto de sua página política, publicou:

> "Justiça Reintegra Cassados na Bahia" — "O Tribunal de Justiça da Bahia, reunido na tarde de ontem em sessão plena, concedeu por unanimidade mandado de segurança aos senhores Ênio Mendes e Sebastião Nery, para que regressem aos mandatos de deputados pela Assembleia Legislativa da Bahia. Os deputados tiveram os mandatos cassados por determinação do comando da 6ª Região Militar logo após o movimento de 1º de abril.
>
> O deputado Orlando Spínola, presidente da Assembleia, foi chamado ao comando da 6ª Região e ouviu do general João Costa, que substituiu o general Manoel Pereira, que os deputados Ênio Mendes e Sebastião Nery não podem reassumir seus mandatos, "pois foram cassados pela revolução, cujos atos só podem ser julgados pela história". "O bacharel Calmon dos Passos, Procurador Geral do Estado, ingressará com um recurso no Supremo Tribunal Federal, pleiteando a suspensão da segurança concedida pelo Tribunal de Justiça da Bahia."

Uma decisão histórica. Era a primeira vez, desde o golpe de 31 de março, que um Tribunal do país anulava um "ato revolucionário" e por unanimidade. O relator foi seu presidente, o desembargador Renato Mesquita, antigo líder integralista, homem íntegro e respeitado em todo o Estado. Nossos advogados eram os consagrados professores Josafá Marinho e Milton Tavares.

* * *

Depois de vários meses preso nos três quartéis (Barbalho, na verdade um campo de concentração, Monte Serrat e 19º BC), sem conseguirem uma só acusação séria contra mim e tendo o major Guadalupe Montezuma, de Pernambuco, reponsável pelo IPM político da Bahia, recomendado minha libertação "por falta de fatos", os militares foram obrigados a me soltar. Mas avisaram:

— O senhor está proibido de sair de Salvador e toda semana deverá comparecer ao quartel da Marinha, em Amaralina. Se recorrer à justiça para voltar à Assembleia será preso novamente.

Saí, passei um mês escondido na casa de um amigo em Itapoã e recorri ao Tribunal de Justiça. Sabia que eles jamais deixariam a Assembleia cumprir a decisão judicial. Quando o Tribunal decidiu, a Auditoria Militar decretou minha prisão.

Deram batidas em todo canto e não me encontraram. E pior: cercaram a Assembleia, humilhando os acovardados deputados.

No dia seguinte, 13 de dezembro, o "Correio da Manhã" continuava dando grande repercussão, no alto da página política:

— "Bahia: Comando veta posse de deputados" — "O Comandante da 6ª Região Militar reafirmou ontem ao deputado Orlando Spínola, presidente da Assembleia Legislativa da Bahia, que os deputados Sebastião Nery e Ênio Mendes e Afrânio Lyra (suplente), beneficiados com mandado de segurança concedido unanimemente pelo Tribunal de Justiça, "não podem reassumir seus mandatos e a decisão do Tribunal não pode ser cumprida".

E o jornal continuava a longa matéria com os subtítulos:

"Tensão", "Reassumirão", "Pressão", "Fórmula". Concluía:

— "Os militares aceitam qualquer fórmula desde que os deputados não voltem à Assembleia"

No dia 16 de dezembro, de novo o "Correio da Manhã":

— "Deputados baianos resistem mais um dia":

"Sabe-se que o PSD está contra a fórmula de uma nova cassação, arrastando na sua posição os pequenos partidos que, no entanto, somam menos votos do que os da UDN, PR, PTB e PL favoráveis à medida."

No dia 17, o "Correio" trazia manchete de primeira página:

— "Deputados baianos cassados novamente".

— "O fundamento da nova fórmula foi 'falta de decoro parlamentar', 'não no sentido moral', como explicou ao 'Correio da Manhã' o deputado Orlando Spínola, presidente da Assembleia, mas numa interpretação mais ampla do texto constitucional, no sentido da inconveniência da permanência dos dois deputados no exercício de seus mandatos, em face da situação atual e do ambiente revolucionário. Os deputados Ênio Mendes e Sebastião Nery não compareceram à sessão que se desenvolveu em clima bastante tumultuado. Os votos contrários à cassação foram dados pelo PSD, PL e PST. O primeiro a falar foi o deputado João Borges, do PL, contra a nova cassação. O senhor José Medrado do PTB e líder do governo liderou os debates em favor das medidas contra os parlamentares".

No dia seguinte, 18 de dezembro, o talentoso jornalista e cronista e escritor baiano de Ilhéus, Fernando Leite Mendes, escreveu no "Correio" uma crônica magistral, inesquecível:

— "Decoro e Decoração" — "É tempo de muita palavra com sentido novo, nestes dias de lexicógrafos fardados incursionando pela semântica, com a baioneta das neodefinições.

O presidente da Assembleia baiana teve o cuidado de informar à reportagem que seus pares haviam 'ampliado o conceito de decoro parlamentar que, no caso, seria a inconveniência de permanecerem na Assembleia os dois deputados em face da situação atual e do ambiente revolucionário'.

Isto quer dizer que para os legisladores baianos quebra do decoro é, simplesmente, não concordar com o estado de coisas instaurado no país.

Pois, pelo critério baiano, os deputados servem para ornamentar a cena política com os seus de-acordos e os seus améns".

* * *

Às oito da noite, o Repórter Petrobras, da Rádio Sociedade da Bahia, o de maior audiência do Estado, divulgou uma violenta entrevista minha dizendo que os militares "não respeitam a Justiça e a Assembleia não se respeita" e que o Comando Militar da Bahia "não estava a serviço nem sequer do golpe dos militares, mas se submete sabujamente à raiva pessoal do ex-governador Juracy Magalhães, cujo governo corrupto denunciei durante dois anos, com provas jamais desmentidas".

O esquema estava antecipadamente bem montado. Enquanto o Repórter Petrobras punha no ar minha entrevista, gravada com minha voz, eu já chegava a Feira de Santana, escondido no banco traseiro de um carro, e ouvia a entrevista no rádio, de luzes apagadas. O dono do carro era meu valente amigo e primo José Pena, várias vezes prefeito de São Sebastião do Passé e deputado.

Naquela noite o Exército da Bahia, com algumas dezenas de patrulhas, revirou a cidade de ponta a ponta tentando me pegar. Eu já estava longe. Humilhei-os no Tribunal e na fuga.

O projeto era, em Santo Estêvão, deixar o carro do Pena e entrar em um ônibus, mais discreto, para o Rio. Já entrava no ônibus, ouvi alguém me chamando. Era o deputado Paulo Nunes, meu colega de Assembleia, alto, solidário, bem falante, radialista e fazendeiro de Itabuna, pondo gasolina no seu *cadillac* amarelo, rabo-de-peixe. Não me deixou entrar no ônibus de jeito nenhum:

— Levo você até o Rio. Se for preso, vamos os dois juntos.

Passamos direto pelo entroncamento de Jaguaquara, Jequié, Conquista, sem parar em lugar nenhum. Quando chegamos à divisa da Bahia com Minas, um ônibus partia para o Rio. Convenci-o de que o ônibus era mais seguro que seu *cadillac*. Uma ordem militar para parar um *cadillac* era mais provável.

Cheguei tranquilamente ao Rio, fui para o hotel Marialva, ao lado do "Correio da Manhã". Ficha: Augusto de Souza, jornalista paulista, da "Última Hora". Mostrei a carteira de colaborador. Sem mala, apenas uma pasta de mão, paguei a diária adiantado. Almocei, passei pelo "Correio" para agradecer a solidariedade, voltei ao hotel. O recepcionista me olhou, intrigado:

— O senhor é jornalista da Bahia?

— Não, de São Paulo. Da "Última Hora". Por quê?

— Estiveram aqui dois senhores procurando o jornalista Sebastião Nery, da Bahia.

Mandei pôr a pasta no quarto, saí. Fui direto para a casa de meu colega Fernando Leite Mendes, na Rua Júlio de Castilhos, em Copacabana. Não saí mais. Só para a praia. No Natal com alguns amigos, soube que estiveram me procurando no "Correio" e no "Hotel OK", meu velho pouso no Rio. Continuava fugindo.

Na antevéspera do *Réveillon*, trem para São Paulo. Para aliviar, uma garrafa de vinho no carro restaurante. Meu amigo Nelito Carvalho, de férias na Bahia com a família, me deixou a chave de seu apartamento na Avenida Paulista. Teria um mês lá. Sozinho no apartamento perfumado, à meia-noite saudei 1965 com um Campari com gelo, peguei na estante Cecília Meireles ("Solombra", poemas imortais), li, dormi e amanheci feliz.

Bahia, Minas e Rio já eram minhas. Era hora de ganhar São Paulo. Minha nuvem continuava me levando, às vezes aos tombos.

* * *

Só tinha três telefones paulistas: o do Nelito, o de Josimar Moreira, diretor da edição paulista da "Última Hora", e o de uma linda namoradinha de Santo Antônio de Jesus nos tempos da campanha de Nazaré, que me visitou na prisão, no 19º BC, e ia de mudança para São Paulo, na casa da tia, com telefone.

Nenhum falhou. Nelito tinha me dado o apartamento, Josimar me deu o emprego e a namorada, o amor.

É difícil encontrar alguém em casa no primeiro dia do ano, sobretudo em São Paulo. Pois falei com Josimar, iria procurá-lo durante a semana na "Última Hora". E a namorada estava com o carro da prima, foi me pegar no apartamento.

De lá, para as praias de Santos, como tantas vezes havíamos sumido para meu pequeno apartamento de fim de semana no edifício Corsário, na praia do Corsário, em Salvador. Nunca mais deixei alguém dizer que São Paulo é seco. Traí o compromisso com Nelito: não deixar ninguém subir lá. Foi muito doce.

Na primeira semana de clandestinidade, esvaziamos a adega, limpamos a dispensa, ambas depois evidentemente reabastecidas, e lemos toda a estante de poesias do Nelito. São Paulo é doce, sim.

Josimar recomendou que eu não aparecesse na "Última Hora", ao lado do Viaduto Santa Ifigênia, bem no centro. Alguém poderia me reconhecer. Marcou um jantar no restaurante do Manezinho Araújo, na Rua Augusta. Josimar já estava lá, com sua cara morena, gorda, afável, santa. Interrogatório dos anjos:

— Está com dinheiro?

— O pouco que trouxe está acabando. Preciso trabalhar.

— Isso se resolve. É pouco dinheiro, mas ajuda. Vai me telefonar dia sim dia não, eu lhe dou o assunto, você escreve um editorial ou outra matéria qualquer, e manda me levar no jornal. Mas nada de assinar nem dizer a alguém o que está fazendo. Nossa "Última Hora" está cercada pelos milicos de todos os lados.

Como sempre nessas horas, pensei na minha nuvem.

— E documentos? Que documentos você tem?

— Não restou nada. Só uma carteira de "colaborador" da "Última Hora" do Rio, que me deram em 1957, quando fui para Moscou. Carteiras de Identidade, de Trabalho e de Deputado, o Exército tomou lá no quartel do Barbalho e não devolveram.

— Vem jantar conosco um amigo meu que vai resolver isso.

Nem tempo tive de contar a Josimar o que foram os meses de cadeia na Bahia e ele chegou. Deu-me a impressão de conhecê-lo de foto. Chegou com um motorista, que mandou esperar lá fora, abraçou o Josimar afetuosamente e bateu nas minhas costas:

— Bem-vindo a esta metrópole sempre louca e enlouquecida, mas adorável. Josimar já me falou do seu caso. Deputado da Bahia, cassado, recuperado, novamente cassado, agora fugitivo.

Bebeu um gole de uísque, deu uma risada:

— Não são só vocês, baianos, que sabem rir das desgraças. Vamos jantar, depois resolveremos o problema de seus documentos. Aqui se pede documento em cada esquina. É só ter tudo em ordem que nunca acontece nada. Se não, tem que explicar.

Jantamos, bebi vinho com Josimar, ele só uísque. Eu o tempo todo tentando decifrar o mistério daquele simpático enigmático.

Quando acabamos, olhou para o relógio, ficou com pressa:

— Já escolheu o nome?

— Sou Sebastião Nery, o nome todo é Sebastião Augusto de Souza Nery. Quando preciso, sempre uso o Augusto de Souza.

— Boa solução. Profissão? Jornalista não serve.

— Professor de Latim e Português.

— De verdade? Ótimo. Esta é uma profissão respeitável. Quer dizer que passou em seminário, não é pecador, como o Josimar.

Você vai me mandar três fotos pelo Josimar: uma para a Carteira de Trabalho, outra para a Carteira Profissional, de professor de Latim e Português, e outra para uma carteira especial de um colégio que vou escolher. No dia em que a Justiça Militar julgar seu caso, se não for preso, você vai me devolver as três carteiras, mas só a mim. Tome esse telefone, é pessoal, não diga a ninguém que é meu. Se surgir algum problema, não se afobe e me ligue. No dia em que for embora, me ligue, pois faço questão de receber em minhas mãos os documentos de volta. E me despedir de você.

— Muito obrigado. Mas, para lhe telefonar, que nome chamo?

— O quê?!! Então, Nery, você não sabe quem eu sou? Esse Josimar é um doido. E se eu tivesse falado alguma inconveniência?

Levantou-se, me deu um abraço, apertou minha mão:

— Muito prazer. Cantídio Sampaio, deputado federal do PSP e secretário de Segurança do revolucionário governo de São Paulo.

E saiu dando uma gargalhada. Fiquei abestalhado.

Cantídio Sampaio, coronel aposentado da Polícia Militar de São Paulo, advogado, sempre no PSP de Ademar de Barros, foi vereador em

47, prefeito interino com Ademar em 58, deputado federal de 62 a 82. Quando Ademar foi derrubado do governo de São Paulo por Castelo Branco em 15 de junho de 65, Cantídio voltou para a Câmara, entrou para a Arena e foi um ardoroso defensor do golpe de 64 até morrer no mandato em 82.

Mal Cantídio saiu da secretaria, também ganhei no Superior Tribunal Militar a anulação da prisão preventiva decretada pela Auditoria Militar da Bahia, graças à dedicação do advogado Raul Chaves. Estava livre para ir para o Rio.

Telefonei a Cantídio, jantei com ele e Josimar, e lhe entreguei, em mãos, meus "documentos". Quando ele morreu, contei essa história em um artigo agradecido:

— "A Deus, a Glória. Aos homens, a Verdade".

* * *

Mas, entre um jantar e outro, foram seis meses de susto em São Paulo. Não podia ver radiopatrulha, o coração disparava. Tomei todas as "medidas de vigilância e segurança" para algum gaiato não me pegar de surpresa e levar preso para a Bahia.

Depois de meses e meses em três quartéis, eles tinham sido obrigados a me soltar, porque o responsável pelo IPM (Inquérito Policial Militar), major, depois general Montezuma, disse que nada havia contra mim. Mas novamente decretaram minha prisão militar só de vingança, porque a Justiça mandou que eu voltasse ao mandato na Assembleia. E depois tiveram que engolir minha absolvição unânime no Superior Tribunal Militar.

No intervalo, foram seis meses de profícua clandestinidade. Ninguém ficou parado. Cada um incomodava o golpe militar como podia. Corridos de Salvador logo no começo do golpe, políticos, jornalistas, líderes sindicais e estudantes baianos haviam se escondido em São Paulo no apartamento pequenino e generoso do jovem repórter da "Folha de S. Paulo", Adilson Augusto, o "Brasinha", um santo de 20 anos.

Era a "Mansarda", na Major Sertório, a caminho da Faculdade de Filosofia da USP, na Rua Maria Antonia. Ficava exatamente no meio de três santuários da noite paulistana. Em frente, um boliche que logo se tornaria o "Lalicorne", a mais retumbante casa de prazeres da América Latina. Um pouco acima, o "João Sebastião Bar". Logo abaixo, o "Ela Cravo e Canela", onde pontificava, no esplendor de sua voz e sua beleza, a Claudete Soares com o Trio Pedrinho Mattar.

Em noites frias, entre uma canção e outra, muitas vezes a Claudete mandou servir excelentes conhaques para aquele fiel e pequeno grupo de fãs sentados a um canto, tomando batidas baratas. Nunca perguntou quem éramos, mas devia saber que só podíamos ser desgarrados políticos de qualquer pedaço do país e, em solidariedade, pagava nossos conhaques.

Nunca te esqueceremos, bela e eterna Claudete!

A "Mansarda" não era bem um apartamento. Era um quarto de pensão com saleta e banheiro, no sótão de um velho casarão de três andares, as escadas gemendo. Noites houve em que dormiram 10 pessoas, empilhadas pelo chão, em colchonetes.

Algumas vezes o Adilson chegava de madrugada do jornal e não conseguia entrar. Não havia onde pôr os pés. Como teria feito São Francisco de Assis, dormia sentado na escada para não acordar seus "hóspedes". Da "Folha", ele conhecia o Hélio Duque, que fazia pesquisa sobre café no Estado todo, o Luiz Gonzaga Ferreira e o Francisco Drummond, ambos do Departamento de Assinaturas do jornal.

Foi o Hélio, colunista estudantil do "Jornal da Semana", quem me levou para lá, no fim de janeiro, quando eu saía do apartamento do Nelito, que voltava das férias. Encontrei-o em Campinas, onde eu passeava com a namorada. Fomos conhecer Piracicaba e de lá para a "Mansarda".

Além de Hélio, depois deputado federal pelo MDB e PMDB do Paraná, também lá se escondiam Domingos Leonelli, depois deputado federal da Bahia (PMDB), Luís Gonzaga Ferreira, depois presidente do MDB de Londrina, Capinam o genial compositor, o publicitário Luís Carlos Lamego; e outros.

E em fevereiro, direto de Fernando de Noronha, onde passara oito meses confinado, chegou Mário Lima, o deputado petroleiro do PSB da Bahia, cassado na primeira lista do AI-1.

* * *

Cada um lutava para se livrar do seu IPM ou de suas "preventivas", e voltar à superfície. Enquanto a justiça e a liberdade não chegavam, usávamos nomes falsos, fazíamos biscates, comíamos em grupo nos "sunabões" paulistas: um prato para três. Um providencial restaurante búlgaro, o "Tokay", na Amaral Gurgel, tinha um pai e três filhas muito feinhas. Cada um recebeu a tarefa de namorar uma. Coube a mim a mais feia e era um anjo de menina, com olhos claros e o milenar sorriso eslavo.

Pedíamos uma língua com feijão branco para três. Vinha a maior das línguas com um panelão de feijão e farinha, muita farinha. Era a refeição do dia. No resto, só tira-gosto.

Quem tinha dinheiro, pagava. Quem não tinha, os outros cobriam.

Um dos "mansardeanos" arranjou uma namorada, iam almoçar juntos, ela sugeriu a "Churrascaria do Papai". Ficou animado. No mínimo seriam servidos com mais fartura. E ele esperando conhecer o pai da menina. Não apareceu.

— E teu pai, não trabalha aqui não?

— Não. É professor. Do papai a churrascaria só tem o nome.

E o tempo passando, as absolvições demorando e o medo do flagrante dando sustos diários. No dia 19 de fevereiro, era aniversário de Mário Lima. Fomos todos comemorar no "Pilão", botequim no subsolo de uma galeria entre a 7 de Abril e a Itapetininga. Somadas, nossas penas passavam de 100 anos. E ainda havia os amigos: Antônio Torres, o romancista; Nelito Carvalho, o jornalista; Ubiratã Khun Pereira, o Dr. Khun.

Chegamos discretos, pedimos batidas. A um canto, Carlos Galhardo, sozinho, bebia seu uísque. Um colega nosso, o Carlos Wilson, bancário de Salvador, também fugitivo, esnobou alto:

— Olha só quem está ali, o Carlos Galhardo, um bosta!

Ficamos indignados. Em homenagem ao Serviço de Alto-Falantes Nossa Senhora Auxiliadora, de Jaguaquara, onde aquele patrimônio da música popular brasileira encantava as tardes com sua voz aveludada, exigimos que o Carlos Wilson fosse lá pedir desculpas. Não foi. Preferiu ir embora. Pedi desculpas por ele.

Naquela noite, cantava ao violão, em lugar da *crooner* de sempre, a loura e meiga Marilu, um senhor de voz poderosa, tenor de banheiro. Aplaudimos. Ele veio para a nossa mesa, trouxe sua garrafa de uísque, serviu-nos, cantou tangos e boleros, recitou poemas, fez questão de pagar a conta do aniversário de Mário, saiu.

O dia amanhecia. Entramos em dois táxis. O motorista de um dos táxis, um velho português, parou aos gritos:

— Vomitaram meu carro todo! Ou pagam ou chamo a polícia!

Foi Mário Lima, desacostumado com o álcool, depois de meses em Fernando de Noronha. Vi o perigo, também gritei:

— Corre todo mundo!

E joguei no táxi um bolinho de dinheiro, uns 50 reais. Na "Mansarda", gargalhadas e medo. O Mário não aparecia. Passou dois dias sem chegar, nós já desesperados. No porre, lembrou-se de uma tia que morava perto, acertou o caminho, foi para lá.

No dia seguinte, susto ainda maior. Bem destacada na "Folha", a foto do violonista e cantor do "Pilão", que generosamente nos serviu seu uísque e pagou a conta. Era o delegado do DOPS (Departamento de Ordem Política e Social).

Se soubesse, e quisesse, teria feito uma feira de subversivos.

* * *

A clandestinidade é uma tensão, um cuidado permanente. De repente, surge um problema, que vira um perigo e você não pode descartar. Alguns íamos, às vezes, nas sextas-feiras, ao "Ferro's Bar", encontro de boêmios, esquina da Rua Augusta com Avanhandava, encontrar colegas de jornais de São Paulo.

Acompanhado de uma loura alta e esgalga, passos de bailarina, e era, entra o José Carlos Almeida, Zequinha, baiano, primo de uma cunhada minha. Abraça-me caloroso, peço-lhe para não falar meu nome. Morava em Santos, trabalhava lá, era Comodoro do Iate Clube de São Vicente. Na sexta seguinte, eles me pegaram lá para um fim de semana no mar.

Carro conversível, todo de branco, pinta de endinheirado, era corretor de imóveis em Santos e São Vicente. Os dois muito carinhosos, mas não lhes dei meu endereço. Entenderam.

Deixamos combinado que, na última sexta-feira do mês, daríamos uma passada rápida pelo "Ferro's", para eventualmente nos encontrarmos. Não mais de uma vez por mês. Hábito é risco.

Exatamente um mês depois, estava eu lá, com uns colegas, chega ela, bonita, sempre na ponta dos pés, bailarinando, mas aflita.

Zequinha tinha batido gravemente o carro, que ficou despedaçado, e ele com a bacia, várias costelas e as duas pernas quebradas. Internado, não tinham mais dinheiro para a clínica particular.

Eu me lembrei do doutor Eliezer, médico dedicado, solidário, evangélico e espírita, que dirigiu a Maternidade de Jaguaquara e estava em São Paulo comandando um Pronto-Socorro, ali perto, na própria Rua Augusta. Fomos logo lá, o encontramos no plantão e nos recebeu afetuosamente. Conhecia a família do Zequinha e ela podia levá-lo imediatamente para lá.

Descemos de ônibus para Santos e de manhã já estávamos de volta, de táxi, trazendo o Zequinha para o Pronto-Socorro do Eliezer, onde ficou vários meses. Ela se mudou para o apartamento de uma amiga em São Paulo, para ficar perto dele.

E foi retomando seu trabalho. Bailarina noturna, me contou sua vida. Catarinense, começou fazendo balé em teatros, foi para São Paulo, passou a *shows* em boates, quando conheceu o Zequinha e foram morar e trabalhar em Santos e São Vicente.

Muitas vezes jantávamos na madrugada, depois de seus *shows*, e íamos terminar a noite no apartamento da amiga. Eu sabia que estava infringindo as regras da clandestinidade. Mas não resistia aos tórridos encantos de minha doce bailarina. Em junho, absolvido, vim para o Rio, onde essa história terminou.

* * *

Não nos conformávamos em a ditadura estar roubando preciosos anos de nossas vidas, sem podermos atuar abertamente. João Dória, cassado, antes de exilar-se em Paris, onde se bacharelou em Psicologia na Sorbonne, e na Inglaterra, onde fez o mestrado na Universidade de Sussex, teve que fechar sua agência.

Uma noite, chamou lá um pequeno grupo para despedir-se, os que ele conhecia da campanha na Bahia: Mário Lima, Hélio Duque, Domingos Leonelli, Luiz Gonzaga, eu. E sugeriu fazermos um "Ato Institucional nº 2", que seria assinado pelo general-presidente Castelo Branco, para distribuir à imprensa. Ele na máquina, escrevendo com seu talento e sua agilidade e nós, em volta, sugerindo coisas, palpitando. De madrugada, estava pronto, multiplicado em dezenas de cópias. Cada um saiu com seu pacote, para discretamente levarmos aos Correios e mandarmos a todos os jornais, revistas e TVs. Lembro o artigo 1º:

— "A partir desta data, o Brasil deixa de ser "Estados Unidos do Brasil" e passa a ser "Brasil dos Estados Unidos".

Eram doze artigos. Cada um mais objetivo e indiscutível. Começaram a pipocar notas pelos jornais e revistas. E lá um dia o Carlos Heitor Cony, com sua bravura, publicou na íntegra no "Correio da Manhã". Foi um escândalo nacional. O governo ficou possesso. Cony foi preso. Nunca ninguém descobriu a origem, que revelo aqui pela primeira vez em homenagem a Dória e Cony.

Era começo de 1965. Meses depois, no dia 27 de outubro de 65, o general-presidente Castelo Branco assinou o Ato Institucional nº 2, com 33 artigos, muito pior do que o nosso:

— Eleição indireta para a presidência da República (para liquidar Lacerda; Juscelino já estava cassado), dissolução de todos os partidos políticos, estupro do Supremo Tribunal aumentando de 11 para 16 o número de ministros, o que daria absoluta maioria ao governo, reabertura do processo de cassações etc.

O sucesso do nosso "AI-2" nos animou a continuar cutucando o cão com a vara curta. Havia energia demais para tanta pasmaceira. Quanto mais a situação é difícil, mais explode a vontade de fazer alguma coisa.

O que a maioria daquela baianada acuada em São Paulo, esperando o tempo passar e a liberdade chegar, sabia fazer, era jornal, revista. Nem precisou discutir. Iríamos lançar uma revista com uns poucos nomes legais e a maioria nomes falsos.

A reunião mais complicada foi para chegar ao começo. Que nome dar à revista? Discutimos a noite inteira e não saiu. No dia seguinte, inspirado por um conhaque da Claudete Soares, tive um surto. Bati no braço do Mário Lima e falei alto:

— "Dia 1"!

— Dia 1 o quê?

— O nome da revista. Em homenagem ao 1º de abril deles.

Logo três, lembro-me do Mário e do Leonelli, apoiaram. Nossa democracia não passava de meia dúzia. Éramos maioria. Até porque, por termos mais tempo e menos trabalho, nós é que teríamos que levá-la mais nas costas. Estava escolhido o nome.

Sabíamos que era uma aventura. Mas como encher nosso tempo ansioso e nossas almas lacradas, senão com uma aventura? A ditadura poderia não deixar chegar ao segundo número. Mas o primeiro nós faríamos, acontecesse o que pudesse acontecer. Era a primeira revista política, em todo o país, depois do golpe militar.

Quem iria botar a cara de fora? Os amigos de São Paulo e Rio com vida legal. Os clandestinos só pseudônimo ou sem nome. Estou aqui com o segundo número. Um exército de gente de coragem, disposta a correr o risco de cutucar o cão de perto. Faço questão de citá-los todos. Era o primeiro aniversário do golpe.

Ubiratan Kuhn Pereira, Diretor-presidente; Nelito Carvalho, Diretor-editor; José Soares, Publicidade; Jamil Michel Haddad, Departamento Jurídico; Redação: Adilson Augusto, Claudir Chaves, Carlos Acuio, Eurico Andrade, Fernando Leite Mendes, Franco Paulino, Francisco Liberato, Hélio Moacyr, Hélio Oliveira, Ignácio de Loyola, Ivonildo de Souza, Lourdes Bernardes, Maria Amélia, Marília Pinto de Carvalho, Nelson Amaral de Britto, Otoniel Pereira, Odair Pimentel. Fotografia: Manoel Motta.

Matérias: "30 Dias de Primeiro Aniversário" (Editorial). "Escândalo Parou a Assembleia de São Paulo" (sem assinatura, de um dos escondidos). "Pânico na Indústria Nacional de Carros" (Eurico Andrade). "Planificação Salvou a França" (sem assinatura). "Wadih Helu Derrota o Corinthians" (Odair Pimentel). "Aninha ou Porque Devemos Apoiar a Burrice" (Carlos Acuio). "SS Serviço Secreto" (coluna política minha, sem assinatura). "SP-AS, Sigla Para Derrubada do Mito São Paulo" (Ignácio de Loyola). "Baden Powell: Entusiasmo pelo Jazz é Defeito de Formação" (Franco Paulino). "O Decreto" (Fernando Leite Mendes).

"Candomblé, o Velho Mistério da Bahia" (Marília Pinto de Carvalho). Entrevista: "Herbert Levy, um Udenista Critica o Governo — Economistas da Revolução não Sabem Somar". "Às Compras, Senhores" (Maria Amélia). "Marilu, a Grande Boemia da Noite Paulista". "Opinião Feminina" (Lourdes Bernardes). "O Coronel Simplício Vê o Dólar" (Nabor Cayres de Brito). "Mirante" (coluna política, minha): "Jânio, o Cadáver Vivo". "Praça da Sé, o Dedibal" (a coluna de Nelito Carvalho).

Não durou seis meses. Uns iam saindo outros sendo saídos. Quando o governo percebeu que "Dia 1" era para valer, fechou.

* * *

Brincávamos também, para quebrar as tensões. João Carlos Meireles, depois criador de boi na Amazônia e secretário do governo Covas, era um jovem vereador do PDC em São Paulo em 65, ligado ao ex-ministro cassado Paulo de Tarso e apoiado por frei Carlos Josafá, do jornal "Brasil Urgente", da AP paulista.

Alto, elegante, cabeleira preta, bigodes compridos e uma permanente e bela bengala na mão. Meireles tinha uma livraria, "Ponto de Encontro", e um escritório na Avenida Paulista, frequentados sem medo e sem dinheiro por nós. Era de uma exemplar, comovente e inesquecível correção e solidariedade. E um dos raríssimos que sabiam quem éramos e onde nos escondíamos, nos dias e nas noites desesperançadas.

A bengala de Meireles nos intrigava. Aquele homenzarrão jovem, sadio, sempre com aquela bengala, que lhe dava charme e um ar de permanente insegurança no andar. Um fim de tarde, tomando um generoso uísque no escritório dele, Mário, Hélio, Leonelli, Lamego, Gonzaga e eu tivemos uma crise de diabolismo e resolvemos fazer uma brincadeira de indesculpável mau gosto.

De repente desligamos a luz do andar, ficou tudo inteiramente no escuro, e começamos a gritar: "Incêndio!", "Incêndio!". E a correr, desabalados, escada abaixo. Meirelles passou por nós como uma flecha. Chegou embaixo, à Avenida Paulista, antes de qualquer um. A bengala ficou lá em cima.

Religada a luz, passado o susto, voltamos ao uísque e à calorosa hospitalidade de Meireles, que continuou com sua charmosa bengala. Envergonhados, ninguém lhe contou a história.

* * *

Todo mês, tinha que desafiar o perigo. Ir ao Rio ver meus filhos. Sexta-feira, no saudoso e confortável "Vera Cruz", tomava um vinho, dormia, acordava sábado no Rio, pegava meus filhos em Copacabana, íamos à praia e eu à noite ao "Diário Carioca".

Domingo, um programa de rico bem barato: Copacabana Palace. No tempo dos Guinle, era o hotel mais democrático do Brasil. De *shorts* e bermudas, entrava pela frente com meus filhos, de nove e seis anos, ia para o restaurante da piscina, pedia uma feijoada para os três, eles mergulhavam, divertiam-se, comiam, quando escurecia íamos embora. Nunca nos perguntaram quem éramos, de onde vínhamos ou se lá estávamos hospedados.

Se aparecia algum baiano ou político conhecido, ou eu disfarçava e saía, se era hora, ou fazia uma conversa ligeira. Absolvido e acariocado, continuei fiel ao restaurante do Copa.

* * *

Até que chegou junho e com ele a liberdade. Por unanimidade o Superior Tribunal Militar anulou a ordem de prisão preventiva decretada pela Auditoria Militar da Bahia.

Fiquei numa situação juridicamente ridícula. O mandato tinha sido novamente cassado pela Assembleia, que não tinha poder de cassar e por isso o Tribunal de Justiça devolveu.

Mas não podíamos reassumi-lo, nem eu nem o Ênio, porque o Exército, como nas vezes anteriores, estava se lixando para a lei e, sem respeitar a Justiça, cercaria de novo a Assembleia.

Nossos mandatos estavam soltos no ar, como pipas perdidas. Só o ditador de plantão Castelo Branco poderia cassá-los e não cassava. Novas listas saíram no primeiro e no segundo semestre de 65, sobretudo depois do AI-2 e nelas não estávamos.

Na "Última Hora", o colunista Flávio Tavares contava:

— "Informações de áreas governistas dão a entender que no mínimo 50 pessoas visadas para terem seus nomes proscritos salvaram-se pela pressa e pelo tumulto das últimas listas. Nesse caso estariam incluídos alguns deputados estaduais e prefeitos da Bahia e outros do Maranhão".

Os da Bahia éramos os deputados Ênio Mendes e eu e os suplentes Afrânio Lyra e Aristeu Nogueira.

Irado com a decisão do Superior Tribunal Militar, o Exército tentava me pegar, a mim e a tantos outros, por todos os caminhos. O "Correio da Manhã" registrou outra iracunda irritação deles:

— "O IPM da Rádio Mayrink Veiga, no qual figuram como indiciados, além do seu ex-diretor, Sr. Miguel Leuzzi Júnior, os ex-deputados Leonel Brizola e Max da Costa Santos e mais 10 pessoas, voltou ontem à 3ª Auditoria da 1ª Região Militar, já com a denúncia apresentada pelo promotor Valter Wigderowitz.

O Sr. Miguel Leuzzi Júnior é acusado, no relatório do encarregado do IPM, tenente-coronel Mário de Souza Pinto, de ter 'permitido e até estimulado que se fizesse, através da emissora, a propaganda de processos violentos para a subversão da ordem política e social, incitando, de ânimo liberado, as classes sociais'.

Os Indiciados — Figuram ainda, como indiciados, os Srs. João Cândido Maia Neto, Hiran Ataíde de Aquino, Francisco Boleixe Fernandes Filho, Everaldo Matias de Barros, Tomás Coelho Neto, Ana Lima Carmo, Paulo Cavalcanti Valente, Demistóclides Batista (também ex-deputado), Sebastião Augusto de Souza Nery e Héber Maranhão Rodrigues.

Todos os indiciados estão incursos na Lei de Segurança Nacional, tendo sido arrolados, como testemunhas de acusação, Otávio Name, Iracema Antunes Calili, Oduvaldo Cozzi, Sebastião José de Araújo, George Valter Morrissy, Álvaro Campos Lopes e Onéssimo de Souza Leite."

Mas isso era para depois. Agora, era o Rio, o meu Rio de Janeiro, onde afinal iria morar, depois de 15 anos indo lá.

Cheguei véspera de São João. E nem pude soltar meus fogos.

26
Rio

O telefone do "Diário Carioca" tocou. Eram dez da noite. Já quase ninguém na redação. O diretor, Prudente de Morais Neto, Dr. Prudente, o histórico jornalista Pedro Dantas, atendeu:

— Deputado, onde está sua família?
— Pais e irmãos na Bahia, filhos aqui no Rio.
— Uma mulher chorando no telefone quer falar com você.

De minha mesa à mesa dele, um século. De trem, vindo de São Paulo, eu havia chegado ao Rio naquela manhã, 23 de junho de 65, véspera do São João. Fui para o apartamento de meus amigos Fernando Leite Mendes e sua irmã Mariinha Tavares, na Júlio de Castilhos, em Copacabana, e no fim da tarde direto para a redação do "Diário Carioca", próximo à Praça Mauá.

Minha nuvem continuava me levando para novos céus. Vida e emprego arrumados. Ficaria na casa do Fernando até alugar um apartamento. E na editoria política do "Diário Carioca", pelas mãos amigas de Josimar Moreira que trocara a direção da "Última Hora" de São Paulo pela do "Diário", de Mauritônio Meira, superintendente do jornal e de Fernando Leite Mendes, editor político. Falaram com o Dr. Prudente que aprovou.

Peguei o telefone com a alma na mão. Quem sabia que eu estava ali? Só uma namorada, a quem eu telefonara de tarde:

— Fui dormir havia pouco, tive um pesadelo horrível. Um carro virado na beira da estrada e uma mulher sangrando e me dizendo:
— Chame o Sebastião.

Nunca acreditei em sonhos nem lhes dei importância. Mas aquele incomodou, porque ela conhecia a minha gente. Como toda noite, Dr. Prudente, Josimar, Mauritônio, Fernando e Amílcar de Castro fecharam a primeira página e saíram juntos.

E eu com eles. No barzinho atrás do DC, Dr. Prudente tomou seus dois chopes antes de pegar o táxi para o Méier, onde morava. Josimar estava no hotel São Francisco, ali perto. Os outros iríamos para a Zona Sul. Dr. Prudente se lembrou:

— Deputado, algum problema com aquela mulher chorando?

— Não, Dr. Prudente. Foi só um sonho ruim, um pesadelo.

Na casa de Fernando, tomei um vinho e contei a Mariinha o estranho telefonema. Não gostou. Ela acreditava em sonhos:

— Vou levar o telefone para meu quarto. Se tocar, chamo você.

Seis da manhã, Mariinha bate na minha porta:

— Um radioamador do Méier quer falar com você.

Para mim, radioamador ou era catástrofe ou desgraça:

— O senhor é o deputado Nery? O professor Carlos Dubois, de Jaguaquara, manda lhe avisar para se comunicar urgente com sua família. Houve um acidente perto de Santo Antônio de Jesus.

— Como é que ele sabia que eu ia ser encontrado aqui?

— Seu irmão José deu o telefone.

Escondido em São Paulo, aquele era o único telefone que eu dei para me acharem.

Acidente em Santo Antônio só podia ser com Goretti, Madre Goretti, minha irmã, diretora do Colégio. Nós nos adorávamos. Jaguaquara ainda não tinha telefone domiciliar. Só nos postos.

Um sufoco falar. O desastre tinha sido em um ônibus que virou numa curva da serra entre Santo Amaro e Cachoeira, indo para Santo Antônio, às dez da noite de São João, exatamente na hora do fatídico telefonema. Levada para Salvador, meus pais e irmãos tinham ido para lá. Já a encontraram morta.

O enterro foi em Santo Antônio. Só consegui um avião para a tarde, descendo em Ilhéus. De lá, de carro. Cheguei a Santo Antônio, terminara o enterro.

Quando me viu, minha mãe me disse, lavada em lágrimas:

— Meu filho, ela morreu em seu lugar. Sempre temi essa notícia vinda de você. E vocês se pareciam tanto.

E o telefonema? Nunca mais falei "não acredito nisso".

Todas as vezes que passo por Santo Antônio e vou visitá-la, nunca encontrei seu túmulo sem flores. Flores do dia. A cidade a amava. E ama até hoje. Maria do Carmo Souza Nery, Maria Goretti Nery, Madre Goretti, nasceu em Jaguaquara em 18 de junho de 1935 e morreu em 24 de junho de 1965.

Pouco antes de morrer, me disse em carta: — "A vida só é vida quando se trabalha para viver no tempo e na eternidade".

* * *

Aquele segundo semestre de 65 foi frenético no Rio. Lacerda, no fim de uma administração brilhante e renovadora, tentou lançar para sucessor os engenheiros Cravo Peixoto ou Marcos Tamoio, secretários de Obras. No fim, optou pelo secretário de Educação e Cultura, o historiador e educador Flexa Ribeiro, diretor do Colégio Andrews, depois deputado federal.

A oposição, PSD-PTB-PSB, tinha um candidato natural, naquele começo de ditadura militar: o marechal Lott. O presidente Castelo Branco não deixou, porque nasceu em Sítio, Minas Gerais, hoje Antônio Carlos, embora passado a vida no Rio.

Vetado Lott, outro candidato natural: Hélio de Almeida, ex-presidente da UNE, ex-ministro de Viação e Obras Públicas de João Goulart e presidente do Clube de Engenharia. Castelo, o democrata fraudulento, usando o Ato Institucional nº 1, proibiu a candidatura de quem tivesse sido ministro de tal data a tal data.

Só havia um: Hélio de Almeida. Também vetado. A oposição deu um golpe no Corcunda da Notre-Ceará: lançou Negrão de Lima, padrinho de casamento dele, casado em Minas.

O "Diário Carioca", que durante décadas foi a trincheira de um dos maiores jornalistas do país, JE de Macedo Soares, em 65 pertencia ao empresário Horácio de Carvalho, casado com a bela e charmosa francesa Lily de Carvalho, depois Lily Marinho, então dono da Mina de Morro Velho, em Minas.

Dirigido por um "revolucionário" de papo amarelo, o Dr. Prudente, o jornal apoiou Negrão e o Josimar me escalou para cobrir o comitê da campanha, cujo marqueteiro era o saudoso Augusto Vilas-Boas. Para um cassado, era o mínimo de vingança.

E veio a tragédia. Como todas as noites, fechada a edição à meia--noite, saímos, o Dr. Prudente, Josimar, Mauritônio, Fernando, Amílcar e eu. Mais uma vez chamamos Josimar para um chope atrás do jornal. Estava cansado, ia para o hotel São Francisco, na esquina de Inhaúma, do outro lado da Rio Branco.

A Rio Branco estava deserta. Só um carro ou outro passando. Nos despedimos dele, que ia atravessar a rua, entramos no barzinho e ouvimos a freada bruta, a batida e o tombo seco. Corremos. Só podia ser Josimar. E era. O carro preto da presidência da Câmara dos Deputados, na época o mineiro Bilac Pinto que não estava no carro, o despedaçara no atropelamento.

Impossível esquecer o pedido dramático do filho, um garoto, no cemitério, despedindo-se dele, beijando-o, na hora do enterro:

— Não vá, meu pai. Não vá. Não me deixe. Fique comigo.

A redação inteira chorava.

* * *

Poucos dias depois, o Jairo, que substituiu o Josimar no comando da redação, me chamou à sua mesa, na ponta da sala:

— Nery, chegou uma notícia chata aqui com você.

O coração disparou. Mais uma, meu Deus?

— Que notícia? Conte logo, por favor.

— Calma, sente-se, você está branco. É de São Paulo. Um cara matou a mulher a facadas e disse à polícia que ela o traiu com você. A "Folha" e o "Estadão" querem confirmar. Mas só vão publicar depois de conversarem com você.

— Já sei. Só podem ser o Zequinha e a doce e bela bailarina.

— É isso mesmo. Um tal de Zequinha, baiano, atropelado que você internou em um Pronto-Socorro. Anteontem, ele saiu e matou uma bailarina a facadas, porque ela disse que amava você.

— O pior, Jairo, é que é verdade.

— O que é que você vai fazer?

— Ligar para meus amigos da "Folha" e do "Estadão", contar o que houve e pedir para não publicarem meu nome.

Nem a "Folha" nem o "Estado" me citaram. Outros jornais publicaram. Zequinha cumpriu mais de 20 anos de cadeia. Fui duas vezes visitá-lo no presídio Tiradentes. Ele me confirmou que ela realmente tinha dito. Queria separar-se, ele não aceitou e ela disse que não continuaria com ele, até porque me amava.

Quando saí de São Paulo, combinei com ela que não nos telefonaríamos. Cumprimos. Era o preço do pecado.

Ele deixou a cadeia, voltou para a Bahia, morreu há pouco.

* * *

Negrão ganhou na Guanabara, Israel Pinheiro em Minas. Exilado em Paris, Juscelino amanheceu no Rio. Foi preso e humilhado. A linha-dura militar liderada por Lacerda não queria permitir a posse dos dois.

Milton Campos, ministro da Justiça, demitiu-se substituído por Juracy, embaixador em Washington.

Chegou à embaixada o telegrama de Castelo Branco chamando Juracy para assumir o Ministério da Justiça. Havia um grupo de jornalistas brasileiros visitando Washington. Correram à embaixada para entrevistar o novo ministro.

Telegrama na mão, Juracy parecia menino de sapato novo. Mostrava o telegrama a todo mundo e cada um foi obrigado a ler em voz alta, "para sentir a importância do momento". Chega o fotógrafo. Juracy ia deixar seu retrato para a galeria dos embaixadores. Começou a angústia. Como fazer a foto? Ele queria uma pose nunca dantes posada. O fotógrafo sugeria:

— Com a mão no peito, embaixador.

— Não. Napoleão já tirou assim.

— Então, com a mão no bolso.

— Não quero. Olhe a foto do Joaquim Nabuco. Está exatamente com a mão no bolso.

— De braços estendidos.

— Também não. O Amaral Peixoto, que está li na ponta, já tirou com os braços estendidos.

— Então, sem nada. O rosto só, embaixador.

— E você pensa que meu rosto é nada?

O fotógrafo calou, bateu, saiu. Juracy está lá, na galeria dos ex-embaixadores. A foto do nada.

* * *

Voltando de Washington, onde se dizia "embaixador da Revolução" nos Estados Unidos, Juracy, numa solenidade no hotel Glória, fez a frase famosa e sabuja:

— "O que é bom para os Estados Unidos é bom para o Brasil".

Eu estava lá. O "Diário Carioca" deu em manchete.

Agora, ministro de Castelo, Juracy era o homem certo na hora certíssima. Ex-presidente da UDN, vinha para matar a UDN.

Juracy assumiu e, com o jurista udenista Nehemias Gueiros, prepararam o AI-2, acabando com os partidos, a eleição direta, pondo mais 5 paus-mandados no Supremo Tribunal e reabrindo as cassações. Castelo, que havia fuzilado a candidatura de JK em junho de 64, fuzilou a de Lacerda em outubro de 65.

* * *

Alegria de pobre dura pouco. Em 31 de dezembro, o "Diário Carioca" fechou por falta de dinheiro. Estava desempregado.

Passei o *Réveillon* feliz. Desempregado, mas livre. No dia seguinte, o Fernando Leite Mendes, que fazia na TV Globo um programa semanal de variedades com o Carlos Martins, filho do Justino Martins, me levou para almoçar lá. A Globo nascia na Pacheco Leão, dirigida por Mauro Salles e Rubens Amaral e o jornalismo sob o comando de Reinaldo Jardim, que só conhecia de sua barba, seus poemas, sua revolucionária poesia concreta.

Reinaldo não sabia nem perguntou quem era aquele apêndice ali na mesa, eu, almoçando a generosidade do doutor Roberto Marinho. Ele fazia comentários sobre jornais e lamentou o fechamento do "Diário Carioca", o mais moderno da imprensa, com sua primeira página desenhada por Amílcar de Castro, o texto enxuto, aberto com os *leads* ensinados por Pompeu de Sousa.

E elogiou umas matérias políticas publicadas nas últimas edições. Fiquei calado, mas ri.

— Riu por quê?

— Porque gostei do elogio. Os textos são meus.

— Seus? Ótimo. Agora que o jornal fechou, trabalha onde?

— Em lugar nenhum. Estou desempregado.

— Se quiser trabalhar, já está empregado. Preciso de um repórter, redator, editor, um faz-tudo para nosso setor de política.

— Quando é que começo?

— Hoje, agora mesmo. Vá conversar com o Jaime Dantas, nosso diretor de redação.

Gostei do redondo e simpático nordestino Jaime Dantas, que chegava de anos e anos nos Estados Unidos, trabalhando na "Time-Life". Fui para minha mesa. Primeiro dia do ano, o que estaria acontecendo? E qual era a linha do jornal da TV?

Liguei para Carlos Tavares, editor de "O Globo", que mal tinha conhecido nos meus poucos meses de "Diário Carioca". Quem é bom nasce feito. Carlos Tavares foi de exemplar solidariedade. Me ensinou logo o caminho da mina:

— Leia "O Globo" toda manhã. Ele é a cabeça de Doutor Roberto. A TV não tem posições. As posições da TV são as do "O Globo". Se tiver qualquer dúvida, ligue para mim. Estou aqui o dia todo. Hoje ainda não há nada. Ligue mais para o fim da tarde.

Liguei, o Tavares me deu a pauta. Escrevi os textos, levei ao Jaime Dantas. Daí a pouco, entra o Reinaldo Jardim na redação:

— O Jaime gostou muito de suas matérias. Como é que você sabe tudo isso, no primeiro dia do ano?

— Quem sabe não sou eu. É "O Globo". É o Carlos Tavares.

Revelei minha preciosa e poderosa fonte. Só no dia seguinte, segunda-feira, fui levado ao diretor Mauro Salles e à saudosa Tatiana Memória, chefe da administração e dos salários. Minha nuvem me carregava. Mais um dia e já conseguia um apartamento no Leblon, na boca do lobo: esquina de Ataulfo de Paiva com Aristides Espínola, em cima do "Diagonal", de frente para a "Pizzaria Guanabara" e para o "Real Astória". Deixei na portaria o cartão da "Globo" e meu nome-B: Augusto de Souza.

Não custava ter cuidados. Eu vivia uma situação dupla. Não era mais deputado mas ainda era. Já era cassado e ainda não era.

E de quando em quando pipocava um IPM, na Bahia, no Rio.

* * *

O senador Mem de Sá era um patrimônio dos maragatos gaúchos. Jornalista, revolucionário de 22, de 23, era chefe de redação do jornal "Estado do Rio Grande do Sul", órgão oficial do Partido Libertador, dirigido por Assis Brasil. Senador, (seu suplente era Daniel Krieger), Castelo o chamou para o Ministério da Justiça logo em janeiro de 66, em lugar de Juracy, que já havia feito seu papel sujo e agora era ministro do Exterior.

Dizia-se que Mem de Sá se negava a encaminhar as pilhas de cassações de mandatos de todo o país, deixadas prontas por Juracy. Fui conversar com ele para ver se arrancava alguma coisa.

Alto, magro, careca, narigudo, terno escuro, lenço branco dobrado no bolsinho do paletó, era a cara do intelectual:

— Meu jovem, sinto decepcioná-lo e à sua televisão. Essa coisa de cassação é do Conselho de Segurança Nacional. Eles preparam e encaminham para cá. Cabe ao ministro analisar e levar ao presidente. Mas são tantas, que as gavetas estão cheias.

— Há processos da Bahia?

— Há, de todos os Estados. O da Bahia até me chamou a atenção, porque percebi um empenho maior do ministro Juracy na cassação de um colega seu, jornalista e ex-deputado.

Aproveitei a chance para mostrar que não era questão de segurança nacional, mas de vingança pessoal, porque o jornalista havia denunciado, sem respostas, corrupções do governo dele.

O ministro fez algumas perguntas sobre a política da Bahia e procurei traçar um quadro da disputa no Estado entre o PSD-PTB de Antônio Balbino e a UDN de Juracy. Mas a ação de Juracy contra o jornalista era também por ele ser de esquerda, socialista.

— Por que você conhece tão bem a Bahia e seu colega?

— Ministro, porque eu sou ele. Eu sou o Sebastião Nery.

Mem de Sá, todo elegante, levou um susto, levantou-se:

— Estou vendo que Juracy tem razão. Você é muito perigoso. Por isso, vou examinar seu processo com particular cuidado.

E nunca encaminhou minha cassação. Em junho, com a exigência de Castelo de cassar vários deputados do MDB na Assembleia gaúcha para garantir a escolha do governador Peracchi Barcelos contra o professor Cirne Lima, Mem de Sá largou o ministério, como Milton Campos havia deixado. Até fisicamente, no rosto, eles tinham alguma coisa em comum.

No lugar dele, Castelo pôs interinamente o baiano Luís Viana Filho, seu Chefe da Casa Civil, meu vizinho e amigo, em Salvador. E cassaram todos, inclusive o intrépido ex-governador udenista de Sergipe Seixas Dória, que passara algum tempo preso em Salvador e vários meses confinado em Fernando de Noronha.

No dia 4 de julho de 66, saíram vários listões de cassações de mandatos e direitos políticos. Um dos Decretos dizia:

"O presidente da República, ouvido o Conselho de Segurança Nacional e usando das atribuições que lhe confere o artigo 15 do Ato Institucional nº 2, de 27 de outubro de 1965, resolve suspender os direitos políticos, pelo prazo de 10 anos, de José Augusto de Araújo (Amazonas), Francisco de Assis Lemos de Souza (Paraíba), João Seixas Dória, Antonio Fernandes, Viana de Assis e Cleto Sampaio Maia (Sergipe), Afrânio Luiz Lyra, Aristeu Nogueira Campos, Ênio Mendes de Carvalho e Sebastião Augusto de Souza Nery (Bahia), Afonso Celso Nogueira Monteiro (Estado do Rio), Mauro Borges Teixeira (Goiás), Luiz Rodrigues Corvo, Ary Demóstenes de Almeida, Arthur José Poerner e Geraldo Silvino de Oliveira (Guanabara). Brasília, 4 de julho de 1968. Assinado: Castelo Branco e Luiz Viana Filho."

Não foi fácil. Eu não tinha dado moleza a eles. Para me cassarem, tiveram que me cassar três vezes.

* * *

Na manhã de 4 de julho, Seixas Dória encontrou, no aeroporto de Santos Dumont, no Rio, às 11 horas, uma roda de ex-companheiros dele na UDN e no Congresso Nacional: Juracy Magalhães, Luís Viana Filho, João Calmon, outros. Todos vieram abraçá-lo. Luís Viana foi simpático:

— Seixas, você está sumido. Onde andava?

— Pensei que você soubesse, Luís.

Luís Viana entendeu a ironia, calou. Juracy foi simpático:

— Seixas, estou com saudade de você. Nunca mais tive notícias. Onde é que anda? Recomendações a dona Mary.

Seixas foi para casa. No caminho, o rádio do carro dava a notícia da cassação de seu mandato e direitos políticos e dos de outros, os meus, inclusive, assinada naquela exata manhã, às 9 horas, no Palácio das Laranjeiras, no Rio, pelo presidente Castelo Branco e seus ministros, a começar pelos da Justiça e do Exterior.

O ministro da Justiça era Luís Viana, até então chefe da Casa Civil, que assumira na véspera exatamente para encaminhar os últimos processos de cassação que o ex-ministro Mem de Sá se negara a assinar. E o ministro do Exterior era Juracy Magalhães que, quando ministro da Justiça, antes de Mem de Sá, preparara e apressara os processos de cassação. Os dois haviam assinado a cassação de Seixas, a minha e as de tantos, duas horas antes do encontro no aeroporto. Seixas chegou em casa, chamou a mulher:

— Prepare-se, ponha um vestido novo, que hoje vamos jantar com vinho francês. Fui cassado. Agora, estou aliviado. Já estava me sentindo humilhado: todo mundo cassado e eu de fora.

* * *

Os IPMs (Inquéritos Policiais Militares), que preparavam as cassações, eram um processo macunaímico. Luís Viana já tinha feito seu serviço, voltou para a Casa Civil e Castelo nomeou ministro da Justiça o jurista e ministro do Supremo Tribunal Carlos Medeiros, coautor com Francisco Campos do AI-1.

Raimundo Eirado, o bravo baiano de minha cidade de Jaguaquara, foi presidente da União Nacional dos Estudantes de 58 a 60, no governo de Juscelino. Nunca a UNE foi tão influente e poderosa. O vice era o ministro Sepúlveda Pertence. Nenhum dos dois comunista, mas apoiados também pelos comunistas.

No golpe de 64, os militares abriram o IPM da UNE, a partir de 58. O presidente e o vice da UNE já eram José Serra e Marcelo Cerqueira. Havia quatro anos Eirado e Pertence tinham deixado a Faculdade e eram procuradores. Mas o IPM começava com eles. Eirado procurou seu colega e amigo de faculdade, o solidário Carlinhos Medeiros, filho de Carlos Medeiros, coautor com Chico Campos do Ato Institucional número 1, para pedir ao pai que o tirasse do IPM. Uma semana depois, disse ao filho:

— Não há como ajudar seu amigo. É impossível tirá-lo do IPM. A capa do inquérito é assim: — "Raimundo Emanuel Bastos do Eirado Silva e Outros". Se tirar o nome dele, o IPM fica ... "E outros". Não pode ser. Não posso tirá-lo.

Depois, a justiça tirou todos.

* * *

A "TV Globo" estava engatinhando. Criada em abril de 65, começou realmente a funcionar em setembro. Em janeiro, tinha três meses de vida útil. A redação era uma salinha com oito jornalistas: Jaime Dantas, Newton Carlos, José Ramos Tinhorão, Tarcísio Holanda, Lincoln Brun, Luís Augusto, o "Manchinha" de Goiás, Odacy, Isabel, a Bebel (teatróloga de "As Moças"). E eu.

Fazíamos principalmente o jornal das 20 horas, o "Ultra-Notícias", com esse nome horroroso por causa do patrocinador, o "Grupo Ultra". Todo mundo era contra, exceto o Viotti, da agência de propaganda que tinha a conta do "Grupo Ultra".

Mas logo chegou o furacão Walter Clark como diretor-geral da TV, levando sua turma, principalmente o Arce no Comercial e o Armando Nogueira no Jornalismo, e muitos outros. Reinaldo Jardim foi dirigir a Rádio Mundial, que Roberto Marinho havia comprado de Alziro Zarur. O super Boni chegou depois, no fim do ano, e fez sua revolução, com o "padrão Globo de qualidade". Armando Nogueira, texto enxuto, leve e farfalhante como as matas de sua Xapuri, começou por onde tinha que começar. Mudou o nome do jornal para o óbvio "Jornal da Globo". Em 72, criou o "Jornal Nacional" e jogou o "Jornal da Globo" para a noite.

* * *

Os locutores eram duas duplas inesquecíveis: os veteranos Luís Jatobá e Hilton Gomes, e Iris Littieri e Irene Ravache, as duas primeiras locutoras da televisão brasileira. Iris e Irene continuam aí, luminosas e eternas, nos aeroportos e nos palcos.

Jatobá era "a voz de Hollywood". A outra era Sinatra.

Hilton, humanista, espírita militante, brigava com as palavras. No levante negro que incendiou Chicago, contra o brutal assassinato racista de dois negros, fiz o texto. Começava assim:

— Os negros de Chicago se rebelaram...

No ar, o Hilton engasgou e consertou:

— Os lutadores pelos direitos humanos de Chicago se rebelaram.

Ele se negava a pronunciar a palavra "negros".

Armando ficou uma fera. Não adiantou. Hilton era um santo. Uma tarde, na redação, eu escrevia às pressas, como sempre, vi alguém sentar-se a meu lado. Continuei. Hilton gritou:

— Nery, respeite meu estojo corporal! Ele está aqui, a seu lado, e você continua escrevendo, indiferente a ele?

A NUVEM

Levantei-me. Pensaram que ia haver briga. Gritei também:

— Hilton, não vi você! Você acha que só você tem direito de ser maluco aqui dentro?

Ele me abraçou, às gargalhadas. Jatobá foi para os Estados Unidos, Hilton para o céu com seu estojo corporal e chegou a segunda geração: Cid Moreira, Sergio Chapelin, Leo Batista.

* * *

Antes de viajar, Jatobá me apresentou uma moça muito jovem, muito branquinha, meio gordinha, de meigos olhos claros:

— Ela vai fazer um estágio aqui com vocês. Cuidem dela.

Era tão discreta, tão simpática, tão competente, que foi ocupando espaços, e mais espaços, resolvendo qualquer problema, até que Alice Maria se tornou indispensável. Quando Armando Nogueira saiu, ela já comandava. Entrou Alberico Souza Cruz e saiu. Alice assumiu de vez o Jornalismo da Globo.

E fez da "GloboNews" a única TV assistível do país.

* * *

O jornalismo foi crescendo a galope. A redação se ampliando, os cinegrafistas se multiplicando. O Orlando Moreira, o Andrade, o Narvaez, punham aquelas máquinas muito pesadas no ombro e saíam para a rua com um repórter. Filmavam tudo. Walter Clark tinha uma visão perfeita de televisão. Inventou a "grade": uma novela, um jornal; outra novela, outro jornal. No fim do ano, São Pedro ajudou com uma desgraça: "Desabou sobre o Rio um dos mais calamitosos temporais de sua história, produzindo inundações e desmoronamentos de encostas. Houve muitos mortos, feridos e 200 mil desabrigados" (DHBB-FGV).

Walter e Armando puseram a TV o tempo inteiro no ar, dia e noite, a semana toda. Dormíamos lá mesmo, pelos cantos. O restaurante aberto o tempo todo. E os atores pedindo ajuda e solidariedade. O prédio da TV se transformou em um imenso depósito de alimentos, roupas e remédios distribuídos ali mesmo.

A audiência disparou. Bem depois das enchentes, um dia, apareceu no jornalismo Doutor Roberto, como todos o chamávamos. Vinha agradecer porque, pela primeira vez, a TV Globo ganhava das outras (TV Tupi, Excelsior, Rio) no Ibope. E sobretudo o "Jornal da Globo" passava o "Repórter Esso".

* * *

No Carnaval, Walter Clark criou as "globetes", locutoras, apresentadoras, atrizes, acompanhadas dos cinegrafistas, cobrindo os grandes bailes da cidade. Aconteceram dois desastres. No Quitandinha, lá de cima da janela, uma delas, microfone na mão:

— É um absurdo, caros telespectadores! Estão pisando e devastando os maravilhosos jardins do Quitandinha. Vejam lá a barbaridade. Senhoras da sociedade trepando na grama!

Nós, na redação, rindo. Toca o telefone, era Doutor Roberto:

— Tirem essa vaca do ar! Vai desmoralizar minha televisão.

No baile do Copacabana Palace, pior. Uma jovem atriz já bem conhecida estava com Hilton Gomes, entrevistando pessoas. De repente, esquece que a filmadora estava ligada e pede socorro:

— Hilton, pelo amor de Deus. Segura aí um pouco este microfone, que eu vou ali dar uma mijadinha.

Toda a cidade viu e ouviu. Doutor Roberto também.

* * *

Fizemos coisas beneméritas. A TV lançou a campanha para a cidade eleger a melhor música do Carnaval do ano. Eram entrevistas na rua e votos diretos, ao vivo. Todo dia aparecia o Zé Kéti, com sua cara de Amigo da Onça, seu chapéu e sua simpatia:

— Vim caitituar minha música. Vocês precisam me ajudar.

E cantava seu magnífico: "Palhaços": — "Quanto riso, oh, quanta alegria! Mais de mil palhaços no salão! Pierrot está chorando pelo amor da Colombina, no meio da multidão"!

Era de fato a mais bela música daquele Carnaval. E Zé Kéti, um charme de modéstia. Lincoln, Luís Augusto e eu armamos um plano secreto. A grande maioria das pessoas ainda não tinha uma música escolhida. Eles dois e mais dois repórteres sairiam pelas ruas com os cinegrafistas e, antes de entrevistarem, perguntavam se a pessoa já tinha escolhido a melhor música do Carnaval.

Como não tinham, vinha a jogada certa:

— Você conhece a música do Zé Kéti, "Palhaços"? É aquela que começa assim: — "Quanto riso, oh, quanta alegria! Mais de mil palhaços no salão". É a mais bonita do Carnaval. Vote nela.

Era voto certo. Daí a pouco Zé Kéti estava ganhando longe.

Ganhou na Globo, nas outras TVs e rádios e no Prêmio Oficial.

* * *

Em política eu pisava em ovos. Ainda não havia a censura escancarada. Mas a ditadura vivia de olho nas TVs. O noticiário político era responsabilidade minha. Se avançasse o sinal dançaria. Antes do famoso congresso da UNE em Ibiúna, de outubro de 1968, quando prenderam centenas, houve o de 1966, em um convento no Carlos Prates, em Belo Horizonte. Eu conhecia bem os padres de lá. Quando o congresso acabou e todo mundo já tinha ido embora, um padre me ligou e contou tudo.

Dei a notícia, seca mas completa, porque era desmoralizante para o SNI e todos os serviços secretos do governo. Foi um escândalo. O governo queria saber como eu tinha obtido a informação. Armando Nogueira foi corretíssimo. A ele contei e disse que jamais daria o nome do padre amigo meu. Minha versão é que foi alguém que eu não conhecia, pelo telefone. Ele me disse que a posição correta era essa: não revelar a fonte e enfrentar.

A Polícia Federal foi lá, tentou me apertar, mas eu já era macaco velho de outros interrogatórios, não revelei nada.

A TV era uma experiência nova, envolvente, estimulante. Mas não era minha praia. Eu queria mesmo era escrever em jornal ou revista. Já tinha avisado: no dia em que pudesse, ia embora.

* * *

A ditadura não sabia o que fazer naquele segundo semestre de 68. Os intelectuais, os estudantes, os cavalos do Exército e da Polícia Militar e os primeiros cadáveres estavam nas ruas. A TV era uma escuderia para quem ainda respondia a vários IPMs. Mas eu queria, precisava escrever em jornal e, cassado, não podia.

Todas as manhãs, ia ao centro e passava em escritórios de amigos para saber de alguma novidade. Subi ao de José Aparecido de Oliveira, no edifício Avenida Central. Estava lá com ele o príncipe do livro no Brasil, Ênio Silveira. E entra, barbudo, apressado, falando encachoeirado, Hélio Fernandes.

Eu o lia de muitos e muitos anos, no "Diário de Notícias" e agora na "Tribuna da Imprensa". Ele não me conhecia. Foi direto:

— Sebastião Nery, li seu livro "Sepulcro Caiado, o Verdadeiro Juracy". Bom e bem escrito. Dei até uma nota na "Tribuna". Por que você não escreve na "Tribuna"?

— Hélio, li sua nota, fiquei contente e agradeço muito. Quanto a escrever na "Tribuna", sou nordestino de Jaguaquara, na Bahia. Lá na minha terra a gente só entra na casa dos outros convidado. Não escrevo porque você nunca me convidou.

— Pois está convidado. Quando quer começar?

— Hoje. Quanto você me paga?

— Nada. A "Tribuna" não tem dinheiro para um profissional como você. Mas tem toda a liberdade que você quiser usar.

Comece no dia em que quiser.

Despedi-me, fui para a Rua do Lavradio, apresentei-me ao chefe da redação, o baiano Hélio Ribeiro, peguei uma máquina e fiz a primeira coluna. Escrevia todos os dias sem cobrar ou receber um tostão. Não era um emprego. Era uma tribuna contra a ditadura.

Exceto quando a ditadura me impediu, como impediu Paulo Francis, Oliveira Bastos, Evaldo Diniz, Genival Rabelo, Monserrat, tantos, e os cinco anos na "Última Hora" (de 78 a 83), escrevi mais de 30 anos na "Tribuna" todos os dias, até 2008 e a partir daí três vezes por semana, até o jornal fechar este ano.

Sou testemunha diária da bravura de Hélio Fernandes. Comecei em agosto, em dezembro veio o AI-5 e a ditadura virou uma bomba de Hiroshima: queria matar o país de uma vez.

Enfiaram um major na redação, que lia tudo, vetava tudo, queria cortar tudo. E Hélio brigando, resistindo, sendo preso, confinado e depois o jornal explodido por uma bomba na madrugada.

Quando ele chegou do confinamento em Fernando de Noronha, Pirassununga e etc., eu estava no aeroporto Santos Dumont. Só a família podia entrar. Forcei e entrei também. Os militares ameaçavam: — Se ele voltar a escrever, vai de novo.

Hélio voltou a escrever, sempre, até hoje, já o jornal *on-line*.

No dia 13 de maio de 71, ele me mandou este bilhete, batido na redação, em lauda do jornal:

— "Sebastião Nery, meu abraço.

Sua coluna de hoje só não é a melhor que você já fez, pois você tem feito tantas excelentes que seria quase impossível a classificação. Mas a de hoje é genial.

Lúcida, limpa, magnificamente bem escrita, desassombrada, com aquele tom que só os grandes jornalistas realmente conseguem. E, infelizmente, grandes jornalistas é precisamente o que está faltando ao jornalismo brasileiro.

São raros os que sabem escrever. Mais raros ainda os que têm alguma coisa a dizer. E pouquíssimos os que têm coragem de dizer o que sabem. Você, para honra nossa, reúne as três coisas: sabe escrever, tem o que dizer, e o que diz daquela forma corajosa que apavora os que têm medo da liberdade.

Meu abraço de admirador profissional e de amigo,

Hélio Fernandes".

Dias depois, recebi de Ênio Silveira, o valente editor da liberdade, uma carta propondo um livro de minhas crônicas:

— "Tenho lido com a maior constância e crescente admiração sua brilhante e corajosa coluna nas páginas da não menos corajosa e brilhante TRIBUNA DA IMPRENSA, onde o nosso Hélio, barbas ao vento como um profeta iracundo, faz desabar sobre os adoradores do bezerro de ouro o peso de seus anátemas candentes.

Lê-lo e admirá-lo estimula não apenas o sofrido cidadão democrático que eu sou, mas também o editor que não perde oportunidade para ajudar a causa da restauração democrática...

Um abraço do Ênio Silveira".

Fui conversar com o Ênio, agradecer-lhe a carta e combinei organizar uma seleção da minhas colunas para ele publicar em livro. Mas logo fui também para o "Correio da Manhã", me envolvi na tarefa estafante do "Política", fui adiando o livro para o Ênio, viajei para a Europa, lancei o "Socialismo com Liberdade" pela "Editora Paz e Terra" do Fernando Gasparian e acabei cometendo um dos mais crassos erros de minha vida profissional: fiquei sem meu livro pela "Civilização Brasileira".

Muitas vezes conversei com o Ênio, ele entendia meu excesso de trabalho e falta de tempo. Mas nunca me perdoei.

* * *

Um dos maiores empulhamentos que se tentou criar, no Brasil, é a versão de que quem mais sofreu com a censura e resistiu foram os jornalões e a revistonas. Uma fraude, uma farsa. Falsos heróis continuam falando de uma valentia que não tiveram. Negociavam com os militares no escurinho do cinema.

Em alguns raros dias, como a noite do AI-5, de fato todas as redações foram pressionadas pessoalmente por militares. Mas logo iam embora e a censura era feita pelo telefone, entre amigos.

Censura mesmo sofreu a "Tribuna", porque se rebelava, resistia, denunciava as torturas, publicava as notícias de assassinatos.

Quando surgiram o "Pasquim", "Política" e "Opinião", todos eles foram também diretamente censurados. Tínhamos que entregar tudo antes para ser censurado em Brasília. Mas os "jornalões", não. Nunca tiveram de mandar edições para Brasília.

* * *

Continuei algum tempo na "Globo" e na "Tribuna". A TV era um pararaio contra o AI-5 e meus IPMs. A "Tribuna", uma baladeira palestina contra os tanques do fim do governo Costa e Silva, da Junta Militar dos "Três Patetas" e do governo Médici.

Reinaldo Jardim havia ido para o "Correio da Manhã" e me chamou. Fui. Deixei a "Globo" para ganhar menos. Mas ia escrever. Participava, com notas políticas, de um "Colunão" de duas páginas. O Teixeirinha, inesquecível amigo e gênio da raça, dirigia um "Caderno de Domingo", de grandes reportagens.

Fiz uma sobre a "Fundação Getúlio Vargas, a República do Economês", contando pela primeira vez a misteriosa história do tcheco Alexandre Kafka, que estudou na Inglaterra, veio para o Brasil, participou com Simões Lopes dos primeiros tempos da Fundação Getúlio Vargas e durante longos anos representou o Brasil, como diretor, no Fundo Monetário Internacional.

Recebi cumprimentos da direção do "Correio". Teixeirinha pediu logo outra, que "também incomodasse": — "Escola Superior de Guerra, a Lagosta do Poder — Todo poder emana de lá".

Novamente recebi aplausos e parabéns da direção. Mas os militares se sentiram incomodados, alguns indignados, porque descobriram que eu me baseara em várias atas secretas de reuniões da "ESG". Não podiam desmenti-las. Elas me foram dadas, sob compromisso de silêncio, por um militar acima de qualquer suspeita, o coronel e ministro Mario David Andreazza.

Exigiram minha demissão. O diretor, Gustavo Magalhães, filho de Agamenon Magalhães, não concordou. A responsabilidade era da direção do jornal, que não só publicara, como me cumprimentara pela pesquisa, pelo texto e pelo furo.

O jornal tinha donos. Acabava de ser arrendado da brava Niomar Moniz Sodré, exilada em Paris, pelos irmãos Alencar (Maurício, Marcelo e Vitor), da empreiteira "Metropolitana".

Não demitiram só a mim. Demitiram o Teixeirinha também. E o "Caderno de Domingo", que não saiu mais.

Os Alencar não faziam jornal, faziam dinheiro. Dobraram-se e me demitiram. Tinham assumido o "Correio" para investirem na candidatura de Andreazza como sucessor de Costa e Silva. Mas o general teve um derrame e morreu, a candidatura de Andreazza foi adiada, vieram a Junta Militar e Médici, a "Metropolitana" faliu e o "Correio da Manhã" fechou. Era tempo da novela "Os Irmãos Coragem". Escrevi na "Tribuna": "Os Irmãos Bobagem".

Minha mãe, batendo um punho fechado no outro, me dizia:

— Meu filho, não tope nunca. Ou passe por cima vitorioso ou por baixo humilde.

Em política e jornal, nunca consegui obedecer à minha mãe. Topei sempre. A terceira matéria, que Teixeirinha adorou, seria:

— "SNI — O olho da CIA".

27
"POLÍTIKA"

OLIVEIRA BASTOS, O MAIS CULTO DOS MARANHENSES DESDE JOÃO Francisco Lisboa e um dos melhores textos do país, saudoso companheiro também com uma coluna diária na "Tribuna da Imprensa", soube que eu tinha saído do "Correio da Manhã":

— Nery, vamos fazer um jornal juntos? Um semanário. Já tenho até o título: — "Ócio e Negócio". Você cuida do "Ócio", eu fico com o "Negócio".

— Topo o jornal, mas também já tenho título: "Política".

Era o que eu queria: jornal e política. Fazia isso na "Tribuna", mas, encurralada pela ditadura, sem publicidade, a "Tribuna" não tinha como me pagar. Fora do "Correio", eu estava fazendo propaganda: textos para a "Rio-Publicidade", a MPM e a "Posto de Serviço", pequena agência e editora que Fernando Leite Mendes, José Pontes Vieira (ex-deputado do PSD de Pernambuco e ex-líder de JK), Stefan Tomicic e eu fundamos.

O primeiro anúncio do metrô do Rio, cuja construção Negrão de Lima iniciou, foi nosso (escrevi). Começava assim:

— "De tijolo em tijolo se faz uma casa. De pedra em pedra uma catedral. De metro em metro um metrô".

O do "Trevo dos Estudantes", diante do aeroporto Santos Dumont, também foi nosso, meu:

— "História de um Certo Trevo que Nasceu no Aeroporto.

Era uma vez uma cidade muito bonita.
De tão bonita chamaram cidade maravilhosa.

Mas tinha uma sala-de-visita feia e enganadora.
Muita gente morreu antes de poder
ver a beleza da cidade bonita.
Porque o caminho de chegar não era caminho de entrar.
E às vezes era caminho de morrer.
Um dia plantaram um trevo na sala-de-visita
da cidade bonita.
Trevo é flor.
Nasceu beleza na
sala-de-visita da cidade bonita".

Lançamos as revistas "PS-Posto de Serviço", durante anos distribuí-da nos postos de gasolina, e "T-Revista Brasileira de Turismo", criadas pelo talento gráfico de Reinaldo Jardim.

E publicamos "Quanto custou Brasília" ("Editora Posto de Serviço", Rio, 1970), de Maurício Waissmann, editor político do "Diário de Notícias", primeira pesquisa, isenta e independente, sobre o custo da capital. Não foi o que diziam.

* * *

O que eu queria mesmo era um jornal de oposição. Difícil, mas possível. Oliveira tivera alguma intimidade com o governo Castelo Branco, porque trabalhou com Roberto Campos, ministro do Planejamento. O talento de Roberto Campos o escolheu para "*ghost-writer*" (escritor-fantasma). Oliveira escrevia os artigos e conferências do ministro. Alguns livros dele, artigos e conferências ("A Técnica e o Riso", "Ensaios Imprudentes" etc.), são dos dois.

Mas não tinha jogo com o governo Médici. E isso era fundamental. Manteve muitos amigos intelectuais de quando trabalhou com Anísio Teixeira e vários empresários nacionais.

— Vamos chamar o Adirson de Barros, que tem ligações militares. Assim não vão pensar que é um jornal contra eles.

Concordei. Adirson aceitou. Será que a ditadura iria tolerar um semanário de política? A "Tribuna" sofria uma censura cruel, de plantão dentro da redação. O cáustico humor do "Pasquim" tinha que ir toda semana para ser aprovado ou vetado em Brasília. Para testar, pedimos ao Zózimo uma nota na coluna dele.

A Polícia Federal foi me buscar na "Tribuna". O general Jaime Freitas, superintendente no Rio, ficava na Rua da Assembleia. Começou lembrando que eu era cassado, não podia dirigir jornal. E muito menos logo um jornal sobre "política".

Lembrei-me do jornal de Tito, na Iugoslávia, "Polítika":

— General, não vamos tratar da política dos políticos, do dia-a-dia, dessa intrigalhada. A nossa será política com "k": "Polítika". Como os gregos entendiam e ensinaram. Vamos tratar da teoria.

— Tudo bem. Se não for verdade, fecho no primeiro número.

Começamos a conquistar aliados. Philomena Gebran, minha mulher, brilhante intelectual de formação francesa, com cursos e mestrados em História da Arte e em Antropologia na Sorbonne, aluna de Lévy-Strauss e Fernand Braudel, e professora titular da Universidade Federal do Rio de Janeiro, ficou com o setor cultural e artístico do jornal. E diretora da Editora:

"Edi-Tora Ltda": Diretora, Philomena Gebran.

Diretores: Oliveira Bastos, Sebastião Nery, Adirson de Barros. Editor: Jorge França. Editor-Assistente: Mury Lídia. Arte: Antônio Calegari. Humor: Fritz. Diretor Comercial: Epitácio Caó. Gerente: Eneas Resque. Publicidade: Norma Blum e Eurico Furtado. Relações Públicas: Wilson Alves.

Composição e Impressão: Gráfica "Jornal do Comércio".

Distribuição: Distribuidora Dijolir (mesma do "Pasquim"). A partir do número 35, junho de 72, passamos a ser distribuídos por "Fernando Chinaglia Distribuidora", a maior do país.

* * *

Jogamos de surpresa nas bancas no dia 22-28 de outubro de 1971. Foi um susto. Era um jornal bonito e denso. E corajoso. Antônio Calegari, paranaense desembarcado no Rio, hoje editor do "Jornal do Comércio", era e é um magnífico artista gráfico. Criou um tabloide de 24 páginas, graficamente impecável, sem comparação na praça, todas as páginas desenhadas, diagramadas. Moderno, farta ilustração em fotos e desenhos, surgiu e pegou.

Driblando ou sofrendo todas as censuras e pressões, o jornal atravessou o governo Médici: de 22 de outubro de 1971 a 8 de abril de 1974: 123 semanas, sem falhar uma só. Só parou, e era a um compromisso nosso com ele, quando o batalhador e solidário Fernando Gasparian lançou e consolidou seu "Opinião".

A primeira página do número 1 já dizia o que seria o jornal: sério e independente. No alto, bem forte, "POLÍTIKA" .

Logo abaixo: — "Um Jornal Sem Preconceito".

Embaixo, no rodapé: Oliveira Bastos — Sebastião Nery — Adirson de Barros — Hélio Duque. E quatro grandes chamadas:

1. "A NOTÍCIA VEIO DE MONTEVIDÉU: — "MORREU OSCAR PEDROSO HORTA". Não era ele, era Siqueira Campos, com a carteira de identidade dele" (Sebastião Nery, págs. 19, 20 e 21).

2. "Direita Inventou Esquerda" (Adirson, págs. 2, 3, 4, 5).

3. "Testamento Político de San Thiago Dantas" (Santana Júnior, pseudônimo de Oliveira Bastos, págs. 8, 9 e 10).

4. "Ricos Queriam Marines" (Oliveira, págs. 14, 15, 16)
E mais: Hélio Duque: — "Intelectual – Subdesenvolvimento e Política" (pág. 22). "Folklore Político" (Sebastião Nery, pág. 7).
"Bacia das Almas", colunão cooperativo de notas (págs. 12 e 13).

* * *

Naquele dia de 1971, na Rua Bela Cintra, nos Jardins, em São Paulo, na casa de Oscar Pedroso Horta, cujo número era o mesmo do seu telefone e do seu carro, almocei com José Aparecido, Roberto Cardoso Alves e Luiz Carlos Santos.

Alto, sereno, já doente, mas ainda lúcido e atuante líder do MDB na Câmara Federal, sentado em sua cadeira de vime, a piteira entre os dedos, olhar longe-claro pendurado entre a janela e o céu, cabelos brancos partidos à direita como nos filmes do tempo de sua história, já pisando inseguro o chão como quem se acostumou a andar caminhos minados, ao lado da urna marajoara que Ademar lhe dera de presente, ele contou ótimas histórias.

Foi advogado de Ademar de Barros quando ele fugiu para a Bolívia corrido pelos processos de Jânio. A coisa acabou no Supremo Tribunal, com a absolvição de Ademar.

A volta foi apoteótica. Ademar desceu em Congonhas nos braços dos correligionários. Pedroso, que o havia absolvido, nem conseguiu chegar perto. O cortejo seguiu para a catedral. Ademar entrou, subiu até o altar, sentou-se no trono do cardeal. Dom Carlos Carmelo saiu da sacristia, encontrou seu lugar ocupado, voltou. E Ademar, muito gordo e muito vermelho, escarrapachado na cadeira como um arcebispo medieval.

No dia seguinte, entra Ademar na casa de Pedroso:

— Meu caro, vim agradecer-lhe tudo o que você fez por mim. Devolhe minha liberdade, a alegria desta volta. Sei que jamais terei como pagar-lhe.

— Tem, sim, Ademar. Depois que os fenícios inventaram a moeda, acabou o problema de os amigos pagarem favores.

Mas história melhor, que nunca tinha sido publicada, eu guardei para o primeiro número do "Polítika":

— "Pombo Correio da Revolução de 30".

— "Eu me preocupava mais com as alunas da escola normal do que com os heróis nacionais. Gostava mesmo era de Filosofia e Literatura. Proust, Anatole, Taine, Cervantes, Balzac, Shaw eram meus ídolos. Mas, uma noite, na redação de "O Estado de S. Paulo", Júlio Mesquita Filho mandou me chamar:

— Sabe quem está aí na outra sala?

— Quem é?

— O Siqueira Campos, cercado pela polícia, atirou em um investigador que está à morte, fugiu e veio para cá. Você pode escondê-lo em casa?

— Posso.

Aí começou tudo, até hoje.

Os pontos básicos da conspiração eram o Rio Grande do Sul, onde estavam Getúlio, Oswaldo Aranha, João Alberto, Miguel Costa e Estilac Leal; o Nordeste, onde estava Juarez Távora; e Buenos Aires para onde tinha ido, depois da Coluna Prestes, o comandante Luís Carlos Prestes. Um dia, Siqueira Campos me chamou:

— É preciso renovar os códigos de conspiração entre nós e Prestes, trazer de Buenos Aires um aparelho de rádio mais possante e levar para Prestes uma série de mapas para ele organizar os planos do levante. Mas não esqueça: são mapas de guerra, privativos das Forças Armadas. Você vai cometer um crime de alta traição à Pátria. Topa?

— Topo.

De manhã cedo, peguei um hidroavião da NIRBA, numa praia de Santos, cheguei a Porto Alegre ao anoitecer, dormi, saí novamente de manhã, almocei em Montevidéu e à noite estava em Buenos Aires com aquele rolo imenso de mapas debaixo do braço. Siqueira Campos me prevenira contra os serviços de espionagem do governo brasileiro na Argentina. Fui para o hotel combinado, de lá, no dia seguinte, procuraria Luís Carlos Prestes.

De repente, mal eu chegava, aparece no hotel um homenzinho muito magro e feio, calçado de botinas de elástico:

— Sou o comandante Luís Carlos Prestes.

Percebi logo que era um agente da polícia brasileira.

— O senhor não é o Oscar Pedroso Horta?

— Sou.

— Não trouxe uma encomenda de São Paulo para mim?

— Não o conheço. Estou aqui a negócios, não trouxe nada.

O homenzinho muito magro e feio foi embora. Tratei logo de trocar de hotel. Peguei o táxi e fui ao endereço de Luís Carlos Prestes. Lá, para espanto meu, encontrei exatamente o homenzinho muito magro e feio.

Era ele mesmo. Elogiou meu comportamento, disse que Siqueira Campos o avisara por rádio de minha chegada e ficou espantado quando lhe entreguei os mapas:

— Foi uma loucura trazer esses mapas na mão. Não voltará mais de avião, e sim de navio. Tem dinheiro?

— Tenho para uma semana.

Me deu 2 mil pesos, recomendando que gastasse nas boates de Buenos Aires, missão que cumpri com o maior prazer. Dias depois, entregou-me passagem de um navio da Mala Real Inglesa, um rádio, uma série de códigos, e uma carta para Siqueira.

Desembarquei tranquilo em Santos. Quando Siqueira Campos abriu a carta, ficou perplexo. Luís Carlos Prestes dizia que nós estávamos sendo tapeados por Getúlio, então governador ("presidente") do Rio Grande, não ia haver revolução nenhuma. Ele ia largar tudo e fazer um movimento próprio, porque Getúlio estava negociando às escondidas com Washington Luís.

Siqueira Campos ficou desesperado, e depois do contato com Juarez Távora na Paraíba (quem foi ao Nordeste foi o Maurício Goulart), resolveu discutir o assunto pessoalmente com Prestes em Buenos Aires. Marcou encontro com João Alberto e Estilac Leal em Porto Alegre, e foram. Prestes tinha fundado em Buenos Aires a "Liga de Ação Revolucionária", de caráter marxista. E se propunha a retomar e realizar a conspiração que, segundo ele, "estava sendo traída por Getúlio".

Na volta, o avião em que vinham Siqueira Campos e João Alberto caiu em Montevidéu. Espantosamente, Siqueira, que era bom nadador, morreu. E João Alberto, que era pífio nadador, salvou-se. Inventaram uma série de histórias, mas foi tudo infâmia. João Alberto era de uma dedicação e fidelidade totais a Siqueira Campos.

— "Estou em São Paulo quando chega a notícia de que eu morrera em um desastre de avião. É que Siqueira Campos tinha viajado com minha carteira de identidade. A polícia começou a dar batidas e prender a todos. Ficamos desnorteados. O tempo estava quente para mim. Resolvi fugir com Nelson Tabajara de Oliveira, hoje mora no Rio, da maneira mais ridícula.

Fomos a Santos, entramos em um navio da Mala Real Inglesa (creio que o 'Almanzorra'), fomos ao comandante, declinamos nossas qualidades de estudantes e revolucionários e nos pusemos sob a proteção de S. Majestade Britânica. O comandante explicou que era um navio de passageiros, mas, condoído de nossa inexperiência, se dispôs a levar-nos gratuitamente a Montevidéu.

A NUVEM

De Montevidéu, o China, apelido do Nelson, foi a Buenos Aires falar com o Prestes. Achei que o negócio estava suficientemente perigoso e comprometido. Tínhamos que derrubar um governo forte, como o de Washington Luís, e ainda surgiam grupos e subdivisões. Não quis participar deles. No Brasil, o Partido Comunista ficou furioso com Prestes, acusou-o de divisionista, lacaio etc. Fiquei em Montevidéu.

Estávamos lá também os oficiais brasileiros do encouraçado São Paulo, exilados. Tinham alugado uma casa e comprado um ônibus, para rodar. Era colchão ao lado de colchão, no chão. Revezavam-se no sono e no volante. Cada um tinha o direito de dormir oito horas. Saíam uns, vinham outros. A renda do ônibus era entregue para manutenção da casa. O chefe do grupo era o hoje Almirante Augusto do Amaral Peixoto. Lembro-me do também agora almirante Mário Alves. Quando cheguei lá, todos os colchões estavam ocupados, nos três turnos. Não podia ser admitido. Um dos oficiais me chamou de lado:

— Talvez eu possa ajudar você. Sou gigolô da dona de um bordel. Ela pode hospedar você.

Fui para lá. Eram oito inquilinos, além da dona. Coloquei minha mala na sala de visitas, embaixo de um sofá forrado de veludo vermelho. Dormia, cada noite, com a porventura desocupada. Durante todo o tempo em que lá estive, nunca deixei de encontrar, pela manhã, um maço de cigarros e uma caixa de fósforos na beira da cama. Jamais ouvi de qualquer uma que fosse ela a autora do presente.

No almoço, formávamos uma família bem comportada: a cafetina numa cabeceira, eu na outra, quatro mulheres de um lado e quatro do outro. Eu procurava ganhar algum dinheiro, vendendo entradas de futebol no câmbio negro. Mas a polícia perseguia com grande ferocidade. Era um negócio nem próspero nem tranquilo.

Uma noite, aflito com meus infortúnios, fiz uma carta a Getúlio, presidente do Rio Grande, expondo minha miséria moral e absoluta carência de recursos, e pedindo que ele facilitasse meu retorno ao Brasil. Dez dias depois, recebi uma carta assinada por não sei quem e um cheque de 20 contos, uma fortuna.

Nessa noite, elas não funcionaram. Fechei o bordel, abri champanhas e todas as oito mulheres, mais a cafetina, me acompanharam até o navio, que zarpou à meia-noite.

Jamais voltei a Montevidéu. Jamais pude resgatar minha dívida de gratidão por aquelas nove mulheres que me tutelaram durante uma das fases mais difíceis de minha vida sempre alegre.

Desci no porto do Rio Grande, fui a Pelotas, atravessei a lagoa e desembarquei em Porto Alegre. Esperei o dia de audiência pública de Getúlio, me inseri na fila dos que pediam emprego, e, quando chegou minha vez, identifiquei-me. Ele me mandou entrar em uma sala contígua, onde estavam sua esposa e sua filha.

Riu muito, achava graças infinitas de meus infortúnios, percebi que estava se divertindo com minha lamentável história.

Getúlio explicou-me que a conspiração prosseguia e que eu devia secretariar o QG dos revolucionários, instalado em Porto Alegre. Oswaldo Aranha logo me aproximou dos outros. Deram-me documentos falsos de identidade, instalaram-me numa ótima pensão, onde moravam Estilac Leal e Miguel Costa. João Alberto estava constantemente lá, mas morava em outro local.

Começou então meu trabalho de conspirador profissional. Era tudo muito simples: criar cifras e códigos, decifrar as mensagens que chegavam. O pior era que os companheiros jogavam muitas pontas de cigarro no chão e eu tinha de limpar tudo, inclusive as privadas. Mas eu o fazia com o máximo de boa vontade e uma saudade infinita de São Paulo."

* * *

O "Polítika era assim. Cada número, uma matéria surpreendente ou um novo colaborador inesperado. No número 2, Maria da Conceição Tavares: — "O Brasil na Encruzilhada". O "Correio da Manhã" elogiou, mas não quis publicar. Publicamos.

NÚMERO 3 — MURILO MARROQUIM: "Duelo dos Capitães Prestes e Chateaubriand teve faca e insulto".

NÚMERO 4 — PAULO DE CASTRO: — "As Raízes do Caos — A Esquerda perdeu seus mitos e a Direita seus valores".

NÚMERO 5 — JOSÉ LEITE LOPES: "A Barreira Ideológica — Psiquiatria e Antipsiquiatria".

NÚMERO 6 — CARLOS CHAGAS: — "Costa e Silva, dedo em riste, enfrentou o desafio americano".

NÚMERO 7 – PHILOMENA GEBRAN: "D'Eu, o Conde Alienado" e "Cartas exclusivas de John Galbraith a John Kennedy".

NÚMERO 8 – "Marcílio Marques Moreira defende um Modelo Cibernético".

NÚMERO 9. "A Cartilha Política de Milton Campos" (eu).

NÚMERO 10. RAUL RYFF: — "A Evita e o Perón que eu vi".

E vieram, nas 123 semanas, 3 anos, de 71 a 74, Celso Furtado, Cândido Mendes, Edmar Morel, Barbosa Lima, Darcy Ribeiro, Paschoal Carlos Magno, Octávio Ianni, Gerardo Melo Mourão, Medeiros Lima, Tristão de Athayde, Dom Hélder Câmara, tantos. Quem pensava, no Brasil, escreveu em "Polítika".

* * *

O sucesso do jornal nos deu, a mim e à Philomena, dois irresistíveis convites. Do Adido Cultural da Alemanha, Philips, e do da Iugoslávia, Franco. Uma viagem aos dois países, entre o inverno e a primavera de 73, para ver, ouvir e escrever. E ainda haveria as eleições na França e os amigos exilados em Paris.

Descemos em Bonn, a então capital. Carlos de Campos, filósofo e cético, interrompeu um dia uma de suas aulas, aliás magníficas, de Introdução à Ciência do Direito, na Faculdade de Belo Horizonte, para queixar-se da língua portuguesa:

— "Falamos e escrevemos em uma língua que não existe. Meus livros, se fossem escritos em inglês ou francês, teriam mudado muito a história do marxismo. Na Europa ninguém sabe português. Marx escreveu em língua de gente. De que adianta combatê-lo em língua oculta?"

A mesa tinha dez pessoas, apenas três brasileiros. Era um almoço oferecido pelo Departamento Federal de Imprensa e Informação, no restaurante do Presse-Club. Falavam português com a maior naturalidade. O velho mestre Carlos de Campos teria levado um susto. A conversa, puxada por Eduardo Farias, adido de imprensa da embaixada brasileira, correu logo para a literatura, Guimarães Rosa, Jorge Amado. O doutor Ferdinand, chefe do Departamento, e os outros jornalistas alemães, entraram no papo inteiramente por dentro. E se eles sabiam que Hermann Hesse é o escritor alemão mais lido no Brasil, também sabiam que J. Veiga era a melhor surpresa do conto brasileiro naqueles últimos anos.

* * *

Em Colônia, no topo da escada, estava ele lá. Gordo, grande, cabelo grande, barba grande, barriga grande, coração grande. Havia vinte anos não nos víamos. Encontrei-o de cerveja na mão e samba na radiola. João Marchner, professor de coisas estranhas em Minas, anos atrás — arte, alemão, poesia — foi para Colônia por falta de ar depois do AI-5. Crítico de arte do "Estado de S. Paulo", largou tudo e pegou um contrato da "Deutsche Welle", a Voz da Alemanha. Toca a campainha, entra Osvaldo Peralva. Outro da "Deutsche Welle" e da colônia brasileira de Colônia.

A casa de Marchner era o consulado brasileiro lá. E foram chegando amigos que ele chamou para uma conversa conosco. Arthur José Poerner, cassado comigo em julho de 66, teve que deixar a coluna diplomática do "Correio da Manhã" em 1969.

* * *

Em Hamburgo, Hans Jolowicz, cara de alemão, terno pesado de alemão, bebendo vinho branco com a unção dos alemães, falava um português sem sotaque. Viveu anos no Brasil desde menino, em São Paulo. Era diretor do "Instituto de Estudos Ibero-Americanos". Um laboratório de pesquisas políticas, econômicas e sociais da América Latina. A biblioteca do instituto, sobre a América do Sul, tinha mais de 6 mil volumes.

Como a então Guanabara, Hamburgo é uma cidade-Estado. O governador é o burgomestre. Ninguém ocupa cargo executivo sem ter sido eleito. O Senado é uma espécie de governo-coletivo do Estado, por indicação direta do parlamento que em última palavra é quem governa. Para ser burgomestre, passa por três eleições. Pelo voto direto do povo, que o elege deputado. Pelo voto do parlamento, que o faz senador. E pelo voto de treze senadores, que o escolhem para chefe da administração.

* * *

Frankfurt, coração econômico-financeiro da Alemanha Ocidental (hoje, com a Alemanha unida, Berlim voltou a ser a capital). Em duas casas ali viveram dois homens que se tornaram símbolos da humanidade: Goethe e Guttenberg. As casas são museus. Na pequena oficina Guttenberg pesquisou 25 anos para, afinal, em 1432 editar pela primeira vez uma página impressa.

Na esquina de Berlim, o sinal verde para pedestre se abriu, mas ninguém atravessou. Ficaram esperando passar um fusca preto de farol azul aceso na capota. Imaginei uma ambulância ou a polícia. Atrás do fusca preto de farol azul passou uma Mercedes-Benz preta e nova, tamanho médio, elegantíssima. No banco de trás, com uma mulher, um velho magro, cabelos brancos. Era o presidente da Alemanha. Passou discreto e sem barulho, como ele. Não morava lá, mas em Bonn, a capital.

No dia seguinte, na Filarmônica de Berlim, um espetáculo inesquecível: Herbert Von Karajan, o mais famoso regente do mundo, regendo a 8ª Sinfonia de Beethoven. 2.500 pessoas inteiramente hipnotizadas e não se ouvia um ruído.

* * *

Se fosse preencher a carteira profissional dele, escreveria: intelectual, professor, jornalista, escritor. Em Nurenberg, ele me surpreendeu falando sobre problemas operários. Era operário:

— Você já viu que não sou um fascista. Se não tenho idade para ter lutado contra o nazismo, minha formação foi toda uma batalha posterior contra os homens que arrastaram minha pátria à mais inglória e bárbara das guerras. Sou um socialista. Mas meu sentimento nacionalista é natural. Nasci aqui, vivo aqui os problemas daqui. Por isso sou contra essa avalanche de trabalhadores estrangeiros que estão vindo para cá.

Um operário alemão disputando seu (e nosso) espaço.

Quando o telefone tocou em Munique pensei que era brincadeira. Convite para um baile de carnaval. Fazem carnaval dois meses seguidos todo ano: 1º de janeiro a quarta-feira de cinzas.

Às sete da noite começaram a chegar ao grande teatro. Coloridos e mascarados. Grandes caras de animais amarradas no rosto, cabelos pintados de branco, roupas rasgadas no meio da canela, chapéu vagabundo caído de lado, como Carlitos.

Às oito em ponto a orquestra grita e saem os pares a dançar. Primeira música: uma valsa. E eles mascarados e coloridos, bailando como estranhos nobres de um império surrealista. E a música vai mudando: czardas húngaras, folclore cossaco, marchinhas tchecas e canções espanholas. Às duas da manhã, acabou a festa. No dia seguinte, em outro teatro ou outro salão, o mesmo baile. E só um por noite, dois meses inteiros.

Manfredo não estava no baile. Tinha 40 anos, como eu. Era professor de Latim como fui. Sabia português, francês, espanhol e italiano. E falava inglês como um lorde de sua Majestade.

Professor, intelectual, cidadão do mundo, tinha tudo para ser um homem sem preconceitos. Mas quando insisti para que nos levasse à cervejaria de Hitler, lá em Munique, desconversou:

— Não adianta. Não tem mais interesse nenhum. Hoje é apenas uma casa de bêbados e de putas.

E não nos levou. Ele não era contra as putas e os bêbados. Era contra o passado. Pouco pesaram os anos vividos em Paris, o curso em Lisboa, as viagens pelo mundo. Em matéria de Hitler, Manfredo era um radical. Nasceu no ano em que chegava ao poder. Quando os campos de concentração engoliam gente como esgotos, Manfredo tinha dez anos e viu sua Munique, sua Baviera, sua Alemanha estuprando a humanidade em nome de Hitler.

A metade da população alemã já era composta de homens como Manfredo e mais jovens do que ele, que não tiveram contato com o nazismo. E que ainda hoje sangram na alma o passado da família, dos amigos, dos colegas, porque o nazismo foi como terremoto em Manágua: ninguém escapou.

De carro, trem, nos jornais, revistas, universidades, centros de estudos, entidades internacionais anteriores às ONGs, nas fábricas, sindicatos, vinhas, no campo, corremos a Alemanha toda e a pergunta era inevitável: qual o segredo do milagre alemão?

Trabalho. A nação, destruída pela guerra que ela detonou, uniu-se para reconstruí-la. Mesmo dividida em duas bandas políticas até hoje, os Social-Democratas de Willy Brandt, que estava no governo e entrevistei, e os Democratas-Cristãos de Konrad Adenauer, na hora de reconstruir a Alemanha foi uma só.

* * *

No aeroporto de Frankfurt, esperando o voo para Belgrado, na Iugoslávia, no meio daquela multidão minha mulher viu:

— Olha quem vem ali, o Chaplin.

E lá vinha ele, passos lentos, arrastados, de braços dados com a mulher Oona, alta, bonita, bem mais jovem do que ele, filha do teatrólogo Eugene O'Neill. Tinha acabado de ler suas memórias: — "História de minha vida". Casaram-se em 1943, ele com 54 anos, ela com 17. Tiveram 8 filhos, foram felizes para sempre. Tinha 84 anos, morreria quatro anos depois, em 1977.

Passaram diante de nós. Devagarinho, eu siderado, mais para o abestalhado. Levantei-me. Philomena, mais ajuizada:

— Não vamos incomodar o velhinho. Deixe o gênio em paz.

Foram para o cafezinho, ao lado. Não resisti. Fomos atrás. Quando a Oona pediu dois cafés, pedi quatro, peguei o dinheiro e paguei. Ele olhou para mim com seus ladinos olhos de espanto, sorriu e apertou ligeiramente meu ombro. A Oona agradeceu.

A moça trouxe os cafés, passei o açucareiro para eles. Nada mais do que isso. Não lhes disse uma palavra. Estava totalmente petrificado. Tomaram o café e, bem devagarinho, voltaram para seus lugares, esperando o voo para a Suíça, onde moravam.

Em anos e anos de jornalismo, jamais me havia acontecido aquilo. Deixar de falar ou perguntar alguma coisa a um deusinho vivo e disponível. Semanas depois, em Paris, compro o "Le Nouvel Observateur" e lá estava uma longa entrevista da Geraldine Chaplin, filha dele e atriz, contando que as últimas alegrias de seu pai eram, ao sair, ser saudado pelas pessoas, sobretudo de países mais distantes, falando de seus filmes. Quando voltava para casa, no jantar, dizia: — Vocês viram?

E eu, diante de meu herói, nem lhe disse que era do Brasil.

A NUVEM

* * *

A Iugoslávia era um milagre de Tito: sete fronteiras, seis nacionalidades, cinco repúblicas, quatro línguas, três religiões, dois alfabetos e um presidente. Tito morreu, surgiu meia dúzia de países: Sérvia, Croácia, Eslovênia, Bósnia, Macedônia, Kosovo.

Viajamos o país inteiro, capital por capital de suas várias repúblicas. Mas havia duas diferenças fundamentais: a Alemanha era mais rica, mas a Iugoslávia tinha o mar Adriático, com suas 150 ilhas e a longa e linda costa da Dalmácia, de Trieste a Dubrovinick, magnífica fortaleza romana conservada até hoje.

A história é o ventre dos filhos malditos. O criminoso de hoje pode ser o herói de amanhã. Na esquina coberta de neve de Sarajevo, capital da Bósnia, a menina intérprete, estudante de francês, esfregou a bota de bico fino no passeio molhado e mostrou duas palmas de pés gravadas no cimento, com a unção de minha irmã freira descobrindo um altar. Na parede, a placa de bronze conta o crime — glória do herói.

Foi exatamente ALI que, em 25 de junho de 1914, o estudante Gavrilo Princip, líder de uma organização revolucionária — Mlada Bosna (a jovem Bósnia) — esperou a carruagem do arquiduque François-Ferdinand, príncipe-herdeiro do império austro-húngaro, que desde 1908 invadira e dominava sua pátria, e o assassinou a tiros. No dia seguinte, Sarajevo estava em todas as manchetes e foi o esperado pretexto para o começo da Primeira Guerra Mundial.

Preso, condenado à morte, Gavrilo Princip não pôde ser executado por ser menor de idade e teve a pena comutada em prisão perpétua. Meteram-no num porão úmido onde, mais quatro anos, morria turberculoso. Trinta anos depois, em 1944, o crime de Sarajevo se fazia bandeira de todo um povo na luta, liderada por Tito, contra o novo invasor: a Alemanha de Hitler.

Lá no norte, em Zagreb, capital da República da Croácia, terra de Tito, principal centro cultural e universitário da Iugoslávia, uma exposição no museu de Matija Gubec, o Tiradentes de lá, comemorava os quatrocentos anos de sua morte de líder camponês que, em 1573, levantou o interior da Croácia contra os senhores feudais do império dos Habsbourg.

Uma figura fascinante, um Zapata eslavo. Cansado da espoliação dos camponeses nas férteis terras feudais da Croácia, reuniu, organizou, armou milhares de companheiros com seus facões, foices e espingardas de matar passarinho, e proclamou o direito da posse da terra para os que nela trabalham. Acabaram derrotados e ele preso, algemado com as mesmas algemas que ainda hoje estão lá no seu museu. Foi levado para o centro de Zagreb e queimado vivo diante da multidão. Duas frases dele, antes de morrer, impressionam:

— "Mesmo no inferno minha alma não vos deixará em paz enquanto o povo do campo sofrer".

— "Vós, oh estrelas, sois felizes porque meu coração pesado diz que vereis meu povo croata vivo e feliz".

* * *

Mas Paris nos esperava: as eleições que a esquerda do Partido Socialista e do Partido Comunista e dos verdes, aliados, sob a liderança de Mitterand iriam ganhar, mas perderam por 1%, adiando em oito anos a chegada ao poder. E o Brasil do exílio, mais de 15 mil, cada um fazendo o que era possível:

— Celso Furtado ensinando na Sorbonne; Josué de Castro, em Nanterre; Jacques Danon, também na Sorbonne; Roberto Las Casas pesquisando no Ceneres (Centro Nacional de Pesquisas Científicas); Glauber Rocha, acabando de rodar um filme de oito horas sobre "A História do Brasil"; Bento Prado, pesquisando filosofia no Ceneres; Márcio Moreira Alves, lançando "O Grão de Mostarda" em cinco línguas; Norma Benguel, fazendo um filme com Trintignant; Sérgio Camargo, preparando suas exposições de esculturas; Yeda Linhares, ensinando na Universidade de Toulouse; Milton Santos, professor de Geografia em Toulouse e Paris; Leite Lopes, em Strasbourg; Hermano Alves, indo para a BBC de Londres; José Maria Rabelo, com a sua livraria; Yolanda Prado, filha de Caio Prado Júnior, do Comitê da Anistia, tantos.

Minha mulher, professora de Antropologia, tinha uma consulta a fazer a Fernand Braudel, então o maior dos historiadores vivos, sobre sua tese de doutorado. Imaginávamos difícil o velho mestre, papa da história moderna, receber em casa, nas férias, em um fim de semana, dois perdidos brasileiros. Pois, mal atendeu o telefonema dela, nos convidou com a mais carinhosa atenção.

Cabelos brancos, rosto corado, sorriso claro, incrivelmente jovem em seus 70 anos, recebeu-nos de manga de camisa, pedindo desculpas, como bom francês, por não estar devidamente de paletó e conversou horas seguidas sobre suas pesquisas e o estudo de história nas universidades do mundo inteiro que ele conhecia e onde fazia conferências:

— "Não fui mais à América Latina. O clima me cansa muito. Agora só para passear. Conferências mais não. A última vez, no México, tive que fazer seis numa semana. É demais para 70 anos".

Perguntou-nos por Caio Prado Júnior, seu colega na Universidade de São Paulo onde ensinou de 1933 a 37. Conhecia bem o Brasil todo, pesquisou minuciosamente nossa História:

— "Minha biblioteca sobre a América Latina ocupa um apartamento. Tenho mais de 4 mil volumes. E gosto muito do mundo de vocês".

E não nos deixou sair sem jantar. Vinho e de entrada seis estrelinhas luminosas no prato. Não sabíamos o que era. Comemos meio assustados. No segundo prato, um delicioso coelho. As estrelinhas eram olhos de coelho. Na saída, deu de presente à Philomena dois volumes de depoimentos que os maiores historiadores do mundo haviam publicado sobre ele:

—"Nada disso tem importância. A única coisa importante é ser feliz."

* * *

De Paris, fomos para Roma. De Roma, Viena. De Viena, Bruxelas. De Bruxelas, Amsterdã. De Amsterdã, Londres, para encontrar Dalva e Fernando Gasparian que, meio exilado, estava dando um curso de América Latina na Universidade de Oxford.

De manhã cedo, ele passou no hotel, nos pegou:

— Vamos para Oxford, para a Universidade. O Oscar Niemeyer vai fazer uma conferência sobre sua arquitetura e sobre Brasília. Do reitor aos principais professores estarão todos lá.

Uma aventura. Gasparian correndo a 150 quilômetros e, como bom inglês, ainda dirigindo do lado direito (Ibrahim Sued: "Na Inglaterra, quem dirige é o outro"), numa estrada de permanente e hipotética contramão. Oxford tinha 31 institutos independentes, 15 mil alunos e 5 mil professores, todos vivendo ali, dentro de maravilhosos prédios medievais.

Professores e alunos dos mais diversos institutos estavam lá. Prestígio do gênio Niemeyer e de Gasparian e seu curso sobre a América Latina. Niemeyer, de pé, com dezenas de cartolinas sobre um cavalete, ia falando, desenhando e jogando as longas folhas no chão. O sucesso dele foi tal que, quando terminou, os ingleses literalmente invadiram o palco, homens e mulheres, professores e professoras, para pegarem as cartolinas em que ele riscara ligeira e didaticamente seus projetos. Disse um professor:

— É o maior arquiteto do século mesmo contando o Corbusier.

Depois da conferência, os debates. Anoiteceu e o reitor convidou Niemeyer, Dalva e Gasparian e seus convidados, minha mulher e eu, para o jantar. No fim, vi a Philomena confabulando com a Dalva. E só então me lembrei de que era meu aniversário: 41 anos. E tive o supremo orgulho de ver o reino da Inglaterra, representado pelo reitor de sua principal universidade, aparecer lá de dentro com um bolo, uma vela acesa e cantarem todos o "Parabéns Para Você". Para mim. A partir daí, acho bonito tudo da Inglaterra. Até a Camilla.

* * *

Em Londres, de volta, na casa dele, o incansável Gasparian teve uma longa conversa comigo e a Philomena sobre o "Política": como conseguíamos, e mais o Oliveira Bastos, manter o jornal já havia mais de dois anos, sem falhar uma semana, com censura, fazendo oposição ao governo, sem propaganda oficial nem das grandes empresas sempre ligadas ao governo.

Ele havia acabado de lançar, com sucesso, o "Opinião", e estava enfrentando todo tipo de dificuldades, do governo, da censura, da falta de recursos que, evidentemente, eram bem maiores do que os nossos. Eu lhe abri o jogo:

— Lançamos o "Política" porque não havia nenhum semanário de oposição ao governo, além do "Pasquim", que fazia oposição, mas de humor. Estávamos cumprindo um dever com o país. Na hora em que você consolidar o "Opinião", nós fecharemos o "Política", porque não há espaço para dois e já teremos cumprido nossa tarefa.

Dissemos e cumprimos. Mantivemos o "Política" mais um ano, até 1974, e o "Opinião" circulou até 1977.

* * *

De Londres fomos para Madri. De Madri para Tanger, Rabat, Casablanca, o Marrocos inteiro malcheirando a carneiro.

Lá se ia mais um mês. A primavera chegava linda, mas era hora de voltar ao Brasil. As quase 100 crônicas diárias que publiquei ininterruptamente, na "Tribuna" e no "Política" — e não havia fax nem internet, era apenas pelo telex — estavam prontas para reunir no livro "Socialismo com Liberdade", que Fernando Gasparian me havia encomendado já antes de viajar, para lançar no começo de 74. E lançou com bela capa da Laura Gasparian.

O livro me deu muita alegria. Primeiro, pelo desafio do título em plena ditadura Médici. Depois, um generoso telegrama do mestre Alceu de Amoroso Lima (Tristão de Athayde):

— "Parabéns, magníficas crônicas sobre a Europa de hoje".

Também a crítica do grande José Américo de Almeida:

— "Sebastião Nery é admirável na improvisação, na agilidade, nos flagrantes. Ele associa o talento descritivo à visão política e social. Eu, que nunca viajei, que nunca pude conhecer o mundo, agradeço-lhe essa impressão que me dá uma realidade que satisfaz meu espírito sedento de novidades. Uma grande voz de jornalista, ou melhor, de escritor".

E, no "Diário de Notícias", o venerando Prudente de Morais Neto, o Pedro Dantas, meu ex-diretor no "Diário Carioca":

— "Sebastião Nery é brilhante colunista, político e talentoso escritor. Completo profissional de imprensa, magnífico repórter, ágil, bem informado".

O caloroso prefácio era do José Cândido de Carvalho:

— "Viagem em Torno de Sebastião Nery — Esta é uma bela história de viagem. Ou melhor, uma terna história de amor. Pelo mundo e pelas coisas dos homens do mundo. Sebastião Nery, hoje um dos escritores mais fascinantes do Brasil, deu uma de Marco Polo e foi navegar por céus e terras de França, Oropa (*sic*) e Bahia".

Na abertura do livro, eu já previa, em 73, 17 anos antes, o fim do muro de Berlim e do regime soviético:

— Se me perguntassem o que mais me parece surpreendente na Europa, hoje, eu diria que é o renascimento do socialismo. De um socialismo amadurecido, em profundo processo de revisão, depois de cinquenta anos de experiências, acertos e erros. De um socialismo que permanece, cada dia mais, a esperança e a juventude do mundo. Se jornalismo é síntese, eu resumiria:

— Socialismo com liberdade sim, ditadura do proletariado não. Socialismo aberto a todas as ideias sim, partido único controlado pelo aparelho burocrático não. Socialismo democrático sim, repressão ideológica não. Liberdade sim, tirania não. Marx sim, Stalin não.

Quando o livro chegou às livrarias, a Polícia Federal, como sempre, foi me buscar. Era o mesmo general Freitas, superintendente no Rio:

— Jornalista, o senhor continua nos criando casos. Socialismo com Liberdade? Vamos ter que tomar uma providência.

— General, se o problema é do título, eu troco: — "Capitalismo com Ditadura".

— É pior. Por favor, diga ao editor, doutor Gasparian, que retire das livrarias nas próximas 24 horas. Se não, vou apreender. E o senhor, como autor, será o principal responsabilizado.

Gasparian bravamente negou-se a recolher os livros. E eu espertamente enganava o general, dizendo que não tinha poder de decidir. O livro foi ficando, ficando, ficou, vendeu tudo. Esgotou.

* * *

Mas, antes de sair o "Socialismo com Liberdade" em 74, as "350 Histórias do Folclore Político" estavam maduras e prontas.

É uma história de 38 anos. Governo Médici, AI-5 e uma censura burra. 12 de setembro de 1971, aniversário de Juscelino, exilado. Escrevi sobre ele minha coluna na "Tribuna da Imprensa" e entreguei ao major censor, de plantão na redação:

— Escreva outra coisa, que isso não sai. Juscelino, Brizola, Dom Hélder, nem a morte da mãe.

— Então deixe o buraco em branco, major.

— Com sinal de censura o jornal não sai.

Voltei para a máquina, escrevi:

— "Alkmíadas, 7 Histórias de um Gênio da Raça".

Uma tinha Juscelino no meio. Passou. No dia seguinte, meu saudoso amigo Abelardo Jurema mostrou o caminho das pedras:

— Nery, gostei de sua coluna de hoje. Sei que foi por causa da censura. Pois drible a censura contando o Folclore Político.

Estava ali o título. Toda vez que a censura engrossava, na "Tribuna", depois no "Polítika", na "Última Hora" ou no meu programa da TV Bandeirantes, eu contava histórias políticas e metia os cassados proibidos. Era o "Folclore Político".

Reuni as primeiras 350 histórias, Fafs ilustrou, Tina Matera diagramou, Antônio Calegari fez a arte final e o inesquecível Henfil desenhou a capa, com letras amarelas sobre rosa e roxo:

— "350 Histórias do Folclore Político".

E na capa a primeira história. Alkmin com o eleitor:

— "Lembranças pro seu Pai!

— Meu pai já morreu, dr. Alkmin!

— Morreu pra você, filho ingrato! Continua vivo no meu coração"!

O prefácio era do sempre sábio Millôr Fernandes:

— "Quando os políticos se divertem":

... "Mesmo quando uma história narrada com um pessedista de Barbacena nós a conhecemos acontecida com um reformista alemão do século XVIII, ainda assim, na boca do contador local, na linguagem malandra do político médio brasileiro, ela adquire um tom inapelavelmente nacional...

Sebastião Nery há muito tempo que redige e publica, no meio de seus artigos de inspiração política, denúncia social e análise do sistema, as anedotas que os senadores contam na sala do cafezinho, as piadas que os deputados fazem enquanto não escutam o adversário monótono, as maldades que o vereador ambicioso inventa...

Por isso, é um livro extremamente atual este "Folclore Político", com o qual o próprio Nery aprendeu que, muitas vezes, parar de enfrentar o tigre frente a frente e puxar-lhe o rabo inesperadamente é mais útil à causa e muito mais eficiente. Já foi muito dito, mas nunca é demais repetir: "*castigat ridendo mores*", ou seja, "rindo é que se castiga os mouros".

No dia 23 de julho de 73, numa época em que não eram permitidas reuniões políticas, a não ser do partido oficial, a Arena; e do partido tolerado, o

A NUVEM

MDB; mesmo assim internas, no excelente restaurante Mesbla, na Rua do Passeio, em um grande almoço-festa, lancei o livro numa solenidade comandada pelo presidente do "Clube dos Repórteres Políticos", o veterano jornalista Oyama Teles. Foi um acontecimento político. Dezenas de jornalistas e cinegrafistas, de todos os jornais, revistas e TVs.

E muitos políticos que não se viam desde o golpe de 64: o ex-ministro José Américo de Almeida, senadores Magalhães Pinto e Josafá Marinho, deputados José Maria Alkmin e Marcos Freire, outros senadores, deputados e vereadores.

No dia seguinte, os jornais do Rio e muitos de vários Estados deram a foto da mesa principal: José Américo, Alkmin, Magalhães, Marcos Freire e eu no meio. Aos 40 anos, entre 300 anos.

O "Globo", o "Jornal do Brasil", a "Folha de S. Paulo", o "Estado de S. Paulo" destacaram as declarações políticas. Líder dos "Diários Associados", "O Jornal" deu duas páginas e a manchete: "Alkmin: — Não sei se vai haver abertura ou apertura".

Magalhães Pinto: — "O general Geisel é um homem público que sabe examinar bem a situação. E sabe como está difícil. Sabe que é preciso haver uma abertura. Terá todo apoio dos políticos para agir. O terreno está sólido para ele pisar".

José Américo: — "O Geisel vai dar um sentido muito pessoal para promover a abertura política. Acho que há necessidade de uma revisão das cassações."

O "Estado de Minas" abriu manchete:

—"Alkmin e Magalhães falam na Abertura." E uma matéria de página inteira.

O "Correio Braziliense" também deu manchete: — "Políticos mineiros debatem Abertura Política e Geisel." E uma página.

A "Veja" também publicou uma página toda, com boa foto.

Sobre o livro, as duas melhores definições:

Jose Américo: — "É folclore. Nenhuma das histórias a meu respeito é inteiramente exata, mas nenhuma é inexata".

Alkmin: — "Essas histórias do Folclore Político a gente nunca sabe quais são as verdadeiras e quais as inventadas. O povo vai contando e elas vão se modificando, se reproduzindo. Quem sabe quem é a mãe do cogumelo?".

* * *

Do ex-presidente Juscelino Kubitschek recebi longa carta:

— "Meu caro Sebastião Nery, quero dizer-lhe que Sarah e eu ficamos encantados com a dedicatória com que nos distinguiu ao oferecer suas "350 Histórias do Folclore Político".

"Palavras não do fulgurante jornalista, mas do amigo de sempre, fiel e querido. O seu excelente livro fez-me a alegria de dias intermináveis, porque a cada anedota, a cada uma dessas admiráveis blagues eu voltava com ansiedade e riso renovado". "O que você conta se renova através da força com que reveste o dito e dá festas de sol o calor a esses casos do interior que na sua pena de mestre se projetam na capital".

"Particularmente sinto-me honrado de figurar neste seu suave repositório de verve e de sutil perspicácia, repleto de uma cordialidade que nos une e nos comove. Com muita amizade e crescente admiração, o amigo de sempre, Juscelino Kubitschek."

* * *

Carta de Otto Lara Rezende:

— "Desde que saiu o primeiro número do "Folclore" penso em lhe mandar uma palavra. Mas ainda é tempo de lhe dizer que li, deliciado as histórias com que você dá uma visão risonha da cena política, sem deixar de ser crítico e até cáustico. Você se exilou no anedotário da política para poder transmitir algo mais do que o folclore".

Luís da Câmara Cascudo, o mestre incomparável do folclore:

— "O "Folclore Político" é uma contribuição da maior importância. O primeiro dever do intelectual é documentar".

Francisco Pedro do Couto:

— "O êxito extraordinário alcançado pelas várias edições do "Folclore Político", no qual páginas da história desfilam através de seu humor e de sua acuidade analítica, é a prova da força do escritor e do fascínio que pode despertar, bem trabalhada, a literatura autenticamente política. O gênio de Sebastião Nery nos conduz à fascinante aventura de percorrermos, hoje, como seus contemporâneos, a história política que ficará para o amanhã. Nery é o maior escritor de humor político do país".

* * *

Fernando Chinaglia, então a maior distribuidora do país, que já distribuía o "Polítika", lançou a primeira edição de 50 mil exemplares em todas as livrarias e bancas do país. Um sucesso.

No dia 1º de setembro de 73 o "Estado de Minas" dava assim sua lista dos 10 livros mais vendidos: 1. "O Enterro do Anão", Chico Anísio. 2. "350 Histórias do Folclore Político", Sebastião Nery. 3. "Tereza Batista Cansada de Guerra", Jorge Amado. 4. "Grilos, Amâncio Pinto", Marisa Raja Gabaglia. 5. "Caso Morel", Ruben Fonseca.

Na semana seguinte, o mesmo "Estado de Minas": "Alteração na lista dos *best-sellers*: Sebastião Nery passa para o 1º lugar".

Em três meses, outubro de 73, lançávamos a segunda edição com mais 30 mil exemplares. E no começo de 74 a terceira, com 20 mil. Em um ano foram 100 mil. E passamos o livro para a Editora Record, que continuou fazendo novas edições. Só o "Folclore Político nº 1" teve mais de doze edições.

* * *

Em 76, a Record lançou o "Folclore Político nº 2".

David Nasser saudou:

— "Deliciosas as antologias políticas de Sebastião Nery".

Hélio Fernandes também:

— "Muito bom o 'Folclore Político' nº 2. E, além do 'Folclore', há uma página magnífica de abertura, que não tem nada de folclore e que é soberba, no fundo e na forma, escrita pelo próprio Nery, um dos grandes manejadores de palavras que este país já conheceu".

Em 78, saiu o nº 3. Em 82, o nº 4. Em 2000, a Editora Geração reuniu os quatro volumes e mais um nº 5 em um só, as "1950 Histórias do Folclore Político", cuja edição de 10 mil exemplares esgotou, com reedição em breve.

* * *

Quando meu colega e amigo César Mesquita, diretor-editorial da Editora Francisco Alves, me telefonou, no começo de outubro, intimando-me a escrever um livro sobre as eleições de 15 de novembro de 1974, tive medo do tempo:

— Nery, um mês e meio para escrever. Depois da eleição teremos 60 dias para colocar o livro nas livrarias e nas bancas.

— Mas, César, o Brasil é muito grande, são 22 Estados. E não farei sem visitar, pesquisar, testemunhar um a um.

— Vire-se. É preciso guardar para a história a nitidez dos acontecimentos ainda não deformados pelo correr do tempo nem ao sabor das interpretações.

Saí viajando e escrevendo. Conversando e escrevendo. Documentando e escrevendo. Procurando Arena e MDB.

Em 15 de novembro, já tinha passado pelos 22 Estados. O TSE (Tribunal Superior Eleitoral) oficializou os resultados, voltei a alguns Estados e contei, um por um, o que tinha acontecido.

As eleições de 74 foram disputadas, pela Arena e pelo MDB, para senador, deputados federais e estaduais. Mas só podiam se entendidas a partir das escolhas dos governadores pelo presidente-general Ernesto Geisel, que tinha assumido em março.

Como fazer isso? As decisões políticas eram caixa-preta. O Planalto impunha os nomes à Arena, que fingia aprovar em convenção e as Assembleias "confirmavam". Petrônio Portela, presidente da Arena, saiu, Estado por Estado, peneirando nomes, submetidos a Geisel para assumirem em outubro e comandarem as eleições um mês depois. E também os nomes para senador.

Petrônio Portela, presidente da Arena, era meu amigo. Eu o conhecia desde 1954, deputado estadual da UDN do Piauí. E me contou, sob total reserva, como cada governador e cada candidato a senador foi escolhido por Geisel, em listas preparadas por ele.

O sucesso nasceu daí. Em cada Estado, um furo na escolha do governador e do senador. Como o veto à candidatura de Delfim, comunicado por Petrônio no escritório de um discreto apartamento no Rio, cujo dono ficou na sala e ouviu a conversa toda. O dono era o senador Vitorino Freire. Porque em Pernambuco foi Moura Cavalcanti, contra todos os cardeais da Arena. E Paulo Egídio em São Paulo, Jaime Canet no Paraná etc.

Segunda razão do sucesso. Pela primeira vez, no Brasil, eram publicados em livro, em cima da eleição, os resultados totais, com os votos dos eleitos mas também dos derrotados.

O governo e sua Arena levaram uma surra nacional. O MDB elegeu 16 senadores (São Paulo, Minas, Rio, os maiores Estados). Título do livro: — "As 16 Derrotas que abalaram o Brasil".

* * *

O livro era dedicado "a José Américo de Almeida, Oscar Pedroso Horta e José Aparecido de Oliveira, três homens que, em três diferentes gerações, pela bravura, pela coerência e pela generosidade, se fizeram símbolos do político brasileiro".

"A José Celso de Macedo Soares Guimarães, da Editora Francisco Alves, que dele fez sua última decisão de editor."

"E a todos os jornalistas políticos do Brasil. Quando tudo se fazia escuro, foram eles que primeiro empurraram a janela."

Ulysses Guimarães disse que era "a biografia do MDB".

Com prefácios de Magalhães Pinto (Arena) e Franco Montoro (MDB), impresso em papel-jornal, vendido a preço barato, a editora entregou a distribuição à Editora Abril, que atingia as bancas de todos os Estados. Dos 100 mil exemplares, vendeu 96 mil. Várias semanas nas listas dos "mais vendidos". Três livros em um ano e meio. E já vinha mais um.

28
PORTUGAL

No dia 12 de abril de 1972, no horror do governo Médici, escrevi em minha coluna diária na "Tribuna da Imprensa":

— "Marcelo Caetano, primeiro-ministro de Portugal":

— "Portugal jamais abandonará o controle sobre suas províncias da África".

"Mussolini também disse que a Itália jamais sairia da Abissínia. Mussolini acabou morto, berrando de cabeça para baixo em um posto de gasolina de Milão. Como um bode imundo. Hitler também disse que a Alemanha jamais sairia da Iugoslávia. Hitler acabou enterrado nos porões de Berlim. Como um verme imundo."

No mesmo dia, o embaixador José Manoel Fragoso, de Portugal, foi ao Ministério das Relações Exteriores e exigiu do ministro Mário Gibson Barbosa que eu fosse enquadrado no artigo 21 da Lei de Segurança Nacional:

— "Ofender publicamente, por palavras ou por escrito, chefe de governo de nação estrangeira. Pena: reclusão de 2 a 6 anos".

O ministro Mário Gibson, pressuroso e servil, oficiou imediatamente ao Ministério da Justiça. O ministro Alfredo Buzaid, pressurosíssimo e servilíssimo, abriu o processo.

O processo estourou como um escândalo por meio das agências internacionais de notícias. Era a primeira vez, no Brasil, que alguém era enquadrado no artigo 21 da Lei de Segurança. E o "Le Monde", de Paris, lembrava que era a primeira vez, na história da imprensa mundial, que um jornalista era processado em seu país a pedido de um embaixador de país estrangeiro.

O ministro Mário Gibson, novamente pressionado pelo embaixador Manuel Fragoso, distribuiu a seguinte nota oficial:

— "O Itamarati informa não ter fundamento a notícia de que o embaixador de Portugal, Sua Excelência o senhor José Manuel Fragoso, solicitou à Chancelaria brasileira o enquadramento do jornalista Sebastião Nery no artigo 21 da Lei de Segurança, por injúrias ao primeiro-ministro daquele país amigo. A ação penal contra o referido jornalista constitui procedimento normal dos órgãos competentes do governo brasileiro em casos dessa natureza, na conformidade do que dispõe a legislação em vigor".

O processo andou. Meu brilhante e gratuito advogado e amigo, o jurista Marcelo Cerqueira, que com seu generoso talento já me absolvera em outras, em vez de me animar, me sacaneava:

— Nery, você está frito. Por menos que isso, porque chamou o Augusto Pinochet de "ditador", em pleno exercício de seu mandato de deputado federal, o Chico Pinto foi condenado, tirado da Câmara e levado para a cadeia. Eu até desconfio que a Lei de Segurança foi feita para você. Dessa vez você não escapa.

Tinha decidido, e confirmei à imprensa, enfrentar as feras e comparecer ao julgamento na 1ª Auditoria da Marinha, no Rio de Janeiro, desse no que desse, por saber que o julgamento à revelia piorava as coisas, apesar de estar cansado de cadeias.

* * *

Mas, providencialmente, nas vésperas do julgamento, meus fraternos amigos Graça e Hélio Duque, companheiros de lutas na Bahia e de clandestinidade em São Paulo depois do golpe militar e já morando no Paraná, por onde várias vezes se elegeu deputado federal pelo MDB e PMDB, passaram pelo Rio e se hospedaram em minha casa. Não concordaram com a minha ideia de arriscar.

Na véspera do julgamento, de madrugada, fugi mais uma vez. No carro "Maverick" deles, saímos para São Paulo, onde esperaríamos o resultado do dia seguinte. Condenado, iria para Londrina, de lá até a fronteira, seguia para o exílio no Chile e depois Paris, de onde seria mais fácil trabalhar como jornalista.

Apesar da madrugada tranquila na via Dutra, o perigo eram as barreiras policiais. Os jornais estavam noticiando, com fotos minhas. Qualquer policial mais esperto podia desconfiar e me segurar para conferir.

Na altura de Volta Redonda, paramos para um rapido café. E eu tenso e apressado para voltar para o carro.

Quando Hélio ligou o carro, ouvimos pancadas violentas na lataria. Era a Polícia. E a regra manda ficar calmo mesmo sem calma. Saí quase dizendo como os bandidos de hoje: — Perdi.

Era o filho da puta do querido companheiro Milton Coelho da Graça, mal saído de uma longa e brutal cadeia em Pernambuco, com espancamentos e torturas, por trabalhar na "Última Hora" e no governo de Miguel Arraes, que nos viu no café com cara de fugitivos e guardou o susto lá para fora. Estávamos trêmulos. A Graça, coitada, queria matar o Milton.

Em São Paulo, fui para meu velho e conhecido hotel Jaraguá, onde me hospedei como "Augusto de Souza", e Graça e Hélio esperariam no hotel em que já estavam acostumados.

O julgamento seria à tarde. De manhã, liguei para José Aparecido, que sabia estar em São Paulo, e contei a decisão.

— Fique aí. Não saia do hotel, nem sequer vá ao bar. Passo aí agora. Vamos conversar e almoçar com o Pedroso (Oscar Pedroso Horta, ex--ministro da Justiça de Jânio e líder do MDB).

Na Rua Bela Cintra, nos Jardins, Pedroso Horta, sentado em uma poltrona larga da sala de sua casa, com um uísque aguado na mão, estava dando ao país, na liderança da oposição, o resto das energias que sobraram de um derrame.

Estávamos esquentando os motores para o almoço, eles no uísque e eu tomando um belo tinto da Borgonha, preparando-me para talvez uma longa fuga, quando entra Jânio Quadros, camisa esporte, calça clara, sapatos sem meia, barba feita, um garotão. Entrou sorrindo, com sua voz musicada:

— Nery, meu bem, estava sabendo pelos jornais e o nosso Zé me disse hoje que você será condenado. Não sem razões, sabe-se. Não é de bom tom falar dos avós. Pensas que Portugal deixou de ser nosso avozinho? Cabral vai fazer contigo o que fizeram com os índios que ele encontrou em Porto Seguro, na sua Bahia.

O almoço foi todo assim. Os três dissolvendo minha tensão. Que não era demais, mas era muita. Jânio fazia planos alcoólicos:

— Vai ser bom, Nery. Muito bom. Ando meio vadio, com amigos escassos. O Pedroso em Brasília, o Zé no Rio, todos espalhados. Você condenado, por justiça não esqueças, vamos os dois para a fazenda do Pedroso, lá para as bandas de Santos. É um latifúndio jurídico. Ninguém nos descobrirá lá. Teremos cavalos para passear e uma adega fenomenal. (E escandia: fe-no-me-nal).

Pedroso, silêncioso, sorria. Aparecido apoiava. E eu ali bebendo um vinho magnífico, almoçando, mas com a cabeça na Auditoria da Marinha, no Rio. Às seis da tarde, Marcelo telefona:

— Eles são uns desprevenidos. Te absolveram por 4 a 2.

Marcelo Cerqueira havia levantado a tese imprevisível e irrespondível: a Lei de Segurança falava em "chefe de Estado", que era o almirante Américo Tomás, presidente de Portugal. Marcelo Caetano não era "chefe de Estado", era primeiro-ministro, "chefe de Governo".

Aliviei a alma e o resto da garrafa de vinho. Jânio insistia:

— Que pena! Perdi meu parceiro de clandestinidade etílica. Espero o próximo processo. Haverá. Havê-lo-á.

Avisei logo à Graça e ao Hélio. E jantamos para comemorar. O promotor militar recorreu para o Superior Tribunal Militar. Resolvi comparecer ao julgamento, meses depois. Fiquei sentado a um canto. Condenado, sairia direto para a prisão. O promotor militar, que não me conhecia, começou dizendo que tanto eu tinha certeza de não ter razão, que não tive coragem de comparecer ao julgamento da Auditoria nem ao do Tribunal. Quando o promotor terminou sua catilinária, falou Marcelo:

— Senhor presidente do Tribunal, senhores ministros, apresento-lhes o réu aqui presente.

E apontou para mim. O promotor quebrou a cara. E o Superior Tribunal Militar também me absolveu, por unanimidade.

* * *

Dois anos depois, como eu havia previsto, Marcelo Caetano era derrubado pela "Revolução dos Cravos" de 25 de abril de 1974, preso e expulso para o Brasil. Portugal abandonava o controle sobre suas províncias da África. O fascismo era corrido de Portugal. Manuel Fragoso abandonava a embaixada de Portugal. Mário Gibson largava o Itamarati das embaixadas. E Alfredo Buzaid saía do ministério da Justiça sem deixar saudades.

E eu, que não abandonei nem Portugal, nem a África, nem a História, saía do Brasil para ir a Lisboa contar como foi que, de repente, um país tinha um cravo em cada mão.

Desci no aeroporto de Portela de Sacavem, em Lisboa, contratado pela Editora Francisco Alves para escrever um livro sobre a "Revolução dos Cravos" de 25 de abril de 1974, diante do sucesso de meu livro, editado por eles, sobre as eleições de 15 de novembro de 1974: — "As 16 derrotas que abalaram o Brasil".

Passei no hotel Phenix, na Rotonda do Marquês de Pombal, deixei a mala, telefonei para Márcio Moreira Alves, exilado lá, cuja casa era a embaixada dos brasileiros em Lisboa. Atende outro:

— Nery, aqui é o David Lehrer.

— O guerrilheiro africano? Estou indo para aí agora.

Dez minutos e o táxi me deixava na Rua Sant'Ana em Lapa, onde ouvi a mais extraordinária história de guerra e política vivida por um brasileiro no exílio. Fiquei comovido:

— David, vamos arranjar um gravador para escrever um livro.

Começamos. Eu bebia vinho e perguntava, esmiuçava. David bebia vinho e falava, contava. Depois de quatro horas de gravação, David empacou.

— Não dá mais, Nery. Mais para a frente a gente continua.

Não houve mais para a frente. Passei uma semana revendo os amigos, Marcito, Irineu Garcia, Moema Santiago e Domingos, Alfredo Sirkis, Maurício Paiva, a colônia brasileira exilada, e perambulando com David pelas velhas ruas entre vinhos e bacalhaus, arrancando dele, sem gravador, pedaços de suas fantásticas histórias. Logo David começou a dar aulas na Faculdade de Medicina de Lisboa, esperando o fim do exílio.

E publiquei, na revista "Status", um pouco do que soube desse pequeno e bravo "Che Guevara que nos coube", na exata definição de Antônio Callado, e que virou personagem do romance "La Vida Exagerada de Martin Romanan", do grande escritor peruano Alfredo Bryce Etchenique.

* * *

A aventura de David explica a multissecular tragédia da África e o fim do poder fascista do salazarismo português.

Paulista de 1937, filho de imigrantes poloneses, formado em 1961, em 62 era médico do Sindicato os Metalúrgicos de São Paulo e se elege vereador pelo Partido Socialista. No golpe de 64, preso durante dois meses numa cela com o historiador Caio Prado Júnior, o físico Mario Shemberg e o médico Feruz Gicovati, presidente do PSB paulista. Sai e em 65 é vice de Franco Montoro, do PDC para a prefeitura de São Paulo. Perdem.

Em 66, deputado federal pelo MDB. No AI-5 de 13 de dezembro de 68, é preso na madrugada de 17 de dezembro, barbaramente espancado, costelas e rosto quebrados. Em 31, é cassado na lista de Carlos Lacerda, 10 deputados e 2 juízes.

Solto, tem a prisão preventiva decretada. Atravessa clandestino a fronteira do Brasil com o Uruguai, exílio. Do Uruguai, pelo Chile, vai para o Peru. Governo do general "nacionalista" Alvarado. No sequestro do embaixador Elbrick, dos Estados Unidos, escreve um artigo sobre a resistência armada no Brasil, leva à revista "Oyga", a melhor do país, dizendo ao diretor Francisco Igartua que é jornalista, embora nem soubesse escrever à maquina. Dois meses depois, já era o redator-chefe.

Em maio de 71, o maior terremoto da história do Peru soterra várias cidades e mata 300 mil pessoas. Atravessando a pé dezenas de quilômetros, por dentro do frio andino, foi o primeiro jornalista a chegar à cordilheira. Nos Andes, reencontra a medicina, resolve urgências, cura feridos, engessa braços.

Volta, critica os ministros militares. Tomam seu visto. Recebe da França uma bolsa para estagiar em um grande hospital de Paris. Durante três anos dedica-se à cirurgia e ao vinho. Sua atividade política limitava-se a conseguir tratamento médico para os exilados brasileiros sem direito à Previdência e a operar vítimas das torturas no Brasil.

Em 11 de setembro de 73, o general Pinochet dá o golpe no Chile e Allende morre resistindo. Chegam a Paris notícias de que o general Pratts resiste no sul do Chile e uma brigada internacional estava se organizando na Argentina. David voa para Buenos Aires. Era rebate falso. Volta para Paris.

Em março, assistindo às eleições francesas para meu livro "Socialismo com Liberdade", encontrei-o numa noite interminável de vinhos e ele me disse que ia largar tudo para entrar na primeira guerra de libertação que o aceitasse. Deixaria o hospital, onde estava sendo promovido a chefe de clínica assistente do professor Defourmentill, e sua Michele, a namorada.

Amanhecia sobre o Quartier Latin e David, com os passos avinhados, caminhava para alguma turbulenta trincheira do mundo.

* * *

Não demorou. Samora Machel, comandante da "Frelimo" (Frente de Libertação de Moçambique), chegou à Itália para divulgar a guerrilha heroica da miserável colônia portuguesa perdida no sul da África, onde dezenas de negros enfrentavam, nas florestas, 60 mil soldados do general Kaulza Arriaga.

David foi a Roma, apresentou-se a Samora Machel, recebeu convite para trabalhar na linha de frente da Frelimo, que precisava desesperadamente de um cirurgião. Primeiro brasileiro e dos raros brancos a entrar naquela guerra sem manchetes. Entrou pela Tanzânia, atravessou o rio Rovuna infestado de crocodilos e penetrou pelo norte de Moçambique numa coluna de 30 homens. Era um caminho sem volta. Ou a vitória ou a morte. Durante um ano percorreu as selvas e savanas de Cabo Delgado, Niassia e Zambezia. Único médico em milhares de quilômetros quadrados, operando feridas no mato, nas condições mais precárias, sem oxigênio, sem transfusão de sangue. Ele a morte, frente a frente.

E uma solidão profunda. Os guerrilheiros mal falavam algumas dezenas de palavras em português. A exaustão das longas marchas dentro da floresta, a sujeira, os insetos e a fome amoleceram-lhe os dentes, incharam pés e mãos e cobriram o corpo de feridas e infecções. Em 7 de abril de 74, foi ferido em combate em um ataque de helicópteros portugueses a uma base guerrilheira na região de Mueda. Sangrando, rolou por um barranco. Descoberto por um soldado português, quase foi morto. Anos depois reencontrou o soldado português vendendo bilhetes de loteria nas ruas de Lisboa. Perdera as duas pernas numa mina.

Afinal, a guerrilha de Samora foi vitoriosa. David virou ministro da Saúde e criou o primeiro plano de saúde da República Popular de Moçambique, que tinha 95% de analfabetos. Criou também o "Agente Sanitário de Aldeia", formado em seis meses. E reduziu o receituário médico a 300 remédios, para baratear.

Sua missão estava cumprida. Voltou a Paris sem nem mesmo esperar para receber a medalha que o país lhe deu. Uma semana e já estava em Lisboa para ver de perto a Revolução dos Cravos, que precipitou a libertação de Moçambique.

* * *

Preparando meu livro "Portugal, um salto no escuro", alugamos um carro — César Mesquita, editor da Francisco Alves, Márcio Moreira Sales, David, Vera Mata Machado e eu — e cortamos Portugal de ponta a ponta, oeste a leste, norte a sul. Uma tarde, em Santiago do Cacem, pequena vila branca do Alentejo, encravada nas vertentes da Serra de Grandola, vi o David, emocionado, no cemiteriozinho de túmulos nus, contemplando longo tempo as cruzes com os nomes de vários filhos do lugar, meninos do povo "mortos em combate em África".

Mas Portugal não era só crises, guerras e dores, naquele primeiro ano depois do salazarismo. Como Sergipe, se você viaja muito lá, passa outra vez pelo mesmo lugar. E ríamos muito. Entre Brasil e Portugal, tudo nos une, nada nos separa. Só a língua.

Chegamos a Carrazeda de Anciães, pequena e perdida vila medieval, lá em Trás-os-Montes, extremo-norte do país, do outro lado da serra do Marão. Paramos o carro na pracinha de terra batida, sem calçamento, entramos no bar:

— O senhor tem cerveja?

— São brasileiros? Muito gosto. Tenho parentes no Brasil. Os senhores não querem um bom vinho?

— Não. Só depois. Estamos com sede. Queríamos cerveja.

— Não tenho aqui agora. Mas mando um puto qualquer buscar uma para os senhores ali no outro bar.

— Manda quem?

— Um puto.

E o português simpático, cara corada e barriga grávida, bateu forte a mão gorda em cima do balcão:

— Oh, Joaquim! Vai ali no Manuel buscar uma cerveja fria para os doutores.

Lá de dentro saiu um rapagão de cara fechada, pisando firme com seus grossos sapatões de sola dupla. Evidentemente não era. Fiquei curioso:

— O que é puto aqui?

— Puto é o gajo maior. Até cinco, dez anos, são miúdos. De dez aos dezoito, são todos putos.

Era hora de ele se vingar. Perguntei:

— Esta é a última vila antes da fronteira com a Espanha?

— Depende, doutoire. Se o senhor vai daqui pra lá, é a última. Mas se o senhor vem de lá para cá, é a primeira.

* * *

Um sábado, já de volta a Lisboa, depois de almoçarmos uma bacalhoada ao Braz com vinho verde, na zona boêmia do Parque Meyer, bem no centro da cidade, fomos a uma entrevista coletiva de Nito Alves, um dos principais comandantes do MPLA (Movimento Popular pela Libertação de Angola), liderada por Agostinho Neto, o principal e mais forte dos três grupos armados que disputavam o poder na guerrilha da maior colônia africana, ainda dominada pelos portugueses um ano depois dos "Cravos".

Foi a sopa no mel. Os angolanos sabiam que David era um veterano da África, de onde a maior parte dos médicos fugira.

Convidado, aceitou na hora. Em 23 de outubro de 75, David partiu para Angola, no mesmo dia em que, no Brasil, era assassinado seu amigo de infância Wladimir Herzog.

E caiu no inferno de Luanda. No gigantesco jumbo da TAP, que fazia a ponte aérea da guerra em Angola, só mais cinco passageiros viajavam para África, enquanto em Luanda milhares de "retornados" brancos, em pânico, queriam fugir do matadouro.

O avião deu voltas e aterrissou com as luzes apagadas para escapar de canhões. A FNLA (Frente Nacional pela Libertação de Angola), os zairenses e mercenários estavam entrincheirados a 15 quilômetros da capital Luanda, cercada.

Luanda era uma cidade de duas bandas. A branca, com asfalto e arranha-céus, pilhada, destroçada, deserta e entregue aos ratos. E a negra,

A NUVEM

com areia e favela, fervilhante, onde faltava água, comida, transporte, eletricidade. Era o caos.

Três horas depois de chegar, David já estava na Frente Norte, em Quifandongo, onde se travava a batalha desesperada pela tomada da capital. No mesmo dia, também chegava o primeiro contingente de 400 homens das tropas de elite de Cuba, que salvaram o MPLA do desastre. Mais uma vez escapou de morrer, quando um obus da artilharia inimiga explodiu na barraca improvisada em hospital e matou dois cirurgiões e um anestesista cubanos e mais um ferido que estava sendo operado.

Semanas depois, consolidada a Frente Norte, David volta a Luanda para assumir a direção do Hospital Militar, o maior da antiga África Colônia Portuguesa e o mais desorganizado. Faltava tudo. De comida a sangue. E caminhões de feridos chegando das diversas frentes de combate.

Foi lá que encontraram Neiva Moreira, o jornalista maranhense, e Josué Guimarães, o romancista gaúcho, nas longas enfermarias de madeira onde os africanos feridos gemiam cobertos de moscas, pus e sangue coagulado. Até hoje Neiva se lembra do que David lhe disse:

— Toda noite escolho os que vão morrer. Só dá para operar os que têm alguma esperança.

Trabalhavam, dia e noite, quatro médicos apenas, três cubanos e ele. As colunas blindadas sul-africanas avançavam a 60 quilômetros por dia, do leste e do sul, em direção à capital, arrasando no caminho tudo que se movia, até serem arrasadas pelos canhões soviéticos, a 60 quilômetros da capital.

Sul-africanos, zairenses e mercenários desistiram, mas a guerra continuou durante anos na contraguerrilha da UNITA de Savimbi, um assassino gordo e animalesco, que conheci em Roma e felizmente foi cercado, derrotado e apareceu morto. Antes disso, durante um ano David organizou a Faculdade de Medicina, adaptando-a à realidade africana. E ajudou o Movimento de Libertação da Namíbia a montar serviços médicos de guerrilha. Em 27 de maio de 77, o comandante Nito Alves, um dos três generais mais poderosos de Angola, aquele mesmo da entrevista coletiva de Lisboa, faz um levante para derrubar Agostinho Neto e tomar o governo. Era o brutal vale-tudo dentro do poder.

Havia descontentamento no MPLA contra a corrupção dos que herdaram as casas, os carros e a vida dos colonizadores. Massacres de lado a lado, mas Agostinho Neto sufocou o levante em 48 horas. Centenas de militares e civis rebelados foram presos e fuzilados, inclusive Nito Alves, mostrado na TV.

David não participou do levante, mas como andava criticando o governo foi preso também. Ficou um mês e meio enterrado nos cárceres da velha prisão de São Paulo em Luanda, numa pequena cela onde se amontoavam mais quarenta presos.

Nem sanitários, nem sol. Eram baldes. Água e alimentação uma vez por dia, em latas de conservas usadas. Comiam com a mão. Toda madrugada tiravam três ou quatro que sumiam. David pensava que também sumiria. Mas era brasileiro, tinha mulher e filha angolanas e, sobretudo, era amigo e médico particular do presidente. Uma noite, sob escolta, puseram-no em um avião que ia para Lisboa, onde desceu em 27 de junho de 77, com a mulher, a filha e uma mala. No passaporte, um carimbo: "EXPULSO".

Logo começou a operar no Hospital de Ultramar, fez concurso para professor de Técnica Cirúrgica na Faculdade de Medicina da Universidade Nova de Lisboa e foi dar aulas. Em 31 de dezembro de 78, acabou o AI-5. Resolveu testar. 24 horas depois, 1º de janeiro de 78, oito meses antes da anistia, desembarcou em Congonhas. Primeiro exilado a desafiar o regime.

Duas mil pessoas no aeroporto, inclusive Ulysses Guimarães, Franco Montoro, Mario Covas, José Carlos Dias, seu advogado. Interrogado duas horas pela Polícia Federal, foi solto. A anistia era inevitável. Chegou, em agosto, para todos nós.

* * *

A fantástica aventura africana do exílio de David Lehrer terminaria, como terminou, com a anistia de 1979. Mas ainda era 1975 e eu estava vivendo e documentando, para meu livro, o anárquico milagre da "Revolução dos Cravos" em Portugal.

Tinha a meu lado muito mais do que um cravo ou uma flor. Tinha um lindo amor, mal saído do sonho juvenil da luta armada para construir um país mais justo e bonito, e do horror das torturas no Brasil. Encontrei minha guerrilheira miraculosamente salva e bela, sorrindo seu sorriso inabalável, imaculado.

Nas velhas calçadas do Alto, nas baixas do Chiado, nas ladeiras de Lisboa, de Sintra, de Óbidos, caminhamos séculos de encantos e de história, desde as mesas agitadas do "Pabe", do "Gambrinus", do "Tavares", do "Parque Meyer", até as ínvias escadarias do Castelo de São Jorge e do "Pereira", na Alfama, e as pousadas mágicas vestidas de séculos nas encostas empedradas.

Lisboa, com sua paz, sua maciez, sua ternura urbana, era de madrugada o que o sambista chamou de um "cenário de beleza".

Minha guerrilheira esperava a anistia e a volta como quem espera a água brotar da fonte. Mas em nenhum instante se queixava do destino. Só ele nos podia ter dado Lisboa como um beijo do tempo.

* * *

Cada país tem seu milagre. Uns políticos, outros econômicos. Portugal teve um milagre institucional. É o único caso, que conheço, de uma nação ocidental que passou um ano em plena anarquia e não se desmoronou, não se dissolveu.

De 25 de abril de 74, quando o salazarismo foi derrubado, a 25 de abril de 75, quando as eleições legitimaram a Constituinte e o governo, o poder em Portugal foi passando de mão em mão e sobretudo pelas mãos do povo, que invadia o que queria, ocupava o que podia, tomava o que havia, "saneava" o que sobrava.

Sindicatos ficaram com as fábricas, bancários com os bancos, comerciários com as lojas, jovens portugueses e também brasileiros exilados com as casas abandonadas. No Estoril, nos bairros ricos, as mansões dos banqueiros portugueses que fugiram para Londres foram logo ocupadas por outros moradores. Até os cães estranhavam. Não conheciam aqueles novos donos.

Portugal estava vivendo a metáfora do cão da Alsácia. O menino tinha um cão. Um cão lindo. Um lobo da Alsácia. A mãe não gostava do cão. O pai gostava. O pai estava em casa, o cão ficava solto, alegre, guardando o jardim. E o menino feliz.

O pai viajava, a mãe prendia o cão. O cão ficava amarrado, triste, dormindo no seu canto. O menino, infeliz. Quando o pai voltava, soltava o cão. O cão saía desesperado de seu canto, corria para o jardim e comia todos os cravos dos canteiros. De raiva.

O menino desta história era português. O cão desta história era português. Os cravos desta história eram portugueses. Esta era uma história portuguesa. Eu a ouvi de amigos em Lisboa, numa noite de amargas lembranças antifascistas. E nunca mais consegui pensar em Portugal sem lembrar do lobo da Alsácia.

Portugal passou cinquenta anos preso, amarrado, triste, dormindo no seu canto. Infeliz. De repente, soltaram-no. Saiu desesperado para o jardim da liberdade. O perigo é que passasse a comer os canteiros dos cravos vermelhos. De ódio.

Foram três gerações espezinhadas, mutiladas. O 25 de Abril foi a revolução francesa deles, com 200 anos de atraso, em nome da liberdade, da igualdade, da fraternidade. Até na música-senha de José Afonso: — "Grândola, Vila Morena, terra da fraternidade".

O 25 de Abril foi um Maio de 68 que deu certo. Jovem, explosivo, incontido, anárquico. Quase desesperado. Não se podiam criticar.

A verdade é que o Ocidente não tinha autoridade política nem moral para condenar as turbulências do processo português. Quando o fascismo apertava o pescoço de Portugal, esganando a liberdade, quantos se levantaram para defendê-lo?

Portugal foi salvo, literalmente, pela Constituinte. O Partido Socialista Português, do rotundo estadista Mario Soares, ganhou brilhantemente as eleições, construiu um governo democrático de respeitabilidade nacional e internacional e deu a paz a Portugal.

* * *

Da janela do hotel em Lisboa, eu via o Marquês de Pombal, elegante e orgulhoso, a cabeleira encaracolada e o olhar aberto, soberbamente de pé no meio da praça, contemplando em pedra a cidade-monumento que ressuscitou da poeira do terremoto. No fim, ele acabou perdendo a grande batalha contra os jesuítas.

Portugal tinha continuado um país de jesuítas. O país das palavras, das fórmulas, tocando nas fórmulas e nas palavras para não tocar nas coisas. Você ia a Trás-os-Montes e encontrava aldeias medievais iguaizinhas às de 500 anos atrás. Entraram séculos, saíram séculos, e Portugal pouco avançou do sistema feudal. Descobriu mundos, sim. Pulou oceanos. E acabou inventando, de patente exclusiva, este jesuitismo só dele, que muito explica tanta coisa de antes e depois do 25 de Abril: o capitalismo escritural.

Era tudo papel. Tudo letra. Tudo número. Tudo escrituração. Fábricas feitas sem um tostão. Na escrita. Negócios de bilhões feitos sem um tostão. Na escrita. Setenta por cento da economia nacional eram controlados por sete grupos. Na escrita. Daí terem também descoberto, eles, os banqueiros jesuítas, o que nem Hitler, nem Mussolini jamais sonharam: o fascismo do crédito.

Se o crédito nascia, vivia e morria na escrita, o crédito era só deles. Pior: o crédito eram eles. Ora, como capitalismo é dinheiro, e portanto crédito, o satânico silogismo estava amarrado: deles eram, por consequência, a economia, o governo, o Estado, o país. O país mais atrasado da Europa. E um ano sem um governo.

* * *

O major Sanches Osório, membro da Comissão Coordenadora do Movimento das Forças Armadas e ministro da Comunicação Social do Governo Provisório do general Spínola, conta em seu livro "O Equívoco do 25 de abril" que foi ao gabinete militar da Presidência, onde estavam os generais Galvão de Melo, Silvério Marques, Diogo Neto, Pereira de Melo, vários coronéis, tenentes-coronéis e majores.

Convocaram o primeiro-ministro Vasco Gonçalves, que entrou no gabinete. Estendeu a mão ao general Galvão de Melo:

— Como está, meu general?

O general ficou imóvel.

— O meu general não me aperta a mão?

— Não, eu não falo a filhos da puta.

— O meu general é um estupor.

Para evitar o pior, o general Diogo Neto interpôs-se entre os dois e, de frente para o primeiro-ministro, exclamou:

— Tu és uma vergonha, meu comunista ordinário, que queres levar o país para uma guerra civil. Se abres a boca, parto-te a cara.

O ministro Sanches Osório disse ao primeiro-ministro:

— O governo incitou os partidos, o que é desonesto.

— Isto é uma calúnia. O senhor está a insultar-me.

— Não estou. São os fatos tais como se passaram.

O general Diogo Neto virou-se para o primeiro-ministro:

— És um merda.

E o general Silvério Marques acrescentou:

— Olha-me bem de frente. Tenho quatro estrelas, mas só duas são da Revolução. Deixo-as aqui, atiro-as à tua cara. Tu vais dar ordem ao teu partido, ao PC, para acabar com a rebelião.

Chegou o Presidente, general Spínola, que ainda viu parte da cena. Era no Palácio de Belém, em 27 de setembro de 1974.

* * *

Voltando de Portugal, escrevi abrindo meu livro (de 1975):

— Este livro não é uma tese sobre Portugal. É uma síntese, um retrato. Quis apenas dizer como está Portugal. Dar o depoimento tranquilo, correto, exato, seguro. Não cuidei de hipóteses nem fiz profecias. Se as forças democráticas de Portugal, que arrebentaram o fascismo e se lançam à construção do socialismo, pretenderem atropelar a história e vomitar em um ano a amargura de 50, acabarão de pés quebrados, reabrirão a casa ao terror fascista e cometerão um crime irrecuperável.

Felizmente não cometeram. O sucesso de meu livro, em Portugal e no Brasil, veio daí: de não ser dogmático, de ter acertado acreditando na liderança democrática de Mario Soares. Era "Portugal, um salto no escuro". O culto Franklin de Oliveira viu bem isso no seu generoso e entusiasta prefácio:

— "Neste livro, de reportagem, é preciso antes de tudo colocar em relevo as qualidades literárias do texto. Este jornalista é, antes de tudo, um escritor. Um homem que sabe dizer precisamente porque sabe pensar. São as suas qualidades inatas de escritor que lhe permitem ver o que os simples colecionadores de fatos não intuem ou percebem. São suas virtudes literárias: clareza, ironia, agilidade, senso polêmico, riqueza argumentativa.

O retrato de corpo inteiro da insurreição portuguesa está no livro de Sebastião Nery. Não é um livro dogmático. Seu grande mérito consiste lucidamente em criar ampla margem à reflexão dos leitores. E outro não era o objetivo de seu autor, alcançado com o brilho que singulariza sua presença na imprensa brasileira".

* * *

E em dois longos artigos, no "Jornal do Brasil" de 6 e 7 de novembro de 1975, o venerando Alceu de Amoroso Lima, Tristão de Athayde, me compensou de todos os esforços e canseiras.

Primeiro artigo: — "Febre Alta em Portugal":

1. "Se o atual governo português não conseguir dominar a indisciplina militar restituindo igualmente à imprensa uma liberdade efêmera que lhe foi totalmente usurpada e hoje se equipara à imprensa morta dos tempos salazaristas, será este o triste espetáculo a que estamos arriscados a assistir..."

2. "Para compreendermos essas angustiantes alternativas é que nos será de grande auxílio o livro que o jornalista Sebastião Nery acaba de publicar: 'Portugal, um salto no escuro', Livraria Francisco Alves Editora, 259 páginas..."

3. "Se o jornalismo é a história do presente e a história, o jornalismo do passado, o autor deste documento reúne qualidades de historiador e de jornalista. Como jornalista, passou dois meses em Portugal, do norte ao sul, das grandes capitais às mínimas aldeias, entrevistando maiorais da revolução e auscultando de perto o povo miúdo que a fez ou aplaudiu..."

4. "Como historiador, baseia-se o autor em documentos autênticos que viam norteando teoricamente o movimento, em estatísticas fundamentais, completando-os com magníficos perfis de vultos

destacados da revolução. Tudo isso articulado por um estilo muito alerta que nos restitui, ao vivo a tumultuosa e dramática realidade portuguesa contemporânea..."

5. "Não se trata de uma apologia. Muito menos de um relato desapaixonado. Trata-se de uma participação individual do autor, com suas impressões pessoais e juízos próprios..."

6. "Embora o perigo de uma guerra civil, até mesmo iminente, represente esse salto no escuro a que alude Sebastião Nery, a realidade é que a revolução portuguesa ou se consolida de baixo para cima na base do resultado das saudosas eleições para a Constituinte, ou é desfeita de cima para baixo..."

7. "Mas também não faltam os espíritos lúcidos que possivelmente a convertam em uma realidade histórica que os seus mais astutos e idealistas orientadores chamam de socialismo com liberdade..."

9. "Reservo para amanhã alguns textos capitais desta obra fascinante".

E, no dia seguinte, o segundo e último artigo — "A Patética Interrogação Lusitana" — era todo ele de transcrição de dez trechos de meu livro, avalizado pelo generoso mestre Dr. Alceu.

29
ESPANHA

MINO CARTA, DIRETOR DA "ISTOÉ", ME CONVIDOU PARA IR À ESPANHA acompanhar a campanha eleitoral da Constituinte espanhola, que deveria ser convocada para breve. O general Franco morrera em 20 de novembro de 1975, depois de longa agonia. E o franquismo estrebuchava seus 41 anos de ditadura.

Logo no dia 22, o príncipe Juan Carlos (nasceu em Roma em 1938, neto de Afonso XIII) foi proclamado Rei da Espanha (37 anos) e iniciou a brilhante operação política da abertura, anunciando uma Monarquia democrática, ainda com o antigo chefe de governo Arias Navarro. Em julho de 76, Arias Navarro deixa o comando do governo e o Rei surpreende a Espanha e o mundo e chama o jovem Adolfo Suarez, 44 anos, para presidente.

Começava a grande lição da Espanha. E eu lá na aula.

Viajei para a Europa com meu amor azul. Antes de ir a Madri, passei uns dez dias em Paris para entrevistar Delfim Neto para a revista "Status", da mesma "Editora 3" da "IstoÉ", e rever Paris com Ana.

Embaixador de Geisel na França, Delfim vivia um exílio dourado. Quis ser governador de São Paulo, Geisel não deixou. Cercado de livros e já amigo de grandes intelectuais franceses, como Jacques Atali, cabeça cultural de Mitterrand, Delfim abriu a entrevista soltando uma bomba política, que teve grande repercussão: no ano seguinte, em 78, voltaria para o Brasil para disputar na Arena a candidatura a governador de São Paulo.

Voltou, tentou articular a candidatura, mas a convenção se dividiu entre Laudo Natel, candidato do presidente já indicado, João Batista

Figueiredo, e Paulo Maluf, que venceu. Delfim foi ser ministro da Agricultura, do Planejamento, da Economia.

* * *

Depois de Paris, Ana voltou ao Brasil e eu segui para a Espanha. Cheguei a Madri com a Constituinte convocada e os partidos a serem legalizados, para saírem da clandestinidade e começarem a campanha eleitoral. Além da "IstoÉ", escreveria para a "Tribuna da Imprensa" (Rio) e o "Correio Braziliense".

Hoje, com a bendita Internet, e já desde o fax, o jornalismo não é mais um sofrimento diário, como naquele tempo. Era preciso ir aos Correios, disputar horário, picotar as fitas do telex e mandar. O telex não tinha correção nem tempo de espera. Bateu, furou, já ia. O texto tinha que sair exato, enxuto e completo.

Mas estava começando a aparecer o telex sem fita, como se fosse um computador. Você batia, já seguia direto, sem sequer dar chance de reler o texto, nem mesmo uma frase inteira.

Fui à sede da agência UPI (United Press International), que tinha contrato com a "IstoÉ". Um americano mal-encarado, chefe do escritório, recebeu-me com total má vontade, leu a carta-autorização da "IstoÉ", apontou uma fileira de máquinas na sala:

— Se você souber usar, pode usar à vontade.

— Claro que sei. Estou acostumado. Lá em Paris é o que uso.

Ele se assustou, ficou olhando para mim. Mentira. Nunca tinha visto nem usado em Paris aquele telex metido a computador.

Levantou-se, pegou o paletó e saiu para almoçar. Ao lado da mesa dele, uma bela jovem de olhos bem negros, andaluza:

— Você é de Paris?

— Não. Estou só chegando de lá. Sou do Brasil. Falei assim só para confundir aquele teu chefe, que é um estúpido.

— É mesmo. Ele faz isso com todo mundo.

— Mas comigo não vai fazer não. Dou uns gritos com ele.

Ela riu, solidária. Pedi que me ensinasse a usar a geringonça. Calmamente, ligou um, mandou-me sentar em frente e comecei a escrever. À medida que eu batia, as palavras e frases sumiam. Já estavam indo. E eu forçando o improviso para escrever direto.

Terminei cansado, aliviado, mas preocupado. E se tivesse passado alguma besteira? Só lá na "IstoÉ" iriam ver. Ela surpresa:

— Você nunca escreveu mesmo nisso aí? Aprendeu logo. Tem gente que chega aqui e fica um tempão tentando escrever.

— É porque estou acostumado a sofrer nos telex dos hotéis ou dos Correios. Estive em Portugal, onde até o teclado era invertido. Salazar fez assim a propósito, para isolar Portugal. Aqui é muito melhor. Ainda mais com um lindo anjo ao lado. Vou almoçar e no fim da tarde, volto para escrever outra. Você não sai para almoçar?

— Só quando ele voltar. Os dois tomamos conta do escritório.

— Quer almoçar comigo?

Ela levou um susto, ficou vermelha, demorou um pouco:

— Vou, mas só depois que ele chegar, para não fechar.

— Então te espero naquele barzinho à direita daqui.

Pedi um vinho e fiquei em dúvida se ela iria. Foi. Saímos para um restaurante ali perto. Madri também era uma festa. Toda manhã, perto do almoço, eu estava lá para fazer as matérias dos dois jornais. No fim da tarde, voltava. A da revista era só uma vez por semana. Minha alegria já não era mais por causa da Constituinte, do rei. Ia feliz por causa da minha doce andaluza.

Almoçávamos rápido e jantávamos bem devagar. Filha de Sevilha, morava com a mãe em Madri. Tinha acabado de terminar a Universidade, onde estudou línguas, inglês, francês. Sábado e domingo ela não trabalhava. Ia para o hotel Mayorazgo, no fim da Gran Via, onde eu estava hospedado. Tomávamos café e saíamos para ela me mostrar sua Madri, museus e prados.

À noite, espetáculos de música flamenca, ouvir o Concerto de Aranjuez na guitarra e jantar de madrugada. Madri é a cidade mais noturna da Europa. Às duas da manhã, ainda há babás empurrando carrinhos de bebê pelas calçadas iluminadas.

Ela gostava de vinho, *paella*, merluza, dos leitõezinhos do "Las Cuevas de Luis Candelas" e do "Botim", nas escadarias da Praça Maior. Táxis, restaurantes, vinho, teatro, *shows* e os hotéis em fins de semana no interior depois dos comícios, o amor era caro. O dinheiro não dava. Pedi socorro ao Mino Carta. Elogiou as primeiras matérias que já havia mandado. E provou que gostou. Dobrou o dinheiro. E as noites de Madri cada dia mais andaluzas.

* * *

Fui para lá com um projeto na cabeça: conversar primeiro com os líderes dos principais partidos, ainda escondidos. Não conhecia ninguém. Levei o telefone do jovem e brilhante empresário Pedro Grossi, que tinha um escritório em Madri. Na sala pequena, só a mesa dele e outra, menor, de um jovem assessor sentado ao lado. Contei meu problema. Como fazer para falar com Santiago Carrillo, o velho líder do Partido Comunista? O Grossi sorriu. Não entendi. E o rapaz começou a me fazer perguntas sobre a "IstoÉ", a política brasileira. Eu respondendo. E me perguntou se iria com ele a Barcelona encontrar Carrillo. Claro que sim. Mas e a polícia? Ele não estava escondido? Estava, mas, eu indo com ele, Carrillo me receberia sem problema.

— Como é que você pode me garantir que irei seguro?

— Porque ele é meu pai.

Minha nuvem não falhava.

Ele me pegou cedo no hotel e lá fomos nós, no carro dele. Baixo, rechonchudo, 62 anos, testa larga, cabelos escuros, cara de padre sem batina, ar tranquilo e bonachão de quem estava em paz com a vida, Carrillo já tinha saído do exílio na França e vivia em uma casa discreta no subúrbio de Barcelona. Era o dirigente comunista mais simples e mais modesto que já tinha conhecido.

Vinha de longe. O pai, operário metalúrgico e membro do PSOE (Partido Socialista Operário Espanhol) nas Astúrias, foi ser redator-chefe do jornal do partido, "O Socialista", em Madri. Em 34, com 19 anos, já era da direção do Partido Comunista. Pegou um ano e meio de cadeia. A guerra civil, em 36, o encontrou em Madri, onde foi para a Junta de Defesa da cidade, uma espécie de administrador. No fim da guerra, em 39, derrotado, estava em Barcelona, atravessou a fronteira para a França.

Na guerra mundial, entrou na Resistência Francesa e organizou guerrilhas na Espanha. Em 56, já no comando do partido, porque a secretária geral Dolores Ibarruri vivia em Praga e Moscou, levantou a tese na reconciliação nacional e passou a reorganizar o partido. Em 60, foi eleito secretário geral.

Falava devagar, medindo as palavras. O que dizia, dizia definitivamente. Sabia que o mundo político tinha os olhos nele. Qualquer deslize iriam cobrar dele, que já havia pago demais:

1. "Não sou nem tão grande como alguns pensam, nem tão bom como me suponho, nem tão mal como diz a direita. Sou um homem que na vida já não curta acumulou certa experiência humana e política, que tentou aprender nas lições de nossa própria história e na dos outros. Por haver participado da guerra civil e sofrido a derrota, não quero outra prova igual para meu país nem que nenhum espanhol tenha que sofrer o que sofremos os que perdemos a guerra".

2. "Não renunciamos ao poder. Renunciamos sim à ideia de monopolizá-lo como partido, converter-nos no grupo dominante do país. A essência do que se convencionou chamar de eurocomunismo está

nesses princípios. O que a oposição precisa hoje é manter um mínimo de acordo para que a mudança em nosso país seja verdadeiramente democrática".

E sorri com um sorriso bom, o subversivo da paz.

* * *

O nome dele era Isidoro. Todo mundo sabia quem era, mas ninguém sabia como ele era. Secretário-geral do PSOE (Partido Socialista Operário Espanhol), o mais antigo do país, fundado por Pablo Iglesias em 1879, era o grande enigma da abertura que viria.

Filho de um vaqueiro da Andaluzia, nascido em 5 de março de 1942, sofria de asma desde os dois anos. No curso secundário, tinha que optar entre Letras e Ciências. A mãe o matriculou em Ciências. Não sabe por que, trocou para Letras e estudou Direito. Na Faculdade, atua entre os grupos universitários católicos. Em 1962, conhece um grupo de colegas socialistas já organizados (são como irmãos até hoje), Afonso Guerra, Guilhermo Galeote e Luis Yanez. Tinham um projeto: assumir o comando do Partido Socialista em Sevilha, depois na Espanha e a partir daí o governo. Vinte anos depois, em 1982, conseguiram.

Custou muito. Formado, Isidoro monta um escritório de advocacia sindical e começa a fazer política na ilegalidade. Em 65 e 66, passa dois anos estudando na Bélgica, volta para a luta interna no PSOE e a luta externa contra Franco. Em 69, assumem o comando do partido em Sevilha:

— "Desde o começo me dei conta de que meu discurso tocava as pessoas".

Em 72, vão ao congresso do PSOE na França, entram para a direção nacional. Em 74, Isidoro se elege secretário-geral, derrotando o velho Rodolpho Lopis, 79 anos, herói da guerra civil. Muda-se para Madri, sempre clandestino e sempre Isidoro.

Foi lá que o conheci, em 1977, os cabelos bem negros, cheios, caindo sobre o pescoço, a barba cerrada, a boca grande, um discurso forte e 35 anos. Em dezembro de 76, havia convocado a imprensa e anunciado que o PSOE estava voltando à legalidade depois de 40 anos proibido.

Já não era mais Isidoro. Era Felipe, Felipe González, "El caballo" (o cavalo). Nas eleições de 15 de junho de 77 para a Constituinte, seu partido fez 28,51% dos votos. O Partido Comunista de Santiago Carrillo, 9,025%. A Aliança Popular, a direita ex-franquista, do galego Fraga Iribarne, 8,19%. O Partido Socialista Popular, do velho professor da Universidade de Salamanca, Tierno Galvan, 4,29%. Ganhou as eleições a UCD (União do Centro Democrático) de Adolfo Suarez, o chefe do governo (o Presidente do governo, como dizem lá) com 34,34%.

Só em 82, Felipe e seu PSOE ganhariam as eleições. Mas aquela Constituinte era uma lição para o mundo. Depois de 41 anos de ditadura, a Espanha entregava o país à competência, determinação e sabedoria de três jovens: o rei Juan Carlos, 39 anos; o chefe do governo Adolfo Suarez, 45 anos; e Felipe González, o líder da oposição, 35 anos.

Os três construíram a nova Espanha. Em 1992, em Madri, nas solenidades dos 500 anos da chegada de Cristóvão Colombo às Américas, ouvi Felipe González, então presidente da Espanha, dizer a Fernando Collor, presidente do Brasil:

— Fernando, governar é resistir.

* * *

Uma noite de lua, depois da seresta, numa praça de velhas pedras gastas de Diamantina em Minas, um grupo de garotos conversava sobre o que iam fazer da vida.

— Eu vou ser presidente da República.

E Juscelino Kubitschek foi presidente da República.

Uma noite de verão, depois do jantar, na praça de velhíssimas pedras gastas de Ávila, na Espanha, um grupo de jovens conversava sobre o que iam fazer da vida.

— Eu vou ser o presidente da Espanha depois de Franco.

E Adolfo Suarez foi o presidente do primeiro governo da monarquia espanhola depois de Franco. Entre JK e Suarez há muita coisa parecida. A mesma infância de menino comum de cidade do interior, o estudo na capital trabalhando para pagar a pensão, a entrada na política através da administração pública, a capacidade de fazer amigos e liderar o próprio grupo, a simplicidade, a simpatia, o faro do poder, uma tenacidade sem obstáculos e uma audácia sem limites.

JK foi prefeito aos 30 anos, governador aos 40 e presidente aos 50. Suarez prefeito de Ávila aos 22 anos, governador de Segóvia aos 35 e presidente do governo espanhol aos 44.

Dois cometas. Suarez nasceu em novembro de 1932. O pai, da Galícia, tinha "unas bodegas" em Ávila. Desde pequeno Suarez era *"el jefe"*. Na hora do futebol quem comandava era ele. E toureiro. No dia que ficou noivo foi à praça de Touros de Ávila, matou um bezerro e deu à noiva. Nas férias universitárias houve um campeonato de boxe em Ávila. Ganhou.

Na universidade não era dos "falangistas", a extrema-direita de Franco. Dizia-se um democrata-cristão. Foi da Ação Católica e depois da

"Opus Dei", os jesuítas da "direita-civilizada" aliada de Franco. Aos 21, forma-se em Direito em Salamanca, faz o doutorado em Madri, volta para Ávila e é nomeado prefeito. Em 67, governador de Segóvia.

Morre Franco em 75, o chefe do governo Arias Navarro chama Suarez para ministro-secretário geral do "Movimento", o partido de Franco, já então controlado pela "Opus Dei". E era amigo do rei, amizade que cultivou de olho no futuro. Quando Arias Navarro cai, o rei chama Suarez para assumir o governo.

Era um jovem desconhecido no comando do país que tinha o regime mais velho da Europa. O rei, com menos de 40 anos e ele com um pouco mais de 40, já sabiam o que iam fazer: enterrar o franquismo e implantar a democracia. Esta era a missão dos dois. Convocou uma Constituinte, tirou os partidos da clandestinidade.

Juntou sob o seu comando os partidos do centro, deixou à direita os ex-franquistas da Aliança Popular (hoje PP, Partido Popular), à esquerda os socialistas do PSOE e os comunistas do PCE, ganhou as eleições, instalou a constituinte e promoveu os Pactos de Moncloa, para tirar a Espanha do buraco econômico.

Em 82 os socialistas ganharam. Adolfo Suarez passou o governo democraticamente a Felipe González, que ganhou novamente em 86, em 90 e só saiu em 94 quando o PP venceu.

Agora o PSOE voltou com Zapatero. A Espanha estava conquistada para a democracia de Juan Carlos e Adolfo Suarez.

* * *

Foi uma campanha frenética, a da Constituinte de 77. Poucos meses. Passeatas e comícios grandiosos nas maiores cidades de toda a Espanha, cortando o país todo, de Barcelona a Santiago de Compostela, de Bilbao a Sevilha. Sobretudo os comícios dos socialistas, onde a juventude se concentrava.

Tinha experiência de outras campanhas, na França, Estados Unidos, Itália, Grécia, Portugal. Jornalista estrangeiro deve acompanhar, sobretudo, o principal candidato da oposição. Fica com mais chance de entrar, participar das caravanas, das viagens, dos palanques. O candidato do poder, porque acha e acham que vai ganhar, está sempre cercado da grande maioria dos jornalistas locais ou de representantes da imprensa mundial. Não sobra lugar.

Eu queria ver o povo, a cara do povo, a reação do povo. Colei na campanha do PSOE de Felipe González. Os comícios eram nas grandes praças de Touros das maiores cidades do país, sempre nos finais de semana. Quando podia, ia nos transportes deles, carros, ônibus, às vezes aviões. Se

A NUVEM

não dava, um velho e sábio taxista da porta do hotel "Mayorazgo", participante da Guerra Civil, ainda com marcas de balas no corpo, me levava.

E minha andaluza, vice-chefe da UPI em Madri, abria todas as portas. Conhecia os principais jornalistas e assessores. Cheguei a ir a três comícios em um dia só, de manhã, de tarde, de noite: de Felipe (socialista), Suarez (governo) e Carrillo (comunista).

Eram festas, antes e depois dos discursos. Muito vinho. E amor.

* * *

Mas não foi fácil o rei e Adolfo Suarez assegurarem a campanha e os governos eleitos pelo povo, a implantação da democracia. Além do terrorismo do ETA Basco, matando e jogando bombas, havia os militares franquistas inconformados, tentando golpes. Em 81, o tenente coronel Tejero, à frente de um pelotão do exército, invadiu o parlamento, todos de metralhadora na mão. Os deputados esconderam-se atrás de suas bancadas. Um só, desafiador, ficou de pé e mandou o tenente-coronel respeitar o parlamento. Era Adolfo Suarez, já então apenas um deputado.

O rei, general e brigadeiro, chefe das Forças Armadas, pôs a farda de gala, foi ao Ministério do Exército e exigiu que Tejero e seu grupo fossem imediatamente presos. Foram e o golpe acabou.

Outro fato para um retrato do rei. No dia 6 de setembro de 1988, como fazia toda terça-feira, o carro do chefe do governo, Felipe González, parou às 10 da manhã na porta do Palácio Zarzuela. Sobe ao 1º andar e entra no gabinete do rei:

— Senhor, quero aproveitar este primeiro encontro depois do verão para comentar uma coisa em que tenho pensado muito. Não é nenhuma comunicação oficial. Simplesmente o resultado de uma reflexão. Também não quero que tome ao pé da letra, porque não sei se afinal se efetivará nem quando.

O rei tomou um susto:

— O que é que há?

— Senhor, há quase 6 anos sou presidente do governo e me faltam dois de legislatura. Creio que 8 anos são um período suficiente e estou pensando na conveniência de não me apresentar para as eleições de 1990.

— Não continue. Peço-te que pense mais sobre isso e voltaremos a falar mais adiante.

— Desculpe que insista. Quero dizer-lhe que não desejo falar sobre o assunto. Nem agora nem nunca. Só queria que soubesse que há esta possibilidade e, em minha maneira de ser e de entender o jogo político, não quero que algum dia se surpreenda quando vier ao palácio entregar minha carta de demissão.

— Quero dizer-te não. É impossível. O país neste momento não pode prescindir de tua pessoa. A democracia e o senso de responsabilidade histórica estão acima do teu desejo de ir embora. Tens que continuar conduzindo o país.

Continuou, disputou e ganhou ainda as eleições de 90 e só saiu em 94 quando não disputou mais e o Partido Popular de Aznar venceu o partido Socialista, já liderado por outro.

Durante muito tempo se disse em Madri que a Espanha tinha um rei e um vice-rei. O vice-rei era Felipe, o ex-Isidoro cabeludo.

Com comícios, eleições, o povo na rua, governo eleito, o jornal "El País" nascendo, a revista "Câmbio 16" circulando livre, a Espanha de 77 já era bem outra, muito diferente da Espanha fascista, que eu tinha conhecido antes, com Franco e o franquismo ainda vivos, principalmente em 1963 e 73.

* * *

Em 1973, tinha guardado a última tarde de Madri para rever o Museu do Prado, dos mais importantes do mundo. Na frente, de pé, Goya, Velásquez e Murillo faturam em cimento e tempo a glória maior da pintura espanhola. Philomena Gebran, professora de arte, que já estagiara ali pesquisando no museu, avisou:

— Vamos cedo porque eles são muito complicados.

Chegamos duas e meia da tarde. Ingresso: 50 pesetas (um dólar) para cada um. Contei 100 pesetas trocadas em moedas, paguei e passamos na borboleta. O porteiro chamou:

— Faltam 10 pesetas. O senhor só me deu 90.

Procurei no bolso, não tinha mais nenhuma. Eram as últimas.

— Posso pagar em dólar?

— Não, senhor. Só em peseta.

— Mas os bancos aqui fecham às duas da tarde e não tenho onde cambiar dólar hoje.

— Então voltem amanhã.

— Não podemos. Vamos viajar hoje à noite. Já estamos de passagem comprada, hotel pago. Vamos sair daqui para a estação ali em frente. Por isso ficamos com poucas pesetas.

— Sem pagar as outras 10, não podem entrar.

Ao lado, sentado numa mesa, um senhor mais velho, cara de chefe. Fui lá, expliquei, os bancos fechados, a viagem à noite:

— Sou jornalista e minha mulher é professora de arte. Já conhecemos o Museu do Prado, estivemos aqui outras vezes, queríamos apenas rever algumas coisas. Não é possível pagar em dólar ou entrar por 90 em vez de 100 pesetas?

— Infelizmente, não. São ordens e tenho que cumprir.

Desistimos. Voltei para buscar minhas 90 pesetas:

— Não posso devolver porque já passaram na borboleta.

— Mas se não nos deixam entrar porque faltam 10, têm obrigação de devolver as 90. O ingresso é para ver o museu. Se não podemos ver, também não podem ficar com nosso dinheiro.

— É a ordem. E façam o favor de se retirar.

Aí fiz uma baianada. Dei um murro na mesa, puxei o vidro do guichê, aprontei uma confusão, correu gente de todo lado. Um grupo de americanos que vinha entrando voltou apavorado. De repente me vi cercado por um grupo de guardas. Exigi a presença do diretor do museu. Não estava. Então, de um substituto. Veio um senhor muito tranquilo, conversamos. Ele me disse que realmente dólar não servia e sem as 10 pesetas eles não podiam nos deixar entrar, porque eram ordens.

— Mas ficar com as 90 é um abuso. Um abuso! Um absurdo! Um furto! Agora, quem gritava era ele. Pediu-nos desculpas, fomos embora. Do lado de fora um cartaz colado à parede dizia:

— "Neste museu só entram sem pagar funcionários do Estado e militares".

Era incrível a diferença de critérios nos museus europeus. Londres não cobrava nada. Você visitava os melhores museus ingleses, dos mais importantes do mundo (o British Museum tem o maior acervo egípcio) e não pagava um tostão. Em Moscou, Leningrado, Berlim Oriental, não se pagava nada. Holanda, Alemanha, Iugoslávia cobravam, mas pouco. Paris é sempre Paris: tudo custava o olho da cara. Roma também.

* * *

É muito difícil compreender bem um país, entrar em seu íntimo mistério, apenas com viagens esparsas e ligeiras. Em 73, fiquei escandalizado com o sentimento racista espanhol contra o árabe. Exatamente igual, em nojo e agressividade, ao que se via nos Estados Unidos contra o negro.

Chegamos ao trem, perguntamos ao encarregado do carro qual a nossa cabine. Ele nos levou muito solícito. Lá, estavam sentados dois marroquinos. (Cada cabine, de primeira ou segunda classe, dava para seis pessoas sentadas.) O espanhol, cara risonha de tio da humanidade, fechou o rosto, rosnou algumas palavras incompreensíveis, arrastou-nos e levou-nos a outra cabine:

— Fiquem aqui.

— Mas nossos números são da cabine de lá.

— Vão viajar com mouros? Imundos e mal-educados. Raça inferior. Vão roubar vocês. Mouro na Espanha não é gente.

De nada adiantaram nossa reação e nossos argumentos. O espanhol, cara boa de tio, era um racista. E, a viagem toda, fiquei espreitando seu comportamento. Empilhou os árabes em cabines separadas, defendendo a santa pureza de seu vagão racista.

De repente ouvi uma briga no corredor do trem. Eram soldados agredindo violentamente alguns árabes. Chamei um dos fardados, divisas no braço, cara bem jovem, perguntei o que havia:

— Não é nada. São esses mouros.

— Mas o que é que eles estão fazendo?

— Não têm que vir para a terra da gente. Uns imundos.

Acalmada a confusão, puxo conversa com ele:

— Que patente é esta?

— Capitão.

— Capitão, tão jovem? Do Exército espanhol?

— Não, não. Sou da Legião Estrangeira.

— Vai para onde?

— Para a África. Vamos brigar lá.

— Contra quem?

— Não sabemos ainda. Na Legião a gente só sabe com quem vai brigar na véspera. Quem sabe são os homens que nos pagam.

— E quem são esses homens?

— Não sei e não quero saber. Quem quer saber muito as coisas não entra para a Legião Estrangeira.

E saiu mascando um chiclete. Sórdido como todos os mercenários.

Íamos para Marrocos. Quem sabe a Ingrid Bergman não estaria nos esperando lá em Casablanca, no bar do Nick, mandando o Sam tocar "As Time Goes By".

* * *

Lá mesmo, da Espanha, anunciei que, tão logo voltasse ao Brasil, reuniria em livro os textos que mandei para a "IstoÉ", "Correio Braziliense" e "Tribuna da Imprensa", com o título: — "A lição da Espanha". A "Paz e Terra" de Gasparian ia publicar.

Austregésilo de Athayde, diretor e principal articulista dos "Diários Associados", havia acompanhado minhas matérias tanto no seu "Correio" quanto na "IstoÉ" e na "Tribuna" e saudou o livro, em generoso artigo na cadeia dos "Associados":

— "Sebastião Nery está na linha dos grandes jornalistas brasileiros pela qualidade do trabalho de repórter e comentarista político. Não lhe falta, também, à prosa, o gosto literário, pois há nele, além do jornalista, o escritor que, pela cultura, dá profundidade aos fatos, interpreta-os, antecipando neles as realidades do amanhã. É, da nova geração dos homens de imprensa, o que melhor preserva e enriquece a herança do jornalismo".

Da Espanha, depois da Constituinte e dos Pactos de Moncloa, nos fins de 77, fui para um mês de férias na União Soviética: Ucrânia, Moldávia, Armênia, Geórgia e Mar Negro.

Voltei e em 1978 mergulhei na imprensa, cheio de tarefas:

1. "Contraponto" diário na "Folha de S. Paulo", que fazia desde 1975, indicado por Bóris Casoy e contratado por Cláudio Abramo, então diretor de redação. Abramo saiu, entrou o Casoy.
   Nunca falhei com o "Contraponto". Quando viajava, antecipava algumas histórias e, lá de fora, continuava enviando. Escrevi de 75 a 83, quando assumi o mandato na Câmara dos Deputados.

2. Coluna diária na "Tribuna da Imprensa", desde 1968.

3. Matérias diversas para "IstoÉ", "Status", "Ele e Ela".

4. E o novo programa diário na TV Bandeirantes: "A Tesoura da TV". (E Gasparian cobrando e eu adiando o livro sobre a Espanha, que ficou nos jornais, revistas e relembranças.)

* * *

O Guga, que eu não conhecia, superintendente da TV Bandeirantes, irmão do Boni, me chamou para fazer no ar, ao vivo, o que fazia no "Contraponto" e na "Tribuna": contar uma história e a partir dela fazer comentários políticos.

Fui visitar os colegas do jornalismo da TV Bandeirantes. Foi como entrar na cela do Elias Maluco. Quase me recebem a dentadas. Quem mandava lá era uma jornalista da família Saad e o jornalista Evaldo Dantas, do Departamento de Jornalismo. Ficaram furiosos. Nada podia deixar de passar antes por eles.

O Guga mandou-os passearem, fazendo o jornalismo deles e eu meu programa: — "A Tesoura da TV". A Band me punha no ar com uma tesourinha na mão, cortando. Ao vivo, toda noite, às 23 horas, eu entrava direto, falava, saía. Alguns se roíam de inveja. O sábio Oliveira Bastos dizia que se o povo soubesse como é uma redação não leria jornais nem revistas. Nem via TV.

Eu sabia do perigo diário que corria. Era na época o único programa da TV brasileira com análises políticas. Qualquer escorregão ou avanço de sinal o governo cortaria. O velho, experiente e simpático João Saad, dono da TV, me avisou:

— Você sabe que seu programa é diário. E não é só porque é todo dia. É que cada noite pode ser o último. Tome cuidado. Se, de manhã, o Palácio do Planalto ou o SNI ligarem e disserem que é para acabar com o programa, não teremos como mantê-lo mais.

Pisava em ovos, andava sobre uma lâmina. Numa ditadura, não podia perder a oportunidade de dar meu recado. Mas não devia arriscar demais. Ousava e segurava. Avançava e parava. O sucesso foi inevitável. O telespectador se surpreendia ao ver alguém fazendo análises e ousando denúncias políticas na TV e foi se habituando a ver "a tesoura". Sentia a repercussão nas ruas. Os telespectadores adoravam as histórias e as conclusões.

* * *

No dia 26 de janeiro de 1979, entrei arrasado em um avião em Salvador, de volta para Brasília. Tinha enterrado, na véspera, um irmão muito querido, Braz, de longa carreira em bancos, muito tempo gerente do Nacional em Salvador, então gerente do Itaú em Sergipe, mais velho do que eu, mas nem fizera 50 anos.

Peguei o "Jornal do Brasil" para me distrair no voo. Em cima de um texto, o desenho de alguém parecido comigo. Olhei melhor, era eu. Título: — "O talento põe a mesa". Autor: José Nêumanne Pinto, paraibano, jornalista e escritor de sucesso, editor do "Jornal do Brasil". E o assunto era eu na TV:

1. "Durante algum tempo, o noticiário político estava suspenso e sob suspeita, e a Censura reinou impávida e soberana, mesmo nos jornais. Nos últimos cinco anos, o jornalismo político tem tido alento e ganha em dinamismo merecendo cada vez mais espaço e a atenção dos leitores".

2. "Na televisão, contudo, o noticiário político continua a inexistir, ou a ser feito sem qualquer laivo de profissionalismo e competência. E a desculpa de que a Censura continua importunando as emissoras, ou de que a concessão precária não permite voos mais ousados no campo, não tem vez na medida em que um comentarista político consegue fazer seu próprio programa, com dinamismo, competência, talento e coragem".

A NUVEM

3. "Desde que está indo para o ar a "Sinopse" de Sebastião Nery, essa desculpa não pode ser mais dada. Afinal, o programa está indo diariamente ao ar sem problemas, e o bom jornalismo político na televisão prova que pode ser feito.

4. "Jornalista e ex-deputado cassado, o baiano Sebastião Nery, com formação mineira, é responsável pelos melhores momentos de humor do jornalismo político no Brasil contemporâneo. Seus livros, coletando piadas sobre as grandes figuras da política nacional, formadoras de nosso folclore político, são um bom espelho da vida e da alma do povo brasileiro".

5. "Na televisão, Sebastião Nery conseguiu manter seu estilo conciso e ágil, com o veículo absorvendo, às mil maravilhas, seu texto de frases curtas e cortantes, que já é uma marca registrada sua como homem de imprensa".

6. "É lamentável que o programa seja apresentado tão tarde. Ele tem o *timing* exato, e deveria ser acrescentado ao "Jornal da Bandeirantes" no horário nobre, empurrando para a frente os filmes ou os programas de *show* e variedades que a Bandeirantes apresenta no horário de 21 horas".

7. "O horário de 23 horas só pode ser entendido como excesso de cautela da direção da emissora em relação à crítica, às vezes áspera e sempre aguçada, de seu principal comentarista político, único da televisão brasileira a merecer essa classificação. Sebastião Nery não concede — ninguém pode acusá-lo disso — e o programa continua no ar".

8. "Sutil na televisão como sabe ser na imprensa, Sebastião Nery prova também que, em matéria de jornalismo, beleza não põe mesa na televisão. O veículo exige apenas que o mestre-cuca e o *maître* saibam usar a cabeça, mesmo quando ela é irrequieta como a de Sebastião Nery. O talento põe a mesa no banquete da TV. Nery é bom porque sabe escrever e, por isso, sabe o que diz diante das câmeras".

* * *

Na "Última Hora", Thereza Cesário Alvim se empolgava:
— "Sebastião Nery é um fenômeno em matéria de televisão, que merece ser estudado. Não será fácil, mas é difícil encontrar substituto para esta força da natureza e da comunicação".

E Carlos Alberto Loffler, catedrático de televisão:

— "Sebastião Nery é um caleidoscópio. Como um tubarão que jamais pôde repousar, ele navega sem antolhos os seus caminhos e descaminhos. E documenta tudo. A sensibilidade de sua memória é uma caixa registradora, através de seus "Folclores Políticos". Escritor e jornalista excepcional".

* * *

Consegui segurar o programa mais de 6 meses. Até que o Antônio Carlos Magalhães, presidente da Eletrobrás, me desafiou:

— "Nery, você não fala o que quer? Quero ver se tem coragem de denunciar a compra da Light pelo governo, meses antes de o contrato acabar e a Light voltar a ser do país a preço zero. O japonês (Shigeaki Ueki, ministro de Minas e Energia) e o Gallotti (Antônio Gallotti, presidente da Light) estão armando a maior negociata no fim do governo Geisel: comprar a Light, que daqui a poucos meses será do governo de graça, por centenas de milhões de dólares, com uma grande distribuição de comissões. Você só não pode dizer que a fonte fui eu, porque estou trabalhando para voltar ao governo da Bahia".

Era meu dever soltar a bomba. Peguei uma história bem apropriada, contei e a partir dela denunciei a trama, falando em "estranho negócio" e "comissões" para comprar por 400 milhões de dólares a Light, cuja concessão estava acabando. Foi mesmo uma bomba. Ou o governo confirmava ou me tirava.

Tiraram-me. Não voltei mais ao ar. Cortaram a tesoura. A Band foi obrigada a tirar o programa do ar. O honrado João Saad e o valente Guga não me enganaram. Eu sabia qual era o jogo.

* * *

A imprensa reagiu, solidária e generosamente. "Folha de S. Paulo" de 28 de abril de 79, com minha foto:

— "Sucesso tira Sebastião Nery do ar — "Sou um demitido pelo Ibope". Com esta exclamação, Sebastião Nery anunciava ontem para jornalistas e críticos de TV sua demissão da TV Bandeirantes. "Vocês tanto me elogiaram que me demitiram."

"Ele estava havia 6 meses na TV Bandeirantes com um programa diário às 23 horas, onde comentava a política nacional. Segundo o próprio boletim da emissora desta semana, o Ibope relativo a Sebastião Nery 'acusou 20 pontos às 23:10, o que é um verdadeiro recorde. No início o seu Ibope era de 2,5, mas nos últimos dois meses subira para o mínimo de 20 e máximo de 30'. 'Sempre elogiando a competência e a eficiência da emissora em relação aos pagamentos dos salários em dia, Sebastião Nery diz que os seis meses que passou fazendo TV valeram mais em repercussão do que os 25 anos nos jornais'".

Na "Tribuna da Imprensa", Hélio Fernandes abriu a coluna:

— "O jornalista Sebastião Nery foi demitido da TV Bandeirantes. No Rio o seu Ibope já havia ultrapassado os 20%. Em alguns Estados chegava até 28% e 30%. E o governo, como se situará no episódio? Também não adianta o governo jogar a bola para a TV Bandeirantes e dizer que não tem nada com isso".

Sérgio Augusto, na "Folha":

— "Televisão não é jornal nem revista, é coisa diferente, que exige dos que nela atuam aptidões e *know-how* específicos. Diante das câmeras, não se escreve, fala-se. O Castelinho pode ser o comentarista político mais competente do país, mas na TV Sebastião Nery permanece imbatível".

Arthur da Távola, em "O Globo":

— "A 'Sinopse' de Sebastião Nery, na 'TV Bandeirantes', é dada como fora do ar, o que será uma pena, pela vivacidade de seu apresentador, as suas excelentes fontes de informação, o nível de suas colocações hábeis e corajosas e, sobretudo, a figura humana do Nery, com uma simpatia irresistível, cercada de adoráveis tiques, desses que só os hipersensíveis possuem. Nery está sempre um segundo antes do instante".

Heli Halfoun, na "Última Hora" (4 de maio de 79):

— "O jornalista Sebastião Nery desde a tarde da última sexta-feira não pertence mais à Rede Bandeirantes, de onde foi desligado sem maiores explicações. Nery foi, sem dúvida, a maior revelação da televisão no ano passado.

Nos poucos meses em que apresentou a 'Sinopse', na Bandeirantes, Sebastião Nery provocou dois fenômenos inéditos na televisão: 1) Transformou um miniprograma (começou com 5 minutos, passou para 10, ultimamente tinha 15 na maior atração da Bandeirantes. 2) Foi a primeira atração da televisão brasileira a ser afastada da programação por excesso de audiência".

Eu saía do ar mas não saía da raia.

30
Prêmio Esso

No gabinete de Alysson Paulinelli, contemporâneo de política estudantil em Minas, ministro da Agricultura de Geisel, o melhor que o Brasil teve há anos e anos, o jornalista mineiro e seu secretário de imprensa, meu amigo Silvestre Gorgulho, me recebeu ansioso, naquela manhã de 30 de março de 1978:

— Tenho uma bomba para lhe mostrar. Venha cá dentro.

Para um jornalista, uma "bomba" é o melhor dos presentes. Entramos na sala, ele pediu à secretária para sair um instante, abriu em cima da mesa a "Sinopse" do dia ("Sinopse", hoje *clipping*, era um boletim mimeografado de 10 a 12 páginas, tamanho ofício, tipo corpo 12, meia hora de leitura, preparado de madrugada pela Agência Nacional, sob a responsabilidade da Assessoria de Imprensa e da Casa Civil da presidência da República, com a síntese do que estavam dizendo naquele dia os principais jornais do país e, uma vez por semana, as principais revistas. Quanto aos jornais dos Estados, a "Sinopse" era preparada pelos escritórios regionais da Agência. Não era coisa para qualquer um. Edição limitada, reservada, embora não confidencial, só o primeiro escalão do poder a recebia, mesmo assim em Brasília: o Presidente, vice, ministros, chefes dos outros poderes, Legislativo e Judiciário, comando militar):

— Veja o que o "Estado de Minas", que representa 90% da imprensa mineira, está dizendo na edição de hoje, primeira página:

— "Apesar dos 14 disputantes à vaga do governador Aureliano Chaves, o nome do presidente nacional da Arena, deputado Francelino Pereira, continua sendo o mais cotado. Até o MDB já se pronunciou a favor do presidente nacional da Arena".

— E daí, Silvestre?

— Daí que isso está nesta "Sinopse" que o Geisel leu às sete da manhã, ainda no Palácio da Alvorada, depois da ginástica, da ducha e do café. Acontece que o "Estado de Minas" não diz nada.

— Como não diz? Se está aí é porque está no jornal.

— Pois não está. Já telefonei para lá. Não tem nada. E também nada no "Diário de Minas" nem no "Jornal de Minas".

— Mas isso é uma maravilha! Estão enxertando a "Sinopse" do alemão. Vou fazer um escândalo nacional. E nos outros dias?

Silvestre foi buscar as "Sinopses" dos dias anteriores. Em 21 de março, usaram o "Diário de Minas":

— "O anúncio do nome do futuro governador do Estado está sendo aguardado para o próximo dia 10 de abril. Até o momento o deputado Francelino Pereira é o mais cotado".

Silvestre já tinha telefonado e não tinha saído nada. Era pura invenção. Estavam engravidando o Geisel. No dia 14 de março, a "Sinopse" já havia usado o "Estado de Minas":

— "O presidente da Assembleia de Minas, deputado Antônio Dias, disse ontem que o deputado Francelino Pereira tem condições de ser o governador do Estado, pois é um grande nome nacional e conhecedor dos problemas mineiros. Para Antônio Dias, o presidente nacional da Arena tem servido ao partido, à classe política, ao Estado e à Nação com méritos indiscutíveis, desde quando iniciou sua vida pública como vereador em Minas".

Era tudo mentira. Não havia nada disso no jornal e o próprio Antônio Dias disse a Silvestre que nada dissera ao "Estado de Minas", até porque ele iria presidir a sessão da Assembleia que confirmaria o nome escolhido por Geisel, e, pertencendo ao grupo pessedista da Arena, liderado por Bias Fortes e Murilo Badaró, jamais iria preferir o udenista Francelino.

Peguei as "Sinopses", enrolei, saí às pressas, como quem rouba. Fui direto para o aeroporto, peguei um avião para Belo Horizonte. Lá, passei logo nos jornais, comprei os exemplares citados e fui marcando com caneta vermelha. Nada conferia.

Quando liguei do hotel de manhã para Silvestre, ele já estava com a "Sinopse" do dia 31 na mão, também emprenhada:

— "O 'Estado de Minas' publica hoje: — 'Políticos mineiros veem em Francelino uma força total na ajuda ao presidente Geisel e ao general João Batista Figueiredo, já indicado futuro presidente. Entendem que Francelino, por conhecer bem os políticos brasileiros, pode indicar melhor os futuros governadores com os quais o próximo presidente irá governar o país'".

Fui à primeira banca, o "Estado de Minas" nada dizia.

Aproveitei para matar saudades mineiras. Fiquei até o fim da semana. No dia 4, eles insistiam com o "Estado de Minas":

— "O presidente nacional da Arena, deputado Francelino Pereira, um dos mais cotados para o governo de Minas, é esperado para visitar Minas na próxima semana".

Não havia nada no jornal. Dia seguinte, 5 de abril, novamente o "Estado de Minas" na "Sinopse":

— "O secretário de Indústria, Turismo e Comércio, Fagundes Neto, um dos postulantes ao governo mineiro, acredita na indicação de Francelino Pereira para suceder Aureliano Chaves e diz que o sistema quer um político à frente do governo de Minas".

Realmente Fagundes tinha dado uma entrevista, mas, claro, para defender a candidatura dele. Não citou Francelino uma vez.

* * *

Já bastava. Com aquela artilharia pesada, como é que Geisel iria escolher Francelino, passando o recibo de ter sido feito de bobo? Enchi a mala de jornais, voltei parta Brasília.

No avião, fiquei pensando para qual jornal iria dar a matéria: à "Folha", onde fazia o "Contraponto", à "Tribuna da Imprensa", onde publicava minha coluna diária ou ao "Correio Braziliense", onde escrevia nos fins de semana?

Entrando no "Hotel Nacional", onde me hospedava, encontro no elevador o Mino Carta, diretor da "IstoÉ", que me havia mandado cobrir a campanha da Constituinte espanhola e financiado meus vinhos e *paellas* com a andaluza de olhos negros:

— Mino, tenho uma "bomba" para você. Aqui na mala.

— Vamos para o meu apartamento.

Em cinco minutos, Mino entendeu tudo. As "Sinopses" fraudadas e os jornais provando a fraude:

— Vá para São Paulo, leve tudo. Amanhã estarei lá. Não dá mais para esta semana. Já está pronta. Mas é a capa da próxima.

— Vou no fim de semana e segunda cedo estou na redação.

Ainda deu para mais uma prova do crime. No dia 14, o "Estado de Minas" resumia a situação mineira na "Sinopse":

— "A sucessão de Minas está restrita agora a três nomes: Francelino Pereira, o mais cotado entre os políticos, Murilo Badaró e Rondon Pacheco".

No jornal, como sempre, nada. A audácia da fraude era tal que, em 25 de abril, o Dia D em que seria escolhido o novo governador de Minas, já tendo a "IstoÉ" publicado o escândalo numa capa gritada:

— "FranSinopse — Mentiram para Geisel", — a "Sinopse amanheceu desesperada no Palácio da Alvorada":

— "Estado de Minas":

— "A maioria arenista de Minas espera para hoje a indicação do deputado Francelino Pereira para suceder o governador Aureliano Chaves durante os próximos anos. Políticos mineiros estão contra a indicação de candidato técnico ao governo do Estado e a possível volta de Rondon Pacheco".

Era a fraude até a última hora. No jornal, nada. Naquele dia, Geisel escolheu Francelino, apesar de magoado pela impossibilidade de conhecer "toda a extensão da deslealdade".

E as aspas não eram minhas.

* * *

Na semana seguinte, outra capa da "IstoÉ":

— "O Minasgate". O escândalo havia desaguado em todas as redações. A imprensa queria saber o que o governo ia fazer diante da absoluta evidência da fraude na "Sinopse" do poderoso imperador Geisel.

O governo abriu um inquérito na Agência Nacional em Brasília e sobretudo na sucursal da Agência Nacional em Belo Horizonte. O SNI (Serviço Nacional de Informações), que bisbilhotava a vida de todo mundo, ficou desmoralizado. Eram fajutas as notícias postas nas mãos de Geisel por ele e outros.

O diretor da Agência em Belo Horizonte, jornalista Ênio Fonseca, e seu principal redator e coincidentemente assessor político de Francelino, jornalista Leopoldo Oliveira, foram demitidos. Houve outras demissões em Brasília e Belo Horizonte.

O SNI veio para cima de mim. Queria saber como é que eu tinha acesso à "Sinopse", se era reservada para o Presidente, os ministros e presidentes do Senado, Câmara e Supremo Tribunal.

Evidentemente não iria dedurar meu amigo Silvestre Gorgulho nem o gabinete do ministro Paulinelli. Dei um balão no SNI. Inventei uma história. Estava no gabinete de Petrônio, esperando para falar com ele, vi as "Sinopses" do mês empilhadas em cima da mesa, peguei e comecei a ler. Como conhecia bem Minas e a disputa feroz da sucessão de Aureliano, sabia que não havia a menor hipótese para aquela unanimidade em torno de Francelino. De nenhum. Saí com elas, fui para Minas, pesquisei nos jornais e descobri a fraude. O que era tarefa do SNI. A não ser, e certamente aconteceu, que alguém do SNI tivesse ajudado.

Não gostaram, mas nada podiam fazer. O escândalo era público, provado, comprovado e constrangedor para o governo.

E Francelino? Guardou para sempre o silêncio dos abismos. Como presidente nacional da Arena recebia a "Sinopse". E lia os jornais de Minas. Não havia hipótese de não ler o "Estado de Minas". Nenhum político mineiro não lia o "Estado de Minas".

Será que Francelino nunca percebeu que aquelas notícias todas, absolutamente forjadas, eram enxertadas para enganar Geisel e favorecer sua candidatura? Nem ele acreditava nisso.

Veio o "Prêmio Esso" de 1978, meus colegas da "Folha", Getúlio Bittencourt e Haroldo Cerqueira Lima, ganharam o "Prêmio Esso Nacional", com a entrevista arrancada do general Figueiredo, o do cheiro de cavalo, "sem gravar e sem anotar".

Ganhei a segunda nota, o "Prêmio Esso Sudeste". Prometi a Silvestre rachar o cheque. Não cumpri. Gastei todo em Paris.

* * *

Muitas histórias, que presenciei e de que participei, me ensinaram que jornalismo é o instante. Às vezes, o ridículo do instante. Outras, o susto do instante. E até o risco do instante.

Era zero hora e 55 minutos. O restaurante Antonio's, varanda lírica da República do Leblon, no Rio de Janeiro, começava a viver seu fim de noite. Nas mesas, os profissionais da madrugada penduravam esperanças e desencantos nas beiras dos copos.

Um conversar silencioso e humilde, como do feitio dos calejados. Miguel Lins, Otto Lara Rezende e Mauro Salles. Chico Buarque, Tarso de Castro, Norma Benguel, Arnaldo Jabor e Miguel Faria Filho. Paulo Casé e uma moça linda. Rubem Braga, Miguel Faria pai e um casal falando espanhol. João Nelson Sena e a tranquila solidão mineira. E eu com uma amiga, Eva Blum.

Cada grupo em sua mesa, como monges de uma missa noturna. De repente, o tufão. A porta se abre forte e aparece, cabelos brancos displicentemente penteados, rosto queimado de sol, terno azul, sem gravata, Antônio Gallotti. Foi como se Napoleão entrasse em um bistrô de Paris, mal chegando da conquista do Egito. O restaurante explodiu numa salva de palmas, calorosa, continuada, visivelmente sarcástica. Alguém gritou:

— Apaguem-se as luzes! Não precisa mais! A luz chegou.

Tarso de Castro emendou:

— Ótimo. Todas as contas pagas.

Paulo Casé, desconsolado:

— Que pena! Eu tinha acabado de pagar a conta.

Gallotti faz um gesto amplo com a mão direita, cumprimenta-nos a todos e senta-se à mesa de Miguel Lins, Mauro Salles e Otto Lara. Estava visivelmente excitado, eufórico, como quem acabasse de ganhar na Loteria Esportiva ou na de Natal. Senti que aquela mesa ali em frente, bem em frente à minha, ia dar assunto. Tirei o pequeno bloco do bolso, a caneta, e, atrás da garrafa de vinho e do prato, fui anotando tudo, discretamente.

Claro, anotando tudo que ouvia. Otto Lara e Mauro Salles, de costas, falavam baixo. Miguel Lins, sorvendo seu charuto, celestialmente, quase em transe, mal falava. Só Gallotti, com sua voz anasalada, sotaque de tenor italiano, "allegro, allegríssimo", tomou conta da mesa e do tom. A hora e a vez eram dele. Delas fez o que quis. Que era exatamente o que eu queria. Perguntam:

— Como é que foi?

— No dia 12 de julho, eu mergulhei. Quando voltei à tona, o negócio estava garantido. Aí, viajei. Não fui morto pelos acionistas de lá, porque fugi. Cheguei aqui, todo mundo contra mim. Eu disse ao Jake Moore:

— Você está enganado. Eu sou nacionalista. Não me confunda.

Alguém interrompe. Gallotti continua:

— Não ganhei nada na transação, não ganhei zero da Light.

Tive só 39 da Brascan. (Imagino 39 milhões de dolares – SN). Gosto de ganhar dinheiro. Quero ganhar dinheiro. Mas, sobretudo, quero morar na glória dos amigos. Às vezes, fico pensando e da minha insensatez me digo:

— Que besteira fiz! Mas não há negócio melhor para o Brasil, só para os acionistas da Light.

E dá uma gargalhada nervosa, feliz, estrepitosa, delirante, quase histérica. E vai em frente:

— Até o dia 30 de abril, fico na casa de São Clemente. Em 1º de maio, saio de lá. E vou montar um escritório com mais cinco amigos. Dois eu digo, porque estão aqui: meu irmão Miguel Lins, meu mestre Otto Lara e mais três.

— Quem são?

— Ainda não posso dizer.

Mauro Salles palpita:

— Antônio Balbino.

— Não, Balbino não. Não serve. É competente demais. Adoro ele, mas ele é demais.

— E a Brascan?

— No dia 1º de maio, mando a Brascan à PQP.

— E a casa?

Miguel Lins dá um aparte:

— A casa vai ser tombada.

Mauro Salles dá uma ideia, que não ouvi. Gallotti acha boa:

— Isso mesmo. Boa ideia. Faça isso. Mas diga a ele que tudo tem que ser feito através de mim. A casa de São Clemente está lá. A Brascan tem obrigação de doar a casa. Ela deve ser do Brasil. A Brascan não deve vender nem morar lá. Faça isso, Mauro.

Mauro insiste na ideia:

— Vamos pegar um gravador e você conta a história da Light.

Depois, faz-se o Museu da Light.

— Isso. Mande ele falar comigo urgente.

Não sei se Otto ou Mauro, alguém tem dúvidas:

— E Jake Moore concorda? (O presidente da Brascan — SN).

— Ele me odeia. Um pouco estimulado pelo Zé Luís. Fiz Zé Luís presidente da Light, depois ele quis me diminuir. Pensei que o Zé Luís iria para a cama comigo e ele brigou comigo.

— Ele não tinha tamanho. (Aparte de Miguel Lins).

— Sou órfão três vezes. Do Jake Moore, do Zé Luís e de Rafael (de Almeida Magalhães). Em 1969, chamei o Zé Luís para a presidência, para ele vender a Light. Ele não teve competência. O Zé Luís tem inteligência, mas não tem nenhum talento. E o Rafael tem muito talento, mas não tem inteligência.

— O Zé Luís foi envenenado pelo Jake Moore.

— Foi isso e foi mais coisas.

Para, cala, baixa os olhos, como se estivesse triste. Alguém levanta um brinde "à vitória do negócio". Gallotti chama o garçom:

— Mais um uísque, com pouco gelo. Preciso continuar à altura deles.

Bebe um gole, abre os olhos esbugalhados por detrás dos óculos de aro preto:

— Vocês têm razão. Agora, vou dizer uma coisa a vocês. A vitória não foi só minha. Tive companheiros dedicados, tive juristas, tive muita gente importante a meu lado. Mas que foi bonito, foi. Foi ou não foi bonito? Foi maravilhoso! Eu estou emocionado! Eu vou chorar. Eu tô chorando! Tô chorando! Me dá um lenço que eu tô chorando! Me dá teu lenço, Mauro, para eu enxugar minhas lágrimas! Eu chorei! Como no samba, eu chorei!

E as lágrimas lhe rolaram rosto abaixo, indisfarçadas. A mesa ficou tensa, calada. Gallotti, quase soluçando, tenta disfarçar:

A NUVEM

— Vou dizer uma coisa a vocês. O Miguel Lins é um dos seres humanos que mais movimentam meu coração.

Rubem Braga levanta-se de sua mesa, dá um abraço em Otto Lara, pelos ombros, e lhe diz ao ouvido:

— O Sebastião Nery está anotando tudo aí atrás.

Otto olha para trás, me vê, passa as mãos pela cabeça branca e suspira, como quem diz: — Misericórdia!

Miguel Lins sente alguma coisa no ar, diz a Gallotti:

— Fale baixo, estão ouvindo sua conversa.

Ele fica olhando para mim, de longe, sem me cumprimentar.

Peço um licor, um charuto, entrego o bloco a Eva, que continua anotando discretamente, por baixo da mesa. Chico Buarque levanta-se, vai saindo, Miguel Lins chama-o:

— Antônio, você conhece o Chico?

— Muito prazer, meu filho. Você ainda é muito mais charmoso pessoalmente do que nas fotos.

Chico sorri seu sorriso discreto, Gallotti insiste:

— Você sabe quem eu sou?

— Sei sim. O senhor não é o homem da história mal contada?

E sai. A mesa fica gelada. Rubem Braga vai saindo também, com seu passo manso, o olhar sábio de caçador de instantes.

— Rubem, um abraço.

— Um abraço. Estou temeroso. Saibam vocês que, haja o que houver, estou neutro.

E sai. Gallotti levanta-se para ir ao banheiro. Uma mesa começa a cantar, com a música do Flamengo:

— Gallotti, Gallotti, tua glória é lucrar!

Gallotti, Gallotti, campeão de faturar!

Ele vai lá, fala com Norma Benguel. Ela ironiza:

— O senhor é português?

— Não, sou italiano. Não vê meu sotaque?

— É a mesma coisa. Um sotaque multinacional.

Ele fica discutindo, defendendo-se, esquece de ir ao banheiro, vem, volta para meu lado:

— Nery, você sabe quem eu sou?

— Claro que sei.

— Quem sou, então?

— O senhor é a luz que ilumina o triste fim do governo Geisel.

— Não é nada disso, Nery. Leio você todos os dias, na "Tribuna", conheço seus livros, vejo você todos os dias na TV Bandeirantes. Não sei se gosto mais de seu estilo, de seu talento ou de seu patriotismo. Mas confesso que às vezes me assusto com sua maledicência. Você tem me dado pancada demais. Me poupe. Não me bata tanto.

— Doutor Gallotti, muito mais o senhor tem batido na Pátria.

Ele me dá um abraço, insiste:

— Você e o Hélio me encantam. Gosto muito do Hélio, mas Hélio é muito agressivo. Prefiro sua ironia. Quando o Hélio diz que sou "doutor, doutor mesmo", ele não quer dizer que o doutor Gallotti é diplomado mesmo. O que ele quer dizer é que sou um sacana, um corrupto, um corruptor. O negócio foi muito bom para o Brasil. Foi um negócio bonito, muito bonito. Continuo emocionado. Eu vi que você viu que eu chorei. Chorei e choro de novo. Como no samba, chorei. Preciso provar que o negócio foi bom para todo mundo. Posso sentar à sua mesa?

— Claro, doutor Gallotti.

E conversamos mais de uma hora. Pena que a conversa ficou confidencial. Quem está na minha mesa está na minha casa.

* * *

Chegamos cedo, dez da manhã. José Aparecido, o poeta Gerardo Mello Mourão, eu. Era um belo domingo de sol em São Paulo, na Rua Santo Amaro, 5. Jânio Quadros veio abrir o portão, feliz, sorridente. Cortava a grama com um carrinho anavalhado.

Era 70, a ditadura militar corria feroz. Todo mês, quando em São Paulo, Aparecido arrebanhava alguns amigos para almoçarmos com Jânio. Fomos para a varanda. Foram chegando o padre Godinho, Roberto Cardoso Alves, Luís Carlos Santos. Esperávamos Oscar Pedroso Horta. Tomávamos uísque ou vinho. Aparecido pediu um vinho branco. Jânio escandia as sílabas:

— O Nery, que foi quase bispo, sabe que vinho é tinto. Não há vinho branco, Zé. Vinho branco é uma bebida dos homens. A bebida de Deus é o vinho tinto. Se vinho branco fosse vinho, a missa seria com vinho branco. Já viram missa com vinho branco? Os grandes porres da Bíblia, de Noé, de Davi, foram todos com vinho tinto, sim. E era tinto o vinho da Última Ceia.

Fomos para o almoço. A mesa, farta e colorida. Já estávamos no conhaque e no charuto, quando dona Eloá chega perto de Jânio e diz-lhe alguma coisa ao ouvido. Jânio encrespa as mãos, revolve os olhos, passa os dedos retorcidos pelos cabelos e geme fundo:

— Não pode ser! Meu Deus, não pode ser!

As lágrimas desabam pelo rosto, ele se levanta e grita:

— Muriçoca! Muriçoca morreu!

Eu tinha pensado que era a filha Tutu. Perplexos, levantamo-nos todos. Ele andando na frente, nós atrás. No fim do jardim, deitada na grama, morta, uma cachorrinha branca, meio amarelada. Jânio senta-se no chão, pega-a nos braços, aperta contra o peito, beija-a em soluços, chorando convulsivamente. Dona Eloá tenta levantá-lo, a voz trêmula:

— Jânio, temos outros cães no jardim. Ela foi, os outros ficaram.

— Cães, Eloá! Cães! Cães há muitos, eu o sei. Mas a Muriçoca era única. E não porque a rainha Elizabeth m'a deu. Quando me cassaram, quando o algoz fardado caiu sobre mim, todos me abandonaram, Eloá, até tu. E tu também, Aparecido. Até tu. Só a Muriçoca me acompanhou na solidão e na dor.

Dona Eloá olhou para nós, desolada:

— Não diga isso, Jânio. Você sabe que não é verdade. Aqui estão seus amigos. Aqui está o Aparecido.

— Amigos, Eloá, amigos. Mas a Muriçoca era um pedaço da minha alma.

Ele ali no chão, soluçando, a cachorrinha no colo, e nós abestalhados, sem ter o que fazer. Revirava os olhos e arquejava:

— Deixem-me só. Deixem-me com minha dor.

Aparecido resolveu acabar com aquilo:

— Presidente, vamos para o gabinete, conversar. Os empregados enterrarão a Muriçoca aqui, debaixo das árvores.

Ele deu um salto, ficou de pé, a cachorrinha nos braços, com o pescoço caído, como uma boneca de Chaplin:

— Eles não, Zé. Eu. Sepultá-la-ei eu mesmo, com minhas mãos e minhas lágrimas, no vértice do jardim. Ficará eterna na minha saudade, sob uma lápide de bronze. Prometi-lhe, cumprirei.

E saiu andando a passos largos, os olhos tortos, os cabelos desgrenhados, para o centro do jardim, beijando e apertando a cachorrinha contra o peito. E nós atrás. Uma tensa e ridícula procissão medieval, como em um filme de Buñuel, na Catalunha.

No meio do gramado, Jânio parou, olhou para os quatro cantos, deu um passo, bateu o pé no chão:

— Será aqui, no vértice. Ela sempre comigo, até o último dia.

Um rapaz trouxe uma picareta, Jânio entregou a Muriçoca a dona Eloá e começou a cavar. Vermelho, em lágrimas, cavava e suava. Aparecido reclamou:

— Presidente, não faça isso. Acabou de almoçar. Dê-me, eu cavo.

Pegou a picareta e passou a cavar. Tinha posto safenas um mês antes.

Sobrou para mim. Tomei a picareta da mão dele e fui cavando. De pé, Muriçoca de novo nos braços, Jânio dava ordens:

— Por favor, Nery, fundo, mais fundo, bem fundo.

Robertão e Luís Carlos Santos tinham saído para buscar cal, chegaram. A cova estava pronta. Dona Eloá tinha pedido flores ao empregado. Jânio, depois de aflitos beijos lacrimejados, pôs Muriçoca na cova, cobriu-a de flores, disse uma série de coisas incompreensíveis, chamou o padre Godinho:

— Padre, uma prece última, por favor. Ela era um ser humano. E dos poucos que conheci em minha vida. Faça-lhe liturgicamente a derradeira prece.

Padre Godinho, entre a liturgia, que não podia, e o amigo enlouquecido, olhou para mim e começou a recitar, em seu perfeito latim, um belo poema de Horácio. Jânio olhava para o céu, procurando a alma de Muriçoca, na tarde fria que caía.

Voltei lá outros dias. No vértice do jardim, uma lápide de bronze cobria o túmulo de Muriçoca. Jânio enganou São Paulo e o Brasil. Não enganou a Muriçoca.

* * *

Treze horas em ponto, na sala Vip do Aeroporto de Brasília, em 1978. A "Frente Nacional de Redemocratização" pegaria o voo 211 da Vasp para Goiânia onde, à noite, se realizaria a sua quinta concentração. Sentados nas macias poltronas negras, Magalhães Pinto e dona Berenice, deputados Ulysses Guimarães e Tancredo Neves, senadores Teotônio Vilela, Mauro Benevides e Evandro Cunha Lima, jornalista Sílvia Fonseca, de "O Globo", Marcondes Sampaio e Nelson Penteado, das "Folhas", e eu.

O general Euler Bentes e os senadores Roberto Saturnino e Marcos Freire haviam vindo do Rio e seguido de automóvel com o jornalista Pompeu de Souza. Chega uma jovem e avisa que o voo ia atrasar porque o avião estava em conserto, na pista.

Logo apuramos que um avião, com destino a São Paulo, tinha chegado do Recife com pane e usaram nosso avião, que ia para Goiânia, para ir direto a São Paulo. Ficaríamos esperando o outro consertar. E começou o jogo de empurra.

— Daqui a meia hora, daqui a uma hora, mais um pouco, esperem que o avião fica pronto logo.

Às quinze horas, o senador Teotônio Vilela saiu comigo e tentamos uma informação mais concreta. Inútil. O gerente e o relações-públicas da empresa, que estavam no aeroporto, não apareceram e as moças não tinham uma resposta objetiva.

Nós, que não havíamos almoçado, fomos para o restaurante, e o senador Mauro Benevides tentava conseguir um táxi aéreo, quando anunciaram o voo. Víamos, na pista, mecânicos deitados debaixo do avião, puxando carrinhos e consertando coisas.

Exatamente às 16:08, o avião rolou na pista, foi até o fim, decolou, mas em visível dificuldade. Começou a voar baixo, muito baixo, sobre o planalto verde. A asa direita ligeiramente inclinada, os motores trêmulos, entrou em longa curva e a arquitetura branca de Brasília ali cada vez mais perto. Voou alguns minutos e a aeromoça, com voz tensa, informa:

— Senhores passageiros, vamos voltar para o Aeroporto de Brasília em pouso de emergência. Fiquem tranquilos, vai dar tudo certo, é uma pane no sistema hidráulico e de óleo. Façam o obséquio de tirar canetas, objetos, folgar as gravatas, tirar os relógios, os anéis, as alianças e curvar o corpo sobre os joelhos.

Uma aeromoça morena, muito calma, e duas bem alvas nem tanto, passaram a distribuir travesseiros e cobertores para apoio do rosto, e pegar embrulhos, objetos, e levar lá para o fundo. Um passageiro, atrás de Tancredo Neves, chama a aeromoça:

— Não estou entendendo porque tirar tudo.

— Meu senhor, há uma pane no sistema hidráulico. Se, ao tocar o chão, ele virar, haverá incêndio e é preciso sair rápido.

Olhei o relógio, eram 16:22 quando a aeromoça deu o aviso. Tive consciência da gravidade e me preparei para ver o máximo de detalhes. À minha frente, Sílvia tira a aliança, põe novamente no dedo e diz a Marcondes, que era uma pedra de tranquilidade:

— Não vou tirar a aliança. Sei que vou morrer e quero ser reconhecida. Não quero o Fonseca chorando na cova errada.

Imediatamente peguei meu relógio, que havia posto no bolso, e pus novamente no pulso. Também queria ser reconhecido. A meu lado Nelson Penteado, incrivelmente calmo, pega sua sacola de fotógrafo, entrega à aeromoça:

— Minha filha, cuidado que é minha profissão.

Atrás de mim, Magalhães Pinto segura forte a mão de dona Berenice que, de olhos fechados, reza profundamente. Ulysses e Tancredo, impassíveis, olham em frente sem piscar os olhos. Teotônio aperta ao máximo o cinto e Rafael de Almeida Magalhães folga a gravata e curva o corpo sobre os joelhos. Mauro Benevides olha pela janela em silêncio. Evandro Cunha Lima, vermelho, chama a aeromoça, pede detalhes, ela repete a mesma coisa e anda rápido para a cabine.

Lá na frente, uma mulher chora, mas chora baixo. A seu lado, uma mulher toda de roxo treme e reza lívida, os olhos molhados. Sílvia sorri:

— Meu Deus, olha uma cigana!

Marcondes fica sério:

— Não fala dela não. A gente nunca sabe.

Sílvia volta o rosto sobre a cadeira:

— Nery, você está pálido.

— O que é que você queria? Que eu estivesse fosforescente, luminoso?

— É por isso que eu não queria vir neste avião. Tenho medo de voar, ainda mais em avião em conserto. Mas agora não adianta.

E ficou longamente olhando pela janela, serena, como os que sabem que vão morrer e já se conformaram.

O avião foi descendo, descendo, passou baixo sobre um campo verde. Ao longe vejo três grandes carros vermelhos do Corpo de Bombeiros, uma ambulância e dois carros azuis da Aeronáutica. Fico olhando o azul muito azul da tarde linda, nuvens brancas esgarçadas lá longe no horizonte interminável do planalto, uma novilha esgalga andando mansa no pasto e o avião trêmulo, mas tranquilo, descendo empenado.

Amarrei o medo dentro de mim como um louco incontrolável, e por alguns segundos mergulhei infinitamente nos braços da morte. Uma procissão de amor passou em relâmpago: Jaguaquara, meus filhos, a infância, meu amor, e Santo Afonso Maria de Liguori, anos seguidos, nas "Meditações sobre a Morte", cada manhã, no seminário da Bahia:

— "É preciso conquistar a intimidade da morte".

O medo voltou frio, estômago acima, lembrei que era dia 6, domingo, e o "domingo azul do mar", de Paulo Mendes Campos, entrou inesperadamente, olhos adentro, na estupidez de morrer na tarde azul. Lembrei meus mais queridos mortos e disse à minha irmã, certamente não alto, mas a ponto de eu mesmo me ouvir:

— Você não vai me deixar morrer agora. Basta que você já se foi e também de desastre.

O avião avançava sobre a cabeceira da pista. Ainda olhei uma vez para trás, talvez para me segurar na prece de olhos fechados de dona Berenice, que havia tirado o relógio, os brincos, o anel, mas a aliança não. Mãos nos olhos, ela continuava rezando. E Magalhães, as mãos quase postas, olhos fechados.

O avião bateu no chão, tremeu, rolou, foi indo ríspido, nervoso, deu um freio violento, houve cheiro de borracha queimada, parou. Batemos coletivamente palmas. Eram 16:30.

— Senhores passageiros, aqui fala o comandante Teotônio. Chegamos ao Aeroporto de Brasília.

Como se ninguém soubesse. Teotônio, o outro sorriu:

— Só agora passou o susto dele.

Ulysses esfregava as mãos devagar:

— Quando mandaram tirar os anéis, as joias, os relógios, pensei que era um assalto. Estou velho nisso.

Tancredo fala pela primeira vez:

— E ainda dizem que nós, os políticos, temos vida boa. Tudo isso aqui e ainda vamos ter que enfrentar Goiânia.

Alguém brincou:

— Quase morre a oposição. Era a força das estrelas do Euler. Ia ficar sozinho com o Marcos Freire e o Saturnino.

Rafael descontrai:

— Pensei que íamos descer de barriga. Já desci uma vez e é a insegurança total.

Abrem-se as portas, descemos todos. Calculei uns cinquenta passageiros. Voltamos à sala Vip, providencia-se um táxi aéreo de seis lugares para levar a "Frente" a Goiânia: vão Magalhães (dona Berenice fica), Ulysses, Tancredo, Teotônio, Rafael e Marcondes.

Ulysses não se conforma com a atitude da empresa que não mandou sequer um funcionário dizer nada a ninguém:

— Tudo isso é de uma irresponsabilidade que raia até a suspeita. A gente vive viajando por aí e logo hoje acontece isso. Não colocaram ao menos um táxi aéreo à nossa disposição.

Tancredo pega no braço de Magalhães:

— Estamos com azar hoje.

— Não acho não. Estamos é com muita sorte.

A menina magrinha da sala Vip recebe um telefonema:

— Morreu o Papa.

— Morreu em meu lugar o velhinho bacana, disse a mim.

E vi que minhas mãos ainda estavam tremendo. Corri para a surcursal da "Folha" e bati atropeladamente, em minutos, esse texto, que o jornal publicou na primeira página, com meu título:

— Eu vi a morte na tarde azul.

* * *

O exílio brasileiro foi, como no poema de Drummond, um mundo mundo vasto mundo. Havia gente espalhada por toda parte. A maioria na França, Chile, Itália. Depois de 74, também em Portugal. No começo, muitos em Montevidéu. Mas as ditaduras do Cone Sul uniram-se na Operação Condor e até Jango e Brizola, asilados oficiais, tiveram que sair.

No México, Peru, Venezuela também vários. Arraes era uma espécie de embaixador brasileiro na Argélia. Estive lá com ele. Fernando Gabeira, maquinista de metrô em Estocolmo. Sinval Bambirra, operário em Berlim Oriental. Desde o começo da década de 70, já tinha estado com numerosos deles por aí.

Em 79, para dar uma mão à campanha da grande heroína da anistia, a brava Terezinha Zerbini, resolvi fazer uma matéria para a "IstoÉ" sobre as dores do exílio: —"O Amargo Caviar do Exílio". Convidado para a "1ª Conferência Internacional Sobre o Exílio na América Latina", com Jorge Amado e Ruth Escobar, em Caracas, desci às seis da manhã no aeroporto Simon Bolívar, uma nesga de terra apertada entre a montanha e o Pacífico.

Dois rapazes sonolentos carimbavam os passaportes e conferiam as bagagens na alfândega. Não abriam nada. Faziam sinal com a mão, todos iam passando. Minha maleta gorda, estufada, passou sem uma espiada. Mas eu levava na mão revistas e um pacote de livros. Um rapaz moreno, bigodes pretos e olhos desconfiados, acordou de repente:

— O que é isso aí?

— Revistas.

— De onde?

— Do Brasil. (Eram "Veja", "IstoÉ", "Status")

— Por favor.

Pegou as 3, devolveu duas, folheou longamente a "Status". Olhava as mulheres nuas, levantava os olhos para mim, admirado. A fila longa, cansada, e ele vendo as curvas das moças nuas.

— E esse embrulho?

— Livros.

— Sobre quê?

— Política.

— Política? Por favor.

Meteu a mão no bolso, tirou um canivete, rasgou o pacote, foi abrindo os livros em cima do balcão. ("Portugal, um salto no escuro"; "Socialismo com Liberdade"; "As 16 derrotas que abalaram o Brasil". "Folclore Político")

— De quem são esses livros?

— Meus.

— Claro, senhor, eu sei que são seus. Pergunto os autores.

— Eu.

— Senhor, é muito cedo, estamos com pressa, não devemos brincar. Pergunto quem escreveu esses livros.

— Eu. Eu mesmo. Não tenho cara de autor?

Ele levanta os olhos, arregala, me confere, devolve o pacote todo aberto:

— Não tem não.

Fui embora, sem cara de autor.

Logo na entrada do hotel Hilton, encontro Julio Cortázar, gênio da literatura argentina, com seus contos fantásticos, exilado em Paris. Alto, 1,90 metro, longos cabelos negros, olhos azuis no rosto muito branco e amassado, incrivelmente jovem apesar de seus mais de 60 anos, um garotão com sorriso de menino. Mas as mãos pareciam de outro: velhas, enrugadas, veias grossas e pintas negras. Conta que, no aeroporto do México mostrou o passaporte.

— Profissão?

— Escritor.

— Sim, escritor. Mas, em que coisa o senhor trabalha?

Também lá estava o grande herói da Conferência, um homem pequeno, miúdo, cabelos brancos caídos nas orelhas e barba leve descendo queixo abaixo, vestido de calça *jeans* e camisa esporte branca, boina negra na cabeça e os olhos apertados, bem azuis.

Ninguém diria que naquelas mãos mirradas repicaram metralhadoras. Era o padre Ernesto Cardenal, que acabava de entrar em Manágua com o comando da poderosa guerrilha sandinista e expulsar o cruel ditador Somosa. Convidou-me para ir ver a nova Nicarágua. Aceitei, mas antes iria conhecer melhor a Venezuela e depois ainda passaria pelo México.

* * *

Macunaíma não é brasileiro, é venezuelano. Quem me ensinou foi o então embaixador do Brasil lá, Renato Prado Guimarães, jovem e competente. Teodor Koch Grumberg, um alemão aventureiro que se meteu pela floresta amazônica no princípio do século, publicou em Berlim, em 1917, em cinco volumes, a história de suas viagens: "De Roraima ao Orinoco". Recolheu lendas da região, inclusive a de "Urariquera" e suas peripécias. Nosso Mário de Andrade, culto e gênio, leu Grumberg no original e mudou "Urariquera" para "Macunaíma", mito, herói e retrato de nossos povos irmãos.

O brasileiro tem, com o venezuelano, uma marca hereditária fundamental: além de descendentes de europeus e negros, somos filhos de índios da planície, bem diferentes dos índios das montanhas. O índio amazônico não está preso às geleiras dos Andes, amarrado a caminhos ínvios. É o índio livre, solto, nômade, da planície.

Isso distingue e diferencia brasileiros e venezuelanos dos outros povos da América andina. A jovialidade, a alegria, a musicalidade, a extrema facilidade de comunicação, uma abertura irresistível para o exterior, tudo isso são coisas muito nossas e deles, muito iguais. Você entra em um avião, pela América Central, pelo Caribe, e logo percebe quando há brasileiros ou venezuelanos: sempre mais alegria, barulho e graça a bordo. E as mulheres, modéstia à parte, irresistivelmente mais belas, mais charmosas. É o caminhar liberto de "urariquera", aliás "Macunaíma", na floresta sem neve e sem fronteiras.

* * *

Se houvesse neve e a floresta fosse branca e esquálida na infinita "taiga", ali seria a Sibéria deles. Como é a grande savana, cercada da floresta tropical, com rios gordos e revoltos, é mesmo a Amazônia da Venezuela. Na Sibéria, vi a mais grandiosa obra humana de ocupação planejada de uma região deserta, solitária. No Orinoco vi o maior projeto de industrialização e desenvolvimento na Amazônia continental. E sem destruí-la. Como sabemos pouco e mal de nossos irmãos latino-americanos! Eu que pensava conhecer quase o mundo inteiro, só então descobri que, na Venezuela, São Paulo fica na Amazônia.

A região se chama Guayana. O Estado, Bolívar. A capital administrativa, também Bolívar. A capital industrial, Guayana. A cidade moderna, planejada, avenidas largas, arborizadas, como Brasília, Puerto Ordaz. Mas quem dá vida, e alma, e seiva, e riqueza a mais de 50% do território do país é um rio, sagrado como o Nilo, unitário como o São Francisco, generoso como Amazonas, o Orinoco, engordado pelos afluentes Caroni e Apure. Os números são grandiosos, amazônicos. Limitada ao norte pela Cordilheira da Costa e a Oeste pela Cordilheira dos Andes, a bacia do Orinoco, ao sul e a leste, praticamente coincide com os limites políticos do país. Fora as vertentes das duas cordilheiras, 80% do território venezuelano correspondem à bacia do rio, um território de mais de 700 mil km², com apenas 20% da população. A região da Guayana, com 45% do território do país, tem só 3% da população total. O Orinoco é uma imensa coluna vertebral de oeste a leste, 1.200 quilômetros, e, com os afluentes, 3 mil quilômetros navegáveis, com possibilidade de integração ao Amazonas e ao Prata. E embaixo petróleo, muito petróleo.

* * *

No México, ensinando na universidade de Cuernavaca, encontrei meu mestre de Belo Horizonte, o padre Laje, e meu companheiro de Partido Socialista, Francisco Julião. Betinho e sua mulher nos ofereceram um jantar na capital onde moravam e o jovem gaúcho João Pedro Stédile, com cara de frade sem batina, fazia mestrado de política agrária e plantava as sementes do MST. Entre o México e a Nicarágua, ficava a primitiva ditadura militar da Guatemala, "o país da morte", que me negou o visto. Teria que esperar no aeroporto até fazer uma conexão. Desci, tomaram-me o passaporte, que devolveriam no embarque.

Avião só no fim da tarde. Um dia inteiro. Comprei os jornais e revistas, fui para o restaurante, pedi um vinho. E vejo uma bonita jovem morena, rosto de índia, olhos enevoados, calça *jeans* e camisa branca, numa mesa em frente, olhando para mim. E continuou. Convidei-a para um vinho. Sorriu, agradeceu, veio.

Vinte e três anos, Maria Clara trabalhava em turismo. Estava de folga. Morava longe, não foi para casa, dormiria num hotel ao lado. Ela sabia que, sem visto, eu não poderia sair do aeroporto. Desconfiei que podia ser uma policial. Mas assim tão bela, numa ditadura tão feia? Perguntei, negou. Era de uma cadeia de hotéis.

Fiz perguntas políticas incômodas, respondia fugindo dos assuntos. E insistindo que eu, jornalista, é que deveria lhe falar do Brasil. Contei da Bahia, do Rio, do Brasil, do povo brasileiro e, sobretudo, da nossa música. Cantarolei algumas, traduzia as letras ao ouvido. E nós tomando vinho. Almoçamos, ficamos numa mesa a um canto mais reservado do restaurante vendo a tarde cair.

E levei um susto. Ela olhou para um lado, para o outro, viu que não havia ninguém, e me deu um beijo forte, na boca. E outro, mais outro, muitos. Não falava nada. Só beijava. Começou a chorar. Não dizia por quê. Convidei-a a passar uns dias no Rio, dei-lhe o endereço, escondeu nos seios. Beijou mais, chorou mais.

O serviço de som anunciou a chegada de meu avião. Ela se perturbou um pouco. Pedi-lhe que fosse comigo até a polícia, para pegar o passaporte. Foi, entrou, demorou alguns minutos, voltou com o passaporte, disse que ia me levar ao avião antes dos outros.

Estava perto. No pé da escada, chorou de leve, disfarçadamente:

— Me perdoe, eu menti. Estou de serviço. Não consegui me controlar. Nunca me aconteceu isso. Vou escrever para você. Um dia vou ao Rio te ver. Não me esqueça. Nunca vou te esquecer.

Olhou para trás, ainda não vinha ninguém. Me deu um beijo nervoso, entre lágrimas, e voltou andando de costas, dando adeus, até sumir no aeroporto. Escreveu uma vez, outras, com sua letrinha redonda e seu espanhol meio indígena. Cartas longas, apaixonadas. Mas o endereço para eu responder nunca mandou.

A Guatemala era mesmo "o país da morte". Matou até o aflito amor de Maria Clara, minha terna e misteriosa policial.

* * *

No muro velho do aeroporto de Manágua, coberto de limo e furado de balas, a denúncia:

— "Os direitos humanos são três: ver, ouvir e calar".

Já saindo, em outro muro, branco e limpo, a esperança:

— "Bolívar y Sandino, este es el camino — 'Os heróis não disseram que morreriam pela Pátria, mas que morreram'".

O motorista de táxi me conta "a última". Na véspera de fugir, Somosa fez um apelo final ao embaixador dos Estados Unidos:

— Não podemos entregar o país a nossos inimigos. Precisamos vencer nem que para isso seja preciso destruir a metade da pátria.

— Qual? A sua ou a nossa?

Jovens e mais jovens nas ruas, muitos com suas fardas verdes, boinas vermelhas e metralhadora pendurada no pescoço. Não era um país, era uma passeata, ainda a passeata da vitória.

Vou para o hotel Intercontinental, americano, grande e bom. À beira da piscina, tomando sol e descansando do barulho das metralhadoras, o competente Silio Bocanera, do "Jornal do Brasil", primeiro jornalista brasileiro a chegar com os vitoriosos.

No apartamento do oitavo andar, abro a janela. Em frente, o único edifício alto da cidade, o Banco da América. Atrás, o *bunker* de onde Somosa governava e fugiu. Lá no fundo, a catedral, que durante anos abençoou seus crimes. As casas de barro, cobertas de papelão, espalhadas por todo canto e o povo muito pobre andando nas ruas. E a Rádio Sandino dia e noite:

— "Um oficial da guarda veio dizer-me que Carlos Fonseca estava morto. Eu lhe respondi que Carlos Fonseca é dos mortos que não morrem".

Carlos Fonseca foi o bibliotecário da Universidade de Manágua que criou um *slogan* — "Cada amanhecer é uma tentação" — e em 1961 reuniu um grupo de estudantes, subiu a montanha e começou a guerrilha que levou 18 anos para vencer.

A Rádio Sandino tocava e retocava uma canção para ele: — "Teus poemas subversivos estavam em todos os muros de nosso povo. Teus olhos azuis iluminavam os caminhos da vitória. Tu eras o vencedor da morte. Tua carabina disparava a aurora".

Como em todas as viagens, escrevo sempre no silêncio da madrugada. Às duas da manhã, lá da beira da lagoa, bem em frente ao hotel, a menos de 500 metros, começa o matraquear das metralhadoras. Passam carros de sirenes ligadas e luzes na capota. E o tiroteio cada vez mais forte. Desço rápido para a portaria:

— São os inimigos. Toda noite atacam. Foram derrotados, mas ainda não esmagados. E não saia, porque as balas vêm até aqui.

Uma semana caminhando, vendo, conversando, anotando e escrevendo como um país, liderado por um grupo de jovens, decide reagir e liquida uma ditadura familiar quase secular.

* * *

No aeroporto de El Salvador, sempre descendo em um novo aeroporto, o motorista do táxi dá a dica de como estão as coisas:

— Mal, muito mal. A terra treme e o governo, mais ainda.

A cidade está conflagrada, com a luta armada já dentro da capital. Chego ao hotel "Camino Real", em um belo parque, cheio de jornalistas de toda parte. Todos pressentindo uma desgraça.

Muito calor, desci para tomar um banho de piscina, comecei a beber uma cerveja e conversar com alguns. De repente, tudo começa a tremer, a sambar, a dar pinotes, copos pulando, garrafas caindo, cadeiras rolando, vidros despencando das janelas. Gritos de desespero, todos se atirando dentro da piscina. Eu também.

A água fazia cabriolas, tudo girava. E todos olhando para cima, apavorados, com medo de o hotel desabar em cima de nós. Felizmente terremoto é como raio. Chega rápido e sai mais ainda.

Fiquei em pânico, os salvadorenhos nem tanto. Saíram da piscina de olho no hotel, sentaram-se, o perigo passou. E eu ali, olhos esbugalhados. A desgraça é como a saudade: acostuma-se. Almoçamos, saio para as ruas com uma amiga, jornalista da Venezuela. Dirige seu carro tensa, olhando as esquinas e avisando:

— Podemos precisar descer do carro e deitar no chão. Ou então voltar logo agora para o hotel.

Insisto para irmos em frente. De repente, uma explosão:

— É uma bomba. Estou acostumada. Deve ter sido no "La Prensa", o maior jornal daqui, ali perto.

E o povo correndo pelas ruas.Vamos seguindo, outra bomba:

— Veja lá. É no "Diário de Hoy", o segundo maior jornal. São os guerrilheiros do ERP (Exército Revolucionário do Povo). Antes não tinham o apoio do país. Agora estão tendo cada dia mais, porque o tempo vai passando, a vida do povo piorando e os militares fazendo barbaridades. Esta vai ser uma noite perigosa. Voltamos para o hotel.

Daí a pouco, outra bomba, poderosa, contra o Banco da América, aquele mesmo de Manágua. E mais outras. De manhã, saímos para uma volta no centro da cidade. Abandonada, depois da noite das bombas. Mas a catedral foi se enchendo de gente para a missa das 11 horas do arcebispo Dom Romero, o Dom Evaristo Arns de lá, depois assassinado. E após a missa daria uma entrevista coletiva à imprensa internacional.

Não houve tempo. Ouvimos um rumor. Dobrava na esquina uma passeata desesperada: 300, 500 jovens andando rápido, quase marchando, gritando *slogans*, cantando, os rostos cobertos com lenços e quase todos com armas na mão: revólveres, algumas pistolas de cano mais longo e granadas.

Minha amiga preferiu continuar na igreja. Segui a passeata.

Fotógrafos trabalham. Para entender, converso com um iugoslavo que vi no hotel. A passeata avança bonita e feroz, vou ao lado, pelo passeio. A rua aperta, ocupam os passeios, falo com um deles:

— Para onde vocês vão?

— Para "La Prensa". Ocupar o jornal. Precisamos de um. Temos igrejas, ministérios, as ruas, precisamos de um jornal.

— Foram vocês que puseram a bomba esta madrugada lá?

— Foi o ERP, que é o nosso braço armado.

— Estive há pouco no "La Prensa". Está toda cercada pelo Exército. Eles não vão deixar vocês entrarem.

Íamos andando rápido, dobrando esquinas, eles cantando, eu espiando os demais jornalistas que, como eu, iam aos tombos, porque a essa altura o povo já descia dos edifícios e os passeios ficavam entupidos. Ele olha para mim por baixo do lenço amarelo e sujo pendurado na cara e com dois furos mal cortados:

— Quem é você?

— Jornalista.

— Americano?

— Não. Brasileiro.

— Brasileiro? Irmão. Venha conosco. O inimigo é o mesmo.

Pegou meu braço e saiu meio me arrastando. Puxo o braço:

— Vou ficar de fora para ver melhor.

Ele piscou os olhos e deve ter rido por baixo do lenço:

— Está com medo? Toma esta granada.

Tira uma granada da barriga, por baixo do cinturão, pega o revólver com a mão esquerda e insiste.

— Tome a granada. Lute conosco.

— Não. Minha tarefa é outra.

Ele me abandona com evidente desprezo e sai andando mais rápido, aos pulos, uma granada na mão, o revólver na outra. Já estávamos perto do "La Prensa" quando a passeata estancou. Era o Exército. Uma operação de guerra. Dois carros blindados com seus fuzis e metralhadoras na altura do peito dos jovens e algumas dezenas de soldados ao lado. Eles pararam, calaram, apontaram. Os jovens pararam, calaram, apontaram. Menos de um minuto de silêncio e terrível tensão. Gritei para um fotógrafo que passou à minha frente e avançou com sua máquina no rosto:

— Eles vão atirar.

— Não vão não, não há ordem.

— Há sim, soube que há. E saia daí.

Pulei para a beira da parede, atrás de uma coluna do edifício. O fotógrafo deu dois passos e foi a loucura. Uma explosão de balas e gritos. Quando vi já estava estirado no chão ao lado dos outros. O fotógrafo, deitado, a máquina no nariz, as mãos trêmulas. Meu susto foi tão grande, que os óculos pularam do bolso da camisa e caíram a dois metros. Fiquei na situação ridícula de tentar pegar os óculos e com medo de estirar o rosto para fora do ângulo de proteção da parede. Arrastei-me um metro, peguei.

Era uma cena de absoluta loucura. Os jovens, todos, sem uma exceção, de pé, gritando, atirando e caindo. E os blindados matando, com seus peitos de aço e suas costas largas, atrás das quais os soldados se escondiam e atiravam. Um tempo sem fim, mas não durou mais de cinco minutos. As bocas das metralhadoras dos blindados disparavam, as balas zuniam no chão, ao nosso lado, e os meninos, de pé, caindo como árvores cortadas.

Ainda tenho nos olhos a cara de horror da menina de cabelos bem negros por baixo do lenço azul tapando a cabeça e o rosto. Estava atirando de pé com seu revólver miúdo, bem perto de mim, quando a bala bateu-lhe no peito com tal força, que ela subiu cerca de um metro, voou para trás, o sangue explodindo como um foguete de lágrimas de São João e ela arrebentando-se no chão, a cabeça para cima, os olhos esbugalhados.

Depois, a Cruz Vermelha contou os cadáveres: mais de 40 mortos e 200 feridos. Não morreu mais gente porque a violência das balas militares foi tal, que os que iam na frente caíam mortos sobre os que estavam atrás. Suspensos pelo tombo, pairavam no ar os corpos jovens, todos entre 15 e 25 anos, e estatelavam no asfalto em sangue e luz, no enlouquecido meio-dia da manhã azul.

Como desesperadas estrelas caídas.

31
SIBÉRIA

CHEGUEI BEM CEDO AO CONSULADO DA UNIÃO SOVIÉTICA NO FINAL do Leblon, pedi para falar com o Igor. Nunca tinha estado lá, ninguém me conhecia, a segurança ficou desconfiada, souriçada.

Mas Igor sabia bem quem eu era. Eu o tinha conhecido em um almoço do Clube dos Correspondentes Estrangeiros, representando, com outros, nosso Clube dos Repórteres Políticos do Rio. Oficialmente, Igor era correspondente da Agência Tass no Brasil. Informalmente, funcionava como adido de imprensa do consulado da União Soviética no Rio. E certamente também era membro discretíssimo do serviço secreto soviético.

Ele sabia que eu tinha estado vários meses na União Soviética e era dos raros jornalistas brasileiros que, voltando, não voltei em silêncio, mas escrevi, disse o que pensava. Quando o almoço acabou, ele me perguntou se podíamos almoçar juntos.

Claro que sim. E, a partir dali, uma vez por mês, ele me telefonava e marcávamos em algum restaurante do Leblon, Ipanema ou Copacabana. Como nos filmes de espionagem, sempre chegava antes, sentava-se a um canto mais tranquilo. Quando eu chegava, já havia pedido meu vinho e tomava uísque.

Conversávamos sobre tudo. Principalmente política, do Brasil, da União Soviética, do mundo. Abertamente. E nunca ameaçamos a segurança nem do país dele nem do meu. Naturalmente, ele estava mais interessado no Brasil do que eu na União Soviética. Pedia-me opinião ou informação sobre o Brasil.

Eu dava tranquilamente. E já era assim havia alguns anos.

Tempo suficiente para criarmos um mínimo de confiança mútua. Quando lhe disse, naquela manhã no consulado, que precisava falar com ele, urgente, um assunto importante, chamou-me lá dentro, entramos numa sala, ele passou a chave na porta:

— Alguma grave crise militar? Asilo? Você está ansioso.

E eu lhe contei o jantar da véspera.

* * *

Havia jantado no charmoso apartamento de meu querido amigo e colega mineiro, o jornalista Aristóteles Drummond, na Avenida Rui Barbosa. Como sempre na casa dele, clero, nobreza e povo. Governo e oposição. Aristóteles é da direita civilizada. Um cardeal romano, que a Igreja esqueceu de ordenar e cardinalar.

Era setembro de 1973. O assunto da noite foi a crise do Chile, com o governo de Allende cercado pelos quatro cantos, conspiração militar aberta e uma greve dos caminhoneiros financiada pela embaixada norte-americana e pelas grandes empresas internacionais lá instaladas. Como 1964 no Brasil.

Depois do jantar, conhaques, licores e charutos. Em um canto da bela varanda diante do Pão de Açúcar, conversando à meia-voz, ouço os jornalistas Porto Sobrinho e Valdo Viana, militantes da direita desde o movimento estudantil na UNE, confabulando sobre a ida a Santiago, na noite seguinte, no voo da Varig, de dois mensageiros levando duas maletas pretas cheias de dólares para os caminhoneiros e outros dirigentes sindicais do Chile. O dinheiro fora arrecadado na Associação Comercial, na Federação das Indústrias e entre alguns grandes empresários.

Calado, não falei nada com ninguém e fui para casa com a cabeça ardendo. Como conseguir impedir o dinheiro de chegar lá? A única maneira era avisar ao governo do Chile e interceptar as duas maletas na descida do avião. Quem poderia fazer isso?

O Igor. Só uma embaixada teria meios e rapidez suficientes para agir a tempo. Amanheci no consulado e transferi a tarefa. O Igor não me garantiu nada. Mas disse que a ideia era brilhante. No fim de semana, o execrável e corrupto Pinochet deu o golpe militar e levou Allende à morte dentro do Palácio de La Moneda.

Mas no dinheiro do Rio eles não puseram a mão. Os dois estafetas foram presos ao descer do avião, embarcados no primeiro voo para o Paraguai e as duas maletas confiscadas. No primeiro almoço, Igor e eu levantamos um brinde à memória de Allende. E ele:

— O Chile e nós lhe devemos aquela solidariedade.

* * *

De quando em quando, o Igor insistia:

— A dívida continua. Você precisa voltar à União Soviética. Quando lhe disse, em 77, no Rio, que ia para a Constituinte espanhola e depois para férias em Paris, Igor se lembrou do Chile:

— Chegou a hora de lhe pagarmos nossa dívida. De Paris, você pode ir passear suas férias em meu país. Escolha a região que ainda não conhece. Depois do trabalho em Madri, vá para Paris e procure nossa embaixada. Lá, você pega a Aeroflot.

— Mas há um problema, que para vocês pode ser problema, mas para mim é alegria só. Não vou sozinho. Levo a namorada.

— Tudo bem, se ela me entregar antes toda a documentação.

— Pode sim, porque está vindo para o Rio para viajarmos a Paris, onde passaremos dez dias antes de eu ir para a Espanha. Ela volta ao Brasil e no fim do ano nos encontramos de novo em Paris.

Ana, meu anjo azul, chegou ao Rio; em uma semana o consulado soviético liberou o visto dela para um mês no fim do ano e viajamos para Paris. Dez dias depois, eu já havia entrevistado Delfim, ela voltou para casa, eu segui para Madri.

* * *

Quando cheguei a Paris em novembro, depois de meses na Espanha, ela já estava lá me esperando. Fomos à embaixada soviética, que também nos esperava com todo o esquema da viagem pronto. O convite dela era sovieticamente como minha "acompanhante". Em 57 eu já passara meses entre Moscou, Leningrado, Stalingrado. Em 77 queria conhecer o Sudoeste: Ucrânia, Moldávia, Geórgia, Armênia, Mar Negro, Mar Cáspio.

Sem problemas. Faríamos o voo Paris-Kiev pela Aeroflot. Na Ucrânia estaríamos nos quintais de Brejnev, o chefão então.

No aeroporto de Kiev esperavam-nos um intérprete de espanhol e uma proposta de programa, já todo armado, para três semanas. Era o roteiro que eu queria. E mais uma semana à beira-mar, onde descansavam os poderosos da União Soviética em suas *dachas* e os convidados "ilustres" em hotéis confortáveis: no Mar Negro, em Batum, na Geórgia, fronteira da Turquia, e mais embaixo, no Cáspio, em Baku, no Azerbaidjão, fronteira do Irã.

Bendito jantar na casa do Aristóteles Drummond e superbenditos ouvidos atentos ao que confabulavam Porto Sobrinho e Valdo Viana contra o governo socialista de Allende.

A NUVEM

Era uma viagem de férias. Não tínhamos que fazer nada. Ao contrário do velho hábito profissional de andar e ver durante o dia e escrever à noite no hotel, daquela vez só escreveria, como escrevi, e muito, já no Brasil. Era só viajar e ver o que quisesse.

* * *

E muito havia para ver. Kiev, capital da Ucrânia, terra do Adolfo Bloch, com mais de 2 milhões e meio de habitantes, toda recortada pelo rio Dnieper, foi entre os séculos X e XIII a capital do reino de toda a Rússia. Conserva até hoje sua cara imperial.

Sempre nacionalista, segundo maior país da Europa, com 603.700 quilômetros quadrados, mais do que França, Espanha, Alemanha, e dois poderosos portos internacionais no Mar Negro — Odessa no sul da Bessarábia e Sebastopol, na Crimeia, bocas para o Mediterrâneo — a Ucrânia pagou caro, através dos séculos, por suas lutas pela independência, desde os tártaros, poloneses, russos.

Stalin fuzilou os principais líderes nacionalistas e, a partir de 1928, 7 milhões de ucranianos morreram de fome na forçada coletivização agrícola adotada por ele. Grande produtora de cereais, apelidada de "cesta de pão", a Ucrânia mecanizou e modernizou sua agricultura nas imensas planícies de terras negras.

Com ricas reservas de carvão, ferro, manganês, implantou complexos metalúrgicos, químicos e maquinários. Por seu parque industrial, em 77 era a São Paulo da União Soviética.

Em l990, com o fim da URSS, torna-se afinal uma nação soberana. Em 77, ainda era uma bela e rica república soviética.

* * *

Da Ucrânia fomos para a Moldávia, ali pertinho. A capital Kishinev tinha uma arquitetura leve, moderna, que nada lembrava a pesada e quadrada arquitetura soviética. Era outra vítima das multisseculares lutas da região.

A Moldávia sempre foi ocidental, europeia, desde o Império Romano. Fazia parte da Romênia, a última província romana do leste. A língua oficial era o romeno, uma das cinco filhas do latim (italiano, francês, espanhol, português e romeno).

No século XV o reino da Moldávia era grande, incluía a Moldávia, a Bessarábia, a Bucovina. Em 1812, a Rússia tomou a Bessarábia e a Moldávia continuou com a Romênia. No fim da segunda guerra mundial, a Bessarábia foi retalhada em partes e a União Soviética tomou a Moldávia da Romênia e anexou.

E a URSS cometeu a barbaridade de fazer do russo a língua oficial e não mais o romeno, como era desde os tempos de Cristo. E provocaram uma maciça imigração russa para desnaturalizar o país. Em parte conseguiram. Os russos só não conseguiram acabar com o magnífico vinho da Moldávia.

Reduzida a uma pequena província agrícola soviética, a Moldávia em 77 já tinha e lá continuam vinhas de renome internacional, produzindo excelentes vinhos, como o "Cricova", o "Cojusna", o "Starseni", o "Romanesti". E também ótimos conhaques, licores, martínis.

O país tem férteis planícies à beira dos rios Prut e Dnister, onde cultivam frutas, flores, ervas medicinais e outros produtos agrícolas. São excepcionais suas uvas, laranjas, limões.

Estávamos lá quando realizavam uma feira internacional de bebidas. O diretor-geral da produção era um alto e simpático velho francês, saído de Paris na invasão alemã e cheio de justificada má vontade com a arrogância local dos russos, mas sem poder falar nada. Tomei uns vinhos e licores, ficamos amigos de copo e de bar, e ele, irresponsavelmente, me nomeou membro de um júri de bebidas, por mais que lhe dissesse que nada entendia.

O encantador velho maluco resolveu testar-me, na frente de muita gente. Pôs várias taças com diversos tipos de vinhos, e copos com conhaques, licores e martínis variados, para eu provar de um a um e pôr sobre a mesa na ordem de minhas preferências. Quase fiquei de porre. Ainda bem que havia uns deliciosos queijos que ia comendo enquanto provava a beberagem.

Naquela mistura toda, não havia como me concentrar para fazer uma escolha no mínimo criteriosa. Resolvi votar pela cor. Escolhia as bebidas pelas cores nas taças e copos. E não é que acabei acertando nas preferências do velho francês? No fim do último gole, eu já mole, ele me deu um abraço e disse empolgado:

— Inacreditável. Excepcional. Acertou mais de 90%. Ou você é um grande conhecedor de bebidas e estava nos enganando ou deve sair logo daqui, procurar uma loteria e jogar. Ganha certo.

Quase me contratam como "*sommelier*".

Quando a União Soviética se desintegrou, a Moldávia e sua elegante capital Kishinev tornaram-se independentes da Rússia e da Romênia, mas voltaram a falar oficialmente o romeno, filha desgarrada, mas eterna do latim.

Uma noite, depois do jantar, numa varanda sobre o rio Dnister, uma jovem professora de espanhol e português nos ensinou que, em romeno, saudade não é "saudade", como em português, mas "dor", como toda verdadeira saudade.

Pequena e pobre, porém decente Moldávia. E que vinhos!

* * *

Nos desfiles escolares do "Educandário Carneiro Ribeiro", de Jaguaquara, no 7 de setembro, 15 de novembro, marchávamos com a bandinha tocando e nós cantando uma musiquinha popular:

— "Tão pequenino, tambor tão grande!"

A Geórgia é assim. Tão pequena (70 mil quilômetros quadrados), apertada entre o Mar Negro e o Mar Cáspio, por cima das montanhas do Cáucaso, e de tão vasta e retumbante história, sempre cobiçada e ocupada por gregos, persas, romanos, turcos-otomanos, russos. Por sua passarela desfilaram todos os séculos.

É ela quem liga a Europa à Ásia. Seu monte Diklos é o ponto de encontro dos dois continentes.

Não por acaso os gregos puseram lá fantásticas histórias da sua mitologia. O suplício de Prometeu foi sobre as escarpas georgianas do Cáucaso. Também lá a lenda de Jasão, buscando na Cólquida o velocino de ouro. E de lá o jovem Alexandre, o Grande, da Macedônia, expulsou os persas, 320 anos antes de Cristo.

A misteriosa rainha Tamar (1184-1212) levou suas fronteiras até a Turquia. Os mongóis nada mongóis Gêngis Khan (1222) e Tamerlão (1386-1399) devastaram-na e a Geórgia reconstruiu seu surpreendente patrimônio cultural:

- a tríplice basílica de Bolnisi (478-493);
- os mosteiros de Djivali, perto da capital Tbilise (600);
- o mosteiro de Rhipsine, em Echmiadzine (600);
- a catedral de Oshiki (no reinado dos Bagrátidas);
- as catedrais de Metsketa e de Alaverdi;
- o conjunto do mosteiro de Ghelati, centro educacional e cultural da Geórgia medieval, e a catedral Bagratti, ambos na cidade de Koutaisi, concluídos no reinado de David, o Construtor (1089-1125), hoje patrimônios culturais da humanidade;
- e fortalezas como a de Vardzia, cidadela cavada na rocha, com mais 500 dependências.

Chegaram os russos, em 1803, com o tzar Alexandre I, depois Alexandre III, até que no começo do século passado apareceu um partido social-democrata clandestino, do qual fazia parte Ossip Vissarionovitch Djugashvili, também conhecido como Stalin, que chegou ao poder na Rússia, assassinou mais de 400 mil conterrâneos georgianos e tomou conta da Geórgia.

Ainda bem que continuaram fazendo um dos melhores conhaques do mundo, aquele que Stalin mandava para Churchill, e tem um porto de águas tépidas, Batum, no Mar Negro, com *dachas* e hotéis onde se esquecem os bárbaros crimes de Stalin.

E onde passamos uma semana inesquecível, perdidos do mundo.

* * *

A Armênia erra de nome. Devia ser Armenian. Tudo e todos, lá, terminam em "an". Sua grande marca histórica é que foi o primeiro Estado a adotar o Cristianismo como religião oficial. Antes de Constantino e Constantinopla, São Gregório, o Iluminador, converteu o rei Tiridates, em 301.

Por isso é tão forte, até hoje, a Igreja Gregoriana Armênia, cristã e dividida. A metade reconhece Roma e o Papa como chefe. A outra metade não, com seu chefe supremo, o Khatolikós, que desde 301 reside no mosteiro de Etchmiadzin.

Quando Noé ficou zanzando sobre as águas do dilúvio, sua barca pousou em cima do monte Ararat (4.090 metros), então da Armênia, ponto mais alto da cordilheira do Cáucaso.

Como toda aquela atormentada ponta do mundo, a história da Armênia é um rosário de resistências nacionalistas (negavam-se a pagar imposto a quem quer que fosse; até hoje, lá e cá), invasões, expulsões, novas invasões e novas expulsões. Árabes, bizantinos, otomanos, persas, romanos, russos. A última expulsa foi a URSS, em 1990, quando o Império Soviético desmoronou.

Província do império Persa, Trajano, o imperador romano, invadiu em 114. Adriano chegou e liberou. Marco Aurélio, com toda sua vã filosofia, reinvadiu e o general Prisco (163) destruiu a velha capital Artáxata, no coração das montanhas. No mesmo lugar, construíram Kainépolis. A capital hoje é Yerevan.

Caracala, de suas voluptuosas termas em Roma, mandou invadir outra vez, mas perdeu e teve que voltar. Em 1915, em plena primeira guerra mundial, os turcos fizeram um massacre e deportaram o que restou para a Síria, Iraque, Europa, Estados Unidos, América Latina, Brasil.

Em 90, Ter-Petrossian vence as primeiras eleições livres. Entre presidentes e primeiros-ministros, Armen Sarkissian, Robert Cocharian, Vasgen Sargisian. Só faltou Gasparian. Basta ter "an".

Espremida entre a Geórgia e sua Batum no Mar Negro e o Azerbaidjão e sua Bakum no Mar Cáspio, dois belos mares tão perto, a Armênia não tem nenhum. Só Turquia e Irã com suas dores.

* * *

Um mês de folga e era hora de voltar. Ficávamos imaginando quando seria o próximo encontro. Só no Brasil. Fim das férias, novo ano, Brasil, Rio de Janeiro. As dores que eu teria de continuar enfrentando, em 78, 79, eram outras.

Eram as do Brasil sob a ditadura militar, fazendo jornalismo em tempo integral, de manhã, de tarde e de noite, em jornais, revistas, televisão e livros, brigando contra a censura, pela abertura, pela anistia. E as dores da América Latina conflagrada pelas ditaduras e guerrilhas.

Deputado cassado, sem direitos políticos, não tomava conhecimento. Continuava atuando como se nada tivesse acontecido. Pelos Atos Institucionais e Complementares, não podia escrever e assinar, não podia dirigir jornal, participar de atos políticos, fazer declarações políticas. Não podia nada.

* * *

E ia fazendo tudo. No fim de 76, os estudantes da Universidade Federal de Minas, preparando uma greve, tinham convidado algumas pessoas para um debate no salão nobre da Universidade. Era uma barra pesada. Tudo podia acontecer. Iríamos encontrar-nos no hotel Del Rey, em frente à Faculdade de Direito, e de lá sairíamos para a Universidade.

Da meia dúzia convidada e esperada, só dois apareceram: o teatrólogo Plínio Marcos, de São Paulo, e eu. A Polícia Federal já estava na frente da Universidade, de camburão. Combinamos que não chegaríamos juntos. Sozinhos, era mais fácil entrar. E pelos fundos. Tudo acertado com os líderes do movimento.

Driblamos a PF, entramos. O salão superlotado de estudantes. Quando aparecemos, o auditório ficou de pé, cantando. Um senhor de rosto grave, terno preto, chegou à mesa:

— Sou da Polícia Federal. Temos ordens para não deixar o debate realizar-se. Pedimos aos dois conferencistas que se retirem. Se não saírem, teremos que agir e levá-los presos.

E voltou. O Plínio ria metade nervoso metade com ódio:

— Nery, o que vamos fazer?

— O que você e eu combinarmos. Se você topar, ficamos aqui, falamos e só sairemos presos. Acho que devemos ficar. O governador de Minas é o Aureliano Chaves, meu companheiro de política estudantil quando estudei aqui. Mas não adianta recorrer a ele, que não vai fazer nada, porque essa briga é lá de cima, federal.

— Combinado. E vamos começar a falar antes que eles voltem.

Plínio pegou o microfone, deu uma voz de comando, fez-se silêncio total e ele, com aquele vozeirão e bravura que Deus e a miséria lhe deram, fez um discurso bravo e bonito, sobre o país, a pobreza, o sofrimento do povo, o dever de os jovens reagirem.

Os estudantes, de pé, ouvindo e aplaudindo, calando e cantando. E eu de olho na porta, esperando a entrada deles. Plínio terminou, peguei o microfone e comecei a falar do governo Geisel e sua promessa de "abertura lenta, gradual e segura", que estava sendo arrastada, não saía do lugar e ninguém tinha segurança. Contei para o auditório a ameaça que os dois havíamos recebido. Se fôssemos presos, que não fosse em silêncio.

E fiz uma homenagem comovida a amigos meus, dirigentes do Partido Comunista, assassinados em Minas, como Orlando Bomfim, Élcio Costa, ou presos, como Dimas Perrin. No meio de meu discurso, o auditório começou a gritar:

— Arranca o tubo! Arranca o tubo!

Não entendi nada. Uma moça alta e alva, vestida de enfermeira, atravessou o auditório, sentou-se lá na frente e a estudantada pedindo: "Arranca o tubo"! Era uma maldade. Naquela tarde, o líder do governo na Câmara, o radical udenista deputado Zezinho Bonifácio, tinha tido um enfarte e estava internado em um hospital, aos cuidados inclusive da enfermeira.

Não arrancaram. Logo o simpático e talentoso Zezinho voltava à Câmara, sempre desafiando e denunciando a oposição.

Como eles não entraram, espichei meu discurso e o auditório aplaudindo. Depois, falou o líder dos estudantes encerrando o ato e pedindo que saíssem em ordem, como Geraldo Vandré ensinou: caminhando e cantando. Avisei ao Plínio Marcos:

— Eles não entraram, mas vão nos prender lá fora.

Prenderam. Meteram-nos em um camburão e saíram em disparada. Pararam na porta do hotel e falaram grosso:

— Não tiramos os senhores de lá para evitar um incidente com os estudantes, que provocaria feridos. Agradeçam ao governador. Mas estão proibidos de deixar o hotel. Se saírem, serão presos. Sabemos que viajam de volta amanhã.

Alguns jornalistas já nos esperavam no hotel. Entramos, fomos para o bar, pedimos uísque. O Plínio tirou o casaco:

— Companheiro, eles não nos conhecem. Não viemos à vida a passeio, mas a serviço. Pensavam que éramos dois perdidos numa noite louca. Imaginaram que nos tirariam de lá no grito.

Senti a força da frase. Anotei e disse a ele:

A NUVEM

— Plínio, preciso de um presente seu. Esta frase. Quando essa zorra aí acabar, voltarei a ser candidato e meu *slogan* vai ser este:

— "Não vim à vida a passeio. Vim a serviço".

— Fique com ela e não diga que é minha. Será mais forte.

Obrigado, meu valente companheiro! A patrulha dormiu na frente do hotel. De manhã, fomos embora. Eu Rio, ele São Paulo.

* * *

Contra a ditadura, só restaram três caminhos: exílio, luta armada ou resistência política. Preso, e longamente, nos primeiros dias, não tinha mais sentido ir para o exílio. Embora inteiramente justificada, não acreditava na luta armada. Eram Exército, Marinha, Aeronáutica e polícias demais para guerrilheiros de menos.

Fiquei na resistência política. Como deputado cassado, mas sobretudo como jornalista. Desde o início sabia da importância de denunciar lá fora as barbaridades daqui de dentro, desmoralizar e enfraquecer a ditadura junto a seus aliados ou parceiros externos.

As denúncias das torturas, dos desaparecimentos, dos assassinatos, eram uma tarefa fundamental. Um instrumento importante eram os correspondentes estrangeiros. Grandes jornais internacionais, como "New York Times", nos Estados Unidos; "Le Monde", na França; "El País", na Espanha; "La Repubblica", na Itália; as agências de notícias "France Presse", "UPI", "AP", "Tass", apesar de vigiadas, tinham mais espaços do que nós.

Era preciso fazer com eles um trabalho permanente, incansável, de conquistar-lhes a confiança, só passar notícias exatas, provadas, que depois eles iriam testar e comprovar. Como havia muita gente nesse trabalho, aos poucos eles mesmos criaram uma rede confiável e segura de informações.

Alguns prestaram inestimáveis serviços à resistência interna. Cito, como homenagem, meu amigo o bravo Charles Vanheke, do "Le Monde", casado com a mineira Maria Helena, que morreu há pouco. Poucos discretamente combateram tanto a ditadura. Não só mandava notícias para seu jornal como para colegas de outros.

Procurei manter o hábito de encontrar-me mensalmente com alguns deles para almoçar, jantar, jogar conversa fora, falar de uma maneira geral sobre a situação política e econômica do país. E, no fim, pedir socorro. Se pudessem, sem risco, mandassem tal notícia, que, de repente, estourava lá fora como silenciosa vitória.

Entre eles, sempre uma vez por mês, o Igor, da agência soviética "Tass", parceiro na bem-sucedida operação para interceptar as duas maletas de dólares no golpe contra Allende.

Ele fazia perguntas para mim banais e para ele importantes. Uma noite, jantando em Ipanema, perguntou se eu sabia alguma coisa sobre a compra de aviões militares, de bombardeio, pelo Brasil.

Por acaso eu sabia. No almoço, estivera com meu amigo Dantinhas, João Vilar Ribeiro Dantas, que os amigos carinhosamente chamávamos de "agente duplo", porque tanto tinha ligações com o governo americano como com o governo soviético, e era íntimo dos serviços secretos do governo Geisel.

Ele me disse que Geisel, desde o Acordo Nuclear com a Alemanha vinha se distanciando da aliança exclusiva com os Estados Unidos em assuntos de defesa, havia decidido comprar os "Mirage" franceses e não os bombardeiros norte-americanos. A notícia só não sairia logo por motivos de política externa.

Evidentemente sem citar o Dantinhas, dei a notícia ao Igor. Ele ficou pálido, lívido, me olhando, incrédulo. Reagiu:

— Você sabe a importância e gravidade dessa decisão e notícia?

Eu me senti um espião de filme da Atlântida. Por que tanta importância? Que diferença fazia comprar dos franceses e não dos americanos? Trocavam só os intermediários das comissões. O Igor ficou aflito para ir embora. Apressamos o jantar, ele saiu.

Não esperou um mês para o novo encontro. Semana seguinte ligou para almoçarmos. Chegou solene com um vinho especial:

— O governo de meu país mais uma vez lhe fica devendo. E eu particularmente, pela importância para minha carreira. Está convidado para novas férias na União Soviética, como as de 77. Quando tiver tempo, é só me falar um pouco antes.

— Agradeço e aceito. Mas já conheço bem a parte ocidental. Nova viagem só se for para conhecer o lado oriental, a Sibéria. E não pode ser uma viagem curta, porque quero ver tudo.

— Não há problema, desde que não queira ir a nossas prisões nem descobrir nossos segredos atômicos. O resto pode.

1979 e 80 estavam sendo dois anos agitadíssimos, com a anistia, a recriação do PTB (PDT) e viagens à América Latina, como vimos no capítulo anterior, o 30, e à Europa, como veremos no próximo, o 32. Deixei o tempo passar. Mas com a Sibéria sempre na pauta.

* * *

Perto do Natal de 1980, toca o telefone:

— Onde vai passar as férias? Surgiu uma ótima oportunidade.

Era o Igor. O problema deles era arranjar um intérprete em línguas faladas pelo convidado e com tempo disponível. Estava em Moscou, de férias, um jornalista da agência "Novosti", que falava espanhol e francês. Podia viajar logo, janeiro e fevereiro. Mas desta vez sozinho, porque a viagem à Sibéria era mais longa.

Topei. A Aeroflot não tinha voo saindo do Brasil. Pegava-se em Lima, no Peru. O DC-10 da Varig, superlotado, me deixou às duas da madrugada em Lima, nas vésperas do *Réveillon* de 1980, depois de cinco horas de voo, conversando com uma alemã, mulher de japonês, que vivia em São Francisco, nos Estados Unidos, e trabalhava no Brasil em turismo. O mundo é um só. Desci no aeroporto, uma voz conhecida:

— Nery, o que é que você está fazendo aqui?

Era Heckman, diretor da Varig no Peru, que havia dois meses encontrara no aeroporto de Frankfurt, na Alemanha. Em cinco minutos, eu já estava chegando e o mundo cada vez menor.

Logo, os russos. Na Aeroflot, passagem reservada, tudo marcado e um funcionário soviético me pondo na primeira classe de um enorme Iliushin-62. O avião todo cheio, lá atrás, e só eu, o único, na primeira, como os árabes do petróleo que chegavam a Londres para comprar a crise da Rainha da Inglaterra.

Minutos depois, um conhaque da Geórgia, daqueles que vi sendo fabricados lá. A comissária dá um aviso em russo. Ouço palmas atrás e gente falando espanhol. Era uma meia dúzia de jornalistas do Peru, Colômbia, Bolívia, Equador, sei lá mais onde, que ia para um congresso de imprensa em Helsinque, na Finlândia. E o aviso era um rádio que chegara ao avião, de um hospital de Lima, comunicando que acabava de nascer o primeiro filho do jornalista peruano Luís Casas, ali viajando.

Fui lá, dei-lhe um abraço, pedi copos e gelos, convidei-os para virem à primeira classe e abri a garrafa de uísque que vinha trazendo na pasta para qualquer emergência de sede compulsória. E farreamos cinco horas seguidas, até descer em Cuba.

Os russos foram exemplares. Vinho, jantar para todo mundo, café e conhaque. Lá dentro, ninguém perguntou quem eu era e porque transferia um pedaço da segunda classe para a primeira.

Duas horas no chão, em Cuba, e de novo no céu com os russos. Mas antes de o avião levantar voo em Havana, novamente eu só na primeira classe, chega um senhor moreno, muito alto e muito apressado, conferindo a passagem e falando espanhol. Era um cubano da Aeroflot em Cuba, examinando meu bilhete:

— Há um erro aqui. Sua passagem é de segunda e o senhor está na primeira. Por quê?

— O chefe da Aeroflot em Lima é quem me convidou e me pôs para viajar aqui.

— Mas não pode.

— Sinto muito, mas não é problema meu.

— É, sim. O senhor não vai poder continuar viajando aqui.

— Desculpe, mas não vou sair. Só com ordem do comandante do avião ou do chefe da Aeroflot de Lima, que me convidou.

O homem enorme levou um susto com minha resposta. Parou, olhou para mim com ódio e foi lá dentro da cabine. Voltou, desceu as escadas pisando forte e eu continuei no meu canto. Mais 9 horas diretas até Dublin, na Irlanda, e os sul-americanos farreando socialistamente no céu dos russos, eu na primeira, eles na segunda, e os vinhos e conhaques entre as duas.

Na Irlanda, mais duas horas no chão, o frio roendo os ossos. De Dublin para Helsinque, na Finlândia, onde desceram meus colegas jornalistas. De lá, direto rumo ao Polo Norte, até Murmansk, península de Kola, extremo norte da Rússia ocidental.

Aquele era um voo de trabalho da Aeroflot. Os soviéticos tinham um acordo de pesca com o Peru. Seus navios e barcos pesqueiros ficavam lá, nas águas piscosas do Pacífico. Toda semana um avião vinha e voltava trazendo e levando comandantes e chefes de pesca dos navios e barcos. Murmansk é o posto avançado da pesca da Rússia nos mares do Norte e do Pacífico.

De Murmansk, Moscou. Eu já não sabia por onde andava meu confuso-horário. Um sol forte, sobre as nuvens, iluminava o horizonte visivelmente curvo, lá em cima, e, de repente, a visão clara, real, inacreditável, da noite caminhando apressada sobre minha nuvem. O avião indo para um lado e a noite para o outro.

E daí a pouco o meio-dia anoiteceu com lua e nuvens rosas, como nas histórias bonitas da infância. Engolido em fusos horários a cada instante renovados, o tempo enlouqueceu. Já era Moscou e já era meia-noite de novo. O aeroporto Cheremetievo, novo em folha, preparado para as Olimpíadas, dormindo sob a neve e, lá fora, 10 graus abaixo. Um bom treino para a Sibéria.

Só queria dormir. Deixaram-me no vasto hotel Rússia, ao lado do Kremlim, quase esquina da Praça Vermelha, cercado de jardins de papoulas, por onde tantas tardes andei com a rosa púrpura do Cáucaso, minha luminosa caucaseana Ludmila.

Acordei às 12 horas, a neve bailando na janela, como palhaços fazendo piruetas no ar. Com 50 dólares, comprei um Chapka, imenso gorro de pele de veado, duas luvas, voltei para o hotel. A saída para a Sibéria seria logo no dia 2 de janeiro. E eu passando ali, sozinho, o *Réveillon*, pensando nela.

* * *

Jantei com os dois companheiros de viagem, o jornalista que trabalhava em Madri e tinha conhecido rapidamente lá nas eleições da Constituinte de 77, e um colega dele, que iria conosco até Novosibirsk, metade do caminho, para ver os pais.

Tomamos uns vinhos e conhaques, foram embora passar o *Réveillon* com as famílias, subi para o apartamento. No último andar do hotel, via Moscou pela janela. Um imenso túmulo branco. E eu dentro. Fui dormir com Ludmila ali.

De manhã, cheguei ao aeroporto de Domodedovo, um dos quatro de Moscou, para pegar o avião até Volgogrado, antiga Stalingrado, a duas horas de Moscou, primeira etapa da viagem à Sibéria. As próximas seriam Novosibirsk, capital da Sibéria Ocidental, mais cinco horas. Irkurtsk, capital da Sibéria Oriental, mais cinco. E ao final Vladivostock, outras cinco.

Ao todo, só de ida, seriam 17 horas. Ainda bem que com paradas, algumas vodcas, dormidas, conhecendo as cidades, suas gentes e sua luta multissecular contra o frio, a neve, o gelo. No aeroporto, das janelas, vejo uma cena bela: aviões pousados sobre um tapete branco e infinito e, caminhando para eles, grupos de homens, mulheres e crianças, grandes gorros peludos de couro de veado, botas pretas, vermelhas, marrons, luvas e capotes de pele de todos os tipos e todas as elegâncias e deselegâncias.

A neve caía sem parar, grossa, intensa. Como era possível aviões chegarem e saírem? Caminhões enormes, como jamantas, empurrando largas navalhas negras, do tamanho das pistas, passando e raspando a neve. O avião desce, a neve volta e vem de novo o caminhão com sua navalha. Um avião, um caminhão, um avião, um caminhão, brincando e brigando com a neve.

Às 9 da noite, chamam meu voo. Lá vou eu. Perto do avião, um susto. Está absolutamente coberto de neve. Um meigo e longilíneo tubo de neve, como doce fantasma, arriado sobre o lençol branco. Será que vai decolar? As turbinas esquentam? Já dentro do avião, veio um aviso.

Vamos ter que esperar um pouco para tirarem a neve que cobre o aparelho. Tiram na hora, porque, se tirarem um pouco antes, ela vem de novo e novamente encobre. Um caminhão se aproxima com grossos tubos, soprando bafo quente e derretendo a capa branca. São turbinas de velhos aviões que usam para, engatados nos caminhões, lançarem os jatos de ar.

E outro aviso: o aeroporto de Volgogrado fechou. Já não era por causa da neve. Era a nevasca. Nevasca não é neve. Nevasca é tempestade de neve, como temporal não é chuva, é tempestade.

A neve caía tão forte em Volgogrado, que se tornava um guarda--chuva compacto sobre as pistas, impossibilitando a descida. Era preci-so esperar na pista para, quando abrisse lá, limpar de novo nosso tubo, decolar rápido e duas horas depois descer, antes de a borrasca voltar e fechar mais uma vez.

Uma hora, duas, três, dentro do avião parado, esperando notícias de Volgogrado. Meia-noite, levantamos voo. O avião subiu rompendo uma capa toda branca de neve, como se fosse um isopor. Dois minutos depois, uma lua gorda boiando no céu azul-marinho, todo estrelado. Dez mil metros de altura e lá embaixo aquela lâmina sólida, cinza, como acrílico.

Fiquei a pensar como é vasto o mundo e tão diferentes as realidades. Por mais que saibamos o que é a neve, pendurada nos bigodes de Papai Noel e nas ilustrações dos livros da infância e, depois, mesmo vista aqui e ali em tantos países, uma coisa é você ver como turista, entrar e sair do hotel, dar uma andada na rua, e outra, muito diversa, é, a cada ano, meses inteiros, seis, oito, dez, até doze, no Polo Norte, com tudo coberto de gelo e frio.

Os rios e lagos endurecem. As ruas e calçadas sobem centímetros. Nos parques, metros de neve acumulada. E é preciso ir tirando, ela voltando, hora a hora, dia a dia, cada manhã, meses diretos. Uma batalha interminável.

Já longe da neve, no quente do bar, brinco com os russos:

— Eu pensava que vocês tinham ficado definitivamente livres de Napoleão, que atolou sua invasão nas nevascas das estepes russas. Mas não. Todo ano é esta guerra, a mesma guerra certa, fixa, marcada, de meses, obrigando a guardar tudo, preservar tudo, diminuindo a produção, até a primavera voltar e com ela o sol e as flores e os frutos. E me respondem:

— O inverno é que nos faz fortes, nos ensina a resistir e esperar.

Dizem que Deus é brasileiro. É tropical. A neve é satanás.

* * *

Volgogrado é a cidade dos três nomes. Primeiro foi Tsaritsin, no tempo dos tzares. Depois de 1917, a partir de 1925, Stalingrado, cidade de Stalin, que comandou sua defesa na guerra civil de 1919-1920, logo depois da revolução. A partir de 1959, com Stalin morto em 1953, é Volgogrado, a cidade do Volga, o grande rio nacional, cantado por músicos e poetas, que desce lá do norte e vai despejar no Mar Cáspio.

No verão de 1942, em julho, Hitler decidiu que, para dobrar Moscou e Stalingrado, que resistiam, e ocupar a Rússia, era preciso cortar o Volga, por onde passavam todos os reforços e combustíveis vindos do Oriente. Stalingrado tinha 445 mil habitantes. Hitler mandou 330 mil oficiais e soldados, 22 divisões e 146 unidades militares, bombardeou-a meses a fio. Em agosto, 40 mil pessoas já haviam morrido.

Em 13 de setembro, começou o cerco. Durante 143 dias a cidade resistiu em cada rua, em cada casa, homem a homem. Ao todo, 2 milhões de combatentes, de ambos os lados, mais de 2 mil tanques, 26 mil canhões, 2 mil aviões. E a cidade não se entregou.

No dia 19 de novembro de 1943, os russos lançam a grande ofensiva para cercar os exércitos de Hitler concentrados em torno de Stalingrado, nas estepes do Dom e do Volga. E no dia 2 de fevereiro, no portão de um edifício no centro da cidade, o general Paulus foi preso e assinou a derrota. Stalingrado estava reduzida a 32 mil habitantes, mas livres.

Por isso, a cidade inteira parece um museu da derrota do nazismo. Em 57, ainda estava lá, como depois da guerra, a colina de Mamai, o morro sobre a cidade, dezenas de vezes tomado e retomado, a ponto de seu chão se ter tornado uma areia de cacos de ferro e metais. Depois da vitória, os russos ainda recolheram, em toda a cidade, um milhão e 500 mil minas, bombas e projéteis. Tiraram 9 mil vagões de sucata e restos das batalhas.

Em 81, a colina de Mamai era um enorme monumento de 97 metros de altura, o Corcovado deles: sobre a montanha, cercada de verde, uma mulher de cabelos ao vento, espada na mão direita e a mão esquerda mostrando o Volga, lá embaixo. A Estátua da Liberdade com espada e não facho na mão. E, subindo a colina, restos das paredes incendiadas com inscrições de resistência que o povo escrevia nos muros, de madrugada, para manter o moral da resistência. E o pavilhão com uma pira permanentemente acesa.

Fui visitar o museu da guerra. De todas as nações, lembranças de manifestações artísticas, de gestos de solidariedade, produzidos em dezenas de países e depois mandados para lá: poemas, canções, quadros, livros, esculturas. E do Brasil? Em um armário de vidro, um chapéu de couro, nordestino, que uma delegação de médicos deixou lá em 1954. E, a um canto, uma foto. Imaginem de quem? De Pelé. Sorridente, dentes brancos, cara feliz. Nosso herói não estava só nas fotos dos estádios, dos gols eternos. Está também nos museus da guerra, como símbolo de juventude e vida.

Disse a amigos meus, jornalistas de lá, que os dois maiores poetas brasileiros destas últimas décadas, Carlos Drummond de Andrade e Manuel Bandeira, escreveram poemas maravilhosos, hoje, clássicos da literatura brasileira, sobre a resistência de Stalingrado. Não sabiam. Contam à direção do museu, que me pede, encarecidamente, que, voltando ao Brasil, se possível autografados, lhes mande os poemas para guardá-los nos armários de vidro, bem à vista, como símbolo da solidariedade universal.

Quando voltei, mandei.

* * *

No aeroporto de Bratsk, ao lado de Irkutsk, capital e coração da Sibéria Oriental, George Bogdanovski me espera e diz:

— Você é o primeiro jornalista brasileiro que pisa por aqui.

E lá do fundo da infância vieram as aulas de Geografia de dona Sisínia no grupo escolar de Jaguaquara. Da Sibéria, tinham ficado quatro nomes: os rios Enissei e Angara, o lago Baikal, a floresta Taiga e a ferrovia Transiberiana. De repente eu estava ao lado dos cinco, como numa viagem de Marco Polo, Júlio Verne.

O Enissei é o maior rio da Ásia, ligando o sul da Sibéria com o Polo Norte. Angara é o rio caudaloso, violento, o único que não gela, pela fúria de suas águas muito frias, muito límpidas. O Baikal é o imenso lago de água doce, um mar, que visitei depois.

A Taiga, com suas árvores esguias, delgadas, altíssimas, como imensos eucaliptos de até 100 metros, estende-se dos Urais ao Pacífico em um território maior do que toda a Europa ocidental. Uma de cada cinco árvores do planeta está na Taiga siberiana.

A Transiberiana, cortando a Sibéria mais pelo sul, vai de Moscou a Vladivostok, 11 mil quilômetros dentro da Taiga, a floresta. A estrada mais moderna, a Baikal-Amour, a BAM, mais pelo centro, de 3.200 quilômetros, ligando o lago Baikal ao Oceano Pacífico, na região do rio Amour, diante das ilhas Sakalinas, é toda eletrificada, duas largas bitolas, o trem correndo a 120 quilômetros por hora, com 10 túneis e mais de 1.500 pontes.

E o caviar? O caviar siberiano é vermelho, porque o peixe que o põe é vermelho. Caviar preto é o do Volga, do mar Cáspio.

Por mais que você imagine a força e o inesperado da Sibéria, é uma bela, poderosa, fantástica Amazônia, várias vezes multiplicada em tamanho e mistérios. Uma Amazônia de nove a doze meses toda gelada, e três meses ensolarada no verão do sul.

* * *

Passei dias brigando com o tempo e a neve para me acostumar com eles. De repente, percebi que perdi o dia e o tempo. Na primeira noite, acordei sem tempo nem dia, sem sono e sem rumo. O dia amanhece às nove, anoitece às quatro. Você deita à meia-noite, o corpo não sabe, acorda às três.

As temperaturas se alucinam. Volgogrado, 10 graus abaixo, a neve subindo nas ruas e calçadas. Você desce em Omsk, a aeromoça avisa: 27 graus abaixo. E não são assim tão distantes. Uma lua branca, gorda, luminosa, passeando no céu azul, cristalino, céu de Itapoã na Bahia. Mas um frio seco, limpo, gostoso. Desde que você esteja blindado da cabeça aos pés.

Já em Bratsk são 40 graus a menos e um sol vermelho, imenso, faiscando sobre a neve. Lá em cima, no gelo eterno de Norilsk, serão 70 graus abaixo. Às nove da manhã, ainda tudo escuro, o rádio toca uma bonita canção russa, "Malinovoi Ware", "Madrugada Vermelha", aliás madrugada da cor da malina, uma fruta siberiana, vermelha.

Abro a janela, o mundo todo branco e lá no canto do horizonte, sobre a neve, magnífico, glorioso, o sol todo vermelho. Não amarelo-luz, como o nosso do Brasil, mas vermelho mesmo, rubro, em sangue. Só então entendi a "Madrugada Vermelha" da canção, a fascinante "manhã vermelha" da Sibéria.

A Sibéria tinha 30 milhões de habitantes, mais de 400 cidades, em um território maior do que os Estados Unidos. As grandes cidades eram ligadas pelos grandes jatos, como o Tupolev, igual aos Boeings ou Airbus ocidentais. Entre as cidades menores, os voos são em pequenos aviões de 30 lugares, voando baixo, bem rente à floresta e aos rios, ao gelo e à neve, como se esquiasse sobre a pista infinita, lembrando voos inesquecíveis de DC-3 sobre a Amazônia, nossa floresta verde de águas azuis.

No restaurante de Irkutsk, bebendo vodca e comendo a carne siberiana, recheada com cogumelos, muito saborosa, um conjunto de bateria e guitarra tocava e cantava canções russas, francesas, italianas. E lá vem Tom Jobim com "Insensatez". O rapaz, ao microfone, cantava em inglês. Aprendeu ouvindo Frank Sinatra. Depois Dorival Caymmi com "Minha jangada vai sair pro mar", aprendido no filme "Capitães de Areia", de Nelson Pereira dos Santos, do romance de Jorge Amado, sucesso lá.

Também na Sibéria o mundo era sempre um só. Wladimir Vlassav, jornalista da agência "Novosti", falava inglês, japonês, francês, espanhol e já tinha lido, em português, Jorge Amado quase todo. Paulo Coelho ainda era metamorfose de Raul Seixas.

* * *

Em 1905, a Rússia estava em guerra com o Japão. Era preciso atravessar o rio Angara, afluente do Enissei, que corta a Sibéria de sul a norte. Não havia ponte e as tropas deviam passar. Só havia um jeito: por cima do lago Baikal. E foi sobre o lago Baikal, gelado, que eles construíram uma estrada de ferro de dezenas de quilômetros e as tropas passaram. Isso é a história.

Mas não é só por força da história que o lago Baikal é o lago sagrado da tradição russa. É que nele, em torno dele, sobre ele e embaixo dele há riquezas tais que fazem dele o coração amado e sagrado da Sibéria. Sem falar em sua beleza, longo e plácido, no inverno gelo, no verão lâmina azul.

Cada povo tem seus desvelos geográficos, seus encantamentos naturais: a lagoa do Abaeté de Itapoã; o São Francisco, Pai Chico, da Bahia; o Guaíba dos gaúchos; o Jaguaribe do Ceará; o Capiberibe dos poemas de Carlos Pena Filho, no Recife. O lago Baikal é assim: está na boca de seus cantores, nos versos dos seus poetas. E com razão.

1. É a maior concentração de água doce do mundo: 20% de suas reservas; 23 mil quilômetros cúbicos de água. Mais que o Mar Báltico. Até o fim do século, eles imaginam que o lago vai ser uma fonte de água potável de qualidades excepcionais.

2. Com 636 quilômetros de comprimento e uma superfície equivalente à da Bélgica e da Holanda juntas, é o oitavo lago do mundo em superfície. Mas, graças à sua profundeza (é o primeiro, com 1.620 metros de fundo), na primavera veem-se objetos brancos até a 40 metros abaixo.

3. 336 rios, grandes e pequenos, acabam nele. Um só nasce, o Angara, filho de um lar tão manso e no entanto um dos rios mais caudalosos que se conhecem.

4. Mais de 600 plantas nele e em torno dele vivem. E uma fauna de 1.300 espécies, das quais 3/4 não se encontram em nenhuma outra parte: foca do Baikal, o peixe golomianca, o omul.

5. E as pedras preciosas, metais, minerais? Uma variedade infinita. Visitei o Museu do Baikal, à beira do lago. E o Museu de Geologia, em Irkutsk, a 70 quilômetros, mantido pelo Instituto Politécnico. É um mundo de riquezas minerais. A diretora vai mostrando e contando os mistérios de cada pedra, muitas conhecidas e muitas só da região do lago, ao menos na variedade de tipos e cores:
A opala, símbolo da mulher traidora. A ametista, em que a mulher de Júpiter converteu sua empregada, porque queria transar com Baco. Até hoje é símbolo do controle da bebida. Os armênios dizem que a ametista ajuda nos negócios, porque você pode beber e negociar. Não deixa embebedar. A cerdolic, avermelhada, que os egípcios punham no lugar do coração dos faraós, arrancado antes de serem enterrados nas pirâmides.

As nifrites, verdes e luminosas, símbolos de vida longa. Os calcites, fluorites, lazurites, tchanoites, um belo mundo mineral em "ites". Um sueco caiu dentro de uma mina de pirites, morreu lá em baixo e, anos depois, encontraram-no inteirinho, preservado e empedrado.

O Baikal é isso: por cima, a beleza gelada do inverno e o límpido azul de suas águas no verão. Por baixo e pelos lados, uma riqueza inesgotável. Em cima dele, como Cristo, andei. Não era água, era pedra de água, gelo puro, com um metro de grossura.

E nas noites de lua gorda, a neve cobrindo as margens e o gelo cobrindo as águas, o Baikal parece coisa de história de encantamento: um lençol luminoso onde a Sibéria adormecia o cansaço de sua caminhada apressada para o século XXI.

* * *

Bóris Kolesnikov, menino asiático, vivia com o pai, a mãe e três irmãs menores no sul da Sibéria, fronteira com a Mongólia e a China. Em 1946, morre o pai e ele decide fazer a grande aventura. Põe um saco às costas, ganha mundo, pega o rio Angara, depois o Enissei, e vem para o Polo Norte (lá eles chamam de O Grande Norte, que se estende da fronteira da Finlândia até o estreito de Bering, no Alasca), onde mora, todo vestido de branco, o gelo eterno.

Em 80, Bóris era diretor-geral do complexo industrial de Norilsk, o mais importante de todo o Polo Norte mundial: é um combinado metalúrgico-mineral na península de Taimyr. Ele é testemunha e parte de uma das mais fantásticas histórias da aventura humana.

Norilsk, cidade transpolar, localizada no Polo Ártico, acima do paralelo 69, já tinha 200 mil habitantes em 81. Antes, acreditava-se que era impossível a quem viesse de fora suportar viver onde há insuficiência de vitaminas e de raios ultravioletas e onde se sentiria oprimido pelas longas noites polares e os dias curtos, muito curtos, ou às vezes nenhum, pois durante 47 dias, cada ano, não há dia, é a noite eterna.

É impossível sair passeando, porque o vento furioso das tempestades de neve, capaz de derrubar gente grande, sopra sem parar cortando fino como navalha de bandido. Nos nove meses do inverno mais de 100 milhões de metros cúbicos de neve caem sobre a cidade. Durante 280 dias, cada ano, os ventos árticos sopram a 30 metros por segundo e o frio é de 55 graus abaixo de zero, chegando às vezes a 71.

Construída sobre o gelo e a neve, sobre a *merzlota*, em cima de *pilotis* de cimento armado, com edifícios altos, Norilsk derrotou a neve e o gelo. Tem tudo que tem uma cidade normal, biblioteca de 3 milhões de volumes e uma vida e uma atividade de trabalho como qualquer outra. Com o sul, ela está ligada através do rio Enissei, navegável. Com o extremo norte, através de uma ferrovia eletrificada de 120 quilômetros, que vai até o porto de Dudinka, saída da Sibéria para os caminhos do Oceano Ártico. Toda essa enorme e caríssima infraestrutura foi montada por causa das riquezas da península de Taimyr: petróleo, gás, os diamantes de Yakoutie, as apatitas de Khibiny, ouro, minérios, 14 metais não-ferrosos, fora a caça e a pesca, a criação de hienas.

O complexo industrial está implantado sobre a central hidrelétrica de Oust-Khantai, um gasoduto de 263 quilômetros e imensas usinas metalúrgicas, com suas torres metálicas espetando o branco infinito, como brinquedo de Deus.

Institutos científicos, grupos de pesquisas de todo o país, laboratórios e técnicos das mais variadas especialidades estudam, planejam e acompanham, permanentemente, a realização de cada nova experiência em Norilsk, cidade-pioneira, cidade-aventura.

Também cientistas de outros países do Polo Norte (Estados Unidos, Canadá, Groelândia, Islândia, Noruega, Suécia e Finlândia), seguem "a lição, o exemplo, o modelo de Norilsk para a conquista das regiões de difícil acesso do globo".

E Trudeau, primeiro-ministro do Canadá, único chefe de Governo estrangeiro a visitar Norilsk, olhando lá fora a tempestade de neve soprando novelos brancos, suspirou:

— Isto é uma lição, um exemplo. Mas sobretudo um milagre.

* * *

Na primeira noite no hotel, de repente fiquei pensando onde estava e fui me sentindo afundando naquele oceano de gelo e neve. A cama deslizava em cima do infinito e eu sentia minha nuvem me carregando sobre a planície branca.

Não conseguia dormir. Desci à recepção, pedi um conhaque, deram-me uma garrafinha. Pensava em meu pai, minha mãe, filhos:

— Se esta cidade afundar agora, eles jamais saberão em que abismo mergulhei e desapareci para sempre.

Ainda bem que o conhaque me afundou. No sono.

* * *

De volta ao Brasil, reuni textos das últimas viagens e a Editora Codecri, a do "Pasquim", publicou o livro "Sebastião Nery na Sibéria, Nicarágua,

El Salvador e outros mundos", com prefácio do homérico poeta Gerardo Mello Mourão, que abriu seu texto com esta minha frase:

— Viver é andar a garganta das pedras. Quem abre caminho corre o risco das cobras. Mas é aos pés dos que vão na frente que as borboletas se levantam.

Eu continuava na garganta das pedras. Não rejeitava trabalhos nem desafios. Uma noite, no "Antonio's" chega Jô Soares desaguando simpatia e charme e me impõe a tarefa:

— Nery, você tem um mês para reunir as melhores histórias do folclore político, porque vamos fazer uma peça.

— Se eu não reunir em uma semana, não reunirei em um mês.

No fim da semana lhe entrego, umas já publicadas outras ainda não. Não acreditou muito, mas estava mesmo decidido:

— Melhor ainda. Me traga o texto e vamos conversar.

Contei-lhe que, meses atrás, no "Bar das Garrafas" do hotel "Esplanada", em Fortaleza, ouvindo minha amiga Ângela Torres, uma cantora magnífica, cantar "As Asas do Tiê", de Patativa do Assaré, o cineasta Luís Carlos Barreto me propôs fazer um filme com minhas histórias do "Folclore". Combinamos conversar depois. Cheios de compromissos, ainda não tínhamos tido tempo.

Mostrei a Jô uma carta do Glauber Rocha, mandada dias antes, de Havana:

— "Nery, seus textos sobre os políticos brasileiros são geniais. Isto é que é literatura política. Vamos fazer um filme".

Genial era ele. E só voltou, um ano depois, para morrer.

Tranquei-me no hotel e em uma desvairada semana escrevi e reescrevi mais de 300 histórias e entreguei ao Jô. Ele adorou, passou para o Armando Costa, que ia montar a peça com ele.

Em pouco tempo Jô me chamou para a primeira leitura do texto final. Minha sugestão de título era: "Brasil, da Ditadura à Abertura". Mas não dava para falar em "ditadura" com a ditadura de Figueiredo no governo. A censura não deixaria. O título foi:

— "Brasil, da Censura à Abertura".

Jô já tinha o teatro ("Teatro da Lagoa"), em local privilegiadíssimo, à beira da Lagoa Rodrigo de Freitas. E os quatro atores, quatro craques: Marco Nanini e Geraldo Alves, Marília Pêra e Sylvia Bandeira. Faltava só desenhar, compor a alma dos personagens: Getúlio, Juscelino, Alkmin, dezenas.

Ensaios todas as noites, até tarde. Jô é um fenômeno de capacidade de trabalho, de seriedade. Não sei como consegue, com aquele físico de montanha, tanta agilidade física e mental. E os atores excepcionais.

Logo estava tudo pronto. A inauguração foi um sucesso extraordinário. E meses e meses de teatro lotado.

Ali aprendi o que é o capitalismo. Toda noite, de terça a domingo, ia para o bar ao lado do teatro e ficava recebendo os amigos, tomando vinho, olhando a fila enorme comprando os ingressos, um a um. E, de cada um, 10% eram meus.

A peça ficou quase um ano em cartaz no Rio e meses em São Paulo. Grávida e indomável, a fera Marília subiu ao palco até a semana do parto, cantando, dançando. Foi substituída, já em São Paulo, pela também excelente Camila Amado.

A crítica carioca e paulista aplaudiu. Como neste texto do respeitado José Guilherme Mendes, na "Manchete":

"Brasil, da Censura à Abertura" (Teatro da Lagoa, Rio) deveria, mais propriamente, intitular-se: "Brasil, o Fantástico *Show* da Vida Política".

— "Atribuído a quatro autores — Sebastião Nery, Jô Soares, Armando Costa e José Luís Archanjo —, tem quatro intérpretes: Marília Pêra, Marco Nanini, Geraldo Alves e Sylvia Bandeira. Essa coincidência numerológica não é real: tem dois autores e dois intérpretes — Sebastião Nery e Jô Soares, e Marília Pêra e Marco Nanini. O espetáculo é também dos quatro outros, mas particularmente de dois: Sebastião Nery e Marília Pêra"...

— "Brasil, da Censura à Abertura" foi inspirado e é alimentado pela crônica, ora pitoresca ora lamentável, da vida política no Brasil, de Getúlio Vargas a João Figueiredo, conforme vem sendo registrado, nos últimos tempos, por esse jornalista baiano de picardia mineira, com cara e jeito de boxeador que não pendura as luvas nem joga a toalha, chamado Sebastião Nery.

Dando o desconto da hipérbole, eis o que Nery escreve:

— "O humor é uma linguagem absolutamente séria, necessária, eterna. Desde o começo foi proibido proibir"...

Os proibidores e os censores passam e só são lembrados, às vezes com asco, por pouco tempo. Por isso "Brasil, da Censura à Abertura" concentra-se mais em figuras mais humanas, como José Maria Alkmim, Getúlio Vargas, Juscelino Kubitscheck, Benedito Valadares, Adhemar de Barros e outros mais, até mesmo o impagável José Bonifácio de Andrada".

"Elaborado a oito mãos, o espetáculo é encenado e dirigido pelo homem de televisão, o gordo e leve Jô Soares. Está mais próximo de *show* de TV do que um espetáculo teatral. Isso, contudo, não é demérito: torna-o, até, bem mais movimentado e visualmente mais agradável do que se fosse uma encenação"...

E eu já tinha o dinheiro para minha campanha de deputado.

32
BRIZOLA

NO FÚNEBRE E FÉTIDO CAMPO DE CONCENTRAÇÃO DO QUARTEL do Barbalho, em Salvador, depois do golpe militar de 1964, o major, depois general, Guadalupe Montezuma e seu cachimbo inglês, que chegaram de Pernambuco para fazerem o IPM (Inquérito Policial Militar) da Assembleia e da política baiana, queriam saber muito mais de Brizola do que de mim:

— Nesse mês em que o senhor esteve clandestino entre o Rio e a Bahia, a partir do dia 31 de março, até ser preso aqui, teve notícias de Leonel Brizola?

— Só as que os jornais publicaram. Que ele desapareceu.

— Mas agora, dois meses depois, já se sabe que ele está organizando uma força militar para invadir o Rio Grande do Sul.

— Major, aqui preso, não sei nem o que Lomanto está fazendo.

— E antes de ser preso?

— Estava na fazendinha de meu pai, lendo e bebendo leite.

— Eu quero é saber o que o senhor sabe de Brizola. Ele hoje é nosso maior inimigo. O Jango é muito rico, vai cuidar da vida dele. O Arraes está em Fernando de Noronha, mas não se meteria em insurreições. O Prestes já deu sua palavra de ordem aos comunistas: não repetir o erro de 1935. Brizola, não. Vai lutar até o fim contra nós. Nos desafiou em 1961 e ganhou a posse de Jango. Agora foi apanhado de surpresa, não teve como reagir. Mas não vai ficar parado. Não se dará por satisfeito com os discursos violentos que o deputado Max da Costa Santos, o senhor e outros amigos dele fizeram nas rádios Mayrink Veiga e Nacional. Ele vai tentar a forra. Esse é o nosso inimigo. E o senhor é aliado dele.

— Politicamente, sou. Mas não acredito em insurreição civil no Brasil contra o poder militar. Aqui, desde a Monarquia e a República, e em 1930, 35, 37, 45, 61 e agora, as soluções sempre foram militares. O poder civil só voltará através de um paciente e longo trabalho político até o dia em que os militares se dividirem, o que certamente acontecerá, mais dia menos dia. Sempre foi assim. Os dois civis que imaginaram poder enfrentar militares com armas se deram mal: Antônio Conselheiro e Lampião.

O major repousava a cabeça na cadeira alta e tragava silenciosamente seu cachimbo, com um sorriso escanteado:

— Veja, deputado. Vim aqui ouvi-lo e sou eu que estou ouvindo a pregação de um derrotado inconformado.

— Major, inconformado com um governo militar no Brasil estou. Sei que não dará certo para o país. Mas insurreição civil, não. Fiquei oito anos com os padres e oito com os comunistas. Aprendi que na história é preciso ter muita paciência. Se o Brizola tentar uma insurreição civil, no que não acredito, ficará só. O povo brasileiro só briga atrás de militar. E Brizola não tem militar nenhum. O único era o general Assis Brasil, o "estrategista do dispositivo", que Juscelino disse que era um "supositório".

Riu rápido e fechou a cara. Não gostou da piada:

— Foi bom o senhor não querer me enganar e negar suas ligações com o Brizola. Em três anos de seu jornal, o único político com quem o senhor fez uma grande entrevista, com enorme foto na capa e duas páginas lá dentro, foi ele. Nos seus discursos na Assembleia, o senhor não elogiava o Jango e ainda bem que não elogiava o Prestes. Só elogiava e defendia o Brizola. E ele nem é de seu partido. É do PTB. O senhor sempre foi do Partido Socialista, entrou no MTR do Fernando Ferrari para assegurar uma legenda e se eleger aqui da Bahia. Está vendo como pesquisei sua vida? Por isso mesmo tenho certeza de que, quando sair daqui, o senhor será aliado dele.

— Aliado político, sim, major. Mas esse será um processo longo. Me desculpe, mas o que houve no Brasil foi um golpe militar. Um dia haverá anistia e novamente uma vida política normal, com eleições. No Brasil, depois da ditadura de Getúlio e em todos os países acontece assim. Nessa hora, aparecem ou reaparecem os herdeiros da democracia. Na França, foram De Gaulle e Mitterrand. Na Iugoslávia, Tito. Quem será no Brasil? Prestes, nunca. Comanda um partido internacional. Jango já foi presidente, não é um dirigente determinado. Estará superado. Arraes é muito concentrado no Nordeste. Sobrarão dois líderes nacionais, se

estiverem vivos: Juscelino e Brizola. E Brizola tem mais chance de esperar, por ser mais novo. O líder nacional mais importante que surgirá,
quando a democracia voltar, se estiver vivo, deverá ser Brizola. Tem a
melhor biografia e imagem.

Enquanto ele me deixava falar, fui falando. Interrompe:

— Estou quase me arrependendo de lhe haver dito que iria pedir o
fim de sua prisão. Mas como meu IPM é sobre a Bahia e o senhor está
em vários IPMs do Rio, Minas, Rádio Mayrink Veiga, UNE, vou deixar
essa história de Brizola para resolverem lá. Mas não se engane. Vamos
ficar de olho no senhor e em todos os aliados do Brizola. O senhor sabe
que ele é nosso maior inimigo.

Fez um discreto elogio à minha "lealdade" e mandou embora.

Um dia, em Brasília, já no PMDB, fora do PDT, encontrei o general
Montezuma em um jantar. Elegantemente, me cobrou:

— Quando leio seus artigos hoje dizendo que o Brizola "não é um
democrata", fico lembrando de nossa demorada conversa em Salvador.
Então era um "não democrata" que seria o "herdeiro da democracia"?
Deixei o senhor falar muito para ver se dava uma escorregadela qualquer e não deu. Seu pecado era ser brizolista.

— General, um baiano, depois de um mês enfiado numa solitária, ia
perder a oportunidade de falar? Falaria a tarde toda. E só depois o Brizola
foi me dizer que era sobretudo um getulista. E, como Getúlio, contra o
Congresso, logo contra a democracia.

* * *

Mas isso foi 20 anos depois. Até lá, nós, os socialistas, trabalhistas, nacionalistas, os que aguardávamos a anistia e uma Constituinte para a
retomada da democracia no país, esperávamos principalmente a palavra e a liderança de Brizola. Era o melhor, mais bravo, mais decidido
dirigente para a retomada e o avanço da democracia e das lutas populares interrompidas em 64.

Em 68, os estudantes nas ruas, os intelectuais pondo a cabeça de fora, os
políticos se reanimando, o governo Costa e Silva acabando de fechar a
"Frente Ampla" de Lacerda, Juscelino e Jango, aproveitei minhas férias na
TV Globo para um fim de semana em Montevidéu, conversar com Brizola
e saber se ele topava dar uma entrevista à TV Globo, que na volta eu sub-
meteria a eles e, se concordassem, retornaria a Montevidéu para gravar.

A ida não teve problema. Peguei a Varig no Rio, escala em Porto
Alegre, cheguei lá em paz. Brizola não acreditava na entrevista mas, se
topassem, ele toparia. Conversamos longo tempo. Achava que o regime

se consolidara e não pensava, ou não pensava mais, em luta armada. Só em organização e resistência política: campanha pela anistia, Constituinte, apoio ao MDB. Lia todo dia a "Tribuna da Imprensa", Hélio Fernandes, eu, outros. Mandou um abraço para Hélio. Fiquei só três dias. Para disfarçar, fui ao cassino em Punta Del Este. Jango estava na fazenda, não vi. A volta complicou. Brizola tinha me avisado:

— Companheiro, podem te pegar na escala de Porto Alegre.

Pegaram. Alguém me dedurou na Varig ou no aeroporto de Montevidéu. Quando o avião desceu em Porto Alegre, a Polícia Federal entrou e me segurou. Um dia inteiro de duro interrogatório e dribles. Estava de férias, passando um fim de semana, dei uma jogada no cassino, fui conversar com os dois. Jango viajando, só encontrei o Brizola. Não aconteceu nada.

A TV Globo era um bom guarda-chuva. Mal cheguei de volta ao Brasil, desabou o AI-5. O projeto da entrevista gorou.

* * *

Sempre recebia recados, sugestões e estímulos de Brizola, sobretudo por intermédio de amigos gaúchos, quando ia ao Rio Grande. Só voltei a falar com ele no fim de 77, quando saiu do Uruguai e foi para o hotel Roosevelt, em Nova York, em 22 de setembro. Numa manhã bem cedo, quase de madrugada, tocou o telefone em meu apartamento. Era ele, feliz com a segurança readquirida e a possibilidade de falar com quem quisesse, no primeiro de uma série de telefonemas, daqueles constantes e longos com que se mantinha em contato com os companheiros, informando-se, opinando, participando do processo político.

Em 78, Brizola foi para Lisboa e continuou trabalhando, articulando. No auge da campanha da anistia, meus amigos Ary de Carvalho e Jorge de Miranda Jordão, diretores da "Última Hora" do Rio, convidaram-me para publicar a coluna lá. Graças ao talento jornalístico dos dois, a UH já era o segundo jornal mais vendido no Rio. A coluna começou a fazer sucesso. Brizola liga:

— Nery, trate bem o Tancredo. Tenho lido suas colunas, sei que você gosta dele. Precisamos estar sempre atentos ao que ele diz, ao que ele faz. O Tancredo, desde 45, sempre esteve ao lado das boas causas, dos interesses do país. Em 64, enquanto a maioria de nossos liberais da UDN e do PSD cedeu ao sistema dez metros de ditadura, sem perceber que o sistema queria quilômetros, anos e anos de autoritarismo, o Tancredo desde o primeiro instante ficou contra, não se deixou enganar ou envolver. Ele se calou, mas ficou contra o Ato Institucional, as cassações e não votou no Castelo para a Presidência. Ainda vai desempenhar um papel muito importante nesses anos que vêm por aí.

— Escrevo sobre isso?

— Claro, é bom.

Conversamos mais um pouco, fui para a "Última Hora", fiz toda uma coluna dando o recado de Brizola. Era uma análise lúcida, oportuna, competente, com uma incrível previsão do futuro. No dia seguinte, chego ao jornal, encontro o dono e o diretor, Ary de Carvalho, acabando de ler minha coluna:

— Tudo bem, Nery. A coluna é sua, você escreve o que quiser. Mas logo para fazer a política desse filho da puta?

— Ary, sou baiano, não tenho nada com briga de gaúchos.

— Você sabe que perdi a "Última Hora" lá por causa dele e tive que criar a "Zero Hora". E você põe meu jornal a serviço dele?

— Esquece o que houve no Rio Grande. A briga de vocês foi de bicho grande. A abertura do Geisel está aí, virá a anistia e o Brizola terá cada dia um papel mais importante. Vou ajudá-lo no que puder. Ele é o melhor quadro do exílio. E pode ser Presidente.

— Só por cima do meu cadáver. Mas escreva o que quiser. Este é um jornal democrático. Censura, nem externa nem interna.

Fui a Lisboa conversar com Brizola. Voltei depois. Sempre escrevendo sobre ele e o pensamento dele. E o Ary, democrático, bom patrão e bom amigo, pagando minhas passagens.

* * *

O PT não nasceu em São Bernardo. Nasceu em Criciúma. Eu vi. Em 1978, o líder estudantil e jovem deputado federal do MDB de Santa Catarina, Walmor de Lucca, promoveu em Criciúma, sua terra, um Seminário Trabalhista nacional com os grupos políticos de esquerda que se reorganizavam lutando pela anistia e as mais destacadas lideranças sindicais da oposição.

Lula estava lá. E também Olívio Dutra, bancário do Rio Grande do Sul, Jacó Bittar, petroleiro de Campinas, e outros líderes sindicais do ABC paulista, Rio, Minas, Paraná, Bahia. Desde o primeiro instante, um tema polarizou os debates:

— As lideranças sindicais devem entrar para partidos?

Lula era totalmente contra. O argumento dele era que os sindicatos eram mais fortes do que os partidos e a política descaracterizava o movimento sindical e desmobilizava os trabalhadores. Durante dois dias discutimos muito. Lula sempre com uma garrafinha de água mineral ao lado, bebendo aos goles. Não era água, era cachaça, para enfrentar o frio catarinense.

E a cachaça era boa. Partilhei com ele vários goles. Estávamos lá um grupo de trabalhistas e socialistas (o perene José Gomes Talarico, a lúcida e inefável Rosa Cardoso, o jovem João Vicente Goulart, eu), que defendíamos a união dos trabalhistas e socialistas em um partido sob a liderança de Brizola, que havia saído do Uruguai para os Estados Unidos e já em Lisboa. Lula não queria partido nenhum.

Houve tal pressão dos líderes sindicais de outros Estados, que Lula balançou. O argumento, meu e deles, é que sindicatos poderosos, como os de São Paulo, poderiam prescindir de partidos. Mas os mais fracos, que eram mais de 90% no país, necessitavam.

No último jantar, o frio lá embaixo e as pingas lá em cima, vi Lula já quase mudando de posição. Em 80, nasceu o PT. O Walmor deveria ter ganho ao menos carteirinha de parteiro.

* * *

Apoiado pela Internacional Socialista, presidida pelo alemão Willy Brandt, e pelos Partidos Socialistas da Alemanha (Social Democrata), da França (Mitterrand) e sobretudo de Portugal (o solidário Mario Soares), Brizola convocou o "Encontro de Lisboa", entre 15 e 20 de junho de 79, para os antigos trabalhistas, socialistas e outros aliados se juntarem e reorganizarem o PTB.

Recebi a passagem e a hospedagem. Brinquei com Ary:

— Desta vez não preciso de você. O Mario Soares mandou.

Fiz na "Última Hora" o diário do encontro, uma semana antes, uma depois, todos os dias. Na "TV Bandeirantes", o Roberto D'Ávila entrevistou Brizola, com muita repercussão. "Jornal do Brasil" e "O Globo" noticiaram, mas discretamente. A porta-voz de Brizola passou a ser a coluna na "Última Hora".

No documento final, a "Carta de Lisboa", e no discurso de abertura, Brizola sintetizava o que pensava do processo político:

1. "No plano da ação política, duas tarefas se impõem com a maior urgência: a luta por uma anistia ampla, geral e irrestrita e a luta pelo retorno à normalidade democrática, que só se efetivará quando nosso povo eleger a Assembleia Nacional Constituinte".

2. "Nosso povo não conseguirá realizar os destinos que merece se não se organizar, não conseguir estruturar grandes partidos que canalizem

suas aspirações. De pouco adiantará que nós, trabalhistas, amanhã concorramos a eleições, elejamos prefeitos, governadores, presidente da República. Isso nada significará, se essas responsabilidades forem conquistadas sem que tudo isso seja respaldado por um grande partido, porque isso seria a condução de um companheiro para um cargo, com uma multidão desorganizada atrás. Essa é a nossa grande tarefa. E se nós necessitarmos permanecer anos e anos na oposição, organizando o nosso partido, não tem importância".

Veio a anistia, voltou e fez tudo ao contrário.

Terminadas as duas semanas completas do Encontro, planejei uma semana a mais para curtir com meus amigos Irineu Garcia, Márcio Moreira Alves, Alfredo Sirkis, Domingos, Moema Santiago, outros, e minha linda guerrilheira exilada.

Mas armaram uma provocação contra Brizola. Uma agência de notícias portuguesa atribuiu-lhe a declaração, em discurso, de que, chegando os trabalhistas ao poder, os militares voltariam a bater continência para os civis. No governo, Exército, Marinha, Aeronáutica, os radicais aproveitaram para declarações radicais.

Brizola fez uma resposta imediata, negando, mas era preciso repercutir mais. Disse-lhe que estava convocado para fazer um depoimento, na Câmara Federal, no "I Seminário Sobre Censura no Brasil", organizado pelo brilhante deputado do MDB de São Paulo, Israel Dias Novais, consagrado jornalista e escritor, presidente da Comissão de Cultura da Câmara. Ele me pediu para voltar urgente e dar uma entrevista na Câmara sobre a provocação.

Voltei na mesma noite. No aeroporto, minha guerrilheira. Troquei de guerrilha. E que troca mais infeliz. Mas era o dever.

O Israel me deu a abertura do Seminário para falar de Brizola.

Os meses de julho e agosto foram exaustivos. Doutel de Andrade, o velho Adão Pereira Nunes, José Colagrossi, dono do carro, Paulo Ribeiro, eu, saímos pelas principais cidades do Estado convocando companheiros e criando as primeiras comissões infraprovisórias para, quando a anistia viesse e com ela o fim do bipartidarismo, instalar o novo PTB.

Em 28 de agosto, o presidente Figueiredo sanciona a anistia. Brizola volta pelo Paraguai e desce em São Borja, em 7 de setembro, em um pequeno avião branco, numa manhã de muita emoção. Uma recepção apoteótica.

Estavam lá Pedro Simon, presidente do MDB gaúcho com toda a bancada federal, Waldir Pires, líder do MDB na Bahia, dirigentes da oposição de todo o país. Posto nos ombros de sua gente, os olhos cheios de lágrimas e o rosto muito pálido, foi até o túmulo de Vargas e de Jango e deu uma entrevista histórica:

— "Voltei por aqui porque para mim São Borja é uma porteira da história. Sei que tenho uma missão. A reconstrução do PTB. Não existe uma pessoa com quem não possa dialogar. Minha anistia foi ampla, geral e irrestrita. Queriam pôr o PTB no mesmo saco com Adhemar de Barros e outros. O próprio Lula, um homem de boa-fé, é jovem e está mal-informado".

No dia seguinte, caminhando e conversando nós dois, de manhã cedo, ainda um pouco frio, pela grama da granja São Vicente, que fora de João Goulart e era do filho João Vicente, onde dormiu, um garoto vinha correndo, parou, olhou bem para Brizola e nos olhou com os cabelos meio compridos:

— São irmãos?

Ele respondeu:

— Não. Mas é como se fôssemos.

Brizola já enfrentava uma decisão política difícil. Ir ou não ir a Porto Alegre. Um jovem magro, branco, bigodudo, cabelos pretos, presidente do sindicato dos bancários de Porto Alegre, estava liderando a primeira greve de trabalhadores gaúchos contra a ditadura, no Rio Grande do Sul. O Exército ocupou a cidade.

Brizola não devia e não podia ir. Não foi. No dia 30 de setembro, desceu no Galeão, no Rio. Aeroporto lotado. Continuava um líder carioca. Logo na saída, pregos pontiagudos e criminosos espalhados pela estrada. Alguns carros com pneus furados. Preso, o líder da greve gaúcha teve cassado o mandato sindical. Mais vinte anos e Olívio Dutra era governador.

* * *

Desde Lisboa, a grande tarefa era o partido. Instalado a princípio no hotel Everest, em Ipanema, depois em um apartamento no Leblon, onde morava e era o escritório do PTB. Trabalhador indormido e incansável, acordava às 6, dormia depois das 24, foi convocando trabalhistas e socialistas do país todo, a maioria anistiados sem mandatos e alguns eleitos do MDB. E eu pondo cada dia mais a "Última Hora" para ajudar.

Antes do fim do ano, ainda no hotel Everest, me chamou:

— Vamos criar duas Executivas provisórias, a nacional e a do Rio. Tu vais fazer parte das duas. Depois também das definitivas.

— Brizola, há muita gente disputando lugar. Se você precisar, use o meu à vontade, sem perguntar.

— Tu não deves ter esta visão de menosprezo do partido. Fazer parte da direção é muito importante para as lutas futuras.

Em dezembro, Brizola, Doutel de Andrade, Darcy Ribeiro, Alceu Colares, Francisco Julião, Neiva Moreira, eu, outros, na Executiva nacional provisória. Dias depois, na Executiva do Rio, também provisória, José Gomes Talarico, José Colagrossi, Lisâneas Maciel, Benedito Cerqueira, Paulo Ribeiro, eu, outros.

Não valeu. Outro capitão de longo curso também não dormia. O general Golbery, chefe da Casa Civil de Figueiredo, usando a ex-deputada Yvete Vargas, no dia 12 de maio de 80 fez o TSE (Tribunal Superior Eleitoral), pau mandado de todos os governos, tomar a legenda do PTB de Brizola e entregar a Yvete.

Reunidos no hotel Ambassador, na Rua Senador Dantas, na Cinelândia, com o salão lotado esperando a decisão do TSE, ficamos uns poucos conversando com Brizola, numa sala ao lado. Toca o telefone, era o advogado, de Brasília. Brizola atende:

— Não pode ser. Isso é uma violência, uma brutalidade.

Põe as mãos no rosto e chora. O TSE havia entregue a sigla a Golbery e Yvete. Pedro Celso Uchoa Cavalcanti, intelectual lúcido, exilado, amigo dele, levanta-se, como o professor que era:

— Brizola, você é um líder nacional, de nós todos, os que estamos aqui e sobretudo os que estão lá fora esperando. Levante-se e vá dar a notícia ao partido. Você foi roubado e não derrotado.

Brizola limpou as lágrimas, saímos, sentou-se na mesa já preparada, pegou uma folha de papel, escreveu em letras grandes PTB e começou a rasgar, como um sonho morto. Uma foto histórica, em todos os jornais e revistas, mostrou Brizola rasgando e chorando. Ao lado, de pé, dois. Um era eu. Brizola denunciou:

— "Uma sórdida manobra governamental conseguiu usurpar nossa sigla para entregá-la a um pequeno grupo de subservientes ao poder. O objetivo dessa trama é impedir a formação de um partido popular e converter o PTB em instrumento de engodo para as classes trabalhadoras".

Em 17 e 18 de maio estávamos mais de mil no Palácio Tiradentes criando o PDT. Brizola tinha duas exigências: o T de trabalhista e o D de democrático. Dom Evaristo Arns, cardeal de São Paulo, dias antes lhe disse que não deixasse de pôr o "democrático" no novo nome. Não foi fácil chegar ao "PDT".

Meu amigo e ex-chefe Rômulo Almeida, da Bahia, queria "nacionalista" no nome e Brizola concordou: PNTD. Lisâneas Maciel achou horroroso e pediu que eu falasse. Fui à tribuna:

— PNTD parece nome de remédio de matar barata! Não deve passar de três letras. Por que não PTD?

Brizola fechou a cara. Quando desci, Doutel me disse:

— O italiano nunca vai lhe perdoar essa rebeldia, essa derrota.

"Italiano" era como Doutel chamava Brizola. Acabou aprovado PTD: trabalhista de Brizola e democrático de Dom Arns. Depois, a velha sabedoria de Cibilis Viana consertou:

— PTD põe a letra mais fraca no fim. É melhor PDT.

E foi. As Executivas provisórias, a nacional, a do Rio e as dos Estados ficaram definitivas. Tínhamos dois anos, 1980 e 81, para consolidar o partido e mais um, 82, para ganhar as eleições: a de Brizola, básica, e as nossas, dos demais candidatos.

Em dois anos Brizola, sobretudo, cuidou do partido, mas de olho nas eleições de 82. E nós com ele. Cada um procurando reunir correligionários, principalmente os trabalhistas de Getúlio e Jango e os socialistas que não aceitavam o Partido Comunista.

Já nesse começo foi ficando clara para mim a cabeça de Brizola, que acabou impedindo sua chegada à presidência da República. Para ele o Brasil era Rio e Rio Grande do Sul. E um pouco São Paulo. O resto, mesmo Minas, viria no arrastão, como veio para Getúlio em 50. Mas Getúlio tinha sido ditador 15 anos, estava definitivamente colado no imaginário nacional.

Na direção nacional, nas direções do Rio e do Rio Grande, ninguém decidia nada. Só Brizola. Era o presidente nacional, Doutel o vice, José Frejat o secretário-geral, eu primeiro secretário, Virgílio de Góis, depois Colagrossi, tesoureiro. No Rio, também ele presidente, eu vice. No Rio Grande do Sul, a mesma coisa. O resto do país iria ver no que daria. Nunca deu.

Foi seu primeiro grande erro. Concentrado no Rio e Rio Grande, o partido dos outros Estados não acompanhava. Mesmo em Santa Catarina e Paraná ali tão próximos, em Pernambuco onde tinha Julião, na Bahia com Rômulo Almeida e em algum tempo Waldir Pires, no Maranhão com Neiva Moreira e Jakson do Lago, o partido não conseguia estruturar-se para valer.

Na verdade, seu projeto era um só: governar o Rio e saltar para a presidência da República. Projeto dele e de todos nós, principalmente cariocas e gaúchos. Os demais, solidários mas impotentes. Em tese, a candidatura no Rio era coisa para 82. Mas desde o dia em que chegou não pensávamos em outra coisa.

Aos poucos o PDT foi-se instalando no Estado do Rio todo. E os gaúchos fazendo lá a mesma coisa. Talarico, Colagrossi, Paulo Ribeiro, Adão Pereira Nunes, eu, quase todo fim de semana viajávamos para o interior, criando comissões provisórias. Foi assim que um dia, em Campos,

A NUVEM

um garotão gordinho, Garotinho, radialista do PT, foi conquistado por Adão Pereira Nunes.

Mas nunca descuidei do jornalismo. Desde 75 sustentava diariamente minha coluna assinada na "Folha", o "Contraponto". Um palmo de texto e dava para dar o recado. E sobretudo me dedicava à "Última Hora", texto grande, também diário, na página 3, duas colunas de cima abaixo, com foto e tudo.

O jornal estava novamente no auge, como nos tempos de Samuel Wainer. Os seis meses da "Tesoura na TV", diária, na "TV Bandeirantes", tinham posto e fixado minha cara na rua.

E eu escrevendo sobre Brizola e o PDT e ele achando ótimo.

* * *

Além de sua irresistível simpatia e do charme nas conversas com qualquer um, Brizola estava sempre atento aos que mais acreditavam nele e se empolgavam com seu projeto.

Já no fim de 79, representando o partido que nascia, fui para a "I Conferência Internacional sobre o Exílio na América Latina", em Caracas, na Venezuela, como já contei aqui.

E logo depois, também em nome do partido, para o "Seminário Latino-americano de Imprensa Política" do CEDAL (Centro de Estudos Democráticos da América Latina), na Costa Rica: jornalistas latino-americanos, do México ao Uruguai, no alto da cordilheira de Talamanca, cercada de pinheiros esguios e verdes cafezais, dia e noite cobertos por uma bruma que descia sobre o grande hotel de madeira como um úmido lençol de Deus.

Em 80, o ILDES (Instituto Latino-americano de Desenvolvimento Econômico e Social), do SPD, Partido Social Democrata alemão, convidou os presidentes dos quatro partidos da oposição no Brasil para acompanharem as duas últimas semanas da campanha eleitoral na Alemanha.

Foram Ulysses Guimarães pelo PMDB, José Aparecido pelo PP, Jacó Bittar pelo PT e eu pelo PDT. Miguel Bodea, dirigente do ILDES no Brasil, nos acompanhou. Estivemos em Bonn, a então capital, Düsseldorf, Nurenberg, Hamburgo, Colônia, em comícios, palestras e encontros com o presidente, o secretário-geral e outros dirigentes do SPD, que ganhou as eleições e reelegeu Helmut Schmidt primeiro-ministro.

Em um jantar com intelectuais social-democratas, longamente conversamos com um romancista de grossas sobrancelhas, cabelos e bigodes bem negros, fumando seu cachimbo, Günter Grass, que logo ganharia o Prêmio Nobel.

Fizemos longo passeio pelo Reno, de Hamburgo até a joia medieval Bacharach, de igrejas em ruínas, lá embaixo na Baviera, onde Loreley, uma menina muito linda, loura de cabelos longos, segundo a lenda, ficava em cima do penhasco cantando canções irresistíveis e desencaminhando os comandantes dos navios que, encantados com sua beleza, perdiam a rota e naufragavam sob as rochas das Sete Virgens, por ela transformadas em pedras.

E vinham os piratas e roubavam os tesouros, levando-os para os castelos das montanhas, até hoje suspensos dos rochedos como imensos barracos medievais. Tudo perenizado no clássico poema de Heinrich Heine e numa ópera eterna de Wagner.

Ulysses e dona Mora, Jacó Bittar e Bodea voltaram de Frankfurt para o Brasil. Aparecido e Leonor, eu e Beatriz fomos para Paris. Ricardo Amaral, como se diz hoje, bombava com seu restaurante-boate "Le 78", em plena Champs Elysées, onde, por acaso, encontramos o jornalista e *gentleman* Sergio Figueiredo, que nos levou ao paraíso do generoso Ricardo.

Numa só mesa, lembro ainda, Ricardo e Sergio com suas mulheres, Felipe Junot. ex-marido da Caroline de Mônaco, a atriz Elza Martinelli, a modelo negra Luana, Gui de Castejat, o jornalista Pedro Gomes, Valeria. E champanhe fartíssimo até o amanhecer.

No dia seguinte, Victor Hugo: no palco do "Palais des Sports", "Les Miserables", numa magnífica montagem francesa. E jantar no "Lido", para comemorar o aniversário de Beatriz.

Mais um dia e o exílio. Antonio D'Ávila, o fotógrafo, irmão do Roberto, nos apresentou, em uma noite de queijos e vinhos, o Theodomiro Romeiro, "o menino de olhos fortes", hoje juiz no Recife, condenado à morte pela ditadura no Brasil, que acabava de fugir da penitenciária de Salvador e pintava paredes em Paris.

* * *

De volta ao Brasil, mais um livro. Pela "Editora Guararapes" de meu amigo Bosco Tenório, advogado, vereador, cidadão de Pernambuco, lancei "Pais e Padrastos da Pátria", 50 textos sobre 50 personalidades do governo e da oposição, como se comportaram ante a ditadura. Uma galeria de profetas e demônios.

A dedicatória, no livro, era uma proposital provocação política, ainda em plena ditadura:

— "Para Leonel Brizola, Miguel Arraes e Luís Carlos Prestes, símbolos do exílio e da anistia. Lugar de brasileiro é no Brasil".

O prefácio, do saudoso Pelópidas da Silveira, líder do Partido Socialista e ex-prefeito do Recife:

— "Sebastião Nery pede a este velho companheiro do Partido Socialista Brasileiro algumas palavras, à guisa de prefácio...

Louvo a obra de Sebastião Nery, seu estilo, sua bravura cívica e a grande contribuição que nos dá sobre acontecimentos e pessoas do nosso mundo contemporâneo...

Como pontos mais altos do livro, as expressivas páginas em que aparece, inteiro, o escritor e jornalista, sério e preocupado com os problemas sociais da nossa gente. E ainda o 'Poema Agrário para 1980, Onde se Canta o Plantio do Amanhã', dedicado à memoria de Rubem Paiva":

— *"O ano está nascendo na palma de minha mão*
como o amor e o pão.
Sonâmbulos trigais fecundam o ventre do vale
no amor do pão
e valsas de bodas
no cabaré do luar
bailam anunciando
o agrário amanhecer.

O trigo de hoje
é o pão de amanhã.

Há adegas de sonhos no porão das parreiras
que passaram eternidades bebendo o sangue de Deus
para embriagar os filhos de Davi.

A uva de hoje
é o vinho de amanhã.

Há um gosto de oração na boca do pasto
que acordou grávido de infinitas madrugadas.
Há ternuras maternas no colo da planície
que toda se desnuda à gula da boiada.

A erva de hoje
é o leite de amanhã.

Há cirandas de begônias bailando nas campinas
cantando a canção da margarida que morreu de amor
quando o sol chegou todo vestido de vermelho
e semeou pomares em seus seios amarelos.

A flor de hoje
é o fruto de amanhã.

Há perdidas veredas de meus pés envelhecidos
andando com o povo sua marcha irada
para romper as garras da grade barrando a caminhada.

O passo de hoje
é o salto de amanhã.

O amanhã está nascendo na palma de minha mão
como a flor se rasga em fruto
do fogo se abrasa o tição
vem o ouro do garimpo bruto
o pão é o martírio do grão
da uva sangra o vinho
o sim é a coragem do não
a lua acende o caminho
e a história a multidão
o pasto se derrama em leite
o pé é o açoite do chão
a lamparina queima no azeite
e a fome no fogão
o risco é a promessa do traço
o punho o furor do braço
e o povo a minha canção.
O amanhã já nasceu na palma de minha mão".

* * *

As férias de 80, como já contei, tinham sido de esquimó e foca: janeiro e fevereiro de 81 no gelo eterno da Sibéria.

Voltei e desci no incomparável verão de Copacabana, Ipanema e Leblon. Sábado de manhã, toca o telefone no hotel Excelsior, em Copacabana, onde estava morando. Era Brizola, já em Copacabana, Avenida Atlântica com Xavier da Silveira:

— Companheiro, vamos dar um passeio, rever amigos da Baixada? Estou passando aí dentro de meia hora.

Foi o tempo de acordar, um banho e um café às pressas. Chegava Brizola com seu indefectível blusão cáqui de dois bolsos na frente, cheios de canetas, as botas gaúchas e um sorriso de canto a canto da boca. Estava dando os primeiros passos no que mais gostava de fazer: campanha eleitoral.

Um carro grande cinza usado e no volante o dedicado, leal companheiro, amigo, motorista e tudo de sempre, Jecy Sarmento.

Ao lado dele, Brizola. Atrás, eu e sempre mais um, Talarico, o filho de Jecy, Paulo Ribeiro. Em outro carro, menor, o Sebastião e outro gaúcho, valentes protetores que o acompanhavam sempre. Instalado no porta-mala desse carro, um discreto serviço de som.

— Vamos pegar o companheiro Agnaldo (e gauchamente dobrava os "ll"), que nos espera.

Já na calçada, simpático, agitado, cumprimentando ou beijando a cidade inteira, Agnaldo Timóteo nos aguardava.

— Agnaldo, como está sua mãezinha? Vou lá cumprimentar.

E subia rapidamente os três andares sem elevador do edifício modesto, batendo as botas na escada. Nem se sentava. Uma vez ou outra, aceitou um cafezinho. Beijava-lhe carinhosamente as mãos, elogiava muito o filho, descia. Fez isso sempre.

No princípio, eram os dois carros só, discretamente. Parávamos na praça central de Caxias, Nova Iguaçu, Belford Roxo, Nilópolis, São João do Meriti, qualquer cidade da Baixada, ou nos grandes subúrbios, Madureira, Campo Grande, Santa Cruz. Agnaldo saía, ligava o som, pegava o microfone, punha o pé no estribo do carro e soltava seu poderoso e privilegiado vozeirão.

Em minutos o carro estava cercado, o povo se aproximando, a praça enchendo, Agnaldo cantando. Todo mundo o conhecia, gritavam seu nome. De quando em quando, um mais curioso enfiava a cara na janela de Brizola:

— Olha quem está ali! É o Brizola. Juro que é o Brizola!

Agnaldo pedia silêncio e dizia que ia falar "Sebastião Nery, a Tesoura da Bandeirantes" (não era mais) e da "Última Hora". Meu papel não passava de dez minutos. Falava do homem sempre fiel aos ideais e conquistas trabalhistas de Getúlio Vargas, por isso sofreu 15 anos de exílio e estava de volta para rever sua gente. Brizola abria a porta, saía do carro, apoiava a bota no estribo do carro e começava a falar, lentamente, a voz baixa, humilde. Aos poucos ia elevando, subindo o tom, conclamando o povo.

Uma receita perfeita. Cercado, passava um tempo enorme sendo cumprimentado, conversando, às vezes calorosamente abraçado.

Depois de algum tempo não eram mais para dois carros só. Outros companheiros, da Baixada, dos subúrbios, também iam às "visitas de sábado". Agnaldo, microfone na mão, fazia um arraso. Eu, outros, falávamos rápido. Brizola, microfone na mão. Sempre foi um perigo. Falava uma hora. O povo em silêncio, encantado.

Os institutos de pesquisa endoidaram. No começo só dava Sandra Cavalcanti de Lacerda e Miro Teixeira de Chagas Freitas. Brizola, 2%. Quando chegou a 5%, não parou de subir, começou a incomodar. Ainda não havia campanha nem programa eleitoral. Como Brizola crescia? Eram os comícios-cantoria de Agnaldo e os discursos didáticos de Brizola, todo sábado, que se alastravam, cidade em cidade, subúrbio em subúrbio, bairro em bairro.

A candidatura só foi lançada um ano depois, em março de 82. O governo sentiu a barra. Sandra e Miro caindo, Brizola subindo. O Planalto lançou o jovem e preparado Moreira Franco, genro de Amaral Peixoto, candidato dileto de Golbery. Era tarde.

O Estado já estava todo minado, havia o partido em todas as cidades, gente trabalhando em todo canto e os candidatos a federal, estadual, vereadores, sentindo o povo querer Brizola. Houve um ano de campanha cantoral e eles não perceberam.

* * *

Eu não precisava fazer campanha para mim. Era ajudar o partido, acompanhar Brizola e fazer a "Última Hora" porta-voz.

Lancei minha candidatura numa grande festa bem carioca. Um almoço na Churrascaria Plataforma, no Leblon, no dia 8 de março de 82, meu aniversário de 50 anos. Havia ganho de amigos o uísque, o vinho e o chope. Cada um pagava apenas o preço solidariamente modesto do churrasco do generoso Campana.

E recebia um livro. Ou o "Pais e Padrastos da Pátria" ("Editora Guararapes") ou "Sebastião Nery na Sibéria, El Salvador, Nicarágua e outros mundos" (Editora "Codecri").

Mais de mil pessoas. Brizola fez um discurso empolgante. Emocionado, falei. No dia seguinte, ganhei um presentão do grande e querido Joel Silveira. Este artigo na "Manchete":

— "Desde já endosso tudo o que de bem foi dito de Nery, pessoa que estimo e admiro. E até invejo: inveja de sua incomum vivacidade, da sua ciência, seria melhor dizer de sua mágica, em conseguir multiplicar indefinidamente o tempo. Pergunto-me, vez por outra, quando o vejo simultaneamente a bordo de um avião, dando entrevista na TV, autografando um livro em Manaus ou fazendo uma conferência em Curitiba: como é possível a uma pessoa tal poder de mobilidade, um tal domínio sobre as horas?".

A NUVEM

"Em Nery nada é formal — ele jamais formaria no rol daqueles que veem grandeza onde só existe mediocridade, e drama onde só existe comédia. Seu estilo solto, célere, incrível elasticidade, jamais poderia ajustar-se aos padrões dos que, com raríssimas exceções — um João Ribeiro, um Sérgio Buarque de Holanda, um Faoro, um Carone, um José Honório Rodrigues — vêm escrevendo isso a que chamam História do Brasil, uma história condicionada, preconceituosa, quase sempre dirigida". "Como político que iniciou sua carreira ainda jovem — já era deputado estadual antes dos trinta anos — Sebastião Nery passou por todas as vicissitudes e sobressaltos, e de 64 para cá sofreu o diabo: preso não sei quantas vezes, vivendo meses e meses na clandestinidade, muitas vezes tendo que escrever com um intolerante censor a vigiá-lo a cada adjetivo ou substantivo. Como sofreu nosso Nery. Nada disso, porém, lhe abateu o ânimo: sequer lhe arrefeceu o ritmo acelerado, difícil, senão impossível de se acompanhar, que imprime a tudo que faz, diz e escreve."

"E o que é mais importante, continua fiel às convicções e ideias que sempre foram as suas — coisa rara nesses dias em que o trânsfuga espavorido é o símbolo melhor de uma política de primeiros socorros, sem grandeza nem ideias."

* * *

O vice de Brizola era óbvio: Darcy Ribeiro, que vinha de João Goulart e era o melhor. Para o Senado, Brizola queria Nelson Carneiro, senador do PMDB. Brizola contou:

— Companheiros, o senador esteve aqui ontem, falou, rodou, bailou a valsa e saiu sem aceitar nosso convite e sem dizer o que queria. O que ele queria mesmo era o governo e eu para o Senado.

Darcy e muitos de nós preferíamos Saturnino, senador do MDB/PMDB desde 74. Convidado, deu uma ajuda fundamental no interior do Estado. Moreira Franco crescia como principal adversário de Brizola e o avô e o pai de Saturnino, deputados federais do PSD, e ele deputado do PSB e senador do MDB, sempre foram ligados a Amaral Peixoto, sogro de Moreira. Saturnino conquistava amigos de Amaral e Moreira.

Darcy morava na Avenida Atlântica, perto da Bolívar. O gaúcho "Pato", gente finíssima, morava ao lado. Brizola usava os dois apartamentos para os encontros e reuniões mais reservadas. No apartamento dele, toda manhã, exatamente às 8 horas, em torno de uma mesa grande, ele na cabeceira, reunia-se o pequeno comitê da campanha no Rio, para conversas rápidas: Brizola, Darcy, Saturnino, Colagrossi, Paulo Ribeiro, César Maia, eu. Doutel estava em Santa Catarina, Neiva Moreira em São Luís, carregando candidaturas de sacrifício, inviáveis, impossíveis.

* * *

De repente salta das selvas para a campanha a figura já lendária do Juruna. O selvagem cacique xavante, que até os 18 anos flechava avião voando baixo em Barra do Garças, lá em Mato Grosso, estava comovendo o país, de gravador na mão, provando que em Brasília "governo de branco mentia".

Juruna indignou-se com o representante da Funai lá, que o enganou, e contou a um pastor evangélico amigo dele que ia matá-lo e fugir para o Paraguai. O pastor ligou para Darcy Ribeiro, que lhe disse para trazê-lo urgente para o Rio. E pediu a Lisâneas Maciel e a mim para pegá-lo no Galeão.

Desce do avião um índio daquele tamanhão, cabelo tosado, calado. Levamos direto para o apartamento de Brizola, onde Darcy o esperava. Juruna entrou, ficou em pé, não disse palavra. Darcy convidou-o a sentar-se. O cacique não se sentou e olhava duro para Brizola, assustado. Darcy disse que ele estava esperando uma ordem do dono da casa. Brizola falou, ele se sentou.

Brizola pensou em lançá-lo para o Senado, inscreveu para deputado federal. Baby Bocaiúva, Brandão Monteiro, outros, até pelos votos que ele ia tirar de todos nós, riam muito do índio. Zózimo na coluna, Jô Soares na TV, contavam histórias e o imitavam. Esperto, ficava com ódio e queixava-se a Brizola:

— Bocaúva, Brondon, Gosmo, Jô, tudo filho puta!

Íamos para a Baixada, o subúrbio, o interior, Brizola pedia:

— Tu estás eleito. Fala no índio. Ele está se sentindo isolado.

Eu falava, sempre pedia votos para ele, ficou meu amigo:

— Neru amigo. Juruna mata Bocaiúva, Brondon, Gosmo, Jô.

Foi eleito nas Universidades do Rio. Comia dois frangos grandes, quatro filés. Era um meninão. Entrava em qualquer carro parado na porta do Congresso e mandava o motorista levá-lo. Acabou tragado pela corrupção política do "homem branco".

Eleito, a Câmara juntou dois apartamentos térreos para ele morar com a mulher e os 12 filhos. Eu, no quinto andar, quadra 2002 Norte, dos Deputados, em Brasília. Quase toda manhã, sempre entre as 9 e as 10, ele chegava com um punhado de jornais, tocava a campainha, todo solene, não cumprimentava ninguém, nem minha irmã e meu cunhado, que moravam comigo:

— Neru, tá?

Ia direto para o escritório, jogava os jornais na mesa, trancava a porta com a chave:

— Neru, lê jornal pra Juruna. Jornal fala Juruna?

Eu já tinha lido alguns, olhava rápido os outros, marcava o nome dele com lápis vermelho, ele rasgava o pedaço, dobrava, punha no bolso e saía. Palavra mais nenhuma. Agradecer, nada.

Era um segredo que lhe jurei guardar enquanto ele vivesse. Na Câmara, Juruna entregava os recortes à sua assessoria, como se fosse ele que tivesse lido, dizia o discurso que ia fazer, como queria fazer, escreviam o discurso para ele, liam alto, reliam, ele ia para a tribuna e enganava 500 políticos calejados que se consideravam muito mais sábios e espertos do que ele.

Como se estivesse lendo, Juruna ia falando mais ou menos o que estava em cada folha. É só conferir nas notas taquigráficas da Câmara. O que ele falava era parecido com o que estava escrito, mas não era o que estava escrito, porque Juruna não sabia ler, só escrevia o nome, e mal. Era um genial analfabeto.

Um dia, em Roma, muito tempo depois, contei essa história a Ulysses Guimarães, presidente da Câmara:

— Que índio filho da puta! Me enganou quatro anos.

* * *

Quando começou o horário eleitoral, Brizola comeu a eleição "pelas beiradas". Cobrava de cada um que fosse o que era. Sandra Cavalcanti foi a única que continuou fiel a seu líder, mas Lacerda já havia morrido. Miro Teixeira era Chagas Freitas desde a mamadeira. Mas seus "luas pretas", do Partido Comunista, convenceram-no de que só ganhava se rompesse com Chagas. Rompeu e se rimou. Moreira tinha a máquina, o dinheiro e o SNI do governo federal. Mas fingia que não tinha. Deu errado. E Lisâneas Maciel, que em outubro de 81 saiu do PDT para o PT, tinha sua bela biografia e sua coragem, mas não tinha partido.

No meio da campanha, Sandra ficou inviável. Miro, ainda sustentado pela máquina corrupta de Chagas, durou um pouco mais, morreu na praia. Brizola derrotou Moreira por menos de 2%.

E o SNI tentou o crime perfeito: dar a Moreira os votos em branco. Foi o golpe da Proconsult, que desmoralizou o SNI.

Uma manhã, mal começando a campanha, apareceu uma cara nova na mesa grande do comitê: César Maia, da vasta e brava saga paraibana e potiguar dos Maias de Catolé do Rocha. Salvo Saturnino, Brizola e Darcy havia pouco, não o conhecíamos.

Estudante da luta armada em Minas, no grupo "Colina" (Comando de Libertação Nacional), preso, sofreu, acabou exilado no Chile. Formou-se lá em economia, casou com uma chilena, voltou em silêncio. Gerente do poderoso e solidário grupo Klabin no Rio, fez um estudo econômico e financeiro sobre o Estado, região por região, cidade por cidade. Levou para Sandra, com mais de 50% nas pesquisas. Maurício Cibulares, jornalista brilhante, do "Boletim Cambial", coordenador da campanha, recebeu e ninguém sabe o que aconteceu. César não teve resposta.

Não levou para Miro, que disputava as pesquisas com Sandra, nem para Moreira, que disputava Amaral Peixoto com Golbery. Levou para Brizola, ainda começando, patinando. Brizola leu, gostou, chamou. Era uma bala de grande calibre.

Fascinado por Brizola, toda manhã, na reunião do comitê, lá estava ele, calado, sisudo, prestando uma atenção!, um caderno numa mão e uma caneta na outra, com sua jaqueta cáqui, que ainda não era preta. Brizola não o largou mais. Os papéis econômicos e financeiros para os programas eleitorais e debates vinham dele. E César montou, com Luís Alfredo Salomão, um sistema informatizado para fiscalizar as eleições.

No segundo dia da apuração, o Vilanova, um jovem militante do PDT que trabalhava em informática e ajudava César, descobriu o golpe da Proconsult, a empresa contratada pela Justiça Eleitoral para somar os votos, que tinha instalado um programa para roubar os votos brancos para Moreira.

Acordou todo mundo de madrugada, inclusive a mim, que mal sei as quatro operações. César conferiu, confirmou a fraude, que a Rádio Jornal do Brasil já vinha percebendo e alertando. Brizola chamou a imprensa estrangeira, abriu a boca no mundo e salvou a vitória. César ganhou a Secretaria da Fazenda, Salomão a Secretaria de Indústria e Comércio. Esqueceram Vilanova. Nas vésperas da eleição, o Ibope dizia que eu teria mais de 100 mil votos para federal. O PDT elegeu 16 deputados. Tive 111.400, o terceiro mais votado. O quarto, José Frejat, ex-presidente da UNE, deputado federal reeleito (em 78 tinha sido eleito no MDB), quase 80 mil. O segundo, José Colagrossi, 120 mil. Agnaldo Timóteo, furacão eleitoral, teve 506 mil votos. A maior votação do país na eleição. Só Brizola teve mais, em 1962. Com suas sobras, Agnaldo elegeu mais de seis deputados. Bocaiúva, Juruna, Brandão, tiveram em torno de 30 mil. E decidiu a eleição de Brizola, que derrotou Moreira por menos de 2%.

Mais de 111 mil. Era voto demais em um partido tão pequeno. Foi o pecado de Agnaldo, de Colagrossi e o meu.

E aquele ano de 82, no torvelinho da campanha, ainda me deu um presente que Deus guarda para aqueles a quem abençoou. Nasceu Ana, Ana Rita, minha filha magnífica, indescritível, já hoje advogada, na Justiça por concurso, tocando piano, violão e cantando e como eu também viajara pelos mundos sem fim.

* * *

Antes da posse de Brizola, o PDT de Foz do Iguaçu, no Paraná, convidou-o para inaugurar a sede do diretório municipal e encerrar um seminário trabalhista. Ele me chamou para irmos juntos, porque eu tinha muitos amigos no Estado.

Na saída de São Paulo, o avião da Vasp começou a jogar muito, demais. Pedi um uísque, tomei apressado, fechei os olhos e rezei. Brizola encostou a bota atrás da poltrona da frente, também fechou os olhos. Quando o pula-pula acabou, ele me disse:

— Vi que ainda conservas a fé do seminário. Te vi rezando.

— Meu socialismo nunca divergiu do meu cristianismo. Mas também vi você, de olhos fechados, falando baixinho.

— Era com o velho. Em qualquer dificuldade, falo com ele.

— Com Deus?

— Não. Com o velho Getúlio. Lá de cima ele me protege.

Daí a pouco, começamos a voar sobre os belos pastos verdes sem fim do sul de São Paulo e norte do Paraná:

— Veja isso aí, Brizola. São milhões de quilômetros quadrados no interior do Brasil. Você, depois de governador, vai ser presidente. Como é que vai enfrentar isso em cinco anos?

— Quem lhe falou em cinco anos? Ninguém faz nada em cinco anos. Mesmo o Juscelino, que teve sucesso, não conseguiu aprofundar. Na América Latina, só fizeram os que ficaram mais: o velho Getúlio, Perón. Teremos que espichar para uns quinze anos.

— Mas a Constituição diz que são cinco anos.

— Companheiro, isso a gente resolve com uma militância organizada, um general de confiança, como o velho Getúlio teve o Dutra, e uma Comissão Legislativa de 10% do Congresso.

— Mas teria que fechar o Congresso.

— Companheiro, esse Congresso se fecha com um discurso de uma hora para 50 mil pessoas e de meia hora para 100 mil.

Quantos deputados temos hoje? 350? Bastam 35. Senado? Não precisa. Não faz falta. Para isso precisamos de um bom partido, um bom general e um bom governo.

Ainda bem que estávamos chegando. Ele falava tão sério, que preferi não discutir. Comecei a pensar em Júlio de Castilhos, Borges de Medeiros, Getúlio, Perón. Todos pensavam da mesma forma. E eu enfiado até o pescoço no projeto deles. Tive medo.

* * *

Em fevereiro, antes da posse no governo, Brizola convocou um Encontro Nacional do PDT na cidade de Mendes, nas montanhas do Estado do Rio de Janeiro. Numa madrugada, no intervalo de longa reunião da Executiva Nacional, que foi reeleita, ficamos alguns a um canto, discutindo o partido. Eu dizia:

— Precisamos pôr o Saturnino na Executiva Nacional e na presidência da estadual, para começarmos a preparar a candidatura dele à sucessão de Brizola, em 86. Se não prepararmos o Saturnino, quem vamos ter em 86? Darcy não quer, e se quisesse não dava certo. É intelectual demais para ganhar uma eleição para governador no Rio. E se Brizola não eleger o sucessor, morre o projeto de elegê-lo presidente da República.

Ao lado, conversando baixinho com Doutel, vice-presidente, e Darcy, vice-governador, Brizola ficou ouvindo o que eu disse, mas não interferiu. Quando fomos indo para a mesa, para continuar a reunião, ele me pegou pelo braço:

— Não levante isso na reunião. Depois vamos trocar ideias. Quem te garante que, eleito governador, o Saturnino não vai querer ser o vice de Ulysses, que disputará a Presidência conosco?

Ainda era começo de 83. Saturnino não estava ali, não era membro da Executiva nacional nem da estadual, ninguém falou mais nele. Brizola comunicou que ia continuar acumulando a presidência nacional e a estadual e apenas se licenciar das duas.

Doutel, que imaginava que ia assumir de fato a presidência nacional do PDT, ficou constrangido, irritado, decepcionado, mas aceitou. José Frejat continuou na secretaria-geral, eu primeiro secretário da nacional e primeiro vice da estadual.

Quando a reunião ia acabar, Cibilis Viana, o mais próximo amigo de Brizola, falou alguma coisa ao ouvido dele. Brizola tomou um susto, ficou pálido, levantou-se rápido:

— A Neusa não está bem, preciso ir. Darcy e Nery, vamos no meu carro, para conversarmos na viagem. Jecy dirigindo, Brizola ao lado, Darcy e eu atrás, a serra coberta de neblina e Brizola, preocupado, aflito, mandando o Jecy correr. Darcy puxou a conversa:

A NUVEM

— Brizola, concordo com o Nery. Não devíamos ter deixado o Saturnino fora das duas executivas. Teve um comportamento exemplar na campanha, é um grande companheiro e um socialista firme. Vamos precisar dele lá na frente.

Insisti nas mesmas razões de antes. Depois da anistia e das eleições de 82, a eleição direta para presidente estava próxima. Mas, sem fazer o sucessor no Rio, seria difícil. Saturnino tinha um lastro no interior que ninguém tinha e na capital havia Brizola.

Brizola virou a cabeça no carro e disse, pausadamente:

— Vamos deixar o senador fora disso. Quem garante a vocês que ele não vai preferir ser o candidato a vice do Ulysses?

Darcy deu uma gargalhada:

— Brizola, com aquela voz enrolada e aquela cara de Tutancâmon, nosso faraó Ulysses não se elege nem governador de São Paulo.

Brizola encerrou o assunto com seu silêncio e sua pressa.

* * *

Eleito, tive que tomar uma decisão. Não podia continuar fazendo duas colunas diárias, na "Última Hora" e o "Contraponto" da "Folha". Preferi deixar a "Folha", onde estava desde 75. Viria certamente uma campanha presidencial e a "Última Hora" era melhor instrumento para uma candidatura de Brizola. O Bóris Casoy, editor da "Folha", sempre gentil, queria que eu desse mais um tempo, mas o velho Frias, cidadão exemplar, compreendeu:

— Esta casa estará sempre aberta para você.

Voltei para o Rio, Brizola me chamou a seu apartamento, ainda antes da posse. Alguns deputados eleitos, federais e estaduais, já estavam pressionando para disputarem lugares no secretariado ou fazerem indicações no novo governo. Como presidente em exercício da Executiva estadual, eu podia dar uma entrevista para que o partido o liberasse para organizar o governo.

Dei a entrevista, que meu amigo Henrique José, jovem e competente repórter político do "Jornal do Brasil", intitulou:

— "Libertem Brizola".

Brizola gostou. Era só uma formalidade. Seu secretariado já estava pronto na cabeça. Assumiu, foi uma bela festa no Rio. E fez o secretariado que quis, que já ia fazer.

Em Brasília, a revista "Quem", de abril de 1983, segunda quinzena, nº 22, bem cuidada, bem editada, dirigida por Carlos Jung, editor responsável; André Gustavo Stumpf, editor; Omar Abbud, diretor assistente; e

481

José Negreiros, João Emílio Falcão, Gugon, Paulo Leminsk e Domingos Pelegrini como colaboradores, fez comigo uma entrevista de capa sobre Brizola, o PDT e nosso projeto político. Manchete na capa:

— "O Projeto de Sebastião Nery: Eleger Leonel Brizola Presidente da República".

Quatro páginas, várias (e boas) fotografias. Abriram assim:

— "Eleger Leonel Brizola presidente da República até o final da década, implantando o socialismo no Brasil pela via democrática, é o projeto em que está empenhado o jornalista político Sebastião Nery, deputado federal pelo PDT do Rio com 111 mil votos. Nery admite que o projeto alternativo para o Brasil passa por um presidente civil de transição, cujo mandato ensejará a convocação de uma Constituinte e a restauração das eleições diretas em todos os níveis. Sua entrevista revela um jovem idealista de 50 anos, que confia no socialismo para o Brasil, um intelectual vaidoso de ter sempre dois títulos novos nas livrarias a cada ano, um político marcado pela vocação oposicionista e um jornalista que se autodefine numa frase:

— Onde houver uma crise neste país eu meto a cara. Não consigo ficar de fora".

No fim de semana, Brizola me chamou outra vez em casa, para tomar café-da-manhã com ele. Sentamo-nos na saleta. Lá da cozinha, dona Neuza, com sua voz delicada, maternal, chamou:

— Leonel, traga o Nery para tomarmos café.

— Neuza, vamos tomar aqui mesmo, na saleta, conversando.

— Leonel, o café já está pronto aqui. O Nery é nosso irmão.

Tomamos café, coisa simples, frutas, queijos, pão, leite. Senti pressa nele. Tinha alguma coisa especial para falar:

— Companheiro, tu sabes a contribuição que desde o exílio deste para o partido. Agora, o partido precisa mais uma vez de ti. Tu vais ter que optar entre ser dirigente das executivas nacional e estadual ou continuar como jornalista. Alguns companheiros da bancada federal, como o Bocaiúva, o Brandão, o Clemir, estão desassossegados e vieram falar comigo. Como podes ser dirigente e ao mesmo tempo ter uma coluna diária na "Última Hora" para dar opiniões pessoais sobre nosso governo e sobre o partido? É uma situação muito desigual. Acho que eles estão com a razão. Gostaria de ter uma resposta tua agora, para comunicar a eles.

Perplexo e indignado, quase perdi a voz. Levantei-me:

— Brizola, isto é uma monstruosidade. Sou jornalista e tudo o mais para mim vem depois. Podia ter sido padre, professor, advogado. Estudei para os três. Mas escolhi ser jornalista. Nunca fui outra coisa. Sou isso e só isso. O que sofri, as prisões, a clandestinidade, a cassação, tudo foi porque sou jornalista. Só estou aqui, deputado com a votação que tive, só pude dar a colaboração que dei desde que você estava no exílio porque sou jornalista, há 30 anos, dia a dia. Jamais deixarei de ser. Nem a ditadura me impediu. Agora, você me pede para eu não ser o que sou? Se você quer os cargos do partido, fique com eles. Faça uma ata e os distribua com o Baby, o Brandão, com quem você quiser. Acho que cometi um engano. Só agora percebi onde me meti.

E saí. Ele chamou, não me despedi, nem olhei para trás. Fui direto para o aeroporto. Não contei a conversa a ninguém. E continuei a mandar a coluna de Brasília todos os dias.

* * *

Fiquei esperando o troco. Não demorou. Meus amigos Ary de Carvalho e Jorge Miranda Jordão, diretores da "Última Hora", telefonaram. Precisavam ter uma conversa comigo. Entrei na sala, só os dois me esperando. Tinha certeza de que sabia o que era:

— Nery, você já teve jornal, dirigiu jornal, sabe o que é isso. Há quase cinco anos escreve, opina, com inteira liberdade, como jornalista. Deu uma inestimável contribuição ao jornal e o jornal também lhe deu, na bela eleição que teve. Agora, a situação mudou. Você é um deputado, dirigente de um partido. A coluna política do jornal não pode pertencer a um deputado, a um partido.

— Já entendi tudo, Ary. Quase você brigou comigo por causa do Brizola. Apesar de inimigo dele, teve a grandeza de me deixar escrever o que queria. Agora, vou sair evidentemente a pedido dele. Ontem mesmo tive a informação por intermédio de um amigo meu, dirigente do BANERJ. Por ordem de Brizola, o Bocaiúva já passou lá providenciando anúncios e um empréstimo para o jornal. Estou percebendo que ele é pior do que você dizia que era.

— Não vamos brigar por isso. Seu mandato e sua carreira política são mais importantes. Vamos acertar nossas contas.

— Ary, nada temos a acertar. Quando você me chamou para o jornal, pedi liberdade para escrever e um salário alto, que você me pagou. Não cobrei nada na entrada, não vou cobrar na saída.

Peguei uma folha de papel na mesa, assinei, datei, entreguei. Ele se levantou, me deu um abraço forte:

— Já tinham me dito que você era assim.

Na Câmara, abriu-se uma CPI sobre o BNH. Brandão Monteiro, relator, saiu violento em cima do empresário Ronald Levinhson, que tinha uma financeira imobiliária, e Ary de Carvalho, que a promovia na "Última Hora". Convocou os dois e começou a interrogá-los agressivamente, abusivamente. Ary ficou tão atarantado, que em determinado instante se calou.

Pedi a palavra e perguntei a Brandão por que ele não tinha aquela coragem toda com o general Golbery, cujo filho tinha também uma financeira, ou com o Delfim Neto, ministro do Planejamento, se o erro estava na política do governo.

Brandão quis descer para brigar no braço. Desafiei-o:

— Se você não tem independência para fazer o que Brizola impede que você faça, largue a CPI. Não procure bancar valentia inventando culpados. O culpado é o Palácio do Planalto.

Continuei amigo do Ary até sua morte.

Saí da "Última Hora" em um dia, no outro o Hélio Fernandes Filho me ligou, chamando para voltar para a "Tribuna da Imprensa". O Hélio Fernandes, que tinha ficado chateado quando fui para a "Última Hora", me recebeu calorosamente na volta. Nada disse a Brizola e fiquei de olho. Ele achava ruim a coluna em um jornal, comecei a pôr nos Estados, em mais de 10.

* * *

Na eleição do líder da bancada, Bocaiúva, indicado por Brizola, ganhou. Eu era vizinho dele em Brasília, amigo dele. Mas votei em José Maurício porque tinha posição política melhor.

Passou um mês de governo, dois meses, três meses, e a bancada começou a ficar irritada. O Palácio da Guanabara mal atendia telefonema dos deputados. Brizola não falava com ninguém. Os secretários, sabendo disso, empurravam com a barriga ou simplesmente também não os recebiam. Os deputados sabiam que Tancredo, governador de Minas, reunia-se com a bancada federal do PMDB toda segunda-feira de manhã, antes de eles viajarem para Brasília. Montoro, de São Paulo, também.

Por que só Brizola não se reunia com a bancada? Já estavam furiosos. Começou a surgir a notícia de que iria sair uma nota pública. Bocaiúva me convidou para um almoço fora da Câmara:

— Nery, preciso de sua ajuda. Você é o vice, o presidente em exercício do diretório do Rio. Por favor, vá conversar com ele.

— Baby, você é o líder, com apoio dele. O problema é seu.

— Compreenda. Não posso brigar com o "caudilho" (os amigos mais próximos o chamavam de "caudilho" ou "italiano"). Você se elegeu sozinho, mais de 100 mil votos, eu fiquei na cota do partido. Sou amigo dele há muitos anos, fui colega na Câmara. Não posso arriscar ter uma conversa ruim e me prejudicar.

— E eu? Meu risco é de uma conversa péssima e explodir tudo.

O Bocaiúva pôs a bancada toda para falar comigo. Liguei para Brizola, marcou uma conversa para segunda de manhã. Cheguei, ele sempre gentil, não falou da "Última Hora", nem eu:

— Brizola, estou aqui numa missão da bancada. Até o Bocaiúva disse que quem devia falar com você não era ele, o líder, mas eu, o vice--presidente do partido no Rio.

— Já sei, companheiro, do que se trata. E tu vais desempenhar essa missão. Os companheiros precisam compreender que houve duas eleições. O povo me deu a missão de governar. E às bancadas a de exercerem seus mandatos. Não podemos misturar.

— Mas os outros governadores se reúnem com suas bancadas.

— São outros Estados, com situações diferentes. Se eu fizer uma reunião, surgirão muitas reivindicações. Vamos adiando isso. Tu és o presidente do partido aqui. Explica a eles. E vai levando.

Desci o elevador imaginando o que iria dizer em Brasília. Na porta do edifício de Brizola, satanás me esperava para me tentar. Meu amigo Henrique José, do "Jornal do Brasil":

— Nery, você está tenso. A conversa não deve ter sido boa.

— Henrique, não posso falar com você antes de falar com a bancada. Vou agora para Brasília e no fim de semana lhe telefono.

— Ao menos uma frase, para escrever alguma coisa.

— Acho que cometemos um engano. Fomos a Lisboa buscar Brizola e trouxemos Perón. Mas deixa isso para o fim de semana.

E viajei. Contei a conversa à bancada. Ficaram indignados, mas calados. No dia seguinte o JB dava na primeira página:

— "Sebastião Nery: — Fomos buscar Brizola, trouxemos Perón".

Brizola não iria me perdoar nunca aquela bala na testa.

* * *

Os meses passando, o fim do ano chegando, a bancada furiosa. Agnaldo reclamava alto no plenário. Outros, nos corredores. Brizola o chamou para um encontro no Palácio das Laranjeiras, com uns poucos: Saturnino, Bocaiúva, Brandão, Clemir, outros. Colagrossi, Frejat, eu, não fomos chamados.

A "Veja" deu capa. Os jornais deram manchetes. Agnaldo entrou de cara fechada, não se sentou. Brizola tentou aliviar:

— Tudo bem, Agnaldo?

— Tudo mal. Quando o senhor precisava de minha voz e votos, ia lá em casa me apanhar e dar beijos em minha mãezinha. Com meus 500 mil votos, em um ano não atendeu um telefonema.

Brizola gauchou e resolveu enfrentar:

— Não gosto de homem que usa balangandã.

— Ganhei com minha voz e meu trabalho, seu filho da puta.

Saltou na mesa e pulou com as pernas no pescoço de Brizola, que se agarrou com ele. Brandão, que era forte, e outros, conseguiram apartar. Ao lado, o capitão da guarda. Brizola gritou:

— Mata esse negro safado, capitão!

Depois de publicado, tentaram consertar:

— Brizola não disse "mata"! Disse: — "Eu mato"!

Os presentes ouviram bem: "mata!" e "negro safado".

E já havia a "Lei Afonso Arinos", contra a discriminação racial. A bancada apoiava Agnaldo, que Brizola expulsou do partido.

* * *

Em 1983, lá estava Brizola, em todos os jornais, anunciando um pacto político e administrativo que havia feito com o pior do chaguismo, a banda mais podre do grupo de Chagas Freitas na Assembleia Legislativa: Cláudio Moacyr, os Nader da Baixada, Gilberto Rodrigues, o proprietário eterno do Detran e outros.

Entregou aos chaguistas um punhado de secretarias para os negócios de sempre. Mandei uma carta pública pedindo demissão da presidência do PDT do Rio:

— "Rio, 29 de novembro de 1983.

Prezados companheiros, nesta data deixo a 1ª Vice-Presidência e a presidência em exercício da Comissão Executiva do partido no Estado. O velho chinês Lao Tsé ensinou que 'as palavras corretas nem sempre são agradáveis e as palavras agradáveis nem sempre são corretas'... Vemos o governador firmar um pacto de governo e partilhar a administração exatamente com o grupo que mais combatemos, ele e nós, na campanha...

Não deixarei o partido. Não pretendo deixar o Diretório Regional nem o Nacional. Mas minha presença na Executiva Regional torna-se insustentável. O governador cada dia se comporta mais como tutor do partido. No partido e no governo seu centralismo exacerbado não deixa ninguém fazer nada.

Uma campanha presidencial tem que nascer e estruturar-se no partido. Não pode ser uma ação entre amigos...

Para o governador, o partido é apenas uma legenda para disputar eleições em vez de um instrumento de organização, mobilização e libertação do povo. Como vamos criar, em cima desta prática, destes métodos, um verdadeiro Partido Socialista? Não foi isso que assinamos em Lisboa. Não foi isso que pregamos na campanha e que nos deu a vitória. Não foi este o mandato que cento e onze mil eleitores me deram.

Fraternalmente, Sebastião Nery".

* * *

Um ano e meio depois da eleição, quinze meses depois da posse, em 1984, já com tanto desgaste, Brizola afinal convocou uma reunião com toda a bancada no Palácio das Laranjeiras. Tensa, difícil, dramática. Eu já não era mais presidente da Executiva Regional, mas continuava primeiro secretário da Nacional. Falei em primeiro lugar. Repeti o que conversávamos em Brasília. Brizola não respeitava o partido, a bancada, ninguém. O PDT era uma *garçonière*, com uma chave só, na mão dele.

Brizola, surpreso, irado, aguentou, enfiando um lápis no bloco. Frejat veio depois, foi pior. Era o secretário-geral. Contou que nem o livro de atas ficava com ele, com o partido. Brizola o mantinha trancado numa gaveta, em seu apartamento. E a conta bancária do PDT quem controlava não era o tesoureiro, José Colagrossi, nem o presidente em exercício, Doutel de Andrade. Era ele, Brizola, governador e presidente licenciado.

O terceiro foi Saturnino (como senador, não era da direção):

— "O Frejat e o Nery estão com a razão. Há um ano e meio nos elegemos e nunca nos reunimos. Se o PDT continuar sendo o partido de um dono só, sem vida política e sem democracia interna, na hora em que aparecer um partido socialista no Brasil, deixarei o PDT e entrarei nele. Estou dizendo isso na vista do Brizola e dos companheiros, para que, depois, se for impossível continuar aqui e eu for levado a trocar de legenda, ninguém venha me acusar de abandono, oportunismo, traição".

Brizola levou um susto tão grande com Saturnino, que não quis ouvir mais ninguém. Suspendeu a reunião para almoço. Voltamos. Doutel, Bocaiúva e Brandão falaram, pediram calma. Brizola fez um discurso longo, patético, fazendo um apelo para não deixarmos o partido. No dia seguinte, disse à secretária-geral da executiva estadual, Carmen Cinira Leite de Castro:

— "O Nery e o Frejat estão muito magoados, injustos com o partido e comigo, mas não deixarão o partido. O senador, não. Na primeira oportunidade voará para outras plagas. Não é dos nossos".

* * *

No fim de 83, um grupo de dirigentes do PDT começou a reunir-se toda sexta-feira à noite, na Praça General Osório, em Ipanema, na casa de Augusto Calmon Nogueira da Gama, da direção nacional e ex-presidente do partido no Espírito Santo, um bravo, preso, torturado e cassado em 64. Éramos uns 30 a 50 toda semana. Cada sexta-feira, um fazia uma palestra: José Frejat, Corbisier, Paulo Medeiros. A noite de Saturnino foi patética:

— "Os companheiros precisam ter paciência, capacidade de análise política. Mas realmente uma coisa me assusta. Será que teremos o direito de ajudar, de contribuir, de consentir que um homem como o Brizola, esse dirigente político cujo retrato é sempre pintado aqui, chegue a Presidência da República? É uma responsabilidade grande demais e isso me perturba permanentemente. Não podemos entregar o país a ele".

E foi ali que nasceu a LBA, não a "Legião Brasileira de Assistência" de dona Darcy Vargas, mas a "Legião dos Brizolistas Arrependidos", que na campanha 89 se uniram em todos os Estados, talvez decidindo a derrota de Brizola.

* * *

Brizola sonhava com as eleições presidenciais logo em 86. Saí no começo de 85. Agnaldo já tinha saído antes. Depois, sairam Frejat, Colagrossi, J. G. de Araújo Jorge, Sebastião Athayde. Dos 16 deputados eleitos em 82 no Rio, só três chegaram com Brizola até o fim do mandato dele.

Para afastar Saturnino da candidatura a governador em 86, Brizola lançou-o prefeito em 85, para acabar com ele. Até 86, sabotou-o em silêncio como governador. Pensava eleger o grande Darcy Ribeiro, que entrou como bode expiatório e perdeu para Moreira Franco, porque não havia mais partido nem bancadas.

E começou o inferno brizolista de Saturnino. Brizola comandou um brutal processo de desgaste do prefeito. Aliou-se a Moreira Franco e levou Saturnino a decretar a falência do Rio. Sem partido, sem bancadas, sem o governo do Estado e com a prefeitura nas mãos contaminadas por escândalos de Marcelo Alencar, Brizola tinha enterrado sua candidatura a Presidente.

33
CÂMARA

O CAVALO DO CARCEREIRO MORREU E ERA PRECISO COMPRAR OUTRO. O carcereiro chamou os presos e anunciou que no próximo domingo eles mesmos iriam escolher o novo cavalo. Foi uma semana de animação na cadeia. Passaram noites acordados, discutindo o novo cavalo.

Domingo bem cedo saíram arrastando seus grilhões, foram até a fazenda dos cossacos, discutiram, brigaram, houve feridos, quase havia mortos. Afinal, no fim da tarde, chegaram a um acordo, escolheram o cavalo, o carcereiro comprou.

Quando o sol morria atrás dos muros negros da Casa dos Mortos e os presos, exaustos e doentes, arrastando seus grilhões, voltaram à noite de suas celas e de suas vidas, um deles disse baixinho:

— Tudo isso para escolher um cavalo. Um cavalo para o carcereiro. Que belo dia de ilusão!

Esta é uma história de Dostoievski, condenado à morte por participar de um grupo de intelectuais liberais, indultado na hora da execução e mandado para a Sibéria, como prisioneiro da Casa dos Mortos de Novosibirsk, a terrível e histórica prisão onde o Tzar da Rússia o enfiou, nas nevadas e geladas planícies da Sibéria, por ele descritas nas "Recordações da Casa dos Mortos", de 1862, hoje transformada em museu, que visitei em janeiro de 81, como vimos no Capítulo 31.

Contei-a em meu primeiro discurso na Câmara, em 4 de maio de 1983, para lembrar que a abertura política, prometida por Geisel e iniciada por Figueiredo com a anistia, poderia terminar numa grande ilusão, se o Congresso não substituísse a Lei de Segurança Nacional e enquadrasse democraticamente o Conselho de Segurança Nacional e o Serviço Nacional de Informações, numa nova Lei de Segurança do Estado. Está publicado em livro:

— "A Abertura e o Cavalo do Carcereiro".

Quis mesmo começar do princípio, enfrentando o problema fundamental da ditadura: a Segurança Nacional como pretexto de violências e crimes. O artigo 89 da "Constituição" da ditadura atribuía ao Conselho de Segurança Nacional até o poder de determinar as diretrizes da política econômica. Teotônio Vilela, com a sensatez e a audácia dos profetas, perguntava e eu repetia:

— Se os militares estão saindo da política, por que não saem também da Constituição?

A proposta de uma nova Lei de Segurança do Estado ouriçou o governo de um lado e a oposição do outro. Era um tempo em que o Congresso, Câmara e Senado, tinham as tardes para longamente debater os grandes problemas nacionais.

Falando de improviso, com anotações sobre a tribuna, discuti horas. Fui aparteado por José Genoino, do PT; Bocaiúva Cunha, do PDT; Djalma Bessa e Edison Lobão, do PDS (o partido do governo); Seixas Dória, Alencar Furtado, Fernando Santana, Jorge Carone e Roberto Cardoso Alves, do PMDB.

Exceto os dois do PDS, todos apoiaram minha proposta.

Sabia que a tese irritaria muito os militares. Mas estava ali para cumprir de pé um mandato sagrado que o povo do Rio me deu.

* * *

Um ano depois, em 3 de maio de 84, mais uma vez estava na tribuna, por quase duas horas, como sempre de improviso, com anotações sobre a tribuna, citando Caetano Veloso — "Será que nunca faremos senão confirmar a incompetência da América Católica que sempre precisará de ridículos tiranos?" — de novo longamente discutindo o problema militar e publicado em livro:

— "O Nome da Crise é o Poder Militar":

— "A República brasileira foi construída à base do poder militar. Enquanto não vencermos, não superarmos a presença, a interferência, o comando do poder militar na vida nacional não teremos uma democracia, por mais que os partidos políticos e o povo o queiram, inundem as praças, as ruas, as avenidas e os vales. Isso vem de longe. Infelizmente vem de longe".

O que foi a proclamação da República? Um golpe militar: Deodoro, no seu cavalo, e o povo assistindo "bestificado", como disse o grande jornalista Aristides Lobo. E depois, o que foi 1922? O que foi 1924? O que foi a Coluna Prestes? O que foi 1930? E 1932? E 1937? E 1945? E, depois, 1954, 1955, 1961, 1964? Foram intervenções militares na vida política do país.

E não foi por acaso, mas uma opção, uma determinação, uma imposição do Exército brasileiro desde a proclamação da República. E estão aqui os seis artigos das seis Constituições do país que falam das Forças Armadas. Na Constituição de 1824 ainda não tínhamos Exército e, por isso, não tínhamos a ingerência do poder militar na vida brasileira. O artigo 147 dizia:

— "A Força Militar é essencialmente obediente, jamais poderá se reunir sem que lhe seja ordenado pela autoridade legítima.

Em 1891, com a proclamação da República, os militares se inocularam na vida política nacional, dentro da Constituição:

— 'As Forças Armadas são essencialmente obedientes, dentro dos limites da lei, aos seus superiores hierárquicos e obrigadas a sustentar as instituições constitucionais'.

Vejam bem: as 'instituições constitucionais', isto é, garantir o poder, garantir a legitimidade da Constituição.

O artigo 162 da Constituição de 34 dizia:

— 'Destinam-se as Forças Armadas a defender a Pátria e a garantir os poderes constitucionais'.

Vejam novamente: os "poderes constitucionais", a legitimidade da Constituição.

Na Constituição de 1946 está lá:

— 'Destinam-se as Forças Armadas a defender a Pátria e a garantir os poderes constitucionais'.

Mais uma vez, vejam bem: sempre 'poderes constitucionais'.

Eis que chegamos a 1964, à 'Constituição' de 1969 e os militares brasileiros não queriam mais garantir os 'poderes constitucionais'. Queriam garantir o poder deles. Mudaram a Constituição de Deodoro e Floriano, a de 91, e puseram o que?

— 'Destinam-se as Forças Armadas a defender a Pátria e a garantir os poderes constituídos'.

Vejam bem. Isto é inteiramente diferente. Não são mais os poderes 'constitucionais'. São os 'constituídos'. Poder 'constituído' não é o poder da Constituição. É o poder do poder. É o poder da força. É o poder do golpe, como o de 64, que nos governa até hoje.

Esse é o nosso problema nacional. Ou conseguimos que os militares voltem aos seus quartéis ou não vamos conquistar a democracia que o presidente da República promete, para a qual conclama e convoca o povo brasileiro".

* * *

O PDS ficou nervoso. Eu estava falando deles, dos intocáveis, dos donos do governo e do poder. O vice-líder do governo, Nilson Gibson, tentou defender as estrepolias mussolínicas do general Newton Cruz, mas eram indefensáveis.

Raimundo Asfora e Ruy Codó, do PMDB e Nilton Alves, do PDT, me apoiaram.

Havia uma crise no palácio e era do poder militar, que não se conformava em ir dando o fora e insistia em um novo general, como o general Medeiros, ou um meio general, como o coronel Andreazza, para substituir Figueiredo, quando a Nação exigia um civil para comandar um verdadeiro processo de redemocratização, com Constituinte e eleições diretas para presidente da República.

Mostrei como se fez a abertura em Portugal, na Espanha, na Grécia, todas por mim assistidas, como jornalista. Só houve abertura quando os militares se recolheram a seus quartéis.

Deputados do governo e até mesmo alguns da oposição achavam que eu estava cutucando a fera com vara curta. Mas eu pensava que alguém tinha que levantar o problema militar. Que então fosse eu. Lá na frente iríamos ver se daria certo ou não.

Acabou dando certo.

* * *

Mas não foi logo. Três meses depois, em 6 de agosto de 84, tive que voltar à tribuna para tratar da questão militar. Na véspera, o general-presidente Figueiredo havia dito aos jornalistas:

— "O povo brasileiro não merece os políticos que tem. Sinto-me profundamente desiludido neste momento, em que chego quase ao fim de meu mandato. Verifica-se em quase tudo uma constante ambição pessoal, uma luta por interesses próprios e falta de amor à Nação".

Subi à tribuna e perguntei:

— "O Brasil merecia os generais que teve"?

Houve um silêncio de susto. Comecei contando uma história. Depois da Constituinte de 1945, um deputado da UDN foi à tribuna e fez um discurso duro, pedindo uma CPI (Comissão Parlamentar de Inquérito) para apurar os crimes da ditadura de 15 anos de Getúlio Vargas. Ele dizia alto e indignado:

— "Foram crimes que estarreceram a Nação, que escandalizaram o Brasil diante do mundo e por isso é preciso que a Câmara os investigue e puna os responsáveis, para que isso sirva de lição às próximas gerações".

Fiz pausa de um instante e continuei:

— "O autor desse discurso e desse requerimento, que fui buscar nos anais da Câmara, porque não puseram no 'Perfil' do autor publicado pela Casa, foi o bravo general e deputado Euclides Figueiredo, pai do general-presidente Figueiredo.

Imaginem os senhores o escândalo que seria se agora, aqui, como fez o general Euclides Figueiredo, apresentasse um requerimento criando uma CPI (Comissão Parlamentar de Inquérito) para apurar os crimes da atual ditadura que, aliás, foram bem maiores, de 64 até há pouco, do que os de 37 a 45.

Radicais não somos nós. Radical é a História. Radicais não somos nós, radical foi o general Euclides Figueiredo. Revanchistas não somos nós, da oposição. Revanchista foi o general Euclides Figueiredo, deputado da União Democrática Nacional que, com toda a razão e todos os nossos aplausos de hoje, pediu, conseguiu, abriu e levou em frente uma CPI da Câmara para apurar os crimes da ditadura".

E passei o debate para os apartes de três dos mais ativos deputados de então, Walmor Giavarina e José Maria Magalhães, do PMDB e Siqueira Campos, do PDS.

* * *

Mas a crise não vinha só do poder militar. Era também do poder econômico. A ideia foi de Hélio Duque, meu irmão da Bahia, do PMDB do Paraná, já no segundo mandato, vice-líder do partido. Começamos a pegar assinaturas para uma CPI da Dívida Externa, o grande abismo da economia e do governo brasileiro. Criada a CPI, Alencar Furtado, também do PMDB do Paraná, assumiu a presidência e eu a vice-presidência. O relator seria do PDS, mas o governo imaginou inviabilizar a CPI não indicando o relator. Não pensou no guerreiro Alencar, que imediatamente me chamou para relator e passei a vice-presidência para Eduardo Suplicy, do PT.

Os titulares do PMDB eram Alencar Furtado, Hélio Duque, Aldo Arantes, Aníbal Teixeira, Fernando Santana, e suplentes Flávio Bierrenbach, Djalma Falcão, João Cunha, José Fogaça. Do PDT, eu titular e Jacques Dornellas suplente.

O líder do PDS, Nelson Marchezan, foi obrigado a indicar seus membros, para o governo não ficar de fora e poder participar: Jorge Arbage, Otávio Cesário, Adhemar Ghisi, Pedro Colin, José Camargo, titulares. E Antônio Mazurek, Antônio Fauet, Pratini de Moraes, Lúcio Alcântara e Ricardo Fiúza, suplentes.

Instalada em 16 de agosto de 83, funcionou ininterruptamente até 10 de setembro de 84.

A grande resistência à CPI era da área econômica do governo: Delfim Neto ministro do Planejamento e Ernane Galveas, da Fazenda. O ministro do Exército, Walter Pires, também se negou a colaborar, deixando de fornecer informações.

Mas o presidente do Banco Central, Afonso Celso Pastore, graças à força da argumentação de Alencar, cumpriu seu dever. Parou uma caminhonete em frente ao Anexo 2 de Câmara, onde funcionava a CPI, e mandou despejar quilos e quilos de documentos e números com toda a história da Dívida Externa, desde a Independência até o governo Figueiredo.

Agora o problema era meu. Como destrinchar aquele arsenal de números estranhos, muitos deles escusos? Fui ao presidente da Câmara, o cearense Flávio Marcílio, um cidadão exemplar:

— Presidente, preciso que o senhor me salve e arranje no mínimo três assessores economistas, competentes e experientes, para trabalharem comigo na relatoria da CPI da Dívida. Em números, vou pouco além das quatro operações fundamentais.

— Não tenho nenhum, Nery. Aqui, quem presta já tem dono, já está trabalhando em alguma comissão ou liderança. Mas você não vai sair pagão de minha sala. Tenho a solução. Arranje fora da Casa até três bons, traga-os aqui, que eu contrato e pago.

Fui à Universidade de Brasília, procurei o Departamento de Economia e seu chefe. Apareceu-me um jovem magro, já calvo, voz baixa e fina, com vasta experiência internacional. Engenheiro pernambucano, fez curso na OEA (Organização dos Estados Americanos), doutorado em Paris. Trabalhou no BID (Banco Interamericano de Desenvolvimento) em Honduras, Bolívia, Venezuela e Argentina. E em Washington, no Banco Mundial.

Joguei minha carga nos ombros do professor Cristovam Buarque. É um mouro para trabalhar. Poucas vezes vi uma pessoa com tanta capacidade de trabalho, de dia e de noite. Para ele não existem as horas. É tudo seguido. E levou com ele sua equipe na UnB: Joaquim Andrade, Leandro Amaral, Luiz Fernando Tironi, Maria de Lourdes Rollemberg Mello, Maria Helena Fagundes, Maria Luiza Falcão Silva, Michel Wilberg,

Paulo Luiz de Oliveira, Roberto Vermulsa, Roberto Viana e Vânia Bastos. Flávio Marcílio e Alencar Furtado acharam a solução perfeita.

A CPI fez 61 reuniões, ouviu 36 depoimentos. Entre os mais conhecidos: Afonso Celso Pastore, presidente do Banco Central; Ministro César Cals, de Minas e Energia; Ministro das Relações Exteriores, Saraiva Guerreiro; Luciano Coutinho, embaixador; José Botafogo Gonçalves, Paulo Nogueira Batista Júnior, Dercio Garcia Munhoz, Carlos Geraldo Langoni (ex-presidente do Banco Central); Celso Furtado, Carlos Lessa, Hélio Fernandes, Olavo Setúbal; Generais Silvio Frota, Andrade Serpa e Leo Etchegoyen; Benedito Moreira, Mário Henrique Simonsen, José Flávio Pécora, Inácio Rangel, Vilar de Queiroz, Rômulo Almeida, Karlos Rischbieter, Paulo Pereira Lira, ex-presidente do Banco Central; Maria da Conceição Tavares, Carlos Alberto Andrade Pinto, Fernando Gasparian, Carlos Viacava e outros.

O relatório da CPI e todas as suas conclusões, aprovado por unanimidade, com um voto em separado apresentado pelos representantes do PDS, está no livro "Crime e Castigo da Dívida Externa", de Sebastião Nery e Alencar Furtado (Editora Dom Quixote, Brasília). Quis que Cristovam Buarque dividisse a autoria do livro, até porque foi o principal autor. Mas preferiu modestamente constar como coordenador da equipe técnica.

O livro é, sobretudo, a história da dívida desde 1823 até 1984. Sua evolução é um escândalo e um crime. Em 1946, o Brasil devia 2 bilhões de dólares. Em 1950, 1.800 bilhões. Em 1955, quando JK assumiu, 1.792 bilhões. Em 1960, quando JK saiu, 2.534 bilhões. Logo, a dívida não era de Juscelino. Em 1961, Jânio deixou em 3 bilhões. Em 1964 Jango deixou em 3,1 bilhões. Em 1974, com 10 anos de ditadura, já devíamos 17,2 bilhões. E disparou: em 1983 estava em 81,3 bilhões. Sarney assumiu em 1985 com 100 bilhões.

Depois o Banco Central fez um truque, sempre em favor dos banqueiros. Como os juros externos estavam bem mais baixos que os internos, transformaram a Dívida Externa, em dólares, em Dívida Interna, em reais, pagando juros da Selic. A Dívida Interna disparou e o governo mente dizendo que "acabou com a dívida externa". Não acabou. Trocou para pior.

* * *

A derrota na Câmara da Emenda das "Diretas-Já" do deputado Dante de Oliveira, por 22 votos, comandada pelo presidente do PDS José Sarney, em 25 de abril de 1984, mostrou que o governo estava cambaleante, mas não estava morto. Era preciso ir para o Colégio Eleitoral com um candidato da oposição.

Ulysses Guimarães e Tancredo Neves, com suas sabedorias e patriotismos, tinham selado o acordo óbvio: numa eleição direta, o candidato mais forte era Ulysses. Na indireta, Tancredo. Ainda no PDT, eu tinha que enfrentar a gula histórica de Brizola. Ele aceitava qualquer coisa, contanto que as eleições presidenciais fossem em 1986, evidentemente com ele ainda no fim do governo. No início Brizola teve uma ideia correta, que achei lógica: como Figueiredo havia cumprido o compromisso da anistia, as oposições aceitariam a prorrogação do mandato dele até 86, com eleições diretas imediatas. No início, emissários de Figueiredo, como o ministro César Cals, encaminharam e negociaram.

Mas a linha-dura militar, comandada pelos generais Walter Pires, do Exército, e Otávio Medeiros, do SNI, vetou: nenhuma eleição direta antes de 88, depois de um mandato indireto de transição. Como Figueiredo saía em 1985, seriam três anos.

Sábio, com a oposição sem nenhum poder militar e o PDS sem um candidato de unidade, porque Figueiredo vetara seu vice Aureliano Chaves, Tancredo pegou os militares pela palavra. Em entrevista ao "Pasquim", concordou com a "transição de 3 anos":

— "Criou-se na opinião pública um clima pelas diretas que se transformou numa ideia força. Quanto mais rapidamente se aproximar do povo a escolha de um Presidente por eleições diretas, melhor para a Nação. De modo que acho que o mandato de transição, não com uma duração curta, mas com uma duração razoável, seria o ideal. Que dê tempo para a reorganização da vida econômica, social e política do país, e a discussão e votação de uma Constituição. Não precisa de quatro anos. Até que se eleja o futuro Congresso (em 86), mais uns 8 ou 9 meses para discutir a Constituição e ainda uns três meses para sua votação, um mandato de três anos seria importante, pela razão da psicologia coletiva. O povo está aflito para exercer seu direito de voto".

Brizola se desesperou. De Porto Alegre, o bravo, excelente e no caso equivocado deputado Alceu Colares, vice-presidente do PDT, dando um recado de Brizola, ameaçou Tancredo:

— "O PDT deve dar um *ultimatum* ao PMDB, propondo um mandato de transição de dois anos (até 86, com Brizola ainda no governo) para o governador Tancredo. Sem isso consideramos esgotadas todas as possibilidades de entendimento".

Era o impasse. Brizola não admitia disputar as diretas sem o governo do Rio na mão. Com três anos, as eleições seriam no fim de 87. Tancredo precisava manter as oposições unidas com ele no Colégio Eleitoral, para

A NUVEM

ainda ir buscar a diferença em dissidências dentro do PDS, que era majoritário. Sem o PDT, ganhava o PDS.

Procurado por meu amigo de sempre, Aluísio Alves, fui conversar com Tancredo. Alguém do PDT precisava contestar Brizola e mostrar ao partido que, depois da derrota das Diretas-Já, os militares não aceitavam eleições presidenciais diretas em 86: nem mandato de transição de dois anos, nem diretas em dois anos.

Fui várias vezes à tribuna da Câmara e escrevi numerosas colunas na "Tribuna da Imprensa", travando um debate público, desgastante, mas indispensável, com Brizola e com o PDT:

* * *

1. "Não vou dar conselhos a ninguém, mas Brizola deve olhar um pouco para o passado. Se o Plebiscito de 63 não tivesse derrubado o parlamentarismo, teria havido 64? Se o PTB e as esquerdas não impedissem Santiago Dantas de ser primeiro-ministro, 64 teria acontecido? Se Balbino, Carvalho Pinto, outros, não fossem derrubados do governo Jango, haveria 64"?

2. "Se Waldir Pires tivesse ganho o governo da Bahia e não Lomanto Júnior; se Sérgio Magalhães fosse o governador da Guanabara e não Lacerda; se Tancredo fosse o governador de Minas e não Magalhães Pinto; se Ildo Menegheti não fosse o governador do Rio Grande do Sul, talvez 64 não tivesse sido possível. Se o PTB e as esquerdas não houvessem impedido a aliança PSD-PTB no Congresso, não teria sido feita a união PSD-UDN, que pregou, preparou o golpe de 64, atrás dos canhões".

3. "A verdade histórica, se quisermos individualizar, é que os dois que mais erraram antes de 64, na frente popular, foram João Goulart e Leonel Brizola, sobretudo nas jogadas pela mudança de ministros, no abandono de companheiros ou na ajuda dissimulada a adversários para que não surgissem, em Estados importantes, novas lideranças que pudessem vir a disputar a herança de Vargas. Em 64, todos já pagamos, caro demais".

4. "Então não vamos exigir compromissos de Tancredo? Vamos sim. Em janeiro, quando a candidatura de Tancredo ainda não existia, em entrevista ao exemplar jornalista Maurício Dias, da "Status", eu disse que, se o Brasil tivesse juízo convocaria o governador Tancredo

Neves para comandar um governo de Transição que levasse o Brasil da ditadura para a democracia".

5. "Em fevereiro, nesta tribuna e na 'Tribuna da Imprensa', disse ('Tancredo Na Cabeça') que há momentos, na vida dos povos, em que determinados homens se fazem símbolo, sinônimo, retrato de uma nação e passam a representar a média de seus anseios, como Tito, na Iugoslávia; Roosevelt, nos Estados Unidos; e De Gaulle, na França, a ponto de De Gaulle dizer depois a frase famosa: — 'Quando eu quero saber o que a França pensa, pergunto a mim mesmo'. Eu plagiava: — Se querem saber o que o Brasil está pensando agora, perguntem a Tancredo".

6. "Fala-se muito no exemplo da transição da Espanha. Eu estava lá. Na Espanha, quem comandou a transição foi um ex-franquista, um conservador, aliado aos liberais da oposição. Lá, Adolfo Suarez não era Tancredo, era Aureliano. Lá, não foi Aureliano quem apoiou Tancredo, mas Tancredo quem apoiou Aureliano. Vejam que, ao menos nisso, as coisas aqui já são mais fáceis. Mas lá não era o Exército, era o Rei. Nisso, lá foi muito mais fácil. Lá, as esquerdas, os socialistas, os comunistas (quer dizer, o PDT de lá, o PT de lá, o PC de lá) não reivindicaram nem fizeram parte do governo de Transição. Negociaram, apoiaram, assinaram os Pactos de Moncloa, exigiram e obtiveram compromissos explícitos, públicos, mas de fora, como forças independentes. Exatamente como o PDT diante de Tancredo".

7. Artur London, vice-ministro do Exterior da Tchecoslováquia, preso, torturado e vilipendiado nos processos de Stalin, cujas memórias Costa-Gavras e Jorge Semprun filmaram no clássico "A Confissão", perguntando sobre " a principal lição depois de quase 60 anos de militância comunista", respondeu:
— "É muito simples. O homem deve pensar e refletir, usando seu espírito crítico para tudo. Nunca deve ter medo de falar o que pensa. Na minha geração, as coisas que aconteciam não eram faladas, discutidas, o que foi muito prejudicial. Quando se sabe de alguma coisa e se cala, isso se transforma em cumplicidade".

8. Tudo o que Brizola diz hoje é a negação do que falava e foi aprovado na Carta de Lisboa, de junho de 79: — "Primeiro eleger a Constituinte e só depois o Presidente".

"Logo, o dissidente não sou eu. Hoje, o dissidente é Brizola. Com a História, ou se aprende ou se quebra a cara. Foi exatamente assim em 64. Brizola entendia que, depois de Jango, não podia ser Juscelino, não podia ser Arraes. Tinha que ser ele, mesmo que a Constituição proibisse. 'Cunhado não é parente'. E passou a pregar o fechamento do Congresso, 'esse clube inútil', para mudar a Constituição 'na lei ou na marra'. Dias atrás, um de seus mais próximos amigos e assessores me dizia:

— 'Vamos arrancar as eleições presidenciais em 86 no tapa'".

É a repetição de Brizola em 64:

— "Eu disse a Jango: ou tu troteias ou tu sais da estrada".

Troteamos todos nós. E os militares ocuparam a estrada.

* * *

Além dos discursos e dos artigos, fiz um Manifesto aos companheiros da Executiva, do Diretório Nacional e do PDT:

1. "Quando fui para Lisboa, em 79, ajudar a fundar nosso partido, estava convencido de que a autocrítica de Brizola nas entrevistas era verdadeira. Agora, começa tudo de novo. O tom, o estilo, o processo é o mesmo. Antes de Tancredo ser eleito, Brizola já diz que seu Governo será 'ilegítimo', 'de direita', 'um vergonhódromo'. Irá ao extremo para tentar desestabilizar a inviabilizar o governo de Transição como ajudou a desestabilizar e inviabilizar o governo de Jango, e joga no fracasso do governo de Tancredo certo de que depois de Tancredo, em 1986, virá ele".

2. "Acontece que em 64 quem veio não foi ele, mas Castelo Branco. Como depois de Perón veio Videla, depois de Allende veio Pinochet e depois de Tancredo, atropelado viria inevitavelmente outro general. Acima de quaisquer conveniências políticas pessoais, assumo o ônus de denunciar a paranoia da ambição irresponsável. Por isso, ele convocou a direção nacional do PDT para julgar-me. Ótimo. Conseguirei assim fazer mais pública uma advertência que considero inadiável, para que, mais uma vez, o processo democrático do país não seja atropelado por desarvoradas ambições".

3. "O diretório nacional do partido, com os votos dele e o meu, decidiu 'votar em Tancredo no Colégio Eleitoral, não participar do governo de Transição e manter uma posição de independência'. Logo, quem está violando as decisões do partido não sou eu, é ele, que já

saiu para a contestação aberta de um governo de Transição que sequer foi eleito".

4. "Critico-o por sua provada prática antidemocrática, autoritária, caudilhesca, ditatorial, e ele responde acusando-me de estar criticando o partido. Apenas repete o general Góes Monteiro que, na ditadura de Getúlio, quando a oposição o acusava de beber demais, reagia: — Estão atacando o Exército Nacional".

* * *

Já não tinha mais nada a fazer no PDT. A missão estava cumprida. Fiz questão de ir à reunião da Executiva Nacional, convocada por Brizola para julgar-me e me expulsar. Já cheguei com um ofício pronto, cuja leitura pedi para fazer antes. Li pausadamente. Pedia demissão da Executiva Nacional, dos Diretórios Nacional e do Rio, da bancada e do partido.

Quando ia me retirando, Darcy Ribeiro interveio:

— O Nery é nosso irmão, se quer ir embora é direito dele, mas não pode ir sem falar, sem dizer porque está indo.

Reli o Manifesto de um mês antes, repeti trechos de meus discursos na Câmara e artigos na "Tribuna da Imprensa". E ia deixar a reunião para não constranger Brizola nem qualquer outro. Antes, queria só deixar ali uma previsão para conferirem depois:

— Tratando com total desprezo as bancadas do Senado, da Câmara, e as estaduais, desrespeitando o partido em todos os Estados como se fosse uma fazenda dele, Brizola já enterrou sua candidatura a presidente da República e não sabe. Em 88, saberá.

Soube em 89. No centro da mesa, furando irritadamente um bloco com o bico da caneta, ele me olhava com ódio. Mas não me interrompeu, nada disse. Depois de eu sair, falou horas.

No dia 15 de janeiro de 85, Tancredo Neves foi eleito Presidente pelo Colégio Eleitoral. Com todos os votos do PDT. Na saída, me abraçou como desde Minas e me disse no ouvido:

— Nunca vou conseguir lhe pagar essa promissória.

Faltavam dois meses para a posse.

* * *

Ela chegou com um sorriso largo no rosto jovem e bonito, elegante, simpática, turbante na cabeça. Colares, braceletes com balangandãs, joias esfuziantes nos dedos e um olhar distante, misterioso. Dona Flávia, mulher do presidente da Associação Brasileira dos Produtores de Maçã, Mário José Batista, gauchão vermelho, com cara de terra e sol.

Era 8 de março de 85, meu aniversário. Na mesa, Maria Inês e Carlos Monforte, da TV Globo; Regina e Silvestre Gorgulho, então no Jornal de Brasília; Valmira e Milano Lopes, de O Estado de S. Paulo; Jussara e Joaquim Mesquita, empresário em Brasília; Kivia e eu, e outros jornalistas, convidados para a Festa da Maçã que todo ano se realiza lá no Sul.

Jantávamos no belo hotel Lage de Pedra, em Gramado, no Rio Grande do Sul. Faltava uma semana para a posse de Tancredo na Presidência da República. Surgiu o nome dele. Dona Flávia diante de mim, falando sobre a magia da Bahia e outros mistérios e sabedorias, ficou tensa de repente:

— Os senhores são amigos do Dr. Tancredo?

— Somos, sim.

O marido, ao lado, não gostou:

— Flávia, estamos aqui na nossa Festa da Maçã, comemorando o aniversário do deputado Nery, não vamos falar de coisas tristes.

Levamos um susto. Silvestre insistiu:

— Que coisas tristes?

Dona Flávia ficou corada, olhou serenamente para o marido:

— Desculpem os senhores que são amigos dele, mas devo dar-lhes uma notícia ruim, que peço por favor que fique aqui. Infelizmente nosso querido Dr. Tancredo não vai ser Presidente, não vai assumir no dia 15. Ele vai morrer.

— Vai morrer de que? De doença ou de um golpe?, perguntei.

— Não sei o que será. Mas posse ele não tomará. Tenho rezado muito para ele e para o dr. Sarney, que vai assumir. Há vários dias que eu já sei. Estou vendo e conferindo toda manhã. Está nos globos, mapas, cristais, cartas, búzios, em todos os meus instrumentos de trabalho, lá no escritório, ao lado de nossa casa, onde os senhores estão convidados para almoçar conosco amanhã.

Não sou profissional. Não trabalho por dinheiro. É apenas um dom, uma curiosidade intelectual. Nas sessões, só recebo amigos.

Ficamos lívidos. Como se diz lá na Bahia, aquilo não era conversa para um burro carregado de louça. No dia seguinte, antes do almoço, ela nos mostrou, no vasto escritório ao lado do casarão, seus mapas, globos, cristais, baralhos e búzios. Balançando os coloridos balangandãs, apontava um a um:

— Está aqui. Ele não vai assumir. Não vai ser Presidente.

Eu não via nada. Só via um leão enorme, rugindo e dando saltos, numa jaula de ferro aberta em cima, no meio do gramado do jardim. O leão corria, urrando, saltava, batia as patas nas barras da jaula que se inclinava, quase a ponto de virar e soltar o leão.

Na hora do almoço, quando passamos do escritório para a casa para almoçar, o leão deu um urro tão alto e avançou tanto contra as barras da jaula, que corremos em disparada até a cozinha de dona Flávia e do gauchão Batista. Fui até o fogão.

Na saída, depois de bom vinho, de volta ao hotel, fizemos um pacto. Ninguém publicaria a história antes da posse. Alguns, sobretudo as mulheres, ficaram indignados:

— Essa mulher é uma macumbeira maluca.

Não era. Uma semana depois, véspera da posse, às oito da noite de 14 de março, jantava em meu apartamento em Brasília com minha irmã e meu cunhado e amigos que haviam ido do Rio para a posse: Alfredo Sirkis, do Partido Verde, Clarinha e Lúcio Abreu, Bóris Nicolaievsk. Toca o telefone, era José Aparecido:

— Venha urgente aqui para o Hospital de Base. O Tancredo acaba de internar-se e vai ser operado. Não fale com ninguém.

Toda a torcida do Flamengo já sabia. A TV acabava de dar.

Mal tive tempo de tomar um cafezinho e contar a história de dona Flávia. O Hospital de Base, aberto, sem controle, nem no andar de cirurgia e até mesmo na sala de cirurgia, cheia de gente. Vi Antônio Carlos Magalhães, esbaforido, os olhos cheios de lágrimas, com a mesma roupa com que chegava da rua, empurrar a porta da sala de cirurgia e entrar. Uma operação simples de diverticulite transformou-se numa brutal infecção hospitalar.

Quando morreu, publiquei a profecia de dona Flávia.

* * *

Sarney Presidente, para mim a novela Brizola tinha sido suspensa. Só ia pensar nele nas eleições presidenciais. Antes haveria a Constituinte. Com um grupo de companheiros de vários Estados, criamos o PS (Partido Socialista), fazendo reuniões e convenções pelo país afora, sempre trazendo membros do PDT.

No dia 11 de abril de 85, bem cedo, já de saída de Brasília para a Bahia, para os 84 anos de minha mãe, um amigo me levou em casa uma decisão unânime, tomada na véspera pelo Conselho Diretor da ABI, presidido pelo venerando Barbosa Lima Sobrinho, com um "voto de

A NUVEM

protesto contra ato do governador Leonel Brizola", conforme ofício do diretor da "Tribuna da Imprensa", jornalista Hélio Fernandes:

— "Rio, 8 de abril de 1985.
Exmo Sr. Dr. Barbosa Lima Sobrinho, presidente da ABI.

Saudações.

Dr. Barbosa: esta é uma comunicação simples, não é um pedido, uma solicitação de interferência, nada, nada. É apenas uma constatação melancólica e deplorável a respeito do governador que foi eleito por um terço do Estado do Rio, o senhor Leonel Brizola. Desde que tomou posse, até janeiro de 85, toda publicidade que saía no 'Jornal do Brasil' e no 'Globo' saía também na 'Tribuna', 'Última Hora', 'O Dia', 'Jornal do Comércio'. O governador me declarou num dia de entusiasmo:

— Se tiver que haver discriminação, seria a favor da 'Tribuna' e não contra ela.

Não houve favorecimento, mas nenhuma discriminação. Tendo o governador Brizola brigado com o jornalista-deputado Sebastião Nery, começaram os atritos com o jornal. Comecei então a fazer críticas também ao governador e ele, como todo falso democrata, a primeira coisa que fez foi mandar cortar a publicidade da 'Tribuna'.

Ora, se durante 22 meses a 'Tribuna' era um bom veículo para o governo, por que subitamente deixou de ser esse bom veículo e passou a ser dispensável? Simplesmente porque o caudilho, ditador e arbitrário, como os dos regimes militares, não pode admitir críticas de quem quer que seja. Ele é intocável e intocado, jamais erra. E como não erra é incapaz de admitir um debate, uma discussão, uma crítica por menor que seja.

Minhas informações eram taxativas. A ordem para cortar a publicidade da 'Tribuna' partira do próprio governador, o que era mais do que óbvio, pois no governo do Estado do Rio ninguém tem autonomia para coisa alguma, a não ser que esteja de acordo com o pensamento (?) do próprio Leonel Brizola.

Telefonei então para o governador, para obter a confirmação na própria fonte e, tendo ele confirmado a ordem, temos então um ditador que joga com o dinheiro do contribuinte para satisfazer seus caprichos, ambições e vaidades. Foi ele mesmo que deu ordem para suspender a publicidade da 'Tribuna', até que nós enquadrássemos ou despedíssemos o jornalista-deputado Sebastião Nery, o que nem nos passava pela cabeça e agora muito menos. Agora que sei que esse é o desejo do governador, aí então é que o jornalista-deputado irá festejar seus 100 anos de idade escrevendo na 'Tribuna'.

Há mais e muito grave, presidente. Em várias reuniões da Executiva do PDT, na presença das mais variadas pessoas e consignado em ata, o governador afirmou com entusiasmo:

— 'O jornalista Hélio Fernandes é um dos maiores do país. Ele já prestou tantos serviços ao país, que daqui para a frente ele pode errar a vida toda que não poderá ser responsabilizado, pois a sua atuação nos últimos anos é realmente incrível'.

Mas bastou contrariar o caudilho para sentir o peso da sua bota. Só que isso não me assusta, não me amedronta. Só me dá mais ânimo para lutar ainda mais desassombradamente do que no passado. O presidente só não pode interceder, interferir, intervir, para acabar a discriminação contra a 'Tribuna'. Essa eu tratarei com o mesmo desprezo com que tratei a outra, mais violenta, exercida pelo 'governo' que nos dominou nos últimos 20 anos.

No governo do Estado, Brizola se autodestruirá em pouco tempo e ao Governo Federal ele não chegará jamais, haja o que houver. Mesmo que tenha que correr sangue, defenderemos o país contra esse tipo de democrata com mais aspas do que convicções.

Atenciosamente,

Hélio Fernandes".

Retardei a viagem para Salvador, fui à tribuna da Câmara, li a resolução da ABI, a carta de Hélio Fernandes e pus nos anais.

Brizola não queria mesmo que eu o esquecesse.

* * *

Desde 1955, minha primeira viagem externa, na derrubada de Perón na Argentina, nunca tinha passado mais de três anos sem voltar ao exterior, a trabalho ou de férias. De tal maneira me concentrei no cumprimento do mandato, que era a primeira vez que isso acontecia. E até o fim do mandato só viajei uma vez.

Em julho de 83, fiz parte de uma Comissão da Câmara que, por conta própria, pagando as próprias passagens, foi aos Estados Unidos levar ao governo e ao Congresso norte-americano uma declaração da maioria do Congresso brasileiro, senadores e deputados, contra as ameaças de invasão da Nicarágua.

Artur Virgílio, do Amazonas; Bete Mendes, de São Paulo; Cristina Tavares, de Pernambuco; Manoel Costa, de Minas; Jakson Barreto, de

Sergipe; José Eudes e eu, do Rio, tivemos os encontros, divulgamos o documento e voltamos pela Nicarágua e Cuba.

E não era por falta de oportunidade. A Interparlamentar promovia viagens entre parlamentos de todos os países para troca de ideias e experiências. Estava tão envolvido aqui com a campanha das Diretas-Já, o fim do governo de Figueiredo e começo do de Sarney e a luta interna no PDT, que não viajei.

Já tinha viajado muito, corrido o mundo como estudante e jornalista. Era hora de cumprir bem meu mandato aqui.

Entrei em todas as lutas que julguei justas. Para cinco apresentei projetos. Nenhum aprovado no meu tempo de mandato. Mas todos hoje regras ou leis nacionais.

* * *

Primeira. Os aeronautas brasileiros eram os únicos do mundo com 11 horas de trabalho: oito voando e três na ponta do telefone, à disposição da empresa. Fiz discursos na tribuna e escrevi artigos — "Os escravos do ar" — que os sindicatos e entidades de pilotos, comissários e aeroviários transformaram em manifestos de luta. Apresentei projeto na Câmara.

O governo acabou, por decreto, fixando o horário de trabalho dos aeronautas, pilotos e comissários, em oito horas: seis voando e duas à disposição das empresas. Por isso recebi títulos de "piloto honorário" das associações de pilotos e comissários das quatro grandes empresas: Varig, Cruzeiro, Vasp, Transbrasil.

* * *

Segunda. Fiz discursos e artigos — "O Pássaro Civil" — questionando a subordinação da Aviação Civil à Aviação Militar, o que só acontecia no Brasil e na China, e virou nome da revista dos aeronautas. Na Câmara, apresentei o projeto número 4.673, de 1984, tirando o DAC (Departamento de Aeronáutica Civil) do Ministério da Aeronáutica, militar, e ligando-o aos Transportes, civil. Foi uma guerra. O DAC era um feudo disfarçado. Os brigadeiros que por lá passavam aposentavam-se e iam ser diretores das empresas aéreas. Para lutar era preciso denunciar.

Denunciei. Ganhei um manifesto de todas as empresas aéreas, publicado na primeira página de todos os grandes jornais do país, acusando-me de estar "injuriando a Força Aérea". A Varig, poderosíssima, conseguiu travar o projeto na Câmara. Não adiantou. Hoje, o DAC pertence ao ministério dos Transportes.

* * *

Terceira. Mais uma batalha, difícil e ganha atrasado, mas ganha: a dos dois turnos. Para presidente da República já era. Só ganhava com mais de 50% dos votos. Mas para governador e prefeito, não. O mais votado era o eleito. Liberada a criação dos partidos, candidatos podiam eleger-se com menos de 20%.

Apresentei uma PEC (Proposta de Emenda Constitucional) propondo que a eleição do governador e do vice-governador e nas capitais e municípios de mais de 500 mil habitantes fosse em dois turnos, se no primeiro nenhum candidato tivesse 50% dos votos.

Fernando Henrique, líder do PMDB no Senado, chiou. Era candidato a prefeito de São Paulo em 1985, achava que chegaria na frente de qualquer um, mas tinha medo de que, em um segundo turno, uma aliança o derrotasse. Engavetou o projeto no Senado.

O tiro saiu pela culatra. Jânio Quadros teve mais votos do que ele no primeiro turno. E certamente Fernando Henrique venceria Jânio numa aliança de segundo turno.

Só a Constituinte, dois anos depois, aprovaria o segundo turno.

* * *

Quarta. O Serviço Militar Obrigatório sempre foi um tabu no Brasil. Rima com patriotismo. Fiz discursos, artigos, debati e tentei mostrar como era nos países não bélicos do mundo. A PEC era: — em tempo de paz, o serviço militar não seria obrigatório.

Mas é uma tradição constitucional, desde a Constituição de 1891: — "Todo brasileiro é obrigado ao serviço militar, em defesa da Pátria e da Constituição". E assim ficou nas de 1934, 37, 46.

Hoje, as Forças Armadas resolveram o problema, transformando o serviço militar em um tempo de estudo e preparação profissional para os jovens mais necessitados. Ninguém sai mais da Universidade para fazer serviço militar.

* * *

Quinta. Foi a mais dura, porque dentro de casa. Em 1969, no derrame de Costa e Silva, a Junta Militar dos "três patetas" de Ulysses Guimarães, manobrada pelo SNI e pela esperteza de Jarbas Passarinho, ministro do Trabalho, baixou um decreto exigindo diploma de uma escola de jornalismo para ser jornalista.

Aparentemente, uma medida para melhorar o nível dos jornalistas e da imprensa. Na verdade, era uma trama maligna com três objetivos. O

Serviço Nacional de Informações e o governo passariam a controlar melhor a entrada de jornalistas em jornais, revistas, rádios e TVs. As universidades particulares criariam escolas de jornalismo e lucrariam mais, agradecidas ao governo. E em terceiro lugar os pelegos dos sindicatos de jornalistas criavam na redação suas reservas de mercado e passariam a ser professores, sem formação pedagógica, sem experiência didática, nas novas escolas criadas.

Eu andava pelo país todo, fazendo palestras em sindicatos, e a principal reclamação passou a ser o comportamento dos patrões. Só havia escolas de comunicação, públicas ou privadas, em seis capitais: Recife, Salvador, Belo Horizonte, Rio, São Paulo, Porto Alegre. No resto, não era possível estudar para garantir diploma.

Os patrões passaram a pagar salário mínimo ou de auxiliar de escritório a mais de 80% dos jornalistas, alegando que não tinham diploma. De Recife até Manaus, a mesma coisa. Campos, aqui encostada no Rio, tinha duas TVs, revistas e jornais. Nenhum jornalista diplomado. Os salários foram lá para baixo. E novas escolas de jornalismo foram surgindo de uma hora para outra, mancomunadas com a pelegagem dos sindicatos, só para fornecerem diplomas, mas que só viriam daí a quatro anos.

Na tribuna da Câmara, nos jornais, em universidades, pelos Estados afora, discuti o assunto e apresentei um projeto derrubando o decreto da ditadura e propondo o que se fazia na Europa, Estados Unidos, quase no mundo todo: cursos de pós-graduação em jornalismo de dois anos para quem já tivesse cursos de Letras, História, Filosofia, Economia, Direito, carreiras afins.

A talentosa e competente Miriam Leitão, que ainda não fazia *lobby* para banqueiros, mas já treinava com os fabricantes de diplomas, escreveu no "Jornal do Brasil" um artigo babante: — "Um Projeto Besteirol".

Aonde eu ia discutir, a pelegagem sindical, já aboletada como "catedráticos" de mercadinhos fajutos de jornalismo, logo aparecia e mal me deixava discutir com os alunos. Chegavam a tirá-los da sala. A Federação Nacional dos Jornalistas convocou um congresso em Juiz de Fora para me massacrar. Marquei. Confirmei. Na véspera, reafirmei. Naquela época, não era fácil chegar a Juiz de Fora. Não havia linha aérea. Só de ônibus.

Despencou todo mundo para lá, sofrendo. Na hora, não apareci. Mandei um telegrama. Deputado do Rio em Brasília, propunha o debate em uma das duas cidades. Nunca fizeram.

Só encontrei defesa na "Folha de S. Paulo" e no lúcido jornalista, advogado e escritor Saulo Ramos, que escreveu artigos.

Quarenta anos depois, o Supremo Tribunal decretou que "besteirol" era o decreto da ditadura, de Passarinho, da Miriam e da pelegagem sindical cartorial. Um "Supremo Besteirol".

* * *

Em 1978, toca o telefone no hotel onde eu morava, no Rio:

— Sebastião Nery, preciso de um favor seu.

— Dr. Ulysses, o senhor não pede favor. O senhor manda.

— É que a Mora reuniu alguns discursos, pronunciamentos, textos, frases minhas e o Fernando Gasparian vai publicar um livro com o título de "Rompendo o Cerco". Queria pôr como prefácio aquela sua matéria da "Folha" sobre os cães da Bahia.

— Dr. Ulysses, é muita honra para um pobre marquês.

O livro saiu, com prefácio meu. Era o "Contraponto" publicado na "Folha" em 16 de maio de 1978:

"Itararé na Bahia — Ninguém me contou. Eu vi. Estava lá. Às 19 horas de sábado, no 'hall' do Hotel Praia-Mar, em Salvador, Ulysses Guimarães, Tancredo Neves, Roberto Saturnino e Freitas Nobre receberam a visita de toda a direção do MDB da Bahia com a notícia nervosa:

— A Polícia Militar cercou toda a Praça do Campo Grande e comunicou oficialmente ao partido, que não vai permitir a reunião para lançamento das candidaturas da Oposição ao Senado.

— Mas isto é ilegal. A portaria do Ministéio da Justiça proíbe concentrações em praça pública, não em recinto fechado. A sede do partido é inviolável.

Ulysses esfregou as mãos na testa larga, desceu pelos olhos fechados, levantou-se:

— Vou entrar de qualquer jeito. Vamos entrar. É uma arbitrariedade sem limites.

Em vários automóveis, saímos todos, políticos jornalistas. Foi marcado encontro em frente ao Teatro Castro Alves, do outro lado da sede do MDB.

A praça era um campo de batalha: 500 homens de fuzil com baioneta calada, 28 caminhões-transportes, dezenas de patrulhas, lança-chamas e grossas cordas amarradas nos coqueiros em torno de toda a praça. Ulysses olhou, meditou, comandou:

— Vamos rápido, sem conversa.

Avançou. Atrás dele, Tancredo, Saturnino e a mulher. Freitas Nobre, Rômulo Almeida. Newton Macedo Campos e Hermógenes Príncipe (candidatos do MDB ao Senado), deputados Ney Ferreira, Henrique Cardoso, Roque Aras, Clodoaldo Campos, Aristeu Nogueira, Tarcilo

Vieira de Melo, Domingos Leonelli, vereador Marcelo Cordeiro, Nestor Duarte Neto, jornalistas, eu. Uma cerca de fuzis e os soldados impávidos. Quando nos aproximamos, um oficial gritou:

— Parem, parem!

Ulysses levantou o braço e gritou mais alto:

— Respeitem o presidente da Oposição.

Meteu a mão no cano de um fuzil, jogou para o lado, atravessou. Tancredo meteu o braço em outro, passou. O grupo foi em frente. Três imensos cães negros saltam sobre Ulysses. Freitas Nobre dá um pontapé na boca de um, Rômulo Almeida defende-se de outro. Chegamos todos à porta, entramos aos tombos. Ulysses sobe à janela, liga os alto-falantes para a praça:

— Soldados da minha pátria, baioneta não é voto, boca de cachorro não é urna!

Era o comício que não tinha sido planejado: 14 discursos e uma passeata. Graças à batalha de Itararé da Bahia."

* * *

Sempre me comovi quando políticos bem mais velhos, gente que fez história, atravessou décadas, quase chegando ao centenário, me pediram prefácios para livros deles.

O prefácio das memórias de Vitorino Freire, "A Laje da Raposa", é meu: — "O Guerreiro de Arcoverde".

O das memórias de Manoel Novais, "Memórias do São Francisco", também é meu:

— "O Velho e o Rio".

E o Ulysses, meu herói, me fez abrir o livro dele.

Depois de meus primeiros discursos na Câmara, em 83, discutindo o poder militar e a Lei de Segurança, ele me disse:

— Na política, a coragem é fundamental. Mas não exagere.

Quando saí do PDT no começo de 85 e criamos o PS (Partido Socialista), alguns meses depois ele me falou:

— Cuidado com essa história de partido novo e pequeno. Eu sei bem o que é partido. Nossa legislação eleitoral é implacável. Você pode ter os votos, também outros em outros Estados, mas sem completarem a legenda. E todos os votos se perderão. O PMDB está aberto para você e seus companheiros socialistas.

Não deu outra. Foi-se aproximando 86, os companheiros passaram a ter medo. Eu também. Minha responsabilidade era grande. Fizemos reunião no Rio, discutimos a situação, todo mundo liberado. Doutor Ulysses me convidou para o PMDB e fez uma solenidade na presidência da Câmara, com discurso bonito.

No dia seguinte, me avisou. Eu era um dos vice-líderes. Com a franqueza com que sempre lhe falei, um dia lhe disse:

— Doutor Ulysses, o senhor sabe que viajo pelo país todo, escrevo para jornais de mais de dez Estados, tenho muito contato com jornalistas do país inteiro. Eles andam muito preocupados com a estratégia da esquerda, do PMDB e aliados, e do senhor.

Se saírem vários candidatos do mesmo campo, o senhor pelo PMDB, Covas pelo PSDB, Roberto Freire pelo PCB, não sei quem pelo PSB, a eleição acabará polarizada entre Lula e Brizola.

E é um perigo para o país. Lula é um risco, Brizola uma ameaça.

— Isso resolveremos no primeiro turno.

Eu tinha uma tarefa. Lutar para Brizola não ser presidente.

* * *

No meio da campanha eleitoral de 86, almoçávamos no restaurante "Florentino", de Brasília, o jornalista Anchieta Helcias, o diplomata Francisco de Melo Franco, filho de ex-senador Afonso Arinos e eu. Contei-lhes um telefonema que acabara de receber de um amigo, dirigente do PDT do Rio. Como eram duas as vagas para o Senado, uma já estava naturalmente assegurada para o senador Nelson Carneiro, do PMDB.

A outra, pela lógica, seria de um candidato de Brizola, que deixava o governo e lançara Darcy Ribeiro para governador.

Dois nomes do PDT, juntos na mesma chapa, titular e suplente, ganhariam a segunda vaga: Marcelo Alencar e José Frejat. Como Brizola não gostava de Frejat e Frejat menos ainda dele, preparou uma armadilha para Frejat: fez duas chapas para as duas vagas. Uma com Marcelo e outra com Frejat, para eleger só Marcelo.

E surpreendentemente pôs como suplente de Marcelo o comerciante de modas, Humberto Saad, da Dijon, lançador das duas belezas e simpatias, Luíza Brunet e Vanessa de Oliveira. Como acreditava que com Darcy derrotaria Moreira Franco para governador, depois da eleição tirava Marcelo do Senado, punha-o na Secretaria de Segurança, e Saad seria o senador. Tudo acertado, política e financeiramente. Sobretudo financeiramente.

Ficamos os três, na sobremesa, deplorando o destino do Rio, de acabar tendo Humberto Saad como senador. Eu continuava insistindo, na Câmara e nos jornais, que era preciso encontrar um nome à altura do Rio para ganhar junto com Nelson Carneiro. Frejat era um excelente nome, mas no PDT seria sabotado. Não sei se foi o Grand Marnier ou o cubano que o Anchieta sempre carrega em dobro para os amigos. Tive uma inspiração:

A NUVEM

— Francisco, por que seu pai, o senador Afonso Arinos, não volta ao Senado? Ele derrota a chapa mercenária de Brizola.

— Por que você não pergunta a ele?

Peguei o telefone particular do senador no Rio, fui ao balcão do restaurante e liguei. Ele me atendeu como sempre com sua finura e simpatia e a tranquila fidalguia dos que sabem tudo. Disse-me que estava em uma idade em que já não se pleiteia nada. Não tinha sentido disputar a legenda no seu partido. Mas se o PFL o convocasse, ele iria pensar, até porque gostaria de dar uma última contribuição ao país na Constituinte.

Fiquei ainda alguns minutos no telefone, dizendo-lhe que, como presidente da Comissão Afonso Arinos, nomeada por Tancredo para preparar um anteprojeto constitucional, era fundamental que ele estivesse na Constituinte com sua sabedoria e seu arsenal de mestre de Direito Constitucional. E lhe pedi permissão para divulgar a notícia. Ele disse que tudo bem, mas dependia de uma convocação e uma conversa com o PFL.

Como aprendi no seminário que as coisas só acontecem se você faz, nem que seja apenas um pedacinho, voltei para a mesa eufórico, dei a notícia, pedi ao Francisco que se empenhasse, carreguei o Anchieta para meu gabinete na Câmara e disparamos telefonemas para todo lado. Anchieta, assessor de Marco Maciel e amigo de todo o PFL, pôs para andar seu conhecido talento. Quem entendia de PFL era ele. E saiu conversando de um por um.

Localizou logo Marco Maciel, que foi perfeito. Entrou na jogada com sua competência de articulador. Achei Aureliano Chaves em Minas, ficou entusiasmado. Era preciso falar imediatamente com Sarney Presidente, com Moreira Franco candidato a governador e com o comando do PFL: Jorge Bornhausen, Guilherme Palmeira etc. No fim da tarde, estava certo que, no dia seguinte, Sarney, Moreira, Aureliano, Bornhausen, iriam procurar o senador e pedir que aceitasse.

Liguei para os principais jornais. Pouquíssimos editores ou repórteres de política acreditaram nas possibilidades da candidatura e sobretudo da vitória. Achavam Brizola poderoso.

Dois dias depois Afonso Arinos era candidato. Poucos meses depois Afonso Arinos era senador eleito. Sem sair de casa. Marcelo Alencar levou uma surra e ajudou a derrotar Brizola e, por consequência, o grande e ingênuo Darcy Ribeiro. O Rio ficou devendo essa ao mestre Afonso Arinos que conheci em Minas em 1952, no auge de seu talento e suas lutas udenistas, das quais discordava e combatia. Em 86 foi fundamental para impedir que Brizola concorresse com Luíza Brunet e Vanessa de Oliveira, desfilando na passarela de Marcelo Alencar e Humberto Saad.

Já podia encerrar meu mandato em paz.

34
GRÉCIA

NAQUELA TARDE, O AEROPORTO DE ATENAS ERA PEQUENO DEMAIS para uma multidão tão grande. A ditadura militar do coronel Georgios Papadopoulos, que dera o golpe em 1967, caíra de podre e violências, derrubada por ondas de protestos nas ruas no turbulento julho de 1974.

Os militares foram obrigados a chamar de volta do exílio, em Paris, devolvendo-lhe o governo, o ex-primeiro-ministro Konstantinos Karamanlis, da ND ("Nova Democracia"), partido de centro, que organizou um governo de transição, convocou eleições gerais, ganhou e governou até 1981.

Mas aquela festa não era dele, que já havia chegado antes. Era de Andreas Papandreou, fundador e líder do Partido Socialista grego, o Pasok ("Movimento Socialista Pan-Helênico"), também exilado em Paris, que voltava do exílio para disputar as eleições, que perdeu e só foi ganhar e assumir o governo em 1981.

Minha deusa grega já me havia levado para jantar com um grupo de dirigentes socialistas amigos e correligionários dela. Eu a conhecera mais de dez anos antes, em 1963, na primeira viagem a Atenas, eu eleito deputado estadual, ela ainda na universidade, jovem, linda, rosto longo e fino de deusa grega, olhos bem negros, misteriosos, estudando português, apaixonada pelo Brasil.

A caminho do aeroporto no carro de um dos secretários internacionais do partido, ele nos avisou:

— Vai haver muita gente, muita confusão na chegada. Guardem o número deste carro e o nome do motorista. Se nos perdermos, entrem nele, porque vamos direto para o comício na praça do Parlamento e ele levará vocês até lá.

Papandreou apareceu na escada do avião, a multidão em delírio. Atrás dele, uma bonita e sorridente mulher, loura de olhos claros, cujo nome o povo gritava, mas eu não entendia. Imaginei ser a mulher dele, que logo foi posto em cima de um carro tipo de bombeiros e fez-se o cortejo.

No empurra-empurra, eu e minha amiga entramos em nosso carro. E lá vem o secretário socialista trazendo, aos empurrões, a bela mulher do avião. Ele abre a porta de trás, põe aquela beleza junto de mim, senta-se na frente, ao lado do motorista, apresenta-me como um "deputado socialista brasileiro cassado", ela me beija o rosto, mas preocupada mesmo em ver sua multidão, seu povo.

Ainda bem que o velho traquejo profissional não me deixou cometer uma gafe irrecuperável. Quando entrou, beijei-lhe a mão, cumprimentei-a como se já a conhecesse, perguntei pelo voo. Ela abriu o vidro do carro, pôs a cabeça na janela e agradecia os gritos da população. À beira da avenida, nas calçadas, todos que a viam chamavam-na por um nome que me parecia conhecido, mas não dava para perceber. Na praça, o secretário tira-a do carro, vai abrindo caminho, ela sobe no palanque. E foi uma ovação.

Era a divina Melina Mercouri, atriz de "Stela" "Fedra" e "Nunca aos Domingos", dirigido por seu marido, Jules Dessin. Elegeu-se deputada e depois a visitei como ministra da Cultura.

* * *

A Grécia e minha nuvem tinham tudo a ver. Está na alma do Ocidente. É a avó da civilização ocidental, cuja mãe foi Roma. Não por acaso ficam perto. Coisa de mãe e filha. Desde 63, sempre que pude voltei lá, 74, 75, 77, 88, 90, 92, 97. Passava por Roma, dava um pulo, quer dizer, um voo, até lá, para ver minha deusa grega e ir descobrindo novos eternos mistérios gregos.

Em 88, já libertado dos quatro anos de prisão do mandato na Câmara sem uma viagem sequer à Europa, depois de um janeiro inteiro de férias em Paris e Roma, a namorada e eu espichamos para um inteiro fevereiro na Grécia. O aeroporto de Fumicino, em Roma, como sempre um nervoso porto para o Oriente.

Na frente, um árabe com seu turbante. Atrás, um africano com seu camisolão. No meio, eu e a namorada com nosso medo. Impossível não ter medo naquele final da década de 80. Os aeroportos internacionais da Europa tinham virado campos humanos minados.

Todo mundo desconfiando de todo mundo. Sobretudo se o voo era em direção ao Oriente. Cada um imaginando onde o outro estava escondendo a bomba, a granada, o revólver que daí a pouco poderia explodir, lá no céu, o avião e todos juntos.

Nós na fila do voo da Alitalia para Atenas e ao lado, para Damasco, na Síria, homens com turbantes, barbas cerradas e caras fechadas e mulheres de longos vestidos negros e negros véus na cabeça. A fila deles começou a andar, ficamos todos olhando, calados. O pensamento coletivo boiava indisfarçado no ar. Quantos iranianos haveria ali? E se um fosse terrorista? A centopeia do medo foi andando devagar, desapareceu.

Era nossa vez. O policial do controle pega o passaporte do árabe do turbante que está à nossa frente, olha, esmiúça, confere, constrangedoramente desconfiado. Vai ao computador, dedilha, espera, nada consta, deixa passar. Os nossos passaportes ele mal olhou. Só perguntou: — Brasile? Carimbou e passamos.

O africano do camisolão, atrás de nós, empacou. O mesmo ritual da desconfiança. Viram o passaporte de cabeça para baixo, conferem tudo, digitam no computador, nada consta. Mesmo assim não se conformam. Olham agressivamente para o rosto negro, árido, meio escalavrado, do africano tenso, mandam sair da fila, chamam um chefe, saiu com ele. E a fila se arrastando, medrosa.

Depois do passaporte, outro obstáculo: o controle de bagagens, bolsas, objetos pessoais, o próprio corpo. Vem a pequena passarela com detector de metais, que apita quando flagra. O árabe do turbante passa tranquilo. Não tinha um ninho de metralhadora escondido ali dentro. O africano do camisolão ficara lá com o chefe.

E vem um apito fino, estirado, "piiiii"! Todo mundo olha. É ela, a terrorista. E bem disfarçada. Alta, elegante, cara de italiana, chapéu vermelho italiano, óculos italianos, botas italianas. Logo aparecem três policiais femininas, olhos aflitos, levam-na ao lado como se já estivessem acusando: — Abra o jogo e a arma! Não era. Apenas o isqueiro. Entregou, voltou, passou. Sem apito. O medo do terrorismo tinha virado racismo e paranoia.

* * *

Afinal, estávamos na sala de embarque. Chamam. Vamos de ônibus para o avião, um "Air-bus" da Alitalia, lá longe no campo úmido, na manhã de 10 graus. O ônibus para, mas ninguém salta, ninguém entra. Vamos esperar. "Houve um pequeno problema", explicam os funcionários. Era ela. Só podia ser ela. A bomba. Estariam tentando desativar?

Embarcamos. Um leve, lindo, macio voo sobre o azulado Adriático. A aeromoça, com enormes óculos redondos, servia vinho para o almoço, quando o comandante pede atenção:

— "Desculpem, mas a partir deste instante é proibido fumar. Apaguem seus cigarros, até que o sinal de proibição também se apague. É uma pequena emergência. Espero que dentro de quinze minutos já voltemos à normalidade".

Não havia dúvida. Era ela, a bomba terrorista, afinal flagrada e acuada pelos comissários, como uma onça enlouquecida. Acender cigarro era acender a bomba e voar tudo pelos ares. Iam desativar. O murmúrio foi crescendo e absolutamente nada aconteceu.

A aeromoça de óculos redondos deixou comigo uma oportuna garrafa de vinho e logo comecei a ver, lá embaixo, as escarpadas colinas da Grécia, como o chão crespo do céu.

Dessa vez a deusa grega não estaria me esperando. Não avisei. Mas foi meu primeiro telefonema ao entrar no hotel. Já casada, desde já nos convidou para um jantar na casa deles, com os amigos socialistas que eu conhecia e outros.

* * *

Com fome desde Roma, entramos no primeiro restaurante, bem embaixo da eterna "Acrópole", na "Plaka", o velho bairro popular do centro de Atenas. Chamo o garçom:

— Quero o melhor vinho da Grécia.

— É o "Boutari".

— Quero também a melhor comida de vocês.

— Coma "Brizola".

— "Brizola"? Não é possível. Até aqui? O que é "Brizola"?

— Costeleta de boi. Temos poucos bois. Nossa fartura é o carneiro, a costeleta de carneiro. A costeleta de boi é especial.

De fato um prato excelente. Caro, mas ótimo. E o "Boutari" não deve nada aos vinhos do Mediterrâneo.

* * *

Ao lado do hotel estaciona um grande caminhão. Leio na carroceria:
— "Metáforas". Pergunto ao porteiro italiano:

— O que é isso?

— Caminhão de "metáforas".

Não era uma jamanta de poesia. Era apenas um caminhão de mudanças. "Metáfora" é mudança. Como se fosse o apartamento de Drummond levado para Itabira. São os mistérios das línguas, tão diversos e tão diversas, embora o grego seja a avó do português, filha do latim. O alfabeto é terrível.

Mesmo para quem como eu inutilmente estudou grego no seminário é impraticável no dia-a-dia. E o grego moderno, depois de tantas invasões, sobretudo a longa e até hoje não assimilada invasão dos turcos, mudou muito o velho grego clássico.

Para esperar o ônibus você não fica no vulgar "ponto", mas no "êxtase". Saindo do "êxtase", a viagem necessariamente será mais agradável. Quando você sai do ônibus, do restaurante, da igreja, não sai pela "saída". Sai pelo "êxodo". Como Moisés.

A França não é França, lugarzinho corriqueiro onde viveram Napoleão e De Gaulle. É "Gália", como dizia César, o imperador-jornalista, inventor do "*lead*", em um dos mais competentes textos da história da imprensa, antes de Cristo, que começava assim:

—"Galia in partes tres divisa est" ("A França é dividida em três partes"). E contava as violências romanas para subjugar heróis que estão aí até hoje, nos desenhos animados: "Versingetorix". E a própria Grécia não é Grécia. É "Hellas", "Helada". Homero puro.

* * *

São 10 milhões de habitantes, mais de 4 milhões em Atenas. E mais 2 milhões na segunda maior cidade, "Tessalônica", lá no norte. O resto se dissolve por três mil maravilhosas ilhas, com suas casinhas brancas lá em cima, penduradas nas colinas escarpadas, e o mar azul, infinitamente azul, em volta.

A população é mais escura do que se imagina. Aquele tipo clássico do grego dos livros, claro, olhos claros, nariz fino, alto, acabou tragado pela verdade da história. Ficou lá atrás nos séculos que se passaram, dissolvidos pelas permanentes invasões.

Hoje a Grécia é muito menos europeia do que balcânica. Uma mistura de árabe com africano. Os homens de rosto moreno-escuro, cabelos bem negros, geralmente também vestidos de negro, e as mulheres com seus xales negros. Uma sociedade visivelmente reprimida pela história. Há muitas exceções, brancos como Melina Mercouri e minha deusa, mas como exceção.

* * *

A vaca da Grécia é o gato. Sagrado como a vaca na Índia. Ninguém toca em gato, não maltrata, não espanta, não bate. E estão em toda parte.

Uma gataria fantástica. A toda hora, em todo lugar, eles chegam mansos, tranquilos, domésticos, íntimos, soberanos. Diante do gato grego o "pepit chian" francês é um bárbaro. Você está no restaurante, o gato chega, levanta as patas, põe a cara em cima da mesa e espera tranquilamente que você lhe dê alguma coisa, a comida a que ele sabe que tem direito, porque todos os gatos gregos têm.

E os cachorros, coitados, como sofrem! Primeiro de desprezo. Ninguém dá bola para cachorro. Cachorro é cachorro mesmo. Facilitou, leva pontapé. E que humilhações sofrem nas patas dos gatos! Pequenos ou grandes, os cachorros vivem de cabeça baixa, escorraçados pelos gatos, rabos entre as pernas. E se facilitam, os gatos se juntam e em bloco batem neles.

Na Grécia gato é cão e cão é gato. E Péricles é Péricles.

* * *

O rosto sereno, os olhos vazados, a barba encaracolada, no famoso busto que os ingleses roubaram e levaram para o Museu de Londres onde está lá até hoje, durante 30 anos ele fez questão de se submeter, todos os anos, ao voto do povo, a eleições livres. E foi sempre reeleito. A democracia, a mais perfeita instituição política que o homem conseguiu criar em toda a sua história, da qual Churchill disse que é a "pior forma de governo, com exceção de todas as outras", nasceu sobretudo em suas mãos, de seu exemplo, de sua vida, 500 anos antes de Cristo.

Quando Péricles, o ateniense, deu aos representantes da terceira classe o direito de serem "arcontes" (parlamentar, magistrado com poder de legislar e executor das leis); quando distribuiu dinheiro aos pobres para que também eles pudessem exercer funções públicas; quando deu aos indigentes o direito de irem ao teatro de graça, Péricles estava instalando a primeira constituinte democrática, fazendo a primeira Constituição democrática, criando a democracia, 2.500 anos atrás.

Tentei uma licença para visitar ou ao menos ver a cadeia onde estavam os 22 generais e coronéis gregos, condenados à prisão perpétua pelos crimes hediondos que cometeram entre 1967 e 1974 na ditadura militar. Não consegui. A Grécia quer esquecer e quer que o mundo esqueça a vergonha de sua ditadura militar na terra de Péricles, o pai da democracia. E ninguém falava mais neles, estavam enterrados lá nas suas prisões perpétuas, bem tratados, gordos, com todas as mordomias, livros, TV, esportes, visitas da família e das mulheres nos fins de semana.

Os gregos tinham razão. Para que ver generais assassinos? Melhor rever suas ilhas encantadas. E lá fui eu mais uma vez.

* * *

Ela vem voando leve, linda, longa, longe, toda branca, toda nua, como uma flecha de Deus, um Mirage do céu. Vai chegando perto, cada vez mais perto, bico estirado, as asas presas, os pés retos. Está a um metro de mim. Vejo-lhe perfeitamente os olhos úmidos, miúdos, infinitos. Jogo um pedaço de pão, ela pega, passa. E faz uma doce, graciosa, sensual curva sobre o mar. É uma gaivota, um "claro" do Peloponeso. Os "claros" gregos.

O mundo inteiro tem gaivotas, as bailarinas do mar. Gostam de seguir os navios, os barcos. São inesquecíveis as de Roterdã, Liverpool, Nápoles, Hamburgo, Odessa, Vladivostock. São as marinheiras dos céus. Vivem, sobretudo nos portos, nos golfos, atrás dos restos dos barcos.

Mas como as de Peloponeso, os "claros" gregos, nenhuma. Milhares e milhares, incansáveis, incontáveis esquadrilhas voando baixo, rente ao navio, ao barco, dando luminosos mergulhos nas águas balançadas ou sobre o convés para pegar no ar pão, queijo, doces, tudo o que os turistas lhes jogam.

E são generosamente democráticas. Não invadem as ilhas e os portos das outras. Seguem os navios até certo ponto, depois voltam. Daí a pouco, quando começa a aparecer outro porto, outra cidade, outra ilha, lá vêm novos "claros", outras gaivotas, não as que ficaram lá atrás, mas as dali da frente. Aquele território de céu é delas. Um pequeno latifúndio de azul.

Volta-se para a infância, os livros cheios de gravuras e fotos de homens de cara redonda, cabelos e barba enrolados. Naquelas colinas escarpadas, empedradas, caídas retas sobre o mar sempre azul, naqueles desfiladeiros apertando as águas, entre o continente e as ilhas, travaram-se algumas das mais longas, sangrentas e estúpidas batalhas da história das guerras, as "Guerras do Peloponeso", ali, naquele estreito de Peloponeso. Alcebíades, Arquidamos, Brasidas, Nícias, generais enlouquecidos das lutas fratricidas, Atenas contra Esparta, Esparta contra Atenas, Atenas contra Corinto, Mégara, Egina.

E Tucídides, o maior dos historiadores, cinco séculos antes de Cristo, sóbrio, seco, lacônico, a quem o passado pouco interessava, só o presente importava, contando tudo nos oito livros de sua "História", "histórias", também chamados "Syggraphe", "tratados". Um depoimento eterno.

Hoje já não há mais os generais de Tucídides no estreito de Peloponeso. Há os "claros", as gaivotas. As esquadras que disputavam o mar com suas brancas velas pandas hoje são esquadrilhas de gaivotas voadoras. É por

A NUVEM

isso que a Grécia é o mais belo e competente exemplo, em todo o mundo, da história-turismo, do passado-turismo, do céu, da terra, do mar, das cidades, igrejas, monumentos, museus, ilhas, dos gatos e das gaivotas, tudo junto, no mais mágico turismo do universo.

A Grécia é uma encruzilhada de continentes: Ásia, África e Europa. Está no Mediterrâneo e faz parte dos Bálcãs. Com 15.021 quilômetros de costas (10.413 nas ilhas) é cercada por três mares: a leste o Mar Egeu, a oeste o Mar Iônico, ao sul o Mediterrâneo.

Só no norte tem fronteiras continentais: 1.170 quilômetros (247 com a Albânia, 246 com a Macedônia, 474 com a Bulgária, 203 com a Turquia). São 131 mil 990 km^2, cerca de 3 mil ilhas mais ou menos importantes (19% do território, 25 mil km^2).

Mais de 80% do território é montanhoso. O mais alto dos montes gregos, o Olimpo, na Tessália, tem 2.907 metros. E 28 têm mais de 2 mil metros. A temperatura média é de 5 graus na Tessalônica em janeiro e 30 graus em Atenas em julho. Mas quando o verão explode vai a 40 graus, em Atenas.

* * *

A ilha grega é uma catedral: cercada de eternidades. Algumas fazem parte da mitologia universal, nascidas da lenda, que é a prima louca da História. É ela quem diz que Santorini foi a Atlântida de que falavam os papiros egípcios e sobre a qual escreveu Platão no "Timeon" e no "Criton":

— "Um grande e admirável Estado, soberano de outras ilhas, duas, uma maior e outra menor" (a maior era Creta, perto dali, a 100 quilômetros, e a menor, Santorini).

Em 1625 antes de Cristo, o coração da ilha explodiu, o mar invadiu, formou uma grande baía, uma caldeira, de 10 quilômetros de comprimento e 7 de largura e as águas profundas de 400 metros.

É uma das mais belas e extravagantes paisagens do universo. Lá embaixo o mar muito azul, cercado de escarpas pretas, marrons, rosas, brancas e verde-claro, que passam de 300 metros de altura e sobre elas as casas brancas, como de bonecas. Os gregos têm razão de dizer que é a mais bonita das ilhas gregas.

O centro é a velha cidadezinha de "Thera", anterior ao Império romano, hoje Fira. Toda a ilha não tem água nenhuma, nem rio nem lago. É só água de cisterna e de chuva. E o vulcão ainda é ativo. De quando em quando acorda de mau humor e cospe fogo. O solo vulcânico tem sua serventia: 36 variedades de uvas. A maior produção da ilha é vinho ("tinto, forte, levemente doce, que vem ganhando sucesso internacional").

Um dos vinhos é muito bom, ao menos no nome: "Nery". É dali o "Boutari", o mais conhecido dos vinhos gregos.

O "Mosteiro de Profitis Elis" (profeta Elias), no alto da montanha, é um orgulho nacional: fundado em 1711, durante séculos, quando os turcos invadiram e devastaram a Grécia, foi uma escola secreta, ensinando a língua e a cultura grega.

Uma ilhazinha tão pequena (embora tão fantástica) recebe quase dois milhões de turistas por ano. (A Grécia já chegou a 10 milhões, o tamanho de sua população.)

* * *

A grande sensação de Santorini, além de um pôr-do-sol vermelho-brasa sobre o mar azul-escuro, como se fosse a língua redonda do vulcão, é uma cidade descoberta há pouco, em 1965, pelo arqueólogo grego Maritanatos: "Ahrotiri".

É coisa de filme de ficção. Como se fosse uma Pompeia e Herculano (as cidades cobertas pelo Vesúvio, perto de Nápoles) da "Idade do Bronze": 1.500 anos antes de Cristo. A emoção do professor grego em descobri-la foi tão grande que, depois de trabalhar sete anos nas escavações, um dia pisou numa pedra, escorregou e bateu a cabeça no chão e morreu.

Está enterrado lá, entre túmulos de milhares e milhares de anos. Casas de pedra conservadas até hoje embaixo da terra, cuja escavação não chegou ainda nem à metade e já desenterrou restos de templos, prédios públicos, serviços de água corrente, escadarias, ruas, casas e milhares de objetos e pinturas: vasos belíssimos, pintados, para guardar alimento e água, alguns com quase dois metros de altura. Ânforas longilíneas, como lírios de barros, e afrescos coloridos de mulheres esgalgas e homens lutando boxe.

No verão, Santorini, que tem 7 mil habitantes e 70 quilômetros de costa, vira um turbilhão humano, superlotada de lojas, cafés, restaurantes e discotecas. E o vulcão, lá embaixo, queimando discretamente. A última erupção foi em 1956, causando terremoto de 7.8 na escala Richter, destruindo duas mil casas, matando 50 pessoas.

Mas é tanta beleza e mistério que vale o risco.

* * *

Mykonos fica mais acima. Foi ali que Jacqueline Kennedy começou a trocar de casa branca: a Casa Branca de Kennedy pela casa branca de Onassis. Não teria sido mesmo fácil resistir ao fascinante iate de Onassis, pousado nestas águas muito azuis, embaixo dos penhascos de terra muito escura, com as casas e igrejas inteiramente brancas lá em cima. E um armador petrolífero, pequeno, feio e bilionário, resolvido a arrematar a mulher do presidente dos Estados Unidos.

As ilhas gregas são promontórios de pedras cercadas de mar e história por todos os lados. Nós, baianos, nos orgulhamos das 365 igrejas de Salvador, uma para cada dia do ano. Mykonos, uma ilhazinha de 166 quilômetros de comprimento, 11 de largura (a metade de Itaparica), um punhado de habitantes (e centenas de milhares de turistas todo ano), tem mais de 500 igrejas, quase todas branquíssimas, com suas cúpulas e telhados circulares pintados de azul ou vermelho forte.

A mais famosa, uma das mais fotografadas do mundo (está em todos os cartões-postais da cidade) a "Paraportiani", é um imenso bolo de noiva, todo branco e redondo, cinco igrejas numa só, quatro embaixo e uma em cima. Haja devoção!

Duas outras marcas da ilha: os moinhos e os pombais, que os habitantes constroem em cima das casas e no alto das escarpas, para enfeitarem (e comerem). A "ilha branca" é um presépio. E tem uma coisa raríssima nestes mares empedrados: praias. A areia não é branca como os lençóis estirados das costas brasileiras, mas praias de areia cinza, ocre, meio grossa.

Jaqueline tinha razão: traição por traição, que fosse ali, com a cara e cheiro de paraíso.

* * *

Mykonos existe, sobretudo, por causa de uma ilhota vazia, "onde ninguém mora mais" (como na bela canção de Lula Freire, na voz de Elizeth Cardoso): Delos, a ilha-sagrada de Apolo.

Durante mil anos, Delos foi o centro político e religioso do Mar Egeu. E Mykonos, a meia hora de barco, seu porto e infraestrutura. Com 4 quilômetros quadrados, nenhuma casa, nenhum habitante, Delos não é uma cidade-fantasma porque aqui mora Apolo, o mais charmoso dos deuses da antiguidade, deus da luz, da verdade e da beleza.

Conta a mitologia (a história vestida de lenda) que Leto, namorada de Zeus, o senhor do universo, estava grávida de Apolo e Artemisa, mas Hera, a mulher de Zeus, mandou expulsá-la de todos os lugares. Zeus pediu a Poseidon para resolver o problema. Ele bateu seu tridente no mar e de lá surgiu a ilhota rochosa, Delos, onde nasceram Apolo e Artemisa, a deusa da caça e da virgindade.

Como a história, a mentira costuma ser mais poderosa do que a verdade. Mas a história está aqui, em pedra, mármore e mistério. Há restos de construção de 3 mil anos antes de Cristo. Na época "micênica" (1580 a 1200 antes de Cristo) houve uma importante urbanização na ilhota. No ano 700 (antes de Cristo) Delos já era o mais famoso culto a Apolo.

E virou um centro comercial. No século VI (antes de Cristo) o grego Persistratos, achando que haver mortes em Delos era um sacrilégio, mandou tirar de lá todos os túmulos. E logo depois proibiram nascer e morrer ali, expulsando para a Ásia toda a população (426 antes de Cristo).

Apesar disso, como era uma encruzilhada marítima entre três continentes, Delos tornou-se um centro mercantil, sobretudo de escravos: os romanos chegaram a vender 10 mil escravos por dia. Embaixo das barbas de Apolo. O castigo veio logo: Mitrídates, rei de Pontus, atacou a ilha (que era romana), matou todos os 20 mil habitantes. E arrasou templos e monumentos. Mesmo assim, pelo que sobrou, dá para ver a poderosa civilização que eles tinham construído em Delos e também em Mykonos (sobretudo depois das escavações que a Escola de Arqueologia da França começou, em 1872). Praticamente toda Delos é coberta de ruínas, algumas ainda belíssimas, como as pilastras, colunas e capitéis dos templos, os cinco leões de mármore com as patas estendidas, as casas de Dionísius e de Cleópatra (a outra), água corrente embaixo das casas, canalizada.

Tudo monumental, como se fossem numerosas catedrais jogadas ao chão. Ali mandaram fenícios, gregos, romanos, turcos, e cada um foi carregando seus pedaços de riqueza e de história.

Mykonos, ao lado, também sofreu da loucura humana. Quando Delos era "porto livre" dos romanos, de 166 antes de Cristo até a destruição de Mitrídates em 88 (antes de Cristo) também era rica. Passou séculos esquecida, até que em 1207 Veneza tomou e entregou aos irmãos Ghisi, cujo nome e brasão estão na entrada da catedral católica. Devem ser antecedentes do ex-deputado e ministro Adhemar Ghisi, de Santa Catarina.

Em 1537, os turcos de Barbaroxa (o império Otomano) tomaram a Grécia toda, Mykonos e Delos, até que, na guerra da independência de 1822, duas mulheres valentes comandaram as ilhas e expulsaram o exército turco: Mando Mavroiennis e Boubulina.

Havia um homem só para quatro mulheres. E o tarado do Onassis ainda foi buscar uma em Washington.

* * *

Discriminação, não existe apenas a racial. Ou a sexual e religiosa. Há também a linguística. Um dia um grego de Atenas, irado, disse que todo cretense era cretino. E nunca mais os valorosos filhos de Creta se libertaram do clichê injusto.

Também nunca soube porque quem nasce na Capadócia é "capadócio". Na Bahia "capadócio" é xingamento: malandro, safado, tipo à toa.

Além de ser a maior das ilhas gregas, Creta tem um crédito impagável com a humanidade: é o berço da civilização europeia. — "A primeira cultura urbana da Europa, no terceiro milênio antes de Cristo, foi a dos minoicos, os cretenses pré-históricos, deixando rico legado nas artes e na arquitetura, influenciando profundamente todo o continente com sua arte alegre e naturalista, retratada nos afrescos, vasos de pedra, lacres e sinetes, com que se pode reconstruir o quadro de uma sociedade produtiva e muito bem organizada" (Kerin Hope).

Sempre lutaram contra invasores, árabes, venezianos, otomanos, e os nazistas na segunda guerra mundial. O Palácio de Knossos (que o arqueólogo inglês Arthur Evans escavou durante mais de 20 anos, no começo de século) era o palácio do rei Minos, aquele do Minotauro, um monstro em forma de homem e touro, dentro de um labirinto subterrâneo, inventado para assustar possíveis invasores. Não adiantou.

Mas a lenda tem a ver. Depois de percorrer templos, salas, escadarias, casas, tudo que restou do velho palácio, você se pergunta como foi possível construir aquilo, com tanta firmeza e técnica, 1900 antes de Cristo, depois reconstruir (1700 a.C.) por causa de um terremoto, e novamente (1450 a.C.) por causa de outro terremoto e finalmente destruído pelo fogo (1300 a.C.).

Os venezianos, para se defenderem dos invasores turcos, construíram seis belas fortalezas, no século XVI. Quando os otomanos invadiram Creta em 1648, Heraclion, a capital da ilha, resistiu durante 21 anos, um dos mais longos cercos da história.

E ali está enterrado Kazantzakis, o grande escritor grego moderno (autor de "Zorba, o Grego" e "Z", que viraram filmes eternos), lutador contra os nazistas e a ditadura dos coronéis, e que deixou, no túmulo, a autobiografia numa frase:

— "Nada temo, nada espero, enfim estou libertado".

* * *

Cretino é o Colosso de Rhodes. Tantas vezes escrevemos seu nome, na escola primária, entre as sete maravilhas do mundo. Chegamos lá e ele não está. Dizem-nos por que:

— "No final do século IV (antes de Cristo), os habitantes de Rhodes contrataram o escultor Chares, de Lindos, segunda cidade da ilha, para criar o famoso Colosso, uma enorme estátua de bronze do deus Sol "Hélios". Em 227 antes de Cristo, quando um terremoto destruiu a cidade, o oráculo de Delfos aconselhou os habitantes de Rhodes a deixarem o 'Colosso' exatamente no lugar onde havia caído. Por isso, permaneceu ali por oito séculos, até 654 depois de Cristo, quando foi vendido como ferro velho e enviado para a Síria numa caravana de 900 camelos. Até hoje nada se sabe sobre seu destino". (Catherine Vanderpool)

Em 1312 depois de Cristo, os "Cavaleiros de São João", uma Ordem criada em Jerusalém, fugiram da Palestina e foram para Rhodes. Como herdaram o dinheiro dos "Templários" (outra Ordem proibida e fechada pelo Papa), construíram uma enorme fortaleza, de grandes muralhas, uma cidade dentro da cidade. Mesmo assim, em 1522, os turcos otomanos, com 300 navios e 100 mil homens, liderados por Suleyman, o Magnífico, iniciaram o último cerco, tomando a cidade depois de seis meses.

O Império Otomano, do qual a Grécia se libertou na guerra da independência em 1821, permaneceu em Rhodes até 1912, quando os italianos ocuparam até 1947. Depois da última guerra, Rhodes e as doze ilhas do Dodecaneso voltaram a ser da Grécia.

Antes de Rhodes ser capital da ilha, era Lindos, cidadezinha medieval, embaixo de uma acrópolis do tempo dos helênicos, depois um castelo medieval todo preservado (onde filmaram "Os Canhões de Navarone"). O nome Lindos é perfeito.

* * *

Cada ilha é uma história e uma geografia. Ali perto, Patmos. Pequena, três aldeias, 2.500 pessoas. Mas com dois mosteiros famosos: o "Mosteiro do Apocalipse" e o "Mosteiro de São João, o Teólogo".

Os dois em cima do morro. No primeiro, São João escreveu o Apocalipse. O segundo é "um dos mais lindos exemplos de fortificação medieval monástica. Foi um centro intelectual, com rica biblioteca: uma coleção maravilhosa de iluminuras, cerca de mil códices (manuscritos em pergaminho semelhante ao livro moderno) e mais de três mil volumes impressos. Foi catalogada pela primeira vez em 1200. Das 277 obras de então, ainda há 111".

* * *

Há três tipos de exilados. O que se exila para não morrer (Brizola), o que se exila para lutar melhor lá fora (De Gaulle) e o que se exila para viver melhor (Fernando Henrique).

Em Éfeso tudo fala da exilada Maria, mãe de Jesus. Que também se exilou para não morrer. Quando o filho foi morto em Jerusalém, começou a caça aos cristãos. São João pegou Maria e fugiram para lá. Está nos Evangelhos. Já na cruz, Cristo disse lá de cima: — "Mãe, este é teu filho". "João, esta é tua mãe".

Mas podia ser mania de grandeza de João, no seu Evangelho. A ata do Terceiro Concílio Ecumênico, em Constantinopla (Istambul), no princípio do Cristianismo, começa assim:

— "Cum in Ephesiorum civitatem pervenissent, in qua Joannes Theologus et virgo Sancta Maria"… ("Como tivessem chegado à cidade dos Efésios, na qual João, o Teólogo, e a virgem Santa Maria"...).

E São Paulo, o incomparável jornalista do Cristianismo, escrevia em carta aos Efésios:

— "Rendei homenagem a Santa Maria, que não está em Roma, mas em Éfeso".

Os próprios "Atos dos Apóstolos", uma surpreendente reportagem sobre o que fizeram depois da debandada de Jerusalém, contam que "São João foi exilado para a ilha de Patmos, onde escreveu o Apocalipse", a pequena ilha dos dois mosteiros, em que São João também viveu, mas não para sempre, pois morreu com quase cem anos e seu túmulo está em Éfeso até hoje, na igreja de São João, na colina de Ayasuluk, construída por Justiniano, imperador romano, e cristão.

São Paulo também viveu em Éfeso, de cinco a seis anos. Mas exagerou. Ia para o grande Teatro e desancava os deuses gregos e romanos, dizendo que não podiam ser adorados.

Demétrio, um joalheiro que fabricava miniaturas de prata do templo da deusa Artemisa, reuniu os outros todos, fez uma assembleia de camelôs, foram para o Teatro, prenderam São Paulo e o levaram para uma fortaleza, no alto da cidade, que está lá até hoje e se chama "Prisão de São Paulo".

Por isso, a Igreja tem três capitais sagradas: Jerusalém, Roma e Éfeso.

São Paulo era turco. Nasceu não muito longe de Éfeso, em Tarso. São Pedro também era turco. Nasceu em Antakya. Nos tempos de Cristo, tudo aquilo ali, que já tinha sido grego, era romano. A história do Cristianismo não pode ser compreendida sem a Turquia. A primeira legalização do Cristianismo aconteceu quando o imperador romano Constantino viu um sinal no céu. Uma cruz com a frase:

— "In hoc signo vinces" ("Por esse sinal vencerás").

Converteu-se ao Cristianismo, oficializou a Igreja Católica e o Império Bizantino virou sinônimo de Cristianismo, no ano 330 depois de Cristo.

* * *

Como se sabe, a capital do Império Bizantino era Bizâncio, depois Constantinopla, hoje Istambul. A Bíblia conta que, quando acabou o dilúvio, a arca de Noé ancorou em cima do monte Ararat, que é hoje uma estação de esqui da Turquia.

Na cidade subterrânea de Kaymakli os primeiros cristãos se escondiam dos romanos, antes de Constantino: milhares de pessoas viviam meses inteiros, a 40 metros de profundidade. A Turquia mereceu o prêmio de ter dado o primeiro Papa, São Pedro.

De cara para a Grécia, de frente para o Mar Egeu, Éfeso é um fantástico espetáculo de ruínas sobre ruínas. Uma condenação eterna às guerras. Segundo a lenda, fundada pelas "guerreiras Amazonas". Desde o século VI antes de Cristo era grega, quando Androcles, filho do rei Crosos de Atenas a ocupou.

Os persas tomaram, Alexandre Magno foi lá no ano 283 antes de Cristo e retomou, deixando como grande prefeito Lisímaco. Depois chegaram os egípcios e sírios. E enfim os romanos com Augusto, no ano 63 antes de Cristo, quando se tornou a capital da Ásia Menor, "o centro comercial mais importante de Roma na Ásia", segundo o historiador Aristides, com 250 mil habitantes. Até os turcos chegarem em 1453, com o Império Otomano.

O maior símbolo do poderio de Éfeso era o Templo de Artemisa, uma das sete maravilhas do mundo antigo. Conta o historiador romano Plínio que "foi sete vezes saqueado", mas até o ano 111 depois de Cristo foi bem conservado. Mas bárbaro é bárbaro. Os godos, no ano 263 depois de Cristo, saquearam, derrubaram e arrasaram definitivamente.

Com suas ruínas de avenidas de chão de mármore e soberbas colunas de lado a lado ainda hoje, magníficos palácios aos pedaços, templos, imenso teatro de arena, biblioteca e bordel, colunas de oito metros de altura, rua de mármore de quatro quilômetros, edifício com 9 metros de fachada, Éfeso é um hino à grandeza e às loucuras da humanidade.

* * *

E Maria com isso? A casa onde teria vivido Maria, nos arredores de Éfeso, não tem documentação histórica suficiente. Foi descoberta em escavações feitas em 1892 pelos padres Poulyn e Young, baseados numa "revelação" da beata alemã Catherine Emmerich, que viveu de 1774 a 1824.

Os padres foram atrás da pista e realmente encontraram ruínas de paredes, depois reconstruídas. É uma pequena casa no alto de uma colina, o monte Coressos, dentro de uma pequena floresta, com uma

A NUVEM

surpreendente nascente de água ao lado, que não seca nunca, naquelas terras áridas e ásperas.

Discreta, aconchegante, toda de pedra, para "aparelho" subversivo e clandestinidade de exilada era perfeita. São João se escondia perto, em Selçuk, onde escreveu seu Evangelho.

Papas estiveram lá. Um grupo de frades capuchinhos toma conta, recebe os visitantes, que são numerosos e permanentes. Conversei com dois deles, mas não senti firmeza. A história é lógica, mas não tem comprovação.

* * *

A Turquia não é um país. É uma salada de frutas. A Macedônia também já foi. Tantos povos moravam e mandavam lá, que na Itália a salada de frutas se chama "macedônia". A Turquia é muito mais. É o único país do mundo que já teve 12 capitais.

Primeiro Troia, capital dos Hatitas (3.500 anos antes de Cristo); depois Hattusa, capital dos Hititas (do século XVIII ao século XVII antes de Cristo); Xantos, capital da Lícia (de 600 a 200 antes de Cristo); Sardes, capital da Lídia; Pérgamo, capital do reino de Pérgamo (de 283 a 133 antes de Cristo); Amaseia, capital do reino do Pontus; Bizâncio, fundada pelo grego Bizas que virou Constantinopla em 330 depois de Cristo quando Constantino criou o Império Romano Cristão do Oriente; Bursa, primeira capital do Império Otomano antes de os otomanos tomarem Constantinopla; Edirne, segunda capital do Império Otomano, também antes da tomada de Constantinopla; Istambul, depois de tomarem Constantinopla; Niceia, quando a IV Cruzada Cristã tomou Istambul de 1204 a 1261 (depois de Cristo) e Ancara, hoje.

Os povos que vivem e construíram a Turquia têm nomes estranhos e belos, viveram desde o começo dos tempos naquele pequeno e fantástico país de 780 mil km^2 e 65 milhões de habitantes, sem contar 4 milhões na Alemanha e milhões pelo mundo afora, nos Estados Unidos, Brasil, Europa inteira.

Só os principais: Hattis, Hatitas, Hititas, Hurarteos, Huritas, Frígios, Cários, Lelegios, Lídios, Lícios, Aqueus, Iônios, Eólios, Dórios, Helenos, Micênios, Persas, Gregos, Romanos, Seljúcidas, Otomanos, Turcos.

Os turcos são herança de todos eles, de civilizações superpostas, desde o início dos tempos. Ali, há marcas de presença humana 100 mil anos antes de Cristo. Essa é sua grandeza, mas também sua tragédia.

Os turcos dizem, e com razão, que a Turquia é "o maior museu a céu aberto do mundo", por causa de sua fantástica história. Cada cidade tem um pedaço de eternidade. Em cada canto um resto de civilização que se perdeu nas dobras da história e no sopro dos ventos, cobrindo de terra e tempo cidades e civilizações.

Toda a história antiga girou em torno de brutais batalhas pela conquista de ligações de terras e mares, de estreitos: Gibraltar, Peloponeso, Dardanelos, Bósforo. Hoje, entre a Europa e a Ásia há um novo estreito, feito de terra e chão, a Turquia.

A Turquia, como a Grécia, Roma, Jerusalém, Paris, China, tantos outros, é patrimônio histórico e cultural da humanidade. Talvez em nenhum outro espaço tão pequeno, nem mesmo na sagrada Grécia e na Roma divina, haja, tão numerosa e tão diversa, a presença da humanidade através da história.

Ali, a Grécia esteve durante séculos, o Império Romano deixou sua marca e suas garras, a Mesopotâmia virou Europa. Ali, o Cristianismo viveu seus três primeiros séculos de perseguições e exílio. E viveu seus três primeiros séculos de poder oficial. Ali, a Alemanha perdeu uma guerra e Hitler outra. Ali, a humanidade acendeu fogueiras eternas de cultura e sabedoria.

Ali, nasceram Homero, o poeta; São Paulo, o jornalista; Teles de Mileto, Pitágoras, Anaxímenes, Anaximandro, sábios. Ali, ensinaram Platão e Apelikon. Ali, Hipódromos criou o urbanismo. Ali, se fez a primeira Escola de Escultura. Ali, Cleópatra e Marco Antonio se amaram.

Quando Noé ancorou sua arca foi ali, no monte Ararat (5.165 metros). O Tigre e o Eufrates, dois dos três mais importantes rios da antiguidade, são dali. O templo de Artemisa e o Mausoléu de Halicarnasso, duas das sete maravilhas do mundo, estão (estavam) ali. Para se asilarem, Nossa Senhora e São João fugiram para lá e lá morreram. São Pedro falou ali, pela primeira vez, a palavra cristão. A gruta do patriarca Abraão, padroeiro dos judeus, era em Urfa, ali. E o manto, as espadas, uma carta, o estandarte, pelos da barba, o dente e as pegadas de Maomé também estão ali.

A primeira moeda foi cunhada ali. Em Pérgamo, ali, se descobriu o pergaminho e houve uma biblioteca de 200 mil volumes, antes de Cristo, a mais importante do Império Romano. A primeira cereja que chegou à Europa saiu dali.

Ali, a história troca de roupa: os gregos construíam templos, os romanos trocavam o deus grego por um romano, os cristãos transformavam o templo em igreja, os otomanos faziam delas mesquitas, os ingleses, franceses, italianos, austríacos, alemães, arrancavam deuses, altares, minaretes, colunas e monumentos inteiros e levavam para seus museus maravilhosos.

A NUVEM

Mesmo assim a Turquia continua ali, imenso museu do homem.

* * *

A Bíblia fala na Cesareia de Felipe. Hoje é Kayseri, centro da Capadócia, com mais de um milhão de habitantes, a mais de 100 quilômetros de Ancara, a nova capital da Turquia.

Perto de Cesareia há um dos mais fantásticos fenômenos da geologia universal (e também da arquitetura e da história): as cidades subterrâneas, as "chaminés de fadas", resultado de erupções de vulcões na antiga Argea:

— "Milhares de anos trás, as erupções constituíram um tufo muito mole, formado pela aglomeração de cinza e lama, que a chuva e o vento escavaram e esculpiram. O solo rachou ou se desfez, dando à paisagem um aspecto lunar miraculoso, feito de formas e cores estupendas. Escavando o tenro tufo, construíram-se vilas subterrâneas, igrejas rupestres com as paredes cobertas de afrescos, criaram-se grutas artificiais abrindo buracos nas agulhas rochosas. Há gigantescos "castelos" com a agulha para habitações trogloditas, num labirinto de corredores no tufo". (Revas)

Há, no mínino, umas três dezenas de vales onde se escondem numerosas igrejas, mosteiros e cidades subterrâneas. As principais são Kaimakli, com 8 andares; Derinkuiu, com 13 andares e mais de 1.200 quartos onde podia refugiar-se uma população de 10 mil pessoas, Urgup, Zavusin, Gorene, Zelvé.

Os primeiros que se asilaram e refugiaram nas cidades subterrâneas da Capadócia, fugindo dos romanos e instalando verdadeiros "aparelhos" clandestinos, foram os cristãos, nos três primeiros séculos depois de Cristo, até Constantinopla oficializar o Cristianismo (no ano 330). Eram as "catacumbas" dali.

Quando os cristãos foram para o poder com o Império Bizantino, os perseguidos, sobretudo pelas "Cruzadas", passaram a ser os "infiéis", os não-cristãos. Depois, vieram as "invasões árabes" do século VII e as "invasões bárbaras" do século XI (depois de Cristo). De uns e de outros o povo turco precisava se esconder. E mergulhava nos distantes "Tufos" da Capadócia, longe do Mar Negro, do Mar Egeu e do Mediterrâneo.

Não era fácil. Em 545 antes de Cristo, os persas atacaram a cidade de Xantos, no sul da Turquia, então Grécia, perto de Rhodes. Os moradores, liderados pelo comandante Harpagos, sabendo que não iam conseguir resistir, trancaram-se na acrópole (templo e palácio) e incendiaram a cidade. Segundo o historiador Heródoto, só 80 se salvaram do suicídio coletivo. Voltaram e reconstruíram Xantos.

Hoje, os perseguidos e fugitivos não mais se enfiam nas dantescas catacumbas subterrâneas da Capadócia. Pegam barcos e se lançam ao mar. O leste da Turquia, sudoeste da Anatólia, vive em estado de sítio para enfrentar a guerrilha curda que já dura décadas. Morreram mais de 25 mil, o Governo confirmou que mais de 18 mil foram presos tentando fugir e um milhão de pessoas estavam desabrigadas, fora de suas casas e terras.

E os países "civilizados" vendendo armas para os dois lados.

Mas esta ainda não é a pior tragédia turca. A interna é mais grave. Quando proclamou a República em 1923, depois da "guerra da independência", o general Mustafá Kemal Ataturk, pai da nova Turquia, anunciou "a primeira nação laica e democrática do mundo islâmico". Adotou o alfabeto ocidental, acabou com o Islamismo como religião oficial e entrou para a "união aduaneira" da Europa e para o "Bloco Ocidental".

O general, herói da primeira guerra mundial na batalha de Dardanelos, líder absoluto de seu povo, imaginou que, assim, "ocidentalizava", "europeizava" a Turquia, transladava a Turquia da Ásia para o Ocidente, da Mesopotâmia para a Europa. E jogou a Turquia nos braços gulosos dos Estados Unidos, que logo instalaram lá grandes bases militares.

Mas os líderes turcos e os Estados Unidos esqueceram que o povo turco é asiático, no máximo balcânico, e continuou turco, asiático e islâmico. Houve eleições, o partido islâmico ganhou. Como o regime é parlamentarista, tinha que assumir o Governo.

O Exército não deixou. O primeiro-ministro era do partido que perdeu. E o partido islâmico e seu líder foram submetidos à Corte Constitucional, que cumpre ordem dos militares. Os Estados Unidos, estultos, achavam que iam fazer com o Islamismo o que fizeram com o comunismo: acabar com ele.

Logo na terra de São Paulo, o soberbo patrono do jornalismo.

E exatamente o que aconteceu na Argélia, onde os islâmicos ganharam as eleições, não levaram e ensanguentaram o país, degolando vilas e bairros, para cumprirem "a vingança de Alá".

* * *

Voltamos a Atenas, onde a deusa grega e seu marido nos esperavam para um generoso jantar, em sua casa, com o brilhante secretário internacional do PASOK (Partido Socialista Grego), Vaisilis Konstantineas (ainda hoje tenho seu cartão, telefones e endereços) e jornalistas dos dois partidos, sobretudo socialistas.

Acabei dando uma entrevista a TVs, rádios, revistas e jornais sobre o Brasil e a Constituinte que tinha acabado de aprovar a nova Constituição.

A NUVEM

Era difícil explicar-lhes como sair de uma ditadura de 20 anos sem punir os militares golpistas e fazer uma Constituição metade presidencialista metade parlamentarista.

Dois dias depois, era 17 de janeiro de 88, lá estava eu nas bancas, no meio daquelas manchetes incompreensíveis em letras do alfabeto grego, minha foto e uma página inteira de entrevista no jornal "Eleftherotypia", assinada pela jornalista Stela Hoyda:

— "A Grécia continua uma janela aberta ao mundo. Sócrates e Péricles não passaram — disse-nos o jornalista Sebastião Nery, intelectual, escritor, homem político, que já esteve aqui outras vezes e prepara um livro, 'Grécia, a Mãe da Democracia'".

"Repleto de amor pela Grécia, cuja história antiga e moderna conhece, e destaca como personagem importante Markos Vafiadis (o comandante "Narkos" da resistência aos alemães e depois aos ingleses, na década de 40), aberto e sorridente, Sebastião Nery, um homem bem vestido de cerca de 60 anos de idade, membro do Partido Socialista, duas vezes já eleito deputado, cujos direitos políticos o governo militar cassou e o levou à prisão, voltará para assistir às próximas eleições."

Voltei em 90, em 93, em 97, escrevi dezenas de colunas e reportagens sobre o país, cheguei a reunir tudo para fazer uma síntese histórica e política, mas nunca terminei o livro sobre a Grécia. Traí Sócrates, Péricles, a Stela Hoyda e minha deusa grega.

* * *

Em outra manhã, estava concluída outra jornada grega. Hotel pago, táxi para o aeroporto acertado e o voo para Roma confirmado para o fim da tarde. Era sair por ali perto do hotel, tomar um vinho com azeitonas e deixar para jantar em Roma, até porque o dinheiro grego tinha acabado. Para trocar dólar era preciso ir a um banco, enfrentar as mesmas filas de sempre.

De repente, vimos aberta a Metrópolis, a solene catedral da Igreja Ortodoxa, bem no coração de Atenas. Começamos a ver, um a um, os belos afrescos iluminados nas paredes escuras da igreja também escura, teto baixo. Uma cristandade soturna. Não por acaso seus pastores, padres e bispos, usam aquelas batinas negras, chapéus negros, barbas negras ou já embranquecidas.

Aparece um jovem de batina, também negra, e começa a fechar as poucas janelas e portas e apagar as raras luzes. Eram doze horas, a igreja fechava para o almoço dos sacerdotes. Era um diácono italiano, falando italiano, estudando para ser padre.

Disse-lhe que também havia estudado em seminário, no Brasil, e estava com pena de não termos tempo para conversar um pouco. Ele olhou para minha namorada, sorriu e disse com pesar:

— Infelizmente, daquela porta para dentro mulheres não entram. Se não, os convidaria para almoçarem conosco.

— Não há problema, disse ela.

— Espero-o no hotel, aqui perto. Ele continua muito ligado a coisas da Igreja, Católica, Ortodoxa ou Evangélicas. Gostará muito de conhecer o mosteiro.

E me disse baixinho ao ouvido, bem brasileiramente:

— Descola esse rango, que em Roma eu desconto.

Saiu e eu entrei com o irmão Rafaelo. Numa mesa longa, uns 30 padres rezavam uma ligeira oração, antes de se sentarem. Quando começaram a conversar, o seminarista italiano levantou-se, pediu licença ao mais velho, barbas branquíssimas, sentado à cabeceira da mesa, e falou uns cinco minutos em grego. Eu não entendia bulhufas. Todos se voltaram para mim. Falava de mim.

O velho, sorrindo, saiu lá da cabeceira, veio até a ponta da mesa onde eu estava, me abraçou, falou, e o italiano traduziu:

— Recebemos o irmão brasileiro com todo o afeto e muito nos alegra porque ele vai almoçar conosco. Somos todos irmãos.

E começou o almoço. Vinho, azeitonas evidentemente, carne de carneiro acompanhada por batatas e um pirão de não sei o que. À medida que o almoço foi chegando ao fim, comecei a me apavorar. Precisava falar alguma coisa. De meu grego do seminário não me lembrava nem como era "muito obrigado".

Mas minha nuvem não falha. Baixou um espírito baiano sobre mim e eu me lembrei de que sabia a Ave Maria em grego. A única coisa que sabia. Antes de se levantarem, pedi ao seminarista italiano que lhes agradecesse a gentileza do almoço e a maneira que eu tinha de expressar minha gratidão era rezar a Ave Maria.

E rezei pausadamente, palavra por palavra, sem errar nada. Foi um sucesso. Todos fizeram questão de abraçar "o irmão brasileiro". E ainda exageraram que minha pronúncia era boa.

Aquilo, sim, é que se chamar de um banquete divino. No bar do hotel, a namorada bebia um vinho grego. Com azeitonas.

* * *

No Brasil, uma convocação irresistível. Meus amigos Eliana e Brasil Helou, presidente da Fearab (Federação das Entidades Árabes) do Brasil me

A NUVEM

convidaram para o "Congresso do Mundo Árabe" em Trípoli, na Líbia, patrocinado pela Fearab internacional.

Brasileiros de vários Estados. De São Paulo, os deputados Aldo Rebelo, Samir Achoa e filha, Ricardo Izar e Maluly Neto. Do Rio Grande do Sul, o deputado Amaury Muller e a islamita Samira. Do Amazonas, a deputada Bete Azize. De Alagoas, o deputado Alberico Cordeiro. De Brasília, os jornalistas Jorge Jardim e Celina, Silvestre Gorgulho e Regina, e eu.

A Líbia é um misterioso pedaço do outro mundo. Numerosas tribos andarilhas de beduínos negros caminhando no deserto escaldado em seus camelos tortos e vivendo em acampamentos. Tinham apenas o deserto amarelo e abrasado, os camelos de lombo duplo e o horizonte sem fim onde pode haver água e pode não haver.

Nos romances e filmes sobre os tempos de Cristo, como "Ben-Hur", "Barrabás", havia sempre soldados líbios prisioneiros, grandes e luzidios negros fortes, gladiadores que lutavam até o último instante, valentes e enormes, até acabarem sangrados, nas farras oficiais dos Césares.

Os gregos foram lá e ocuparam. Depois, os fenícios, os egípcios, os romanos. E os turcos e os otomanos. Há ruínas e restos surpreendentes de civilizações, como a cidade romana de Lepsis, com muita coisa ainda preservada, uma das três cidades romanas das quais nasceu Trípoli ("três cidades").

E foram os alemães e os italianos. Mussolini em 1936 pôs 400 mil soldados italianos para dominarem os 800 mil habitantes. Não conseguiram. Depois da Segunda Guerra, ingleses e americanos puseram em 1951 um rei de mentira, Idris I, para explorarem o país. Em 1961 a Esso descobriu o petróleo. Um povo miserável sentado em cima de uma riqueza infinita.

Não podia dar certo. Os jovens tenentes da Academia Militar de Bengazi criaram um grupo conspirador ("Oficiais Unionistas Livres") para tomarem conta de sua terra e de seu povo, depois de três mil anos de escravidão e ocupação.

Eram quase meninos liderados por um jovem tenente de 27 anos que estudou dois anos em Londres. O programa nacionalista da luta era expulsar os colonizadores que mandavam no rei e tinham forças militares muito poderosas com aviões ultramodernos e a maior base norte--americana fora dos Estados Unidos.

Em 1º de setembro de 1969 os tenentes de Alá desencadeiam a "Operação Jerusalém", derrubam o rei, expulsam os americanos, ingleses, italianos, fecham a base americana, nacionalizam os bancos e empresas estrangeiras sob a liderança de um "Conselho do Comando Revolucionário" dirigido por Kadafi e mais onze, todos mais jovens do que ele.

533

Era a "Revolução do Al Fatah", sob a inspiração do herói nacional Omar Al-Moukhtar, que em 1936 foi fuzilado por resistir à invasão de Mussolini, lutando "pela Líbia, pelo Arabismo e pelo Islã", o mesmo lema dos tenentes de Muammar Kadaf. Ninguém foi fuzilado nem enforcado em 1969: todos expulsos do país.

* * *

Nos primeiros dias a imprensa internacional dizia que era "um grupo de tenentes e soldados liderados por um neófito desconhecido, sem base de sustentação". Enganou-se. O país era rico com uma das mais fantásticas reservas de petróleo, que saía todo pelos navios da Esso e não deixava nada.

Os tenentes de Alá logo no começo deram dois golpes magistrais: tomaram todo o petróleo na marra e anunciaram que dentro de uma semana o dinheiro não valia nada. Tinha que ser trocado no Banco Central. Quando o dinheiro estava todo lá, Kadaf anunciou: — O "dinar" pertence só aos líbios. Saíram todos os estrangeiros com uma mão na frente e a outra atrás.

Fomos visitar a casa de Kadaf, no centro de Trípoli. Disseram que era uma casa comum, em um bairro popular. Não era. Na verdade, uma fortaleza, dentro de um bairro popular. Um enorme quarteirão, todo cercado de muros altos, sistema de defesa completo, TV e foguetes para defesa. Lá dentro, numerosas casas onde vive a guarda com suas famílias, roupas penduradas nas varandas. E a casa de Kadaf, no centro, como um "*bunker*". Três andares ligados por escadarias com tapetes e elevador, vários quartos, a suíte dele, imensa, escritórios. Vivia lá com a mulher e oito filhos, inclusive Ana, de dois anos, filha de criação.

Uma noite, de surpresa, dezenas de aviões bombardeiros americanos mergulharam sobre a casa de Kadaf e bombardearam. Se estivesse em casa teria morrido. Os tiros atingiram, sobretudo, os quartos, as salas, arrasando tudo. Um avião americano foi derrubado no quintal, outros perto do mar. Dizem que Kadaf não estava. Outros, que estava no subsolo, com a família. Só a menina Ana morreu, no quarto. A mãe, na cozinha, salvou-se. Depois disso, ele vive o tempo todo em um "*bunker*" no deserto.

* * *

No começo do século, Eça de Queiroz foi aos Estados Unidos, ficou impressionado com o desenvolvimento, mas também com o provincianismo norte-americano. Voltou e escreveu: — "Muda-se um país, não se muda um povo".

A NUVEM

O restaurante era lindo, em um parque, perto do mar, à luz de velas. O carneiro assado desfilou cheiroso sobre as mesas. Jarras enormes, cheias, vermelhas. Não era vinho. Era groselha. Os homens chegavam de mãos dadas, segurando nos dedinhos. Na saída trocavam beijos no rosto. Mulher nenhuma, só as que foram para o congresso do mundo árabe. A mulher líbia sai raramente. Enrolada em véus negros, sobre vestidos também negros até os pés, mal deixando ver os belos, fortes, negros olhos.

Os homens podem ter até quatro mulheres, desde que sejam justos, isto é: não protejam uma só. Na Líbia é assim. O Corão, o Islamismo, Kadaf, são assim. A modernização da Líbia é de cimento armado. No centro da praça, o bar. Seis da tarde. Mais de cem pessoas. Mulher nenhuma. Só homens.

Jogam damas, xadrez, dominó. E tomam groselha. E pepsi-cola, que tem fábrica lá, mas com nome árabe na garrafa. Vestem-se mal. Ou as batas grandes, encardidas, ou roupas comuns, calça e camisa, de muito mau gosto. Nos pés, chinelões e dedos sujos pela poeira permanente. Raramente sapatos. É roupa demais, pano demais para tanto calor, tão pouca água. A Líbia cheira a Marrocos.

TV uma só. Rádio uma só. Jornal só um, grande, com 16 fotos de Kadaf. Sempre ele, ele, ele, que não é presidente da República, não é primeiro-ministro, não tem um só cargo oficial. É "o líder", que exerce o poder em nome do "Congresso Geral do Povo", do qual não faz parte.

Em novembro de 71, Kadaf foi à mesquita de Trípoli, assumiu a direção dos ritos religiosos, a liderança religiosa, retomando antigo costume dos califas. A Constituição diz: — "O Corão é a lei da sociedade". Logo, Kadaf é a lei e a sociedade.

— Então ele é tudo, disse eu a um líbio.

— Não, tudo é o povo.

Você desce no aeroporto de Trípoli, grande, quente, suado, feio. E um retrato enorme de Kadaf: quepe de militar, farda de militar, dois óculos *rayban* escuros, como os de Waldik Soriano. Sai do aeroporto, à beira da larga avenida de duas pistas outro retrato enorme de Kadaf: bata branca comprida e uma fita larga amarrada na cabeça, como Cazuza. Nos edifícios, esquinas, lojas, sempre Kadaf. Não é Trípoli, é "Kadapoli". Não é Líbia, é Kadabia. Não é um país, é um homem, um califa, tenente de Alá.

* * *

Em Roma, nos tempos de Cristo, bebia-se vinho da Líbia, dos melhores do império. Hoje álcool é palavrão. Se pegam uma garrafa na sua mala, é caso de polícia ou direto para o aeroporto. Depois de uma semana na base da groselha, os convidados do congresso começamos a ficar neuróticos por um gole de álcool.

E sempre as mulheres nos salvando. Conheci uma branca e bonita jovem americana, filha de um turista americano hospedado no mesmo hotel. Tinha uma garrafa de uísque Johnnie Walker, rótulo preto, escondida no fundo da mala. E me deu de presente. Como levar para o apartamento do Alberico Cordeiro, deputado federal que assumiu o risco? Uma companheira nossa de delegação pegou a garrafa no apartamento da americana, amarrou com um cinto debaixo da saia e saiu andando pelo elevador e corredores, de pernas abertas até o apartamento do Cordeiro.

Éramos seis sedentos para aquela preciosidade. Pedimos no restaurante uma jarra de groselha com muito gelo. Derramamos a groselha na pia, tomamos uísque com gelo. Mais uma jarra, mais gelo, groselha na pia e ainda sobrava uísque. No terceiro pedido de groselha com gelo, o garçom desconfiou:

— Os senhores gostam muito de groselha!

* * *

Mais ainda de uísque. Doze dias depois, comendo carneiro todo dia, já estávamos loucos de saudade da civilização ocidental cristã. Voamos direto para o aeroporto Charles De Gaulle, onde um avião da Air France nos esperava para conexão com o Brasil, as passagens marcadas, lugares reservados, tudo certinho. Os deputados foram direto para Roma. Os jornalistas de Brasília descemos em Paris numa sexta-feira, fomos para o balcão da Air France e levamos um susto: a companhia tinha passado nosso grupo para trás. Dera todos os nossos lugares (éramos dez) para um grupo de suíços que já estava embarcando.

Reclamamos, aflitos, e fomos informados por uma senhora muito nervosa de que tinha havido um engano e devíamos remarcar nossas passagens e voltar segunda-feira ou quando quiséssemos. Era um desaforo e uma violência. Teríamos que pagar táxi para a cidade, três diárias. Não havia mais dinheiro. Como o mais velho, *kadafei*. Subi no balcão da Air France, com passaporte na mão esquerda e o bilhete na mão direita, e comecei um discurso violento, com todos os pulmões, chamando a polícia urgente. Juntou gente, a Air France não sabia o que fazer, eu elevava o tom e a polícia apareceu. Não sabia que o seminário de Amargosa me havia ensinado um francês tão providencial.

A polícia chamou a Air France, fomos todos para uma sala e lá a diretora do aeroporto da empresa nos pediu desculpas, deu dinheiro para os táxis e três dias de carta branca (hospedagem, alimentação, vinho) no hotel Meridien, esquina da avenida "Grande Armée", bem próximo do Arco do Triunfo.

Antes do jantar, evidentemente um champanha no bar. Na mesa próxima, sozinho, um senhor elegante, negro, terno, gravata e colete, bebia uma cerveja. Quando ríamos, e ele ria junto. Suspendi a taça de champanha e fiz uma saudação para ele. Respondeu com um "muito obrigado".

— Fala português? Então, for favor, não fique aí sozinho. Venha tomar um champanha conosco.

Ele vem à nossa mesa, aceita o champanhe e me pergunta:

— Como o senhor sabe o meu nome? O senhor me disse:

— Não fique aí sozinho.

— E daí?

Ele puxou o cartão do bolso e me entregou:

— "Dr. Brito Sozinho, Embaixador Plenipotenciário da República Popular de Angola, na Nigéria".

O jantar, com os vinhos da conexão desconectada, terminou de madrugada. Gentilmente, a Air France nos deu uma sexta-feira, um sábado e um domingo maravilhosos em Paris. E a volta, segunda-feira à noite, na primeira classe, onde havia vaga.

35
Collor

Em 17 de dezembro de 1987, a convite do Governo da China, o governador de Alagoas, Fernando Collor, embarcou para Pequim com uma delegação: Francisco Mello, presidente da Assembleia; Renam Calheiros, deputado federal; Cleto Falcão, deputado estadual; Cláudio Humberto, secretário de Comunicação; Francisco Hélio Jatobá, Secretário de Indústria e Comércio e o empresário de Brasília Pedro Paulo Leoni.

Uma noite, foram jantar no centro de Pequim, no restaurante "Pato Laqueado", onde se preparam divinos patos na hora, liturgicamente cozidos em lenha de árvores frutíferas. Nos discursos, o deputado Cleto Falcão levantou um brinde à saúde ("campei") do povo chinês, do povo brasileiro e do futuro presidente do Brasil. O intérprete traduzia, os chineses riam com seus olhinhos puxados. Cleto terminou assim:

— Os senhores estão diante do futuro Presidente do Brasil. Hoje está aqui o governador de Alagoas, mas vamos voltar com ele já presidente da República.

Cleto perguntou depois ao intérprete por que eles riam quando ele falou futuro presidente. O chinês explicou:

— Há pouco tempo passou aqui o vice-governador de São Paulo, Almino Afonso. E nossa embaixada em Brasília mandou um relatório dizendo que o futuro presidente será Leonel Brizola ou outro entre oito candidatos. E não aparece o nome dele.

Quando voltam da China e o grupo jantava em Tóquio, Collor recebeu um telex do Brasil com a declaração de um astrólogo de que o próximo presidente teria as iniciais "FA". Leu, pôs em cima da mesa:

— FA? Não sou eu.

Thaís, mulher de Cláudio Humberto, apanhou, leu:

— Como não? FA, Fernando Afonso.

Bateram um brinde com copinhos de saquê.

Já era janeiro de 1988, desceram no aeroporto do Galeão, depois de um mês pela China, Japão e Ásia. Os jornais contavam que Sarney lutava cada dia mais pelos cinco anos de mandato e, por isso, perseguia e retaliava abertamente o Estado de Alagoas, governado pelo mais radical adversário da prorrogação.

Collor surpreendeu-se com a quantidade de jornalistas esperando-o. Fez uma frase de ferro e fogo:

— Sarney bateu a carteira da história. Sou candidato a presidente.

* * *

Naquela noite, no segundo semestre de 1984, cinco deputados federais participavam do "Programa Ferreira Neto", em São Paulo: Fernando Collor, do PDS de Alagoas; Airton Soares, do PT de São Paulo; Mendes Botelho, do PTB de São Paulo; Domingos Leonelli, do PMDB da Bahia, e eu, já do PMDB do Rio.

A disputa presidencial, entre Tancredo e Maluf, estava queimando. De repente, Domingos Leonelli e Mendes Botelho começam a divergir, falar mais alto, gritar, levantaram-se, atracaram-se aos murros e pontapés. Ao lado de Leonelli, Airton tenta segurá-los. Ao lado de Botelho, tento agarrá-lo. Impossível. Os dois estavam encarnados de Mike Tysson. Ferreira Neto, maliciosamente, deixou o câmera filmando tudo, ao vivo. O programa acabou reproduzido em televisões do mundo inteiro.

Durante toda a briga, que durou minutos, Fernando Collor ficou na sua cadeira, perplexo, os olhos esbugalhados, mas impassível. Na saída, me disse:

— Não sei por que brigar por essa eleição, que vai ser decidida no tapetão do Colégio Eleitoral. O Brasil só terá realmente um presidente e uma democracia quando o povo escolher no voto.

Falava como se falasse dele. Um mês depois, já às vésperas do Colégio Eleitoral, encontro-o de novo no "Programa Ferreira Neto". Só ele, Dilson Funaro e eu. O Ferreira estava atrasado, ficamos longo tempo conversando no estúdio. Funaro, com aquele rosto litúrgico, absorto, falando do câncer que o devorava devagar, como se estivesse devorando outro.

Discutimos duas horas seguidas os problemas do país, inflação, dívida externa, crise econômica, arrocho salarial e, sobretudo, o desastre final que era o Governo Figueiredo. Funaro e eu éramos Tancredo,

Collor era Maluf, mas quase não falamos de sucessão presidencial. Na saída, provoquei:

— Esquecemos Tancredo e Maluf.

Funaro surpreendeu-se:

— Foi mesmo. Nem percebi.

Collor não deu importância:

— Esta escolha não vai resolver nada. O Brasil só vai sair disso aí quando eleger um presidente pelo voto.

Falava como se falasse dele.

* * *

Na primeira semana de março de 1987, o procurador-geral da República, José Paulo Sepúlveda Pertence, recebeu um pedido de audiência do governador eleito de Alagoas, Fernando Collor de Mello. Na manhã seguinte, a imprensa estava toda lá. Chega Fernando Collor com o assessor de imprensa Cláudio Humberto, o jornalista Dario Macedo de Brasília, e uma pasta entupida de papéis, documentos, provas e denúncias. Não queria esperar a posse, no dia 15, para agir já como governador. Preferia cumprir um dever e usar um direito de cidadão.

Pediu ao Procurador-Geral da República que encaminhasse um processo de suspensão de pagamento dos salários, repiques, cascatas e aposentadorias escandalosas, ilegais, irregulares, dos "marajás" do Governo, da Assembleia e do Judiciário de Alagoas. Era uma declaração de guerra.

A expressão "marajás" tinha sido criada pelo jornalista Bernardino Souto-Mayor, correspondente da "Folha de S. Paulo" em Maceió. Collor havia ganho a eleição combatendo três grandes e poderosas frentes de inimigos públicos: o "Sindicato do Crime", que matava impunemente; a "Cooperativa dos Usineiros", que devia ao Banco do Estado e não pagava; e os "marajás" encastelados no Executivo, Assembleia e Tribunais.

Os três grupos sempre haviam comandado Alagoas política, administrativa e economicamente. Sem derrotá-los era impossível cumprir "o Caminho da Mudança", *slogan* da vitória. Todo seu projeto de governo, discutido e anunciado em comícios, debates e programas de TV e rádio, partia do princípio de que aquela era a condição indispensável para começar a tirar Alagoas do atraso, modernizá-la.

Por isso o povo o elegeu com a maior vitória já conseguida no Estado: 400 mil votos, Guilherme Palmeira 320 mil e Ronaldo Lessa 35 mil. As medidas feriam interesses muito bem plantados. O Consultor-Geral do Estado, Mário Jorge Uchoa, resistia. O Procurador Geral da Justiça,

A NUVEM

Durval, não concordava. Os dois eram também "marajás". Só o Procurador-Geral do Estado, Daniel Quintela Brandão, o apoiou.

Collor assumiu no dia 15 de março. No dia 30, teria que pagar uma folha três vezes maior do que a receita. O vice de Suruagy, José Tavares, governador-tampão, tinha deixado um rombo fantástico. Não teve dúvidas. Foi para a TV e contou tudo ao povo, fato por fato, nome por nome: quem estava exigindo o que, para apoiar ou fazer oposição. Caçou os "marajás" na toca.

* * *

A eleição de Collor em 86 para governador tinha sido o rompimento de um antigo pacto de poder. Os usineiros deviam bilhões ao Banco do Estado (Produban) e estavam havia anos inadimplentes, protegidos pelos governos.

Na posse, Collor propôs: os usineiros pagariam a dívida em terras, que o Estado distribuiria para a Reforma Agrária. O ministro Marcos Freire, da Reforma Agrária, ficou empolgado. O ministério pagaria ao banco com Títulos da Dívida Agrária e assentaria, logo de início, 3 mil famílias em terras produtivas.

Ninguém topou. Os usineiros, porque preferiam continuar devendo, como sempre. O Governo Federal, porque já tinha começado a retaliação ao governador que comandava a luta contra os 5 anos do mandato de Sarney. E a Justiça, como sempre, deu uma liminar (que devia chamar-se eliminar) a favor dos usineiros.

Os usineiros de Alagoas entraram com uma ação no Supremo Tribunal contra a cobrança do ICMS sobre a cana produzida em terras de usinas. O Supremo Tribunal, como havia feito pouco antes para os usineiros de São Paulo, concedeu o que os usineiros pediam e ainda mandou o governador devolver "imediatamente" todo o ICMS cobrado nos últimos cinco anos pelos governos anteriores.

Era a falência do Estado. Collor disse que não ia pagar, como se negara a pagar aos "marajás" que vinham confirmando seus privilégios no Judiciário estadual, cujos integrantes eram os principais beneficiários das mesmas leis inconstitucionais que lhes multiplicavam os vencimentos.

Foi a guerra. O Supremo, acionado pelo solícito e generoso Procurador-Geral da República, ameaçou o governo de Alagoas de intervenção no Estado pela Justiça e de "*impeachment*" pela Assembleia. Collor foi obrigado a fazer um acordo com os usineiros: os 60 milhões de dólares seriam pagos em 10 anos.

Os usineiros ficaram furiosos porque queriam receber na hora, mas não tinham outra forma de receber. E os adversários de Collor o acusavam de haver "cedido à Justiça". Durante toda a campanha de 1989, Collor foi acusado de haver prometido e não haver derrotado nem os "marajás" do Judiciário nem os usineiros. Na verdade, os "marajás" da Justiça de Alagoas e os usineiros não ganharam de Collor. Quem os derrotou foi o Supremo Tribunal, sempre ao lado dos poderosos.

Vinte e dois anos depois, a exemplar Eliane Cantanhêde perguntava na "Folha de S. Paulo" (21 de junho de 2009):

— "Você conhece algum tubarão condenado pela Justiça brasileira"?

Nem ela, nem vocês, nem a torcida do Flamengo.

* * *

Em maio de 1987, na ponte aérea Rio-Brasília, encontro um jovem companheiro, Daniel Tourinho, neto do coronel Ramiro Tourinho, da fazenda Santa Rosa, entre Jaguaquara e Jequié, lá na Bahia, compadre de Juracy Magalhães, chefe político na caatinga e vizinho de meu avô.

Quando eu fazia meu "Jornal da Semana" e era deputado da Bahia, no começo dos anos 60, Tourinho, interno no Colégio dos Salesianos, entre 15 e 16 anos, já aparecia na redação e no meu comitê de campanha. O sangue político do velho Ramiro corria dentro dele.

Em 1965, Tourinho, órfão, com bolsa de estudos paga por Juracy, veio para o Rio estudar e entregar o "Correio da Manhã" aos assinantes, de 2 às 6 da madrugada. Em 82, advogado, fez a campanha de Brizola, de Saturnino e a minha. Em 85, fundou o PJ (Partido da Juventude), uma ala jovem do PDT, cuja campanha fez em 86, na derrota de Darcy Ribeiro. Foi o bastante para conhecer Brizola.

No avião, decepcionado com ele, já membro da "LBA", a "Legião dos Brizolistas Arrependidos", Tourinho me contou que estava com vontade de procurar o novo governador de Alagoas que, com dois meses de governo, já mostrava surpreendente perfil político. Eu lhe disse que bastava ligar, pois o conhecia bem como colega da Câmara.

De Brasília, Tourinho ligou, conversou com Collor, foi para o comício da nova campanha das "Diretas" que se realizaria em Maceió, no fim de semana. Na entrada do "Palácio dos Martírios", Tourinho encontrou Brizola, que também tinha ido para o comício e, com um mapa de pesquisas na mão, cantava de galo: estava em primeiro lugar para presidente da República, disparado. Lá embaixo, Lula. Collor nem existia. Ulysses, Covas, Maluf, Aureliano, engatinhavam. Brizola vê Tourinho:

— Olá, Tourinho, o que estás fazendo aqui?

— Também vim para o comício.

Chega Collor, Brizola apresenta Tourinho:

— Collor, tu conheces o Tourinho, presidente do Partido da Juventude? Nosso Tourinho fez o partido dele. E está certo. Eu também penso assim. É melhor ser cabeça de minhoca do que rabo de elefante.

Segunda-feira Tourinho volta ao palácio, conversa com Collor e oferece a legenda do Partido da Juventude, se ele saísse do PMDB. Cinco meses depois, em outubro de 1987, Tourinho está em Macapá, no Amapá, uma reunião para fundar o PJ, e o dirigente de uma entidade popular fez um discurso forte:

— Para dar um jeito no Brasil, só um homem como esse governador de Alagoas.

No hotel, Tourinho ligou para Collor em Maceió:

— O homem falou e todo mundo aplaudiu.

— Não brinca. É verdade?

* * *

Em novembro de 87, o PJ ia ser extinto por não haver completado o número legal de diretórios registrados nos Estados. Faltava um. Tourinho telefona para Collor e conta.

— Pegue um avião e venha hoje.

Chamou o deputado Euclides Mello, seu primo, e em 3 dias o PJ estava fundado em 30 municípios de Alagoas e garantidos o registro e o direito ao programa eleitoral.

O primeiro programa eleitoral do PJ iria ao ar em 13 de maio de 1988. Collor continuava no PMDB, Tourinho convidou Brizola para participar. E apresentou os três pontos que seriam discutidos no ar: o fim do regime militar, combate à corrupção e condenação da discriminação racial na África do Sul. Brizola leu, passou a mão na testa.

— Olha, Tourinho, vamos conversar um pouco. Temos que ver melhor esses assuntos. Esse negócio de militar é fio desencapado. Quando a gente encosta, dá choque. Corrupção também é muito complicado. O povo faz confusão. Daqui a pouco ninguém sabe quem corrompeu, quem não corrompeu, e depois fica todo mundo ladrão. E esse Atlântico Sul é uma área delicada. Nós, que não somos negros, devemos deixar que os crioulos se entendam lá. É melhor falar sobre o nosso povão. Esse não dá confusão.

Tourinho decidiu convidar Collor, que topou os três pontos. Na noite de 13 de maio, o programa entrou no ar durante cinco minutos, Tourinho apresentando. Quando Collor apareceu, desapareceu. Foi vetado. O

Tribunal pôs no ar o aviso de que candidato à presidência da República ainda não lançado não podia participar de programas do TSE. E ficava 10 minutos o aviso parado. Daí a pouco surgia Tourinho de novo, apresentava um companheiro das direções estaduais. E anunciava Collor. Collor aparecia e desaparecia. Assim até o fim, uma hora. Grande repercussão.

* * *

Uma noite, na Associação Brasileira de Imprensa, no Rio, o PSDB fazia sua convenção de fundação. Tourinho foi lá representando o PJ. Sentou-se ao lado de Ronaldo César Coelho e Arthur da Távola:

— Por que vocês não convidam o Fernando Collor para o PSDB? Foi ele quem primeiro lançou a candidatura Covas.

Arthur da Távola ficou calado. Ronaldo César Coelho encerrou a conversa.

— Nem pensar. Ele é presidencialista. Nós somos parlamentaristas.

— Você está enganado. Ele é parlamentarista.

— Mas não tem futuro.

No segundo semestre de 1988, de Maceió, Collor ligou para Tourinho:

— Como está o PJ?

— Todo legalizado.

— Vou ser candidato a presidente. Estou indo para o Rio. Chego ao Santos Dumont às 16. Vamos conversar.

Quando Collor estava descendo no Santos Dumont com Cláudio Humberto, também descia Brizola com Fontourinha, taquígrafo e secretário. Os dois se encontram no hangar da Líder. Brizola estava com um jornal na mão:

— Seu Collor, veja isso aqui. O Lula atacando o velho Getúlio. Seu avô foi ministro do Trabalho dele. Não podemos permitir que o Lula chame o velho Getúlio de ditador fascista. Olhe, ele disse que eu seria capaz de pisar no pescoço de minha mãe. Fiquei ofendido, mas perdoei. Isso eu deixo de lado. Mas ele falar do velho eu não perdoo. Olhe, Collor, esse Lula, precisamos tomar cuidado com ele. Não é confiável. Tem pele de jacaré. Sinto que há miomas. Apalpo, vejo que tem dentes de jacaré. Ele fica assim, de repente vira de lado. Só pode ser jacaré.

Collor deu uma gargalhada. Ainda não sabia que no final o jacaré do Brizola ia ser o jacaré dele.

Começaram as especulações:

— "Collor queria ser o vice de Covas". O jornalista Ferreira Neto ligou:

— Tem esquema, né, Fernando? Está tudo acertado, você vai ser o vice do Covas.

Color desmentiu:

— Ainda não dá para a gente afirmar nada. Estou programado para governar Alagoas. É o meu jeito. O meu modo de fazer política não é estereotipado, o que se possa chamar de padrão. É um estilo que talvez não agrade a alguns políticos. Acho que o Covas é um homem íntegro, com posições corretas, bem definidas, um cara consistente, bem preparado, culto, um perfil que a gente enxerga. E tem uma trajetória de correção, de resistência dentro do PMDB.

Collor achava que era uma questão de tempo, que Covas se convenceria de que tinha que romper com Sarney, com Ulysses, com o PMDB, para ser candidato sob uma bandeira de verdadeiras mudanças.

* * *

Collor passou a reunir-se com um grupo de deputados da esquerda do PMDB, o MUP (Movimento de Unidade Parlamentar), liderado por Domingos Leonelli e Virgildásio Senna, da Bahia; Ademir Andrade, do Pará; Renan Calheiros, de Alagoas; Egydio Ferreira Lima e Cristina Tavares, de Pernambuco. Imaginava que ali estivesse o núcleo de uma dissidência capaz de mudar o rosto do PMDB ou criar outro.

Aos poucos foi se impacientando. A coisa não andava. Mário Covas, Fernando Henrique, José Richa, só queriam uma decisão depois de terminada a Constituinte. Era longe e tarde demais. Collor resolveu caminhar com os próprios pés.

Em julho, o PMDB realizou convenção nacional. Na véspera, Ulysses Guimarães ofereceu jantar aos 23 governadores do partido. Como bom discípulo de Benedito Valadares, queria antes decidir para depois se reunir. Collor se levantou e fez um discurso de vira-mesa:

— Não posso ser favorável aos 5 anos para Sarney e muito menos que a convenção adie o problema. Faço um apelo ao doutor Ulysses para deixar a convenção decidir. Mas não se omita, pois isso rachará a confiança da opinião pública em relação ao partido de uma maneira irreversível. O Dr. Ulysses sabe que os governadores aqui presentes defendem os cinco anos de mandato constrangidamente, porque esta é uma posição que não é a das bases. O PMDB está perdendo uma grande oportunidade de se reencontrar com as ruas. Durante 40 dias, criou-se uma expectativa, uma esperança. Só se falou nisso. Quando chega o momento de se decidir, não se decide nada. É uma frustração. O PMDB está em divórcio litigioso com o povo. 80% da população quer que o PMDB dê uma definição sobre o tempo do mandato e o tipo de governo. Ao decidir nada decidir, o PMDB libera cada um para fazer o que quiser.

Terminado o jantar, começam a formar-se os grupinhos. E Collor isolado. Estava demais ali. Despediu-se:

— Dr. Ulysses, quero mais uma vez lhe pedir que não deixe essa questão passar em branco na convenção.

Ulysses voltou-se para os outros governadores:

— Olhe, minha gente, a fera já vai embora.

Naquela madrugada, no avião, Collor relembrou tudo isso e definia Covas:

— Não há líder sem garra. E Covas não teve garra.

* * *

Segunda-feira, 20 de junho de 88, eu deixava, de manhã, o ecológico "Hotel Jatiúca", em Maceió, quando entra o governador Fernando Collor:

— Como é que você vem a Alagoas e não me procura?

— Estou de passagem, vim de um seminário em Natal. Em fim de semana não se procura ninguém, só o mar.

— Nada disso. Pode voltar a mala. Agora tenho um compromisso, depois mando buscar você.

Conversamos longamente no palácio. À noite, voltei para o hotel e escrevi no telex: "Collor, o Quixote". Era a primeira vez que um jornalista falava sobre a candidatura do governador de Alagoas à presidência da República.

Em 1974, eu tinha voltado da Europa e fui a Maceió lançar meu livro "Socialismo com Liberdade", sobre o começo da crise dos partidos comunistas e a experiência dos governados socialistas e social-democratas da Europa.

Era difícil conseguir locais e, sobretudo, cobertura da imprensa. Desde 1964, era a primeira vez que saía um livro com "Socialismo" na capa. "Ainda mais com liberdade", como dizia, indignado, o general Jaime de Freitas, superintendente da PF no Rio. Havia um medo morno no ar.

Em Alagoas, Arena e MDB compareceram. Arnon de Mello e Teotônio senadores, Divaldo Suruagy deputado estadual, 37 anos, ex-prefeito de Maceió, ex-presidente da Assembleia, presidente da Associação Brasileira de Municípios, governador já escolhido por Geisel. Guilherme Palmeira, deputado estadual. José Costa e os irmãos Falcão, do MDB. Mendonça Neto jornalista, candidato a deputado. Moacyr Andrade, deputado cassado, Mendes de Barros, ex-candidato a senador. Todo mundo lá.

No dia seguinte, o senador Arnon me pegou no hotel e levou a seu jornal para dar uma entrevista. O diretor da "Gazeta de Alagoas" era seu filho Fernando, um rapaz alto e magro, longos cabelos negros caídos sobre as orelhas, como um *"beatle"*. A entrevista saiu no dia seguinte, com todo o destaque. Também dei entrevista na rádio ao irmão de Fernando Collor, Pedro Collor. Naquela época, cassado não podia falar em TV, rádio e jornal.

Já governador, Collor foi ao Rio convidar o advogado Sobral Pinto para patrocinar no Supremo Tribunal a defesa de Alagoas contra o pedido de intervenção do Estado, porque se negava a pagar os altos salários do Tribunal de Contas. Doutor Sobral não aceitou:

— Não posso ser advogado de um cliente que não aceita meus conselhos. A lei manda pagar, o senhor tem que pagar aos dois tribunais. Se o senhor me diz que não vai pagar, procure outro advogado que concorde com a sua opinião.

— Obrigado, doutor Sobral, pelo seu conselho.

— Qual dos dois? Eu lhe dei dois.

— O segundo, para procurar outro advogado, porque com o primeiro não concordo e não vou pagar mesmo.

Sobral Pinto contou o diálogo a José Aparecido:

— O governador saiu daqui do escritório, contratou o Dario de Almeida Magalhães, ganhou a causa. Não pagou os aumentos, não houve intervenção em Alagoas. Foi aí que eu o fiquei conhecendo. Ele tem uma personalidade forte, tem decisão, não foge diante das dificuldades.

Também nos primeiros dias de janeiro, ligou para o jornalista Rogério Coelho Neto, do "Jornal do Brasil". Acabava de receber uma pesquisa reservada do IBOPE: tinha passado de 1% para 3%. Brizola estava com 11%, Lula 9%. Ganhava de Mario Covas, que tinha 2%.

No começo de março, a segunda pesquisa do IBOPE já o dava com 7%, ganhando em Mato Grosso do Sul, Goiás, Amazonas, Paraná, Nordeste. Era a disparada. Os jornais e TVs não acreditavam, não lhe davam acesso, diziam que era uma piada. A TV Globo dava mais espaço a todos os outros, não levava a sério sua candidatura. Brizola tinha 17%, Lula 15%. Ele já passara Covas e Ulysses.

No fim de março Collor subiu para 9%, Brizola 19%, Lula 16%. E chegou o grande instante da escalada: os três programas eleitorais gratuitos, do PRN, do PTR, do PSC. Um em março, outro em abril, outro em maio. Em cada um dava um salto. E não parou mais de subir.

A visão do "Vox Populi" era perfeita. O problema era Collor tornar-se conhecido. O resto o povo fazia. Mas as TVs e jornais insistiam em desconhecê-lo. O "Vox Populi" não conseguia espaço para dar os números de suas pesquisas. Só em março, quando o Ibope e o VP já o davam em 3º lugar, é que o "Gallup" e o "Datafolha" o incluíram nas listas de pesquisas. No dia 15 de abril, o jornalista José Nêumanne, do "Estado de S. Paulo", ligou:

— Você é um incompetente. Deixou Lula empatar.

Pelo Ibope, Collor e Lula estavam em 2º lugar com 15%. Brizola 19%. No fim de abril, afinal, Collor chegava ao primeiro lugar: 20%. Brizola 19%, Lula 15%. Em 15 de maio, deixou o governo de Alagoas, disparando, com 32%.

* * *

A história é a crônica do novo contra o velho. Cristo construiu a mais eterna das instituiçoes aos 30 anos. Maomé, aos 40, era o guia de seu povo. Buda, aos 29, estava nas montanhas mudando a cabeça do Oriente. Lênin, aos 30, era o principal criador do partido que ia mudar a história do século. Napoleão, aos 27, presidia o "Diretório" e comandava a França. Bolívar, aos 24, já havia libertado 4 países e voltava herói à Venezuela, em carro aberto puxado por dez virgens. Churchill, aos 40, carregava a Inglaterra na cinza de seu charuto. Mitterrand, aos 29, ajudava Charles de Gaulle a reconstruir a França libertada.

No dia 13 de maio de 89, Waldir Pires deixou o governo da Bahia para ser candidato a vice-presidente na chapa de Ulysses Guimarães. Eu estava lá. Depois da transmissão do cargo, houve almoço. Dirigentes do PMDB de quase todos os Estados foram saindo para pegar seus aviões de volta. Ficamos, numa mesa, tomando um conhaque, Waldir, os governadores Miguel Arraes, de Pernambuco, e Pedro Simon, do Rio Grande do Sul, e eu.

Arraes, fumando seu charuto cubano, com aquele ar de professor marxista, estava impressionado com a penetração de Fernando Collor em Pernambuco:

— Os prefeitos e vereadores chegam do sertão me dizendo que o povo quer votar no "caçador de marajás" de Alagoas. É um fenômeno político que precisa ser decifrado. Estou informado de que todo esse "*marketing*" que vem construindo a campanha dele, desde o ano passado, é uma competentíssima montagem internacional dirigida por uma agência de propaganda dos protestantes metodistas norte-americanos, que fizeram a campanha do Reagan e do Bush. São milhões de dólares e muita competência.

Waldir e Pedro Simon em silêncio. Contestei, mas Arraes não conversava, falava. Fiquei ouvindo aquilo sem saber se vinha da crispada boca sertaneja de Arraes ou da leviana fumaça de seu charuto.

* * *

Em julho de 89, fui passar uma semana no Araguaia. É o Pantanal do Tocantins sem novela, sem Jove e Juma. Viajam-se 1.300 quilômetros na Belém-Brasília, a caminho do Bico do Papagaio, entra-se antes de Araguaína, passa-se por Arapoema e para-se no porto do Jacu, perto de Pau D'Arco, a meia légua da Ilha dos Cardeais, pequeno paraíso no meio do rio, onde se acampa, pesca, caça e esquece.

Já na saída de Brasília, uma surpresa. As jamantas, caminhões, caminhoneiros, carros, passavam na estrada com o adesivo verde-amarelo de Collor. Quanto mais entrávamos em Goiás e atravessávamos Tocantins, mais adesivos havia, cartazes e fotos nos postos de gasolina, bares, restaurantes, cancelas de fazendas e bairros populares. Quem os teria posto ali? Quem levaria até ali?

Não havia o menor sinal de outro candidato naquele distante e infinito mundo verde. Só Collor com seus dois "ll" inconfundíveis. O garoto canoeiro que nos levava da beira do rio para a ilhota da fantasia já tinha a foto de Collor colada no remo. E os barcos que subiam e desciam levando romeiros para as festas de Nossa Senhora da Conceição do Araguaia estavam enfeitados com faixas de Collor.

Em 18 kombis, 70 pessoas percorreram mais de 380.000 quilômetros pelo país. Rodaram 8 voltas ao mundo. Cada kombi levava colchão, cobertores, remédios, rádio, serviço de som, gravador, material de propaganda. Tarefa: montar comitês, distribuir material, colar adesivos e cartazes onde chegassem. Andavam de kombi, barco, canoa, jangada, trator, lombo de burro. O Brasil tinha cerca de 4.500 municípios. Foram a 4.720 cidades e distritos.

A tática era simples. Alcançar o maior número de cidades, distritos e localidades possíveis, deixando sempre um comitê instalado e material de propaganda. A kombi entrava na cidade anunciando:

— "Atenção, atenção, está chegando a caravana do 'Movimento Popular Fernando Collor'. Hoje, aqui em Massaroca, onde nenhum candidato se lembrou de vocês, estamos trazendo o abraço e a mensagem de Fernando Collor".

Começava a festa. O primeiro objetivo era o caminhoneiro. No posto, no restaurante da estrada, recebiam camisetas, adesivos, faixas, e saíam, em suas carretas e caminhões, fazendo o mais comprido dos comícios.

* * *

Collor desceu no aeroporto da Pampulha, em Belo Horizonte. A imprensa esperava com suas câmeras, gravadores e canetas. A repórter lourinha e sardenta empurra os colegas, passa à frente:

— O que é que o senhor acertou com o Hélio Garcia?

— Ainda não me encontrei com o ex-governador. É a segunda vez que venho a Minas em campanha, não tive oportunidade de conversar com ele. Mas pretendo procurá-lo breve.

— O senhor está mentindo.

Collor dá um passo adiante, põe o rosto bem próximo ao dela, fixa o olhar e fica imóvel, parado. Ela começa a tremer e sai. Ninguém diz nada. Dois jornalistas pedem desculpas em nome do grupo e a entrevista continua.

Em Florianópolis, uma noite, Collor participou de um longo e tenso debate, de três horas, com seis jornalistas da RBS (Rede Brasil Sul), que cobre Rio Grande do Sul, Paraná e Santa Catarina. Cercaram-no, apertaram-no, imprensaram-no de todo lado. Secamente, com visível má vontade, mas sem agressividade. Já quase no fim, um gaúcho, que desde o começo manifestava visível irritação:

— O senhor disse aqui que nos dois anos de governo fez reforma agrária em Alagoas e distribuiu 17 mil 146 títulos definitivos de propriedade. Por que o senhor não fez reforma agrária em suas fazendas?

— Porque eu não tenho fazendas.

— Como não tem? Todo mundo sabe que o senhor e sua família são grandes proprietários de terras, grandes latifundiários e usineiros em Alagoas.

— Como é que o senhor sabe que todo mundo sabe?

— Ora, porque eu tenho informações. Sou jornalista.

— Tudo bem. Então o senhor está desafiado, aqui, diante de seus telespectadores. Vou lhe mandar passagem e hospedagem para Alagoas e qualquer cidade do país que o senhor queira. Dou uma procuração plena, o senhor vai a qualquer cartório e, se encontrar qualquer fazenda, qualquer terra, minha ou de minha família, ela é sua. E se o senhor não encontrar, está obrigado a vir aqui para a sua televisão dizer aos telespectadores que o senhor é um jornalista que divulga mentiras. Minha família e eu temos uma empresa de comunicação em Alagoas, de mais de 30 anos: TV, rádio e jornal. Meu pai era um empresário de construção civil no Rio. Nunca teve terras, não temos fazendas, não somos usineiros.

O gaúcho pediu desculpas. À medida que a campanha ia chegando ao fim e ficava clara a vitória de Collor, foram perdendo o rebolado. Iam para o hangar da Líder. Quando Collor chegava, começavam a cantar o "Lula-lá, olé, olé, olá".

Collor entrava direto, com passadas largas. Dizia apenas "Bom dia" e atravessava o cordão do "Khmer Vermelho" de Lula. Alguns, mais atrevidos, postavam-se à frente, provocativamente. Ele os afastava com os braços compridos. No dia seguinte, jornais e TVs diziam que eles tinham sido "empurrados".

A maior mentira da campanha é que Collor era "o candidato da mídia". A velha e conhecida conversa de Roberto Marinho com Julinho Mesquita continuava de pé:

— "No Brasil, assim como não se pode fazer teatro sem veado, não se pode fazer jornal sem comunista. Eles são bons profissionais e ótimos capatazes".

* * *

Descobri o Brasil nas asas de JK. Em 1955, 23 anos, saí pelo país afora pegando carona na campanha de Juscelino Kubitschek. Não era uma campanha, era uma epopeia. O Brasil de 55 só tinha asfalto do Rio a São Paulo. O resto era tudo no barro. Fora as capitais e algumas poucas grandes cidades, os aeroportos eram de terra, grama ou lama.

E Juscelino, com sua alegria de menino grande, uma audácia infinita e uma determinação indomável, saía por aí, aos pinotes, no jipe voador de 15 lugares, voando a menos de 3 mil metros, sem pressurização, um constante mergulho nas nuvens e na chuva. Dormia, como um anjo de Deus, aos solavancos, entre um aeroporto e outro. Muitas vezes o vi a sono pesado com o avião ainda na cabeceira da pista.

Entre a campanha de JK em 55 e a de Collor em 89 houve uma diferença: o jato. É a bênção de Deus. Entre o DC-3 e o Challenger, a exata distância entre o lápis e o computador.

Manhã cedo, voamos para o Rio. Às dez horas com Haroldo de Andrade na Rádio Globo. Às 12 inaugurando o comitê da Rua Sorocaba. Às 14h almoçando no aeroporto Santos Dumont. Às 15h de helicóptero, sobre as montanhas azuis da serra, chegamos a Nova Friburgo.

Haveria apenas uma caminhada pelo centro. A praça superlotada, umas cinco mil pessoas. Depois, uma passeata entusiástica, gritada, cantada. Como só acontece quando as campanhas batem forte no coração do povo.

Conversa tranquila, simpática de Collor, na prefeitura, com o prefeito Paulo Azevedo, do PMDB. E duas horas de carro, serra abaixo. No Rio, às 23h, jantar com empresários e jornalistas, na casa de Mariano Raggio. Às 3h da manhã, de novo aeroporto. Às 4h30 descíamos em Brasília.

Dormir às 5h, já ao amanhecer. Às 9h de novo no aeroporto, com o vice Itamar Franco, para o Rio Grande do Sul. Às 11h Porto Alegre, para o apoio de Chiarelli e do PFL gaúcho. Reunião na Assembleia, entrevista à imprensa, corrida para o aeroporto e Brasília às 9h da noite, só com sanduíches no avião. Às 6h, outra vez de pé, voando às 7h para Maceió.

No aeroporto, helicóptero. E a visita a seis cidades e sobrevoo de mais de dez pelo Estado inteiro, na chuva, o povo aplaudindo. Às 16h almoço com o governador Moacyr de Andrade, meu primo. Às 18h voo para Brasília. Às 21h encerramento das convenções do PST e do PSC. Meia-noite, jornada cumprida. Só o jato faz isso. Collor foi JK a jato.

Até 27 de maio, doze dias depois de deixar o governo, Collor voava em aviões de amigos. No dia 28, usou pela primeira vez a Líder Táxi Aéreo, até 17 de dezembro. Os números são inacreditáveis. Nenhum outro candidato fez sequer a metade do que ele fez. Enquanto os outros se reuniam, discutiam, brigavam, se arranhavam, tentando arrumar as crises e interesses internos, Collor percorria o país de ponta a ponta, várias vezes, numa campanha que jamais outro brasileiro fez.

No "Challenger", 155.000 quilômetros. No Lear-Jet 55, 106.755. Em outros aviões, 15.000. Em aviões, 380 horas. Em helicópteros, 103 horas. Desceu de avião em 168 cidades. Em algumas, numerosas vezes. O resto, de helicóptero ou carro.

Vinte e dois tipos deferentes de aviões e helicópteros. Aviões: Challenger, Lear 55, Lear 35, Super King-Air, King-Air, Queen Air, Xingu, Navajo, Mitsubish, Sêneca II. Helicópteros: 412, 212, 206 e 205. Só faltaram as caravelas de Cabral.

Os velhos líderes políticos e seus partidos cometeram um erro primário. Deixaram Sarney comprar mais um ano de mandato na Constituinte com TVs e rádios e marcaram as eleições para 1989 e não 1988. Foi Sarney quem deu o primeiro grande empurrão na campanha de Collor.

Fizeram uma "eleição solteira". Só para Presidente. Para quem tinha um partido que era apenas uma legenda, sem força política implantada nos Estados, foi uma mão na roda.

Collor não teve que negociar esquemas de candidaturas de governador, de senador, de deputados, que geralmente exigem uma fortuna de ajudas e financiamentos do candidato a presidente e de seu partido. Era só ele e os outros candidatos e pronto. Cabeça com cabeça. A eleição ficou baratíssima.

Por isso Collor pôde montar o esquema de aviões e helicópteros com a Líder e percorrer o país inteiro, chegando às cidades, cada uma exigindo um avião do tamanho de seu campo de pouco ou a maioria apenas um helicóptero. Enquanto os outros negociavam, Collor voava.

A NUVEM

* * *

Se outros perigos não houve, riscos havia sempre. Em Governador Valadares, Minas, era de noite, havia comício, a pista no escuro, impossível descer. Fizeram uma baliza com faróis de automóveis, descemos. De lá, outro comício esperava no fim da noite, em Teófilo Otoni. Só de helicóptero.

Meia-noite, acaba o comício, todos exaustos, não dava para pernoitar porque havia compromissos no dia seguinte, cedo, em Brasília, e voo de manhã para o Norte. O jato esperava no aeroporto de Montes Claros, a 290 quilômetros, uma hora e meia de helicóptero. Chovia sem parar, visibilidade péssima, ventos fortes, frio, a serra da Canastra, alta, escura, misteriosa, ali embaixo, e o helicóptero em um interminável voo cego, aos tombos.

Collor dormia profundamente. Outros também. Eu tinha medo, profundamente. Chegamos a Montes Claros às 2h da manhã, a Brasília às 4h. Às 9h, aeroporto outra vez.

Como nos filmes. Saímos de Brasília às 8h, descemos em Porto Alegre às 10. Trocamos o jatinho pelo helicóptero e começamos mais uma jornada de comícios pelo interior do Rio Grande do Sul, naquele 30 de novembro de 89.

Não chovia, mas estava frio e ventava. Meia hora de voo. O helicóptero sambava, pesado, no céu. Comício em Osório às 11h. Muita gente, alguns ovos, latas e pedras. PDT e PT, com suas bandeiras, provocando, e suas matilhas jogando coisas. Ninguém atingido. Os seguranças desciam e afastavam.

Mais meia hora de voo, o helicóptero subindo e bailando. Comício em Vacaria às 13h. A praça cheia. PDT e PT com suas bandeiras, seus ovos, suas latas, suas pedras. Um ovo veio direto no rosto de Collor. O capitão Dario César, atrás dele, estendeu a mão, aparou no ar, gema por todo lado. Os seguranças desceram, puseram para correr.

Guaporé 15 horas. Passo Fundo 16. Soledade 17. Cachoeira do Sul 18. Santa Cruz do Sul 19. Lageado 20. Íamos chegar a Caxias do Sul com uma hora de atraso. Em quase todas, o mesmo ritual: o povo no centro das praças e, pelos lados, brizolistas e petistas jogando ovos, latas, pedras. Os seguranças indo lá e no dia seguinte os jornais dizendo:

— "Seguranças de Collor agredindo o povo".

À medida que nos aproximávamos de Caxias, a região ficava mais alta, o helicóptero pulava mais, meu ouvido doía. Quem vive no céu é passarinho. Resolvi ir para Caxias na frente, de carro, e esperá-los no aeroporto. Collor avisou:

— Cuidado, você aí sozinho, com esses brizolistas.

Peguei um carro da campanha, fui para Caxias. Antes, entrei em um pequeno restaurante, pedi um vinho e um filé. Estava quase vazio. O motorista preferiu esperar no carro. Começou a chegar gente. Percebo que um grupo de homens, numa mesa ao lado, olhava para mim e fazia comentários.

O filé demorava, o vinho acabava e os homens me apontando e falando. Um deles se levanta, vem em minha direção. Puxo a bolsa, abro, o revólver está lá dentro e me preparo para o pior. O homem, alto, forte, vermelhão, com um sorriso de anjo, chega perto, todo cerimonioso:

— Me desculpe incomodar. Mas o senhor não é o jornalista Sebastião Nery, da "TV Bandeirantes", que fazia aquele programa ótimo às 11 da noite?

— Não senhor. Conheço o Sebastião Nery, é meu colega. Eu sou o Pedro Rogério, da "TV Globo".

— Mas se parecem demais. Incrível. A mesma coisa. Obrigado, seu almoço está chegando. Bom apetite.

Fiquei com vergonha. Comi rápido, entrei no carro, fui para Caxias, numa bela estrada de curvas entre serras e neblina.

* * *

Chegamos ao hotel de Criciúma à meia-noite, exaustos. Os jornalistas, na portaria, querendo uma entrevista. Collor cumprimenta um a um, diz que estava cansado, sem almoçar, daria a entrevista às sete da manhã, na saída para Porto Alegre. Quando entro no apartamento, toca o telefone:

Nery, acabamos de nos reunir aqui e, por unanimidade, tomamos a decisão de que o candidato dará a entrevista agora mesmo e não amanhã de manhã. Você podia fazer o favor de comunicar a ele?

— Me digam uma coisa. O candidato é ele, a boca é dele, a entrevista vai ser dele e vocês é que decidem? Ele marcou, será amanhã cedo. Até porque todas as redações estão fechadas e vocês não vão mandar esse material para ninguém. Tem aí algum correspondente japonês? Por que essa urgência?

— É porque nós exigimos que o candidato fale sobre o segurança que deu um murro em um popular no comício.

— Você viu que ele jogou ovos e ia jogar uma lata?

— E daí? Nós cobrimos o palanque, o candidato, a equipe dele. E um segurança dele deu um murro em um popular.

Desliguei. Aquilo era uma indignidade profissional. E era assim que a maioria dos jornalistas agia na campanha.

Eles só cobriam a omelete. Não cobriam o ovo.

Uma noite, entramos no estúdio de Minas a uma da manhã. Collor começou a gravar. Às duas, me deu um cansaço tão violento, que pensei que ia desmaiar. Não havia onde deitar um pouco. Só cadeiras. Saí de fininho, voltei para o aeroporto.

Passei no hangar da Líder, no aeroporto da Pampulha, falei com o segurança, fui até a pista, onde o avião estava, empurrei a porta, entrei, deitei no chão e comecei a ouvir sapos e grilos naquele deserto escuro.

Dormi profundamente. Voltaram às 4h30 da manhã, pensando que eu havia ido para o hotel. Chegamos a Brasília já o dia claro. Às 10 horas, de novo no avião.

* * *

Collor não fazia ataques a Covas, Ulysses, Aureliano, Brizola, Lula, por respeito a eles. Sobretudo a Lula:

— "Minha candidatura e a de Lula são as duas únicas coisas novas que apareceram aí. O resto é o passado".

Até o fim do primeiro turno, embora sempre duramente agredido por Lula, Collor não respondeu. O PT cometeu um erro infantil. Pensava que Collor estava com medo. E era estratégia e respeito à sua vida operária, sua luta sindical e, principalmente, à juventude e mesma geração.

Collor dizia que Lula é que iria para o segundo turno com ele. Eu achava que era Brizola. E que seria mais difícil derrotar Brizola, porque o PMDB iria com ele e não votaria em Lula.

À medida que a campanha foi se aprofundando no interior, ficava evidente que Collor tinha razão: Brizola só existia no Rio e Rio Grande. O PT em toda parte: padres nas sacristias, jovens nas universidades, ovos nos palanques.

Quanto mais Collor crescia, mais o PT enlouquecia. O programa eleitoral de Lula foi aumentando o tom e partiu, desvairado, para a ridicularização e a agressão pessoal. A história do Fernandinho que morria na praia, chamar na TV o dia inteiro o senador Arnon de Mello de "assassino" por causa dos tiros no Senado com o general Silvestre Péricles de Goes Monteiro que atacou primeiro, era muito primarismo do PT imaginar que não ia receber o troco.

A história era pública, ninguém inventou nada. Nem ela. O jornalista José Nêumanne Pinto já estava lançando seu livro "Atrás do Palanque", onde contava:

— "Poucos eram os amigos de Lula com acesso à informação, revelada no dia 20 de abril, no 'Jornal do Brasil', pelo repórter Luís Malouf de Carvalho, sobre a existência de uma filha natural do candidato, Lurian Cordeiro, de 15 anos, com a enfermeira Miriam Cordeiro. Marisa, a segunda mulher do candidato, nunca aceitou a aproximação entre a adolescente e seus irmãos menores. A reportagem do JB contava que, certo dia, o ator Antônio Fagundes perguntou ao ex-dirigente sindical sobre seus filhos e ele respondeu que tinha quatro, todos homens. Lurian estava sentada a seu lado e ficou profundamente magoada com o pai. A tempestuosa relação de Lula com a enfermeira Mirian se revelaria depois, na publicação de uma entrevista dela ao jornal 'O Estado de S. Paulo'. Ela chamou o deputado de 'canalha' e se queixou das migalhas que dele recebia para sustentar a filha."

Parte da assessoria de Collor, como eu, achava que não precisava radicalizar e usar as entrevistas da Miriam. Outros, que não se podia deixar de dar o troco aos ataques do PT, que cada dia ficavam mais violentos. De toda parte chagavam reclamações de que o programa de Collor estava frio, tímido, medroso, não respondia à altura ao programa de Lula.

Até que foi para o ar o muro de Berlim. Foi o massacre da Praça Celestial, em Pequim. Foram as estátuas comunistas rolando nas praças enfurecidas. Foram as multidões dos países comunistas vomitando seus sonhos, 70 anos depois.

E foi, afinal, Miriam Cordeiro, cuja entrevista, gravada, estava havia meses na gaveta dos estúdios do programa eleitoral de Collor. Era só botar no ar, se precisasse. Precisou, botaram. Miriam falava uma hora. Só nove minutos foram ao ar. As coisas mais pessoais, agressivas, não foram editadas. As outras bateram fundo: o candidato da Igreja ser a favor do aborto. Um deputado dar 800 cruzados de pensão a uma filha, a menina ser discriminada e não conviver com os irmãos. Sem poder desmentir, Lula desabou.

No último debate, "molleu" na "plaia".

* * *

Brizola fez e nós todos participamos do "Encontro de Lisboa", para ele voltar e liderar o país através do socialismo democrático e da social-democracia. Preferiu pôr o partido na gaveta e nos isolar a todos. Pensou e dizia que venceria sozinho, "como o velho Getúlio em 1950".

Arraes não topou aliar-se a ele e dizia por quê:

— "Não vou com Brizola porque o conheço. Quando vocês conhecerem, sairão".

Brizola chegou ao fim da campanha sozinho. Só ele e Getúlio. Itamar e Hélio Garcia passaram meses esperando que ele convidasse um dos

A NUVEM

dois para vice, pois garantiriam no mínimo mais um milhão de votos em Minas. Ele vetava:

— Mineiro, não. Eles vão passar o tempo todo conspirando.

Cumpri o que me havia prometido: apesar do ritmo frenético das viagens, arranjava tempo e dediquei um ano de campanha para ajudar a evitar que ele se elegesse presidente e levasse o país a uma ditadura, disfarçada ou escancarada, com um general de confiança, o Congresso fechado, o povo na rua.

Eu conhecia seus ídolos, ele mesmo é quem me disse: Júlio de Castilhos, Getúlio, Perón. Um governo de 20 anos.

Eu sabia que só Collor poderia derrotá-lo. Escrevi artigos em madrugadas, aviões, restaurantes, na campanha inteira. Chegaram a republicar, evidentemente pagando, em 48 jornais.

Veio o primeiro turno, Collor disparou na frente:

Collor, 28,52%. Lula, 16,08%. Brizola, 15,45%. Covas, 10,78%. Maluf, 8,28%. Afif, 4,53%. Ulysses, 4,43%. Roberto Freire, 1,06%. Aureliano, 0,83%. Caiado, 0,52%. Collor: 20.611.011 de votos. Lula, 11.622.673. Brizola, 11.168.228.

Por 454.445 votos Brizola não chegou ao segundo turno. Aqueles menos de 500 mil votos devem ter sido tirados pela "LBA – Legião dos Brizolistas Arrependidos".

Dos 16 deputados federais eleitos pelo Rio em 1982, todos fundadores do partido, só três chegaram ao fim do mandato aliados a Brizola. Em todos os Estados havia, abandonados e indignados, furiosos fundadores do PDT.

O segundo turno confirmou: Collor 49,94%. Lula 44,23%. Collor: 35.089.998 votos. Lula: 31.076.364 votos.

* * *

Collor ganhou em São Paulo, na capital e no interior: Collor 23,42%, Maluf 22,56%, Covas 21,80%, Lula 16,75%, Ulysses 1,90%, Brizola 1,45%.

O Estado que elegeu Getúlio senador em 1945 pelo PTB (o outro foi o Rio Grande do Sul, pelo PSD) não deu nem 1,5% de votos a Brizola.

Em Minas também: Collor 33,35%, Lula 21,34%, Covas 9,52%, Afif 5,99%, Ulysses 5,47%, Brizola 4,99%. Nem 5%.

O Rio não deu para compensar: Brizola 50,47%. Collor 15,57%. Lula 11,84%. Covas 8,43%.

Também não bastou o Rio Grande do Sul: Brizola 60,85%. Collor 8,97%. Lula 6,53%.

No resto do país, Collor ganhou de ponta a ponta: Bahia, Paraná, Pernambuco, Ceará, Goiás, Pará, Maranhão, Paraíba, Espírito Santo, Piauí, Rio Grande do Norte, Alagoas (57% a 7%), Mato Grosso, Mato Grosso do Sul, Amazonas, Sergipe, Rondônia, Tocantins. Acre, Roraima, Amapá etc.

* * *

Minha missão acabava ali. Brizola não iria repetir Getúlio, Borges de Medeiros, Perón, seus gurus de 20 anos de poder.

Meu projeto pessoal já estava decidido e acertado com jornais e revistas desde antes da campanha: correspondente e programas na CBN, a partir de Roma ou Paris.

A vitória de Collor não alterava nada. Ele ia fazer um governo de 40 anos, eu chegava aos 60. Era hora de cumprir meu sonho de juventude: viver e trabalhar em Paris.

Quando Collor, já empossado, me convidou para Adido Cultural em Roma depois em Paris, disse-lhe que não deixaria o jornalismo. Mas não havia conflito. Pelo contrário. De Roma e de Paris escrevi para jornais e revistas e falei na CBN durante quatro anos, com Collor no governo e meses já fora dele.

Em Roma, ainda no calor da vitória, imediatamente escrevi um livro contando a história da campanha:

— "A História da Vitória – Por que Collor ganhou" (Editora Dom Quixote, Brasília). Prefácio de meu companheiro de Nordeste e de jornalismo, José Nêumanne Pinto:

"Crônica da vitória anunciada"

Minha nuvem, afinal, me levara até onde eu pedi, desde que a vi pela primeira vez, deitado embaixo das frondosas jaqueiras da minha querida Palmeira, onde nasci.

36
ROMA

ROMA NÃO ME DEIXOU NEM RESPIRAR. NA EMBAIXADA JÁ ME ESPERAVA um convite para o Adido Cultural participar de um debate na Universidade de Roma sobre a história romana e suas repercussões no mundo, inclusive no Brasil. Dei meus palpites, baianamente. Quer dizer, mais do que esperavam.

Uma jovem e bela professora de História Romana, que já estivera no Brasil, perguntou como eu sabia aquelas coisas, dados, datas, detalhes, interpretações, seis papas assassinados no Castelo de Sant'Ângelo, quase todos por mulheres. Contei-lhe que passei anos no seminário e Roma é a capital da Igreja.

Mas só depois, em um jantar a dois, lhe ensinei o pulo do gato. No avião, fui lendo um livro de amor e sabedoria sobre Roma, um palíndromo clássico de Afonso Arinos, "Amor a Roma" (da "Nova Fronteira", mais de 500 páginas, de Cristo a João Paulo 2º), que andou a pé todas as suas *"piazzas"*, "vias", *"viales"* e *"viccolos"*, sabia tudo delas, monumentos e suas histórias, e conhecia a eternidade de plantão em cada esquina.

Foi a força eterna em pedras, ruas e praças, que Afonso Arinos descobriu em Roma e descreveu em um texto magistral. Na abertura do livro, ele escreveu:

— "Roma somos todos nós, latinos e cristãos. Pela sua amplitude imaterial, é a única cidade que não desnacionaliza a quem com ela se identifica, porque, como a casa referida no Evangelho, tem muitas moradas. Há em Roma qualquer coisa que se situa além do saber, na formação da cultura".

* * *

E chega Jorge Amado, com Zélia Gattai e a filha Paloma, para receber na Sicília o "Prêmio Mediterrâneo", matriz da civilização europeia. Fez um debate no "Centro de Estudos Brasileiros" da embaixada, na monumental Piazza Navona. Com eles fomos para Palermo o ministro-conselheiro Arnaldo Godoy Cravo, a diretora do nosso "Centro de Estudos Brasileiros", na embaixada, a bela Maria Lúcia Verdi, e eu.

A Sicília foi uma festa baiana. Na entrega do prêmio, no Centro de Cultura Mediterrânea, o cardeal Salvatore Papalardo, o presidente do Parlamento regional que significa o governador da província, escritores, professores. E sobretudo leitores.

Na Faculdade de Línguas e Literatura de Palermo, debateu horas com estudantes. Queriam saber, sobretudo, como o Brasil conseguiu misturar suas raças, quando a Europa mergulhava em um perigoso conflito com os imigrantes. Jorge Amado explicou:

— "A Constituição soviética é modelar contra qualquer discriminação social. No entanto, 70 anos depois, as várias nacionalidades ainda se devoram. Por quê? Porque racismo só acaba na cama, com mistura racial e amor. Quando o primeiro português amou a primeira índia e a primeira negra, começava no Brasil o mistério da língua e da Nação.

À noite, na casa afetuosa de Geangaspare Ferro, italiano, e Hilda Ferro, carioca, comendo uma feijoada feita por uma baiana casada com um siciliano, estavam quatro casais que se conheceram porque leram Jorge Amado, descobriram o Brasil nos livros dele, vieram conhecer, aqui encontraram brasileiros ou brasileiras, casaram-se e agradeciam a Jorge, o casamenteiro. E puseram nos filhos os lindos nomes dos personagens de Jorge.

* * *

Depois, fomos perambular pela Sicília. O grego Homero a chamou "Ilha do Sol". Mas quem a definiu foi Goethe, o alemão:

— "Sem ver a Sicília, não se pode fazer uma ideia da Itália. É na Sicília que se encontra a chave de tudo".

O deputado siciliano Tuci Lombardo, ministro regional da Cultura, recebeu Jorge Amado e Zélia Gattai, dizendo-nos:

— "A Sicília é também a máfia, mas não é só. ('Anche la máfia, ma non solo')".

Não há em nenhum outro lugar do mundo com tanta coisa antiga, histórica, em tão pouco espaço. Estamos vivendo uma crise econômica,

A NUVEM

com 25% de desemprego. O grande patrimônio, a grande economia da Sicília são seus bens culturais: temos aqui o mundo fenício, o mundo grego, o mundo romano, o mundo bizantino, o mundo árabe, o mundo normando, o mundo espanhol, o mundo francês, o mundo barroco, o mundo germânico. Todo o Ocidente está aqui".

Nós, brasileiros, sempre tivemos uma ideia muito distante, nebulosa, falsa, da Sicília: uma ilha na ponta da bota da Itália, a terra da máfia, uma província italiana. Pois a Sicília não é filha da Itália. É mãe. Não veio do Império Romano, é anterior.

A civilização grega, antes de chegar a Roma, já estava na Sicília. Roma é a mãe da Europa, a Sicília é a avó. Quando os gregos chegaram lá, entre o 7º e 8º séculos antes de Cristo, e fundaram Taormina, Siracusa, Catânia, Agrigento, Selinunte, a leste e ao sul da ilha, já no outro lado, ao norte e a oeste, estavam os fenícios desde o século 10º antes de Cristo, vindos da Síria: semitas inventores do alfabeto que os gregos aperfeiçoaram, navegadores, comerciantes, criadores do dinheiro.

Os fenícios, já instalados no norte da África, sobretudo em Cartago, chegaram à Sicília e criaram sua primeira cidade, Panormo (hoje Palermo, a capital), onde realmente começou a civilização do Mediterrâneo, a matriz (fenícia e grega) da Europa.

Fenícios e gregos brigaram muito. Amílcar, Aníbal, generais de Catargo, enfrentaram os guerreiros gregos Timoleão e Agatocle e as invenções do sábio físico-matemático Arquimedes. Só no século 3º a.C., em 264, Roma chega à Sicília com Pirro, para ajudar os gregos na luta contra os fenícios, na primeira Guerra Púnica. Roma derrota Catargo, expulsa os gregos e fica na ilha.

Foi nessa Palermo, capital da Sicília, mais velha do que Roma, onde foi criada a primeira universidade, e onde, em Salermo, no ano 1130, se instalou o primeiro Parlamento do mundo, que Jorge Amado recebeu o "Prêmio Mediterrâneo Internacional", um dos mais importantes da Europa. (Outros italianos, como o famoso romancista Alberto Bevilacqua e a bela jornalista de TV Carmem Logarella receberam prêmios nacionais.) Foi uma festa bem à italiana: descontraída, simpática, comandada pelo editor Penzo Mazzone e pelo presidente do Centro de Cultura Mediterrânea, Mario Sansone. Saudado calorosamente por Alberto Bevilacqua como um dos mais importantes escritores do mundo, Jorge Amado fez um discurso dizendo que não nasceu para ser importante e que na sua literatura queria ser apenas a voz e o desenhista da alma do povo brasileiro, seus sonhos, sua vida, suas lutas.

* * *

Tomasi di Lampedusa, siciliano, disse em "Il Gattopardo":

— "Somos velhos, velhíssimos. Há 25 séculos, ao menos, carregamos nas costas o peso de magníficas civilizações heterogêneas, todas vindas de fora, nenhuma germinada aqui. Somos tão brancos quanto a rainha da Inglaterra. No entanto, há dois mil anos somos colônia".

A máfia é filha disso. Nasceu das lutas contra o colonialismo. Sobretudo contra a aliança do colonialismo com a Igreja, através do Santo Ofício, da Inquisição, para sustentação das monarquias católicas. Contra os crimes dos papas e dos reis, organizaram-se as "famílias" do banditismo.

Na história oficial da Sicília, que me deram meus amigos Renzo e Rean Mazzone, editores da "Ila Palma", está lá escrito:

— "Revoltas e rebeliões aconteceram em séculos de opressão, obscurantismo e tirania, exercidas sobre o povo siciliano pelas várias dominações que se sucederam na ilha. Foi durante a dominação espanhola (que começou em 31 de agosto de 1282, com Pedro de Aragão proclamado rei da Sicília, depois da expulsão dos reis franceses, todos postos pelos Papas), que o fenômeno do banditismo encontrou terreno fértil. Neste período é que surge e se afirma a máfia. O povo siciliano, exposto a todo tipo de vexames e submetido a impostos sempre mais odiosos pelos barões e seus *gabelloti* (capatazes cobradores), solidarizava-se com a máfia e o banditismo, trocando simpatia por proteção, para reagir a uma vida feita de miséria e resignação. Não faltaram assim as reações da velha nobreza siciliana ameaçada nas suas prerrogativas. Era o caos, a anarquia e a guerra interna, da qual participavam famílias da mais antiga nobreza como os Chiaramonte, os Palizzi, os Ventimiglia".

Na catedral de Palermo, Jorge Amado surpreendeu-se vendo flores frescas, do dia, no túmulo do rei. É Frederico II, que está enterrado lá. Até hoje o povo enfeita sua morte, numa espantosa ternura por quem viveu de 1196 a 1250. Ao lado, está o túmulo de Guilherme I, "Il Malo", o mau, sem flor nenhuma, nem de papel. Frederico II ficou na história como "o rei sábio". Depois dos fenícios, dos gregos e dos romanos, os árabes desembarcaram na Sicília em 827 e ficaram três séculos, até que os normandos chegaram em 1061. O palácio dos reis normandos, onde Jorge Amado recebeu o Prêmio Mediterrâneo, tem escrito na porta:

— "Aqui se instalou o primeiro parlamento do mundo, em 1129."

Frederico II, neto do I, o "Barbarossa", "Rei da Itália e da Germânia", fundou a primeira universidade (em Nápoles, que era província da

Sicília), incentivou a cultura, criou em Palermo a primeira Escola de Medicina. Abriu as portas do mundo moderno.

A Sicília tem uma das mais fascinantes histórias do Ocidente, que em geral a gente não sabe, porque estamos acostumados a estudar Portugal, Espanha, França. Curioso é que ela conseguiu ser o mais importante centro da civilização ocidental durante séculos, desde o ano 1000 antes de Cristo, com os fenícios. Depois, nos anos 500 a.C., com os gregos, e com os romanos, antes de Roma ser o centro do Império Romano. Depois com os normandos, quando o Império Romano desabou, até 1250, quando morreu Frederico II e os franceses e espanhóis, protegidos pelos Papas, que eram os donos do poder, submeteram a Sicília a séculos de opressão e de destruição, subjugando, com brutal violência, a resistência da ilha, que nunca aceitou inteiramente as dominações.

Mesmo a partir de 1700, quando assumem os reis de Savoia e depois os Bourbons de Nápoles, as lutas nunca pararam. Até que em 12 de janeiro de 1848 a Sicília foi o primeiro povo a levantar-se na Europa para conquistar a liberdade. E afinal em 11 de maio de 1860, Garibaldi, com a brasileira Anita do lado, voltando da "Guerra dos Farrapos" no Brasil, começou a libertação definitiva da Sicília, que acabou em 21 de outubro de 1860 com o plebiscito que unificou a Itália inteira. A República italiana só foi chegar depois da guerra, mas a luta de Garibaldi não foi em vão.

* * *

Voltamos a Roma. Chamava-se Ana. Ana Maria de Jesus. Anita. Nome de menina do povo do interior do Brasil. Filha de tropeiro, tocador de burros pelos caminhos tortos de Serra Acima, nas montanhas de Santa Catarina. Hoje ela está belíssima, um filho no braço, uma arma na mão, montada em seu cavalo de bronze na colina do Gianicolo, uma das mais belas de Roma, que ela ajudou a libertar e fazer de novo capital da Itália.

Poucos metros ao lado, também em seu cavalo, Giuseppe Garibaldi, seu amor e seu marido, dois heróis de dois mundos, da Revolução Farroupilha pela República brasileira, da Independência do Uruguai e da reunificação e República da Itália.

Representando a embaixada brasileira, participei em 1991 da homenagem anual que Roma presta a Anita Garibaldi, ao pé de sua enorme estátua. Lá estavam o prefeito de Roma, autoridades, partidos, entidades de mulheres, levando flores para a heroína brasileira na luminosa manhã de outono. Entre os discursos, outra Anita Garibaldi, bisneta, lembrava que a brava guerrilheira continua sendo o mais forte laço histórico entre o Brasil e Itália.

Contei como Garibaldi e Anita são populares no Brasil, cantados pelos poetas de cordel e nas canções de infância. Criança na fazenda, ouvia cantarem:

— "Garibaldi foi à missa, no cavalo sem espora. O cavalo tropeçou, Garibaldi pulou fora."

Garibaldi foi um Che Guevara europeu no século XIX. Uma vida surpreendente, aventureira, audaciosa, corajosa, coerente até o fim, sempre acompanhado por uma pequena e valente mulher, invariavelmente ao lado daquele homenzarrão louro e incansável.

Nasceu em 1807 em Nice, que ainda não tinha sido tomada pela França. Em 1834, aos 27 anos, já estava condenado à morte por defender a Itália invadida, ocupando o porto de Gênova em sua fragata "Eurídice". Foge da prisão para o Rio, em 1836, pega o barco "Luísa" na baía de Guanabara e vai para o Sul brigar ao lado dos republicanos dos Farrapos. Preso pelos argentinos, novamente é condenado à morte.

Foge de novo, entra em Santa Catarina, chega a Laguna, onde proclama a "República Juliana" e conhece Anita. Luta no Rio Grande com os "farroupilhos", vai para o Uruguai e se faz general da independência uruguaia. Em 1840, volta para a Itália que estava incendiada por invasões e pelas lutas da reunificação e da República. Brigou mais 25 anos sem parar.

Garibaldi não foi apenas o general revolucionário. Em 1874, pacificado o país, chega a Roma eleito deputado pela sua pequena província de Caprera, na Sardenha. E não exigiu nada. Não aceitou sequer a pensão que o Congresso aprovou como homenagem ao homem que libertou Roma de cima das colinas do Gianicolo, na porta de São Pancrácio, que ocupou Nápoles, que fez do Piemonte sua base guerrilheira, enquanto Cavour, com seu gênio político, costurava a reunificação. Muitas vezes ele perdeu, mas não desistiu nunca. Voltava, insistia. Quando ganhava, escrevia, discutia, publicava. A Enciclopédia Britânica, para lhe dar um título, encontrou o termo exato:

— "Patriota": "Garibaldi, Giuseppe, Itália patriota"... Disse tudo.

E não só lutou de armas na mão e exerceu mandatos políticos. Escreveu muito. Suas obras estão em seis volumes, sempre discutindo o futuro da Itália e da Europa. A Itália vê nele, e com razão, um dos construtores da Pátria. Não é por acaso que a grande praça da estação de Nápoles se chama Garibaldi. No país todo é assim. Em Roma, há ponte, praça, avenida, rua. Também a Praça Anita Garibaldi, ao lado da grande Praça Garibaldi, no Parque Gianicolo, onde estão as duas estátuas, sobre o "Tevere".

Quando estudei italiano, no seminário, o primeiro livro de texto foi "Le mie prigioni" (As minhas prisões), de Silvio Pelico, bravo jornalista companheiro de Garibaldi. Ana, Anita, estava lá.

* * *

O carrão preto, motorista de libré, parava na porta da embaixada do Brasil em Roma, na Piazza Navona, em 90 e 91. Descia um senhor baixo, 80 anos, terno escuro, colete cinza, camisa branca e gravata. Um dos homens mais poderosos da Itália, conde do Papa, banqueiro de Deus, ia buscar-me para almoçar, a mim, pobre marquês, adido cultural.

Íamos aos mais discretos e charmosos restaurantes de Roma, com os melhores vinhos da Itália. Às vezes o almoço foi no palacete dele, na Vila Archimede, no alto do Gianicolo, ou, em um domingo de sol, em sua casa na serra, em Grottaferrata, a poucos quilômetros de Roma. Simpático, vivido, o conde Umberto Ortolani era uma figura "ambígua, misteriosa" (como dizia o "La Repubblica"). Mal falava, só perguntava.

Dele eu sabia que era conde da Santa Sé, "gentiluomo di sua Santitá", banqueiro do Vaticano, sócio-diretor do jornal "Corriere de la Sera". Eu o havia conhecido num *vernissage* no Masp, em São Paulo, em 1984, apresentado pelo jornalista e editor José Nêumanne, do "Estado de S. Paulo".

O que ele queria de mim? Queria o Brasil. Queria que eu convencesse o embaixador Carlos Alberto Leite Barbosa a convencer o Itamaraty a lhe entregar um novo passaporte, pois tinha cidadania brasileira dada pela ditadura militar a pedido dos Mesquita do "Estado de S. Paulo" e os dois que tinha, o italiano e o brasileiro, o governo italiano lhe tomara ao descer em Roma, depois de oito anos asilado no Brasil.

Impossível. Quem tomou o passaporte foi o governo italiano. O Brasil nada tinha com aquilo. Mas ele achava que, insistindo, talvez conseguisse. Queria fugir de novo. Ou não tinha companhia melhor para sua conversa admirável sobre a política italiana e seus magníficos vinhos.

Levou-me a seu escritório na Via Condotti 9, em cima da Bulgari:

— Desta sala saíram sete primeiros-ministros: Andreotti, Craxi etc.

O conde é uma história exemplar do satânico poder dos banqueiros, mesmo quando, como ele, um banqueiro de Deus, vice-presidente do banco Ambrosiano, daquele cardeal Marcinkus até hoje foragido nos Estados Unidos.

Os que criticam, inteiramente sem razão, o presidente Lula e o ministro Tarso Genro, por terem dado asilo político ao italiano Cesare Battisti, deviam ler um livro imperdível: "Poteri Forti" ("Fortes Poderes, o Escândalo do Banco Ambrosiano"), do jornalista italiano Ferruccio

Pinotti, abrindo as entranhas do poder de corrupção do sistema financeiro, de braços dados com governos, partidos, empresários, maçonaria, máfia.

Em junho de 1982, foi encontrado estrangulado em Londres, embaixo da "Blackfriars Bridge" ("a Ponte dos Irmãos Negros"), o banqueiro italiano Roberto Calvi, presidente do Banco Ambrosiano, que acabava de quebrar, e tinha como diretores o cardeal Marcinkus, o conde Ortolani e o chefe da P-2 italiana (maçonaria), Licio Gelli.

Nos dias seguintes, na Itália e na Inglaterra, apareceram assassinados vários outros ligados a Calvi. Não é só em Santo André que se limpa a área. No meio da confusão estava Ortolani, um dos quatro "Cavaleiros do Apocalipse". Quando, a partir de 90, a "Operação Mãos Limpas" chegou perto deles, o conde, olhando Roma lá de cima do Gianicolo, me dizia:

— Isso não vai acabar bem.

Depende o que é acabar bem. O ministério Público e a Justiça enfrentaram a aliança satânica, que vinha desde 45, no fim da guerra, entre a Democracia Cristã e a máfia italiana. Houve centenas de prisões, suicídios. Nunca antes a Máfia tinha sido tão encurralada e atingida. Responderam com bombas detonando carros de procuradores e juízes. Mas os grandes partidos políticos aliados (Democrata Cristão, Socialista, Liberal) explodiram. O Partido Comunista, conivente, se desintegrou. E meu amigo conde, condenado a 19 anos, morreu em 2002, aos 90 anos.

A "Operação Mãos Limpas" não teria havido se um punhado de bravos jovens valentes e alucinados, das Brigadas Vermelhas e dos Proletários Armados pelo Comunismo (PAC), não tivesse enfrentado o Estado mafioso.

O governo, desmoralizado, usava a Máfia para eliminá-los. Eles reagiam, houve mortos de lado a lado e prisões dos líderes intelectuais, como o filósofo De Negri (asilado na França) e o romancista Cesare Battisti, preso no Brasil. Estava lá, vi, escrevi.

Foram eles, os jovens rebeldes das décadas de 70 a 80, que começaram a salvar a Itália. Se não se levantassem de armas na mão, a aliança Democracia Cristã, Partido Socialista, Liberais e Máfia estaria lá até hoje. Berlusconi é o feto podre que restou, mas logo será expelido.

O corrupto Chirac, a pedido de Berlusconi, retirou o asilo político de Battisti, que o Brasil lhe deu. Tarso Genro e Lula estão certos. O problema foi, era, continua político. O fascista Berlusconi (primeiro-ministro) é apoiado pelo desfrutável velhinho comunista Giorgio Napolitano (Presidente) que se escondeu quando o juiz Falcone (assassinado) e o procurador Pietro (hoje no Parlamento) fizeram a "Operação Mãos Limpas".

Não têm autoridade. Por que não devolveram Caciolla, o batedor de carteira do Banco Central, quando o Brasil pediu? As Salomés de lá e de cá querem dar a cabeça de Battisti à Máfia.

* * *

Em 1990, voltava de um seminário Brasil-Itália em Milão, tarde da noite. Tinha deixado o carro no aeroporto Leonardo da Vinci. No avião, vim conversando com um barbudo, poderoso e já sessentão jornalista italiano. Ofereci-lhe uma carona. Aceitou.

Mas, antes de ir para casa, tinha um importante telefonema a dar. Fomos até a cabine telefônica. Ligou e disse apenas:

— "Mamma, sono arrivato" ("Mamãe, cheguei").

E deu dois beijinhos no fone. Tinha mulher, filhos, uma neta. A mãe não morava com ele, morava com o pai. Mas era a ela que ele avisava da chegada. A Mamma na Itália é o centro. Todo o resto, pai, mulher, marido, filhos, é periferia. A Bíblia lá começa assim: — "No princípio, era a Mamma".

Todos pensamos que a Itália é o país do Papa. É, mas não só. É o país do Papa e da "Mamma". A Itália é uma sociedade matriarcal. Lá quem manda é ela. Na cozinha, na casa, na escola e no caixa. A pequena e média empresa familiar, centro da economia italiana, é comandada pela "Mamma".

Na pizzaria, taverna, tratoria, restaurante, loja, pensão, "albergo", hotel, de uma, duas, três estrelas, quem está no caixa, de olho no dinheiro, é ela, a "Mamma", fogão e cofre da Itália.

As más línguas falam que a conta do táxi, do bar, restaurante, hotel, loja, dá sempre errada, e sempre para mais, porque a "Mamma" faz ou manda fazer. Diz-se que é dela a mais genial criação da conta errada: põe em cima o dia, o mês e o ano. E soma embaixo com as despesas.

Mas também é verdade que a Itália tem a mais alta taxa de poupança individual da Europa, acima da Inglaterra, Alemanha, França, porque a "Mamma" é dura no controle da poupança doméstica. Ela rouba, mas poupa.

E foi ela, a "Mamma", quem inventou, antes de Jesus, Maria e José, essa obra-prima da mesa universal, a macarronada. Mas também criou esta humilhação do pão com manteiga, a pizza, um papelão coberto de molho.

Em casa, a "Mamma" é rainha e rei. Meus amigos italianos sempre me davam a impressão de não terem pai. Só mãe, a "Mamma". Não falam dele, não apresentam. Em casa, o pai é um a mais, como um filho mais velho. O coração e a cabeça do italiano são da "Mamma".

Na Itália não é feminismo. É o imperialismo feminista: o "Mammismo". E todos adoram. A cara gorda e terna, o corpo redondo e forte, 24 horas a serviço coletivo, doçura e dureza, de colher na mão e conta aumentada, a "Mamma" é a Itália.

Toda generalização é burra. Nelson Rodrigues. É impossível dizer qual o país mais bonito. Cidade, o mundo já elegeu e sou um democrata: é Paris. Mas, país, tirando uma média universal, nenhum junta mais belezas do que a Itália. A começar porque tem 52% do patrimônio cultural da humanidade.

E no entanto a França recebe, por ano, quase 80 milhões de visitantes. Os Estados Unidos, quase 70 milhões. A Espanha, quase 60 milhões. E a Itália não chega a 40 milhões. Não dá para entender. Os profissionais do turismo não conseguem explicar.

Estados Unidos e França são mais ricos, têm mais comércio. Mas têm menos sol e menos história. A Espanha, menos dinheiro, menos beleza cultural, menos história, sol e mar iguais e o turismo espanhol ganha longe da Itália. Sem falar na cozinha, que a Itália tem a mais farta do mundo e o vinho, o segundo melhor (depois da França). E ambos melhores do que a Espanha.

A diferença não deve estar no toureiro espanhol. É no espanhol mesmo. E no italiano mesmo, que, apesar de simpático, alegre, aberto, é anárquico, antiturístico. Não cuida e não mostra a Itália. Não sabe, como o francês, faturar o turismo. Na Itália, o que o turista consegue ver é apesar do italiano.

Quem tem tanta eternidade na janela da casa e na porta da rua, talvez tenha seus ciúmes e não goste de dividir suas belezas. Mas isso é profundamente antiturístico. A França (governo, imprensa, empresários) fez uma campanha tão cerrada, que conseguiu educar seu taxista e fazê-lo gentil.

Desde 57 ando por lá, vivi dois anos. Tudo "tem que". Será a lei da "Mamma"? Nada mais contra o turismo do que o "tem que". Turismo é vadiagem. O turista é um vadio. O horário, o "tem que" do horário, é antiturismo. O turista lá "tem que" acordar cedo porque a arrumadeira "tem que" arrumar o quarto do hotel de manhã. O turista "tem que" tomar café cedo (antes das 10) porque o garçom "tem que" preparar logo as mesas para o almoço. Você "tem que" chegar ao restaurante até duas da tarde e almoçar aflito porque o dono, o *maître*, os garçons, o cozinheiro, todos têm que sair exatamente às três da tarde. Para que? Para tirar um sono com a "Mamma".

São "insestuosos". Fazem a "sesta" na casa da "Mamma". Só vão para a casa deles de noite. E os museus? É mais fácil acertar dois tiros no Papa do que visitar os museus do Vaticano. Abrem às 9 e fecham às 15. Filas infinitas. Tudo lá está sempre "chiuso" (fechado).

Ainda bem que três coisas eles não "chiusam": o Papa, a "Mamma" e a beleza eterna de Roma, Florença, Veneza.

* * *

No dia em que se fizer o inventário de iniquidades cometidas pelo golpe de 64, é preciso contar a ignomínia que foi a cassação do embaixador do Brasil em Roma, Hugo Gouthier.

O simpático e civilizado Gouthier, embaixador do Brasil no Irã no governo do Xá da Pérsia, antes de Khomeinni, foi cassado porque, no Governo de Juscelino, comprou, para sede da embaixada do Brasil em Roma, o Palácio Pamphilli. A UDN e os militares alegaram que foi "uma negociata". Não conheço negócio melhor para o país, feito por qualquer governo.

A família Pamphilli não sabia o que fazer do velho palácio barroco, ocupado desde a guerra por mais de 200 famílias, que viviam nos apartamentos dos fundos, impedindo a liberação dos magníficos salões com afrescos de Pietro da Cortona, toda a galeria de Borromini e a belíssima arquitetura da Piazza Navona.

Gouthier comprou o "palazzo" com quatro promissórias de 500 mil dólares e aos poucos foi tirando os moradores e desocupando tudo. Quando deixou a embaixada, o Brasil era dono da mais valiosa sede de embaixada em Roma, por 2 milhões e dólares, pagos em vários anos. Só as obras de arte que estão lá valem dezenas de vezes o que ele gastou. Qualquer multinacional daria hoje um mínimo de 500 milhões de dólares por ela.

O palácio Pamphilli vai de uma esquina da praça até a Igreja de Santa Inês, em frente da qual fica a magnífica "Fonte dos Quatro Rios" (Ganges, Nilo, Danúbio e Prata, os quatro maiores do mundo então, ainda não conheciam o Amazonas), obra de Bernini, o mesmo que fez a colunata da Praça São Pedro.

Quando vendeu o palácio, a família Pamphilli não quis vender também "o apartamento do Papa", o prédio estreito que liga o palácio à Igreja de Santa Inês, da mesma altura do palácio, com os mesmos quatro andares, um anexo fino, como se fosse uma casa de quatro andares.

Ali, o Papa Inocêncio X (cardeal Giovanni Battista Pamphilli), que construiu o palácio para a sua cunhada Dona Olímpia Maidalchini depois de 1600, ficava hospedado quando ia passar os fins de semana com ela. Até hoje estão lá, originais, a cama, os móveis, os objetos todos. Uma bela e fofa cama.

Essa mulher era uma megera, cobrava imposto sobre pão e água que o povo consumia. Conta a lenda romana que o Papa não dormia apenas lá. Dormia com a cunhada viúva. E até hoje há quem diga que, nas noites sem lua, se ouve a carruagem de Dona Olímpia fazendo barulho na praça e nos apartamentos da embaixada. Morei lá, na embaixada, um punhado de tempo, com várias janelas sobre a monumental Piazza Navona e Dona Olímpia não me deu a graça de vê-la nem de ouvi-la.

No contrato de compra do palácio, Gouthier pôs um item deixando para o Brasil a opção de compra do "apartamento do Papa". Quando a família resolveu vender, foi no governo Figueiredo. Não sei quem era o embaixador do Brasil. Devia ser um cabeça de bagre. Pediram 800 mil dólares. O Brasil, que tinha direito de compra, não quis comprar. Continuaram achando que era "a negociata de Gouthier".

O Brasil não quis, Berlusconi, o Roberto Marinho de lá, dono de televisão, revistas, jornais, hoje primeiro-ministro, comprou por 10 milhões de dólares. Só o apartamento, menos de 10% do edifício todo que Hugo Gouthier comprou para o Brasil por 2 milhões, com quatro "papagaios" pagos em vários anos.

Logo Berlusconi vendeu o "apartamento do Papa" por 15 milhões de dólares. Uma das "razões" para a cassação de Juscelino por Castelo Branco foi ter autorizado a compra do Palácio Pamphilli para embaixada do Brasil. E a de Gouthier também.

Embora não o usasse para nada, a embaixada cuidava zelosamente do "apartamento do Papa" nos anos todos em que esteve com o "direito de compra". Ninguém ia lá, só os responsáveis pela limpeza. Meu imenso apartamento de vários quartos ficava no mesmo andar do "apartamento do Papa", separado apenas por uma grande porta que lhe dava acesso.

Muitas vezes a chave estava lá. Abria a porta, entrava, ficava ali olhando os móveis, os detalhes do apartamento, pensando nas estrepulias papais do século XV. Mas jamais sequer me sentei na cama papal, em respeito à Santa Madre Igreja Católica, Apostólica, Romana, mesmo quando pecaminosa.

* * *

Márcia Kubitschek, vice-governadora de Brasília, foi a Roma a convite da Comissão Ítalo-Brasileira que, de dois em dois anos entrega (ao menos entregava) um prêmio em homenagem à irmandade Roma-Brasília, proclamadas "Cidades Irmãs", ambas nascidas no mesmo dia, 21 de abril, Roma 2.500 anos antes.

Almoçamos com o prefeito Carraro, de Roma, do Partido Socialista. Lá estava um rapaz simpático, moreno, cara de índio, charme de índio, olhos de montanha acostumados a ver de perto e de longe a Cordilheira

A NUVEM

dos Andes, falando correntemente português e espanhol e razoavelmente italiano. Imaginei que era um boliviano, um peruano, um panamenho, um "cholo".

Não era. Era o brasileiro Luis Inácio, não da Silva, mas Pinheiro, índio "ticuna", lá do Alto-Solimões, perto de Tabatinga, extremo da Amazônia. Depois do almoço, a surpresa. O índio Luis Inácio, embora lá do Alto-Solimões, era o "feliz ganhador" do prêmio de 1991 para celebrar a amizade-irmã entre Roma e Brasília. Por que não um candango que ajudou a levantar Brasília?

Na hora da solenidade, no alto do "Campidoglio", sede da prefeitura de Roma, um dos lugares mais bonitos do mundo, lá no alto da Piazza Veneza, em cima da escadaria que leva à praça onde Michelangelo pôs Marco Aurélio no seu cavalo eterno, a Márcia percebeu a "arapuca" armada para usar a presença dela.

Um pastor evangélico norte-americano, de Bíblia na mão, era o dono da festa. O prefeito de Roma, ingênuo e desinformado, não sabia de nada como Márcia, muito menos eu, e também levou um susto. O gringo explorador de índio começou a distribuir, em inglês, nem em italiano nem em português, folhetos agressivos, acusando o Brasil de "exterminar os índios há séculos".

Logo eles, dos Estados Unidos, que liquidaram milhões de índios, estavam ali "faturando" o índio Luis Inácio que leu, não sei se de boa ou má-fé, um discurso escrito e distribuído por eles, acusando o governo brasileiro de "responsável pela morte de 14 índios em 1988". Qualquer filme de faroeste matava muito mais.

A Márcia, em discurso, reagiu valentemente, como o pai faria. Lembrou que nem a Europa e muito menos os Estados Unidos tinham qualquer autoridade política ou moral para criticar o comportamento do Brasil diante dos índios, pois foram sobretudo eles, norte-americanos, espanhóis, portugueses, que massacraram implacavelmente civilizações indígenas inteiras.

A um canto, tentando esconder-se, o "pastor" se esquivou. Fui lá, perguntei-lhe o que é que ele tinha a ver com a Prefeitura de Roma ou o Governo de Brasília, passei-lhe uma descompostura nas minhas línguas disponíveis, português, espanhol, italiano, francês, que ele, velho agente malandro, sabia todas. E chamei-o de "gigolô de índio". Fez uma cara de quem ia sair para brigar, mas desistiu. Pegou o índio pelo braço e desceu as marmóreas escadarias do Campidoglio.

No dia seguinte levei minha querida amiga Márcia para almoçar em um restaurante bem romano, o "Giovanni", lá para as bandas da Via

Veneto, atrás do hotel Excelsior. O velho garçom nos disse que lá esteve, tempos atrás, um ex-presidente do Brasil, cujo nome não lembrava bem, muito simpático. Parecia chamar-se "João 4º" ou coisa parecida. Evidentemente era Jânio Quadros. Demos muitas gargalhadas. E o velho garçom, de cabelos brancos e pés cansados, com décadas de sabedoria no rosto e nas mãos, nos perguntou pelo "presidente Kubitschek". Deste ele lembrava bem o nome. Quando lhe disse que Márcia era filha de Juscelino, ele foi lá dentro, trouxe o dono do restaurante, a dona, os *maîtres*, os garçons e todos, um a um, lhe beijaram a mão, em homenagem a Juscelino. Márcia, tão doce, se derreteu.

* * *

A Itália tem 52% do patrimônio cultural da humanidade. Nenhum país tem o interior tão belo. A primeira coisa que fiz ao chegar a Roma foi comprar um carro, uma pequena, branca e novinha Mercedes na qual, durante quatro anos, percorri Itália, França, Espanha, praticamente toda a Europa.

Nos fins de semana, eu e a namorada, íamos para uma cidade, tantas delas também eternas como Roma: Florença, de Michelangelo e dos Médici; Nápoles, da Gruta Azurra; Milão, do Scala; Bolonha, vermelha, dos comunistas; Turim, do Império, Piza e sua torre; Gênova e seu porto, a paradisíaca costa Malfitana até Positano, a costa Adriática e as 150 ilhas da Croácia.

Uma vez por mês, espichava, sempre para celebrações mais especiais. A deusa grega ligava, eu iria à Grécia, ela preferia vir à Itália. E rodávamos uma semana pela Toscana, com suas inesquecíveis vinhas ensolaradas e gotejantes ou ao Veneto com seus lagos e mansos hotéis à beira d'água.

E de repente apareceu a Ana, com os mesmos olhos de faróis azuis, chegada do Brasil, vinda do mais fundo da primeira tormenta do seminário e fugimos para Capri, para mais uma vez retomar o passado que nos roubaram e o recuperávamos à beira do mar azul-safira do Mediterrâneo. E se foi, mas sempre voltando.

A Piazza Navona, metade eternidade metade a nova Roma, é um privilégio. No Palácio Pamphilli, mais ainda. Lá, morei quase um ano, cinco janelas penduradas sobre a história em terracota. No fim do ano chegou doente e com filhos um companheiro do Itamaraty. Passei-lhe o vasto apartamento e fui para o EUR, a cidade megalomaníaca que Mussolini construiu fora dos muros de Roma, entre belos parques, cortada por avenidas muito largas.

As ruas têm nomes de poetas. A minha era a Cesare Pavese. Apartamento de andar inteiro. E lá fizemos um Natal baiano. Minha irmã Tereza, meu cunhado Luiz e a Cristina Oliveira chegaram nas vésperas do Natal com a Bahia numa mala: farinha, pimenta, camarão seco, feijão branco, cocadas. Tudo para uma moqueca completa. Era só comprar o peixe.

E foi chegando mais gente e se hospedando comigo: meus amigos Cristina e o deputado Cleto Falcão, Mônica e Júnior, querido sobrinho em lua-de-mel, Celina e Jorge Jardim, jornalista.

O apartamento encheu. E a moqueca foi enchendo mais ainda. Convidei, evidentemente, a namorada romana, os amigos e amigas mais próximos da embaixada e do consulado, como o embaixador Carlos Alberto, o ainda conselheiro César Amaral, o ainda secretário Norton Repesta, Ana Santayana, no fim toda a embaixada e consulado. A moqueca planejada para 20 pessoas, acabou para 80. Um corre-corre para arranjar pratos.

De manhã, faltava apenas pegar o peixe fresco no mercado. Um frio de 24 de dezembro e veio o pânico. Não havia mais peixe nenhum. Nem ali nem nas proximidades. Meu cunhado, gênio da cozinha, viu pilhas de maravilhosos salmões. Levamos 30 quilos. E meu amigo, o jurista e ministro do Superior Tribunal de Justiça, Carlos Matias, em Roma com a mulher e que também foram, diz até hoje que jamais comeu uma moqueca tão boa: de salmão.

* * *

Quando entrei, a dona do apartamento, brasileira casada com italiano, só fez uma recomendação:

— Cuide bem do meu louro. Era um papagaio que passava o dia inteiro na cozinha dizendo:

— Câmbio! Câmbio! A mãe da proprietária vivia numa fazenda de Mato Grosso e se comunicava com a filha através de rádio. E foi aí que o papagaio aprendeu o câmbio! câmbio!

Chegaram do Brasil, para passar uns meses comigo, meu filho Nerynho com a mulher e meu neto Ramon, de três anos. Ficou logo encantado com o papagaio. Mas vivia com uma chupeta na boca e eu, planejando um golpe para tomá-la, avisava:

— Cuidado com o papagaio. Papagaio gosta de comer chupeta.

Uma manhã, a chupeta tinha sumido. Dissemos que o papagaio havia comido. Reclamou, chorou, ficou inconsolável. De madrugada, acordamos com um barulho enorme na cozinha. O Ramon levantou-se no escuro, foi para a cozinha, acendeu a luz, pegou uma vassoura e estava dando uma surra no papagaio, que desesperado pulava de um lado para o outro. Voou pena para todo canto. Quase mata. Mas não pediu mais a chupeta.

* * *

Natal em Roma, *Réveillon* em Mônaco, depois Nice, Saint-Tropez, Cap Ferrat, Provença, a França. Mas nada tão impactante e extraordinário quanto Veneza, a mãe da Europa.

Se vai de avião, desce no aeroporto, pega um táxi até a ferroviária, toma um barco e segue para o centro. Se de carro ou de trem, quase a mesma coisa. Sem barco não se chega à cidade. É assim, surrealistamente, que se vai à mais fantástica das cidades.

Pode pegar o "vaporeto" ou um "water-táxi" no aeroporto. Mas tem que puxar a mala mais de um quilômetro. Veneza vale tudo. Truman Capote, o cineasta, a viu e sentiu na boca:

— "É como comer uma caixa inteira de chocolates de licor de uma só vez".

Paulo Rónai conta que o escritor americano Robert Benchley chegou lá, telegrafou:

— "Ruas inundadas. Aguardo instruções". E o italiano Goldoni:

— "Todas as cidades do mundo se parecem mais ou menos. Esta não tem semelhança com nenhuma. Cada vez que a revia, depois de longas ausências, surgia em mim um novo espanto. Veneza é uma cidade tão extraordinária, que não é possível formar dela uma ideia justa sem tê-la visto. É preciso vê-la".

* * *

Quem primeiro falou de Veneza foi Tito Lívio, do ano 29 antes de Cristo até o ano 12 depois de Cristo, o fértil historiador romano. Dramaturgo, orador e narrador de gênio, deixou 142 livros, começando do começo: — "Ab Urbe Condita" ("Desde a Fundação da Cidade", de Roma). Descreveu "finas praias e lagos", e contou que, já em 302 antes de Cristo os habitantes de Veneza "dispersaram a frota do rei de Esparta".

A data de fundação é 25 de março de 421, quando os moradores da região, fugindo ao ataque dos "bárbaros", os visigodos de Alarico, refugiaram-se nas casas de pescadores, salineiros e plantadores de hortas, que viviam em pequenas e pobres ilhas das lagunas, em casas sobre palafitas.

Em 452, foi Átila, rei dos hunos, que chegou arrasando tudo, mas não conseguiram ocupar as lagunas. A população, preparando-se para próximos ataques, reuniu os representantes das comunidades em assembleias, em 466, e criou o governo dos "tribunos", eleitos cada ano em cada comunidade. E nascia assim a "Sereníssima República" de Veneza, que durou mais de mil anos.

Só 200 anos depois, em 697, foi eleito o primeiro "dux" ("doge" em dialeto vêneto), um "magistrado supremo" para todo o território da laguna. Negociavam e se entendiam com o governo romano de Bizâncio, em Constantinopla, mas nunca aceitaram a "soberania do papado" em Roma.

Veneza era o mar, o Adriático, caminho para o comércio com o mundo. Um "dodge" criou a cerimônia "spozalizio con il mare" ("casamento com o mar"). Jogou um anel no mar, dizendo:

— "Desposamus te mare" ("Casamos contigo, ó mar").

Criaram sua moeda, o "Grosso", inventaram a intermediação financeira, os bancos. Esses, os mercadores e os controladores dos negócios, como até hoje, é que determinavam as decisões políticas e militares dos "doges".

Quando um "doge" promulgou um decreto que "causou preocupação no meio comercial" (tudo sempre igual) reagiram com uma rebelião. O Palácio Ducal foi assaltado, arrasaram a Basílica de São Marcos, a Igreja de São Teodoro, puseram fogo nas casas vizinhas. A reconstrução começou logo.

Em 992, em troca da ajuda contra os árabes, o imperador de Bizâncio (Constantinopla, hoje Istambul), deu a Veneza a "Bula de Ouro", que lhe assegurava tarifas de importação muito mais baixas para as mercadorias comercializadas, diante dos concorrentes amalfitanos, judeus e lombardos.

Tinham o monopólio do sal. Por ali passava todo o comércio da Europa e do mundo de então, que ia para o Oriente e de lá vinha:

— "Do século XI ao XVI (600 anos) uma grande potência econômica. A partir do século XII, já tinha o controle absoluto do Adriático. Transportavam para o Oriente principalmente produtos da Alemanha e Itália, em troca de frutas exóticas da Síria, trigo da Rússia, vinhos da Ásia, tecidos finos de algodão e seda, tapetes, pedras preciosas, marfim, ouro, âmbar. O mundo eslavo fornecia escravos, mel, cera, peles e cânhamo. E sedas da China, algodão do Egito, perfumes da Arábia" (Enciclopédia Britânica).

Grécia e Roma são avós da Europa. Mas a mãe é Veneza.

Em 831, tinham trazido do Egito os restos de São Marcos e construíram a magnífica catedral junto ao Palácio dos "Doges". Numa das Cruzadas, de que sempre participavam, com o saque de Bizâncio, confiscaram tesouros artísticos, como quatro cavalos de bronze até hoje na Basílica de São Marcos.

O fim da República de Veneza (que durou mais de mil anos) veio com Napoleão, em 1797, que fechou numerosas comunidades religiosas e destruiu 72 igrejas. Napoleão ainda levou para Paris os quatro cavalos de bronze da Basílica de São Marcos, que tinham vindo de Constantinopla. Quando Napoleão perdeu, Francisco I da Áustria mandou devolver os quatro cavalos que, como se vê, andaram mais do que jumento na seca.

Na primeira guerra, foi bombardeada pelos austríacos, na "noite das oito horas", de 27 de fevereiro de 1918, com 14.700 quilos de bomba. E tudo isso está novamente ameaçado por um Alarico, um Átila, um Napoleão, uma guerra muito mais devastadora: a água.

* * *

No dia 3 de novembro de 1966, Veneza acordou debaixo d'água. Uma violenta "mareggiata" (ressaca com ventos fortes), vinda do Adriático, caiu sobre a cidade, jogando em seu labirinto de canais uma quantidade de água dois metros acima do nível do mar. A água invadiu tudo, destruiu a rede elétrica, encheu os canais de lixo, ratos e pombos mortos.

O desastre pôs dramaticamente a nu uma dolorosa realidade: a frágil cidade estava lenta, mas inexoravelmente afundando nas águas da própria lagoa que a fez nascer e a mantinha viva. Era uma gôndola afogada. E todos se lembraram do belo e profético poema de Byron, que lá morou:

— "Veneza, oh Veneza!, quando teus muros de mármore forem cobertos pelas águas, levantar-se-á um lamento das nações sobre tuas praças submersas, um alto lamento longo como o mar devastador".

Veneza não é bem uma cidade. É um museu universal, cercado de água por todos os lados, todas as praças, todas as casas. São 18 ilhas, 400 pontes, 117 canais. Não por acaso, no século XVIII ela transformou-se no maior centro de diversões da Europa, com um carnaval que humilhava o da Bahia: 6 meses.

O primeiro grande teatro fechado do mundo está lá: o Grande Teatro Fenice, de 1792. O Palácio dos Doges, em estilo gótico renascentista, tem mestres da pintura como Carpaccio, Veronese, Tintoretto. A Basílica de São Marcos, com suas peças em dourado, seus mosaicos e cúpulas, no mais puro estilo bizantino, não parece com nenhuma igreja ocidental. Todo ano, em junho, eles fazem lá a Bienal de Artes e em setembro o Festival de Cinema.

A República de Veneza é uma das mais curiosas, surpreendentes e duradouras experiências políticas da história humana. Durou de 697 a 1797. Mil e cem anos. O historiador Antônio Carlos de Amaral Azevedo conta:

— "Os Doges eram eleitos. E havia uma 'Assembleia Popular', um 'Conselho de Sábios', o 'Grande Conselho'. Do século VII ao XII, esses magistrados foram os verdadeiros dirigentes da sociedade, da economia e da política, dotados de plenos poderes. Suas tentativas visando à hereditariedade do cargo ocasionaram mudanças para limitar sua autoridade".

"A partir do século XII, a aristocracia veneziana criou órgãos constitucionais que se encarregaram de algumas funções administrativas, antes centralizadas nas mãos do 'doge'. Este, porém, continuaria a ser escolhido entre as famílias mais influentes da cidade, ocupando o posto até a morte. A ele competia solucionar todas as divergências internas, bem como proteger a cidade contra qualquer ameaça externa".

Tomara que Lula não leia isso. Ele vai querer ser "Doge".

As centenas de milhares de turistas do mundo inteiro, espremendo-se pelas praças e passeando nos barcos e gôndolas, nas douradas primaveras de sol forte e mar calmo, nem desconfiam como aquela maravilha está ameaçada. Mas, 40 anos depois de 66, o mundo vai acordando: é preciso salvar Veneza. Se os gelos polares derreterem, os tornados e nevascas se despejarem, as águas se rebelarem, os mares enlouquecerem, Veneza será a primeira grande vítima.

Depois de 1966, muita coisa foi feita. Mas os cientistas estão com medo e com pressa. A "The Venice in Peril Fund" ("Fundação Veneza em Perigo"), da Universidade de Cambridge, na Inglaterra, publicou estudo magnífico de 130 cientistas de todo o mundo, advertindo e apresentando soluções, que estão no livro "La Scienza per Venezia", de Caroline Fletcher e Jane da Mosto:

— "Dezesseis milhões de pessoas que todo ano vão a Veneza veem as restaurações sendo feitas. Mas a realidade é menos rósea do que parece. A cidade mais bela do mundo tem os dias contados. A frequência da 'água alta' aumenta e hoje Veneza não está em condições de defender-se de uma catástrofe maior do que o grande aluvião que sofreu em 66".

"O alarmismo dos ecologistas tem fundamento. Veneza não poderá ser salva sem investir tanto nas 'barreiras móveis' como na lagoa. As mudanças climáticas provocadas pelo homem ameaçam Veneza: em 2100, o nível do mar pode estar aumentado de 12 para 72 centímetros."

"A lagoa de Veneza é, geralmente, pouco profunda: o nível médio da água é de um metro. Nos fundos da lagoa, foram escavados canais de navegação, alguns com até 20 metros de profundidade. Cerca de 60% da lagoa é perenemente submersa. 25% emergem periodicamente com as baixas marés. O resto (15%) é constituído de ilhas teoricamente sempre elevadas (acima do nível do mar), mas hoje ameaçadas pela 'água alta'".

"A cidade desce, o mar sobe. Veneza abaixa 0,5 milímetros por ano. Estudos arqueológicos, sobretudo na Basílica de São Marcos, calculam uma perda de altitude de 1 a 1,5 milímetros todo ano, prevendo uma redução da diferença altimétrica, entre a terra e o mar, de 14 centímetros cada século."

"Em menos de 50 anos, dos anos 20 aos anos 70, Veneza afundou 10 centímetros mais do que Trieste" (ali ao lado, também no Mar Adriático).

Não significa visite Veneza antes que afunde. Mas grite por ela.

* * *

Em abril de 91, tive uma grande alegria em Roma. Com todo o carinho, peguei meu carro, fui ao aeroporto Fiumicino receber Ulysses Guimarães e Dona Mora. Ele chegava magoado com o PMDB, que lhe tinha tirado a presidência do partido. Durante duas semanas, com a devoção de um menino-guia de Olinda, ciceroneei os dois, a irmã e uma amiga de Dona Mora pelos monumentos, palácios, igrejas, ruínas, catacumbas e restaurantes de Roma.

No silencioso bar do discreto e estrelado Hotel d'Inghilterra, onde a nobreza paulista costumava hospedar-se, na via Bocca di Leone, abaixo da Piazza di Spagna, enquanto esperava Dona Mora e a irmã descerem do apartamento para jantarmos na primeira noite da chegada a Roma, o velho Ulysses estava magoado.

Tinha acabado de passar a presidência nacional do PMDB para Quércia, que deixara o governo de São Paulo elegendo o sucessor e dando ao partido sua maior vitória nacional, e era o candidato natural à Presidência da República em 94, depois da devastadora derrota de Ulysses em 89.

Ulysses se queixava de não ter continuado na presidência do partido. Achava que o PMDB lhe devia isso, sobretudo depois da derrota. Mas em tantas conversas de horas seguidas, eles passeando e eu, adido cultural lá, pajeando-os com carinho e emoção pelos caminhos eternos de Roma, nem uma vez sequer ele reclamou do comportamento de Quércia na eleição.

Pelo contrário. Citou vários governadores do PMDB e, sobretudo, as bancadas, o Senado e a Câmara, que não tinham acreditado na sua candidatura e por isso não se empenharam na campanha. Lamentava que nem seu dileto amigo Pedro Simon, governador do Rio Grande do Sul, tivesse se empolgado com sua campanha, tanto que foi a São Paulo conversar com Quércia, governador de São Paulo, e o convidou, em nome dos demais governadores, a ser o candidato:

— Se o Simon chamou o Quércia é porque não acreditava.

A NUVEM

Também falou no erro da candidatura de Waldir Pires a vice:

— Não sei por que o Waldir deixou o governo da Bahia para ser vice, se durante toda a campanha em nenhum instante acreditou nela.

E contou a dramática reunião de Brasília, na véspera da convenção, na casa dele, em que quase todos os governadores do PMDB, mobilizados por Moreira Franco, governador do Rio, foram lá pedir-lhe que desistisse, porque ele não teria chances. Quem falou por todos foi Pedro Simon. Quando Ulysses perguntou quem seria o candidato no lugar dele, todos se calaram:

— Ali tive a certeza de que o Calabrês (era assim que às vezes se referia a Quércia) não estava me traindo. Ele foi correto comigo, como outros não foram. Se ele tivesse aceito o insistente convite dos outros para ser o candidato, bastava que eles o indicassem e eu teria retirado meu nome. Mas ninguém disse nada, a Mora ficou irritada, foi buscar um café e a conversa acabou ali.

Em outro jantar, na hora do "*poire*", voltei ao assunto. Ulysses disse que depois soube o que Quércia respondeu a Pedro Simon e aos que foram a São Paulo para convidá-lo:

— "Enquanto doutor Ulysses for candidato, não aceito nem tratar do assunto. Ele é o nome natural do partido, por tudo que ele é, pelo que fez e porque o país o vê como símbolo do PMDB. Além disso, preciso terminar meu governo, ainda faltam quase dois anos. Se um dia doutor Ulysses retirasse a candidatura, só então eu poderia conversar. Tenho gratidão e deveres com ele. Ainda muito jovem, quis ser candidato a deputado estadual, ele me apoiou. Fui prefeito de Campinas com apoio dele. Participou de minha campanha para senador. Jamais disputaria com ele".

Quando voltou ao Brasil, Ulysses me mandou esta carta:

"Brasília, 17 de abril de 1991

Meu querido Sebastião Nery,

Você é demais. Suas palavras me convenceram. Seu artigo teve ampla e consagrada repercussão. Todo mundo me fala dele. Deus lhe pague!

Mora e suas amigas ficaram deslumbradas com seu talento, sua erudição, a fluência e competência com que nos instruiu sobre coisas inéditas da eterna Roma.

Eu sou sua velha e barulhenta 'macaca'.

Se tiver coisas sobre o parlamentarismo, envie. O parlamentarismo republicano, com a eleição de Presidente, não o monárquico sem eleição.

Dê notícias e quando vier ao Brasil não se esqueça de aparecer ao fraterno amigo e convicto admirador,

Ulysses Guimarães".

Não era uma carta. Era um galardão.

37
PARIS

DO OUTRO LADO DO TÚNEL, MINHA NUVEM ME ESPERAVA PARA ME LEVAR a Paris. Desta vez, era o sonho de meio século: viver lá. Não como antes, dúzias de vezes, passar dias, semanas, meses e sair. Agora era chegar, ficar, trabalhar, morar, na mais mágica das minhas cidades encantadas: Jaguaquara, Salvador, Rio e Paris.

Até o túnel, embaixo do nevado Mont Blanc, fronteira de Itália, Suíça e França, fui a Roma, Florença, Gênova, Turim e Chamonix, de carro com meu filho, a mulher dele e meu neto. Não gosto de túnel longo. Quantos quilômetros tinha o túnel?

No hotel de Turim, onde dormimos, um italiano e um suíço da recepção quase se atracaram discutindo o tamanho do túnel. Um dizia que eram 60 quilômetros, o outro, 30. No restaurante quase na boca do túnel, a italiana gorda como uma macarronada disse que morava ali desde que nasceu: eram "só 20". E são 12.

Quando acordei no dia seguinte, em Paris, no hotel Argentine, entre a Avenue Foch e o Arco do Triunfo, mandei um cartão à namorada:

— "Se você olhar bem, verá meus olhos pulando das janelas do hotel e caindo sobre as pontes do Sena. Estar em Paris é minha melhor maneira de ser feliz".

E me lembrei dos dois que mais vi com saudades de Paris: o padre Correia e Juscelino. Um cearense e um mineiro. Um na alegria, o outro mesmo na dor. Por isso Paris é a capital do mundo.

***

Exilado em Paris, pela violência gratuita e histérica do golpe de 64, Juscelino saiu uma tarde dirigindo seu carro e curtindo saudades do Brasil, numa conversa longa com seu amigo e ex-secretário Olavo Drummond. Chega à Place Vendôme, estaciona em um lugar proibido. O guarda logo aparece, alto e posudo, com seu bonezinho à De Gaulle:

— A carteira de motorista, por favor.

Entregou. O guarda alto e posudo conferiu:

— Oh, senhor Kubitschek? Parente do grande presidente Kubitschek do Brasil?

— Sou eu.

— O senhor, o próprio presidente Kubitschek?

Já estava abrindo a porta:

— Presidente, por favor, dê-me as chaves do carro. Eu mesmo vou estacioná-lo. É uma honra para a França ter o senhor como seu hóspede. Aqui, apesar de exilado, o senhor continua presidente como sei que continua lá.

Juscelino entregou a chave, pôs a mão no ombro de Olavo e chorou.

Três anos antes, em janeiro de 61, depois de passar o governo a Jânio, os udenistas diziam no Brasil que Juscelino estava vivendo em Paris como um nababo, tinha comprado um castelo no Vale do Loire, andava de Rolls-Royce.

Numa tarde, no aeroporto de Madri, Olavo, que vinha visitar Juscelino em Paris, encontrou o ex-ministro da Fazenda de Café Filho, Eugênio Gudin, que não conhecia Olavo. Começaram a conversar, e Gudin, velho e rancoroso udenista, fala de JK:

— É a sétima fortuna do mundo. Comprou um palacete em Paris. Vive como um príncipe oriental.

Olavo desmentiu, Gudin insistiu. Olavo quase saiu no braço. Em Paris, Juscelino tinha comprado um Simca Chambord usado, que ele mesmo dirigia. Alugou um pequeno e modesto apartamento de dois quartos, no segundo andar de um *boulevard* perto da Avenida Grande Armée, que conheci.

Em fevereiro, março, Paris é muito fria, Juscelino botava o capote, o chapéu, e saía rodando de carro, amargurado, inconsolado com as acusações sem prova de Jânio Quadros. Uma noite, com Olavo, subia de carro, dirigindo, pela Avenida Champs-Élysées, parou no sinal. Um grupo ia passando, falando alto em português. Um rapaz o vê, olha, aproxima-se, volta:

— Vá parecer assim com Juscelino na puta que o pariu.

Juscelino tremeu a voz:

— Seu Olavo, me deu vontade de descer e bater um papo.

Foi assim em 1961, repetiu-se em 1964.

O telefone tocou na casa de praia de Madame Schneider, uma francesa amiga de Juscelino, a 20 quilômetros de Saint-Tropez, no sul da França, onde ele, com Dona Sarah, as filhas Márcia e Maristela e o amigo dileto Olavo, passava uns dias descansando depois de deixar a presidência da República em 31 de janeiro de 1961.

Quem chamava, do Rio, era o empresário, poeta e redator de alguns de seus históricos discursos, Augusto Frederico Schmidt:

— Juscelino, estou recebendo meu *clipping* das revistas e jornais dos Estados Unidos. A revista "Time", em um texto com notícias do Brasil, diz que você é "a sétima fortuna do mundo".

Conversaram, Schmidt desligou, Juscelino ficou triste, amargurado, deprimido. Olavo o chamou para darem uma volta:

— Presidente, hoje de manhã, quando fui comprar os jornais, quem estava na banca era a Brigitte Bardot. Podemos encontrá-la de novo.

Juscelino riu, saíram. Quando pararam o carro, a primeira cara que viram foi a de Brigitte, no auge do sucesso, com aquela carinha de Paraíso Terrestre depois da maçã, cercada de fãs, tirando fotografias. Juscelino se afastou:

— Olavo, se eu sair com essa mulher em um fundo de fotografia, vão dizer no Brasil que estou namorando ela.

* * *

Paris, um museu a céu aberto, nunca perdeu o pódio de capital mundial da cultura. A embaixada brasileira necessariamente reflete isso. Tem a sua "Galeria Debret" comandada pelo talento e brasilidade de Nina Chaves, com exposições permanentes de artistas nossos e é ponto de passagem obrigatório dos intelectuais, artistas e políticos brasileiros.

E ainda dezenas de jovens artistas e intelectuais que lá moravam e sempre moraram nas mais diversas épocas, fazendo estágios, estudando. Sem falar nos já consagrados, como Cícero Dias, Juarez Machado, Alécio Andrade, tantos outros, há muitos anos vivendo lá com seus estúdios, cidadãos parisienses.

Adido Cultural, atento e acompanhando a vida intelectual do Brasil, da França e dos outros povos, acordava a cada dia, inevitavelmente, sempre com um novo e grande assunto.

A NUVEM

Ainda mais quem, como eu, escrevia uma coluna diária para duas dezenas de jornais no Brasil, suplementos culturais semanais, revistas, e fazia um comentário diário noturno na rádio CBN.

E foi assim que um dia eu o vi cair como uma folha de outono, no outono, como as folhas mortas que eternizou na canção inesquecível do amor que morreu. A cidade se preparou femininamente para receber o corpo morto daquele que foi, no século passado, seu maior cantor popular.

Desde o começo da semana um vento lento, macio, entristecido, soprava devagar sobre as árvores marrons daquele outono iluminado e as folhas douradas, bailando, requebrando, levitando, iam caindo, uma a uma, no tapete das ruas cobertas.

De manhã, numa quinta-feira, a caminho da embaixada, caminhando à beira do Sena, sobre um lençol de folhas secas, de repente me deu vontade ouvir a canção de Yves Montand. Entrei na loja de música e comprei dois CDs com suas principais canções. A primeira estava lá: "Folhas mortas".

Saí pensando como deve ser bela a sensação de alguém que um dia conseguiu traduzir de maneira tão plena, forte, definitiva a emoção do amor, a ponto de fazer de uma canção sinônimo de sua cidade. De tarde, Yves Montand estava morto.

Durante seis dias Paris passou em frente à sua casa levando flores, palavras ou um simples olhar. Era uma fervorosa procissão de adeus no Boulevard Saint Germain. Era como se fossem três em um. Yves Montand era o mais popular ator, o mais popular cantor e a mais popular personalidade não política da França.

Para dar um exemplo brasileiro, foi como se morressem juntos, numa só pessoa, Oscar Niemeyer, Fernanda Montenegro e Roberto Carlos. Era assim havia 45 anos. Desde o fim da guerra, com seus filmes, peças, *shows*, canções e militância política, Yves Montand esteve sempre no palco, incontestável e amado. Nas vésperas da eleição presidencial que François Mitterrand venceu contra Giscard d'Estaing (1981), alguém lançou sua candidatura à presidência. Passou meses disparado nas pesquisas, acima dos candidatos de todos os partidos, inclusive Mitterrand, que ele afinal apoiou. E nem francês era.

Nasceu na Itália. O pai, comunista, fugiu para Marselha perseguido por Mussolini. Montand lutou jovem na resistência contra o nazismo e foi durante anos um expoente do Partido Comunista Francês (sem pertencer à direção).

Quando a União Soviética invadiu a Hungria em 1956, e depois a Tchecoslováquia em 1968, saiu do partido, denunciou os erros e fez o filme histórico "Z", de seus amigos, o escritor espanhol Jorge Semprun e o cinesta grego Costa-Gavras, a primeira grande denúncia artística mundial contra o stalinismo.

E nunca mais parou de criticar os crimes do Leste Europeu, o "Gulag" do nazismo vermelho. Os comunistas do mundo inteiro caíram em cima dele, "vendido ao imperialismo americano", tudo como velha técnica de fabricar heróis e tentar destruir adversários com que o movimento comunista internacional exercia seu "terrorismo cultural". Montand nunca se acovardou, nunca cedeu. Foi até o fim o que ele chamava um "socialista da liberdade".

Morreu no plantão. Estava em um bosque suíço fazendo o último filme, rodando as últimas cenas, sentiu-se mal, chegou quase desacordado ao hospital. No caminho brincou:

— Raramente fui tão confortavelmente transportado. Se me acontecer alguma coisa, na minha idade (70 anos), não lamento nada. Vivi bastante. Não me arrependo de nada.

O Roberto D'Avila fez com ele uma entrevista inesquecível para a televisão. Foi um generoso depoimento sobre a vida dos homens por um mundo melhor e suas paixões por Simone Signoret, Jeanne Moreau, Edith Piaf e outras que choraram junto a ele no longo velório. O presidente Mitterrand definiu bem.

— "Foi um grande artista, um grande cantor, um grande ator e uma testemunha engajada de seu tempo".

Poucas vezes alguém conseguiu reunir tanta unanimidade em torno de si. Em todas as escalas sociais, do mais requintado artista ao derradeiro homem do povo. As TVs, durante uma semana, repassaram seus filmes, um atrás do outro, e as entrevistas, os espetáculos, e os debates políticos, alguns fortíssimos, com a esquerda francesa, controlada e aterrorizada pelo Partido Comunista, quando ele, 30 anos antes, teve a coragem e a firmeza intelectual de dizer que o rei estava nu. Gorbachev e Yeltsin ainda estavam na universidade.

* * *

A França sempre cuidou de seus heróis, seus mortos ilustres. Napoleão está nos "Invalides", embaixo da cúpula dourada; Jaurès, fundador do Partido Socialista, assassinado na resistência à guerra de 1914, e Jean Moulin, líder torturado e assassinado na resistência aos nazistas na guerra de 1940, estão no Pantheon. De Gaulle preferiu a paz do pequeno cemitério rural de sua "Colombey les Deux-Églises".

O cemitério mais famoso de Paris, onde todas as famas viram igualmente pó, fica para os lados de Montmartre: "Cémetiere Du Père Lachaise". Ali estão hospedados, eternamente, Allan Kardec, o filósofo do espiritismo; Sarah Bernhardt, a divina atriz; La Fontaine, o ás das fábulas; Moliére, o do Teatro; Chopin, o do piano; Balzac, o do romance; Edith Piaf, a da canção; Yves Montand, o de tudo; os escritores e poetas Balzac, Oscar Wilde, Alphonse Daudet, Paul Eluard, Cyrano de Bergerac, Marcel Proust, Prudhomme, Colette; os pintores Delacroix, Max Ernst, Modigliani; os filósofos e historiadores Jacques Champollion, Fernand Braudel, Augusto Comte, Jules Michelet; os artistas Isadora Duncan, Maria Callas, Gilbert Becaud, Gioachino Rossini. E Heloisa e Abelardo, Henri Barbusse, George Bizet, Delacroix, Lefebvre, Maurice Thorez, Marechal Ney, Joaquim Murat, marechal de Napoleão e rei de Nápoles etc.

Na quadra 44 do "Père Lachaise", entre Allan Kardec e Sarah Bernhardt, há um mausoléu alto, bonito, linhas góticas, uma cruz no alto, escrito assim: "Sepulture de Moura". É a Bahia ali. É o baiano Caetano Lopes de Moura. Médico, cirurgião, escritor, tradutor, editor e soldado de Napoleão, um surpreendente e culto aventureiro, mulato, sempre ligado às lembranças da Bahia, de onde saiu e nunca voltou. Em todos os seus livros, os próprios e as traduções, fazia questão de pôr, na capa, embaixo do nome, "natural da Bahia". Nasceu em Salvador em 7 de agosto de 1780 e morreu em Paris em 21 de dezembro de 1860.

Do que mais Moura se orgulhava era das traduções de Walter Scott (Talisman), Fenimore Cooper ("O Último dos Moicanos"), Chateaubriand ("Os Natchez"), Marmontel ("Os Incas"), o "Tratado de Geografia Universal" de Balbi, as "Máximas e Sentenças Morais" de La Rochefoucauld, o "Dicionário Geográfico, Histórico e Descritivo do Império do Brasil", de Saint Adolfe, os "Contos a Meus Filhos" de Kotzbue.

Traduziu do alemão, do inglês e do francês. E fazia seus livros, vários: "História de Napoleão Bonaparte", "Cancioneiro D'Elrey D. Diniz", a "Mitologia da Mocidade — História dos Deuses, Semideuses e Divindades Alegóricas das Fábulas", uma "Autobiografia" etc. Escreveu como um monge. E ainda foi brigar ao lado de Napoleão na batalha (vitoriosa) de Wagran. Foi um grande e bacana baiano.

Tudo isso a gente sabe hoje graças a outro baiano ilustre, o professor Claudio Veiga, da Universidade Federal da Bahia e da Universidade Católica de Salvador, presidente da Academia de Letras da Bahia, que recebeu um dos maiores prêmios da França, da Academia Francesa, das mãos do secretário perpétuo da Academia, Maurice Druon, escritor muito conhecido no Brasil, autor de "O menino do dedo verde".

Quando eu chegava ao Seminário Central de Salvador, Claudio Veiga já estava no Seminário Maior, terminando o curso de Filosofia. Saiu de lá, foi para Paris estudar francês e literatura francesa (1950 a 1952). Voltou de 65 a 66, depois em 75 e 87. É um traço de união entre a França e o Brasil, sobretudo a Bahia.

Escreveu "Um brasileiro soldado de Napoleão", sobre Caetano de Moura, um livro sobre Pascal, outro sobre "Prosadores e Poetas da Bahia" (Padre Antônio Vieira, Castro Alves, Jorge Amado, Adonias Filho, Arthur Salles, Xavier Marques); uma "Antologia da Poesia Francesa" (primorosa edição bilíngue, por ele traduzida com talento e força poética. A noite da Academia foi um ato universal. Com Claudio receberam prêmios o Cardeal Suennes, da Bélgica, Jacques Lacarriere. Uma bela festa franco-baiana.

* * *

Um brasileiro de Paris é patrimônio da humanidade. Se eu fosse presidente do Brasil daria a Ordem do Cruzeiro do Sul a Cícero Dias. Presidente da França, daria a Legião de Honra a Cícero Dias. Presidente da Europa, daria a maior condecoração europeia a Cícero Dias. Ele é o maior dos euro-franco-brasileiros.

Um nome gravado nos muros íntimos da infância, feito de mito e emoção. Foi ele que em plena Segunda Guerra, quando Hitler devastava a Europa e humilhava a França, voou de Paris a Londres para levar à BBC o poema eterno de Paul Eluard cantando a liberdade ("Liberdade, liberdade, te amo escrita nas paredes"...), que o cearense padre Correia recitava em francês nas aulas do Seminário, os olhos molhados de amor e ódio.

Preso na Alemanha com Guimarães Rosa, Cícero Dias pagou o preço da resistência. Depois, na universidade e no jornal, na vida e no tempo, nunca mais perdi seu nome. Amigos, escritores, artistas, políticos, sempre voltavam da Europa falando em Cícero Dias, escrevendo sobre ele com carinho e orgulho.

Odorico Tavares e Antônio Maria, em Salvador; Carlos Pena Filho e Murilo Marroquim, no Recife; Otávio Dias Leite e Paulo Mendes Campos, em Belo Horizonte; Di Cavalcanti e Vinicius de Moraes, no Rio; Jânio Quadros e Almeida Sales, em São Paulo; Juscelino e José Aparecido, em Brasília. E os jornais, as revistas, os livros, as enciclopédias. Cícero Dias era o Brasil vivo em Paris, com sua arte universal e seu coração profundamente brasileiro.

O Rio inaugurou, na Velha Alfândega, uma bela "Casa França Brasil". Foi a segunda. A primeira sempre se chamou Cícero Dias. Gilberto Amado, irmão nordestino de Cícero Dias, dizia:

A NUVEM

— "Quem não gosta do Brasil não me interessa". A mim também. A vida, que tantas graças me deu, deu-me mais uma: conhecer e ficar amigo de Cícero Dias, e afinal descobrir porque tantos, tão ternamente, falavam sempre dele.

Cícero Dias não era uma pessoa. Era um pedaço de Nação. Foi a melhor coisa (ele e sua doce francesa Raymond) que encontrei em Paris, nos dois venturosos anos de Paris. Imagine o que é você sair de Jaguaquara, entrar na casa de um homem vestido de glória, ele ir à estante, pegar um velho livro seu, lido, anotado, guardado. Foi assim que Cícero Dias me recebeu ali.

Uma bela vida. Nasceu em Pernambuco (Jundiá), em 1907, vésperas do cometa Haley. Em 1925, já estava no Rio, desenhista e pintor de gênio. Ligou-se aos grupos de vanguarda. Em 1927, fez sua primeira exposição, 19 anos. Em 1930, recebeu o Prêmio Graça Aranha. Começou a escrever um romance ("Jundiá"), que nunca terminou. Voltou ao Recife para ensinar desenho e pintura. Em 1935, participava das lutas políticas contra o fascismo que começava a entrar no Brasil. Em 1937, com o golpe de Getúlio, deixou o país e foi viver em Paris.

Aproximou-se dos surrealistas, companheiros de Breton, Eluard, Aragon, Picasso, Artaud, Narville, Peret. E, em 1945, torna-se pioneiro da arte abstrata no Brasil. Pinta em 1948, na Secretaria de Finanças de Pernambuco, o primeiro mural abstrato da América do Sul. Companheiro de Arp, Calder Magnelli.

Na década de 60, volta à pintura figurativa:

— "Com um colorido mais denso do que o das líricas aquarelas dos anos 20 e 30". Em 1977, lança o álbum "Casas Grandes e Senzalas", textos de Gilberto Freire. Há telas suas nos grandes museus do Brasil e do mundo. Em 1987, em Paris, faz uma grande retrospectiva de sua obra. E em 1993, a "Maison de l'Amerique Latine" e a "Galerie Debret", da embaixada do Brasil, promoveram mais uma retrospectiva, sempre com novos trabalhos.

Aos 85 anos, lúcido e lampeiro, ágil e vibrante, continuava desenhando, pintando, trabalhando, criando. Quase diariamente passava na embaixada do Brasil para conversar, ver nossos jornais. Ia a pé, a dois quilômetros de seu apartamento. Sempre que podia, voltava com ele. Não ia perder uma hora de caminhada ouvindo histórias magníficas sobre o vasto mundo que ele viveu.

O que me fascinava em Cícero Dias era sua ligação emocional, cotidiana, visceral, telúrica, com o Brasil, nosso povo, nossa política, nossa vida, nosso amanhã. Aquele homem vivido e famoso, querido e glorioso, quase diariamente ia à embaixada ou à UNESCO pegar a sinopse dos jornais para não esperar o dia seguinte, quando a bendita Varig nos trazia os jornais.

Cada nota, cada notícia, cada assunto sobre o Brasil, em qualquer jornal, daqui ou de lá, era uma alegria ou uma dor no coração daquele homem que viveu o século como poucos.

O Brasil de Cícero Dias não era uma mancha no mapa nem uma voz ao telefone. Era uma paixão correndo no sangue. Morreu em 2003, aos 96 anos. Guardo entre outras esta carta como joia:

— "Sem data.

Meu querido Sebastião, não respondi logo sua carta e os generosos termos de seu ótimo artigo, porque estava ausente de Paris.

No tempo em que seu excelente e generoso artigo aquecia-me a alma o termômetro marcava menos 10.

Dentro bem quente por fora um frio danado.

Você sabia que eu andava um pouco pelo Mar Mediterrâneo.

Do lado de cá, isto é Europa, muito defloramento, uma nova arma de guerra, sexualmente empregada e vitoriosa, o que irrita a virtuosa Simone Weill.

O nosso embaixador anda por Brasília.

Ando à espera da exposição de Matisse.

Este monstro, barrigudo como uma pipa, é um dos legítimos responsáveis da pintura moderna. Bastante idoso grimpava 6 andares aqui em Paris. Grande Matisse.

Nosso afeto sincero para Cristina, e o abraço do seu velho amigo Cícero Dias".

* * *

Durante a ditadura militar no Brasil, a resistência política, em Paris, concentrava-se na "Casa do Brasil", criada por Juscelino com todo o apoio da UNE (União Nacional dos Estudantes), então presidida pelo baiano Raimundo Eirado, e do assessor da Presidência da República para assuntos estudantis, o múltiplo e inesquecível diplomata, poeta, político, teatrólogo e santo Pascoal Carlos Magno.

Os estudantes brasileiros se articulavam, ajudavam os colegas exilados, denunciavam os crimes da ditadura. Josué Montello, adido cultural da embaixada com Bilac Pinto (1969 e 1970), saiu na chegada do general Lyra Tavares. Em 8 de junho de 1970, escrevia no seu "Diário do Entardecer":

— "A embaixada do Brasil em Paris, posta nas mãos de Lyra Tavares, será exercida, estou certo, pelo bacharel em direito ou pelo acadêmico. O militar passou para a reserva".

A NUVEM

Ledo (o adjetivo, não o grande poeta) engano. No dia 18 de junho, Josué anotava no seu "Diário":

— "Tristeza de ver no 'Le Figaro' a fotografia de uma brasileira embarcando na cadeira de rodas para o exílio com as pernas partidas pela polícia política de meu país. Fujo de encontrar-me com amigos franceses, humilhado, triste". Perdeu as pernas na tortura dos "Três Patetas". Um dos quais, o "bacharel em direito", "acadêmico" e "embaixador".

A ditadura tentou fechar a "Casa do Brasil". Não conseguiu, abandonou. Entregou-a ao governo francês, que fez dela uma fundação de propriedade brasileira e direção francesa. Lembro-me bem de que, no fim de 1957, de volta de Moscou, vi o final das obras, inauguradas pessoalmente por Juscelino presidente em 1959. O edifício, moderno, estilo Brasília, é de Corbusier, Lúcio Costa e Oscar Niemeyer. Dois blocos, cinco andares.

Logo que cheguei como Adido Cultural, passei lá um domingo, convidado pelo novo "Comitê de Residentes", presidido pela amazonense Maria Creusa Sousa. Uma bela tarde comendo feijoada, ouvindo música brasileira e relembrando os dias em que tantas vezes lá estive em 1963, 75, 77, 80, como jornalista.

O diretor, um francês simpático, fã do Brasil, Monsieur Piwnik, que não deixou a "Casa do Brasil" fechar, porque assumiu sua direção quando a ditadura cortou as míseras verbas de ajuda e a abandonou, me deu os números da "Cité Universitaire", nos subúrbios de Paris, dentro da qual está a "Maison du Brésil".

— A "Cité" tem 5 mil estudantes (só moram, estudam fora).

— Trinta e sete países têm casas. Mas há estudantes de 101 nacionalidades, vivendo muitos em casas de outros países, como mais de 20 latino-americanos na "Casa do Brasil".

— Três mil estudantes brasileiros já passaram por lá desde 1959.

— Na "Casa do Brasil" são 100 apartamentos (20 por andar), com telefone geral e individual, e duas cozinhas por andar.

— Cada estudante pagava US$ 400 por mês.

* * *

O melhor de Paris são seus fins de semana. Na cidade, com todos os museus, igrejas, exposições, teatros, espetáculos, *shows*, sempre abertos. Ou na estrada, com os encantos de seu interior.

No alto da montanha coberta de neve, o carro deslizou, derrapou, parou. E não saiu mais. Nem para a frente, nem para trás. De um lado, lá embaixo, o infinito abismo todo branco. Do outro, o pico do monte, envolto em nuvens.

Nos Pirineus, entre França e Espanha, estávamos chegando a Andorra, pela fronteira da França, a 160 quilômetros de Perpignan, bem no sul. Era noite, a neve caindo, névoa vestindo, a estrada sumindo. Um metro de neve de um lado, um metro do outro. E a pista estreita, virando gelo, no escuro. A luz do carro não clareava dois metros.

Se fosse no deserto ou nas savanas, não havia socorro nem solução. Mas Andorra é um presépio metido a país. Nas ancas de cada montanha, no fundo dos vales ou no alto dos picos, há sempre um povoado, uma vila, uma cidadezinha sobre as pedras, no meio da neve, como casas de bonecas.

O posto policial mais próximo, pelo telefone, chamou o salvador, o homem das correntes. Chegou em poucos minutos em um carrinho miúdo, velho, feio, sem correntes, que, não sei como andava. Pôs correntes nos nossos pneus, recebeu seus 100 dólares e sumiu na neve e na névoa.

Faltavam só 30 quilômetros para "Andorra la Vella", a capital. Acabamos de subir até 2.500 metros e descemos até mil, no hotel. Andorra é uma ficção. Principado, não tem príncipe, nem rei, nem presidente, nem vice, nem general.

A Europa tem outros principados. Mônaco também no sul da França; San Marino na Itália, que aliás é república parlamentar dirigida por um congresso de Estado; Luxemburgo, Malta, cada um com suas fantasias territoriais e administrativas.

Em Andorra são 55 mil habitantes em 462 km^2. Federação de 7 "paróquias" (pequenas regiões) governada por uma assembleia, um "conselho geral de 23 membros, eleito pelo povo de quatro em quatro anos, que escolhe um chefe de governo, um síndico e um subsíndico". Tem Justiça (a "Corts"). O "Conselho" tem um nome bonito: "Consejo General de los Valles".

Não tem príncipe, mas tem dois co-príncipes: o presidente da França e o bispo de Urgell, na Espanha. A história começa numa lenda. Carlos Magno teria dado Andorra de presente ao filho "Luís, o Piedoso", em 784. Depois os condes de Urgell tomaram e deram para o bispo.

Mas os condes de Foix, na França, também queriam. Brigaram até 1278, quando reis do lado da Espanha e da França impuseram uma paz, que dura até hoje. Andorra pagava dízimos aos bispos de Urgell. Desde 1842, o dízimo foi substituído por um imposto de 1.000 libras, das quais uma parte vai para o bispo e outra é dividida com cada um dos sete vigários de Andorra.

Já houve outras confusões. A Revolução Francesa levou ao rompimento de relações de Andorra com a França, mas em 1806 Napoleão reconheceu a independência de Andorra. E quando Napoleão falava a Europa concordava. Em 1933, um russo, Bóris de Skossyreeff, corrompeu com alguns conselheiros e se proclamou rei. O povo reagiu. A Justiça destituiu o conselho, a polícia francesa foi lá e decretou o "retorno aos quadros constitucionais vigentes", como ocorreu no Brasil em novembro de 1955, para garantir a posse de JK.

Não há registro civil, só eclesiástico. Também não se registram propriedades nem hipotecas (valem os registros dos cartórios particulares). A mesma organização do país vale para as 7 "paróquias", as "comuns" (comunidades), e povoados.

Uma bela democracia comunitária, uma anarquia muito bem organizada. O resto Deus fez. Pequeno, menor do que a gente imagina na escola primária. Mas como é belo! Um país-presépio. Um punhado de montanhas verdes, com os picos cobertos de neve, e lagos, e rios, bosques, flores, pássaros, animais e gente.

Gente que vive em povoados, cidades minúsculas, agarradas nas costas das montanhas, como ostras. Em cada uma delas, uma igreja antiga, muito antiga. Andorra vem de longe. Há sinais dos tempos "neolíticos", da "Idade do Bronze", da pré-história. Depois, os celtas (avós de Roma), os iberos, os andosinos, os vândalos, os alanos, os godos, os árabes. E o cristianismo chegou e tomou conta.

As igrejinhas, quase todas "românicas" de influência "lombarda", penduram-se nos montes, sobre os vales, como joias de pedra. Em cima, os grandes picos de belos nomes: Estany, o mais alto com 2.951 metros; Envalira, Tristaina, Rabassa, Seturia, Camamanya, Estanyo, Siguer, Medacorba, Coma Pedrosa, Llops, Montmalus, Bony de Lês Neres, santuários do esqui mundial. Embaixo 65 rios, lagos maravilhosos a 2 mil metros de altura, alimentados pela neve que chora morro abaixo.

Em uma natureza como aquela, os animais e pássaros fazem a festa. Águias, galo selvagem, perdiz branca, javali, gato montanhês. Você passa pelos caminhos e não entende como eles aguentam aquele frio de 10 graus negativos. E os cavalos e bois estão ali, pastando. Tranquilos como nos presépios da infância.

A arquitetura é toda de pedra. A começar pela bela "Casa de La Vall", sede do governo, em Andorra La Vella, a capital. Chama-se "La Vella" não por ser "A Velha", mas porque "Vella", em catalão, a língua oficial, um espanhol torturado, quer dizer "a cidade", a capital. É uma antiga fortaleza que até 1580 era propriedade particular.

Ao longo dos vales, vão surgindo as pequenas igrejas românicas, de pedra, torres altas e naves miúdas, campanários lombardos do século

XII, como a igreja de San Michel de Engolasters, a de Sant Joan Caselles, Sant Romã de lês Bons, a de Sant Marti ou o que resta da antiga capela de Meritxell, o milenar santuário da Virgem de Meritxell (a Lourdes ou a Fátima de Andorra, padroeira nacional), incendiado e reconstruído.

Esta virgem é uma encantada. Foi encontrada no inverno, na neve, cercada de flores abertas. Levada para a cidade, fugiu e voltou para a sua nave e suas flores de inverno. Levada de novo, tornou a sumir. O povo construiu, então, ali, sua capela-santuário.

O magnífico lago de Engolasters nasceu de um castigo. Uma bela mulher negou um pão a um peregrino, que era Jesus Cristo. A terra se abriu, indignada, e as águas a cobriram e continuaram iluminadas ao sol. Ali, os astros, todos, passam a noite. Devem dormir muito espremidos.

* * *

Abra o mapa da França. Tire uma reta do norte para o sul: Paris, Lyon, Marselha. Antes de chegar a Marselha, está Avignon. É o coração, a capital da Provença. Se você riscar um triângulo, fica perfeito com Avignon dentro. Em cima Orange. Embaixo, Arles. À direita, Aix-en-Provence. À esquerda Nîmes. Em torno, por fora e por dentro, é tudo a Provença, cheia de cidades, vilas, montes, rios, monumentos, palácios, ruínas, eternas lembranças de Roma e da Idade Média.

De Paris para Avignon são 685 quilômetros, pela autoestrada-sul ou de TGV: 300 quilômetros por hora, como na Fórmula Um. De Avignon para Marselha 48 quilômetros. Orange 31. Aix 80. Arles 37. Nîmes 43. St. Rémy 21. De carro é fácil e agradável. Bebe-se nas vinhas, ouve-se o provençal, dialeto francês, e caminha-se entre infinitas amapolas.

Tudo na Provença começa antes de Roma. Quando os romanos chegaram, já outros estavam por ali, havia séculos: os "savari", depois os "celtas", que a chamaram de "Auenion" ("auen" redemoinho das águas e "íon" senhor, "Senhor das Águas", porque viviam em cima dos penhascos sobre o rio Ródano).

Bem antes de Cristo chegaram os romanos a "Massilla", Marselha, e fizeram um porto em "Auenion", que chamaram de "Avenio". Em 1308 começou a acontecer tudo. Roma estava intolerável para os papas, por causa das brigas. Morre o Papa Bento XI em 1304. O Rei da França Filipe, "O Belo", conseguiu fazer Papa o arcebispo de Bordeaux, Bertrand Got, que se negou a ir a Roma para ser consagrado, e recebeu a tiara na catedral de Lyon. Durou pouco.

Em 1309, seu sucessor João XXII instalou-se em Avignon, que Lutero chamou de "maldição babilônica da Igreja". Sete papas franceses moraram lá. Em 1377 Gregório XI voltou para Roma. Os franceses chiaram, elegeram outro papa, o "antipapa" do "Cisma do Ocidente". E se falou na tal da "Papisa". Não deu certo. Devia ser um travesti.

Mas Avignon, hoje com 90 mil habitantes, ficou com esse belo Vaticano-2, o "Palácio dos Papas", 15.000 m^2, parecendo uma fortaleza real, cheio de muros e torres. Na revolução francesa, destruíram os móveis, queimaram estátuas, depois um quartel. Arrancaram pinturas e afrescos. Muita coisa se reconstruiu. A catedral é linda. A ponte, o forte, palácios, tudo medieval. O palácio é centro de congressos e festivais.

Em Orange, no ano 105 antes de Cristo, houve a primeira grande batalha dos romanos contra os "cimbros" e "teutões". Um desastre. Ficaram 100 mil romanos mortos sobre os campos, diz a história. Mas a "segunda legião" de Júlio César veio, viu e venceu (*Veni, vidi, vici*) e construiu "Arausio", de que tanto falam César no *De Bello Gallico*, Tito Lívio e Estrabão.

Tinha quatro vezes mais habitantes do que hoje e os romanos fizeram dela uma pequena Roma, com tudo que havia em Roma: teatro, anfiteatro, termas, circo, arcos, templos. Os bárbaros, alemães, visigodos, foram bárbaros mesmo. Luís XIV, rei da França, invadiu e quase acabou brigando com a Holanda (Guilherme, O Taciturno, era príncipe de Orange e Nassau).

Mas ficou o teatro, construído nos tempos de Augusto. "Único em todo o mundo que conserva intacto, absoluta e milagrosamente, o muro do cenário": 130 metros por 36 de altura, com uma estátua enorme de Augusto bem no meio: 3,55 metros.

Ainda estão lá o "arco" (19 metros, 18 de altura, 8 de fundo), o "ginásio" (400 metros por 80), o "capitólio" (60 metros de fachada).

Em Saint Rémy viveu Nostradamus, em 1503. Também morou ali, em 1889, no velho "Mosteiro de St. Paul de Mausole", depois transformado em clínica mental, Van Gogh, que sofria, segundo o registro de internamento, de "depressão aguda, com alucinações da vista e do ouvido". Ali pintou muito, inclusive o famoso "autorretrato com pincel" e seu olhar alucinado.

No início do século, escavações descobriram a cidade romana de "Glanun", uma Pompeia francesa, de mais de 5 mil habitantes. Ainda há coisas perfeitas, como arcos e mausoléus.

E há Lês Baux, Vaison La Romaine, que o historiador Pompônio chamou de "urbis opulentissima". E Nîmes, onde Agripa, o genro de Augusto que fez o Panteão de Roma, construiu, antes de Cristo, imenso aqueduto para trazer água a Nîmes. Dois mil anos depois está lá: pedras de 6 toneladas suspensas 49 metros, três pontes uma sobre a outra com 275 metros. E a "Maison Carré", templo romano conservado.

* * *

Os reis, todos da França, farreavam lá. Era a Búzios, a Guarujá de Paris. Carlos V, "O Sábio"; Carlos VI, "O Bem-Amado"; Carlos VII, Luís XII, Francisco I, Henrique II, Francisco II, Carlos IX, Henrique III, Henrique IV, Luís XIII, Luís XIV, Luís XV, Luís XVI. E veio a revolução francesa em 1789 e acabou a brincadeira.

De Carlos VI, em 1418 a Henrique III, em 1588, foram 170 anos, quase dois séculos, em que a corte francesa não viveu em Paris, mas à beira do rio Loire, no Vale do Loire, no país do Loire, e ali construíram uma das obras arquitetônicas mais curiosas do mundo, os castelos do Vale do Loire, uma Disneylândia renascentista.

É uma história rocambolesca, como as histórias de reis. Em 1418, o Delfim da França, futuro Carlos VII, fugiu de Paris e se refugiou em Bourges, para livrar-se das "hordas da Borgonha". Tanto gostaram que, mesmo podendo depois voltar, até 1589 preferiram ficar morando à beira do rio encantado, seus afluentes mansos e os bosques inundados de caças, cavalos e cães.

E o Vale se tornou o que Balzac chamou "a ternura real". Uma fantástica Disneylândia de reis, rainhas, princesas, nobres, favoritas e artistas. Até que um dia o povo viu ali "o vale da raiva" e os pôs, todos, a correr.

Geograficamente, politicamente, economicamente, o Vale do Loire é uma "região", o "país do Loire", com 3 milhões de habitantes, 5,4% da população da França, segunda região agrícola do país, 37% de população rural.

Três cidades dominam a economia da região: Nantes, quarto porto da França, importante centro financeiro; Le Mans, a capital dos seguros; e Angers, cidade universitária, 100 museus e 25 grandes castelos. Ao todo são mais de 100.

O que se chama mesmo de "Vale do Loire", a maravilhosa região turística, é um retângulo de 25 mil quilômetros quadrados (250 sobre 100), entre Angers, Orleans e Loches. Com Tours no centro como capital, cercada por Blois, Amboise, Chinon e Saumur. Dentro, 20 dos 50 maiores castelos.

Rodando 500 quilômetros, você faz tranquilamente todo o roteiro dos castelos. Em 3 dias dá bem, com calma. E ainda entra em alguma vinha para beber dentro da cave. Há muitos hotéis em pequenos castelos. Você acorda com cara de barão.

Pertenciam a condes, barões ou senhores feudais sem títulos, mas com dinheiro. A partir de 1418, no fim da Idade Média, os reis da França,

A NUVEM

primeiro os Valois, depois os Orleans, os Angouleme e os Bourbons, foram chegando, comprando, tomando, dando e sobretudo reformando. Pegavam quartéis e transformavam em palácios para eles, famílias, amantes, corriolas.

Acabaram fazendo uma revolução arquitetônica no interior da França. Misturaram a graça da renascença italiana com o gótico francês. Cavavam janelas nas torres sombrias para deixar entrar a luz, derrubavam muros, trocavam fossos por jardins, suspendiam terraços, cercavam tudo de jardins e água, "o espelho da beleza". Em um castelo plantavam até 60 mil flores por ano.

Carlos VIII, durante as campanhas que fez na Itália de 1484 até 1495 tinha aprendido que o poder não estava mais nas fortalezas, que com a artilharia tinham deixado de ser inquebrantáveis. Era a hora da cultura, do charme, das artes, da arquitetura, do luxo.

Trouxe de Nápoles, em barcos e por terra, tapeçarias, ouro, livros, quadros, esculturas e grandes artistas: Domênico de Cortona, o escultor Guido Mazzoni, o arquiteto Fra Giocondo, o jardineiro Dom Facello, decoradores, construtores de órgãos, um fabricante de incubadoras artificiais e um criador de papagaios.

O filho Luís XII continuou trazendo a renascença italiana. Chamou Laurana e Nicolas Spinelli. Mandou Charles de Amboise a Milão, de onde voltou encantado com a riqueza e o luxo dos Visconti; e Francisco I trouxe Leonardo da Vinci, no outono de 1516, acompanhado do empregado Battista, da empregada Mathurine e do discípulo Francesco Melz.

Da Vinci trouxe com ele a "Gioconda", "São João Batista" e "Santana". Ganhou o castelo de Clos-Lucé (ao lado do castelo real de Amboise) e 700 escudos em ouro por ano. O rei só queria dele a conversa.

Da Vinci estudava geometria, arquitetura urbanística, engenharia hidráulica. Projetou castelos, casas desmontáveis, construiu catapultas, metralhadoras, serviços de água. Morreu em 2 de maio de 1519, com 67 anos. Está enterrado na capela do castelo de Ambroise. Há um museu com os trabalhos dele em Clos-Lucé. E foi assim que a "Mona Lisa" virou francesa.

* * *

Apesar da guerra e da história, a Normandia é um paraíso da ecologia, da arte, do mar e dos queijos. Você sai de Paris de carro, entre rios, campos verdes e monumentos seculares, e 200 quilômetros depois está à beira-mar.

Os franceses dizem que a Normandia não é uma província, é uma nação. Desde o século IX os normandos estão ali. Eram os "Northmans" (homens do norte), os *vikings*, os escandinavos, vindos sobre o mar, em seus "*drakkars*", seus barcos loucos.

Antes deles, houve os celtas, os belgas, os ligúrios, os iberos, depois, os romanos e os alemães, mas quem ficou e se impôs foram os *vikings* com sua alma de aventura. Tinham o mar e a terra. Construíram uma "nação" (um ducado) que se imortalizou na história. Seus barcos corriam mundo, conquistaram a Inglaterra, saquearam pau-brasil no Brasil. Seus cavaleiros fizeram as cruzadas, um estado normando na Sicília.

Eram navegadores, corsários, exploradores. Chegaram às Canárias, à Guiné, ao Canadá, à Malásia, criaram a Lousiânia nos Estados Unidos e foram os mártires da libertação da Europa, em 1944. Suas cidades foram destruídas, arrasadas e recriadas, depois dos bombardeios e massacres.

Napoleão dizia que "Paris, Rouen e Havre são uma só cidade, da qual o Sena é a grande rua". E não só o Sena. Há dezenas de rios. De Paris à costa não é uma estrada, é um roteiro.

A casa do pintor Claude Monet fica em Giverny, com seus jardins de ninfeias, onde ele pintou as obras-primas do impressionismo. Ali morreu em 1926 e está no pequeno cemitério.

Ricardo Coração de Leão, rei da Inglaterra, construiu em Chateau-Gaillard, no fim do século XII, para barrar os franceses entre Paris e Rouen, muralhas de 5 metros de largura, três andares. Os franceses tomaram, quase destruindo tudo. Mas o que restou é impressionante.

Em Asuelys, a fonte de Santa Clotilde, que transformou a água em vinho (competente a santinha!), virou local de peregrinação para as mulheres estéreis (não se sabe se graças à santa água ou ao vinho).

Rouen era uma vila gaulesa que os romanos fizeram quartel no século III. Os cristãos ali se implantaram, com São Melão, primeiro bispo. Em 841, os piratas escandinavos a saquearam. Depois, os normandos instalaram sua capital até hoje.

É a "Cidade Ressuscitada". Quando os aliados a retomaram, em 30 de agosto de 1944, edifícios e casas estavam destruídos e a maioria dos monumentos atingida. Mas lá estão sua catedral e seu mosteiro magníficos. Dali Joana D'Arc, a menina louca da França, expulsou os ingleses e foi queimada viva, na praça do velho mercado, em 30 de maio de 1431, cinzas jogadas no Sena. Corneille e Flaubert eram de lá. A casa de Corneille é museu, a de Flaubert (1821-1880), também. Stendhal nas "Memoires d'un Touriste" diz que Rouen é "a mais bela cidade da França, por suas coisas da Idade Média e pela arquitetura gótica".

Sou mais Paris, mas ele tem um pedaço de razão.

Em Forges les Faux, cidade dos ferreiros nos tempos galo-romanos e das águas minerais a partir do século XVII, quando o rei Luís XIII e o cardeal Richelieu descobriram suas fontes, Voltaire escreveu "L'indiscret" e perdia dinheiro no jogo, e os monges rezavam na abadia cisterciense de Beaubec.

Em Saint-Germer de Fly, com magnífica abadia beneditina do século XII, fica o castelo D'Eu, do Duque de Orleans, Louis Philippe, da família do nosso conde D'Eu, marido de Isabel.

Dieppe, trampolim de piratas, corsários e aventureiros, em suas caravelas a caminho das Índias e das Américas, inclusive Brasil, é a cidade dos banhos de mar, onde Delacroix, Renoir, Degas, Gauguin e tantos outros pintores viveram e trabalharam. Hoje, sobretudo, um porto de pesca, terra do Coquille Saint-Jacques, obra-prima da cozinha francesa.

Saint-Valery-em-Caux, terra de Guy de Maupassant, que tanto relembrou em "Boule de Suif" ("Bola de Sebo"), "Une Vie", "La Maison Tellier", seus romances imortais, e que foi quase inteiramente destruída em 1940.

Fécamp, pérola da arquitetura da região, com a Igreja da Trindade e o mosteiro, ambos do século VII, cheios de lendas: ali teriam sido guardados os restos do sangue de Cristo e a figueira do Calvário, entregues a Maria, mãe de Jesus, por Isaac, sobrinho de José de Arimateia.

A cidadezinha tem sua história e sua encantadora eternidade.

* * *

A magia da costa da Normandia tem dois nomes: Etretat e Honfleur. Alphonse Karr, o escritor, disse que se fosse mostrar o mar a um amigo pela primeira vez escolheria Etretat. Não conhece as praias de São Miguel dos Milagres em Alagoas.

Um campo verde cai sobre o mar azul cortado em falésias imensas, penhascos abruptos batidos eternamente pelas águas, com suas costas cobertas de arcos, como enormes elefantes cortados a canivetes. Se Dieppe e Caux são lindas, Etretat é divina. Alto, o monumento a Nungesser e Coli, os pioneiros da travessia transatlântica por avião, que desapareceram no mar. Ali Monet, Matisse e outros ficaram e pintaram.

Em Couverville, pertinho, está o túmulo de André Gide e a lembrança de Paul Valery, que lá muito escreveu. Há cidades balneárias maiores. Trouville e Deauville, com seus hotéis à beira-mar, praias amarelas, inesquecíveis restaurantes (como "Les Vapeurs", em frente ao mercado de peixes de Trouville), cassinos, hipódromos e centros internacionais de turismo para congressos.

"Rays D'Auge", terra da cidra e do conhaque "Calvados". "Pont l'Eveque" com seu queijo famoso. Basteux com seu Carmelo, onde está o túmulo de Santa Terezinha. Cidade museu que em 1944 foi quase totalmente destruída pelo fogo das bombas. Mas a basílica foi reconstruída. "Livarot" e "Cammembert", cidades e queijos, nessa região do queijo onde nasceu a enfermeira Marie Harel que um dia, em 1793, fez um queijo de pasta mole, que virou sinônimo da França, o "Cammembert". Ulgate, onde andaram Émile Zola, Claude Debussy, outros. Abourg, onde Marcel Proust, de 1907 a 1914, andou "em busca do tempo perdido", e eternizou na "Bolbec".

Nimes-Sur-Mer, onde Guilherme, o Conquistador, embarcou em mil barcos com 50 mil homens, atravessou o Canal da Mancha, ocupou a Inglaterra e foi coroado rei de Westminster em 25 de dezembro de 1066.

E duas incríveis abadias, dos homens e das mulheres, em Caen, que o Papa Nicolau II exigiu que Guilherme, o Conquistador, construísse, no século XI para penitenciar-se do pecado de haver casado com a prima Matilde de Flandres.

E Havre, segundo porto da França, terceiro da Europa, quase toda destruída em setembro de 1944: 10 mil casas arrasadas, hoje inteiramente reconstruídas.

Mas há, sobretudo, Honfleur, com seus tetos de ardósia, pequena e eterna joia da França, deitada sobre a foz do Sena e o mar, no alto da colina onde se vai pela "cornicha" ou pela "graça", terra de artistas, pintores, pescadores e pecadores. Por este porto o Brasil ajudou Honfleur a continuar rica e bela. Ali chegava o pau-brasil cortado de nossas florestas ainda ecológicas.

Os nomes não mentem: a Normandia é uma picardia.

* * *

Deus, quando quer proteger, exagera. Pôs Paris bem no coração da Europa Ocidental. De lá, todas as distâncias ficam menores. Para três dias no final de semana, não precisa sair da França. Mas se a amada chegou de longe e você tem uma semana no fim do mês, todos os caminhos levam, a tempo, até onde você queira ir: Madrid, Londres, Amsterdam, Roma, Berlim, Viena, Praga, Budapeste, Copenhague, Estocolmo a terra dos filhos dos *vikings*, Oslo e os miraculosos fiordes da Noruega, Helsinque e o país dos mil lagos. E se você acredita em Papai Noel ou não acredita e quer dar-lhe o troco da infância, espiche a viagem de Helsinque e vá até a Lopônia, como fui, lá no cocuruto do mundo.

Lenda é bom porque não precisa provar. E quando você pode ver a lenda, mais forte ainda ela fica. Puseram Papai Noel na Lapônia porque fica muito longe, perdida no gelo, e quem vai atrás dele ainda tem que pegar um trenó puxado por grandes renas galhudas, depois de descer em um pequeno aeroporto nu, em "Enontekio", só um edifício branco e azul no meio do nada, no Círculo Polar Ártico.

Apesar de Papai Noel e das lendas, a Lapônia é quase um país, uma província da Finlândia com parlamento, um "Conselho Nórdico dos Sames" e a língua "same", oficializada nos tribunais e escolas. A capital é Rovaniemi, fica nas margens do rio Ousnajoki, foi destruída pelos alemães na Segunda Guerra e reconstruída.

E o "Napapiiri", a linha imaginária do Círculo Polar Ártico, onde se vê o sol da meia-noite, vermelho sobre um branco infinito, numa terra em que, no verão, você só tem três horas escuras, mas nos nove meses do inverno só durante três horas não está escuro. E mesmo assim uma luzinha fosca, fraca, fria, besta.

Em "Napapiiri", na marca do Círculo Polar Ártico, fica o escritório de Papai Noel, uma agência dos correios, que recebe milhares de cartas do mundo inteiro e responde uma a uma.

Mas a lenda não iria pôr Papai Noel numa agência de correios. Ele é de "Korvatunturi", em pleno coração da Lapônia finlandesa, do distrito de "Savukoshi", que tem só uns mil habitantes e umas três mil renas, naturalmente todas dele, senão quem iria puxar seu trenó para tantos lugares?

E na branca aldeia de "Sidankila" se realiza, todo ano, um famoso festival internacional de cinema, em junho, o "Midnight Sun Film Festival" (onde, para participar, ninguém é obrigado a usar as grossas sobrancelhas de pelo de rena do Luís Carlos Barreto, certamente um lapão).

* * *

Em Paris, desde a primeira vez pensava em Gilberto Amado, sergipano da pequena Estância e universal como todo gênio:

— "Uma rua de Paris é um rio que vem da Grécia".

Para mim, correu até Jaguaquara.

Paulo Rónai também lembrou Hemingway sobre Paris:

— "Se tens a sorte de teres vivido em Paris quando moço, por onde quer que andes o resto de tua vida ela estará com você porque Paris é uma festa móvel".

E o poeta Murilo Mendes teve medo durante a guerra:

— "Bombardear Paris é destelhar a casa de meu pai".

Cada um vê Paris com os olhos de sua alma. Meu amigo Antônio Carlos Vilaça falava dela como da primeira escola:

— "Paris foi importante para minha geração, uma geração que lia autores franceses. Em Paris pensávamos, éramos".

* * *

Foram 50 anos. Esta é uma história de 50 anos. De 1944, quando saí de Jaguaquara para o seminário, até 1994 quando voltei de Paris para o Brasil.

Lá embaixo da jaqueira da Palmeira, antes dos cinco anos, quando minha nuvem passou e me encantou pela primeira vez, eu já sabia que um dia ela me levaria para a cidade onde mais sonhei, onde mais aprendi, onde mais cresci, onde mais vivi, onde mais me comovi, onde mais amei, onde mais fui amado, Paris.

38
O Que Ficou do Que Passou?

O amor.

Índice Remissivo

A
Abelardo Jurema 144, 187, 304, 378
Abgar Renault 103, 107
Abourg 598
Abraão 528
Acyr Vieira Porto 107
Adalardo 278, 281, 284, 288, 294, 301
Adalardo Nogueira 278
Adalgisa Rodrigues 118
Adão Pereira Nunes 465, 468, 469
Adélia, a Dedé 46
Ademar 117, 144, 145, 175, 244, 335, 336, 364
Ademar de Barros 117, 144, 244, 335, 364
Ademir Andrade 545
Adenil Falcão Vieira 234
Adhemar de Barros 458, 466
Adhemar Ghisi 494, 522
Adil de Oliveira 138
Adilson Augusto 336, 341
Adirson de Barros 362, 363
Adolfo Bloch 190, 439
Adolfo Suarez 398, 403, 404, 405, 498
Adonias Filho 586
Adônis Moreira 129
Adriano 299, 300, 442
Adriano Lisboa 299, 300
Afif 557
Afonso Arinos 179, 486, 510, 511, 559
Afonso Celso Nogueira Monteiro 352
Afonso Celso Pastore 494, 495
Afonso Eduardo Reidy 168
Afonso Guerra 402
Afonso Heliodoro 134
Afonso XIII 398
Afrânio Azevedo 195

Afrânio Lira 327
Afrânio Luiz Lyra 352
Afrânio Lyra 331, 343
Agamenon Magalhães 50, 360
Agatocle 561
Agildo Barata 220, 221, 224, 226, 227, 232
Agnaldo Timóteo 473, 478
Agostinho da Piedade 58
Agostinho dos Santos 268
Agostinho Neto 390, 391
Ailton 327
Airton Soares 539
Alaíde Costa 299
Alaíde Lisboa de Oliveira 103
Alaim Mello 264, 284, 289, 296
Alberico Cordeiro 533, 536
Alberico Souza Cruz 355
Alberto Abissamara 169
Alberto Bevilacqua 561
Alberto Cambraia Neto 130
Alberto Castro Lima 234
Alberto Deodato 165, 179, 180
Alberto Vita 234, 270
Alcântara 297, 494
Alcebíades 518
Alceu Amoroso Lima 5, 130
Alceu Colares 467, 496
Alcides Andrade 29
Alcides Carneiro 144
Alcino João do Nascimento 138
Aldo Arantes 493
Aldo Rebelo 150, 533
Alécio Andrade 582
Alencar (Maurício, Marcelo e Vitor) 360
Alencar Furtado 490, 493, 495

A NUVEM

Alexandre Dumas 73
Alexandre Herculano 53
Alexandre I 441
Alexandre III 441
Alexandre Kafka 360
Alexandre Konder 117
Alexandre Magno 526
Alexandre, o Grande 441
Alfredo Batista Buzugudo 329
Alfredo Bryce Etchenique 387
Alfredo Buzaid 383, 386
Alfredo Sirkis 387, 465, 502
Alice Maria 355
Aliomar Baleeiro 136
Alípio Castelo Branco 327
Alyrio Almeida 24, 25, 26, 28, 92, 94
Alkmin 144, 147, 170, 171, 378, 379, 457
Allan Kardec 585
Allende 388, 437, 438, 445, 499
Almeida Sales 586
Almino Afonso 154, 307, 538
Almir Bezerra 238, 239
Almir Matos 234
Almira 311
Almirante Cândido Aragão 304
Aloísio de Carvalho (Lulu Parola) 25
Alphonse Daudet 585
Alphonse Karr 597
Aluísio Alves 497
Aluísio de Castro 288
Aluísio Ordones 106, 109, 119, 146
Aluísio Ordones de Castro 106
Aluízio Pimenta 104, 106, 107
Álvares de Azevedo 142
Álvaro Campos Lopes 344
Álvaro Rocha 45, 55, 61
Álvaro Vieira Pinto 261
Alves 15, 44, 45, 57, 59, 72, 74, 82, 87, 92,
    93, 112, 114, 136, 147, 156, 188, 299,
    311, 314, 326, 363, 364, 367, 374, 381,
    382, 386, 389, 390, 391, 396, 422, 457,
    458, 465, 490, 492, 497, 508, 586
Alvinho Manolo 151
Alyrio de Almeida 24, 26, 28
Alysson Paulinelli 166, 414
Alziro Zarur 354
Amaral Peixoto 142, 295, 349, 367, 474,
    475, 478
Amaro Xisto de Queiroz 104
Amaury Muller 533
Amazonas Brasil 209
Américo 17, 29, 132, 161, 244, 376, 379,
    382, 386
Américo René Gianetti 161
Américo Tomás 386
Amílcar 346, 347, 350, 561
Amílcar de Castro 346, 350
Ana Ataíde Ferreira da Silva 107
Ana azul 120, 142
Ana Lima Carmo 344
Ana Maria de Jesus 563
Ana Maria Viegas 114

Ana Nery 27
Ana Rita 479
Ana Santayana 573
Anastácio Oliveira 316
Anatole 365
Anaximandro 528
Anaxímenes 528
Anchieta Helcias 510
Andrade 26, 27, 28, 29, 30, 36, 55, 78, 103,
    129, 130, 131, 182, 183, 341, 355, 429,
    451, 465, 467, 487, 494, 495, 545, 546,
    551, 552, 582
Andrade Serpa 495
André Gide 597
André Gustavo Stumpf 481
André Ike Siqueira 151
Andreas Papandreou 512
Andreazza 360, 492
Andreotti 565
Androcles 526
Ângela Torres 457
Ângelo 114, 272
Aníbal 45, 50, 329, 493, 561
Aníbal Teixeira 493
Anísio Félix 235
Anísio Teixeira 362
Anita 563, 564, 565
Anita Garibaldi 563, 564
Aniz Brada 245
Ansorg 103
Antão Vaz Sampaio 15
Antoniel Queiroz 327
Antonin Zapotocky 214
Antônio Augusto 20
Antônio Aureliano Mendonça 130
Antônio Balbino 143, 235, 236, 259, 266,
    351, 419
Antônio Bulhões 226
Antônio Calegari 363, 378
Antônio Callado 387
Antônio Camilo de Faria Alvim 100
Antônio Carlos 240, 319, 327, 347, 412,
    502, 576, 599
Antonio Carlos Coelho 327
Antônio Carlos de Amaral Azevedo 576
Antônio Carlos Magalhães 240, 412, 502
Antônio Carlos Vilaça 599
Antônio Claret 45
Antônio Conselheiro 78, 460
Antonio D'Ávila 470
Antônio de Góis 105
Antônio de Jesus 31, 36, 92, 273, 279, 288,
    291, 316, 334, 346
Antônio Dias 415
Antonio Esteves 327
Antônio Fagundes 556
Antônio Fauet 494
Antonio Fernandes 352
Antônio Gabriel de Castro 130
Antônio Gallotti 412, 418
Antônio Joaquim dos Santos Nery 29
Antônio Luciano 128

Antônio Manoel dos Santos 321
Antônio Maria 82, 268, 586
Antônio Marques 328
Antônio Mazurek 494
Antônio Porfírio dos Santos Nery 27
Antônio Porphirio dos Santos Nery 28
Antônio Prestes 304, 306, 307
Antônio Reinaldo Rabelo 55
Antônio Rezende 225
Antônio Torres 235, 338
Antônio Vieira 82, 112, 267, 586
Antunes Andrade Nery 29
Apelikon 528
Aragon 587
Arduino Bolivar 103
Argemiro Farias 32
Argeu 36
Ari Xavier 114
Arias Navarro 398, 404
Ariovaldo Mattos 234
Aristeu 237, 298, 327, 343, 352, 508
Aristeu Almeida 327
Aristeu Barreto 237
Aristeu Nogueira 298, 343, 352, 508
Aristeu Nogueira Campos 352
Aristides 351, 491, 526
Aristóteles Drummond 437, 438
Arivaldo Sacramento 316
Armando Barreto Rosa 25
Armando Costa 457, 458
Armando Falcão 137
Armando Lopes da Cunha 225
Armando Nogueira 354, 355, 357
Armando Ziller 119
Armen Sarkissian 442
Arnaldo Godoy Cravo 560
Arnaldo Jabor 418
Arnaldo Sussekind 125, 127
Arnóbio 95
Arnon de Mello 546, 555
Arquidamos 518
Arquimedes 234, 561
Arquimedes Gonzaga 234
Artaud 587
Artur da Távola 413, 544
Arthur Evans 523
Arthur José Poerner 352, 369
Arthur Salles 586
Artur Bernardes 162
Artur London 498
Artur Versiani Veloso 103
Artur Virgílio 504
Arturo Frondisi 178
Arturo Ilia 178
Ary de Carvalho 462, 463, 483, 484
Ary Demóstenes de Almeida 352
Assis Brasil 351, 460
Assis Chateaubriand 50, 93, 118, 135, 183
Assis Valente 34
Ataliba Dutra 131
Átila 574, 576
Augusto 15, 19, 20, 45, 48, 51, 54, 62, 63,

64, 70, 72, 74, 81, 82, 85, 88, 92, 99,
106, 118, 130, 159, 184, 188, 190, 291,
296, 307, 321, 333, 335, 336, 341, 344,
347, 351, 352, 354, 356, 367, 384, 385,
413, 488, 526, 582, 585, 593
Augusto Calmon Nogueira da Gama 488
Augusto Comte 585
Augusto Cunha Neto 159
Augusto de Souza 45, 48, 63, 118, 130,
296, 307, 333, 335, 344, 351, 352, 385
Augusto do Amaral Peixoto 367
Augusto Frederico Schmidt 85, 582
Augusto Pinochet 384
Augusto Rezende 190
Augusto Schmidt 188
Augusto Vilas-Boas 347
Aureliano Chaves 414, 416, 417, 443, 496, 511
Aurelino Moscoso 17
Austregésilo de Athayde 408
Auto de Castro 321, 328
Auxiliadora 37, 42, 65, 113, 338
Auxiliadora Franco 113
Avó Generosa 15
Aydano do Couto Ferraz 225, 227
Ayres da Mata Machado Filho 103, 130
Azevedo 126, 142, 161, 195, 245, 551, 576

B
Baby Bocaiúva 476
Baby Pignatari 251
Baden Powell 341
Balbi 585
Balbino 143, 235, 236, 237, 238, 259, 260,
266, 291, 296, 298, 351, 419, 497
Balzac 73, 365, 585, 594
Bárbara 98, 99, 102, 103, 112, 212, 213,
251, 323, 371
Bárbara e Olímpia 98
Barbara Slanka 212, 213
Barbosa Lima 368, 502, 503
Barbosa Lima Sobrinho 502, 503
Batistinha 150, 159, 304
Battista 569, 595
Batum 438, 442
Beatriz 7, 15, 29, 70, 72, 470
Bebel 96, 103, 354
Bendito Montanha 142
Benedito Aurélio 329
Benedito Cerqueira 467
Benedito José de Almeida 45
Benedito Moreira 495
Benedito Valadares 135, 143, 169, 458, 545
Benfeitor Everaldo 25
Benito Barreto 131
Bento Gonçalves 161, 162, 164
Bento Gonçalves Filho 162
Bento Prado 374
Berenice 424, 425, 426, 427
Berilo Peixoto 32
Berlusconi 566, 570
Bernardino Machado de Lima 157
Bernardino Souto-Mayor 540

A NUVEM

Bernini 569
Bertrand Got 592
Bete Azize 533
Bete Mendes 504
Betinho 148, 430
Bias Fortes 112, 135, 144, 415
Bilac Pinto 144, 348, 588
Bizas 527
Blecaute 277, 278
Bocaiúva 476, 478, 482, 483, 484, 485, 487, 490
Bocaiúva Cunha 490
Bogea 264
Boleslav Bierut 211
Bolívar 103, 299, 428, 430, 432, 475, 548
Bolívar Santana 299
Bolnisi 441
Bonifácio José de Andrada 130
Bonifácio José Tamm de Andrada 128
Bonifácio Tamm de Andrada 164
Borges de Medeiros 480, 558
Bóris Casoy 409, 481
Bóris de Skossyreeff 591
Bóris Kolesnikov 455
Bóris Leonidovitch Pasternack 202
Bóris Nicolaievsk 502
Borjalo 170, 171
Bosco Tenório 470
Brandão 82, 476, 478, 482, 483, 484, 485, 486, 487, 541
Brandão Monteiro 476, 483
Brasidas 518
Brasil Helou 532
Braz 20, 37, 89, 103, 326, 390, 410
Braz Augusto 20
Braz Pellegrino 103
Brejnev 438
Bresser Pereira 261
Breton 587
Brigitte Bardot 582
Brito Sozinho 537
Brizola 269, 270, 271, 275, 276, 297, 304, 305, 306, 307, 309, 322, 324, 343, 378, 428, 459, 460, 461, 462, 463, 464, 465, 466, 467, 468, 469, 470, 472, 473, 474, 475, 476, 477, 478, 479, 480, 481, 482, 483, 484, 485, 486, 487, 488, 496, 497, 498, 499, 500, 502, 503, 504, 510, 511, 515, 524, 538, 542, 543, 544, 547, 548, 555, 556, 557, 558
Brusa Neto 270
Buda 58, 548
Bulganin 195, 218
Buñuel 423
Bush 548
Buxbaun 214
Byron 576

C
Cabeleira 284, 285, 286, 287
Cabo Anselmo 303, 304, 306
Cabo Delgado 388

Cabo Torepe 319
Caciolla 567
Caetano 14, 299, 383, 386, 490, 585, 586
Caetano Lopes de Moura 585
Caetano Veloso 490
Café Filho 142, 145, 179, 581
Caiado 56, 292, 293, 324, 357, 557
Caio Prado Júnior 374, 375, 387
Calasans Neto 299
Calder Magnelli 587
Cáliga 321, 322, 323, 324
Calígula 51
Calmon dos Passos 330
Camila Amado 458
Camilla 376
Camilo Alvim 102, 109, 111, 112
Camilo Cienfuegos 195
Camões 52
Cândido Mendes 368
Cândido Ulhoa 180, 181
Cantídio Sampaio 335
Capitão Trindade 163
Cardeal Giovanni Battista Pamphilli 569
Cardeal Marcinkus 565, 566
Cardeal Richelieu 597
Cardeal Salvatore Papalardo 560
Cardeal Suennes 586
Careca 273
Carla Brasileiro 88
Carlinhos Medeiros 353
Carlitos 371
Carlos Acuio 341
Carlos Alberto Andrade Pinto 495
Carlos Alberto Leite Barbosa 565
Carlos Alberto Loffler 412
Carlos Augusto 321
Carlos Bastos 233
Carlos Campos 164
Carlos Chagas 368
Carlos Coelho 327
Carlos de Campos 369
Carlos Drummond de Andrade 103, 130, 451
Carlos Duarte 225
Carlos Dubois 25, 26, 27, 32, 75, 284, 346
Carlos Fonseca 432
Carlos Formigli 45, 53, 55
Carlos Galhardo 338
Carlos Geraldo Langoni 495
Carlos Heitor Cony 318, 326, 340
Carlos Imperial 100
Carlos IX 594
Carlos Jung 481
Carlos Kroeber 112
Carlos Lacerda 135, 136, 180, 244, 292
Carlos Lessa 495
Carlos Libório 235
Carlos Luz 135, 145, 179
Carlos Magno 368, 588, 590
Carlos Mariguella 194
Carlos Martins 350
Carlos Matias 573
Carlos Medeiros 353

Carlos Monforte 501
Carlos Neto 63
Carlos Pena Filho 454, 586
Carlos Prates 357
Carlos Souza Andrade 55
Carlos Tavares 350, 351
Carlos Tram 328
Carlos V 594
Carlos VI 594
Carlos Viacava 495
Carlos VII 594
Carlos VIII 595
Carlos Wilson 338
Carmem Logarella 561
Carmen Cinira Leite de Castro 487
Carmen Miranda 198, 199, 250
Carnaúba 214
Caroline de Mônaco 470
Caroline Fletcher 577
Carone 475, 490
Carraro 570
Carvalho Pinto 497
Casimiro de Abreu 74
Castelo Branco 127, 325, 327, 336,340, 343, 347, 349, 352, 353, 362, 499, 570
Castro Alves 44, 45, 57, 59, 72, 74, 82, 87, 508, 586
Castro Neves 280
Catherine Emmerich 526
Catherine Vanderpool 524
Cauby Peixoto 197
Cazuza 535
Cecília Meireles 333
Celina 533, 573
Celina e Jorge Jardim 573
Celius Aulicus 157, 161, 186
Celso Brant 123, 131, 186
Celso Mello de Azevedo 161, 245
Celso Furtado 238, 261, 368, 374, 495
Celso Machado 170,
Celso Pereira 327
Celso Pessanha 247
Cervantes 108, 131, 365
César 51, 118, 381, 478, 516, 553, 593
César Amaral 573
César Bórgia 108
César Cals 495, 496
César Maia 475, 477
César Mesquita 381, 389
César Zama 50
Cesare Battisti 565, 566
Cesare Pavese 573
Cézanne 105
Chagas Freitas 474, 477, 486
Chaplin 186, 372, 423
Chaquib Cunha Peixoto 130
Chares 523
Charles Aznavour 233
Charles Boyer 127
Charles de Amboise 595
Charles Trenet 233
Charles Vanheke 445

Chateaubriand 50, 93, 118, 121, 135, 139, 183, 265, 368, 585
Che Guevara 156, 195, 255, 387, 564
Cheba 49
Chiaramonte 562
Chiarelli 551
Chico Anísio 380
Chico Buarque 418, 421
Chico Campos 353
Chico Pinto 320, 325, 329, 384
Chirac 566
Cholokov 202
Chopin 585
Churchill 207, 268, 442, 517, 548
Cibilis Viana 468, 480
Cícero 50, 56
Cícero Dias 582, 586, 587, 588
Cid Moreira 355
Cid Sampaio 243, 256
Cirano 92
Cirne Lima 352
Ciro Cardoso 136
Ciro Maciel 181
Ciro Siqueira 152
Clarinha 169, 502
Claude Debussy 598
Claude Monet 596
Claudete Soares 336, 341
Cláudio 51, 586
Cláudio Abramo 177, 409
Cláudio Humberto 538, 539, 540, 544
Cláudio Moacyr 486
Claudio Veiga 585, 586
Claudir Chaves 341
Cleanto Paiva Leite 236
Clemens Sampaio 264
Clemente Mariani 263
Clemilton Almeida 32
Clemir 482, 485
Cleópatra 522, 528
Cleto Falcão 538, 573
Cleto Sampaio Maia 352
Climério Eurides de Almeida 137
Clodoaldo Campos 508
Clos-Lucé 595
Clóvis Pardo 327
Clóvis Salgado 134, 144, 145, 180, 181, 186
Clyton Vilela 316
Coimbra Bueno 175
Colette 585
Conde D'Eu 597
Cônego Curvelo 62, 71, 82
Cônego José de Sequeira 103
Cônego José Trabuco 45
Constantino 442, 525, 526, 527
Consuelo Leandro 244
Copérnico 208
Corbusier 375, 589
Corneille 596
Coronéis Oest 306
Coronel Chico Monte 242
Coronel Everaldo Souza Santos 25, 36

A NUVEM

Coronel Guilherme 25
Coronel Humberto de Melo 283
Coronel José Augusto Vaz Sampaio 15
Coronel Marcionílio 286
Coronel Petronilho Reis de Glória 298
Cosete 247
Costa e Silva 326, 359, 360, 368, 461, 506
Costa Neto 159
Costa-Gavras 498, 584
Covas 342, 510, 542, 544, 545, 546, 547, 555, 557
Cravo Peixoto 347
Craxi 565
Cristina Oliveira 573
Cristina Tavares 504, 545
Cristiniano e Crispim 58
Cristo 58, 59, 62, 71, 87, 123, 124, 148, 176, 177, 207, 314, 440, 441, 455, 516, 517, 518, 519, 520, 522, 523, 524, 525, 526, 527, 528, 529, 533, 535, 548, 559, 561, 563, 574, 592, 593, 597
Cristovam Buarque 494, 495
Crosos 526
Cruz Rios 242, 254, 257
Cyrano de Bergerac 585
Cyro Siqueira 131

D
Dagmar 72
Dagoberto Rodrigues 306
Dalcídio Jurandir 226
Dalva 375
Daniel Krieger 351
Daniel Quintela Brandão 541
Daniel Tourinho 542
Dante de Oliveira 495
Darcy Ribeiro 104, 261, 368, 467, 475, 476, 488, 500, 510, 511, 542
Dario César 553
Dario de Almeida Magalhães 547
Dario de Paula 129, 130
Dario Macedo 540
Dauria Glaucia Vaz de Andrade 27
Davi 422, 471
David Lehrer 387, 392
David Nasser 326, 381
David, o Construtor 441
De Gaulle 54, 136, 460, 498, 516, 524, 536, 548, 581, 584
De Negri 566
Décio de Castro 114
Defourmentill 388
Degas 597
Delacroix 585, 597
Delauro Baumgratz 114
Delfim 382, 399, 438, 594
Delfim Neto 484, 494
Delgado 165, 388
Demétrio 525
Demistóclides Batista 344
Demóstenes Lobo 225
Denis 179

Deodoro 148, 491
Dercio Garcia Munhoz 495
Di Cavalcanti 586
Di Tomasi 252
Diácono Walfrido Teixeira Vieira 45
Dias Leite 131, 586
Dilermando 275
Dilson Funaro 539
Dimas Perrin 141, 142, 155, 167, 444
Dinarte Mariz 243, 256
Diógenes Alves 311
Diógenes Arruda 226
Diógenes Valois 316
Diogo Neto 395
Dionísius 522
Ditador Batista 209
Divaldo Suruagy 546
Djalma Bessa 490
Djalma Falcão 493
Djalma Fernandes 239
Djivali 441
Dolores Ibarruri 401
Dom Aloísio Masella 44
Dom Augusto Álvaro da Silva 63
Dom Avelar Brandão Vilela 82
Dom Cabral 130
Dom Carlos Carmelo 364
Dom Carlos de la Torre 44
Dom Clemente Nigri 89
Dom Evaristo Arns 434, 467
Dom Facello 595
Dom Florêncio Sisínio Vieira 45
Dom Florêncio Vieira 45
Dom Geraldo Anaya 44
Dom Hélder Câmara 369
Dom Jacob Copello 44
Dom Jerônimo de Sá Cavalcanti 314
Dom Jerônimo Tomé da Silva 44
Dom João Nilton 55, 56
Dom Macedo Costa 70
Dom Marcos Barbosa 123
Dom Pedro I 182
Dom Pedro II 70, 286
Dom Romero 434
Dom Sebastião Leme 44
Dom Vital 70
Domênico de Cortona 595
Domiciano 51
Domingas de Freitas 118
Domingos 74, 387, 465, 513
Domingos Alzugaray 178
Domingos Leonelli 337, 340, 509, 539, 545
Domingos Pelegrini 482
Dona Alda 41
Dona Alzira 42
Dona Beatriz 15, 70
Dona Beatriz Cordeiro 72
Dona Carmen 42
Dona Denakê 100, 102, 103
Dona Elisa 66
Dona Erondina 42, 43

Dona Flávia 500, 501, 502
Dona Jamila 98, 104
Dona Lourdes 237
Dona Madalena Andrade 36
Dona Mira 17
Dona Mora 470, 578
Dona Neite 254
Dona Olga 241, 242
Dona Olímpia Maidalchini 569
Dona Sarah 135, 140, 582
Dona Sisínia 39, 40, 41, 42, 43, 103, 452
Dona Tina 15, 16, 45, 46
Doris Monteiro 183
Dorival Caymmi 198, 453
Dostoievski 489
Doutel de Andrade 465, 467, 487
Doutor Campos 19, 20, 21
Doutor Edson Teles 327
Doutor Eliezer 339
Doutor Ericson Cerqueira 327
Doutor Ferreira 249
Doutor Gusmão 327
Doutor Luciano 94
Doutor Machado 101
Doutor Tourinho 288
Dr. Carteia Prado 229
Dr. Fritz 167, 168
Dr. Menandro 75
Dr. Otílio Muniz 301
Duda Mendonça 243, 272
Duque de Caxias 41
Durval 315, 541
Durval Carneiro 327

E
Eça de Queiroz 534
Edgard da Mata Machado 130, 156
Edgard Santos 271, 272
Edison Lobão 490
Edith Piaf 233, 584, 585
Edmar Morel 368
Edmundo Moniz 296
Edmur Fonseca 131
Edson Loureiro 327
Edson Moreira 102, 190
Edu da Gaita 269
Eduardo Borela 118
Eduardo Carlos Pereira 50
Eduardo Catalão 235
Eduardo Farias 369
Eduardo Frieiro 103, 112
Eduardo Gomes 136, 137, 139, 268
Eduardo Suplicy 493
Edvaldo 62
Edvaldo Flores 301
Edvaldo Marcolino 45
Edvard Kardelj 219
Egídio Pereira de Almeida 26
Egídio Tavares 311
Egydio Ferreira Lima 545
Egydio Squeff 226
Elbrick 387

Élcio 160, 162, 163, 164
Élcio Costa 161, 444
Eliana 532
Eliane Cantanhêde 542
Elias Maluco 409
Elizeth Cardoso 299, 521
Elísio 36
Elmo Ribeiro Costa 238
Eloá 422, 423, 424
Elói Dutra 306
Élson de Araújo 316
Eluard 587
Elvio Moreira 327
Elvira 19, 21
Elvira Vaz de Sousa 30
Elvis Presley 250, 251
Elza Martinelli 470
Elzio Dolabela 107
Emanuel Rego 327
Émile Zola 598
Emiliano José 235
Eneas Resque 363
Ênio Fonseca 417
Ênio Mendes 311, 330, 331, 332, 343
Ênio Mendes de Carvalho 352
Ênio Silveira 357, 358, 359
Enrico Berlinguer 195, 208
Epitácio Caó 292, 363
Ernane Galveas 494
Ernani Maia 141
Ernest Renan 73
Ernesto Geisel 325, 382
Ernesto Luís Maia (Newton Rodrigues) 225
Estrabão 593
Esmeraldo de Souza 65
Estêvão Moreira 327
Estilac Leal 365, 366, 368
Etelvino 142, 143
Etelvino Lins 142, 143
Etienne Sourien 164
Euclides da Cunha 60, 76, 79
Euclides Figueiredo 493
Euclides Mello 543
Eugene O'Neill 372
Eugênio de Barros 88
Eugênio Gudin 581
Eugenio Werneck 50
Euler Bentes 424
Eurico Andrade 341
Eurico Furtado 363
Euro Arantes 136
Eva Blum 418
Eva Maria Duarte 175
Evaldo Dantas 409
Evaldo Diniz 358
Evandro Cunha Lima 424, 425
Evandro de Almeida Coelho 114
Everaldo Matias de Barros 344
Everaldo Souza Santos 25, 28, 36
Everardo Públio de Castro 327
Evita Perón 175
Ezequiel Neves 114

A NUVEM

F

Fábio Doyle 123
Fábio e Pedro Paulo Azevedo Pannunzio 195
Fábio Lucas 108, 129, 164
Fabrício Soares 152
Fachinetti 236, 237, 238
Fafs 378
Fagundes Neto 416
Fagundes Varela 74
Falcone 566
Faoro 475
Fedro 50, 92
Felipe Calvo 112
Felipe González 402, 403, 404, 405
Felipe Henriot Drummond 182
Felipe Junot 470
Fenimore Cooper 585
Ferdinand 369, 373
Fernand Braudel 363, 374, 585
Fernanda Montenegro 583
Fernando Afonso 539
Fernando Collor 29, 403, 538, 539, 540, 544, 546, 547, 548, 549
Fernando Collor de Mello 540
Fernando Ferrari 264, 284, 460
Fernando Gabeira 428
Fernando Gasparian 154, 359, 363, 375, 376, 495, 508
Fernando Goes 263
Fernando Henrique 506, 524, 545
Fernando Henrique Cardoso 104
Fernando Leite Mendes 145, 332, 333, 341, 345, 350, 361
Fernando Matos 130
Fernando Sabino 112, 132
Fernando Santana 221, 284, 490, 493
Fernando Souza 55
Ferreira Gullar 88
Ferreira Neto 539, 544
Ferro Costa 305, 306
Feruz Gicovati 387
Fidel Castro 195, 209, 255
Fidelcino Viana 230
Figueiredo 92, 94, 418, 457, 465, 467, 489, 492, 493, 494, 496, 505, 539, 570
Filinto Müller 176
Fiúza de Castro 145, 180
Flaubert 73, 596
Flávio Bierrenbach 493
Flávio Costa 234
Flávio Coutinho 244
Flávio Marcílio 494, 495
Flávio Tavares 159, 343
Flexa Ribeiro 347
Flodoaldo 70, 85
Florêncio 14, 16, 39, 45
Florêncio (o bispo) 14
Floriano 208, 491
Floriano Correa Vaz 107, 113
Floriano Peixoto 275
Florisvaldo Matos 235
Fontourinha 544

Fra Giocondo 595
Fraga Iribarne 402
Francelino Pereira 414, 415, 416, 417
Francesco Melz 595
Francisco Boleixe Fernandes Filho 344
Francisco Cabral 308
Francisco Campos 353
Francisco de Assis Lemos de Souza 352
Francisco de Melo Franco 510
Francisco Drummond 337
Francisco Farias 45
Francisco Hélio Jatobá 538
Francisco I 573, 594, 595
Francisco Igartua 387
Francisco II 594
Francisco Julião 202, 261, 297, 430, 467
Francisco Liberato 341
Francisco Mello 538
Francisco Pedro do Couto 380
Francisco Pinto 288, 320, 323
Franco 72, 178, 369, 398, 402, 403, 404, 406
Franco Montoro 382, 387, 392
Franco Paulino 341
François 158
François Mitterrand 583
François-Ferdinand 373
Frank Sinatra 233, 251, 252, 267, 299, 453
Franklin de Oliveira 50, 270, 395
Franklin Ferraz Neto 327
Frederico II 562, 563
Frei Benjamim de Villagrande 301
Frei Carlos Josafá 297, 342
Frei Lucas 301
Frei Martinho Penido Burnier 148
Frei Mateus 148
Frei Pio 297
Frei Sebastião da Silva Neiva 39
Frei Valeriano 327
Freitas Nobre 508, 509
Fritz 167, 168, 363
Fritz Teixeira de Salles 131
Funaro 539, 540

G

Gabriel 20, 33, 37
Gabriel García Márquez, o Gabo 195
Gabriel Passos 135
Galba 51
Galileu 73
Galvão de Melo 395
Garotinho 469
Gastão Pedreira 231
Gauguin 597
Gavrilo Princip 373
Geangaspare Ferro 560
Geisel 137, 154, 166, 379, 382, 398, 412, 414, 415, 416, 417, 418, 421, 444, 446, 463, 489, 546
General Dwight David Eisenhower 248
General Osório 41, 488
Generosa Vaz de Souza 27

609

Gêngis Khan 441
Genival Rabelo 358
Genival Tourinho 164
George Bidault 136
George Bizet 585
George Bogdanovski 452
George Valter Morrissy 344
Geórgia 155, 207, 212, 213, 409, 438, 441, 442, 447
Georgios Papadopoulos 512
Geraldine Chaplin 372
Geraldo Alves 457, 458
Geraldo Lemos 235
Geraldo Nunes 111, 112, 164
Geraldo Rezende 134
Geraldo Rocha 259
Geraldo Silvino de Oliveira 352
Geraldo Vandré 444
Geraldo-Boi 112
Gerardo Mello Mourão 422, 457
Germano 299
Germano Machado 86
Germinal Ferreira 106, 107, 108
Gerson Mascarenhas 327
Getúlio 29, 94, 126, 135, 136, 137, 138, 139, 140, 141, 155, 223, 260, 268, 294, 312, 365, 366, 367, 368, 457, 460, 461, 468, 479, 480, 500, 544, 556, 557, 558, 587
Getúlio Bittencourt 418
Getúlio Moura 144
Getúlio Vargas 32, 41, 92, 110, 259, 268, 286, 360, 458, 473, 493
Gilbert Becaud 585
Gilberto 41, 91, 96,
Gilberto Almeida 91
Gilberto Amado 586, 599
Gilberto Dolabela 164
Gilberto Freire 587
Gilberto Gil 299
Gilberto Paim 261
Gilberto Reis 55
Gilberto Rodrigues 486
Gildásio 29
Gioachino Rossini 585
Giocondo Dias 243
Giordano Bruno 73
Giorgio Napolitano 566
Giovanni Berlinguer 195, 208
Giscard d'Estaing 583
Giuseppe Garibaldi 563
Glauber Rocha 72, 235, 261, 277, 291, 299, 374, 457
Glícia Meiber Marques de Góes 88
Góes Monteiro 500, 555
Goethe 370, 560
Golbery 467, 474, 478, 484
Goldoni 574
Gomulka 211, 217
Gondim da Fonseca 261
Gorbachev 584
Goya 105, 406
Graça 21, 384, 385, 386

Grace Almeida 91
Graciliano Ramos 37
Gregório Bezerra 150
Gregório Fortunato 137
Gregório XI 593
Grimaldi Ribeiro 244
Guadalupe Montezuma 324, 331, 459
Guerra Junqueiro 54
Guerreiro Ramos 261
Gugon 482
Gugu Mendes 291, 292
Gui de Castejat 470
Guido Mazzoni 595
Guignard Vicente Abreu 154
Guilherme 25, 27, 593, 598
Guilherme Eirado Silva 28
Guilherme I 562
Guilherme Martins do Eirado e Silva 24
Guilherme Palmeira 300, 511, 540, 546,
Guilherme Silva 26, 27, 32
Guilherme Silva Filho 21, 28
Guilhermo Galeote 402
Guillardo Figueiredo 234
Guimarães 138, 173, 174
Guimarães Alves 136
Guimarães Rosa 369, 586
Guinle 343
Günter Grass 469
Gustavo Barroso 31
Gustavo Borges 136
Gustavo Corção 123, 130
Gustavo Magalhães 360
Gustavo Tapioca 235
Guttenberg 370
Guy de Almeida 51

H
H. J. Hargreaves 130
Hadock Lobo 159
Hamilton Chaves 270
Hans Jolowicz 370
Hargreaves 117, 130
Haroldo Cerqueira Lima 418
Haroldo de Andrade 551
Harpagos 529
Héber Maranhão Rodrigues 344
Heckman 447
Heinrich Heine 470
Heitor Garcia 321
Heitor Martins 112, 113, 114
Helena Inês 299
Heli Halfoun 413
Helia Ziller 119
Hélio Adami de Carvalho 171
Hélio Bloch 159
Hélio Carneiro 327
Hélio de Almeida 149, 347
Hélio Duque 269, 337, 340, 363, 364, 384, 493
Hélio Fernandes 357, 358, 381, 413, 462, 484, 495, 503, 504
Hélio Fernandes Filho 484
Hélio Garcia 164, 550, 556

A NUVEM

Hélio Machado 235, 289
Hélio Menegale 180
Hélio Moacyr 341
Hélio Oliveira 341
Hélio Pontes 129, 130, 141
Hélio Ramos 221
Hélio Ribeiro 358
Hélio Santos 118
Heliogábalo Pinto Coelho 271
Helmut Schmidt 469
Heloisa e Abelardo 585
Hemingway 599
Henfil 378
Hennio Morgam Birchal 107
Henri Barbusse 585
Henrique Cardoso 508
Henrique II 594
Henrique III 594
Henrique IV 594
Henrique José 481, 485, 545
Henrique Lima Vaz 148
Heráclito Brito 45
Herbert Levy 342
Herbert Von Karajan 370
Herculano 95, 520
Hércules Correa 304
Hermann Hesse 369
Hermano Alves 374
Hermógenes Príncipe 508
Herodes 71
Heródoto 529
Heron Alencar 234
Hilda Ferro 560
Hilton Gomes 354, 356
Hindenberg Pinto 130
Hipódromos 528
Hipólito Yrigoyen 175
Hiran Ataíde de Aquino 344
Hitler 49, 194, 201, 204, 212, 218, 371, 373, 383, 394, 451, 528, 586
Ho Chi Minh 214, 218
Homero 516, 528, 560
Honestino Guimarães 150
Honorato Viana 239
Horácio 50, 424
Horácio de Carvalho 152, 234, 347
Horácio Macedo 225
Hugo Gouthier 569, 570
Humberto de Mello 308, 311, 314, 315
Humberto e Cristóvão Colombo 46
Humberto Mendes 244, 245
Humberto Oliveira 327
Humberto Saad 510, 511
Humberto Vieira 48

I

Idris I 533
Ignácio de Loyola 341
Igor 436, 437, 438, 445, 446
Ildo Menegheti 497
Ilya Ehrenburg 196, 201, 202
Ilya Grigorievith Ehrenburg 201

Imre Nagy 211, 215
Inácio Alencar 234, 326
Inácio Rangel 236, 495
Ingrid Bergman 113, 408
Ionne Scarpelli 113
Iracema Antunes Calili 344
Iracema Barreto 131
Irene Ravache 354
Irineu Garcia 387, 465
Iris Littieri 354
Irmãos Mendes, Walter e Robson 245
Isaac 597
Isabel 354, 597
Isabelita 178
Isadora Duncan 585
Isaías Alves 93
Isidoro 402, 406
Ismael Nery 27
Israel Dias Novais 465
Israel Pinheiro 188, 348
Issac Akcelrud 226
Ítalo Mudado 112, 114
Itamar Franco 165, 551
Itamar Pires 316
Ivan Ângelo 114
Ivan Barros 130
Ivonildo de Souza 341

J

J. G. de Araújo Jorge 488
J. Veiga 369
J. Vermon 190
Jacó Bittar 463, 469, 470
Jacqueline Kennedy 520
Jacques 29, 70, 149, 151, 169, 188, 258, 308, 312, 320, 326
Jacques Atali 398
Jacques Brel 183, 267
Jacques Champollion 585
Jacques Danon 374
Jacques Dornellas 493
Jacques e Raissa Maritain 70
Jacques Lacarriere 586
Jacques Maritain 131
Jacques Thibault 149
Jacy Camarão 113
Jaime Canet 382
Jaime Dantas 350, 354
Jaime de Freitas 546
Jaime Freitas 362
Jaime Miranda 158
Jair Gramacho 234
Jair Rebelo Horta 170
Jairo 348
Jairo Simões 237, 289
Jake Moore 419, 420
Jakson Barreto 504
Jakson do Lago 468
Jamel Cecílio 118
Jamil Michel Haddad 341
Jan Dlugosz 208
Jane da Mosto 577

611

Jânio 134, 242, 243, 244, 255, 256, 257, 261, 270, 271, 273, 274, 275, 276, 279, 280, 288, 295, 296, 309, 342, 364, 385, 386, 422, 423, 424, 495, 506, 581
Jânio com Lacerda 243
Jânio Quadros 154, 270, 272, 385, 422, 506, 572, 581, 586
Janos Kadar 211, 215
Januário Carneiro 122
Jarbas Maranhão 243
Jarbas Passarinho 506
Jaurès 584
Javert de Araújo 130
Jayme de Almeida 145
Jean Moulin 584
Jeanne Moreau 584
Jean-Xavier Dubois 26
Jecy 473, 480
Jecy Sarmento 473
Jefferson 142
Jenner Alvarenga 112
Jenner Procópio de Alvarenga 106
Jerônimo 44, 314, 315, 327
Jerônimo Jaime 321
Jessé Muniz 328
Jesus Soares Pereira 236
Jô Soares 457, 458, 476
Joana D'Arc 596
João 33, 55, 56, 58, 58, 96, 151, 344, 345, 346, 435, 473, 524, 525, 527, 528, 559, 572, 592, 595
João Agenor 321
João Agripino da Costa Dória 242
João Alberto 365, 366, 368
João Amazonas 223, 226
João Andrade 26, 28
João Batista 58, 71, 150, 214, 215, 221, 225, 232, 234, 235, 595
João Batista de Lima e Silva 214, 221, 225, 234
João Batista de Oliveira Júnior 150
João Batista Figueiredo 415
João Bênio 95, 96, 191, 192
João Borges 311, 332
João Bosco Cavalcanti Lana 108
João Bosco Lana 122, 129
João Calmon 352
João Camilo de Oliveira Torres 103, 130
João Cândido 303
João Cândido Maia Neto 344
João Carlos Meireles 342
João Carlos Teixeira Gomes 235
João Costa 330
João Cunha 493
João de Almeida 55, 92, 93, 95
João Dória 242, 243, 288, 289, 295, 340
João Emílio Falcão 482
João Etienne Filho 131, 132
João Falcão 231, 232, 234, 240
João Félix Andrade 29
João Francisco Lisboa 361
João Gomide Filho 118
João Goulart 134, 135, 136, 144, 147, 264, 271, 275, 304, 305, 311, 347, 466, 475, 497
João José de Almeida 130

João Marchner 112, 369
João Marinho Falcão 231
João Mendes da Costa Filho 291
João Mendes Neto 291
João Mohana 87
João Neiva de Figueiredo 236
João Nelson Sena 418
João Pedro Stédile 431
João Pessoa 158, 244, 327
João Pessoa de Albuquerque 130, 159
João Pinheiro 321
João Ribeiro 475
João Saad 410, 412
João Saldanha 148, 151
João Santana 235, 284
João Seixas Dória 352
João Ubaldo 74
João Ubaldo Ribeiro 235
João Vicente 466
João Vicente Goulart 464
João Vilar Ribeiro Dantas 446
João XXII 592
Joaquim Andrade 494
Joaquim José 17, 28
Joaquim José de Souza 17, 27, 28
Joaquim Mesquita 501
Joaquim Murat 585
Joaquim Nabuco 107, 349
Joaquim Nery 284
Joel Laje 327
Joel Silveira 474
Joffre 180
John Ford 279
John Galbraith 368
John Kennedy 250, 368
John Waine 279
Jorge Amado 59, 190, 191, 201, 225, 369, 380, 428, 453, 560, 561, 562, 586
Jorge Arbage 494
Jorge Bornhausen 511
Jorge Calmon 242, 257
Jorge Carone 490
Jorge de Miranda Jordão 462
Jorge França 363
Jorge Jardim 533, 573
Jorge Konder Bornhausen 117
Jorge Luis Borges 178
Jorge Miranda Jordão 483
Jorge Nagib 278, 279, 288, 294
Jorge Semprun 498, 584
Josafá Marinho 290, 331, 379
José 20, 22, 33, 35, 37, 86, 87, 93, 203, 295, 312, 567
José Adjuto Botelho 164
José Afonso 393
José Américo 29, 132, 244, 376, 379
José Américo de Almeida 376, 379, 382
José Antônio Soares 137
José Antônio Wegner de Castro Alves Araújo de Abreu 45
José Aparecido 161, 174, 179, 255, 280, 296, 364, 385, 422, 469, 502, 547, 586
José Aparecido de Oliveira 136, 160, 173, 310, 357, 382

José Aranha Falcão Filho 328
José Arigó 167
José Augusto 15, 19, 20
José Augusto de Araújo 352
José Batista de Oliveira Júnior 159
José Batista Ferreira Filho 106
José Bonifácio de Andrada 153, 458
José Botafogo Gonçalves 495
José Cabral 152, 161
José Camargo 494
José Cândido de Carvalho 377
José Carlos Almeida 339
José Carlos Dias 392
José Carlos Lisboa 103
José Celso de Macedo Soares Guimarães 382
José Clarêncio Vieira 46
José Colagrossi 154, 465, 467, 478, 487
José Contreiras 235
José Correia 54
José Costa 161, 546
José de Alencar 41, 162
José de Arimateia 597
José de Sá Nunes 55
José Eudes 505
José Falcão 72
José Fayerman Pathé 191, 192, 196
José Flávio Pécora 495
José Fogaça 493
José Francisco Correia 45
José Frejat 150, 468, 478, 480, 488, 510
José Genoino 490
José Geraldo Guimarães 112
José Gerardo Grossi 108, 109, 129, 164
José Gomes Talarico 464, 467
José Gorender 191, 234, 319
José Gregori 159
José Guilherme Mendes 458
José Hermes de Figueiredo Ávila 323
José Honório Rodrigues 475
José Israel Vargas 104
José Joaquim Seabra 25
José Leite Lopes 368
José Lopes da Cunha 235
José Lourdes Almeida 32
José Lourenço 103, 107, 112
José Lourenço de Oliveira 103
José Luís Archanjo 458
José Manoel Fragoso 383
José Maria Alkmim 458
José Maria Guido 178
José Maria Magalhães 493
José Maria Rabelo 136, 157, 374
José Marques 45
José Matos de Iramaia 316
José Maurício 484
José Medrado 332
José Mendonça 115, 117, 131, 134, 148, 157
José Menotti Gaettani 130
José Mojica 75
José Negreiros 482
José Nêumanne 548, 565
José Nêumanne Pinto 410, 555, 558
José Nilo Tavares 114

José Osvaldo de Araújo 103
José Paulo Sepúlveda Pertence 540
José Pena 332
José Pinto Madureira 321
José Pontes Vieira 361
José Prisco 327
José Raimundo Galvão 55
José Ramos Tinhorão 354
José Richa 545
José Sarney 158, 495
José Serra 148, 150, 353
José Soares 341
José Tavares 541
José Teixeira Ramos 326
José Teófilo 316
José Vieira 45, 46, 52
Josef Cyrankiewicz 217
Josimar Moreira 297, 334, 345
Josué de Castro 374
Josué Guimarães 391
Josué Montello 326, 588
Juan Domingo Perón 178
Juarez 145, 175
Juarez Machado 582
Juarez Távora 88, 144, 365, 366
Juca Chaves 188
Juca Nery 32
Judas 71
Judith Pereira da Silva 106
Jules Dessin 513
Jules Michelet 585
Julinho Mesquita 551
Júlio Almeida 45
Júlio César 593
Julio Cortázar 429
Júlio de Castilhos 333, 345, 480, 557
Júlio Mesquita Filho 273, 365
Júlio Sambaqui 298
Júlio Verne 452
Julius Fucik 313, 317
Julival Rebouças 299
Juracy Costa 256
Juracy Magalhães 21, 29, 235, 242, 256,
   259, 266, 268, 286, 332, 352, 542
Juracy Magalhães Júnior 297
Juruna 476, 477, 478
Juscelino 99, 133, 134, 135, 136, 137, 138,
   139, 140, 142, 143, 144, 145, 147, 151,
   152, 162, 169, 170, 171, 172, 175, 178,
   179, 180, 186, 187, 188, 189, 231, 238,
   242, 243, 257, 279, 340, 348, 353, 377,
   378, 457, 460, 461, 479, 495, 499, 551,
   569, 570, 572, 580, 581, 582, 586, 588, 589
Juscelino Kubitscheck 458
Jussara 501
Justiniano 525
Justino Alves Bastos 314
Justino Martins 350

K
Kadafi 533
Kaganovitch 211
Kardec Leme 275

Karlos Rischbieter 495
Kaulza Arriaga 388
Kazantzakis 523
Kerin Hope 523
Khatolikós 442
Khomeinni 569
Khrushev 195, 196, 201, 210, 211, 214, 215, 218, 219, 220, 222, 224, 324
Kivia 501
Klement Gottwald 214
Konrad Adenauer 372
Konstantinos Karamanlis 512
Kotzbue 585
Krak 208

L
La Fontaine 585
La Rochefoucauld 585
Ladário Teles 306
Lamarca 195
Lampião 36, 37, 312, 460
Landulfo Alves de Almeida 92
Lao Tsé 486
Las Casas 104, 157, 159, 374
Laudo Natel 398
Laura, 311
Laura Gasparian 376
Laurana e Nicolas Spinelli 595
Laurindo Ribeiro de Oliveira 328
Lauro Pedreira de Freitas 235
Lauro Scheiffer 130
Lauzier 234
Lazlo Rajk 215
Leandro Amaral 494
Leandro Maciel 244, 255
Lefebvre 585
Leila 277, 278
Leite Chaves 158
Leite Lopes 368, 374
Lênin 73, 147, 195, 205, 548
Leo Batista 355
Leo Etchegoyen 495
Leonardo da Vinci 567, 595
Leonel Brizola 275, 304, 324, 343, 459, 470, 482, 497, 503, 538
Leônidas 266
Leônidas Cardoso 214
Leonor da Silva 118
Leopoldo Oliveira 417
Leovigildo Silva 32
Levy Vasconcelos 235
Lévy-Strauss 363
Líbero Castilho 328
Libório 169, 235
Licio Gelli 566
Lígia 92
Lígio Ribeiro Farias 301
Lily de Carvalho 234, 347
Lily de Carvalho e Marinho 152
Lima Barreto 275
Lincoln 142, 356
Lincoln Brun 354

Linda Batista 95
Lindolpho de Andrade Nery 30
Lino de Matos 255
Lionel Soto 209
Lisâneas Maciel 467, 476, 477
Lisímaco 526
Lomanto Júnior 16, 245, 247, 314, 497
Loreley 470
Lott 145, 179, 188, 255, 274, 326, 347
Louis Philippe 597
Lourdes Bernardes 341, 342
Luana 470
Lucas Nogueira Garcez 143
Luciano Coutinho 495
Lucília Álvares 154, 163, 231
Lúcio Abreu 169, 502
Lúcio Alcântara 494
Lúcio Alves 299
Lúcio Bittencourt 144, 145, 151, 153, 162, 64
Lúcio Bittencout 167
Lúcio Costa 188, 589
Lúcio Mauro 169
Lúcio Meira 188
Ludmila 205, 206, 207, 208, 210, 212, 221, 448, 449
Ludmila Utkina 205
Luís Alfredo Salomão 478
Luís Almeida 237
Luís Augusto 354, 356
Luís Augusto Mendes 291
Luís Bicalho 104, 119, 160
Luís Bonfá 268
Luís Camilo de Oliveira Neto 130
Luís Carlos Barreto 457, 599
Luís Carlos Lamego 337
Luís Carlos Prestes 32, 116, 147, 163, 164, 168, 210, 231, 365, 366, 470
Luís Carlos Santos 422, 424
Luís Casas 447
Luís da Câmara Cascudo 380
Luís Garcia 244, 256
Luís Gonzaga Amaral Andrade 36
Luís Gonzaga Oliveira 44
Luís Jatobá 354
Luís Pais Leme 149
Luís Pedreira 233
Luís Travassos 150
Luís Viana Filho 234, 352
Luís XII 594, 595
Luís XIII 594, 597
Luís XIV 593, 594
Luís XV 594
Luís XVI 594
Luis Yanez 402
Luiz Carlos Santos 364
Luiz Dantes 316
Luiz de Queiroz 321
Luiz Fernando Tironi 494
Luiz Gonzaga 30, 34, 337, 340
Luiz Gonzaga Ferreira 337
Luiz Henrique Dias Tavares 234
Luiz Lameira 118

A NUVEM

Luiz Maranhão 156
Luiz Rodrigues Corvo 352
Luiz Viana Filho 352
Luíza 62, 104, 277, 278, 308, 510, 511
Luíza Brunet 510, 511
Luíza Chirgo 308
Luíza Maranhão 278
Lula 463, 464, 466, 510, 542, 544, 547, 548, 550, 555, 556, 557, 565, 566, 577
Lula Freire 521
Lupicínio Rodrigues 95, 271
Lurian Cordeiro 556
Lutero 73, 592
Luzia Silva 285, 301, 302
Lyra Tavares 588

M
Macedo Soares 347, 382
Machado de Assis 326
Madame Schneider 582
Madre Goretti 291, 292, 346, 347
Madre Rosário 291
Magalhães Pinto 103, 134, 153, 245, 255, 304, 310, 379, 382, 424, 425, 497
Magda Becker Soares 112, 114
Major Vaz 137
Maluf 399, 539, 540, 542, 557
Maluly Neto 533
Manezinho Araújo 334
Manfredo 371
Manoel Carlos Formigli 45
Manoel Conegundes 112
Manoel Costa 504
Manoel de Jesus 316
Manoel Inácio de Souza 65
Manoel Motta 341
Manoel Novais 290, 305, 509
Manoel Pacheco 316
Manoel Pereira 314, 330
Manoel Quadros 313
Manoel São Mateus 321
Manuel Bandeira 131, 326, 451
Mao Tse-Tung 202
Maomé 528, 548
Marcel Proust 585, 598
Marcelo Alencar 488, 510, 511
Marcelo Caetano 383, 386
Marcelo Cerqueira 150, 353, 384, 386
Marcelo Coimbra Tavares 173
Marcelo Cordeiro 509
Marcelo Duarte 234
Márcia 571, 572, 582
Márcia Kubitschek 570
Marcílio Marques Moreira 368
Márcio Moreira Alves 188, 326, 374, 386, 465
Márcio Peixoto 91
Márcio Quintão 114
Márcio Quintão Moreno 106
Marcito 387
Marco Antonio 528
Marco Aurélio 442, 571
Marco Maciel 511

Marco Nanini 457, 458
Marco Polo 377, 452
Marcondes Sampaio 424
Marcos 123, 196, 198
Marcos Bezerra Cavalcante 327
Marcos Freire 379, 424, 427, 541
Marcos Jaimovich 194
Marcos Lins 51
Marcos Sá Correa 305
Marcos Tamoio 347
Marechal Ney 585
Margarida Voulet 26
Margot Fonteyn 254
Maria Amélia 341, 342
Maria Callas 585
Maria Clara 431, 432
Maria Creusa Sousa 589
Maria da Conceição Tavares 368, 495
Maria de Lourdes Dutra 118
Maria de Lourdes Rollemberg Mello 494
Maria do Carmo Souza Nery 347
Maria do Carmo, Carminha 37
Maria Florinda de Andrade Nery 27
Maria Goretti Nery 347
Maria Helena 445
Maria Helena Fagundes 494
Maria Inês 501
Maria José de Queiroz 112, 114
Maria José Souza Santos 25
Maria Lúcia Dias 130
Maria Lúcia Verdi 560
Maria Luíza Bandeira 104
Maria Luiza Falcão Silva 494
Maria Luzia de Souza e Silva 24
Maria Rodrigues 118
Maria Rosalina dos Santos Nery 29
Maria Viriato 105, 108
Mariano Raggio 551
Mariaugusta 268
Marie Harel 598
Mariinha Tavares 345
Marília Pêra 457, 458
Marília Pinto de Carvalho 341, 342
Marilu 338, 342
Marina 113
Mario Alves 156
Mário Alves 367
Mario Casassanta 103
Mario Covas 392, 547
Mario Cravo Júnior 233
Mario da Silva Pinto 236
Mario David Andreazza 360
Mario de Andrade 131
Mário de Andrade 429
Mário de Souza Pinto 344
Mário Gibson Barbosa 383
Mário Henrique Simonsen 495
Mário Jorge Úchoa 540
Mário José Batista 501
Mário Lima 271, 284, 309, 316, 320, 323, 325, 337, 338, 340, 341
Mario Sansone 561

Mario Shemberg 387
Mario Soares 394, 395, 464
Mario Tupinambá 288
Marisa 556
Marisa Raja Gabaglia 380
Maristela 582
Maritanatos 520
Mark Twain 53
Markos Vafiadis 531
Marmontel 585
Marques de Góes Calmon 25
Marquês de Pombal 58, 386, 394
Marquesa de Santos 129, 182
Marta 62, 195
Marta Azevedo 195
Marta Rocha 61, 93, 299
Martha Rocha 272
Marx 147, 148, 164, 199, 200, 369, 377
Mateus 148, 292
Mathurine 595
Matija Gubec 373
Matilde de Flandres 598
Matisse 105, 588, 597
Maurice Druon 585
Maurice Thorez 585
Maurício Chagas Bicalho 188
Maurício Cibulares 478
Maurício Dias 497
Maurício Gomes Leite 114
Maurício Goulart 366
Maurício Grabois 226
Maurício Leite Junqueira 129, 148, 157, 161
Maurício Paiva 387
Maurício Pinto Ferreira 225
Maurício Waissmann 362
Mauritônio Meira 345
Mauro Benevides 424, 425
Mauro Borges Teixeira 352
Mauro Salles 350, 351, 418, 419, 420
Mauro Santayana 179
Mauro Satayana 131
Max da Costa Santos 304, 343, 459
Max Ernst 585
Medeiros 492
Medeiros Lima 368
Médici 359, 360, 362, 363, 376, 377, 383, 572
Melina Mercouri 513, 516
Melo Cançado 130
Mem de Sá 351, 352, 353
Menandro 75, 284, 285, 301, 302
Menandro Minahim 284
Mendes Botelho 539
Mendes de Barros 546
Mendonça Filho 272
Mendonça Neto 546
Meyer Camenievski 147
Gorbatchev 119
Michel Mattar 169
Michel Wilberg 494
Michelangelo 571, 572
Michele 388
Miguel 7, 20, 33, 37

Miguel Arraes 243, 385, 470, 548
Miguel Bodea 469
Miguel Costa 365, 368
Miguel e Gabriel 20, 33, 37
Miguel Faria 418
Miguel Faria Filho 418
Miguel Leuzi 305
Miguel Leuzzi Júnior 343, 344
Miguel Lins 418, 419, 420, 421
Mike Tysson 539
Mikhail Alexandrovitch Cholokov 202
Mikoyan 211
Milano Lopes 501
Millôr 131
Millôr Fernandes 378
Milovan Djilas 218
Milton Almeida 45, 55
Milton Amado 131
Milton Campos 103, 107, 111, 135, 244, 264, 349, 352, 368
Milton Carvalho 327
Milton Cayres de Brito 234
Milton Coelho da Graça 385
Milton Reis 180, 181
Milton Santos 237, 308, 374
Milton Seligman 51
Milton Tavares 331
Mino Carta 398, 400, 416
Minos 523
Miriam Cordeiro 556
Miriam Leitão 507
Miro Teixeira de Chagas Freitas 474
Mitrídates 522
Mitterand 374
Mitterrand 398, 460, 464, 548, 583, 584
Moacir Andrade 29
Moacir Werneck de Castro 226
Moacyr Andrade 546
Moacyr de Andrade 552
Moacyr Laterza 104, 122, 129
Moacyr Werneck de Castro 190
Modigliani 585
Moema 113
Moema Santiago 387, 465
Moisés Lupion 150
Moliére 585
Molotov 211
Mona Lisa 233, 595
Monet 596, 597
Mônica e Júnior 573
Moniz Sodré 235, 360
Monsenhor Aníbal Matta 45
Monsenhor Apio Silva 45
Monsenhor Flodoaldo 70
Monsenhor Marques 82
Monsenhor Salles Brasil 233
Monsenhor Thiamer Toth 77
Monsenhor Trabuco 67, 82
Monserrat 358
Monsieur Piwnik 589
Monsieur Vincent 156, 157
Montand 583, 584, 585

Monteiro Lobato 31, 41
Moreira Franco 474, 475, 488, 510, 511, 579
Morse Belém Teixeira 104
Moura Cavalcanti 382
Mourão Filho 304, 305
Moutinho 48
Muammar Kadaf 534
Múcio Athayde 161
Muniz Falcão 244, 245
Murilo Badaró 164, 415, 416
Murilo Costa Rego 256
Murilo Marroquim 368, 586
Murilo Mendes 123, 599
Murilo Vaz 159, 191, 209
Murilo Xavier de Lima 118
Mury Lídia 363
Mussolini 175, 315, 383, 394, 533, 534, 572, 583
Mustafá Kemal Ataturk 530
Mykoian 195

N
Nabor Cayres de Brito 342
Nabucodonosor Rex 67, 82
Napoleão 54, 191, 349, 418, 450, 516, 548, 576, 584, 585, 586, 590, 591, 596
Napoleão Bonaparte 585
Napoleão Moreira 191
Narciso Pitanga 278
Narville 587
Nat King Cole 233, 252, 253, 299
Natalício da Silva 316
Negrão de Lima 99, 179, 180, 347, 361
Nehemias Gueiros 349
Neite Ramos 247
Neiva Moreira 391, 467, 468, 476
Nelba 51
Nelito Carvalho 268, 333, 338, 341, 342
Nelson Amaral de Britto 341
Nelson Araújo 234
Nelson Carneiro 293, 475, 510
Nelson de Alencar 327
Nelson de Melo 188
Nelson Dourado 328
Nelson Luiz de Franca 55
Nelson Marchezan 494
Nelson Penteado 424, 425
Nelson Pereira dos Santos 453
Nelson Raimundo 138
Nelson Rodrigues 73, 568
Nelson Tabajara de Oliveira 366
Nelson Thibau 164, 165
Nereu 143
Nereu Ramos 142, 143, 145
Nerinho 312, 326
Nerynho 258, 320, 573
Nestor Duarte 234, 237, 509
Nestor Duarte Neto 509
Netércio Almeida 95
Neusa 480
Neuza 482

Newton Carlos 354
Newton Macedo Campos 327, 508
Newton Oliveira 327
Newton Sobral 235
Ney Ferreira 508
Niassia 388
Nícias 518
Nicolas Guillen 191
Nicolau Lalau 107
Nietzsche 292
Nilda Spencer 240
Nilson de Oliva Cézar 240
Nilson Gibson 492
Nilton Alves 492
Nilton Barreto 130
Nina Chaves 582
Nino 31, 33
Niomar Moniz Sodré 360
Nito Alves 390, 391
Nixon 251
Noé 422, 442, 526, 528
Noenio Spínola 299
Norma Benguel 374, 418, 421
Norma Blum 363
Normando Leão 327
Norton Repesta 573
Nossa Senhora do Perpétuo Socorro 19
Nostradamus 593
Nova e Pelé 316
Nude David de Castro 327

O
Octavio de Faria 70
Octávio Dias Leite 131
Octávio Ianni 368
Octávio Mangabeira 62, 234, 235, 259
Odacy 354
Odair Pimentel 341
Odílio Denis 145
Odorico Tavares 82, 586
Oduvaldo Cozzi 344
Olavo Drummond 581
Olavo Jardim 150, 155
Olavo Jardim Campos 154, 159
Olavo Setúbal 495
Olinto Orsini 103
Oliveira Bastos 32, 358, 361, 363, 364, 376, 409
Oliveira Salazar 272
Olívio Dutra 463, 466
Omar Abbud 481
Omar Al-Moukhtar 534
Onassis 48, 520, 522
Onéssimo de Souza Leite 344
Onofre Mendes Júnior 123
Orlando Bomfim 155, 156, 161, 444
Orlando Gomes 232
Orlando M. de Carvalho 103, 136
Orlando Moreira 355
Orlando Moscozo Barreto de Araújo 235
Orlando Silva 42, 89
Orlando Spínola 330, 331, 332

Ortolani 566
Oscar Arias 51
Oscar Cordeiro 72
Oscar de Andrade 78
Oscar Mendes 130
Oscar Milner 118
Oscar Niemeyer 188, 190, 375, 583, 589
Oscar Pedroso Horta 363, 364, 365, 382, 385, 422
Oscar Wilde 585
Osmar Cunha 245, 247
Osório Vilas Boas 289
Ossip Vissarionovitch Djugashvili 441
Osvaldo Aranha 268
Osvaldo Marques de Oliveira 271
Osvaldo Peralva 220, 221, 223, 227, 232, 261, 369
Osvaldo Teixeira 239
Oswaldo Aranha 365, 368
Oswaldo Gusmão 304
Oswaldo Pacheco 304
Otaciano Moura 321
Otacílio (Negrão de Lima) 179
Otacílio Fonseca 235
Otávio 33
Otávio Cesário 494
Otávio de Faria 130
Otávio Dias Leite 586
Otávio Lopes 45
Otávio Medeiros 496
Otávio Name 344
Othon Jambeiro 321
Otolmi Strauch 236
Oton 51
Otoniel Pereira 341
Otto Lara Rezende 132, 380, 418
Otto Maria Carpeaux 70, 326
Ovídio 50
Ovídio de Abreu 170
Oyama Teles 176, 379

P
Persistratos 522
Pablo Iglesias 402
Pablo Neruda 120, 191
Padilha Sodré 169
Padre Alberico de Lima Marques 26
Padre Alberico Marques 32
Padre Almeida 45
Padre Antônio Vieira 112, 267, 586
Padre Augusto Magne 54
Padre Cícero 56
Padre Correia 49, 50, 52, 53, 54, 56, 61, 67, 87, 88, 91, 103, 126, 156, 580, 586
Padre Eliseu 47
Padre Eliseu Mota 45
Padre Ernesto Cardenal 429
Padre Eugênio Veiga 57
Padre Feliciano 49
Padre Feliciano Rodrigues 45
Padre Flamarion 14, 38, 39
Padre Gaspar Sadoc 69, 82
Padre Godinho 422, 424

Padre Guerreiro 82
Padre Heitor Araújo 45
Padre Jocy 70
Padre Jon Svensson 39
Padre Koenan 70
Padre Laje 70, 148, 430
Padre Lebret 109, 110
Padre Luís Palmeira 300
Padre Orlando Vilela 104
Padre Palmeira 300, 301, 302
Padre Pereirinha 69
Padre Pinheiro 69
Padre Pio 297
Padre Reitor 73
Padre Serafim Leite 60
Padre Torrend 87, 88
Padre Veiga 81
Padre Vidigal 103
Padre Viegas 108
Padre Woytila 210
Padres Eliseu, Feliciano, José Loureiro 45
Paes Leme 159
Paganini 269
Palizzi 562
Palmiro Togliati 220
Palmius Paixão Carneiro 157
Paloma 560
Pamphilli 569, 570, 572
Papa Bento XI 592
Papa Inocêncio X 569
Papa João Paulo II 210
Papa Nicolau II 598
Papa Pio XII 190
Paranhos 314
Parsifal Barroso 241, 243
Paschoal Carlos Magno 368
Pascoal Carlos Magno 588
Pasternak 202
Patativa do Assaré 457
Paul Eluard 585, 586
Paul Gauguin 249
Paul Valery 597
Paula Brasileiro 88
Paulino Cícero 129
Paulo Azevedo 195, 551
Paulo Bittencourt 176, 177
Paulo Campos Guimarães 123
Paulo Casé 418, 419
Paulo Cavalcanti Valente 344
Paulo Coelho 453
Paulo de Castro 368
Paulo de Tarso 276, 342
Paulo de Tarso Santos 275
Paulo Egídio 150, 154, 155, 382
Paulo Francis 358
Paulo Gil Soares 292
Paulo Leminsk 482
Paulo Luiz de Oliveira 495
Paulo Maluf 399
Paulo Mário 306
Paulo Marquez 267
Paulo Mendes Campos 132, 426, 586
Paulo Neves de Carvalho 123

A NUVEM

Paulo Nogueira Batista Júnior 495
Paulo Nunes 333
Paulo Pereira Lira 495
Paulo Ribeiro 465, 467, 468, 473, 475
Paulo Rónai 574, 599
Paulo Sarrazate 242
Paulo Vaz 312
Pavarotti 47
Pedral Sampaio 323, 325
Pedreira de Freitas 235, 260
Pedrinho de Itiruçu 287
Pedro Aleixo 135
Pedro Benjamin Vieira 91
Pedro Calmon 52, 53, 260
Pedro Celso Uchoa Cavalcanti 467
Pedro Colin 494
Pedro Collor 547
Pedro Dantas 345, 376
Pedro de Aragão 562
Pedro de Oliveira Bastos 32
Pedro Eugênio Aramburo 178
Pedro Gomes 470
Pedro Gonçalves Barcelos 130
Pedro Gondim 244
Pedro Grossi 400
Pedro Parafita Bessa 104
Pedro Paulo Leoni 538
Pedro Paulo Moreira 230
Pedro Ponde 328
Pedro Rogério 554
Pedro Sampaio 327
Pedro Simon 159, 465, 548, 578, 579
Pedro Vieira 95, 96
Pelé 316, 317, 319, 451
Pelópidas da Silveira 470
Pena Boto 181, 183
Penzo Mazzone 561
Peracchi Barcelos 143, 352
Peralva 165, 166, 220, 223, 224, 329
Peralva Miranda 165
Pereira de Melo 395
Peret 587
Perez Escrich 60
Péricles 517, 531
Perón 175, 176, 177, 178, 259, 368, 479,
    480, 485, 499, 504, 557, 558
Petrônio Portela 158, 382
Philomena 369, 372, 375, 376
Philomena Gebran 363, 368, 406
Picasso 105, 201, 587
Pierre Santos 112
Pietro 566, 569
Pilatos 71, 114
Pinochet 384, 388, 437, 499
Pio Canedo 181
Pio XII 190, 284, 301, 302
Pitágoras 528
Pitigrilli 73
Platão 519, 528
Plínio 145, 175, 443, 444, 445, 526
Plínio Marcos 443, 444
Plínio Mendes Martins 118
Plínio Salgado 31, 32, 71, 73, 144

Policarpo Quaresma 275
Pompeu de Sousa 350
Pompônio 593
Porto Sobrinho 437, 438
Poulyn 526
Pratini de Moraes 494
Príncipe Juan Carlos 398
Prisco 442
Professor Abgar Renault 107
Professor Aluízio 106, 107
Professor José Lourenço 112
Professor Milton Soares Campos 107
Profeta Elias 520
Proust 365, 585, 598
Prudente de Morais Neto 345, 376
Prudhomme 585
Puerto Ordaz 430

Q
Quércia 578, 579
Quintanilha Ribeiro 255

R
Radagasio Taborda 50
Rafael Cincurá 275
Rafael de Almeida Magalhães 425
Rafaelo 532
Raimundo Asfora 492
Raimundo Eirado 21, 150, 187, 255, 268,
    353, 588
Raimundo Emanuel Bastos do Eirado Silva
    353
Raimundo Reis 298, 327
Raimundo Rodrigues 328
Raimundo Schaun 295
Rainha Elisabeth 93
Rajk 215
Rakosi 215
Ramiro Tourinho 542
Ramon 573
Ramon Castillo 175
Ramon Melo César 118
Raul Chaves 336
Raul Mello 264
Raul Pila 143
Raul Ryff 368
Raul Seixas 453
Reagan 548
Rean Mazzone 562
Rei Boleslau I 208
Rei Casimiro, o Grande 208
Reinaldo Jardim 350, 354, 360, 362
Rembrandt 105
Renam Calheiros 538
Renan 71
Renato Mesquita 330
Renato Prado Guimarães 429
René Dubois 27
Renoir 597
Renzo 562
Ricardo Amaral 470
Ricardo Coração de Leão 596
Ricardo Fiúza 494

Ricardo Izar 533
Rivadávia Xavier Nunes 129, 164
Robert Benchley 574
Robert Cocharian 442
Robertão 424
Roberto Arias 253
Roberto Calvi 566
Roberto Campos 362
Roberto Cardoso Alves 364, 422, 490
Roberto Carlos 583
Roberto Costa 140, 141, 142, 155
Roberto D'Ávila 464, 584
Roberto Drummond 128, 146
Roberto Ferreira 321, 326
Roberto Freire 510, 557
Roberto Las Casas 104, 157, 374
Roberto Marinho 139, 350, 354, 551, 570
Roberto Saturnino 424, 508
Roberto Sávio 51
Roberto Silveira 247
Roberto Teixeira Campos 106
Roberto Vermulsa 495
Roberto Viana 495
Rocco Megna 327
Rodolpho Lopis 402
Rogê Ferreira 150, 194
Roger Matin du Gard 148
Rogério Coelho Neto 547
Roland Corbisier 261
Rômulo Almeida 93, 235, 266, 467, 468, 495, 508, 509
Ronaldo César Coelho 544
Ronaldo Lessa 540
Rondon Pacheco 416, 417
Roosevelt 462, 498
Roque Aras 508
Rosa Cardoso 464
Rosalvo 82
Rosete 247
Rosuel 88
Rubem Braga 329, 418, 421
Rubem Paiva 471
Rubem Vaz 136
Ruben Fonseca 380
Rubens Amaral 350
Rubens Romanelli 104
Rubens Vaz 136
Rubião 327
Rudolf Slansky 214
Rui Carneiro 144
Rui Espinheira 328
Ruth Escobar 428
Ruth Vieira 46
Ruy Barbosa 41, 112
Ruy Codó 492
Ruy Ramos 247, 248, 254

S
Sacha 267
Saint Adolfe 585
Saint-Exupéry 79
Salazar 272, 400
Saldanha da Gama 236

Salomé 71
Samir Achoa 533
Samira 533
Samora Machel 388
Samuel Celestino 235
Samuel Duarte 144
Samuel Wainer 136, 251, 469
San Thiago Dantas 36
Sanches Ósório 394, 395
Sandra Cavalcanti 477
Sandra Cavalcanti de Lacerda 474
Santa Terezinha 176, 598
Santana Júnior 364
Santiago Carrillo 400, 402
Santiago Dantas 497
Santo Afonso Maria de Liguori 60, 426
Santo Tomás de Aquino 47
Santorini 519, 520
Santos Dumont 174, 180, 263, 275, 317, 352, 358, 361, 544, 551
Santos Moraes 226
São Francisco de Assis 16, 47, 337
São Paulo 18, 49, 90, 91, 107, 123, 143, 147, 150, 151, 153, 154, 155, 159, 164, 185, 191, 194, 196, 221, 226, 230, 242, 244, 245, 263, 269, 271, 275, 288, 289, 299, 312, 330, 333, 334, 335, 336, 339, 340, 341, 342, 345, 346, 348, 364, 365, 366, 367, 368, 370, 375, 382, 384, 385, 387, 392, 398, 416, 422, 424, 430, 439, 443, 445, 458, 464, 465, 467, 468, 479, 481, 484, 504, 506, 507, 525, 528, 530, 533, 538, 539, 541, 551, 557, 565, 578, 579, 586
São Sebastião 19, 332
Sarah Bernhardt 585
Saraiva Guerreiro 495
Sarney 88, 126, 158, 495, 501, 502, 503, 505, 511, 539, 541, 545, 552
Saturnino 427, 475, 477, 480, 481, 485, 487, 488, 508, 542
Sauer 98
Amsterdan Sauer 98
Saulo Ramos 507
Schmidt 87, 88, 582
Sebastião 20, 29, 39, 40, 62, 63, 64, 71, 102, 180, 295, 320, 345, 473, 588
Sebastião Athayde 488
Sebastião Augusto 20, 45
Sebastião Augusto de Souza Nery 45, 48, 63, 118, 130, 307, 335, 344, 352
Sebastião Carvalho 326
Sebastião Carvalho da Correa Ribeiro 321
Sebastião José de Araújo 344
Sebastião Nery 56, 106, 107, 115, 116, 117, 162, 233, 235, 238, 242, 269, 278, 289, 290, 291, 292, 293, 296, 329, 330, 331, 332, 333, 335, 352, 357, 358, 363, 364, 376, 377, 378, 379, 380, 381, 384, 396, 397, 409, 411, 412, 413, 421, 456, 458, 471, 473, 474, 475, 482, 485, 487, 495, 503, 508, 531, 554, 579
Sebastião Nery Júnior 258
Seixas Dória 352, 490
Sepúlveda Pertence 150, 164, 187, 353, 540
Sergio 136, 137, 470

A NUVEM

Sérgio Augusto 413
Sérgio Buarque de Holanda 475
Sérgio Camargo 374
Sergio Chapelin 355
Sergio Figueiredo 470
Sergio Gaudenzi 321
Sérgio Magalhães 497
Seu Cafezeiro 36
Seu Galdino 46
Seu José Vieira 52
Seu Lindolpho 14
Seu Neco 23, 37
Seu Olegário 40
Seu Vieira 46, 48
Severino Vieira 25, 262
Shakespeare 202
Shaw 365
Shigeaki Ueki 412
Siboney 75
Silio Bocanera 432
Silvério Marques 395
Silvestre de Jesus 316
Silvestre Gorgulho 414, 417, 501, 533
Silvestre Péricles de Goes Monteiro 555
Sílvia Fonseca 424
Silviano Santiago 114
Silvino Caldas 288
Silvio Frota 495
Silvio Garcez Sobral 88
Sílvio Lamenha 308
Silvio Lopes 245, 247
Silvio Pelico 565
Simões Lopes 360
Simone Signoret 584
Simone Weill 588
Sinatra 354
Sinval Bambirra 428
Sinval Galeão 327
Siqueira Campos 363, 365, 366, 493
Sisínia 16, 39, 40, 41, 42, 43, 103, 452
Sizeno Sarmento 309
Sobral Pinto 547
Sócrates 531
Somosa 429, 432
Sophia Loren 277
Spínola 394, 395
Stalin 147, 168, 183, 196, 201, 202, 206, 207, 210, 215, 218, 219, 220, 222, 228, 232, 324, 377, 439, 442, 450, 498
Stefan Tomicic 361
Stela Câmara Dubois 26
Stela Hoyda 531
Stendhal 596
Suleyman 524
Sylvia Bandeira 457, 458

T
Taine 365
Tamar 441
Tamerlão 441
Tancredo Neves 134, 139, 153, 156, 304, 424, 425, 496, 500, 508
Tarcilo Vieira de Melo 188, 235

Tarcísio Holanda 354
Tarso de Castro 418
Tarso Genro 565, 566
Tasso de Carvalho 129
Tatiana Memória 351
Taylor-Egídio 25, 26, 27, 43, 66, 278, 284, 301
Teles de Mileto 528
Tenente Etienne 313
Teodor Koch Grumberg 429
Teodoro Cerqueira de Dias D'Ávila 316
Teodoro Sampaio 56, 87
Teogisto Batista 327
Teotônio 425, 427, 546
Teotônio dos Santos 114
Teotônio Vilela 424, 490
Tereza 33, 37, 295, 325, 326, 573
Terezinha 95, 165, 326
Terezinha Alencar 326
Terezinha Alves Pereira 112, 114
Terezinha Zerbini 428
Tertuliano 152
Thaís 539
Themístocles de Castro e Silva 242
Theodomiro Romeiro 470
Theofilo Almeida 28
Thereza Cesário Alvim 411
Thomas de Kempis 314
Tia Bela 19, 21, 22
Tia Chica 19,
Tia Madalena 90
Tia Nazinha 72, 325
Tia Viva 20
Tibério 51
Tierno Galvan 402
Timoleão 561
Tina Matera 378
Tio Antunes 72
Tio Eufrásio 28, 31
Tio Franco 72
Tio Juca 31, 39, 40, 41
Tiridates 442
Tito 51, 215, 217, 218, 219, 220, 362, 373, 460, 498
Tito Lívio 50, 574, 593
Tito Madi 299
Tom Zé 299
Tomás Coelho Neto 344
Tomasi di Lampedusa 562
Tomaz Pompeu Acioly Borges 236
Toninho Drummond 170
Tote Lomanto 246
Trajano 442
Trajano Pupo Neto 149
Trintignant 374
Tristão de Athayde 70, 326, 376, 396
Trudeau 456
Truman Capote 574
Tuci Lombardo 560
Tucídides 518

U
Ubirajara Brito 191, 193, 209
Ubiratã Khun Pereira 338

Ulysses Guimarães 382, 392, 424, 469, 477, 496, 506, 508, 545, 548, 578, 579
Umberto Ortolani 565

V
Vaisilis Konstantineas 530
Valdir Oliveira 327
Valdo Viana 437, 438
Valeria 470
Valter Wigderowitz 344
Vampeta 288
Van Gogh 105, 593
Vanessa de Oliveira 510, 511
Vânia Bastos 495
Vasco Gonçalves 395
Vasgen Sargisian 442
Vavá 245, 246, 248, 249, 250, 252, 311, 312
Vavá Lomanto 245, 246, 248
Veit Stoss 208
Velásquez 105, 406
Ventimiglia 562
Vera Mata Machado 389
Vespasiano 51
Viana de Assis 352
Vicente Abreu 112, 154, 163
Vicenzo Spinelli 103
Victor Gradin 237
Victor Hugo 308, 470
Victor Konder 225
Videla 499
Vilanova 478
Vilar de Queiroz 495
Vilas Boas Machado 21
Vinícius Caldeira Brant 150
Vinicius de Moraes 586
Virgildásio Senna 289, 545
Virgílio 31, 50, 312
Virgílio Almeida 32, 312
Virgílio de Góis 468
Virgílio e Theophilo Almeida 31
Virgílio Guimarães 138
Virgílio Mota Leal 234, 242
Virgílio Pereira de Almeida 28
Virgílio Sá 299
Virgílio Sobrinho 235
Vital Soares 25
Vitélio 51
Vitor dos Santos 327
Vitorino Freire 88, 159, 382, 509
Vitorino Nemésio 124
Vivalda 37
Vivaldo Neves 327
Voltaire 597
Von Paulus 204

W
Wagner 470
Wagran 585
Waldik Soriano 535
Waldir Borges 149
Waldir Pires 53, 290, 298, 465, 468, 497, 548, 579
Waldomiro 311

Walfrido 46, 47
Walfrido Teixeira Vieira
Walmor Barreto 327
Walmor de Lucca 463
Walmor Giavarina 493
Walter Clark 354, 355
Walter da Silveira 191
Walter Felizola 319
Walter Pires 494, 496
Walter Scott 585
Walter Silveira 193
Wander Moreira 179
Wanderley 32
Washington José de Souza 327
Washington Luís 366, 367
Wilde Lima 325
Will Damaso de Oliveira 130
Willy Brandt 372, 464
Wilmar 312
Wilson 122, 181, 338
Wilson Alves 363
Wilson Figueiredo 121
Wilson Modesto 180, 181
Wilson Sampaio 130
Wilter Santiago 235
Wilton Cardoso 104
Wilton José Gomes de Queiroz 55
Wilton Valença 284, 298
Wladimir Clementis 214
Wladimir Herzog 390
Wladimir Palmeira 300
Wladimir Pomar 326
Wladimir Vlassav 453
Wladyslaw Gomulka 211

X
Xavier da Silveira 472
Xavier Marques 586

Y
Yara Tupinambá 154
Ydernea Milka de Souza 106
Yeda Linhares 374
Yeltsin 584
Yolanda Prado 374
Yoná Magalhães 291
Young 526
Yves Montand 583, 585
Yvete Vargas 467

Z
Zacarias Carvalho 225
Zacarias Taylor 26
Zambezia 388
Zapata 373
Zapatero 404
Zé Kéti 356
Zélia Gattai 560
Zenóbio da Costa 139
Zezinho Bonifácio 153, 444
Ziraldo 105
Zittelmann de Oliva 234
Zola 73, 598
Zózimo 362, 476

Livros do Autor

"Sepulcro Caiado"
(Salvador, 1962, Editora Jornal da Semana)

"Folclore Político 1"
(Editora Polítika, Rio, 1973)

"Folclore Político 2"
(Editora Record, Rio, 1976)

"Folclore Político 3"
(Editora Record, Rio, 1978)

"Folclore Político 4"
(Editora Record, Rio, 1982)

"Socialismo com Liberdade"
(Rio, 1974, Editora Paz e Terra)

"As 16 Derrotas Que Abalaram o Brasil"
(Rio, 1975, Editora Francisco Alves)

"Portugal, um Salto no Escuro"
(Rio, 1975, Editora Francisco Alves)

"Pais e Padrastos da Pátria"
(Recife, 1980, Editora Guararapes)

"Sebastião Nery na Sibéria e Outros Mundos"
(Rio, 1982, Editora Codecri)

"O Cavalo do Carcereiro e o Poder Militar"
(Brasília, 1984, Editora da Câmara Federal)

"Crime e Castigo da Dívida Externa"
(Brasília, 1985, Editora Dom Quixote)

"A História da Vitória – Por que Collor Ganhou"
(Brasília, 1990, Editora Dom Quixote)

"A Eleição da Reeleição – Histórias, Estado por Estado"
(São Paulo, 1998, Geração Editorial)

"Grandes Pecados da Imprensa"
(São Paulo, 2000, Geração Editorial)

"1950 Histórias do Folclore Político"
(São Paulo, 2002, Geração Editorial)